Maria Lúcia de Arruda Aranha
Licenciada em Filosofia pela Pontifícia Universidade Católica de São Paulo
Professora de Filosofia na rede particular de ensino de São Paulo

Maria Helena Pires Martins
Professora Livre-Docente da Escola de Comunicações e Artes
da Universidade de São Paulo

FILOSOFANDO

Introdução à Filosofia

4ª edição revista

Moderna

Moderna

Coordenação editorial: Maria Raquel Apolinário, Eduardo Augusto Guimarães
Edição de texto: Teia Editorial
Assistência editorial: Vivian Kaori Ehara
Preparação de texto: Carlos Zanchetta
Coordenação de *design* e projetos visuais: Sandra Botelho de Carvalho Homma
Projeto gráfico e capa: Everson de Paula
Capa: Mulher sentada, de Pablo Picasso, 1932 / A+comunicação
Coordenação de produção gráfica: André Monteiro, Maria de Lourdes Rodrigues
Coordenação de arte: Maria Lucia F. Couto
Edição de arte: Renata Susana Rechberger
Assistente de produção: Márcia Nascimento, Tais Nakano, Daniela Máximo
Cartografia: Alessandro Passos da Costa
Ilustradores: Carlos Caminha, Vicente Mendonça, Paulo Manzi
Coordenação de revisão: Elaine Cristina del Nero
Revisão: Iolanda Maria do Nascimento, Todaescrita Serviços Ltda.
Coordenação de pesquisa iconográfica: Ana Lucia Soares
Pesquisa iconográfica: Maria Helena Pires Martins (unidade 7 e capítulo 5), Ricardo Fabbrini, Cristina Mura
As imagens identificadas com a sigla CID foram fornecidas pelo Centro de Informação e Documentação da Editora Moderna.
Coordenação de *bureau*: Américo Jesus
Tratamento de imagens: Pix Art
Pré-impressão: Hélio P. de Souza Filho, Marcio Hideyuki Kamoto, Everton L. de Oliveira
Coordenação de produção industrial: Wilson Aparecido Troque
Impressão e acabamento: Ricargraf

Dados Internacionais de Catalogação na Publicação (CIP)
(Câmara Brasileira do Livro, SP, Brasil)

Aranha, Maria Lúcia de Arruda
Filosofando : introdução à filosofia / Maria Lúcia de Arruda Aranha, Maria Helena Pires Martins. – 4. ed. rev. – São Paulo : Moderna, 2009.

Bibliografia.

1. Filosofia 2. Filosofia - Introduções
I. Martins, Maria Helena Pires. II. Título.
III. Título: Introdução à filosofia.

09-09113 CDD-101

Índices para catálogo sistemático:

1. Filosofia : Introdução 101

ISBN 978-85-16-06392-4 (LA)
ISBN 978-85-16-06393-1 (LP)

EDITORA MODERNA LTDA.
Rua Padre Adelino, 758 - Belenzinho
São Paulo - SP - Brasil - CEP 03303-904
Vendas e Atendimento: Tel. (0_ _11) 2602-5510
Fax (0_ _11) 2790-1501
www.moderna.com.br
2011
Impresso no Brasil

1 3 5 7 9 10 8 6 4 2

Agradecimentos

Agradeço ao professor Ricardo Fabbrini, que se dispôs a fazer a leitura crítica de grande parte deste livro e muito me auxiliou no processo de revisão, atualização e ilustração da obra.

Agradeço também à Cristina Mura, que sugeriu imagens para a Unidade de Filosofia das Ciências.

Desejo ressaltar que, se muitos dos acertos devo a eles, as eventuais divergências são de minha exclusiva responsabilidade.

Maria Lúcia de Arruda Aranha

Outras obras das autoras

Maria Lúcia de Arruda Aranha

Temas de filosofia. 3. ed. São Paulo: Moderna, 2005 (coautoria).

Filosofia da educação. 3. ed. São Paulo: Moderna, 2006.

História da educação e da pedagogia, geral e do Brasil. 3. ed. São Paulo: Moderna, 2006.

Maquiavel, a lógica da força. 2. ed. São Paulo: Moderna, 2006 (Coleção Logos).

Da coleção "Aprendendo a Com-Viver":

Qual é a graça?; *O bom e o mau do humor*; *A praça é do povo, política e cidadania*; *A bússola e a balança, por um mundo mais justo* (Moderna, 2001).

Viver em família, reinventando os laços; *Entre a espada e a palavra, violência ou diálogo?* (Moderna, 2007).

Maria Helena Pires Martins

Temas de filosofia. 3. ed. São Paulo: Moderna, 2005 (coautoria).

Da Coleção "Literatura Comentada":

Gianfrancesco Guarnieri. (Abril Cultural, 1980).

Nelson Rodrigues. (Abril Cultural, 1981).

Da Coleção "Aprendendo a Com-Viver":

Eu e os outros, as regras da convivência; *Somos todos diferentes! Convivendo com a diversidade do mundo*; *Preservando o patrimônio e construindo a identidade* (Moderna, 2001).

O prazer das compras, o consumismo no mundo contemporâneo; *Amor, paixão e amizade*: relações afetivas na adolescência (Moderna, 2007).

Apresentação

Apresentamos a quarta edição do *Filosofando — Introdução à Filosofia*. Queremos continuar atendendo ao público que nos tem distinguido, seja você um aluno do ensino médio, das universidades, ou um leitor que deseja ampliar seu contato com os temas filosóficos, a partir das ideias dos grandes pensadores.

A primeira intenção de uma introdução à filosofia não é a de formar filósofos. Embora eventualmente possa despertar vocações, visa contribuir para aprimorar as discussões filosóficas de todos que reconhecem a importância da filosofia para a compreensão do mundo.

Todos nós sempre nos colocamos questões de natureza filosófica: O que é o ser humano? Ele é livre? O que é conhecimento? Que tipos de valores orientam a ciência? O que é ser justo? O que caracteriza um bom político? Que tipo de conhecimento a arte nos propicia? Deus existe? O que é ser moral? O que é democracia?

É importante conhecer o pensamento dos filósofos não para nos guiarmos por eles, mas para entrarmos em contato com suas ideias e as controvérsias que desencadearam, ampliando desse modo nossa capacidade de compreensão, para que possamos continuar pensando por conta própria, seja nas reflexões pessoais, seja nos estudos ou na atuação profissional.

É verdade que a filosofia trabalha com conceitos, mas isso não significa que ela se distancia da vida. Ao contrário, ela nos ajuda a voltar nosso olhar para o cotidiano, interrogando as verdades dadas e descobrindo novos significados para nossa existência, nossas relações no convívio humano e com a natureza.

A proposta de trabalho

Como resultado de nossa experiência em sala de aula, optamos desde o primeiro momento pela abordagem *temática*, por permitir melhor contextualização dos assuntos e aproximar o aluno da realidade vivida. No entanto, não descuidamos de manter a *história da filosofia* como referencial constante, estabelecendo com ela o fio condutor da discussão dos temas.

A presente edição é constituída por 37 capítulos distribuídos em sete unidades. Cada capítulo tem um texto básico elaborado em linguagem clara e acessível, e a maioria deles conta com *leituras complementares*, que visam ampliar as discussões e propiciar o contato com textos de outros autores.

Cada capítulo é finalizado com propostas de *atividades* que visam desenvolver competências de compreensão, interpretação e problematização, bem como de elaboração pessoal do texto dissertativo.

Essa reedição traz, no final do livro, tópicos que constituem precioso apoio para o leitor:

- *Sugestões* de filmes, livros e *sites*.
- *Quadro cronológico* das correntes filosóficas e dos eventos históricos desde o século VI a.C. até os nossos dias.
- *Vocabulário* dos principais conceitos e termos filosóficos utilizados no livro.
- *Orientação bibliográfica*, em que as obras são indicadas por assunto.
- *Índice de nomes* para facilitar a rápida localização dos autores citados, incluindo datas, local de nascimento e área de atuação.

As alterações desta edição

Durante os vinte e três anos que nos separam da primeira edição, em 1986, nosso livro teve três reedições e inúmeras reimpressões devido à aceitação do público. Por isso as reformulações desta quarta edição visam atualizar e enriquecer a obra, sem descaracterizá-la. Antes de iniciarmos esta reedição, submetemos a obra à avaliação crítica de experientes professores universitários e do ensino médio, que nos deram valiosas sugestões, atentos ao retorno da filosofia ao currículo das escolas do ensino médio. E nós mesmas seguimos sendo severas críticas de nosso trabalho.

De maneira geral, a reestruturação exigiu a inclusão de alguns capítulos, a exclusão de outros e o remanejamento de temas, além de uma completa revisão, sempre atentas às questões contemporâneas. Enriquecemos o *Filosofando* com um projeto gráfico mais dinâmico e colorido e ampliamos o número de imagens, que não servem apenas como ilustração, mas também funcionam como elementos de reflexão, com textos-legenda que as interpretam e as integram ao esforço de conceituação.

No *Suplemento para o Professor* mantivemos a introdução sobre a metodologia do ensino de filosofia, os instrumentos úteis para a elaboração de trabalhos (fichamento, dissertação e seminários) e orientações gerais sobre as atividades.

Na expectativa de que o livro continue servindo aos propósitos que nos animaram desde o primeiro momento, estamos abertas à apreciação crítica dos leitores.

As autoras

Sumário

CHAGALL, MARC, "O PASSEIO", 1917-18, LICENCIADO POR AUTVIS, BRASIL, 2009

ERICH LESSING/ALBUM ART-_ATINSTOCK

PALÁCIO APOSTÓLICO, VATICANO, ROMA

SERVICE HISTORIQUE DE LA MARINE, VINCENNES, FRANÇA

RMN/RÉUNION DES MUSÉES NATIONAUX-OTHER IMAGES

DACS-GIRAUDON/BRIDGEMAN ART LIBRARY/ KLEE, PAUL. RED BALLOON, 1922. LICENCIADO POR AUTVIS, BRASIL, 2009

MUSEU DO PRADO, MADRI

MUSEU DO PRADO, MADRI

ACERVO DA ARTISTA

CORTESIA DA ARTISTA OLÍVIA NIEMAYER

UNIDADE 1

Descobrindo a filosofia

Observe essas três telas, produzidas por artistas conhecidos por sua qualidade artística e pela ousadia de suas interpretações da realidade: Amedeo Modigliani, Pablo Picasso e Salvador Dalí. As figuras das mulheres destoam, e muito, do que seria o fiel retrato de um rosto feminino.

Por que esses artistas pintam assim, já que saberiam desenhar o modelo tal como ele é?

Vamos fazer um paralelo entre o trabalho do artista e o do filósofo. Para tanto, contamos com a ajuda de dois filósofos franceses, Gilles Deleuze e Félix Guattari, cujo texto aqui resumimos: quando refletimos, procuramos ordenar nosso pensamento para nos proteger do caos, das ideias fugidias. No entanto, a arte, a ciência e a filosofia exigem mais do que isso, pois elas não buscam certezas definitivas. Baseando-se em um texto do escritor David-Herbert Lawrence, "O caos e a poesia", Deleuze e Guattari afirmam:

> “os homens não deixam de fabricar um guarda-sol que os abriga, por baixo do qual traçam um firmamento e escrevem suas convenções, suas opiniões; mas o poeta, o artista abre uma fenda no guarda-sol, rasga até o firmamento, para fazer passar um pouco do caos livre e tempestuoso e enquadrar, numa luz brusca, uma visão que aparece através da fenda. [...] Então, segue a massa dos imitadores, que remendam o guarda-sol, com uma peça que parece vagamente com a visão. [...] Será preciso sempre outros artistas para fazer outras fendas, operar as necessárias destruições, talvez cada vez maiores, e restituir assim, a seus predecessores, a incomunicável novidade que não mais se podia ver.”

O que é filosofia? Rio de Janeiro: Editora 34, 1992. p. 261-262.

Mulher chorando.
Pablo Picasso, 1937.

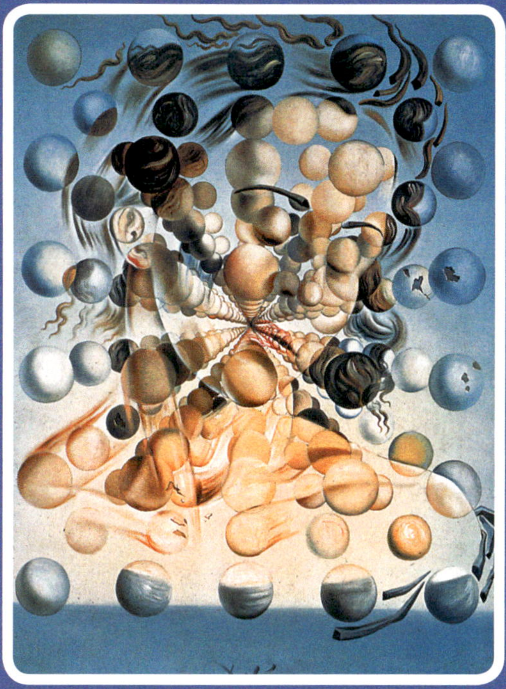

Galatea das esferas. Salvador Dalí, 1952.

Madame Zborowska. Amedeo Modigliani, 1918.

O que o texto nos diz? Diz que esses artistas romperam com as convenções da arte acadêmica, que buscava a reprodução fiel da realidade: "abriram uma fenda no guarda-sol", o que introduz o "caos" no nosso olhar cotidiano, acostumado a um certo modo de ver. O artista subverte nossa acomodada sensibilidade e nos convida a apreciar o novo. Até quando? Até o momento de abrir novamente outras fendas e reintroduzir o caos...

Agora, reescreva com suas palavras o que os filósofos Deleuze e Guattari afirmam sobre a função do artista e do filósofo de abrirem "fendas no guarda-sol das opiniões prontas".
Em que sentido eles "instauram o caos"? Que tipo de caos?

Capítulo 1

A experiência filosófica

A queda. Denis Darzacq, 2006.

O que você vê? Um homem caindo?

Nem sempre o real é o que nos parece ser...

Olhe de novo: uma certa estranheza no "modo de cair" põe em dúvida nossa constatação inicial. Intrigados, nos perguntamos sobre o significado daquele movimento: O que é isso? O que vejo de fato?

Essa fotografia faz parte de uma sequência de imagens de dançarinos-malabaristas de rua de Paris. Nela o fotógrafo conseguiu flagrar o momento exato em que um dançarino está no meio de uma pirueta. Essas fotos constituem a série *Queda*, que lhe rendeu o prêmio da World Photo 2007. Nelas, Darzacq imprimiu às imagens de aparente queda livre sua percepção das mobilizações de jovens, a maioria estudantes, que em 2006 agitaram a França em protesto contra as dificuldades de emprego para as novas gerações do país.

Qual é a relação que podemos fazer entre nossa primeira reação diante da imagem e a experiência filosófica? Depois de ler o capítulo, responda a essa pergunta indicando uma ou mais passagens que se relacionem com a percepção que você teve da imagem.

1 Como é o pensar do filósofo?

Leia o relato do filósofo francês André Comte-Sponville:

[...] A cena se desenrola no início do século XX, num lugarejo da França rural. Um jovem professor de filosofia passeia com um amigo e encontra um camponês, que seu amigo conhece, lhe apresenta e com o qual nosso filósofo troca algumas palavras.

— O que o senhor faz? — indaga o camponês.

— Sou professor de filosofia.

— Isso é profissão?

— Por que não? Acha estranho?

— Um pouco!

— Por quê?

— Um filósofo é uma pessoa que não liga para nada...

Não sabia que se aprendia isso na escola.

Na continuidade do texto, Sponville assim comenta o diálogo:

O que é um filósofo? É alguém que pratica a filosofia, em outras palavras, que se serve da razão para tentar pensar o mundo e sua própria vida, a fim de se aproximar da sabedoria ou da felicidade. E isso se aprende na escola? Tem de ser aprendido, já que ninguém nasce filósofo e já que a filosofia é, antes de mais nada, um trabalho. Tanto melhor, se ele começar na escola. O importante é começar, e não parar mais. Nunca é cedo demais nem tarde demais para filosofar, dizia Epicuro [...]. Digamos que só é tarde demais quando já não é possível *pensar* de modo algum. Pode acontecer. Mais um motivo para filosofar sem mais tardar[1].

THE BRIDGEMAN ART LIBRARY - KEYSTONE - PINACOTECA DI BRERA, MILAN, ITALY

Heráclito e Demócrito, afresco de Donato Bramante, c. 1500. O artista representa uma velha história sobre os pré-socráticos Heráclito e Demócrito (séc. V a.C.), segundo a qual o primeiro era o "filósofo que chora" e o outro o "filósofo que ri". De que pode chorar ou rir um filósofo quando reflete?

O texto de Sponville termina com uma constatação: a de que só não filosofam aqueles para quem "já não é possível *pensar* de modo algum". Nesse ponto, cabe a pergunta: afinal, só pensa e reflete quem filosofa? É claro que não, já que você pensa quando resolve uma equação matemática, reflete criticamente ao estudar história geral, pensa antes de decidir sobre o que fazer no final de semana, pensa quando escreve um poema.

Então, que tipo de "pensar" é esse, do filósofo? Não é melhor nem superior a todos os outros, mas sim *diferente*, porque se propõe a "pensar nossos pensamentos e ações". Dessa atitude resulta o que chamamos *experiência filosófica.* Ao criar conceitos, os filósofos delimitam os problemas que os intrigam e buscam o *sentido desses pensamentos e ações*, para não aceitarem certezas e soluções fáceis demais.

Se olharmos com atenção esta tira do cartunista argentino Quino, constatamos que Mafalda faz uma interrogação filosófica sobre o sentido da existência, mas seu amigo Felipe quer se livrar o mais rapidamente dessa questão, ou seja, recusa-se a essa forma de pensar.

JOAQUÍN SALVADOR LAVADO (QUINO)

Tirinha da Mafalda, personagem criada pelo argentino Quino. *Mafalda 3*, 1968.

1 COMTE-SPONVILLE, André. *Dicionário filosófico*. São Paulo: Martins Fontes, 2003. p. 251-252.

JOAQUIN SALVADOR LAVADO (QUINO)

Tirinha da Mafalda, personagem criada pelo argentino Quino. *Mafalda 3*, 1968.

Os que acompanham o trabalho de Quino sabem que Manolito tem uma mentalidade pragmática. Por isso, nesta outra tira, promete dar uma resposta no dia seguinte, sem perceber que essa pergunta fundamental não depende de procurar uma informação qualquer. Trata-se de um problema filosófico permanentemente aberto à discussão e para o qual não existe resposta unânime.

2 A filosofia de vida

Talvez você tenha percebido que existe outra ideia permeando a explicação dada por Sponville no início do capítulo: a de que é possível a qualquer pessoa propor questões filosóficas. De fato, na medida em que somos seres racionais e sensíveis, sempre damos sentido às coisas. A esse "filosofar" espontâneo de todos nós, chamamos de *filosofia de vida*. A propósito desse assunto, o filósofo italiano Antonio Gramsci diz:

> não se pode pensar em nenhum homem que não seja também filósofo, que não pense, precisamente porque o pensar é próprio do homem como tal. [2]

Então as questões filosóficas fazem parte do nosso cotidiano? Fazem sim. Quando alguém decide votar em um candidato por ser de determinado partido político; quando troca o emprego por outro não tão bem remunerado, mas que é mais de seu agrado; quando alterna a jornada de trabalho com a prática de esporte ou com a decisão de ficar em casa assistindo à tevê; quando investe na educação dos filhos, e assim por diante. É preciso reconhecer que existem critérios bem diferentes fundamentando tais decisões, pois há valores que entram em jogo nessas escolhas, e a indagação sobre os valores é uma tarefa filosófica.

Quantas vezes você já se perguntou sobre o que é o amor, a amizade, a fidelidade, a solidão, a morte? Certamente, não só pensou sobre esses assuntos, como eventualmente discutiu a respeito com seus amigos, observando que às vezes os pontos de vista não coincidem. Essas divergências também ocorrem entre os filósofos.

Com isso, não identificamos a filosofia de vida com a reflexão do filósofo propriamente dita, mas notamos que as indagações filosóficas permeiam a vida de todos nós. Os filósofos especialistas conhecem a história da filosofia e levantam problemas que tentam equacionar não pelo simples bom-senso, mas por meio de *conceitos* e *argumentos* rigorosos.

Por conta dessa afinidade que todos temos com o filosofar, parece claro que seria proveitoso sabermos um pouco sobre como os filósofos se posicionaram a respeito de determinados temas. Desse modo, você poderá enriquecer sua reflexão pessoal por meio de uma argumentação mais rigorosa, o que não significa sempre concordar com eles. Muito pelo contrário, a discussão filosófica está sempre aberta à controvérsia.

3 Para que serve a filosofia?

Retomando o texto de abertura do capítulo: será que a opinião do camponês destoa do que muita gente pensa a respeito do filósofo, quando diz ser ele "uma pessoa que não liga para nada"? Essa ideia não estaria ligada a outra: a de achar que a filosofia não serve para nada?

Afinal, qual é a "utilidade" da filosofia?

Vivemos num mundo que valoriza as aplicações imediatistas do conhecimento. O senso comum aplaude a pesquisa científica que visa à cura do câncer ou da aids; a matemática no ensino médio seria importante por

> **Pragmático.** No contexto, aquilo que diz respeito à aplicação prática, à utilidade.

[2] GRAMSCI, Antonio. *Obras escolhidas*. São Paulo: Martins Fontes, 1978. p. 45.

"cair" no vestibular; a formação técnica do advogado, do engenheiro, do fisioterapeuta prepara para o exercício dessas profissões. Diante disso, não é raro que alguém indague: Para que estudar filosofia se não vou precisar dela na minha vida profissional?

De acordo com essa linha de pensamento, a filosofia seria realmente "inútil", já que não serve para qualquer alteração imediata de ordem prática. No entanto, a filosofia é necessária. Por meio daquele "olhar diferente", ela busca outra dimensão da realidade além das necessidades imediatas nas quais o indivíduo encontra-se mergulhado: ao tornar-se capaz de superar a situação dada e repensar o pensamento e as ações que ele desencadeia, o indivíduo abre-se para a mudança. Tal como o artista, a que nos referimos na abertura do capítulo, ao filósofo incomoda o imobilismo das coisas feitas e muitas vezes ultrapassadas.

Por isso mesmo, a filosofia pode ser "perigosa", por exemplo, quando desestabiliza o *status quo* ao se confrontar com o poder. É o que afirma o historiador da filosofia François Châtelet:

> Desde que há Estado — da cidade grega às burocracias contemporâneas —, a ideia de verdade sempre se voltou, finalmente, para o lado dos poderes [...]. Por conseguinte, a contribuição específica da filosofia que se coloca ao serviço da liberdade, de todas as liberdades, é a de minar, pelas análises que ela opera e pelas ações que desencadeia, as instituições repressivas e simplificadoras: quer se trate da ciência, do ensino, da tradução, da pesquisa, da medicina, da família, da polícia, do fato carcerário, dos sistemas burocráticos, o que importa é fazer aparecer a máscara, deslocá-la, arrancá-la...[3]

PARA REFLETIR

Sempre há os que ignoram os filósofos. Mas não é o caso dos ditadores: estes os fazem calar, pela censura, porque bem sabem quanto eles ameaçam seu poder.

É bem verdade, alguns dirão, sempre houve e ainda haverá pensadores que bajulam os poderosos e que emprestam suas vozes e argumentos para defender tiranos. Nesse caso, porém, estamos diante das fraquezas do ser humano, seja por estar sujeito a enganos, seja por sucumbir ao temor ou ao desejo de prestígio e glória.

4 Informação, conhecimento e sabedoria

Para melhor entender o campo da experiência filosófica, o filósofo espanhol Fernando Savater faz uma distinção entre *informação*, *conhecimento* e *sabedoria*. Aproveitamos os três tópicos para comentá-los livremente a seguir.

Informação

Lemos no jornal ou assistimos pela tevê o noticiário do dia quando uma notícia, sobre a gravidez na adolescência, nos chama a atenção.

> A gravidez na adolescência quase sempre é uma gravidez não planejada e, por isso, indesejada. Desde 1970, a incidência de casos tem aumentado significativamente, ao mesmo tempo que tem diminuído a média de idade das adolescentes grávidas. Na maioria das vezes, a gravidez na adolescência ocorre entre a primeira e a quinta relação sexual, e a jovem grávida procura o serviço de saúde para fazer o pré-natal apenas entre o terceiro e quarto mês de gravidez.

Conhecimento

Para explicar essa notícia, podemos lançar mão de uma série de conhecimentos. Por exemplo:

- a ciência da *história* descreve as transformações do comportamento sexual desde a década de 1960 e analisa suas causas, mostrando o afrouxamento das regras que proibiam a atividade sexual antes do casamento, principalmente para as mulheres;
- a *sociologia* investiga a repercussão desses comportamentos nos novos modelos de família (aumento do número de divórcios; liberação da mulher; ampliação do espaço da mulher no mercado de trabalho; as famílias monoparentais, em que as crianças vivem apenas com um genitor, na maior parte das vezes, a mãe; as uniões de pessoas do mesmo sexo);
- a *biologia* descreve como se dá a concepção — e descobre processos de contracepção —, conhecimentos que podem explicar os riscos da gravidez precoce para a saúde das mais jovens;

Status quo. Expressão latina que significa estado atual das coisas, situação vigente.

[3] CHÂTELET, François. *História da filosofia;* ideias, doutrinas. v. VIII. Rio de Janeiro: Zahar, s. d. p. 309.

- a *antropologia* (científica) compara esse tipo de comportamento e suas consequências em diversas culturas;
- a *psicologia* investiga os conflitos de uma gravidez indesejada, o difícil confronto com a família, a reação emocional do jovem futuro pai, a brusca ruptura dos projetos de vida diante de novos e inesperados encargos etc.

Inúmeras outras ciências ocupam-se desse assunto, sem nos esquecermos de que mesmo as pessoas não especializadas analisam esse fato pelo *senso comum*, baseando-se nos seus conhecimentos, valores e crenças.

HOLZER, JENNY. "PROTEJA-ME DO QUE EU DESEJO", 1987. LICENCIADO POR AUTVIS, BRASIL, 2009

Protect me from what I want. Intervenção de Jenny Holzer. Londres, 1988.

Jenny Holzer é uma artista conceitual que ao final da década de 1970 e durante a década de 1980 fazia intervenções nos espaços públicos de diversas cidades. Suas frases instigantes propiciavam a reflexão filosófica: o que significa Protect me from what I want ("Proteja-me do que eu desejo")? Quero que alguém me proteja? Ou sou eu mesmo que devo fazê-lo? E por que (ou quando) haveria eu de me proteger do meu desejo? Qual é a relação entre desejo e razão?

Sabedoria

O conceito de *sabedoria* recebeu vários significados ao longo da história humana. Vamos escolher aquele que diz respeito às decisões refletidas que visam buscar um caminho para o bem-viver. Nesse sentido, por sabedoria entendemos um conceito amplo, que tanto inclui a atitude do filósofo como também de qualquer pessoa.

Diante do tema que propusemos discutir — a gravidez precoce —, as questões que se colocam são inúmeras: o que *significa* para esses jovens se descobrirem futuros pais? Qual é o *sentido* desse acontecimento para suas vidas? Que atitude tomar diante do fato consumado: levar a gravidez até o final ou abortar? Dúvida ética dramática, que exige a responsabilidade pessoal (e do casal) diante do ato da procriação: se de um lado destaca-se a liberdade dos pais para decidir o que fazer de suas vidas, de outro lado temos a sobrevivência da criança posta em risco. O que representam para esse casal o nascer e o morrer, a sexualidade que se expressa no erotismo humano, o amor, a amizade ou o peso inesperado das consequências das relações? Mas atenção! Não entenda que, ao discutir tais questões, o filósofo se apresente como um farol guiando as embarcações na neblina: não cabe a ele indicar caminhos, dar conselhos, mas estimular reflexões que cada um fará para decidir por si mesmo.

Como exemplo de reflexões filosóficas, vamos escolher o tema do amor e da liberdade nas relações humanas, conforme dois filósofos franceses.

A filósofa francesa Simone de Beauvoir diz:

> Nenhuma questão moral se coloca para a criança, enquanto ela é incapaz de se reconhecer no passado, de se prever no futuro; é somente quando os momentos de sua vida começam a organizar-se em conduta que ela pode decidir e escolher. Concretamente, é através da paciência, da coragem, da fidelidade que se confirma o valor do fim escolhido e que, reciprocamente, manifesta-se a autenticidade da escolha. Se deixo para trás um ato que pratiquei, ao cair no passado ele se torna coisa; não é mais do que um fato estúpido e opaco. Para impedir essa metamorfose, é preciso que, sem cessar, eu o retome e o justifique na unidade do projeto em que estou engajado. [...] Assim, não poderia eu hoje desejar autenticamente um fim sem querê-lo através de minha existência inteira, como futuro deste momento presente, como passado superado dos dias a vir: querer é comprometer-me a perseverar na minha vontade.[4]

[4] BEAUVOIR, Simone de. *Moral da ambiguidade*. Rio de Janeiro: Paz e Terra, 1970. p. 20.

Leia agora este trecho de outro filósofo francês, Georges Gusdorf:

> A liberdade é uma das maiores reivindicações da adolescência, mas a liberdade que ela reivindica é uma sombra da liberdade autêntica, tanto quanto a espontaneidade criadora que se imagina descobrir na criança não passa de uma sombra e o simulacro de um verdadeiro poder criador. A liberdade adolescente é uma adolescência da liberdade, uma liberdade de aspiração, uma aspiração à liberdade, sem conteúdo preciso, na onda das paixões e a confusão dos sentimentos e das ideias. [...] A juventude não é a idade da liberdade, mas o tempo de aprendizado da liberdade, a liberdade não sendo definível pela ausência e restrição, ou a revolta contra as restrições. O homem livre é aquele que, tendo feito a prova dos diversos aspectos, dos componentes da personalidade, chegou a pôr em ordem a consciência que tem de si mesmo, no projeto de sua afirmação no mundo. É absurdo imaginar que a criança, o rapaz, possa um belo dia entrar no gozo de sua liberdade, vinda a ele como uma dádiva do céu. A liberdade de um ser humano se faz dificilmente, ela se conquista dia a dia, ela é o desafio de uma conquista, ausente nos começos da vida, desenha-se no decorrer dos anos de formação que correspondem a um percurso através do labirinto mítico das significações e possibilidades da existência. Procura do sentido, procura do centro, tomada de consciência da autenticidade pessoal, não sem angústia nem sofrimento.[5]

PARA REFLETIR

Interprete os dois trechos transcritos, de Beauvoir e Gusdorf. Observe as características que eles analisam a respeito do conceito de liberdade. Em seguida, estabeleça uma relação com a notícia de jornal sobre a gravidez de adolescentes.

5 É possível definir filosofia?

Talvez você esteja se perguntando: Como então definir o que é **filosofia**? O filósofo alemão Edmund Husserl diz que ele sabe o que é filosofia, ao mesmo tempo que não sabe. Isto é, a explicitação do que é a filosofia já é uma questão filosófica. E adverte que apenas os pensadores pouco exigentes se contentam com definições cabais.

E ETIMOLOGIA

Filosofia. A palavra filosofia (*philos-sophia*) significa "amor à sabedoria" ou "amizade pelo saber". Pitágoras (séc. VI a.C.), filósofo e matemático grego, teria sido o primeiro a usar o termo *filósofo*, por não se considerar um "sábio" (*sophos*), mas apenas alguém que ama e procura a sabedoria.

Além disso, a filosofia não está à margem do mundo, nem constitui uma doutrina, um saber acabado ou um conjunto de conhecimentos estabelecidos de uma vez por todas. Ao contrário, a filosofia pressupõe constante disponibilidade para a indagação. Por isso, Platão e Aristóteles disseram que a primeira virtude do filósofo é *admirar-se*, ser capaz de se surpreender com o óbvio e questionar as verdades dadas. Essa é a condição para *problematizar*, o que caracteriza a filosofia não como posse da verdade e sim como sua busca.

O processo do filosofar

Kant, filósofo alemão, assim se refere ao filosofar:

> [...] não é possível aprender qualquer filosofia; [...] só é possível aprender a filosofar, ou seja, exercitar o talento da razão, fazendo-a seguir os seus princípios universais em certas tentativas filosóficas já existentes, mas sempre reservando à razão o direito de investigar aqueles princípios até mesmo em suas fontes, confirmando-os ou rejeitando-os.[6]

Em que essa citação de Kant pode orientar seu contato com a filosofia? Ela serve para advertir que, mesmo estudando o pensamento dos grandes filósofos — e é importante que se conheça o que pensaram —, você mesmo deve *aprender a filosofar*, exercer o direito de refletir por si próprio, de confirmar ou rejeitar as ideias e os conceitos com os quais se depara. Em outras palavras, a filosofia é sobretudo a experiência de um pensar permanente.

Simulacro. Representação, imitação.

---

5 GUSDORF, Georges. *Impasses e progressos da liberdade*. São Paulo: Convívio, 1979. p. 107-108.

6 KANT, Immanuel. *Crítica da razão pura*. São Paulo: Abril Cultural, 1980. p. 407.

Mais que um saber, a filosofia é uma *atitude* diante da vida, tanto no dia a dia como nas situações-limite, que exigem decisões cruciais. Por isso, no seu encontro com a tradição filosófica, é preferível não recebê-la passivamente como um *produto*, como algo acabado, mas compreendê-la como *processo*, reflexão crítica e autônoma a respeito da realidade.

A reflexão filosófica

Já dissemos que a **reflexão** não é privilégio do filósofo. O que, portanto, distingue a reflexão filosófica das demais?

O filósofo brasileiro Dermeval Saviani, no livro *Educação brasileira: estrutura e sistema*, na tentativa de se aproximar de uma definição possível, conceitua a filosofia como uma reflexão *radical*, *rigorosa* e *de conjunto* sobre os problemas que a realidade apresenta. Explicaremos esses três tópicos.

a) Radical

A filosofia é *radical*, não no sentido corriqueiro de ser inflexível — nesse caso seria a antifilosofia! —, mas porque busca explicitar os conceitos fundamentais usados em todos os campos do pensar e do agir. Por exemplo, a filosofia das ciências examina os pressupostos do saber científico: é ela que define o que é ciência, como a ciência se distingue da filosofia e de outros tipos de saber, quais são as características dos diversos métodos científicos, qual a dimensão de verdade das teorias científicas e assim por diante. O mesmo se dá com a psicologia, ao abordar o conceito de liberdade: indagar se o ser humano é livre ou determinado já é fazer filosofia.

ETIMOLOGIA

Reflexão. *Reflectere*, em latim, significa "fazer retroceder", "voltar atrás". Portanto, refletir é retomar o próprio pensamento, pensar o já pensado, voltar para si mesmo e questionar o já conhecido.
Radical. Em latim, *radix*, *radicis* significa "raiz", mas também "fundamento", "base".

b) Rigorosa

Os filósofos desenvolvem um pensamento rigoroso, justificado por argumentos, coerente em suas diversas partes. O uso de linguagem *rigorosa* evita as ambiguidades das expressões cotidianas, o que permite a interlocução com outros filósofos a partir de *conceitos* claramente definidos. Por isso criam expressões novas ou alteram o sentido de palavras usuais. Por exemplo, enquanto o termo *ideia* no grego arcaico (*eidos*) significava a intuição sensível de uma coisa (aquilo que se vê ou é visto), Platão criou o conceito de *ideia* para referir-se à concepção racional do conhecimento: por exemplo, as pessoas e as coisas belas são percebidas pelos meus sentidos, mas a *beleza* é uma ideia pela qual compreendo a essência — ou seja, aquilo que faz com que uma coisa seja bela. Nesse sentido, para ele as ideias são mais "reais" que as próprias coisas.

No entanto, o conceito de *ideia* seria reinventado ao longo da história da filosofia, assumindo conotações diferentes em Descartes, Kant, Hegel e assim por diante. É pelo rigor dos conceitos que se inovam os caminhos da reflexão. E isso não significa que um filósofo "suplanta" outro, porque qualquer um deles pode — e deve — ser revisitado sempre.

PARA REFLETIR

Você já ouviu falar em *ética aplicada*? É um ramo da filosofia contemporânea que trata de questões práticas que, por sua vez, exigem justificação racional. São ramos da ética aplicada: a bioética, a ética ambiental e a ética dos negócios, que refletem, por exemplo, sobre a manipulação do genoma humano, o desastre ecológico e a responsabilidade social das empresas, respectivamente.

DIGITAL VISION/GETTY IMAGES

Fotocomposição mostrando mãos que envolvem o planeta Terra, 2000.

A partir dessa figura, faça uma reflexão sobre a ética ambiental: quais são as responsabilidades humanas (para o bem e para o mal) pelo destino do planeta? Proponha um título para a imagem e escreva um breve texto sobre o assunto.

c) De conjunto

A filosofia é um tipo de reflexão totalizante, de conjunto, porque examina os problemas relacionando os diversos aspectos entre si. Mais ainda, o objeto da filosofia é *tudo*, porque nada escapa a seu interesse. Por exemplo, o filósofo se debruça sobre assuntos tão diferentes como a moral, a política, a ciência, o mito, a religião, o cômico, a arte, a técnica, a educação e tantos outros. Daí o caráter *transdisciplinar* da filosofia, ao estabelecer o elo entre as diversas expressões do saber e do agir. Desse modo, o avanço da biologia genética desperta a discussão filosófica da bioética; a produção artística provoca a reflexão estética e assim por diante.

PARA SABER MAIS

As áreas de investigação filosófica

Os campos clássicos da investigação filosófica são: Lógica, Metafísica, Teoria do conhecimento, Epistemologia, Filosofia Política, Ética, Estética. Para saber de sua abrangência, consulte os verbetes no **Vocabulário**, no final do livro.

Existem também inúmeras aplicações da filosofia a áreas específicas do conhecimento. Veja alguns exemplos: filosofia da educação, filosofia da linguagem, filosofia do direito, filosofia da religião, filosofia de cada uma das ciências (filosofia da matemática, da história, da biologia etc.) e assim por diante.

6 Um filósofo

Lembremos a figura de Sócrates. Dizem que era um homem feio, mas que, quando falava, exercia estranho fascínio. Procurado pelos jovens, passava horas discutindo na praça pública. Interpelava os transeuntes, dizendo-se ignorante, e fazia perguntas aos que julgavam entender determinado assunto: "o que é a coragem e a covardia?", "o que é a beleza?", "o que é a justiça?", "o que é a virtude?". Desse modo, Sócrates não fazia preleções, mas dialogava. Ao final, o interlocutor concluía não haver saída senão reconhecer a própria ignorância. A discussão tomava então outro rumo, na tentativa de explicitar melhor o conceito. Vejamos então esses dois momentos, que Sócrates denominou **ironia** e **maiêutica**.

No sentido comum, usamos a ironia para dizer algo e expressar exatamente o contrário. Por exemplo: afirmamos que alguma coisa é bonita, mas na verdade insinuamos que é muito feia. Diferentemente, para Sócrates, a ironia consiste em perguntar, simulando não saber. Desse modo, o interlocutor expõe sua opinião, à qual Sócrates contrapõe argumentos que o fazem perceber a ilusão do conhecimento.

ETIMOLOGIA

Ironia. Do grego *eironeía*, "ação de perguntar, fingindo ignorar".

Maiêutica. Do grego *maieutiké*, "arte de fazer um parto".

A maiêutica centra-se na investigação dos conceitos. Para tanto, Sócrates faz novas perguntas para que seu interlocutor possa refletir. Portanto não ensina, mas o interlocutor descobre o que já sabia. Sócrates dizia que, enquanto sua mãe fazia parto de corpos, ele ajudava a trazer à luz ideias.

O interessante nesse método é que nem sempre as discussões levam de fato a uma conclusão efetiva, mas ainda assim trazem o benefício de cada um abandonar a sua *doxa*, termo grego que designa a opinião, um conhecimento impreciso e sem fundamento. A partir daí, é possível abandonar o que se sabia sem crítica e atingir o conhecimento verdadeiro.

QUEM É?

Busto de Sócrates, original grego do século IV a.C.

PETER HORREE/ALAMY-OTHER IMAGES

Sócrates (c. 470-399 a.C.). Nasceu e viveu em Atenas, Grécia. Filho de um escultor e de uma parteira, Sócrates conhecia a doutrina dos filósofos que o antecederam e de seus contemporâneos. Discutia em praça pública sem nada cobrar. Não deixou livros, por isso conhecemos suas ideias por meio de seus discípulos, sobretudo Platão e Xenofonte. Acusado de corromper a mocidade e negar os deuses oficiais da cidade, foi condenado à morte. Esses acontecimentos finais são relatados no diálogo de Platão, *Defesa de Sócrates*. Em outra obra, *Fédon*, Sócrates discute com os discípulos sobre a imortalidade da alma, enquanto aguarda o momento de beber a cicuta. Na maioria dos diálogos platônicos, Sócrates é o protagonista.

"Só sei que nada sei"

Em certa passagem de a *Defesa de Sócrates*, na qual se refere às calúnias de que foi vítima, o próprio filósofo lembra quando esteve em Delfos, local em que as pessoas consultavam o oráculo no templo de Apolo para saber sobre assuntos religiosos, políticos ou ainda sobre o futuro. Lá, quando o seu

Situação-limite. Expressão que se refere a situações extremas de adversidade, como a ameaça de morte, uma doença, a perda de um ente querido, experiências que modificam nosso olhar sobre nosso cotidiano.

Oráculo. Resposta da divindade às perguntas feitas pelos devotos.

amigo Querofonte consultou Pítia indagando se havia alguém mais sábio do que seu mestre Sócrates, ouviu uma resposta negativa.

Surpreendido com a resposta do oráculo, Sócrates resolveu investigar por si próprio quem se dizia sábio. Sua fala é assim relatada por Platão:

> Fui ter com um dos que passam por sábios, porquanto, se havia lugar, era ali que, para rebater o oráculo, mostraria ao deus: 'Eis aqui um mais sábio que eu, quanto tu disseste que eu o era!'. Submeti a exame essa pessoa — é escusado dizer o seu nome: era um dos políticos. Eis, Atenienses, a impressão que me ficou do exame e da conversa que tive com ele; achei que ele passava por sábio aos olhos de muita gente, principalmente aos seus próprios, mas não o era. Meti-me, então, a explicar-lhe que supunha ser sábio, mas não o era. A consequência foi tornar-me odiado dele e de muitos dos circunstantes. Ao retirar-me, ia concluindo de mim para comigo: 'Mais sábio do que esse homem eu sou; é bem provável que nenhum de nós saiba nada de bom, mas ele supõe saber alguma coisa e não sabe, enquanto eu, se não sei, tampouco suponho saber. Parece que sou um nadinha mais sábio que ele exatamente em não supor que saiba o que não sei'. Daí fui ter com outro, um dos que passam por ainda mais sábios e tive a mesmíssima impressão; também ali me tornei odiado dele e de muitos outros.[7]

Ao ler essa passagem, podemos entender como a máxima socrática "só sei que nada sei" surgiu como ponto de partida para o filosofar. Podemos então fazer algumas observações:

- Sócrates não está voltado para si mesmo como um pensador alheio ao mundo, e sim na praça pública.
- Seu conhecimento não deriva de um saber acabado, porque é vivo e em processo de se fazer, tendo por conteúdo a experiência cotidiana.
- Guia-se pelo princípio de que nada sabe e, dessa perplexidade primeira, inicia a interrogação e o questionamento de tudo que parece óbvio.
- Ao criticar o saber dogmático, não quer com isso dizer que ele próprio seja detentor de um saber. Desperta as consciências adormecidas, mas não se considera um "farol" que ilumina: o caminho novo deve ser construído pela discussão, que é intersubjetiva, e pela busca das soluções.
- Sócrates é "subversivo" porque "desnorteia", perturba a "ordem" do conhecer e do fazer, e por isso incomoda tanto os poderosos.

Em um cântaro ático (séc. V a.C.), a Pítia é consultada por um rei.

Muitas cidades gregas tinham oráculos, nos quais sacerdotisas chamadas de pítias ou pitonisas atendiam pessoas que vinham de longe para consultá-las sobre problemas pessoais, de negócios ou de política. Em Delfos, um dos mais importantes oráculos, a pítia, em transe, ouvia o deus Apolo. Suas respostas eram interpretadas por sacerdotes com palavras sábias, mas às vezes ambíguas.

7 Para não concluir...

Começamos este capítulo com o diálogo em que um camponês pensa que "um filósofo é uma pessoa que não liga para nada". E terminamos com Sócrates, que, interrogando as pessoas que transitavam pela praça pública, as fazia pensar, o que despertou a ira dos poderosos.

Entretanto, teria o filósofo resposta para tudo? É lógico que não. Vimos que Sócrates faz muitas perguntas, questiona, busca interlocutores a fim de compartilhar e discutir suas indagações. Mas nem sempre esses diálogos chegavam a uma resposta definitiva. Por isso costumamos dizer que a filosofia é a procura, mas não a posse, da verdade.

Pítia. Também chamada Pitonisa. Sacerdotisa que, em transe, proferia a resposta do deus Apolo às perguntas formuladas.

Dogmático. No contexto, saber baseado em crença não justificada, sem questionamentos.

Intersubjetivo. Entre sujeitos, entre diferentes pessoas.

[7] PLATÃO. *Defesa de Sócrates*. v. II. São Paulo: Abril Cultural, 1972. p. 15. (Coleção Os pensadores).

Leitura complementar

A turba do "pega e lincha"

Neste artigo, Contardo Calligaris refere-se ao assassinato de uma menina, Isabella, cujos principais suspeitos eram o próprio pai e a madrasta. Ao mesmo tempo, comenta sobre a turba — a multidão desordenada — constituída por pessoas que vêm de longe, gritam, xingam, ameaçam, cercam a residência dos supostos criminosos, dos avós da criança e as delegacias. E o autor indaga: "Por que estavam ali? A qual necessidade interna obedeciam sua presença e a truculência de suas vozes?".

"[...] Pelo que sinto e pelo que ouço ao redor de mim, eles [os indivíduos da turba] estão errados. O espetáculo que eles nos oferecem inspira um horror que rivaliza com o que é produzido pela morte de Isabella. Resta que eles supõem nossa cumplicidade, contam com ela. Gritam seu ódio na nossa frente para que, todos juntos, constituamos um grande sujeito coletivo que eles representariam: 'nós', que não matamos Isabella; 'nós', que somos diferentes dos assassinos; 'nós', que, portanto, vamos linchar os 'culpados'. Em parte, a irritação que sinto ao contemplar a turma do 'pega e lincha' tem a ver com isto: eles se agitam para me levar na dança com eles, e eu não quero ir.

As turbas servem sempre para a mesma coisa. Os americanos de pequena classe média que, no Sul dos Estados Unidos, no século 19 e no começo do século 20, saíam para linchar negros procuravam só uma certeza: a de eles mesmos não serem negros, ou seja, a certeza de sua diferença social.

O mesmo vale para os alemães que saíram para saquear os comércios dos judeus na Noite de Cristal, ou para os russos ou poloneses que faziam isso pela Europa Oriental afora, cada vez que desse: queriam sobretudo afirmar sua diferença. Regra sem exceções conhecidas: a vontade exasperada de afirmar sua diferença é própria de quem se sente ameaçado pela similaridade do outro. No caso, os membros da turba gritam sua indignação porque precisam muito proclamar que aquilo não é com eles. Querem linchar porque é o melhor jeito de esquecer que ontem sacudiram seu bebê para que parasse de chorar, até que ele ficou branco. Ou que, na outra noite, voltaram bêbados para casa e não se lembram em quem bateram e quanto.

Nos primeiros cinco dias depois do assassinato de Isabella, um adolescente morreu pela quebra de um tobo-água, uma criança de quatro anos foi esmagada por um poste derrubado por um ônibus, uma menina pulou do quarto andar apavorada pelo pai bêbado, um menino de nove anos foi queimado com um ferro de marcar boi. Sem contar as crianças que morreram de dengue. [...]

A turba do 'pega e lincha' representa, sim, alguma coisa que está em todos nós, mas que não é um anseio de justiça. A própria necessidade enlouquecida de se diferenciar dos assassinos presumidos aponta essa turma como representante legítima da brutalidade com a qual, apesar de estatutos e leis, as crianças podem ser e continuam sendo vítimas dos adultos."

CALLIGARIS, Contardo. *A turba do "pega e lincha"*. Em: *Folha de S.Paulo*, Ilustrada, 24 abr. 2008.

Questões

1 Considerando o que foi visto no tópico "Informação, conhecimento e sabedoria", atenda às questões.

a) Qual é a informação focada por Calligaris nesse artigo?

b) Baseado no conhecimento psicanalítico e na experiência analítica em seu consultório, como o autor interpreta a informação?

c) O autor nos fornece pistas para a reflexão sobre a vida (a sabedoria) e, portanto, para o filosofar. Por exemplo, leva-nos a indagar "o que é a justiça?". Na mesma linha, identifique outros questionamentos por ele sugeridos.

2 Reúna-se com seu grupo para discutir um dos temas filosóficos sugeridos no item **c)** da questão anterior. Façam um resumo com os principais tópicos da discussão para apresentar à classe.

Atividades

Revendo o capítulo

1 Gramsci afirma que "não se pode pensar em nenhum homem que não seja também filósofo". Então, o que cada um de nós tem em comum com o filósofo? E em que dele nos distinguimos? Converse com seu colega para identificar quais têm sido suas principais "questões filosóficas".

2 Explique o que Edmund Husserl quis dizer com a aparente ambiguidade segundo a qual ele "sabe" e, ao mesmo tempo, "não sabe" o que é filosofia.

3 De acordo com o senso comum, *radical* significa brusco, violento ou inflexível, extremado. Explique por que não é esse o sentido que se atribui à filosofia quando a consideramos uma reflexão radical.

4 A partir do que você estudou sobre Sócrates, responda.

a) O que significa a máxima socrática de que "só sei que nada sei"? Ela se refere a Sócrates ou à própria filosofia? Como?

b) Em que consiste o método socrático? Explique.

c) Os inimigos de Sócrates acusavam-no de corromper a juventude. Segundo a tradição filosófica, seria outra a intenção do filósofo. Explique. Em seguida, reúna-se com seus colegas para imaginar quem seriam, hoje, os inimigos de Sócrates.

Aplicando os conceitos

5 Releia os itens sobre *informação*, *conhecimento* e *sabedoria*. Com seus colegas, escolha outra notícia de jornal e levante possíveis questões filosóficas a respeito dela.

6 Veja a tira de Fernando Gonsales e Angeli e explique qual é a crítica feita pelos cartunistas às pessoas que desvalorizam a filosofia. Posicione-se a respeito.

7 Se o objeto da filosofia é tudo, procure identificar, com o seu grupo, temas de diferentes campos filosóficos interessantes à filosofia – moral, política etc. Se necessário, consulte o quadro "Para saber mais – As áreas de investigação filosófica" e também o **Vocabulário**, no final do livro.

8 "Em filosofia, são os próprios conceitos através dos quais compreendemos o mundo que se tornam tópico de investigação. A filosofia de uma disciplina, como a filosofia da história, da física ou do direito, não procura resolver problemas históricos, físicos ou legais, mas antes estudar os conceitos que estruturam o pensamento em tais disciplinas, e tornar claros os seus fundamentos e pressupostos. Nesse sentido, a filosofia é o que acontece quando uma prática se torna autoconsciente." (Simon Blackburn. *Dicionário Oxford de filosofia*. Rio de Janeiro: Zahar, 1997. p. 149.)

A partir das informações acima, responda.

a) De que questões se ocupa o historiador?

b) E os filósofos da história, que tipo de questões os inquieta?

9 Retome as indagações do final da introdução à Unidade, em que comentamos a ousadia daqueles três artistas, e explique em que medida Sócrates e os filósofos posteriores também abrem fendas no guarda-sol das opiniões prontas, instaurando o caos.

Caiu no vestibular

10 (UFMG) Leia este trecho.

"[...] a filosofia não é a revelação feita ao ignorante por quem sabe tudo, mas o diálogo entre iguais que se fazem cúmplices em sua mútua submissão à força da razão e não à razão da força." (Fernando Savater. *As perguntas da vida*. Trad. Mônica Stahel. São Paulo: Martins Fontes, 2001. p. 2.)

Com base na leitura desse trecho e em outros conhecimentos sobre o assunto, redija um texto destacando duas características da atitude filosófica.

FERNANDO GONSALES

Capítulo

2

A consciência mítica

A queda de Ícaro. Peter Paul Rubens, (1636-1638).

Esta tela do pintor flamengo Peter Paul Rubens faz menção a Ícaro, personagem mítico. Segundo uma das versões do mito grego, Dédalo e seu filho Ícaro estavam presos no labirinto de Creta, como castigo por ter ajudado Teseu a encontrar o Minotauro e matá-lo. Assim relata Pierre Grimal: "Dédalo, a quem não faltavam recursos, fabricou para Ícaro e para si mesmo umas asas que colou com cera aos seus ombros e aos do filho. Em seguida, ambos levantaram voo. Antes de partir, Dédalo recomendara a Ícaro que não voasse nem muito baixo nem muito alto. Ícaro, porém, orgulhoso, não deu ouvidos aos conselhos do pai e elevou-se nos ares, aproximando-se tanto do Sol que a cera derreteu e o imprudente caiu no mar que, a partir desse momento, se chamou Mar Icário".[1]

A partir da imagem e do relato acima, e antes de ler o capítulo, explique que significado um mito teria para os povos da Antiguidade. Em seguida, elabore uma interpretação atual para o mito de Ícaro.

---

1 *Dicionário da mitologia grega e romana.* Rio de Janeiro: Bertrand Brasil, s. d. p. 241.

1 Dois relatos míticos

Costumamos dizer que a filosofia é grega, por ter nascido nas colônias gregas no século VI a.C. E antes da filosofia, que tipos de pensamentos ocupavam a mente das pessoas?

Vamos primeiramente examinar o mito, modo de consciência que predomina nas sociedades tribais e que nas civilizações da Antiguidade ainda exerceu significativa influência. Ao contrário, porém, do que muitos supõem, o mito não desapareceu com o tempo. Está presente até hoje, permeando nossas esperanças e temores, como veremos.

Entre os povos indígenas habitantes das terras brasileiras, encontramos várias versões sobre a origem da noite. Um desses relatos é o dos maué, nativos dos rios Tapajós e Madeira. Segundo eles, no início só havia o dia. Cansados da luz, foram ao encontro da Cobra-Grande, a dona da noite. Ela atendeu ao pedido com a condição de que os indígenas lhe dessem o veneno com que os pequenos animais como aranhas, cobras e escorpiões se protegiam. Em troca, receberam um coco com a recomendação de só abri-lo ao chegarem à maloca. Ao ouvirem ruídos estranhos saindo dele, não resistiram à tentação e assim deixaram escapar antecipadamente a escuridão da noite. Atônitos e perdidos, pisaram nos pequenos bichos, cujas picadas venenosas mataram muitos deles. Desde então, os sobreviventes aprenderam os cuidados que deveriam tomar quando a noite viesse.

De modo semelhante aos maué, os gregos dos tempos homéricos narram o mito de Pandora, a primeira mulher. Em uma das muitas versões desse mito, Zeus enviou um presente aos humanos, mas com a intenção de puni-los por terem recebido o fogo do titã Prometeu, que o roubara dos Céus. Pandora levava consigo uma caixa, que abriu por curiosidade, deixando escapar todos os males que afligem a humanidade. Conseguiu, porém, fechá-la a tempo de reter a esperança, única maneira de suportarmos as dores e os sofrimentos da vida.

Nos dois relatos, percebemos situações aparentemente diversas, mas que se assemelham, pois ambos tratam da origem de algo: entre os indígenas, como surgiu a noite; e entre os gregos, a origem dos males. E trazem como consequências dificuldades que as pessoas devem enfrentar.

A leitura apressada do mito nos leva a compreendê-lo como uma maneira fantasiosa de explicar a realidade, quando esta ainda não foi justificada pela razão. Sob esse enfoque, os mitos seriam lendas, fábulas, crendices e, portanto, um tipo inferior de conhecimento, a ser superado por explicações mais racionais. Tanto é que, na linguagem comum, costuma-se identificar o **mito** à mentira.

E ETIMOLOGIA

Mito. *Mythos*, em grego, significa "palavra", "o que se diz", "narrativa". A consciência mítica é predominante em culturas de tradição oral, quando ainda não há escrita.

RÔMULO FIALDINI/ACERVO DO MUSEU DE ARTE CONTEMPORÂNEA DA USP

O boto. Vicente do Rego Monteiro, 1921.

O pintor pernambucano Rego Monteiro é um artista do modernismo brasileiro que recorre aos temas dos mitos indígenas. Nessa aquarela, vemos o contraste entre as raízes arcaicas indígenas e o tratamento contemporâneo da imagem. Observe o traço fino, a delicadeza dos gestos — o índio mais parece um bailarino — e a moça, que se deixa levar sem resistência. Ao fundo, a lua emoldura o casal.

Que mito está representado na pintura?

O boto é um mamífero cetáceo comum nas águas do Rio Amazonas. Segundo a lenda do Boto-Cor-de-Rosa, à noite ele emerge do rio e se transforma em um belo e irresistível homem que seduz as moças e as engravida. As mães advertem as filhas para o perigo que ele representa. Tal como na proposta de Rego Monteiro, podemos nos perguntar: o que esse mito tem a nos dizer hoje?

No entanto, o mito é mais complexo e muito mais expressivo e rico do que supomos quando apenas o tomamos como o relato frio de lendas desligadas do ambiente que as fez surgir.

Não só os povos tribais ou as civilizações antigas elaboram mitos. A consciência mítica persiste em todos os tempos e culturas como componente indissociável da maneira humana de compreender e sobretudo sentir a realidade, como veremos adiante.

2 O que é o mito?

Como processo de compreensão da realidade, o mito não é lenda, pura fantasia, mas *verdade*. Quando pensamos em verdade, é comum nos referirmos à coerência lógica, garantida pelo rigor da argumentação e pela apresentação de provas. A verdade do mito, porém, resulta de uma *intuição compreensiva da realidade*, cujas raízes se fundam na emoção e na afetividade. Nesse sentido, antes de interpretar o mundo de maneira argumentativa, o mito expressa o que desejamos ou tememos, como somos atraídos pelas coisas ou como delas nos afastamos.

Não se trata, porém, de qualquer intuição. Para melhor circunscrever o conceito de mito, precisamos de outro componente — o mistério —, pois ele sempre é um enigma a ser decifrado e como tal representa nosso espanto diante do mundo.

PARA REFLETIR

O *mistério* é algo que não podemos compreender, por ser inacessível à razão e depender da fé. Um *problema* é algo que ainda não compreendemos, mas para o qual nos esforçamos por descobrir a resposta. Você poderia dar um exemplo de cada um desses conceitos?

Segundo alguns intérpretes, o "falar sobre o mundo" simbolizado pelo mito está impregnado do desejo humano de afugentar a insegurança, os temores e a angústia diante do desconhecido, do perigo e da morte. Para tanto, os relatos míticos se sustentam na crença, na fé em forças superiores que protegem ou ameaçam, recompensam ou castigam.

Entre as comunidades tribais, os mitos constituem um discurso de tal força que se estende por todas as esferas da realidade vivida. Desse modo, o sagrado (ou seja, a relação entre a pessoa e o divino) permeia todos os campos da atividade humana. Por isso, os modelos de construção mítica são de *natureza sobrenatural*, isto é, recorre-se aos deuses para essa compreensão do real.

3 Os rituais

Segundo Mircea Eliade, historiador romeno estudioso das religiões, uma das características do mito é fixar os *modelos exemplares* de todos os ritos e de todas as atividades humanas significativas. Desse modo, os gestos dos deuses são imitados nos rituais. Essa é a justificativa dada pelos teólogos e ritualistas hindus: "Devemos fazer o que os deuses fizeram no princípio"; "Assim fizeram os deuses, assim fazem os homens".

Eliade exemplifica com a resposta dada pelos arunta, povos nativos da Austrália, a respeito da maneira pela qual celebravam as cerimônias: "Porque os ancestrais assim o prescreveram". Em seus rituais, porém, os arunta não se limitavam a representar ou imitar a vida, os feitos e as aventuras dos ancestrais: tudo se passava como se os antepassados aparecessem de fato nas cerimônias.

O tempo sagrado é, portanto, reversível, ou seja, a festa religiosa não é simples comemoração, mas a ocasião pela qual o evento sagrado, que teve lugar no passado mítico, acontece novamente. Caso contrário, a semente não brotará da terra, a mulher não será fecundada, a árvore não dará frutos, o dia não sucederá à noite. Sem os ritos, é como se os fatos naturais descritos não pudessem se concretizar.

Exemplos de rituais

A maneira mágica pela qual os povos tribais agem sobre o mundo pode ser exemplificada pelos inúmeros *ritos de passagem*: do nascimento, da infância para a idade adulta, do casamento, da morte.

Assim diz Mircea Eliade:

> ... quando acaba de nascer, a criança só dispõe de uma existência física, não é ainda reconhecida pela família nem recebida pela comunidade. São os ritos que se efetuam imediatamente após o parto que conferem ao recém-nascido o estatuto de 'vivo' propriamente dito; é somente graças a estes ritos que ele fica integrado na comunidade dos vivos. [...] Para certos povos, [...] a morte de uma pessoa só é reconhecida como válida depois da realização das cerimônias funerárias, ou quando a alma do defunto foi ritualmente conduzida à sua nova morada, no outro mundo, e lá embaixo, foi aceito pela comunidade dos mortos.[2]

[2] ELIADE, Mircea. *O sagrado e o profano*. Lisboa: Livros do Brasil, s. d. p. 143-144.

Ainda hoje, a maioria das religiões contemporâneas mantém os ritos próprios de sua crença: cultos, cerimônias, oferendas, preces, templos, festas e objetos religiosos.

Transgressão do tabu

No ambiente da tribo, o equilíbrio pessoal depende da preponderância do coletivo, o que facilita a adaptação do indivíduo à tradição. Ora, no universo em que predomina a consciência coletiva, a desobediência ultrapassa quem violou a proibição, podendo atingir a família, os amigos e, às vezes, toda a tribo.

É o caso do *tabu*, termo que significa *proibição, interdito*, e que entre os povos tribais assume caráter sagrado. O mais primitivo tabu é o do incesto, mas há inúmeros outros, como o impedimento de tocar em algum objeto, animal ou em alguém. Por exemplo: em algumas tribos indígenas as mulheres menstruadas não devem tocar nos utensílios masculinos porque, contaminados, provocariam males e desgraças; a vaca é ainda hoje um animal sagrado na Índia e não deve ser molestada.

Quando nas tribos a proibição é transgredida, são feitos *ritos de purificação*, como abster-se de alimentos, retirar-se para local isolado, submeter-se a cerimônias de ablução, em que se lava o corpo ou parte dele. Outros procedimentos são os rituais do "bode expiatório": após a transgressão ter provocado doença em um indivíduo ou o mal ter atingido toda a tribo, o sacrifício de animais ou de pessoas é um processo de "expiação", ou seja, de purificação.

PARA SABER MAIS

Ainda hoje o termo *tabu* é usado no sentido sagrado, mas também no não religioso: a proibição de pronunciar algumas palavras, como as referentes a certas partes do corpo, ou evitar dizer "câncer" ou "aids", substituindo os nomes por "aquela doença". O "tabu" da virgindade feminina foi imposição severa até a década de 1960, quando ocorreu a chamada revolução sexual. E ainda se costuma dizer nos jogos que um time "quebrou um tabu" ao vencer outro do qual há muito perdia.

4 Teorias sobre o mito

Entre as inúmeras teorias sobre o mito, citamos as de antropólogos, como Bronislaw Malinowski e Claude Lévi-Strauss; de filósofos, como Ernst Cassirer, Georges Gusdorf, Roland Barthes e Michel Foucault; de psicanalistas, como Sigmund Freud e seu discípulo dissidente Carl Jung; de historiadores, como Mircea Eliade e tantos outros.

As funções do mito

Alguns teóricos explicam o mito pela função que desempenha no cotidiano da tribo, garantindo a tradição e a sobrevivência do grupo.

Vejamos alguns exemplos.

- **A origem da agricultura:** segundo o mito indígena tupi, a mandioca, alimento básico da tribo, nasce do túmulo de uma criança chamada Mandi; no mito grego, Perséfone é levada por Hades para seu castelo tenebroso, mas, a pedido de sua mãe, Deméter, retorna em certos períodos: esse mito simboliza o trigo enterrado como semente e renascendo como planta.
- **A fertilidade das mulheres:** para os arunta, os espíritos dos mortos esperam a hora de renascer e penetram no ventre das mulheres quando elas passam por certos locais.
- **O caráter mágico das danças e desenhos:** quando os homens pré-históricos faziam pinturas nas paredes das cavernas, representando a captura de renas, talvez não pretendessem enfeitá-las nem apenas mostrar suas habilidades pictóricas, mas agir magicamente, para garantir de antemão o sucesso das caçadas; essa suposição se deve ao fato de que geralmente os desenhos eram feitos nas partes mais escuras da caverna.

COREL/STOCK PHOTOS

Pintura rupestre em Lascaux, França, c. 15.000 anos atrás.

Incesto. Relação sexual entre parentes consanguíneos ou afins.

O caráter inconsciente do mito

Outros intérpretes da linha psicológica, como Sigmund Freud, fundador da psicanálise, e seu discípulo dissidente Carl Jung, acentuam o caráter existencial e inconsciente do mito, como revelador do sonho, da fantasia, dos desejos mais profundos do ser humano. Por exemplo, ao analisar o mito de Édipo, Freud realça o amor e o ódio inconscientes que permeiam a relação familiar. E Jung se refere ao inconsciente coletivo, que seria encontrável nos grupos e nas pessoas em qualquer época ou lugar.

O mito como estrutura

Outra linha de interpretação do mito é a do antropólogo Lévi-Strauss, representante da corrente estruturalista. Como o nome diz, trata-se de procurar a estrutura básica que explica os mais diversos mitos, procedimento que valoriza mais o sistema do que os elementos que o compõem. Os elementos, por serem relativos, só têm valor de acordo com a posição que encontram na estrutura a que pertencem. Ou seja, um fato isolado, um mito isolado não possuem significado em si.

QUEM É?

Claude Lévi-Strauss (1908), antropólogo e filósofo, nasceu na Bélgica e viveu na França. Na década de 1930, foi professor da Universidade de São Paulo e pesquisou tribos indígenas do Brasil Central. Suas principais obras: *A vida familiar e social dos índios nhambiquaras*, *Tristes trópicos*, *Antropologia estrutural*, *O pensamento selvagem*.

MARC GANTIER/GAMMA/EYEDEA PRESSE-OTHER IMAGES

Claude Lévi-Strauss, 1990.

MUSEU DE IMAGENS DO INCONSCIENTE

Mandala pintada por Adelina Gomes (1966).

Nise da Silveira (1906-1999), pioneira da psicologia junguiana no Brasil, dirigiu o Centro Psiquiátrico Pedro II, no Rio de Janeiro. No tratamento da esquizofrenia, recusou as práticas agressivas, usando recursos diversos, inclusive a pintura, e a partir dela analisava os mitos e os arquétipos expressos inconscientemente pelos seus pacientes, como nessa mandala. Para ela, "a configuração de mandalas harmoniosas denotará intensa mobilização de forças autocurativas para compensar a desordem interna". No caso de sua paciente Adelina Gomes, a mandala "apresenta notáveis melhoras clínicas. A flor vermelha indica que afetos intensos tendem a organizar-se em torno de um centro. Mas a perigosa serpente de duas cabeças ronda na periferia ainda não incorporada ao círculo".[3]

Inconsciente coletivo. Para Jung, o inconsciente coletivo é hereditário, "idêntico em todos os homens, e constitui um substrato psíquico comum, de natureza suprapessoal, que está presente em cada um de nós".

Arquétipo. Segundo Jung, imagens ancestrais e simbólicas que se exprimem por meio do inconsciente pessoal e coletivo, de sonhos, de delírios e em manifestações artísticas.

Mandala. Do sânscrito, "círculo". Segundo Jung, as mandalas são imagens circulares desenhadas, pintadas, modeladas e dançadas que sugerem ordenação, recuperação do equilíbrio, renovação da personalidade.

[3] SILVEIRA, Nise da. *As imagens do inconsciente*. Rio de Janeiro: Alhambra, 1981. p. 65.

Enquanto outros teóricos interpretam os mitos pela sua funcionalidade e se baseiam nos elementos particulares, na pura subjetividade ou na história de um determinado povo, Lévi-Strauss busca os elementos invariantes, que persistem sob diferenças superficiais.

Para tanto, interessam-lhe os sistemas de relações de parentesco, filiação, comunicação linguística, troca econômica etc., comuns a todas as sociedades. Por exemplo, uma regra universal é a proibição do incesto. Esse interdito tem o lado positivo de garantir a **exogamia**, ou seja, a união com pessoas de outro grupo.

> **E ETIMOLOGIA**
>
> **Exogamia.** Palavra composta por dois termos gregos: *exo*, "fora de", e *gamos*, "casamento".

Segundo Lévi-Strauss, o mito não é, como se costuma dizer, o lugar da fantasia e do arbitrário, mas pode ser compreendido a partir de uma estrutura lógico-formal subjacente, pelo lugar que cada elemento ocupa em determinada estrutura. Assim ele explica:

> Não pretendemos mostrar como os homens pensam nos mitos, mas como os mitos [através das estruturas] se pensam nos homens, e à sua revelia.[4]

5 O mito nas civilizações antigas

Até aqui, tudo o que dissemos sobre os mitos nos remete aos povos tribais, cujas relações permanecem igualitárias. Nas sociedades mais complexas, com novas técnicas e ofícios especializados, desenvolvimento da agricultura, pastoreio e comércio de excedentes, começaram a se estabelecer hierarquias entre segmentos sociais, inclusive introduzindo a escravidão.

Assim floresceram as primeiras grandes civilizações, como na Mesopotâmia, no Egito, na Índia, na China e em Israel. As duas primeiras são as mais antigas e teriam surgido por volta do final do quarto milênio a.C. É bom lembrar que essas datas são aproximativas, uma vez que dependem de interpretações históricas muitas vezes divergentes entre si.

Nessas civilizações tão antigas o mito era componente importante da cultura, mas as instituições religiosas, por se tornarem mais elaboradas, provocaram a separação entre o espaço sagrado dos santuários e o espaço profano da vida cotidiana. O poder era exercido pela classe sacerdotal ou por seu representante máximo, como o faraó, soberano considerado um deus. Esse poder, em alguns casos, tornava-se teocrático. O culto exigia monumentos grandiosos, como os templos e as pirâmides, onde eram sepultados os reis.

Os deuses gregos

A civilização grega teve início por volta do século XX a.C. (entre 2000 e 1900 a.C), quando invasores de origem indo-europeia ocuparam o continente, dando início à civilização aqueia (ou micênica). Nessa época a Grécia ainda se chamava Hélade e era constituída por diversas regiões autônomas, mas que mantiveram a língua e a unidade cultural.

A religião dos gregos era politeísta. Os deuses, habitantes do monte Olimpo, eram imortais, embora tivessem comportamentos semelhantes aos dos homens, sendo às vezes benevolentes e também agindo por inveja ou vingança. Entre as obrigações a eles devidas, como oferendas, preces e sacrifícios, destacam-se as peregrinações aos grandes santuários, tais como Delfos, onde se consultava o oráculo, como vimos no capítulo anterior.

a) Homero

Os mitos gregos surgiram quando ainda não havia escrita e eram transmitidos por poetas ambulantes chamados *aedos* e *rapsodos*, que os recitavam de cor em praça pública. Nem sempre é possível identificar a autoria desses poemas, por serem produção coletiva e anônima.

> **Teocracia.** Do grego *theo*, "deus", e *kratia*, "poder". Poder político que se funda no poder religioso.
>
> **Aqueu.** Oriundo da Acaia, região do norte da Península do Peloponeso.

> **PARA SABER MAIS**
>
> Você sabe como identificar datas tão remotas? Vamos dar um exemplo: o ano de 3500 a.C. pertence a que milênio? Para saber, dividimos 3.500 por 1.000. O resultado é 3 (despreza-se a fração). Acrescentamos 1 e temos 4, ou seja, o ano de 3500 pertence ao 4º milênio. Para saber a que século corresponde este ano, dividimos 3.500 por 100 e acrescentamos 1. Temos 36, portanto, século XXXVI a.C.

[4] LÉVI-STRAUSS, Claude. *O cru e o cozido*. São Paulo: Cosac & Naify, 2004. p. 31.

Atribuem-se a Homero, um desses poetas, dois poemas épicos, as epopeias *Ilíada* e *Odisseia*. Existem, no entanto, controvérsias a respeito da época em que Homero teria vivido — século IX ou VIII a.C.? — e até se ele realmente existiu. Segundo alguns intérpretes, as epopeias representam fatos e mitos recolhidos por diversos autores, o que se verifica pela diversidade de estilos dos dois poemas e pelas passagens indicativas de períodos históricos diferentes.

PARA SABER MAIS

A *Ilíada* trata da guerra de Troia (que em grego é *Ílion*) e a *Odisseia*, do retorno a Ítaca, terra natal de Ulisses (Odisseus é o nome grego de Ulisses). Essa viagem foi cheia de peripécias, por isso costumamos chamar de odisseia uma aventura mirabolante.

Na vida dos gregos, as epopeias desempenharam um papel pedagógico significativo. Descreviam a história grega — o período da civilização micênica — e transmitiam os valores culturais mediante o relato das realizações dos deuses e dos antepassados. Por expressarem uma concepção de vida, desde cedo as crianças decoravam passagens desses poemas.

As ações heroicas relatadas nas epopeias mostram a constante intervenção dos deuses, ora para auxiliar o protegido, ora para perseguir o inimigo. O indivíduo é presa do Destino, que é fixo, imutável.

Assim diz o troiano Heitor:

> Nenhum homem me fará descer à casa de Hades contrariando o meu destino. Nenhum homem, afirmo, jamais escapou de seu destino, seja covarde ou bravo, depois de haver nascido.[5]

O herói vivia, portanto, na dependência dos deuses e do destino, faltando a ele a noção de vontade pessoal, de liberdade. Mas isso não o diminuía diante das pessoas comuns, ao contrário, ter sido escolhido pelos deuses era sinal de valor e em nada essa ajuda desmerecia a **virtude** do *guerreiro belo e bom*, que se manifestava pela coragem e pela força, sobretudo no campo de batalha.

ETIMOLOGIA

Virtude. Vem do latim *vir, virtus*; primitivamente, *vir* significa o homem viril, forte, corajoso.

Hades. É o nome do Deus do Mundo Subterrâneo, que entre os romanos chamava-se Plutão. Também designa o Mundo dos Mortos.

GALERIA UFFIZI, FLORENÇA, ITÁLIA

Hércules e a Hydra. Antonio di Jacopo Pollaiuolo, 1475.

Hércules é o nome romano do semideus grego Héracles, filho de Zeus e de uma mortal. Conhecido por sua força física, enfrentou inúmeros desafios, principalmente devido à cólera e vingança da deusa Hera, esposa de Zeus, enciumada pela traição do marido. Na imagem Hércules se cobre com a cabeça e a pele do Leão de Némea, um monstro que matou no primeiro de seus doze trabalhos. Na tela do pintor italiano renascentista, o herói enfrenta a Hidra de Lerna, espécie de serpente de várias cabeças que voltavam a crescer depois de cortadas. Segundo intérpretes, a hidra seria o pântano de Lerna — que Hércules conseguira secar — e as cabeças, as nascentes-d'água que até então não paravam de jorrar. Outros comparam a hidra ao delta dos rios, com suas enchentes. Não por acaso, a palavra *hidra* vem do grego e significa "água". Há nesse relato várias referências ao que vimos até aqui sobre os mitos. Procure identificá-las. Além disso, faça uma interpretação atual do mito, destacando algum acontecimento ou sentimento que poderia ser simbolizado pelo mito da Hidra de Lerna.

[5] HOMERO. *Ilíada* (em forma de prosa). 9. ed. Rio de Janeiro: Ediouro, 1999. p. 72.

Diferentemente do que hoje entendemos por virtude, para os gregos esse valor correspondia à excelência e à superioridade, objetivo supremo do herói guerreiro. Essa virtude se destacava igualmente na assembleia dos guerreiros, pelo poder de persuasão do discurso.

> **PARA REFLETIR**
>
> O conceito de *virtude* variou entre os filósofos, mas em geral designa uma disposição ética para realizar o bem, o que supõe autonomia e não mais imposição do destino. Você saberia indicar algumas virtudes desejáveis para o convívio humano?

b) Hesíodo

Hesíodo, outro poeta que teria vivido por volta do final do século VIII e princípios do VII a.C., produziu uma obra com particularidades que tendem a superar a poesia impessoal e coletiva das epopeias. Essas características novas são indicativas do período arcaico, que então se iniciava.

Mesmo assim, suas obras ainda refletem o interesse pela crença nos mitos. Em ***Teogonia***, Hesíodo relata as origens do mundo e dos deuses, em que as forças emergentes da natureza vão se transformando nas próprias divindades. Por isso a teogonia é também uma **cosmogonia**, na medida em que narra como todas as coisas surgiram do **Caos** para compor a ordem do Cosmo.

> **ETIMOLOGIA**
>
> **Teogonia.** Do grego *théos*, "deus", e *gonos*, "origem".
> **Cosmogonia.** Do grego *kósmos*, "mundo", "ordem", "beleza".
> **Caos.** Para os gregos, o vazio inicial.

Por exemplo, do Caos surgiu Gaia, ou Geia (a Terra, elemento primordial), que, sozinha, deu origem a Urano (o Céu). Em seguida, uniu-se a Urano, gerando os deuses e as divindades femininas. Um de seus filhos é Cronos (Tempo), que toma o poder do pai e é destronado pelo filho Zeus.

Os deuses gregos permaneceram por muito tempo na cultura ocidental da Antiguidade e foram assimilados pelos romanos, com outros nomes. Por exemplo, Cronos é Saturno, Zeus é Júpiter, Atena é Minerva, Afrodite é Vênus e assim por diante.

6 O mito hoje

Perguntamos então: e hoje, o desenvolvimento do pensamento reflexivo teria decretado a morte da consciência mítica?

Augusto Comte, fundador do positivismo, responde afirmativamente: ao explicar a evolução da humanidade, define a maturidade do espírito humano pela superação de todas as formas míticas e religiosas. Dessa maneira, opõe radicalmente mito e razão, ao mesmo tempo que inferioriza o mito como tentativa fracassada de explicação da realidade.

> **PARA SABER MAIS**
>
> **Positivismo**
> Consulte o **Vocabulário**, no final do livro, e o capítulo 15, "A crítica da metafísica".

No entanto, ao criticar o mito e exaltar a ciência, contraditoriamente o positivismo fez nascer o *mito do cientificismo*, ou seja, a crença cega na ciência como única forma de saber possível. Desse modo, o positivismo mostra-se reducionista, já que, bem sabemos, a ciência não é a única interpretação válida do real.

De fato, existem outros modos de compreensão, como o senso comum, a filosofia, a arte, a religião, e nenhuma delas exclui o fato de o mito estar na raiz da inteligibilidade. A função fabuladora persiste não só nos contos populares, no folclore, como também na vida diária, quando proferimos certas palavras ricas de ressonâncias míticas — casa, lar, amor, pai, mãe, paz, liberdade, morte — cuja definição objetiva não esgota os significados que ultrapassam os limites da própria subjetividade. Essas palavras nos remetem a valores **arquetípicos**, modelos universais que existem na natureza inconsciente e primitiva de todos nós.

> **ETIMOLOGIA**
>
> **Arquétipo**. *Arché*, em grego, significa "princípio", "origem".

A permanência do mito

O mito ainda é uma expressão fundamental do viver humano, o ponto de partida para a compreensão do ser. Em outras palavras, tudo o que pensamos e queremos se situa inicialmente no horizonte da imaginação, nos pressupostos míticos, cujo sentido existencial serve de base para todo trabalho posterior da razão.

Personalidades como artistas, políticos e esportistas, que os meios de comunicação se incumbem de transformar em imagens exemplares, passam a representar todo tipo de anseios: sucesso, poder, liderança, atração sexual etc. Por esses motivos, figuras míticas como as do guerrilheiro Che Guevara, da princesa Lady Diana, da *superstar* Madonna, do tricampeão de automobilismo Ayrton Senna exaltam o imaginário das pessoas. Hoje em dia, com a rapidez da mídia, essas influências tornaram-se múltiplas e também mais fugazes.

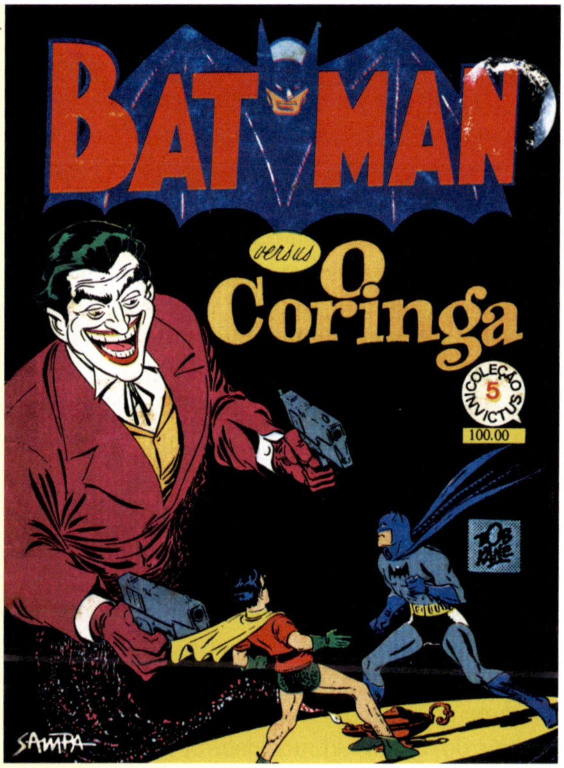

Coringa, o inimigo de Batman, segundo seu criador, Bob Kane, em 1940. Nas histórias em quadrinhos destaca-se o confronto mítico entre o bem e o mal.

Nas histórias em quadrinhos, o maniqueísmo exprime o arquétipo da luta entre o bem e o mal, enquanto a dupla personalidade do super-herói atinge em cheio o desejo da pessoa comum de superar a própria inexpressividade e impotência, tornando-se excepcional e poderosa. Também os contos de fada retomam os mitos universais do herói em luta contra as forças do mal, apaziguando os temores infantis.

No campo da política, quando alguém diz que o socialismo é um mito, pode estar dizendo que se trata de uma mentira, de uma ilusão que não leva a lugar algum. Porém, outros verão positivamente o mito do socialismo como utopia, o lugar do "ainda não", cuja força mobiliza a construção daquilo que um dia poderá "vir a ser".

Até as mais racionais adesões a partidos políticos e correntes de pensamento supõem esse pano de fundo mítico no qual nos movemos em direção a valores que só posteriormente explicitamos pela razão.

O nosso comportamento também é permea-do de rituais, mesmo que secularizados, isto é, não religiosos: as comemorações de nascimentos, casamentos e aniversários, a entrada do ano-novo, as festas de formatura e de debutantes, os trotes de calouros nos fazem lembrar ritos de passagem. Examinando as manifestações coletivas no cotidiano da vida urbana do brasileiro, descobrimos componentes míticos no carnaval e no futebol, ambos como manifestações do imaginário nacional e da expansão de forças inconscientes.

Os aspectos sombrios do mito

O mito se expressa ainda sob formas negativas, por exemplo quando as ideias de Hitler encontraram eco naqueles que acreditavam na ideia da raça ariana como raça pura, desencadeando movimentos apaixonados de perseguição que culminaram no genocídio de judeus, ciganos e homossexuais.

PARA REFLETIR

Os arianos são um subgrupo indo-europeu que veio das estepes da Ásia e se expandiu pela Europa. Segundo a concepção racista do nazismo, deles descendiam os alemães, que constituíam uma "raça pura". Você já notou como as doutrinas racistas consideram inferiores pessoas ou grupos que são apenas diferentes?

7 Para finalizar...

O mito não se reduz a simples mentira, mas faz parte da vida humana desde seus primórdios e ainda persiste no nosso cotidiano como uma das experiências possíveis do existir humano, expressas por meio das crenças, dos temores e desejos que nos mobilizam. No entanto, hoje os mitos não emergem com a mesma força com que se impuseram nas sociedades tribais, porque o exercício da crítica racional nos permite legitimá-los ou rejeitá-los quando nos desumanizam.

Maniqueísmo. Atitude de quem estabelece uma oposição simplista entre algo (ou alguém) que representa o bem e outro que representa o mal.

Leitura complementar

Leia os dois textos e responda às questões na sequência.

1. A tortura, a memória

"[...] Na exata medida em que a iniciação é, inegavelmente, uma comprovação da coragem pessoal, esta se exprime – se é que podemos dizê-lo – no silêncio oposto ao sofrimento. Entretanto, depois da iniciação, já *esquecido* todo o sofrimento, ainda subsiste algo, um saldo irrevogável, os sulcos deixados no corpo pela operação executada com a faca ou a pedra, as cicatrizes das feridas recebidas. Um homem iniciado é um homem marcado. O objetivo da iniciação, em seu momento de tortura, é marcar o corpo: no ritual iniciatório, *a sociedade imprime a sua marca no corpo* dos jovens. Ora, uma cicatriz, um sulco, uma marca são indeléveis. Inscritos na profundidade da pele, atestarão para sempre que, se por um lado a dor pode não ser mais do que uma recordação desagradável, ela foi sentida num contexto de medo e de terror. A marca é um obstáculo ao esquecimento, o próprio corpo traz impressos em si os sulcos da lembrança – *o corpo é uma memória*.

Pois o problema é não perder a memória do segredo confiado pela tribo, a memória desse saber de que doravante são depositários os jovens iniciados. Que sabem agora o jovem caçador guaiaqui, o jovem guerreiro mandan? A marca proclama com segurança o seu pertencimento ao grupo: 'És um dos nossos e não te esquecerás disso.' [...]

Avaliar a resistência pessoal, proclamar um pertencimento social: tais são as duas funções evidentes da iniciação como inscrição de marcas sobre o corpo."

CLASTRES, Pierre. *A sociedade contra o Estado*. 2. ed. Rio de Janeiro: Francisco Alves, 1978. p. 128-129.

Indelével. Que não desaparece.

2. Os trotes de calouro

Neste trecho, Adorno trata do horror que foram os campos de extermínio (como o de Auschwitz, cidade da Polônia) no tempo de Hitler. Ao analisar a violência, o sadismo que permeia de modo ambíguo comportamentos aparentemente "normais", reflete sobre "o perigo de que tudo aconteça de novo".

"[...] aquilo que gera Auschwitz, os tipos característicos ao mundo de Auschwitz, constituem presumivelmente algo de novo. Por um lado, eles representam a identificação cega com o coletivo. Por outro, são talhados para manipular massas, coletivos, tais como os [líderes nazistas] Himmler, Höss, Eichmann. Considero que o mais importante para enfrentar o perigo de que tudo se repita é contrapor-se ao poder cego de todos os coletivos, fortalecendo a resistência frente aos mesmos por meio do esclarecimento do problema da coletivização. Isto não é tão abstrato quanto possa parecer ao entusiasmo participativo, especialmente das pessoas jovens, de consciência progressista. O ponto de partida poderia estar no sofrimento que os coletivos infligem no começo a todos os indivíduos que se filiam a eles. Basta pensar nas primeiras experiências de cada um na escola. É preciso se opor àquele tipo de *folk-ways*, hábitos populares, ritos de iniciação de qualquer espécie, que infligem dor física – muitas vezes insuportável – a uma pessoa como preço do direito de ela se sentir um filiado, um membro do coletivo. A brutalidade de hábitos tais como os trotes de qualquer ordem, ou quaisquer outros costumes arraigados desse tipo, é precursora imediata da violência nazista. Não foi por acaso que os nazistas enalteceram e cultivaram tais barbaridades com o nome de "costumes". Eis aqui um campo muito atual para a ciência. Ela poderia inverter decididamente essa tendência da etnologia encampada com entusiasmo pelos nazistas, para refrear esta sobrevida simultaneamente brutal e fantasmagórica desses divertimentos populares."

ADORNO, Theodor W. "Educação após Auschwitz". Em: *Educação e emancipação*. Rio de Janeiro: Paz e Terra, 1995. p. 127-128.

Questões

1 Identifique o que os dois textos (de Clastres e de Adorno) têm de semelhante.

2 Entre os ritos contemporâneos, o trote violento de calouros poderia ser uma expressão degenerada do rito de iniciação primitivo? Explique qual é a posição de Adorno. Posicione-se a respeito.

3 O que Clastres quer dizer quando afirma que "um homem iniciado é um homem marcado" e "o corpo é uma memória"?

4 Hoje em dia há jovens que se tatuam. O que significa essa necessidade de uma "marca" indelével no próprio corpo?

Atividades

Revendo o capítulo

1 É comum associarmos os mitos às lendas, destacando o aspecto inverossímil desses relatos. Como se pode criticar esse modo de compreender o mito?

2 O mistério do mito é abordado por teóricos que o explicam de maneira diversa. Escolha uma das tendências (funcionalismo, psicanálise, estruturalismo) e explique como o mito é por ela compreendido.

3 Embora o mito ainda fosse um componente importante nas mais antigas civilizações (Mesopotâmia, Egito, Grécia), em que se distingue do papel que ele exercia anteriormente nas sociedades tribais?

4 É possível ainda se falar em mitos contemporâneos? Justifique sua resposta.

Aplicando os conceitos

5 Leia as citações a seguir e interprete-as tendo em vista a concepção de ser humano transmitida pelas epopeias.

a) "Eu sou uma divindade que te guarda sem cessar, em todos os trabalhos" (a deusa Atena a Ulisses).

b) "Não sou eu o culpado, mas Zeus, o Destino e a Erínia, que caminha na sombra" (Agamêmnon, rei de Micenas, depois de um desvario momentâneo, durante a guerra de Troia).

6 Observe a imagem, leia o texto e responda.

Orestes perseguido pelas Erínias. William Bouguereau, 1862.

A história de Orestes, filho de Agamêmnon e Clitemnestra, é relatada nos poemas homéricos e na tragédia de Ésquilo *Oresteia*, uma trilogia. Ao voltar da guerra de Troia, Agamêmnon é assassinado pela sua mulher e por Egisto. Quando adulto, Orestes retorna à cidade de Argos e, com a autorização do deus Apolo, vinga-se matando a mãe e seu amante. O matricídio provocou a ira das Erínias, deusas que personificam a vingança: elas punem os homicidas com remorsos de modo implacável, com torturas que podem levar à loucura.

Discuta com seu colega.

a) Esse mito pode simbolizar comportamentos que ainda hoje atormentam as pessoas? Na leitura complementar do capítulo 1, "A experiência filosófica", Calligaris comenta o assassinato de uma menina em que o pai e a madrasta são os principais suspeitos. A reação popular seria algo semelhante à ação das Erínias?

b) Dê outros exemplos.

Dissertação

7 Com base nesta citação, faça uma dissertação sobre o tema: "Os bons e maus mitos do nosso tempo".

"[...] o mito propõe todos os valores, puros e impuros. Não é da sua atribuição autorizar tudo o que sugere. Nossa época conheceu o horror do desencadeamento dos mitos do poder e da raça, quando seu fascínio se exercia sem controle. A sabedoria é um equilíbrio. O mito propõe, mas cabe à consciência dispor. E foi talvez porque um racionalismo estreito demais fazia profissão de desprezar os mitos, que estes, deixados sem controle, tornaram-se loucos." (Georges Gusdorf. *Mito e metafísica*. São Paulo: Convívio, 1979. p. 308.)

Debate

8 Em grupo, pesquisem sobre os mitos subjacentes nas produções culturais (telenovelas, propagandas, filmes, histórias em quadrinhos, programas humorísticos etc.). Elaborem um relatório para ser apresentado à classe. Em seguida haverá um debate sobre os temas expostos.

Erínias. Deusas da vingança, também chamadas Fúrias.

Capítulo 3

O nascimento da filosofia

Fonte: *Enciclopédia do Estudante*. História da filosofia: da Antiguidade aos pensadores do século XXI. v. XII. Bernadete Siqueira Abrão [et al.]. São Paulo: Moderna, 2008. p. 17.

Consulte o mapa dos principais filósofos gregos e identifique aqueles que correspondem ao período pré-socrático. Observe em que região (Jônia ou Magna Grécia) e em que cidade eles se estabeleceram. Em seguida veja como os filósofos do período clássico (Sócrates, Platão) se fixam em Atenas. Embora Aristóteles tenha nascido em Estagira, cidade da Macedônia, foi em Atenas que fundou sua escola. Localize também os filósofos do helenismo, que se deslocam da Grécia continental e se espalham pelas ilhas.

1 Situando no tempo

Neste capítulo veremos o processo pelo qual se deu a passagem da consciência mítica para a consciência filosófica na civilização grega. Vejamos de início um quadro que abrange desde os períodos míticos até o século II a.C.

PARA SABER MAIS

Periodização da história da Grécia Antiga

Civilização micênica (sécs. XX a XII a.C.). Desenvolveu-se desde o início do segundo milênio a.C. Tem esse nome pela importância da cidade de Micenas, de onde, por volta de 1250 a.C., partiram Agamêmnon, Aquiles e Ulisses para sitiar e conquistar Troia.

Tempos homéricos (sécs. XII a VIII a.C.). Na transição de um mundo essencialmente rural, os senhores enriquecidos formaram a aristocracia proprietária de terras, que fez recrudescer o sistema escravista. Nesse período teria vivido Homero (séc. IX ou VIII a.C.).

Período arcaico (sécs. VIII a VI a.C.). Com a formação das cidades-estados (póleis), ocorreram grandes alterações sociais e políticas, bem como o desenvolvimento do comércio e a expansão da colonização grega. No início desse período teria vivido Hesíodo. No final do século VII e durante o século VI a.C. surgiram os primeiros filósofos.

Período clássico (sécs. V e IV a.C.). Auge da civilização grega; na política, o apogeu da democracia ateniense; desenvolvimento das artes, literatura e filosofia; época em que viveram os sofistas e os filósofos Sócrates, Platão e Aristóteles.

Período helenístico (sécs. III e II a.C.). Decadência política, domínio macedônico e conquista da Grécia pelos romanos; culturalmente, significativa influência das civilizações orientais; florescimento das filosofias estoicas e epicuristas.

2 Uma nova ordem humana

Costuma-se dizer que os primeiros filósofos foram gregos e surgiram no período arcaico, nas colônias gregas. Embora reconheçamos a importância de sábios que viveram na mesma época em outros lugares, suas doutrinas ainda estavam mais vinculadas à religião do que propriamente à reflexão filosófica.

PARA SABER MAIS

Os sábios que viveram no Oriente no século VI a.C., a mesma época em que a filosofia surgiu na Grécia, foram: Confúcio e Lao Tsé na China; Gautama Buda na Índia; Zaratustra na Pérsia.

Alguns autores chamaram de "milagre grego" a passagem da mentalidade mítica para o pensamento crítico racional e filosófico, destacando o caráter repentino e único desse processo. Outros estudiosos, no entanto, criticam essa visão simplista e afirmam que a filosofia na Grécia não é fruto de um salto, do "milagre" realizado por um povo privilegiado, mas é a culminação do processo gestado ao longo dos tempos.

Por enquanto, fiquemos com alguns fatos do período arcaico que ajudaram a alterar a visão mítica predominante e contribuíram para o surgimento do filósofo:

- a invenção da escrita e da moeda;
- a lei escrita;
- a fundação da pólis (cidade-Estado).

A invenção da escrita

A consciência mítica predomina em culturas de tradição oral, quando ainda não há escrita. Mesmo após seu surgimento, a escrita reserva-se aos privilegiados, aos sacerdotes e aos reis, e geralmente mantém o caráter mágico: entre os antigos egípcios, por exemplo, a palavra *hieróglifo* significa literalmente "sinal divino".

Na Grécia, já existira uma escrita no período micênico, mas restrita aos escribas que exerciam funções administrativas de interesse da aristocracia palaciana. Com a violenta invasão dórica, no século XII a.C., a escrita desapareceu junto com a civilização micênica, para ressurgir apenas no final do século IX ou VIII a.C., por influência dos fenícios.

Em seu ressurgimento, a escrita assumiu função diferente. Suficientemente desligada da influência religiosa, passou a ser utilizada para formas mais democráticas de exercício do poder.

Enquanto os rituais religiosos eram cheios de fórmulas mágicas, termos fixos e inquestionados, os escritos passaram a ser divulgados em praça pública, sujeitos à discussão e à crítica. Isso não significa que a escrita se tornasse acessível a todos, muito pelo contrário, já que a maioria da população era constituída de analfabetos. O que está em destaque é a dessacralização da escrita, ou seja, seu desligamento do sagrado.

A escrita gera nova idade mental porque a postura de quem escreve é diferente daquela de quem apenas fala. Como a escrita fixa a palavra para além de quem a proferiu, exige maior rigor e clareza, o que estimula o espírito crítico. Além disso, a retomada posterior do que foi escrito — não só por contemporâneos, mas por outras gerações — abre os horizontes do pensamento e proporciona o distanciamento do vivido e o confronto das ideias.

Portanto, a escrita surge como possibilidade maior de abstração, de uma reflexão aprimorada que tenderá a modificar a própria estrutura do pensamento.

O surgimento da moeda

Na época da aristocracia rural, de riqueza baseada em terras e rebanhos, a economia era pré-monetária. Os objetos usados para troca vinham carregados de simbologia afetiva e sagrada. As relações sociais, impregnadas de caráter sobrenatural, eram fortemente marcadas pela posição social de pessoas consideradas superiores, devido à origem divina de seus ancestrais.

Entre os séculos VIII e VI a.C., deu-se o desenvolvimento do comércio marítimo, decorrente da expansão do mundo grego, com a colonização da Magna Grécia (atual sul da Itália e Sicília) e da Jônia (hoje litoral da Turquia). O enriquecimento dos comerciantes acelerou a substituição de valores aristocráticos por valores da nova classe em ascensão.

A moeda, inventada na Lídia — região da atual Turquia —, apareceu na Grécia por volta do século VII a.C., vindo facilitar os negócios e impulsionar o comércio. Com o recurso da moeda, os produtos que antes se restringiam ao seu valor de uso passaram a ter valor de troca, isto é, transformaram-se em mercadoria. Emitida e garantida pela pólis, a moeda fazia reverter seus benefícios para a própria comunidade.

Dois lados de uma moeda grega encontrada em Atenas, c. 440 a.C.

THE GRANGER COLLECTION/ OTHER IMAGES

Nessa moeda grega, vemos a deusa Atena e a coruja, símbolo da sabedoria. Por consequência, a coruja passou a representar também a filosofia.

Além desse efeito político de democratização de um valor, a moeda sobrepunha aos símbolos sagrados e afetivos o caráter racional de sua concepção: a moeda representa uma convenção humana, noção abstrata de valor que estabelece a medida comum entre valores diferentes. Nesse sentido, a invenção da moeda desempenha papel revolucionário, por vincular-se ao nascimento do pensamento racional crítico.

A lei escrita

Antes de tratarmos da transformação da pólis é preciso destacar a importância de legisladores como Drácon (séc. VII a.C.), Sólon e Clístenes (séc. VI a.C.), que sinalizaram uma nova era: a justiça, até então dependente da interpretação da vontade divina ou da arbitrariedade dos reis, tornou-se codificada numa legislação escrita. Regra comum a todos, norma racional, sujeita à discussão e à modificação, a lei escrita passou a encarnar uma dimensão propriamente humana.

As reformas da legislação de Clístenes fundaram a pólis sobre nova base: a antiga organização tribal foi abolida e estabeleceram-se relações que não mais dependiam da consanguinidade, mas eram determinadas por uma organização administrativa. Essas modificações expressam o ideal igualitário que preparava a democracia nascente, já que a unificação do corpo social aboliu a hierarquia fundada no poder aristocrático das famílias, que se assentava na submissão e no domínio.

Segundo Jean-Pierre Vernant, helenista e pensador francês,

> os que compõem a cidade, por mais diferentes que sejam por sua origem, sua classe, sua função, aparecem de uma certa maneira 'semelhantes' uns aos outros". Se de início a igualdade existia apenas entre os guerreiros, "essa imagem do mundo humano encontrará no século VI sua expressão rigorosa num conceito, o de **isonomia**: igual participação de todos os cidadãos no exercício do poder.[1]

A pólis buscava garantir a isonomia, do mesmo modo que a **isegoria**, a igualdade do direito da palavra na assembleia.

ETIMOLOGIA

Isonomia. Do grego *isos*, "igual", e *nomos*, "lei" (igualdade de direitos perante a lei no regime democrático).
Isegoria. Do grego *isos*, "igual", e *agoreuo*, "discursar em público".

PARA REFLETIR

Poderíamos dizer que ainda hoje a isonomia e a isegoria são princípios extensivos a todos os cidadãos em nosso país?

[1] VERNANT, Jean-Pierre. *As origens do pensamento grego*. 2. ed. São Paulo: Difel, 1977. p. 42.

O cidadão da pólis

Para Vernant, o nascimento da pólis (por volta dos sécs. VIII e VII a.C.) é um acontecimento decisivo que "marca um começo, uma verdadeira invenção", por ter provocado grandes alterações na vida social e nas relações humanas.

A originalidade da pólis é que ela estava centralizada na ágora (praça pública), espaço onde se debatiam os problemas de interesse comum. Separavam-se na pólis o domínio público e o privado: isso significava que ao ideal de valor de sangue, restrito a grupos privilegiados em função do nascimento ou fortuna, se sobrepunha a justa distribuição dos direitos dos cidadãos como representantes dos interesses da cidade.

Desse modo era elaborado o novo ideal de justiça, pelo qual todo cidadão tinha direito ao poder. A noção de justiça assumia caráter político, e não apenas moral, ou seja, não dizia respeito apenas ao indivíduo e aos interesses da tradição familiar, mas à sua atuação na comunidade.

A pólis se fez pela autonomia da palavra, não mais a palavra mágica dos mitos, palavra dada pelos deuses e, portanto, comum a todos, mas a palavra humana do conflito, da discussão, da argumentação. Expressar-se por meio do debate fez nascer a *política*, que permite ao indivíduo tecer seu destino na praça pública. Da instauração da ordem humana surgiu o *cidadão da pólis*, figura inexistente no mundo da comunidade tribal e das aristocracias rurais.

AKG-IMAGES/INTERCONTINENTAL PRESS

O século de Péricles. Phillipp von Foltz, 1853.

Na ágora ateniense, logo abaixo da acrópole, o povo se reúne para a assembleia em que os oradores discutem os destinos da cidade.

A consolidação da democracia

Embora os regimes oligárquicos não tenham sido extirpados, em muitas póleis consolidaram-se os ideais democráticos. Entre elas, Atenas é um modelo clássico. O apogeu da democracia ateniense ocorreu no século V a.C., quando Péricles governava.

Os cidadãos livres, ricos ou pobres, tinham acesso à assembleia. Tratava-se da *democracia direta*, em que não eram escolhidos representantes, mas cada cidadão participava ele mesmo das decisões de interesse comum.

No entanto, quando falamos em democracia ateniense, é bom lembrar que a maior parte da população se achava excluída do processo político, tais como os escravos e os estrangeiros (metecos), mesmo que estes fossem prósperos comerciantes.

Aliás, quanto mais se desenvolvia a ideia de cidadania, com a consolidação da democracia, a escravidão representava ainda mais um contraponto indispensável, já que ao escravo eram reservadas as tarefas dos trabalhos manuais e das atividades diárias de sobrevivência.

É difícil fazer o cálculo demográfico de Atenas, mas no decorrer do século V a.C. a população variou entre meio milhão a 250 mil habitantes, dos quais a maioria era constituída por escravos. Excluídos os estrangeiros, as mulheres e as crianças, restavam apenas entre 10 a 14% de cidadãos propriamente ditos capacitados para participar das discussões na ágora e decidir por todos

Apesar disso, o que vale enfatizar é a mutação do ideal político e uma concepção inovadora de poder, a democracia. O hábito da discussão pública, na ágora, estimulava o pensamento racional, argumentativo, mais distanciado das tradições míticas.

3 Os primeiros filósofos

A grande aventura intelectual dos gregos não começou propriamente na Grécia continental, mas nas colônias da Jônia e da Magna Grécia, onde florescia o comércio. Os primeiros filósofos viveram por volta dos séculos VII e VI a.C. e, mais tarde, foram classificados como pré-socráticos, quando a divisão da filosofia grega centralizou-se na figura de Sócrates.

Assembleia. Em grego se diz *agorá*, local de reunião para decidir assuntos comuns. Designa também a praça principal das póleis, local onde se instalava o mercado.

Os escritos dos filósofos pré-socráticos desapareceram com o tempo, e só nos restam alguns fragmentos ou referências de filósofos posteriores. Sabemos que geralmente escreviam em prosa, abandonando a forma poética característica das epopeias, dos relatos míticos.

PARA SABER MAIS

Períodos da filosofia grega

Pré-socrático (séc. VII e VI a.C.). Os primeiros filósofos ocupavam-se com questões cosmológicas, iniciando a separação entre a filosofia e o pensamento mítico.

Sócrático ou clássico (séc. V e IV a.C.). Ênfase nas questões antropológicas e maior sistematização do pensamento. Desse período fazem parte os sofistas, o próprio Sócrates, seu discípulo Platão e Aristóteles, discípulo de Platão.

Pós-socrático (séc. III e II a.C.). Durante o helenismo, preponderou o interesse pela física e pela ética. Surgiram as correntes filosóficas do estoicismo (Zenão de Cítio), do hedonismo (Epicuro) e do ceticismo (Pirro de Élida).

PARA SABER MAIS

Entre os primeiros filósofos, Pitágoras foi o que pela primeira vez usou a palavra filosofia e ainda hoje é estudado em cursos de geometria. Você conhece o teorema sobre a hipotenusa e os catetos do triângulo retângulo?

O princípio de todas as coisas

Os primeiros pensadores centraram a atenção na natureza e elaboraram diversas concepções de cosmologia. Note que dizemos cosmologia, conceito que se contrapõe à cosmogonia de Hesíodo. Enquanto no período mítico a cosmogonia relata o princípio como origem no tempo (o nascimento dos deuses), as cosmologias dos pré-socráticos procuram a racionalidade constitutiva do Universo.

Todos eles procuram explicar como, diante da mudança (do devir), podemos encontrar a estabilidade; como, diante do múltiplo, descobrimos o uno. Ao perguntarem como seria possível emergir o cosmo do caos — ou seja, como da confusão inicial surge o mundo ordenado —, os pré-socráticos buscam o princípio (em grego, a *arkhé*) de todas as coisas, entendido não como aquilo que antecede no tempo, mas como *fundamento do ser*. Buscar a *arkhé* é explicar qual é o *elemento constitutivo* de todas as coisas.

As respostas dos filósofos à questão do fundamento das coisas, da unidade que pode explicar a multiplicidade, são as mais variadas. Vejamos algumas delas:

- Para Tales de Mileto (640-c.548 a.C.), astrônomo, matemático e primeiro filósofo, a *arkhé* é a água;
- De acordo com Pitágoras (séc. VI a.C), filósofo e matemático, o número é a essência de tudo; todo o cosmo é harmonia, porque é ordenado pelos números.

IMAGESTATE/OTHER IMAGES

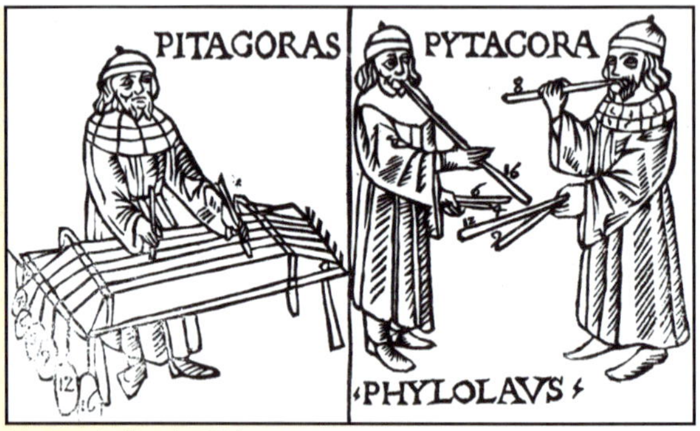

Monocórdio de Pitágoras em ilustração sem data.

O monocórdio – como o nome diz – é um instrumento de uma corda só. Nele, Pitágoras fez experiências para mostrar que a música se expressa em linguagem matemática. Ao calcular os intervalos entre os diferentes pontos pressionados na corda, descobriu a relação entre as notas musicais e as proporções no seu comprimento. Faça uma pesquisa para explicar com mais detalhes quais foram as proporções estabelecidas por Pitágoras no seu experimento. Se necessário, consulte alguém que conheça teoria musical, matemática ou ainda física.

- Para Anaximandro (610-547 a.C.), o fundamento dos seres é uma matéria indeterminada, ilimitada (*ápeiron*, em grego), que daria origem a todos os seres materiais.
- Para Anaxímenes (588-524 a.C.), é o ar, que pela rarefação e condensação faz nascer e transformar todas as coisas.
- Parmênides de Eleia (c.544-450 a.C.) e Heráclito de Éfeso (sécs. VI-V a.C.) desenvolveram teorias que entraram em conflito e instigaram os filósofos do período clássico (como veremos no capítulo 13, "A busca da verdade"). Enquanto para Parmênides o ser real é imóvel, imutável e

AKG-IMAGES/INTERCONTINENTAL PRESS

Homem na balança dos quatro elementos. Autor desconhecido, 1532.

A teoria dos quatro elementos — terra, água, ar e fogo — faz parte da tradição de vários povos antigos. A que foi elaborada por Empédocles tornou-se a mais conhecida e aceita na cultura ocidental até o século XVIII, quando o cientista Lavoisier contestou sua validade.

o movimento é uma ilusão, para Heráclito tudo flui e tudo o que é fixo é ilusão: "não nos banhamos duas vezes no mesmo rio".

- Anaxágoras (499-428 a.C.), nascido em Clazômena, mudou-se para Atenas, onde foi mestre de Péricles. Sustentava que as "sementes" de todas as coisas foram ordenadas por um princípio inteligente, uma Inteligência cósmica (*Nous*, em grego).
- Os quatro elementos, terra, água, ar e fogo, constituem a teoria de Empédocles (483-430 a.C.).
- Os filósofos Leucipo (séc. V a.C.) e Demócrito (c.460-c.370 a.C.) são atomistas, por considerarem o elemento primordial constituído por átomos, partículas indivisíveis. Como para eles também a alma era formada por átomos, estamos diante de uma concepção materialista e determinista.

4 Mito e filosofia: continuidade e ruptura

Já podemos observar a diferença entre o pensamento mítico e a filosofia nascente: a cosmologia racional distingue-se da cosmogonia mítica de Hesíodo.

Para estudiosos como o inglês Francis Mcdonald Cornford, no entanto, apesar das diferenças o pensamento filosófico nascente ainda apresentava vinculações com o mito. Examinando os textos dos filósofos jônicos, Cornford descobriu neles a mesma estrutura de pensamento existente no relato mítico: os jônios afirmavam que, de um estado inicial de indistinção, *separam-se* pares opostos (quente e frio, seco e úmido), que vão gerar os seres naturais (o céu de fogo, o ar frio, a terra seca, o mar úmido). Para eles, a ordem do mundo deriva de forças opostas que se equilibram reciprocamente, e a *união* dos opostos explica os fenômenos meteóricos, as estações do ano, o nascimento e a morte de tudo o que vive. Ora, para Cornford, essa explicação racional se assemelha aos relatos de Hesíodo na *Teogonia*, segundo os quais Gaia gera sozinha, por *segregação*, o Céu e o Mar; depois, da *união* de Gaia com o Urano resulta a geração dos deuses.

Embora em parte concorde com o fato de que a filosofia deriva do mito, em *Mito e pensamento entre os gregos* Vernant contrapõe-se a Cornford ao destacar o novo, "aquilo que faz precisamente com que a filosofia deixe de ser mito para se tornar filosofia".

Nesse sentido, existe uma ruptura entre mito e filosofia. Enquanto o mito é uma narrativa cujo conteúdo não se questiona, a filosofia problematiza e, portanto, convida à discussão. No mito a inteligibilidade é dada, na filosofia ela é procurada. A filosofia rejeita o sobrenatural, a interferência de agentes divinos na explicação dos fenômenos. Ainda mais: a filosofia busca a coerência interna, a definição rigorosa dos conceitos; organiza-se em doutrina e surge, portanto, como *pensamento abstrato*.

Leitura complementar

Leia o texto de Nietzsche sobre Tales de Mileto e responda às questões.

Tales, o primeiro filósofo

"A filosofia grega parece começar com uma ideia absurda, com a proposição: a *água* é a origem e a matriz de *todas* as coisas. Será mesmo necessário deter-nos nela e levá-la a sério? Sim, e por três razões: em primeiro lugar, porque essa proposição enuncia algo sobre a origem das coisas; em segundo lugar, porque o faz sem imagem e fabulação; enfim, em terceiro lugar, porque nela, embora apenas em estado de crisálida, está contido o pensamento: 'Tudo é um'. A razão citada em primeiro lugar deixa Tales ainda em comunidade com os religiosos e supersticiosos, a segunda o tira dessa sociedade e no-lo mostra como investigador da natureza, mas, em virtude da terceira, Tales se torna o primeiro filósofo grego. Se tivesse dito: 'Da água provém a terra', teríamos apenas uma hipótese científica, falsa, mas dificilmente refutável. Mas ele foi além do científico. Ao expor essa representação da unidade através da hipótese da água, Tales não superou o estágio inferior das noções físicas da época, mas, no máximo, saltou sobre ele. As parcas e desordenadas observações de natureza empírica que Tales havia feito sobre a presença e as transformações da água ou, mais exatamente, do úmido, seriam o que menos permitiria ou mesmo aconselharia tão monstruosa generalização; o que o impeliu a esta foi um postulado metafísico, uma crença que tem sua origem em uma intuição mística e que encontramos em todos os filósofos, ao lado dos esforços sempre renovados para exprimi-la melhor – a proposição: 'Tudo é um'.

[...] Quando Tales diz: 'Tudo é água', o homem [...] pressente a solução última das coisas e vence, com esse pressentimento, o acanhamento dos graus inferiores do conhecimento."

NIETZSCHE, Friedrich. *A filosofia na época trágica dos gregos*, § 3. p. 16. Em: *Os pré-socráticos*. São Paulo: Abril Cultural, 1973. (Coleção Os Pensadores).

QUEM É?

Tales de Mileto (640-c.548 a.C.), de origem fenícia, viveu em Mileto, na Jônia. É considerado o primeiro filósofo e um dos Sete Sábios da Grécia. Foi também matemático: enquanto os egípcios conheciam uma geometria prática, Tales transformou esse saber empírico em conhecimento científico. É atribuído a ele o teorema de Tales (dois triângulos são iguais quando possuem um lado igual compreendido entre dois ângulos iguais), e teria calculado a altura de uma pirâmide comparando a sombra dela com sua própria sombra. Como astrônomo, teria previsto um eclipse solar. Talvez por ter viajado muito e conhecido as cheias do Nilo, intuiu que a água deveria ser o princípio de tudo, por estar ligada à vida, à germinação, mas também à corrupção e à putrefação. Por considerar a água um "deus inteligente", conclui que "todas as coisas estão cheias de deuses". Como não restou nada do que escreveu — se é que escreveu —, nem todos os relatos a seu respeito são confiáveis.

HULTON ARCHIVE/STRINGER-GETTY IMAGES

Tales de Mileto, imagem de c.1866, autor desconhecido.

Metafísica. Campo da filosofia que trata do "ser enquanto ser", isto é, do ser independentemente de suas determinações particulares, do ser absoluto e dos primeiros princípios. Consultar também o **Vocabulário**, no final do livro.

Questões

1 Identifique no trecho selecionado as três razões destacadas por Nietzsche segundo as quais podemos levar a sério a reflexão de Tales de Mileto sobre a água como princípio de tudo.

2 Em que sentido a reflexão de Tales é filosófica e, portanto, se distingue do mito e da ciência?

Atividades

Revendo o capítulo

1 A passagem da mentalidade mítica para o pensamento filosófico é justificada por alguns teóricos com a tese do "milagre grego", posição descartada por outros. Em que consiste essa tese e que explicações lhe podem ser contrapostas?

2 Qual é a importância da ágora para o desenvolvimento da democracia na Grécia Antiga?

3 O que significa dizer que a democracia grega era uma democracia direta? Sob esse aspecto, em que se distingue das atuais democracias?

4 Identifique as características comuns à reflexão dos filósofos pré-socráticos.

Aplicando os conceitos

5 "Em todas as literaturas, a prosa é posterior ao verso, como a reflexão o é à imaginação. A literatura grega não faz exceção à regra, antes a acentua, pois o desnível cronológico entre ambas deve importar uns três séculos." (M. Helena Rocha Pereira)

a) A que obras em verso se refere o texto? E a que obras em prosa?

b) Quando prevalecem o verso e a prosa na cultura grega?

c) O que o texto quer dizer com a oposição entre imaginação e reflexão?

6 Na Grécia Antiga, o surgimento da escrita propiciou o nascimento da filosofia. E hoje, os altos índices de analfabetismo constituiriam um obstáculo ao desenvolvimento da consciência crítica de seus cidadãos?

7 Tomando por base o significado da ágora na pólis democrática, quais seriam as "ágoras" nas democracias contemporâneas?

8 Neste fragmento de um texto de Empédocles, há elementos que denotam ruptura em relação ao pensamento mítico. Identifique-os.

"Esta [luta das duas forças] é manifesta na massa dos membros humanos: às vezes, unem-se pelo amor todos os membros que atingiram a corporeidade, na culminância da vida florescente; outras, divididos pela cruel força da discórdia, erram separados nas margens da vida. Assim também com as árvores e peixes das águas, com os animais selvagens das montanhas e os pássaros mergulhões levados por suas asas." (Em: G. Bornheim. *Os filósofos pré-socráticos*. 3. ed. São Paulo: Cultrix, 1977. p. 70.)

Dissertação

9 Faça uma dissertação sobre o tema "A filosofia é filha da cidade". Nela você deve descrever e justificar a vinculação entre a fundação da pólis e o nascimento da filosofia.

Caiu no vestibular

10 (UEL) "Há, porém, algo de fundamentalmente novo na maneira como os gregos puseram a serviço do seu problema último – da origem e essência das coisas – as observações empíricas que receberam do Oriente e enriqueceram com as suas próprias, bem como no modo de submeter ao pensamento teórico e causal o reino dos mitos, fundado na observação das realidades aparentes do mundo sensível: os mitos sobre o nascimento do mundo." (W. Jaeger. Paideia. Trad. Artur M. Parreira. 3. ed. São Paulo: Martins Fontes, 1995. p. 197.)

Com base no texto e nos conhecimentos sobre a relação entre mito e filosofia na Grécia, é correto afirmar.

a) Em que pese ser considerada como criação dos gregos, a filosofia se origina no Oriente sob o influxo da religião e apenas posteriormente chega à Grécia.

b) A filosofia representa uma ruptura radical em relação aos mitos, uma nova forma de pensamento plenamente racional desde suas origens.

c) Apesar de ser pensamento racional, a filosofia se desvincula dos mitos de forma gradual.

d) Filosofia e mito sempre mantiveram uma relação de interdependência, uma vez que o pensamento filosófico necessita do mito para se expressar.

e) O mito já era filosofia, uma vez que buscava respostas para problemas que até hoje são objeto da pesquisa filosófica.

11 Justifique com argumentos a escolha da alternativa assinalada.

UNIDADE 2

Antropologia filosófica

O uruguaio Joaquín Torres-García (1874-1949) integrou as formas geométricas das vanguardas artísticas europeias do início do século XX às formas figurativas de épocas primitivas, recolhidas na América pré-colombiana ou da Europa pré-histórica.

Na Bolívia, esteve no sítio arqueológico da antiga civilização de Tiahuanaco, perto do Lago Titicaca, na Bolívia, e buscou inspiração no passado indígena, pleno de símbolos arcaicos. Em inúmeras de suas obras aparecem signos figurando rostos, peixes, pássaros, Sol, Lua, ao lado de outros ligados ao mundo contemporâneo, como carros, navios, chaves e relógios. Seu objetivo não era apenas reproduzir, mas inventar e criar algo novo: uma linguagem ao mesmo tempo moderna e arcaica que o artista denominou: "Universal Construtivismo".

Observe, no canto inferior da tela, ao lado, os traços que remetem à escultura dos povos pré-incaicos.

MICHELE FALZONE/ALAMY-OTHER IMAGES

Pedras esculpidas da civilização pré-incaica Tiahuanaco (Bolívia).

Constructif mystérieux (*Construtivo misterioso*), de Joaquín Torres-García. Tela pintada em Paris, em 1932.

Leia agora este texto do filósofo alemão Ernst Cassirer (1874-1945).

“A linguagem, o mito, a arte, a religião, a ciência são elementos e condições constitutivas desta forma superior de sociedade. São os meios pelos quais as formas de vida social, que encontramos na natureza orgânica, [evoluem] para um novo estado, o da consciência social, que depende de um duplo ato, de identificação e discriminação. O homem não pode encontrar-se, não pode ter consciência de sua individualidade, senão por intermédio da vida social. Para ele, contudo, esse meio significa mais que uma força externa determinante. Como os animais, o homem se submete às regras da sociedade mas, além disso, participa ativamente da produção e da mudança das formas da vida social.

[...]

Em todas as atividades humanas encontramos uma polaridade fundamental que pode ser descrita de várias formas. Podemos falar de uma tensão entre a estabilização e a evolução, entre uma tendência que leva a formas fixas e estáveis de vida e a outra para romper esse plano rígido. O homem é dilacerado entre as duas, uma das quais procura preservar as velhas formas, ao passo que a outra forceja [empenha-se] por produzir novas. Há uma luta que não cessa entre a tradição e a inovação, entre as forças reprodutoras e criadoras.”

CASSIRER, Ernst. *Antropologia filosófica*. São Paulo: Mestre Jou, 1972. p. 349-351.

A partir das duas imagens e do texto de Cassirer, atenda às questões.

1. Identifique os elementos da tela de Torres-García que remetem à tradição e à inovação.

2. Interprete o título **Construtivo misterioso**, levando em conta o que o pintor diz sobre construtivismo e mistério.

3. Que outro tipo de expressão da ação ou do pensamento humanos manifesta o confronto entre tradição e inovação?

Essas e outras questões serão examinadas ao longo desta Unidade, que trata de importantes aspectos da vida humana: a cultura, a linguagem, o trabalho, a busca da felicidade e a morte.

Capítulo 4

Natureza e cultura

ALBUM/AKG-IMAGES-LATINSTOCK

Contorno de mão na gruta de Pech-Merle, França. Era Paleolítica, cerca de 15 mil anos atrás.

DENNIS HALLINAN/ALAMY-OTHER IMAGES

Pegada do astronauta Neil Armstrong na chegada do homem à Lua, em 1969.

A primeira imagem é de uma impressão da palma da mão, encontrada na gruta de Pech-Merle, na França, provavelmente de 15 mil anos atrás. A segunda, de 1969, é a pegada de Neil Armstrong, um dos três astronautas que chegaram pela primeira vez à Lua.

Dê um título que relacione as duas imagens.

1 Para começar

Conta-se que por volta de 1920 foram encontradas na Índia duas meninas que teriam crescido entre lobos. Essas crianças não possuíam quaisquer das características humanas: não choravam, não riam e, sobretudo, não falavam. Seu processo de humanização só teve início quando passaram a participar do convívio humano.

Um fato notável, porém, ocorreu nos Estados Unidos com Helen Keller (1880-1968), nascida cega e surda e que portanto não aprendera a falar. Desse modo, permaneceu praticamente excluída do processo de humanização até a idade de sete anos, quando seus pais contrataram a professora Anne Sullivan. Essa mulher admirável conduziu Helen ao mundo humano das significações, de início pelo sentido do tato. Começou por dedilhar sinais nas mãos da menina, relacionando-os com os objetos, sem saber de início se a criança percebia a relação entre sinal e coisas. Até que um dia, ao bombearem a água de um poço, Helen deu o passo definitivo na direção da linguagem. Em sua autobiografia, ela relata:

> ...minha professora colocou minha mão sob o jorro. À medida que o fluxo gelado escorria em minha mão, ela soletrou na outra a palavra *água*, primeiro devagarzinho e depois mais depressa. Fiquei quieta; toda a minha atenção concentrava-se no movimento de seus dedos. De repente senti uma nebulosa consciência de algo como que esquecido — uma impressão de retorno do pensamento; e de alguma forma o mistério da linguagem me foi revelado. Soube então que *á-g-u-a* significava a maravilhosa coisa fria que deslizava pela minha mão. [...] Saí do poço ansiosa por aprender. Tudo tinha um nome, e cada nome dava origem a um novo pensamento. Ao voltarmos para casa, todo objeto que eu tocava parecia vibrar, cheio de vida. Isso se dava porque eu via tudo com a nova e estranha visão que se me apresentara.[1]

No mesmo dia Helen associou inúmeras outras "palavras" com objetos. Depois, com o tempo, aprendeu a falar, a ler e a escrever. Tornou-se uma escritora e conferencista conhecida mundialmente.

Esses relatos nos propõem uma pergunta inicial: seria a linguagem o elemento que caracteriza fundamentalmente a cultura humana e que distingue o ser humano do animal?

2 O comportamento animal

Muitas vezes nos surpreendemos com as semelhanças entre os humanos e os animais, principalmente com aqueles que se encontram nos níveis mais altos da escala zoológica de desenvolvimento, como macacos e cães. Tal como eles, temos inteligência, demonstramos amor e ódio, sentimos prazer, dor e sofrimento, expressamos alegria, tristeza e desejos, além de tantas outras características comuns que descobrimos no convívio com os animais. Por isso mesmo, indagamos: "Será que meu cachorro pensa?". E se pensa, em que o "pensamento" dele se distingue do meu?

A ação por instinto

Se os animais superiores são inteligentes, o mesmo não acontece com os animais que se situam nos níveis mais baixos da escala zoológica — tais como os insetos —, porque eles agem principalmente por reflexos e instintos.

A ação instintiva é regida por leis biológicas, idênticas na espécie e invariáveis de indivíduo para indivíduo. A rigidez do instinto dá a ilusão de perfeição, já que o animal executa certos atos com extrema habilidade. Não há quem não tenha observado com atenção e pasmo o "trabalho" paciente da aranha tecendo a teia. Todavia, esses atos não se renovam — não têm história —, portanto, permanecem os mesmos ao longo do tempo, salvo no que se refere às modificações decorrentes da evolução das espécies e das mutações genéticas. Ainda que ocorram essas alterações, elas continuam valendo para os descendentes, por transmissão hereditária.

DENNIS MACDONALD/INDEX STOCK IMAGERY-LAINSTOCK

A vespa "fabrica" a célula onde deposita o ovo; junto dele coloca insetos, dos quais a larva, ao nascer, irá se alimentar. Se retirarmos os insetos e o ovo, mesmo assim a vespa dará prosseguimento às etapas seguintes, até o fechamento adequado da célula, ainda que vazia. Esse comportamento é "cego" porque não leva em conta a finalidade da "fabricação" da célula, ou seja, a preservação do ovo e da futura larva.

Instinto. Do latim *instinctus*: impulso ou inclinação. Comportamento inato (que nasce com o indivíduo) e que independe das circunstâncias e do controle racional da vontade.

[1] Citado em: SAGAN, Carl. *Os dragões do Éden*: especulações sobre a evolução da inteligência humana. Rio de Janeiro: Francisco Alves, 1980. p. 90.

Os atos instintivos ignoram a finalidade da própria ação. Em contrapartida, o ato humano voluntário é *consciente da finalidade*, isto é, o ato existe antes como pensamento, como possibilidade, e a execução resulta da escolha de meios necessários para atingir os fins propostos. Quando há interferências externas no processo, os planos são modificados para se adequarem à nova situação.

O uso da inteligência

Ao contrário da rigidez dos reflexos e instintos, a inteligência dá uma resposta ao problema ou à situação nova de maneira improvisada e criativa. Esse tipo de comportamento é compartilhado por seres humanos e animais superiores.

Experiências interessantes foram realizadas pelo psicólogo gestaltista Wolfgang Köhler, quando instalou nas ilhas Canárias uma colônia de chimpanzés, na década de 1910. Em um dos experimentos, o animal faminto não conseguia alcançar as bananas penduradas no alto da jaula. Depois de um tempo, o chimpanzé resolveu o problema ao puxar um caixote para alcançar a fruta. Segundo Köhler, a solução encontrada pelo chimpanzé não foi imediata, mas ocorreu no momento em que o animal teve um *insight*. A visão global lhe permitiu estabelecer a relação entre o caixote e a fruta: esses dois elementos, antes separados e independentes, passaram a fazer parte de uma totalidade.

Na ilustração, vemos ora a figura de um saxofonista, ora o rosto de uma mulher. Trata-se de uma figura ambígua, com a qual os gestaltistas mostram não haver puro estímulo sensorial, porque nossa percepção já é orientada por um conhecimento anterior.

A inteligência distingue-se do instinto pela flexibilidade, pois as respostas variam de acordo com a situação e também de animal para animal. Tanto que Sultão, um dos chimpanzés mais inteligentes no experimento de Köhler, foi o único a realizar a proeza de encaixar um bambu em outro para alcançar o alimento colocado mais alto.

Portanto, os comportamentos descritos não se comparam à resposta instintiva, de simples reflexo, por tratar-se de atos de inteligência, de invenção.

A linguagem, limiar do humano

Os animais também têm um certo tipo de linguagem. Por exemplo, por meio de uma dança as abelhas indicam umas às outras onde acharam pólen. Ninguém pode negar que o cachorro expressa emoção por sons que nos permitem identificar medo, dor, prazer. Quando abana o rabo ou rosna, entendemos o que isso significa; e quando lhe dizemos "vamos passear", ele nos aguarda alegremente junto à porta.

No exemplo das abelhas, estamos diante de uma linguagem programada biologicamente, idêntica em todos os indivíduos da espécie. No segundo exemplo, o cão rosna por instinto, mas entende seu dono pela inteligência, mediante aprendizagem por reflexo condicionado.

Seria mesmo apenas isso? Para entender a linguagem animal, foram feitos diversos experimentos com animais superiores, como chimpanzés.

Na década de 1960, o casal de psicólogos Robert e Beatrice Gardner, sabendo que o chimpanzé não fala porque não dispõe de aparelho fonador adequado à reprodução da linguagem oral, recorreu à linguagem de sinais dos deficientes auditivos. Realizaram então a façanha de ensinar de 100 a 200 expressões à chimpanzé Washoe, que foi capaz de formar frases com sujeito e predicado para pedir água, comida ou brinquedo.

No entanto, mesmo que identifiquemos nas respostas dadas pelos animais associações semelhantes

Inteligência. De modo amplo, capacidade de resolver problemas práticos de maneira flexível e eficaz. No sentido estritamente humano, capacidade de solucionar problemas pelo pensamento abstrato (raciocínio, simbolização).

Gestaltista. Seguidor da Gestalt (em alemão, "figura", "forma"), teoria também conhecida como Psicologia da Forma.

***Insight*.** Em inglês, "visão interna". Para os psicólogos da Gestalt, é o conhecimento que deriva de "iluminação súbita", "estalo", "visão global".

às realizadas por humanos, trata-se de uma linguagem rudimentar, que não alcança o nível de elaboração simbólica de que somos capazes. Portanto, a linguagem humana é um divisor de águas entre a natureza humana e a dos animais. Somos seres que falam, e a palavra encontra-se no limiar do universo humano, como veremos no próximo capítulo, "Linguagem e pensamento".

3 O agir humano: a cultura

A linguagem humana intervém como forma abstrata que nos distancia da experiência vivida e nos permite reorganizá-la em outro contexto, dando-lhe novo sentido. É pela palavra que nos situamos no tempo, para lembrar o que ocorreu no passado e antecipar o futuro pelo pensamento. Se a linguagem, por meio da representação simbólica e abstrata, permite que nos distanciemos do mundo, também é ela que nos possibilita o retorno para agir sobre ele e transformá-lo.

O mundo que resulta do pensar e do agir humanos não pode ser chamado de natural, pois se encontra modificado e ampliado por nós. Portanto, as diferenças entre ser humano e animal não são apenas de grau, porque, enquanto o animal permanece mergulhado na *natureza*, nós somos capazes de transformá-la em *cultura*.

PARA SABER MAIS

O que é cultura

A palavra *cultura* tem vários significados, como *cultura* da terra ou *cultura* de uma pessoa letrada, "culta". Em antropologia, *cultura* significa tudo o que o ser humano produz ao construir sua existência: as práticas, as teorias, as instituições, os valores materiais e espirituais. Se o contato com o mundo é intermediado pelo símbolo, a cultura é o conjunto de símbolos elaborados por um povo.

Dada a infinita possibilidade humana de simbolizar, as culturas são múltiplas. Variam as formas de pensar, de agir, de valorar; são diferentes as expressões artísticas e os modos de interpretação do mundo, tais como o mito, o senso comum, a filosofia ou a ciência. Vale lembrar que a ação cultural é coletiva, por ser exercida como tarefa social, pela qual a palavra toma sentido pelo diálogo.

Tradição e ruptura

O mundo cultural é um sistema de significados já estabelecidos por outros, de modo que, ao nascer, a criança encontra-se diante de valores já dados. A língua que aprende, a maneira de se alimentar, o jeito de se sentar, andar, correr, brincar, o tom da voz nas conversas, as relações familiares; tudo, enfim, se acha codificado. Até na emoção, que nos parece uma manifestação tão espontânea, ficamos à mercê de regras que educam a nossa expressão desde a infância.

PARA REFLETIR

Pode-se falar em "nu natural"? Toda pessoa encontra-se envolta em panos e portanto em interdições, pelas quais é levada a ocultar sua nudez em nome de valores (sexuais, amorosos, estéticos) que lhe são ensinados. Portanto, o corpo humano nunca é apresentado como mera anatomia. Discuta com seu colega como variam, conforme o tempo e o lugar, as regras sobre o cobrir-se e o desnudar-se.

Todas as diferenças existentes no comportamento modelado em sociedade resultam da maneira pela qual são organizadas as relações entre os indivíduos. É por meio delas que se estabelecem os valores e as regras de conduta que norteiam a construção da vida social, econômica e política.

PHOTOTHÈQUE R. MAGRITTE, MAGRITTE, RENÉ. "GOLCONDA", 1953, LICENCIADO POR AUTVIS, BRASIL, 2009

Golconda. René Magritte, 1953.

Observe com um colega a tela de Magritte, pintor belga representante do surrealismo. Discutam o que lhes sugere essa "chuva" de homenzinhos de chapéu-coco iguais caindo sobre a cidade. O título da obra, *Golconda*, refere-se a uma cidade indiana em ruínas conhecida por seus tesouros, o que nos faz pensar que o título contrasta com o possível tema da tela (quem sabe não se trata de uma ironia do pintor?).

Identifique um trecho do capítulo estudado até aqui que confirme a interpretação proposta por vocês.

Como fica, então, a individualidade diante do peso da herança social? Haveria sempre o risco de o indivíduo perder sua liberdade e autenticidade? Martin Heidegger, filósofo alemão contemporâneo, alerta para o que chama de mundo do "se", pronome reflexivo que equivale ao impessoal *a gente*. Veste-se, come-se, pensa-se, não como cada um gostaria de se vestir, comer ou pensar, mas como a maioria o faz. Será que esses sistemas de controle da sociedade aprisionam o indivíduo numa rede sem saída?

Entretanto, assim como a massificação decorre da aceitação sem crítica de valores impostos pelo grupo social, também é verdade que a vida autêntica nasce *na* sociedade e a *partir* dela. Justamente aí encontramos o paradoxo de nossa existência social.

PARA REFLETIR

Um ermitão pode se considerar verdadeiramente solitário? Na verdade, seu afastamento revela, em cada ato seu, a negação e, portanto, a consciência e a lembrança da sociedade rejeitada. Seus valores, erguidos contra os da sociedade, se situam também a partir dela. Nesse caso, perguntamos: a recusa de se comunicar não seria ainda um modo de comunicação?

Se o processo de humanização se faz por meio das relações pessoais, será dos impasses e confrontos surgidos nessas relações que a consciência de si poderá emergir lentamente. O importante é manter viva a contradição fecunda de polos que se opõem, mas não se separam. Ou seja, ao mesmo tempo que nos reconhecemos como *seres sociais*, também somos *pessoas*, temos uma individualidade que nos distingue dos demais.

4 Uma nova sociedade?

Ainda que em todos os tempos e lugares sempre tenham ocorrido mudanças, as chamadas sociedades tradicionais fixavam hábitos mais duradouros que ordenavam a vida de maneira padronizada, com estilos de comportamento resistentes a alterações, sempre introduzidas de maneira gradativa. No entanto, a partir dos anos de 1960 nota-se uma *mudança de paradigma*, porque os parâmetros que vinham orientando nosso modo de pensar, valorar e agir desde o Renascimento e a Idade Moderna começaram a entrar em crise no final do século XIX, acelerando-se muito rapidamente na segunda metade do século passado.

A sociedade da informação

A formidável revolução da informática já se faz sentir na cultura contemporânea. Voltando no tempo, imaginemos a mudança de paradigma que representou, na Grécia Antiga, a introdução do alfabeto fonético. E no Renascimento, o que significou a democratização do saber pela invenção dos tipos móveis, engenho que deu início à era da imprensa. Na contemporaneidade, os textos que circulavam nos livros, revistas e jornais se integraram às imagens e aos sons, primeiro pelo cinema e pela televisão, depois por todos os canais que as recentes descobertas tecnológicas tornaram disponíveis no campo da automação, robótica e microeletrônica.

Paradigma. Modelo, padrão; conjunto de teorias, técnicas, valores de uma determinada época que, de tempos em tempos, entram em crise.

CHAGAL, MARC, "EU E A ALDEIA", 1911, LICENCIADO POR AUTVIS, BRASIL, 2009

Marc Chagall, pintor russo de nascimento, viveu em Paris, onde sofreu influência do cubismo, do fauvismo e do simbolismo. Mas nunca se esqueceu da infância na aldeia em que nasceu, como mostra essa tela. Observe que duas diagonais dividem o quadro em partes antagônicas: à esquerda o animal e à direita o homem; acima o casal de camponeses e suas casas, abaixo a natureza vegetal. Em ambas oposições a presença humana entrelaça-se com a natureza na expressão da cultura.

Interprete a tela usando conceitos estudados até aqui neste capítulo.

Eu e a aldeia. Marc Chagall, 1911.

Estamos vivendo a era da *sociedade da informação* e do *conhecimento*, que tem transformado de maneira radical todos os setores de nossas vidas. A influência da mídia e da informática acelerou o processo de globalização, a partir de uma rede de comunicação que nos coloca em contato com qualquer pessoa ou grupo em todos os lugares do planeta.

Observe, por exemplo, a rapidez de comunicação que representaram o rádio, o telégrafo, a televisão, em comparação com os computadores pessoais, que hoje são janelas para o mundo. Possibilitam troca de arquivos, acesso a bancos de dados internacionais, divulgação de pesquisas, correio eletrônico e discussão em tempo real de temas os mais variados.

Aparelhos eletrônicos cada vez menores não cessam de ser inventados, desde celulares com inúmeros recursos além da função original, até as mais novas invenções, como o aparelho de mp3, que surgem a cada momento e nos surpreendem por suas múltiplas possibilidades.

As grandes transformações que tiveram início no final dos anos 1960 e meados da década de 1970 criaram, entre outras inovações, uma nova estrutura social dominante: a sociedade em rede. Segundo o sociólogo Manuel Castells,[2] uma sociedade em rede é um conjunto de nós interconectados e podem ser dos mais variados tipos. Por exemplo: rede de fluxos financeiros globais, de produção e distribuição de drogas, de gangues de rua, de sistemas de comunicação ou transporte, de estúdios de entretenimento e tantas outras.

Consequentemente, o impacto das novas mídias também se reflete nos nossos valores e crenças, a uma velocidade que não se compara a nenhuma outra época. O desafio dos novos tempos é ser capaz de selecionar a informação e refletir sobre seu significado.

Nessa perspectiva, interprete a tira de Bob Thaves a seguir.

PARA REFLETIR

Em um país em que o analfabetismo ainda apresenta índices elevados, em plena era da informação, é grande o número de pessoas que não tem acesso aos computadores, "os analfabetos digitais". Discuta com seus colegas sobre esse tema.

5 A cultura como construção humana

Por mais que adestremos os animais superiores e os façamos se aproximar de comportamentos semelhantes aos humanos, jamais eles conseguirão transpor o limite que separa a natureza da cultura. Esse limiar encontra-se na linguagem simbólica, na ação criativa e intencional, na imaginação capaz de efetuar transformações inesperadas.

A cultura é, portanto, um processo que caracteriza o ser humano como ser de mutação, de projeto, que se faz à medida que transcende, que ultrapassa a própria experiência. Quando o filósofo francês contemporâneo Georges Gusdorf — retomando de Heidegger e Sartre citação similar — diz que "o homem não é o que é, mas é o que não é", não faz um simples jogo de palavras. Quer mostrar que o ser humano não se define por um modelo ou uma essência nem é apenas o que as circunstâncias fizeram dele. Define-se pelo lançar-se no futuro, antecipando, por meio de projetos, sua ação consciente sobre o mundo.

É evidente que essa condição de certo modo fragiliza o ser humano, pois não se encontra, como os animais, em harmonia com a natureza. Ao mesmo tempo, o que seria mera fragilidade transforma-se justamente em sua força, a característica humana mais nobre: a capacidade de produzir sua própria história e de se tornar sujeito de seus atos.

2009 KING FEATURES SYNDICATE/IPRESS

Tira de Frank & Ernest, de Bob Thaves, publicada em *O Estado de S. Paulo*, em 2008.

O que a tira nos diz sobre a informação na era em que estamos vivendo?

[2] CASTELLS, Manuel. *A sociedade em rede*. 5. ed. São Paulo: Paz e Terra, 2001. v. I. p. 498. (Série A Era da Informação: economia, sociedade e cultura).

Leitura complementar

Dos canibais

"Durante muito tempo tive a meu lado um homem que permanecera dez ou doze anos nessa parte do Novo Mundo descoberto neste século, no lugar em que tomou pé Villegaignon e a que deu o nome de 'França Antártica'. Essa descoberta de um imenso país parece de grande alcance e presta-se a sérias reflexões. [...]

Não vejo nada de bárbaro ou selvagem no que dizem daqueles povos; e, na verdade, cada qual considera bárbaro o que não se pratica em sua terra. E é natural, porque só podemos julgar da verdade e da razão de ser das coisas pelo exemplo e pela ideia dos usos e costumes do país em que vivemos. Neste a religião é sempre a melhor, a administração excelente, e tudo o mais perfeito. A essa gente chamamos selvagens como denominamos selvagens os frutos que a natureza produz sem intervenção do homem. [...]

Ninguém concebeu jamais uma simplicidade natural elevada a tal grau, nem ninguém jamais acreditou pudesse a sociedade subsistir com tão poucos artifícios. É um país [...] onde não há comércio de qualquer natureza, nem literatura, nem matemáticas; onde não existe hierarquia política, nem domesticidade, nem ricos e pobres. Contratos, sucessão, partilhas aí são desconhecidos; em matéria de trabalho só sabem da ociosidade; o respeito aos parentes é o mesmo que dedicam a todos; o vestuário, a agricultura, o trabalho dos metais aí se ignoram; não usam vinho nem trigo; as próprias palavras que exprimem a mentira, a traição, a dissimulação, a avareza, a inveja, a calúnia, o perdão, só excepcionalmente se ouvem. [...]

Esses povos guerreiam os que se encontram além das montanhas, na terra firme. Fazem-no inteiramente nus, tendo como armas apenas seus arcos e suas espadas de madeira, pontiagudas como nossas lanças. E é admirável a resolução com que agem nesses combates que sempre terminam com efusão de sangue e mortes, pois ignoram a fuga e o medo. Como troféu, traz cada qual a cabeça do inimigo trucidado, a qual penduram à entrada de suas residências. Quanto aos prisioneiros, guardam-nos durante algum tempo, tratando-os bem e fornecendo-lhes tudo de que precisam até o dia em que resolvem acabar com eles. Aquele a quem pertence o prisioneiro convoca todos os seus amigos. No momento propício, amarra a um dos braços da vítima uma corda cuja outra extremidade ele segura nas mãos, o mesmo fazendo com o outro braço que fica entregue a seu melhor amigo, de modo a manter o condenado afastado de alguns passos e incapaz de reação. Isso feito, ambos o moem de bordoadas às vistas da assistência, assando-o em seguida, comendo-o e presenteando os amigos ausentes com pedaços da vítima. Não o fazem entretanto para se alimentarem, como o faziam os antigos citas, mas sim em sinal de vingança. [...]

Não me parece excessivo julgar bárbaros tais atos de crueldade, mas que o fato de condenar tais defeitos não nos leve à cegueira acerca dos nossos. Estimo que é mais bárbaro comer um homem vivo do que o comer depois de morto; e é pior esquartejar um homem entre suplícios e tormentos e o queimar aos poucos, ou entregá-lo a cães e porcos, a pretexto de devoção e fé, como não somente o lemos mais vimos ocorrer entre vizinhos nossos conterrâneos; e isso em verdade é bem mais grave do que assar e comer um homem previamente executado. [...] Podemos portanto qualificar esses povos como bárbaros em dando apenas ouvidos à inteligência, mas nunca se os compararmos a nós mesmos, que os excedemos em toda sorte de barbaridades."

MONTAIGNE. *Ensaios*. São Paulo: Abril Cultural, 1972. p. 104-107. (Coleção Os Pensadores).

Cita. Habitante da Cítia, região da Ásia Central.

QUEM É?

Michel Eyquem de Montaigne (1533-1592), humanista e filósofo francês, é conhecido por seu *Ensaios*, que escreveu na primeira pessoa, refletindo sobre os mais diversos assuntos do cotidiano, o que representou uma inovação na literatura filosófica. Sua postura cética o leva a denunciar com agudeza e ironia os costumes do seu tempo, a hipocrisia e as superstições. Em um período de sangrentas lutas religiosas, critica os fanatismos que geram violência. No texto refere-se à "França Antártica", colônia francesa que Villegagnon instalou na Ilha de Guanabara, de 1555 a 1567, até ser expulso pelos portugueses.

THE GRANGER COLLECTION NEW YORK/OTHER IMAGES

Michel de Montaigne. Autor desconhecido, século XVI.

Questão

Comente as três frases extraídas do texto de Montaigne transpondo-as para os dias de hoje, a fim de indicar sua atualidade.

a) "[...] cada qual considera bárbaro o que não se pratica em sua terra."

b) "[...] que o fato de condenar tais defeitos não nos levà cegueira acerca dos nossos."

c) "Podemos portanto qualificar esses povos como bárbaros em dando apenas ouvidos à inteligência, mas nunca se os compararmos a nós mesmos, que os excedemos em toda sorte de barbaridades."

Atividades

Revendo o capítulo

1 Faça a distinção entre ação instintiva e ação inteligente. Dê exemplos.

2 Em que sentido a diversidade cultural é um fato?

3 Como é possível, em uma dada cultura, conciliar tradição e ruptura? Explique e dê exemplos.

4 Informe-se sobre a história de Tarzan, obra de Edgar Rice Burrough. Com base nos relatos sobre as meninas-lobo e de Hellen Keller, explique por que essa história é inverossímil.

COURTESY EVERETT COLLECTION/KEYSTONE

As aventuras de Tarzan, na versão de Elmo Lincoln, de 1921.

Aplicando os conceitos

5 "Um dia, em pleno sertão goiano, ia este cronista em busca de um grupo de índios apinaiés acampados em local distante, para com eles complementar seus estudos etnográficos, quando o guia e companheiro de viagem, Aldírio, perguntou no meio daquele mundão rosiano, feito de areia, sol e céu azul: 'Mestre Roberto — disse ele com os olhos brilhantes de ironia —, se eu lhe deixasse aqui, o senhor saberia voltar para a aldeia?' 'É claro que não!', respondeu um eu meu sobressaltado pelo potencial agressivo da questão e já querendo entrar em pânico. 'Pois é como eu digo, cada um é doutor no seu ramo. O senhor na escrita e na leitura, eu no caminhar pelo sertão, no selar dos cavalos, no cozinhar e no saber dos caminhos. Ninguém — concluiu meu companheiro de viagem — é doutor em tudo!'." (Roberto DaMatta, *O Estado de S. Paulo*, 26 dez. 2002. p. D-8.)

O antropólogo Roberto DaMatta relata a conversa que teve com seu guia, quando fazia pesquisa de campo. Explique como a fala do guia demonstra que o conceito de cultura vai além do sentido comum que se costuma atribuir à "pessoa culta".

6 "É impossível sobrepor, no homem, uma primeira camada de comportamentos que chamaríamos de 'naturais' e um mundo cultural ou espiritual fabricado. No homem, tudo é natural e tudo é fabricado, como se quiser, no sentido em que não há uma só palavra, uma só conduta que não deva algo ao ser simplesmente biológico – e que ao mesmo tempo não se furte à simplicidade da vida animal." (Maurice Merleau-Ponty. *Fenomenologia da percepção*. São Paulo: Martins Fontes, 1999. p. 257.)

A partir da citação de Maurice Merleau-Ponty, explique o que significa dizer que para o ser humano "tudo é natural e tudo é fabricado". Dê exemplos.

7 Segundo o jurista e filósofo Norberto Bobbio, "apenas a democracia permite a formação e a expansão das revoluções silenciosas, como foi por exemplo nestas últimas décadas a transformação das relações entre os sexos – que talvez seja a maior revolução dos nossos tempos". (*O futuro da democracia*: uma defesa das regras do jogo. 4 ed. Rio de Janeiro: Paz e Terra, 1986. p. 39.) Responda às questões.

a) Por que só a democracia permitiria "revoluções silenciosas"?

b) Você concorda que a mudança na relação de gêneros "talvez seja a maior revolução de nossos tempos?" Justifique.

Dissertação

8 Faça uma dissertação relacionando o tema do capítulo e a citação do filósofo francês Blaise Pascal: "O homem não passa de um caniço, o mais fraco da natureza, mas é um caniço pensante". (*Pensamentos*, aforismo 347.)

Rosiano. Relativo ao universo literário de Guimarães Rosa.

Capítulo 5

Linguagem e pensamento

ACERVO DA ARTISTA

Fototropismo. Christiana Moraes, 1998.

1. **Quais elementos de linguagem você percebe nesse desenho?**
2. **Como eles se juntam para criar um significado?**
3. **Compare-o com o desenho de Michelangelo, apresentado adiante neste capítulo. Que diferenças e semelhanças você nota no uso da linguagem?**
4. **Que outros significados você atribui a essa obra?**

1 A linguagem do desenho

O desenho é uma das linguagens da arte, a mais antiga, a mais praticada, pois todos nós já fizemos um desenho na vida. Não importa se desenhamos sobre a superfície poeirenta de um carro sujo, sobre o vapor condensado no espelho do banheiro, na areia da praia ou no chão de terra. Precisamos de muito pouco para poder desenhar: uma superfície (que não precisa ser plana) e um instrumento que trace linhas ou pontos sobre essa superfície. Essa possibilidade foi descoberta na pré-história por nossos antepassados, que fizeram inúmeros desenhos de animais, de caçadas e de seres humanos, exercendo suas atividades rituais e de sobrevivência, em fundos de abrigos ou sobre pedras ao relento. Como hoje se fazem os *grafitti* nos muros da cidade.

Christiana Moraes, artista brasileira contemporânea, dedica-se ao desenho, além de outras formas de arte visual. Esse desenho, da série Fototropismo, foi feito com bastão de óleo e lápis *conté* sobre uma prancha *ultra mount*. Para fazer o fundo negro, usou tinta látex. A obra mede 2,44 metros por 1,10 metros, tendo, portanto, um impacto visual bastante grande.

Apresenta uma figura humana sentada, com um buquê de flores entre as mãos; outras quatro flores estão dispostas, verticalmente, dos dois lados da figura central. A metade inferior da obra tem fundo branco, com desenhos pretos; a metade superior tem o fundo negro, com desenhos brancos. Por trás da cabeça da figura central, pode-se ver um braço e uma mão, segurando a flor do lado superior esquerdo.

O desenho é figurativo, porém não é realista, isto é, não pretende ser uma cópia fiel do real. Tanto que não podemos dizer se a figura humana é um homem ou uma mulher, uma vez que não há detalhes identificadores.

A linha é contínua, nem muito grossa nem fina. A flor na parte inferior esquerda e o buquê foram desenhados com linhas mais fortes, poderíamos dizer nervosas, uma vez que percebemos o ir e vir do bastão de óleo, num traço contínuo. Já as outras flores e a mão que segura a flor são desenhados com linhas tão finas e delicadas que é preciso observar o desenho com muita atenção para vê-los. O fundo preto dá um destaque especial ao busto da figura humana, uma vez que ele continua em branco, com o preto ao seu redor.

O estilo é expressionista, ou seja, privilegia a expressão da afetividade e do modo subjetivo com que a artista vê o mundo, mais que as questões de exatidão da representação. A figura humana não é simétrica e suas mãos são indicadas, mas não mostram todos os dedos.

Mas se o desenho é uma linguagem, o que será que esse desenho pode nos dizer? Que significados podemos atribuir a ele?

Ele nos fala da solidão do ser humano e de sua ligação com a natureza. O buquê de flores preenche todo o peito da figura humana, exatamente onde se situa o coração, considerado simbolicamente como a sede de nossos sentimentos e da afetividade. Interpretando a imagem a partir de seu título ("Fototropismo"), podemos dizer que, assim como as plantas seguem o movimento do sol (luz), os seres humanos são atraídos e se orientam não só pela luz, mas por toda a natureza.

Fototropismo. Em biologia, designa a reação de aproximação ou afastamento de um organismo ao estímulo da luz; movimento de orientação realizado pela planta sob a ação da luz.

QUEM É?

ACERVO PESSOAL

Christiana Moraes, artista plástica brasileira nascida em 1972.

Christiana Moraes (1972). Nasceu em São Paulo e cursou Artes Plásticas, com habilitação em Gravura, na Escola de Comunicações e Artes da Universidade de São Paulo, formando-se em 1993. Nesse mesmo ano, ganhou o Prêmio Exposição na VII Mostra Universitária de Artes Plásticas da Faculdade Santa Marcelina e, em 1995, o Prêmio Viagem pelo Brasil, do XV Salão Nacional de Artes Plásticas. Participou de várias exposições no Brasil e algumas no exterior. Além disso, é pós-graduada em Práxis Artística e Terapêutica pela Faculdade de Medicina da USP e, em 2004, fez outro curso de pós-graduação em Performance, no Art Institute de Chicago, Estados Unidos.

2 O que é uma linguagem?

A linguagem é um instrumento que nos permite pensar e comunicar o pensamento, estabelecer diálogos com nossos semelhantes e dar sentido à realidade que nos cerca.

Quando nos referimos à linguagem, a primeira da qual nos lembramos é a linguagem verbal, tanto a oral quanto a escrita. Por meio dela, nomeamos objetos, formamos conceitos e articulamos nosso pensamento sobre o mundo, tanto o mundo subjetivo de sentimentos e desejos quanto o mundo objetivo exterior a nós.

A linguagem verbal, contudo, não é a primeira linguagem que aprendemos em nossa vida nem a única que usamos para dar significados ao mundo. Desde bebês, conseguimos nos comunicar por meio do choro, de olhares, de gestos e de balbucios que são compreendidos por todos aqueles que nos cercam e cuidam de nós.

Mas será que todas as linguagens são estruturadas da mesma forma?

Estrutura da linguagem

Toda linguagem é um *sistema de signos*. O signo, segundo definição do filósofo Charles Sanders Peirce, é uma coisa que está no lugar de outra sob algum aspecto.[1] Por exemplo, o choro de uma criança pode estar no lugar do aviso de desconforto, de fome, de frio ou de dor; ou pode estar no lugar simplesmente da frustração da criança que não conseguiu o que queria.

[1] PEIRCE, Charles S. *Semiótica*. São Paulo: Perspectiva, 1977. p. 46.

O choro pode ser signo de todas essas coisas e, para decifrá-lo adequadamente, precisamos saber o contexto em que ele ocorre e ter familiaridade com a criança que assim se expressa.

Os números e as palavras também são signos, isto é, estão no lugar das quantidades reais de objetos ou do próprio objeto. Quando digo: "Há quatro assaltantes aí fora", estou me referindo à quantidade e à existência real de quatro pessoas, armadas ou não, que cometem um crime do lado de fora de onde estamos ou estão prestes a iniciá-lo. Conforme o contexto, a afirmação pode funcionar como simples constatação de um fato (Está acontecendo um assalto, mas fiquem calmos.) ou aviso de perigo (Chamem a polícia! Corram! Escondam-se!), na esperança de que algo possa ser feito para resolver o problema.

Tipos de signos

Se o signo está no lugar do objeto, isto é, se o substitui, ele é uma representação do objeto. Um objeto pode ser representado de várias maneiras, dependendo da relação que existe entre ele e o signo. Vejamos um exemplo: um galo pode ser representado por uma fotografia, por um desenho, pela palavra "galo", pelo som de seu canto *cocoricóóóó.* Cada um desses signos (fotografia, desenho, palavra e cacarejar) mantém uma relação diferente com o objeto galo.

Quando a relação é de *semelhança*, temos um signo do tipo ícone. O desenho do galo é um ícone quando apresenta semelhança com ele; a representação do galo por meio de seu canto também é um ícone, pois tem uma semelhança sonora com o canto da ave.

Se a relação é de *causa e efeito*, uma relação que afeta a existência do objeto ou é por ela afetada, temos um signo do tipo *índice*. A fotografia do galo é um índice de sua existência porque toda fotografia é resultado da ação da luz refletida por um objeto e captada pela câmera. Ou seja, o objeto fotografado esteve em frente à câmera no momento em que a fotografia foi feita. Outros exemplos: a chuva pode ser representada pelo signo indicial nuvem (causa da chuva) ou chão molhado (consequência da chuva); a fumaça ou o cheiro de queimado são signos indiciais de fogo; os sinais matemáticos (+, −, × e ÷), quando colocados ao lado de números, são signos indiciais das operações que devem ser efetuadas; a febre é signo que indica doença. Todos esses signos *indicam* o objeto representado.

Se a relação é *arbitrária*, regida simplesmente por convenção, temos o *símbolo*. As palavras são o melhor exemplo de símbolo, mas há muitos outros: nas culturas ocidentais, o preto é símbolo de luto; o uso da aliança no dedo anelar da mão esquerda simboliza a condição de casado; o desenho de um coração simboliza amor, amizade. Esses signos são aceitos pela sociedade como representação dos objetos luto, casamento e sentimento de amor e mantêm-se por convenção, hábito ou tradição.

Como só o ser humano é capaz de estabelecer signos arbitrários, regidos por convenções sociais, dizemos que o mundo humano é simbólico.

Os animais são capazes de entender apenas ícones e índices. Os cachorros, por exemplo, utilizam o signo indicial cheiro. Eles são capazes de reconhecer o cheiro do dono em uma roupa, em um lugar. E o cheiro indica a presença do objeto (dono) que ele procura. Ele reconhece, ainda, o tom de voz, as ações que indicam passeio, castigo ou a hora de comer.

Podemos explicar um signo por meio de outro, inclusive misturando linguagens. Para explicar o signo-palavra "casa" para uma criança, podemos fazer um signo-desenho de uma casa. O desenho, nesse caso, é um segundo signo que *interpreta*, dá sentido ao primeiro, pela semelhança com o objeto representado. Um sinônimo explica igualmente um signo: "casa" pode também ser interpretada por meio da palavra "lar". O segundo signo (lar) interpreta o primeiro em sentido bastante específico de "minha casa" ou "lugar onde moro e considero

QUEM É?

Charles Sanders Peirce (1839-1914), filósofo e lógico americano, é o fundador do pragmatismo e da semiótica. Pensador enciclopédico, é também conhecido por suas contribuições para a história da lógica e para a matemática, epistemologia, história das ciências, psicologia, cosmologia, ontologia, ética, estética e história. Teve três centros de interesse constantes: a reflexão sobre a linguagem, a significação e, sobretudo, o signo.

O pragmatismo foi fundado para desembaraçar a filosofia das fórmulas vazias em favor do que é verdadeiramente significativo. Contrário à separação entre matéria e espírito, propõe que a ideia que temos de qualquer objeto é igual à soma de todos os seus efeitos práticos imagináveis, ou seja, essa soma dos efeitos práticos é tudo o que conhecemos do objeto e basta para guiar nossa ação no mundo. Depois de alguns anos, preferiu usar o termo "pragmaticismo" para sua teoria, para se diferenciar do pragmatismo de William James.

Representação. O que está presente no espírito, ou seja, o conteúdo concreto de um ato de pensamento.

STUDIO NOBEL/FAPESP/EDUSP

Toca do Baixão das Mulheres II, Complexo Serra Talhada. Os desenhos rupestres do Parque Nacional da Serra da Capivara, no Piauí, são em sua maioria figurativos, embora esquemáticos, e às vezes são preenchidos pelo mesmo tom negro usado para fazer as linhas de seu contorno. São, portanto, signos icônicos.

meu refúgio". Essa explicação é diferente da oferecida pelo desenho, que se refere mais à arquitetura que à relação afetiva que mantemos com o lugar onde moramos.

Outros elementos da linguagem

Precisamente por ser um sistema de signos, toda linguagem possui um *repertório*, ou seja, uma relação de signos que a compõem. Na linguagem do desenho, como vimos ao analisar o desenho *Fototropismo*, que abre o capítulo, o repertório é muito pequeno: o plano ou a superfície, a linha e o ponto. As linhas podem ter diversas qualidades: serem quebradas ou contínuas, retas ou curvas, grossas ou finas; a superfície pode ser plana ou não, e seu próprio relevo pode produzir efeitos no desenho.

Com os três elementos — superfície, linha e ponto — é possível fazer qualquer desenho, seja técnico, de observação, de ilustração, de ornamentação ou de criação, também chamado artístico.

O repertório das linguagens verbais (ou línguas, como são chamadas), ao contrário, é bastante amplo e costuma ser relacionado em dicionários. A linguagem musical tonal, para compor seu repertório, dentre todos os sons possíveis, seleciona alguns, denominados dó, ré, mi, fá, sol, lá, si, acrescidos de sustenidos ou bemóis, que são semitons.

Além do repertório, também é preciso que se estabeleçam as *regras de combinação* dos signos. Quais podemos usar juntos, quais não podemos? Na linguagem do desenho, plano, linha e ponto podem ser usados como o desenhista quiser. Na linguagem verbal, do ponto de vista semântico, não podemos combinar signos que tenham sentidos opostos: subir/descer, nascer/morrer etc. Não podemos dizer "Ele subiu descendo as escadas", mas podemos dizer "Ele subiu correndo as escadas".[2]

Como último passo, a linguagem deve estabelecer as *regras de uso* dos signos. Em que ocasiões devemos usar o pronome *tu* e o *vós*? Devemos vestir as crianças de preto, em ocasiões de luto?

Só quando conhecemos o repertório de signos, as regras de combinação e as regras de uso desses signos é que podemos dizer que dominamos uma linguagem.

Por exemplo, o personagem Chico Bento, criado por Mauricio de Sousa, não domina as regras de combinação e de uso da norma culta da língua portuguesa. Ele desrespeita as regras de concordância de número, suprime parte das palavras ("os otro" e "foro reprovado" em vez de "os outros" e "foram reprovados") e pronuncia as palavras incorretamente. Expressa-se no dialeto caipira, o que sobrou da língua nheengatu, mistura de português e línguas indígenas, usada pelos índios e descendentes de portugueses na época colonial.

Semântico. Refere-se ao significado das palavras.

[2] Na fala popular brasileira contemporânea, porém, vem sendo utilizada uma expressão criada por Truman, ex-presidente norte-americano: "Inclua-me fora disso", que é um franco desrespeito a essa regra semântica.

A construção da significação

Até aqui discutimos a questão da linguagem e dos signos como se a construção da significação fosse um assunto pacífico e todas as pessoas usassem os signos e os compreendessem da mesma maneira. Infelizmente não é assim que acontece.

Como já dissemos, todo signo tem um significado próprio, estabelecido por convenção social. Esses são os significados que constam do dicionário. Muitas vezes, entretanto, o signo tem mais de um significado, uma vez que seu uso foi sendo modificado ou ampliado em tempos e lugares diferentes. Vejamos um exemplo: a palavra "manga" pode significar: a) parte do vestuário que recobre o braço; b) fruta tropical com determinadas características; c) flexão do verbo "mangar", que quer dizer zombar.

Portanto, só podemos saber com qual significado o signo está sendo usado a partir da frase, que oferece o primeiro contexto da comunicação. Voltando ao exemplo dado: "Quando esta manga amadurecer, eu lhe dou um pedaço."; ou "A manga está muito curta."; ou, ainda, "Ele constantemente manga do irmão.".

A situação social na qual a frase é dita é o segundo contexto que nos auxiliará na decodificação do signo e da mensagem. Ainda no mesmo exemplo, se estivermos em um pomar ou diante de uma barraca de frutas, não teremos dúvida quanto ao significado da frase: "Aquela manga é verde.". Outro exemplo de como a situação social condiciona o deciframento de uma mensagem é o do aluno que responde "Faltam dez minutos." ao colega que lhe perguntou as horas durante a aula. Ele sabe perfeitamente bem que o colega quer saber quanto tempo falta para a aula terminar e lhe dá essa resposta.

Não basta, portanto, ter o domínio do código para interpretar corretamente os signos e as mensagens. É preciso ter conhecimento das situações sociais, isto é, da cultura na qual a linguagem é utilizada e a comunicação ocorre.

Tipos de linguagem

O ser humano criou e continua criando vários tipos de linguagem que lhe permitem pensar as diversas facetas da realidade e, também, se expressar e se comunicar com seus semelhantes. Temos a linguagem matemática, as de computador, as línguas diversas, as linguagens artísticas (arquitetônica, musical, pictórica, escultórica, teatral, cinematográfica) e as gestuais, da moda, espaciais e outras. Os avanços da tecnologia nos obrigam a adaptar as linguagens já existentes e a criar outras, mais adequadas às necessidades da contemporaneidade.

Será que todas essas linguagens se estruturam da mesma forma? O repertório de signos e as regras de combinação e de uso desses signos são similares?

Logo à primeira vista, fica claro que algumas dessas linguagens têm estrutura mais flexível do que outras.

Tomando a moda como exemplo de linguagem flexível, percebemos que seu repertório de signos é alterado com muito mais rapidez do que os sons e as palavras que compõem uma língua. Há signos que caem em desuso, como o espartilho, e há outros que são introduzidos a cada nova estação, como as sandálias abotinadas.

Quanto às regras de combinação, elas também são variáveis. Hoje é possível usar botas e outros calçados pesados com roupas de tecidos leves, criando um grande contraste. A sobreposição de peças do mesmo gênero, como blusas usadas umas sobre as outras, continua na moda. Há alguns anos, isso seria inadmissível e considerado de mau gosto. Em relação ao uso, podemos dizer o mesmo: hoje o *short* e o *jeans* podem ser usados em ocasiões mais formais. Roupas que até o final do século XX eram consideradas de uso íntimo, como a combinação, passaram a ser usadas como peça principal, à vista de todos.

PARA SABER MAIS

Como "ler" o significado de uma fotografia?

Em primeiro lugar, precisamos estabelecer o gênero a que ela pertence: É uma foto jornalística, um retrato, uma paisagem urbana ou rural? É artística, ou seja, uma foto construída ou manipulada com finalidades artísticas?

Depois, precisamos contextualizá-la em termos temporais (quando foi tirada), espaciais (onde foi tirada) e autorais (quem a tirou e que significado isso tem). Também é importante determinar o contexto do qual ela faz parte: Foi publicada em jornal, revista ou livro de arte? Faz parte de um álbum de família, do acervo de uma galeria de arte, coleção particular ou de museu?

Em seguida, devemos observar a imagem com cuidado: É uma foto posada ou é um instantâneo? Quais são os elementos compositivos, isto é, os planos, o foco, a iluminação, os objetos ou as pessoas representados?

A composição da imagem oferece diversos elementos para compreender a estruturação da cena e sua intencionalidade.

A flexibilidade característica da linguagem da moda decorre do fato de que ela não se estabelece, como as línguas faladas, por meio de um processo de cristalização social. Ao contrário, ela é ditada por um pequeno grupo de costureiros, desenhistas e editores de moda que, em uma sociedade capitalista, incentivam mudanças que estimulem o consumo.

No outro polo, podemos usar como exemplo as linguagens de computador (a *Visual Basic* ou a *Javascript*, entre outras), que são fortemente estruturadas e bastante inflexíveis. Essas linguagens têm um número limitado de signos e de regras de combinação, e o computador só responderá dentro desses limites. Por exemplo, se errarmos uma letra de um endereço eletrônico, a mensagem não será enviada.

PARA REFLETIR

Reflita sobre o funcionamento dos computadores hoje. Em que medida as linguagens criadas especialmente para executar múltiplas funções nos ajudam e nos atrapalham? E os programas específicos que tornam essas linguagens aptas a trabalhar com imagens e sons: eles dão conta de tudo o que queremos fazer em um computador? É possível "enganar" uma linguagem ou um programa para que ele faça o que queremos?

As linguagens artísticas constituem um meio-termo. Por um lado, respeitam a especificidade de cada campo artístico; por outro, tendem a explorar esse campo e as possibilidades de cada linguagem até seu limite máximo. E é exatamente a essas explorações que devemos o desenvolvimento e a criação de novos estilos e técnicas. Em relação à linguagem do desenho, por exemplo: é possível desenhar com cortes sobre uma tela, que seria o plano, como faz o argentino Lúcio Fontana; com fios sobre uma superfície; até mesmo com raios laser sobre as paredes de edifícios.

É importante lembrar, neste ponto, que as linguagens só se desenvolvem em função de projetos. As linguagens artísticas, por serem mais flexíveis, podem se estruturar e reestruturar com base em projetos específicos. No caso das artes visuais, as regras da perspectiva só foram descobertas e usadas na pintura porque o projeto do Renascimento era o de retratar o mundo como ele é visto e, para isso, era importante inventar uma técnica a fim de representar a tridimensionalidade (altura, largura e profundidade) sobre uma superfície bidimensional (altura e largura).

MUSEU BRITÂNICO, LONDRES

Estudo para uma sibila. Michelangelo (1508-1512).

Observe a tridimensionalidade dessa roupa, desenhada por Michelangelo, obtida por meio do uso da perspectiva e do sombreamento claro-escuro.

QUEM É?

Michelangelo Buonarroti (1475-1564). Arquiteto, escultor e pintor do Renascimento italiano, aluno de Ghirlandaio em seu estúdio em Florença. Lorenzo de Medici e o Papa Júlio II foram seus grandes patronos. Foi um grande gênio que dominou o panorama artístico do século XVI. Suas principais obras foram: na pintura, o teto da Capela Sistina, no Vaticano (Roma); na escultura, *Davi* (Academia, em Florença), a *Pietá* (Basílica de São Pedro, em Roma) e *Moisés e os escravos* para o túmulo do Papa Júlio II; na arquitetura, a cúpula da Basílica de São Pedro, a fachada da Igreja de São Lourenço, a Biblioteca Laurenciana e a capela Medicea, em Florença, e o Palácio Farnesiano.

AKG-IMAGES/IPRESS

Michelangelo Buonarroti. Giuliano Bugiardini, 1522.

3 A linguagem verbal

Como o ser humano é o único capaz de criar signos arbitrários, podemos dizer, com Georges Gusdorf, que a palavra é a senha de entrada no mundo humano. Por isso, vamos examinar com maior profundidade o que é a linguagem verbal.

A linguagem é um sistema simbólico. O ser humano cria símbolos, isto é, signos arbitrários em relação ao objeto que representam, e que são convencionais: para serem usados precisam ser aceitos por todos os membros da sociedade. Tomemos a palavra "casa". Não há nada no som nem na forma escrita dessa palavra que nos remeta ao objeto por ela representado (cada casa que, concretamente, existe em nossas ruas). Designar esse objeto pela palavra "casa", então, é um ato arbitrário. Como não há relação alguma entre o signo "casa" e o objeto por ele representado, necessitamos de uma convenção, aceita pela sociedade, de que aquele signo representa aquele objeto. Só a partir dessa aceitação podemos nos comunicar, sabendo que, ao usarmos a palavra "casa", nosso interlocutor entenderá o que queremos dizer. A linguagem, portanto, é um sistema de representações aceito por um grupo social que possibilita a comunicação entre os integrantes do grupo.

Porque o laço entre representação e objeto representado é arbitrário podemos dizer que ele é necessariamente uma *construção da razão*, isto é, uma invenção do sujeito para poder se aproximar da realidade. A linguagem, portanto, é produto da razão e só pode existir onde há racionalidade.

A linguagem é um dos principais instrumentos na formação do mundo cultural porque nos permite transcender nossa experiência. No momento em que *damos nome a qualquer objeto da natureza, nós o individuamos, o diferenciamos* do resto que o cerca; ele passa a existir para a nossa consciência. Com esse simples ato de nomear, distanciamo-nos da inteligência concreta animal, limitada ao aqui e agora, e entramos no mundo do simbólico. O nome é símbolo dos objetos que existem no *mundo natural* e das entidades abstratas, que só têm existência no nosso pensamento (por exemplo, ações, estados ou qualidades, como tristeza, beleza, liberdade).

O nome tem a capacidade de tornar presente para nossa consciência o objeto que está longe de nós.

O nome, ou a palavra, *retém na nossa memória*, enquanto ideia, aquilo que já não está ao alcance dos nossos sentidos: o cheiro do mar, o perfume do jasmim numa noite de verão, o toque da mão da pessoa amada, o som da voz do pai, o rosto de um amigo querido. O simples pronunciar de uma palavra *representa*, isto é, torna presente à nossa consciência o objeto a que ela se refere. Não precisamos mais da existência física das coisas: criamos, por meio da linguagem, um mundo estável de ideias que nos permite lembrar o que já foi e projetar o que será. Dessa forma, é instaurada a temporalidade no existir humano. Pela linguagem, o ser humano deixa de reagir somente ao presente, ao imediato; passa a poder pensar o passado e o futuro e, com isso, a construir o seu projeto de vida.

Por transcender ou ir além da situação concreta, o fluir contínuo da vida, o mundo criado pela linguagem se apresenta mais estável e sofre mudanças mais lentas do que o mundo natural. Pelas palavras, podemos transmitir o conhecimento acumulado por uma pessoa ou sociedade, podemos passar adiante essa construção da razão que se chama *cultura*.

4 Funções da linguagem

E para que servem as linguagens?

O linguista contemporâneo Roman Jakobson propôs uma abordagem das funções comunicativas da língua verbal bastante ampla que também pode ser usada para as demais linguagens. Na década de 1950, após ter conhecido os trabalhos de Charles Peirce, percebeu a necessidade de uma semiótica que firmasse a linguagem como elemento de comunicação humana por excelência.

QUEM É?

Roman Jakobson nasceu em Moscou, em 1896. Em 1914, inscreveu-se no Instituto de Eslavística da Universidade de Moscou, onde a linguística era a disciplina básica. Seus estudos de literatura abrangeram os textos escritos, a poesia oral e o folclore. Em 1916, com outros estudantes, fundou o Círculo Linguístico de Moscou. Em 1920, foi para Praga, onde deu continuidade às suas pesquisas, que o levaram a definir o fonema como unidade autônoma. Em 1939, refugiou-se da perseguição nazista na Dinamarca, indo, mais tarde, para os Estados Unidos, onde lecionou em Harvard e no Massachussets Institute of Tecnology (MIT). Seus conceitos estão até hoje presentes na semiótica da cultura. Jakobson morreu nos Estados Unidos, em 1982.

Transcender. No contexto, significa ir além de.

Semiótica. Teoria geral dos signos.

forma. A mensagem poética ou estética é sempre estruturada de maneira ambígua em relação ao código que lhe é subjacente, como veremos com mais profundidade na Unidade 7, "Estética".

Jakobson distingue seis fatores fundamentais na comunicação verbal que dão origem a seis funções linguísticas diferentes. Esses fatores podem ser esquematicamente representados da seguinte forma:

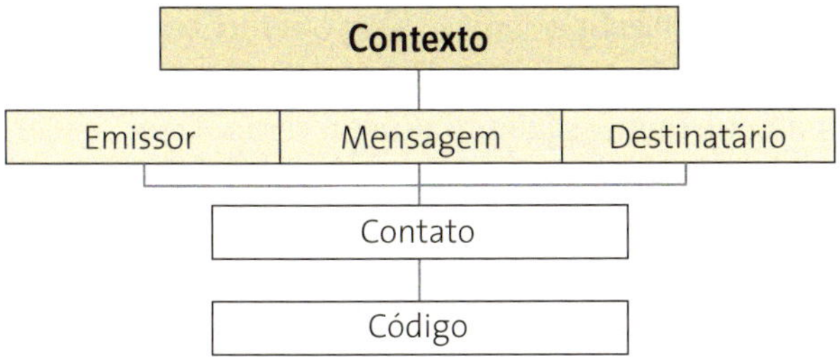

Esse esquema corresponde a outro, das funções da linguagem originadas por cada um desses fatores:

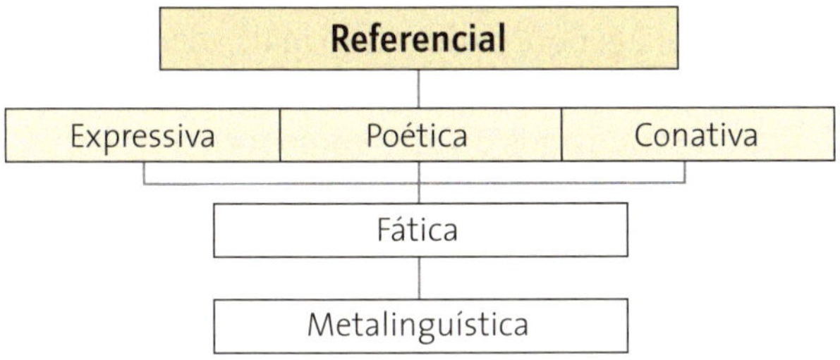

Explicando:

- A função *referencial* é orientada para o contexto da comunicação, isto é, refere-se ao que está ao nosso redor, como as afirmações: "Hoje faz frio."; "Isto é uma entrevista."; "Este sapato está apertado.".
- A função *expressiva* ou emotiva está centrada no emissor que declara sua atitude afetiva sobre o assunto do qual está tratando, por exemplo a poesia lírica ou os xingamentos.
- A função *conativa* é orientada para o destinatário, invocando-o ("Ei, você aí!") ou dando-lhe uma ordem.
- A função *fática* tem por objetivo estabelecer, manter ou interromper a comunicação (as expressões "bem", "pois é" ou "escuta" usadas no início da frase, sem ligação com o que vem depois).
- Na função *metalinguística* a mensagem discute o uso do próprio código, esclarecendo-o, como quando perguntamos o significado de uma palavra. Também pode ser o caso de uma linguagem comentar outra linguagem, como a leitura de uma obra de arte.
- A função *poética* é aquela que visa à mensagem em si, colocando em evidência sua própria forma. A mensagem poética ou estética é sempre estruturada de maneira ambígua em relação ao código que lhe é subjacente, como veremos com mais profundidade na Unidade 7, "Estética".

Na verdade, essas funções não se apresentam separadamente em cada mensagem, mas combinam-se entre si. A diversidade das mensagens depende da hierarquização das várias funções, com predominância de uma sobre as demais.

Considerando a linguagem do ponto de vista funcional, Jakobson dá conta não só dos aspectos cognitivos da língua, mas também de aspectos afetivos que fazem parte de quase toda situação comunicacional.

Ampliando essas funções para outras linguagens, podemos dizer que tanto a linguagem da moda quanto as obras de arte expressionistas (como o desenho *Fototropismo* do início do capítulo) fazem uso da função expressiva. Já os manuais técnicos e todas as obras realistas apresentam uma preponderância da função referencial. A propaganda, as preces e a arte romântica estão centradas sobre o destinatário, tendo função conativa. A introdução de qualquer peça musical ou o apagar das luzes numa encenação teatral tem o objetivo de testar ou estabelecer o contato com o destinatário, realizando, portanto, a função fática. Quando fazemos uma paródia, estamos usando a função metalinguística; o mesmo acontece quando adaptamos um texto para teatro ou cinema. Já a função poética necessariamente está presente em todas as obras de arte.

Agora, podemos responder para que serve uma linguagem: para nos comunicarmos com os outros seres humanos de hoje, do passado e do futuro; para expressar nossos afetos positivos ou negativos; para falar da realidade que nos circunda; para despertar uma reação no destinatário; para discutir o código que estamos usando ou outro qualquer; para reafirmar o contato com o outro, sem o que não haverá comunicação; e para fazer arte. Dispomos de toda essa riqueza quando temos o domínio de uma ou várias linguagens.

5 Linguagem, pensamento e cultura

Do mesmo modo, como existem diversos tipos de linguagem, existem diversos tipos de pensamento. Há o *pensamento concreto*, que se forma a partir da percepção sensível, ou seja, da representação de objetos reais, e é imediato, sensível e intuitivo; e o *pensamento abstrato*, que estabelece relações (não perceptíveis), que cria os conceitos e as noções gerais e abstratas, é mediato (precisa da mediação da linguagem) e racional. Por exemplo, percebemos algumas laranjas sobre a fruteira, num espaço dado, com disposição, cor e odor determinados. Essa percepção, portanto, é concreta, sensível (as laranjas estão ali), imediata (dispensa raciocínio) e individual (é daquelas laranjas).

Já quando realizamos a soma 4 + 4, estamos lidando com uma noção geral de quantidade. Não encontramos o número 4 na natureza. Encontramos uma certa quantidade de laranjas, abacates, meninos etc., representados abstratamente pelos números que são construção da nossa razão (veremos as questões relacionadas ao conhecimento na Unidade 3).

Leia o que afirma o filósofo polonês Adam Schaff:

> [...] o processo de pensamento como processo cognitivo se verifica não só *com o auxílio* de meios linguísticos (signos verbais), mas também *em unidade orgânica* com os processos linguísticos. Poder-se-ia muito bem permutar as expressões "pensar" e "experimentar processos linguísticos", pois em ambos os casos nos referimos ao mesmo processo de pensar, com a única diferença de ênfase em um de seus aspectos.[3]

Para cada tipo de pensamento, há um tipo de linguagem mais adequado. Vejamos.

Para o pensamento abstrato e conceitual, que se afasta do sensível, do individual, a língua se apresenta como condição necessária, por ser um sistema de signos simbólicos que, como já dissemos, nos permite ir além do dado vivido e construir um mundo de ideias.

Ora, cada língua possui uma estruturação própria quanto ao repertório e às regras de combinação e de uso. Isso quer dizer que cada língua organiza a realidade de modo diferente de outra, pois estabelece repertório e regras diferentes.

Exemplo clássico é a língua esquimó, que tem seis nomes diferentes para designar vários estados da neve. Em português, temos apenas a palavra "neve". Outras alternativas não são previstas na língua portuguesa. O fato importante de ser ressaltado, entretanto, é que se uma língua tem um maior número de palavras para recortar a realidade, a existência dessas palavras leva a uma percepção diferente da realidade. O esquimó percebe os diferentes estados da neve (recém-caída, cristalizada, começando a derreter), e nós percebemos somente se há neve ou não. Mesmo porque a neve é uma presença quase contínua para o esquimó e um evento raríssimo no Brasil.

Outro exemplo interessante é a expressão "ter paciência", usada na língua portuguesa, e a expressão japonesa "fazer paciência". Usar o verbo "ter" significa que a paciência já existe dentro de nós, em estoque maior ou menor; quando se usa o verbo "fazer", entretanto, indicamos que a paciência não habita dentro de nós, que precisamos de uma ação voluntária para "criar" paciência. São modos culturais diferentes de lidar com um sentimento.

Podemos dizer que a estruturação da língua influencia a percepção da realidade e os níveis de abstração e generalização do pensamento, como afirma Adam Schaff.[4]

Outros tipos de linguagem, entretanto, em especial as linguagens artísticas, são mais adequados ao pensamento concreto, como veremos na Unidade 7, quando tratarmos da arte como forma de pensamento e conhecimento. O pintor, por exemplo, está mais ligado ao mundo visual das cores e formas do que ao mundo dos conceitos.

Além de estruturar o pensamento, a linguagem mantém estreita relação com a cultura. Se, por um lado, as várias linguagens fixam e passam adiante os produtos do pensamento sob a forma de ciência, técnicas e artes, elas também sofrem a influência das modificações culturais. Nas línguas há modificações semânticas e de repertório a partir das novas descobertas e do desenvolvimento da técnica. Nas artes, a reestruturação da linguagem responde a mudanças de valores, de anseios e de buscas no seio da cultura de cada sociedade.

A importância da linguagem

Sabemos que a linguagem é um produto bastante sofisticado que só a razão humana pode criar. Por isso, sua aquisição é um marco referencial da humanidade. A linguagem é simbólica, estruturada, adequada à cultura dentro da qual se desenvolve, apropriada ao tipo de pensamento que vai comunicar ou expressar. Ela permite que o ser humano vá além do mundo vivido, do presente, para o mundo das ideias, da reflexão; permite que ele ultrapasse sua realidade de vida e entre no mundo das possibilidades. Que exerça, enfim, a atividade produtiva de criar sentidos para o mundo e para sua vida.

3 SCHAFF, Adam. *Introdução à semântica*. Rio de Janeiro: Civilização Brasileira, 1968. p. 281-282.
4 SCHAFF, Adam. *Linguagem e conhecimento*. Coimbra: Almeida, 1974. p. 252.

ACERVO DA ARTISTA

Série *Bibliotheca*, Rosângela Rennó, 1960.

Do ponto de vista icônico, esta fotografia nos mostra uma cena ainda hoje familiar e cotidiana: uma mulher negra, adulta, sentada entre duas crianças brancas, com o braço direito passado ao redor do menino menor, enquanto a menina, mais velha, sorri para a câmera. Os bobes na cabeça da mulher, cobertos por um lenço, e o modelo dos vestidos dela e da menina revelam que a foto foi tirada no início da década de 1960.

Do ponto de vista indicial, o próprio meio — a fotografia — indica a existência dessas pessoas em frente à câmera, no momento em que a foto foi batida. Já o risco laranja que corta a foto em diagonal indica a passagem do tempo: é uma quebra, uma rachadura na superfície da foto, ocasionada provavelmente por condições climáticas e de mau acondicionamento.

Do ponto de vista simbólico, podemos fazer várias outras interpretações: a postura da mulher abraçando o menino pequeno revela uma atitude de proteção comum às pessoas encarregadas de zelar pelo bem-estar e pela segurança de crianças. Isso, somado ao contexto histórico do Brasil e ao fato de a mulher ser negra e as crianças brancas de cabelos claros, nos permite concluir que não se trata de uma família, e que a mulher é uma empregada que cuida das crianças. O local em que a foto foi tirada, um quarto com cama de casal, sugere a intimidade das relações entre crianças e empregada. Por outro lado, essa foto é símbolo de um tipo de relação social, entre a "mãe preta" e as crianças brancas, iniciada na época da escravidão, e que ainda persiste na sociedade brasileira contemporânea, especialmente na classe média.

Baseando-se no que vimos até aqui, reflita e responda: Como a composição da imagem intervém em sua decodificação? Qual a principal função das fotos nos álbuns de família? Escreva suas conclusões e aplique-as na prática, fazendo a leitura de uma foto de sua família.

QUEM É?

Rosângela Rennó (1962). Nasceu em Belo Horizonte (MG), onde cursou a Escola de Arquitetura da Universidade Federal de Minas Gerais (UFMG) e Artes Plásticas na Escola Guignard, formando-se em 1987. Fez doutorado em Artes na Escola de Comunicações e Artes da Universidade de São Paulo (ECA-USP). Desde o início da carreira se devotou à fotografia, operando intervenções sobre negativos já existentes, montando objetos, usando fotos já prontas. Começou a expor individualmente em 1989, em Belo Horizonte, com a mostra *Anticinema — Veleidades fotográficas*. Em 1991-92 apresentou *A identidade em jogo*, no Centro Cultural São Paulo; em 1994, *Humorais e realismo fantástico*, no Rio de Janeiro; em 1995, expôs na De Appel Foundation, na Holanda; em 1996, apresentou a exposição *A cicatriz*, no Museum of Contemporary Art, de Los Angeles, Califórnia (EUA). Em 2003, foi uma das artistas da representação brasileira na Bienal de Veneza.
Em 1995, foi contemplada com uma bolsa da Civitella Ranieri Foundation, sendo artista residente em Umbertide (Itália). Ganhou vários prêmios ao longo de sua carreira e tem obras em museus e coleções brasileiras e estrangeiras.

ANA OTTONI/FOLHA IMAGEM

Rosângela Rennó, 2006.

Leitura complementar

Leia o texto e responda às questões na sequência.

Papo-furado

"— Iminência...

— Você quer dizer 'eminência'.

— O quê?

— Você disse 'iminência'. O certo é 'eminência'.

— Perdão. Sou um servo, um réptil, um nada. Uma sujeira no seu sapato de cetim. Mas sei o que digo. E eu quis dizer 'iminência'.

— Mas está errado! O tratamento correto é 'eminência'.

— Não duvido da sua eminência, monsenhor, mas o senhor também é iminente. Ou uma eminência iminente.

— Em que sentido?

— No sentido filosófico.

— Você tem dois minutos para explicar, antes que eu o excomungue.

— Somos todos iminentes, monsenhor. Vivemos num eterno devir, sempre às vésperas de alguma coisa, nem que seja só o próximo segundo. Na iminência do que virá, seja o almoço ou a morte. À beira do nosso futuro como um precipício. A iminência é o nosso estado natural. Pois o que somos nós, todos nós, se não expectativas?

— Você, então, se acha igual a mim?

— Nesse sentido, sim. Somos coiminentes.

— Com uma diferença. Eu estou na iminência de mandar açoitá-lo por insolência, e você está na iminência de apanhar.

— O senhor tem esse direito hierárquico. Faz parte da sua eminência.

— Admita que você queria dizer 'eminência' e disse 'iminência". E recorreu à filosofia para esconder o erro.

— Só a iminência do açoite me leva a admitir que errei. Se bem que...

— Se bem quê?

— Perdão. Sou um verme, uma meleca, menos que nada. Um cisco no seu santo olho, monsenhor. Mas é tão pequena a diferença entre um 'e' e um 'i' que o protesto de vossa iminência soa como prepotência. Eminência, iminência, que diferença faz uma letra?

— Ah, é? Ah, é? Uma letra pode mudar tudo. Um emigrante não é um imigrante.

— É um emigrante quando sai de um país e um imigrante quando chega em outro, mas é a mesma pessoa.

— Pois então? Muitas vezes a distância entre um 'e' e um 'i' pode ser um oceano. E garanto que você terá muitos problemas na vida se não souber diferenciar um ônus de um ânus.

— Isso são conjunturas.

— Você quer dizer 'conjeturas'.

— Não, conjunturas.

— Não é 'conjeturas' no sentido de especulações, suposições, hipóteses?

— Não. 'Conjunturas' no sentido de situações, momentos históricos.

— Você queria dizer 'conjeturas' mas se enganou. Admita.

— Eu disse exatamente o que queria dizer, monsenhor.

— Você errou.

— Não errei, iminência.

— Eminência! Eminência."

VERISSIMO, Luis Fernando. *O Estado de S. Paulo*, 19 jul. 2008. Caderno D. p. 16.

Questões

1 Localize as falas que fazem uso da função metalinguística e justifique suas escolhas.

2 Existe alguma expressão com função fática no texto? Explique por quê.

3 A linguagem usada no texto está no registro culto ou popular? Por quê?

4 Procure no texto os termos e frases que indicam a hierarquia entre os dois falantes.

Atividades

Revendo o capítulo

1 Por que se pode dizer que a aquisição da linguagem é a senha de entrada no mundo humano?

2 Por que são criadas linguagens de diferentes tipos? Para que elas servem?

3 Descreva o processo de significação.

Aplicando os conceitos

4 Cite algumas regras de combinação da língua portuguesa: regras da escrita e regras de concordância.

5 Qual a relação entre as regras de uso de uma língua e a cultura na qual ela é usada?

6 Identifique a função das seguintes mensagens e justifique sua resposta:

a) "Colombo! Feche a porta de seus mares..." (Castro Alves).

b) "Telefone para 0800-XXXX, adquira o seu produto Y e ganhe um frasco de perfume, um CD de música eletrônica e um boné. Mas, compre já!"

c) Você é um idiota completo! Pensa que pode fazer o que lhe dá na telha, sem pensar nas consequências?

d) Não entendi. O que isso quer dizer?

e) Presta atenção! Estou falando com você!

f) Vou lhe contar um segredo. Ontem, depois da festa da Chris, eu fiquei com um cara de fora da cidade.

7 Faça o mesmo com este poema de Décio Pignatari.

[**P**] o e s i [**a**]

[P] o i s [ ] é

[P] O E S I A

Pesquisa

8 Faça uma pesquisa sobre a linguagem da música dodecafônica:

a) quando ela surgiu;

b) quem a criou;

c) qual o repertório de sons;

d) como eles podem ser combinados entre si;

e) quem a introduziu no Brasil;

f) quais as transformações pelas quais passou;

g) suas influências na música popular contemporânea.

Caiu no vestibular

9 (Fuvest)

Procura da poesia

"Não faças versos sobre acontecimentos.
Não há criação nem morte perante a poesia.
Diante dela a vida é um sol estático,
não aquece nem ilumina.
[...]
Penetra surdamente no reino das palavras.
Lá estão os poemas que esperam ser escritos.
Estão paralisados, mas não há desespero,
há calma e frescura na superfície intata.
Ei-los sós e mudos, em estado de dicionário.
[...]"

Carlos Drummond de Andrade.
A rosa do povo.

No contexto do livro, a afirmação do caráter verbal da poesia e a incitação a que se penetre "no reino das palavras", presentes no excerto, indicam que para o poeta de *A rosa do povo*,

a) Praticar a *arte pela arte* é a maneira mais eficaz de se opor ao mundo capitalista.

b) A procura da boa poesia começa pela estrita observância da variedade padrão da linguagem.

c) Fazer poesia é produzir enigmas verbais que não podem nem devem ser interpretados.

d) As intenções sociais da poesia não a dispensam de ter em conta o que é próprio da linguagem.

e) Os poemas metalinguísticos, nos quais a poesia fala apenas de si mesma, são superiores aos poemas que falam também de outros assuntos.

Capítulo 6

Trabalho, alienação e consumo

LEGER, FERNAND, "OS CONSTRUTORES", 1950. LICENCIADO POR AUTVIS, BRASIL, 2009

Os construtores. Fernand Léger, 1950.

Nessa pintura de Fernand Léger, o trabalho é figurado de modo ambivalente: de um lado demonstra o exercício da força física, o "peso do trabalho", a "uniformização" dos trabalhadores; de outro lado, há algo de lúdico nesses operários que nos andaimes parecem equilibristas de circo em seus trapézios.

Como contraponto à leveza dessa tela, pesquise a letra da canção *Construção*, de Chico Buarque, da qual selecionamos uma estrofe:

"E tropeçou no céu como se fosse um bêbado / E flutuou no ar como se fosse um pássaro / E se acabou no chão feito um pacote flácido / Agonizou no meio do passeio público / Morreu na contramão atrapalhando o tráfego".

Essa música foi composta em 1971, período da ditadura militar. As estrofes repetem-se com variações inventivas em que predominam as proparoxítonas, enriquecidas com metáforas que em um primeiro momento nos remetem aos operários de construção civil, vítimas diárias dos acidentes de trabalho. Mas também pode simbolizar a atividade de qualquer pessoa cuja morte — real ou metafórica — parece indiferente às demais.

Após a leitura do capítulo, retorne a esta abertura para analisar as duas expressões artísticas (a tela e a canção), aplicando os conceitos aprendidos.

1 Trabalho como tortura?

Talvez você já tenha visto camisetas que trazem estampados o simpático (e preguiçoso) gato Garfield e a frase "Odeio segunda-feira!", representando o sentimento quase universal de desânimo diante do trabalho. De fato, enquanto o próximo e desejado final de semana não chega, busca-se alento no *happy hour*, como se a "hora feliz" só pudesse existir no tempo-após-trabalho.

Confirmando esse sentido negativo, a própria palavra *trabalhar* deriva do latim *tripaliare*, que nomeava o tripálio, um instrumento formado por três paus, próprio para atar os condenados ou para manter presos os animais difíceis de ferrar. A origem comum identifica o trabalho à tortura.

Se a vida humana depende do trabalho, e este causa tanto desprazer, só podemos concluir que o ser humano está condenado à infelicidade. Para reverter esse quadro pessimista, vejamos os aspectos positivos do trabalho.

2 A humanização pelo trabalho

No capítulo 4, "Natureza e cultura", vimos que o ser humano inaugura o mundo da cultura por sua capacidade de simbolizar. Por mudar conforme a época e o lugar, a cultura humana "faz história", isto é, as gerações conservam certas práticas aprendidas e modificam outras. É pelo trabalho que a natureza é transformada mediante o esforço coletivo para arar a terra, colher seus frutos, domesticar animais, modificar paisagens e construir cidades. E não só: pelo trabalho surgem instituições como a família, o Estado, a escola; obras de pensamento como o mito, a ciência, a arte, a filosofia.

Podemos dizer que o ser humano se faz pelo trabalho, porque ao mesmo tempo que produz coisas, torna-se humano, constrói a própria subjetividade. Desenvolve a imaginação, aprende a se relacionar com os demais, a enfrentar conflitos, a exigir de si mesmo a superação de dificuldades. Enfim, com o trabalho ninguém permanece o mesmo, porque ele modifica e enriquece a percepção do mundo e de si próprio.

PARA REFLETIR

Para se emancipar, a mulher precisou ter amplo acesso ao mercado de trabalho, não só para garantir sua autonomia financeira com relação ao homem — pai ou marido —, mas também para construir uma nova identidade e tornar-se mais livre em suas escolhas.

Como condição de humanização, o trabalho liberta, ao viabilizar projetos e concretizar sonhos. Se em um primeiro momento a natureza apresenta-se como destino, o trabalho será a possibilidade da superação dos determinismos. Nesse sentido, a liberdade humana não é dada, mas resulta da ação humana transformadora. Nem sempre, porém, prevalece essa concepção positiva, sobretudo quando as pessoas são obrigadas a viver do trabalho alienado, que resulta de relações de exploração.

Estamos, portanto, diante de um impasse: o trabalho é tortura ou emancipação? Se voltarmos nosso olhar à história para ver como as pessoas trabalham e o que pensam sobre o trabalho, teremos uma visão mais clara dessa contradição.

3 Ócio e negócio

Nas sociedades tribais, as pessoas dividem tarefas de acordo com sua força e capacidade. Os homens caçam, derrubam árvores para preparar o terreno das plantações, enquanto as mulheres semeiam e fazem a coleta. Como a divisão das tarefas se baseia na cooperação e na complementação e não na exploração, tanto a terra como os frutos do trabalho pertencem a toda a comunidade.

Por que mudaria esse estado de coisas? Para Jean-Jacques Rousseau, filósofo do século XVIII, a desigualdade surgiu quando alguém, ao cercar um terreno, lembrou-se de dizer "Isto é meu.", criando assim a propriedade privada. Nesse momento, abriu-se o caminho para a divisão social, as relações de dominação e a desigual apropriação dos frutos do trabalho. Desse modo, desde as mais antigas civilizações existe a divisão entre aqueles que mandam — e portanto projetam, concebem, inventam — e os que só obedecem e executam. É o que se denomina a dicotomia entre a concepção e a execução do trabalho.

À primeira vista, há aqueles que até hoje admitem ser "natural" essa divisão de funções, pois alguns teriam mais talento para o pensar, enquanto outros só seriam capazes de atividades braçais. O olhar mais atento constata, no entanto, que a sociedade descobre mecanismos para manter a divisão, não conforme a capacidade, mas sim de acordo com a classe a que cada um pertence.

Entre os antigos gregos e romanos, que viviam em sociedades escravagistas, era nítida a divisão entre atividades intelectuais e braçais, com a evidente desvalorização desta última. Um dos indícios da divisão social era a educação, por ser privilégio

Dicotomia. Divisão em duas partes.

dos proprietários. Não por acaso, a palavra *escola* na Grécia antiga significava literalmente o "lugar do ócio", onde as crianças se dedicavam à ginástica, aprendiam jogos, música e retórica — a arte de bem falar.

PARA SABER MAIS

O termo *ócio* não tinha naquele tempo o mesmo sentido de hoje. Para nós, ócio é o não fazer, o descanso. Para os gregos, tratava-se do "ócio digno", que os isentava das atividades que apenas garantem a subsistência, para gozar o tempo livre e dedicar-se às funções nobres de guerrear, fazer política, pensar, decidir. Entre os romanos a palavra ócio (do latim, *otium*) manteve o sentido original grego, tanto é que o trabalho para sustentar a vida era identificado à palavra negócio (*nec-otium*, "não ócio").

4 Uma nova concepção de trabalho

Até a Idade Média, a riqueza se restringia à posse de terras, mas ao final desse período e durante a Idade Moderna, as atividades mercantis e manufatureiras desenvolveram-se a tal ponto que a riqueza passou a significar também a posse do dinheiro, provocando a expansão das fábricas que culminou com a Revolução Industrial no século XVIII.

MUSEU DO LOUVRE, PARIS, FRANÇA

O cambista e sua mulher. Quentin Metsys, 1465-1466.

No século XV, Metsys retratou o cambista, antecessor dos banqueiros que financiaram o desenvolvimento do comércio e da indústria.

Esses acontecimentos decorreram da ascensão da burguesia enriquecida, que valorizava a técnica e o trabalho, uma vez que constituía um segmento originado dos antigos servos libertos e que tornou livres as cidades antes controladas por senhores feudais. Por isso mesmo, a máquina passou a exercer grande fascínio: no século XVII, Pascal inventou a primeira máquina de calcular; Torricelli construiu o barômetro; surgiu o tear mecânico. No mesmo espírito, Galileu inaugurou o método das ciências da natureza, que se baseava no uso da técnica e da experimentação.

As teorias da modernidade

O que diziam os pensadores da modernidade a respeito dessas mudanças, ao longo dos séculos XVII ao XIX?

Francis Bacon (1561-1626), com o seu lema "saber é poder", critica a base metafísica da física grega e medieval e realça o papel histórico da ciência e do saber instrumental, capaz de dominar a natureza. Rejeita as concepções tradicionais de pensadores "sempre prontos para tagarelar", mas que "são incapazes de gerar, pois a sua sabedoria é farta de palavras, mas estéril em obras" (*Novum organum*. Livro I, LXXI).

Numa linha semelhante, Descartes (1596-1650) afirma:

> Pois elas [as noções gerais da física] me fizeram ver que é possível chegar a conhecimentos que sejam muito úteis à vida, e que, em vez dessa filosofia especulativa que se ensina nas escolas, se pode encontrar uma outra prática, pela qual [...] poderíamos empregá-los da mesma maneira em todos os usos para os quais são próprios, e assim nos tornar como que senhores e possuidores da natureza.[1]

Começa aí o ideal prometeico da ciência. Embora Bacon e Descartes seguissem linhas de reflexão diferentes e em certos pontos antagônicas, ambos destacam que a ciência e a técnica são capazes de "dominar a natureza". Como se vê, estava ocorrendo uma mudança de enfoque na relação entre o pensar e o fazer.

Modernidade. Ou Idade Moderna, é o período que começa no Renascimento em oposição à tradição medieval, valorizando o espírito crítico e a racionalidade científica. Os principais representantes são Bacon, Galileu e Descartes, no século XVII.

Prometeico. Relativo a Prometeu, figura da mitologia grega que roubou o fogo dos deuses para dá-lo aos seres humanos. Simboliza a valorização da técnica e do trabalho humano.

[1] DESCARTES, René. *Discurso do método*. São Paulo: Abril Cultural, 1973. p. 71. (Coleção Os Pensadores).

Enquanto na Idade Média o saber contemplativo era privilegiado em detrimento da prática, no Renascimento e na Idade Moderna deu-se a valorização da técnica, da experimentação, do conhecimento alcançado por meio da prática.

No campo político e econômico, estavam sendo elaborados os princípios do liberalismo. Quais as consequências das ideias liberais para o trabalho? Superando as relações de dominação entre senhores e servos, foi instituído o *contrato* de trabalho entre indivíduos livres, o que significa o reconhecimento do trabalhador no campo jurídico.

Uma das novidades das ideias liberais é a valorização do trabalho. Assim diz John Locke:

> Embora a terra e todas as criaturas inferiores sejam comuns a todos os homens, cada homem tem propriedade em sua própria pessoa; a esta ninguém tem qualquer direito senão ele mesmo. O trabalho do seu corpo e a obra de suas mãos, pode dizer-se, são propriamente dele. [...] Desde que esse trabalho é propriedade exclusiva do trabalhador, nenhum outro homem pode ter direito ao que se juntou, pelo menos quando houver bastante e igualmente de boa qualidade em comum para terceiros.[2]

No século XIX, o filósofo alemão Hegel faz uma leitura otimista da função do trabalho na célebre passagem "do senhor e do escravo", descrita na *Fenomenologia do espírito* (capítulo IV-A): dois indivíduos lutam entre si e um deles sai vencedor, podendo matar o vencido. Este, no entanto, prefere submeter-se, para poupar a própria vida. A fim de ser reconhecido como senhor, o vencedor *conserva* o outro como *servo*. O servo submetido tudo faz para o senhor, mas com o tempo o senhor descobre que não sabe fazer mais nada, porque, entre ele e o mundo, colocou o servo, e é ele que domina a natureza. Desse modo, o servo recupera a liberdade, porque o trabalho se torna a expressão da liberdade reconquistada.

Saber contemplativo. Conceito com varios sentidos. No contexto, saber puramente teórico, restrito à atividade da mente. Olhar atento e desinteressado, ou seja, sem uma finalidade prática imediata.

5 O trabalho como mercadoria: a alienação

No século XIX, o resplendor do progresso alcançado pela Revolução Industrial não oculta a questão social. A exploração dos operários fica explícita em extensas jornadas de trabalho em péssimas instalações, salários baixos, arregimentação de crianças e mulheres como mão de obra mais barata. Esse estado de coisas desencadeou os movimentos socialistas e anarquistas.

Nesse panorama, Karl Marx (1818-1883) retoma a temática hegeliana, mas critica sua visão otimista do trabalho, embora não deixe de ver o trabalho como condição de liberdade. Ao contrário, esse é o ponto central de seu raciocínio: a pessoa deve *trabalhar para si*, no sentido de que deve trabalhar para fazer-se a si mesma um ser humano. O que não significa trabalhar sem compromisso com os outros, pois todo trabalho é tarefa coletiva e, como tal, visa ao bem comum.

ERICH LESSING/ALBUM ART/LATINSTOCK/THE MUNCH-MUSEUM/THE MUNCH-ELLINGSEN GROUP, MUNCH, EDVARD. TRABALHADORES DE VOLTA PARA CASA, 1913-5, LICENCIADO POR AUTVIS, BRASIL, 2009

Trabalhadores de volta para casa. Edward Munch, 1913-1915.

Edward Munch (1863-1944), artista norueguês, representa a opressão e a ansiedade do trabalhador: são rostos pálidos, com olhares perdidos e que, tal como fantasmas, retornam à noite para casa.

[2] LOCKE, John. *Segundo tratado sobre o governo*. São Paulo: Abril Cultural, 1973. p. 51-52.

Qual é portanto sua crítica? Marx nega que a nova ordem econômica do liberalismo fosse capaz de possibilitar a igualdade entre as partes, porque o trabalhador perde mais do que ganha, já que *produz para outro*: a posse do produto lhe escapa. Mas, nesse caso, é ele próprio que deixa de ser o centro de si mesmo. Não escolhe o salário — embora isso lhe apareça ficticiamente o resultado de um contrato livre —, não escolhe o horário nem o ritmo de trabalho e é comandado de fora, por forças que não mais controla.

O resultado é a pessoa tornar-se "estranha", "alheia" a si própria: é o fenômeno da **alienação**.

ETIMOLOGIA

Alienação. Do latim *alienare*, "afastar"; *alienus*, "que pertence a um outro"; *alius*, "outro". Portanto, alienar, sob determinado aspecto, é tornar alheio, transferir para outrem o que é seu.

Há vários sentidos para a palavra alienação. Em todos eles, há algo em comum: do ponto de vista jurídico, perde-se a posse de um bem; para a psiquiatria, o alienado mental perde a dimensão de si na relação com os outros; segundo Rousseau, o poder do povo é inalienável, porque só a ele pertence; na linguagem comum, a pessoa alienada perde a compreensão do mundo em que vive.

Alienação na produção

Para Marx, que analisou esse conceito básico, a alienação não é puramente teórica, porque se manifesta na vida real quando o produto do trabalho deixa de pertencer a quem o produziu. Isso ocorre porque na economia capitalista prevalece a lógica do mercado, em que tudo tem um preço, ou seja, adquire um *valor de troca*, diferentemente de quando fabricamos o que é necessário para a existência (casas, roupas, livros), produtos que têm utilidade vital, *valor de uso*.

No novo contexto capitalista, ao vender sua força de trabalho mediante salário, o operário também se transforma em mercadoria. Ocorre então o que Marx chama de *fetichismo da mercadoria* e *reificação do trabalhador*. Vejamos o que significam esses conceitos.

- O **fetichismo** é o processo pelo qual a mercadoria, um ser inanimado, adquire "vida" porque os valores de troca tornam-se superiores aos valores de uso e passam a determinar as relações humanas, ao contrário do que deveria acontecer. Desse modo, a relação entre produtores não se faz entre eles próprios, mas entre os produtos do seu trabalho. Por exemplo, não são relações entre alfaiate e carpinteiro, mas entre casaco e mesa, que são equiparados conforme uma medida comum de valor.

PARA SABER MAIS

Nas práticas míticas, "feitiço" ou "fetiche" significa objeto a que se atribui poder sobrenatural; em psicologia, fetichismo é a perversão na qual a satisfação sexual depende da visão ou do contato com partes específicas do corpo ou objetos (pés, cabelos, sapatos, roupas íntimas etc.) e não com a pessoa inteira. A semelhança entre o sentido mítico, o psicológico e o fetichismo da mercadoria é que, nos três casos, objetos inertes, sem vida, ou partes de um todo tornam-se "animados", "humanizados".

- A **reificação** (do latim *res*, "coisa") é a transformação dos seres humanos em coisas. Em consequência, a "humanização" da mercadoria leva à desumanização da pessoa, à sua coisificação, isto é, o indivíduo é transformado em mercadoria.

A alienação não se aplica apenas à produção do trabalhador, mas também às formas do consumo, como veremos mais adiante.

6 A era do olhar: a disciplina

Outros pensadores investigaram as mudanças decorrentes do capitalismo e do nascimento das fábricas, analisando-as sob outro ângulo, o da instauração da era da disciplina. Segundo Michel Foucault, um novo tipo de disciplina facilitou a dominação mediante a "docilização" do corpo.

QUEM É?

JEAN PIERRE FOUCHET/RAPHO/EYEDEA PRESSE-OTHER IMAGES

Michel Foucault, 1967.

Michel Foucault (1926-1984). Filósofo francês, desenvolveu um método de investigação histórica e filosófica que chamou de *genealogia*. Examinando a mudança dos comportamentos no início da Idade Moderna, sobretudo nas instituições prisionais e nos hospícios, buscou compreender os processos da produção dos saberes que tornaram possível o controle difuso e não tematizado, que chamou de *microfísica do poder*. Suas principais obras são *História da loucura na Idade Clássica*, *As palavras e as coisas*, *História da sexualidade*, *Vigiar e punir*, *Microfísica do poder*.

Foucault aproveita a descrição que o jurista Jeremy Bentham (séc. XVIII) fez de um projeto denominado *Panopticon* (literalmente, "ver tudo"), em que imagina uma construção de vidro, em anel, para alojar loucos, doentes, prisioneiros, estudantes ou operários. Controlados de uma torre central com absoluta visibilidade, o resultado é a interiorização do olhar que vigia, de modo que cada um não perceba a própria sujeição.

Para refletir: e hoje, como vive o cidadão comum? Os sistemas eletrônicos de vigilância estão em todos os lugares: nos prédios residenciais, empresariais, nas lojas, nos *shoppings*, nas ruas e estradas. Quais as vantagens desse aparato e quais os riscos de expor nossa privacidade?

Penitenciária de Stateville, inspirada no *Panopticon*, de Jeremy Bentham. Estados Unidos, 2002.

Para exemplificar, vamos voltar à França do século XVIII. A historiadora francesa contemporânea Michelle Perrot relata a descrição feita por um inspetor de manufaturas de uma oficina têxtil com cerca de 100 metros de comprimento, pavimentada por lajes e iluminada por cinquenta janelas com tela branca:

> No meio dessa sala [em] um canal coberto com lajes entreabertas cada fiandeira vai, *em silêncio*, tirar a água de que precisa [para a fiação]. Essa oficina, à primeira vista, surpreende o visitante pela quantidade de pessoas aí empregadas, *pela ordem*, pela limpeza e *pela extrema subordinação* que aí reina... Contamos 50 rocas duplas [...] ocupadas por 100 fiandeiras e o mesmo tanto de dobradeiras, tão *disciplinadas como tropas*.[3]

Nos trechos em itálico, a historiadora destaca a nova maneira de trabalhar, representada por dois modelos disciplinares: o religioso (silêncio) e o militar (hierarquia, disposição em fileiras). A disciplina é mantida pelos supervisores, que avaliam a qualidade do serviço, evitam brigas e fazem cumprir os severos regulamentos por meio de proibições (não falar alto, não dizer palavrões, não cantar), regras de horários (começa a "tirania" do relógio para entrada, saída e intervalos) e ainda penalidades como multas, advertências, suspensões, demissões, de acordo com a gravidade da "falta".

PARA REFLETIR

La Fontaine viveu na França do século XVII. Escreveu várias fábulas, dentre as quais destaca-se *A cigarra e a formiga*, que todos conhecem. Procure conhecer essa fábula e estabeleça a relação entre ela e a nova maneira de organizar a disciplina do trabalho. Em seguida, pensando nos tempos atuais, invente outro final para a história.

Na nova estrutura, o "olhar vigilante" sobressai de maneira decisiva. A organização do tempo e do espaço imposta na fábrica não é, porém, um fenômeno isolado. Nos séculos XVII e XVIII, formou-se a chamada "sociedade disciplinar", com a criação de instituições fechadas, voltadas para o controle social, tais como prisões, orfanatos, reformatórios, asilos de miseráveis e "vagabundos", hospícios, quartéis e escolas.

PARA SABER MAIS

A escola institucionalizou-se de maneira mais complexa quando foram criados os internatos, com a exigência de separação por idades, graduação em anos e organização de currículos.

[3] PERROT, Michelle. *Os excluídos da história*: operários, mulheres e prisioneiros. Rio de Janeiro: Paz e Terra, 1988. p. 57-58.

Assim diz Michel Foucault:

> Esses métodos que permitem o controle minucioso das operações do corpo, que realizam a sujeição constante de suas forças e lhes impõem uma relação de docilidade-utilidade, são o que podemos chamar as "disciplinas". Muitos processos disciplinares existiam há muito tempo [...]. Mas as disciplinas se tornaram no decorrer dos séculos XVII e XVIII fórmulas gerais de dominação. [...] O momento histórico das disciplinas é o momento em que nasce uma arte do corpo humano, que visa não unicamente o aumento de suas habilidades, nem tampouco aprofundar sua sujeição, mas a formação de uma relação que no mesmo mecanismo o torna tanto mais obediente quanto é mais útil, e inversamente. [...] A disciplina fabrica assim corpos submissos e exercitados, corpos "dóceis". A disciplina aumenta as forças do corpo (em termos econômicos de utilidade) e diminui essas mesmas forças (em termos políticos de obediência).[4]

7 De olho no cronômetro

O poeta brasileiro Mário Quintana, em *Das ampulhetas e das clepsidras*, diz o seguinte:

> Antes havia os relógios d'água, antes havia os relógios de areia. O Tempo fazia parte da natureza. Agora é uma abstração — unicamente denunciada por um tic-tac mecânico, como o acionar contínuo de um gatilho numa espécie de roleta-russa. Por isso é que os antigos aceitavam mais naturalmente a morte.[5]

Dialogando com o poeta, acrescentamos que somos "feitos" de tempo: sem a memória (passado) e sem os projetos (futuro), o nosso presente deixaria de ser propriamente humano. Portanto, o que dizer de um tempo de velocidade preestabelecida que não respeita a cadência do próprio corpo nem as diferenças individuais? Na era capitalista, eficácia, organização e padronização transformam-se em palavras de ordem e todo movimento passa a ser controlado externa e artificialmente. Se artificializamos demais os ritmos vitais, nem poderemos "morrer bem", já que vivemos tão mal!

Foi isso que aconteceu quando os proprietários das fábricas, na busca de maior produtividade, implantaram sistemas de "racionalização", que, em última análise, significam economizar tempo, transformando-o em mercadoria. Como foi possível tal proeza?

O trabalho "em migalhas"

O norte-americano Frederick Taylor, no início do século XX, elaborou uma teoria conhecida como *taylorismo*. Partindo do princípio de que os operários são indolentes e não sabem usar seus gestos de modo econômico, Taylor estabeleceu um "controle científico", por meio da medição por cronômetros, para que a produção fabril fosse cada vez mais simples e rápida.

Com a criação de um setor de planejamento responsável pelo "saber como produzir", ficava muito mais nítida a separação entre a concepção e a execução do trabalho, isto é, entre o projeto e a sua realização, entre o pensar e o fazer.

A mesma intenção de aumentar a produtividade levou Henry Ford, também norte-americano, a introduzir a esteira da linha de montagem e o processo de padronização ou estandardização da produção em série na sua fábrica de automóveis.

BETTMANN/CORBIS-LATINSTOCK

Linha de montagem do modelo *Ford T*, em Highland Park, Michigan (EUA), 1913.

A produção de carros e os lucros de Henry Ford aumentaram vertiginosamente, mas o operário foi submetido ao trabalho parcelado e repetitivo.

---

4 FOUCAULT, Michel. *Vigiar e punir*: história da violência nas prisões. Petrópolis: Vozes, 1987. p. 126-127.

5 QUINTANA, Mário. *Porta giratória*. 3. ed. São Paulo: Globo, 1997. p. 61.

O parcelamento das tarefas reduz a atividade a gestos mínimos, o que aumenta a produção de maneira incrível, mas também transforma o trabalho "em migalhas": cada operário produz apenas uma parte do produto.

O planejamento e a burocracia apresentam-se com a imagem de neutralidade e eficácia da organização, como se estivessem baseados em um saber objetivo, eficaz, desinteressado. Essa imagem de neutralidade mascara um conteúdo ideológico eminentemente político: trata-se, na verdade, de uma *técnica social de dominação*. Vejamos por quê.

A chamada racionalização do processo de trabalho trouxe em si uma irracionalidade básica, ao desvalorizar o ritmo do corpo, o sentimento, a imaginação, a inventividade humana. Não é fácil submeter o operário ao trabalho rotineiro e repetitivo, reduzindo-o a gestos estereotipados, mas com o taylorismo, a coação visível de um chefe foi substituída por maneiras mais sutis de constrangimento que tornam o operário submisso, porque as orientações vindas do "setor de planejamento" tornam a ordem impessoal. Ao retirar toda iniciativa do operário, modela seu corpo segundo critérios exteriores, "científicos", e faz com que interiorize a norma.

Aliado à lógica da produção em série, o investimento em publicidade visava a provocar artificialmente a "necessidade" da compra. Estava nascendo a sociedade de consumo com seus patrocinadores, anunciantes, facilidades de crediário e campanhas publicitárias veiculadas, naquele tempo, sobretudo pelo rádio. Desse modo, as fábricas não só lançavam um produto na praça, mas também "produziam" o consumidor, como veremos mais adiante.

8 Novos tempos na fábrica

A partir das décadas de 1970 e 1980, mudanças radicais nas maneiras de trabalhar repercutiram no modo de vida tanto nas cidades como no campo. Com a implantação de tecnologias de automação, robótica e microeletrônica, surgiram novos padrões de produtividade. A tendência nas fábricas foi de quebrar a rigidez do fordismo e do taylorismo. Implantado por diversas empresas, o sistema ficou conhecido como *toyotismo*, nome originado da fábrica japonesa de automóveis Toyota.

O novo sistema de produção é mais flexível por atender aos pedidos à medida da demanda, com planejamento a curto prazo. Ao contrário do fordismo, é privilegiado o trabalho em equipe, a descentralização da iniciativa, com maior possibilidade de participação e decisão, além da necessidade de polivalência da mão de obra, já que o trabalhador deve controlar diversas máquinas ao mesmo tempo.

FRANCIS G. MAYER/CORBIS-LATINSTOCK

Formas únicas da continuidade no espaço. Umberto Boccioni, 1913.

Umberto Boccioni (1882-1916), pintor e escultor italiano, foi também um teórico do futurismo. Essa tendência estética enaltecia a máquina e a velocidade, numa época em que a locomotiva e o carro tornavam a comunicação mais rápida. Nessa escultura, o artista expressa, em uma massa de bronze, a ilusão de fugacidade e rapidez.

PARA REFLETIR

"Em julho de 2008, as autoridades do trabalho japonesas reconheceram que um importante funcionário da Toyota, de 45 anos, morreu devido ao excesso de trabalho, um mal conhecido no país como 'karoshi'. Ele teve uma isquemia cardíaca em janeiro de 2006 [...]. A vítima era o engenheiro-chefe do projeto da versão híbrida do sedã *Camry*. Ele teria trabalhado ao menos 80 horas extras mensais em novembro e dezembro de 2005. Essa carga a mais de trabalho incluía jornadas noturnas e finais de semana, além de frequentes viagens para o exterior. [...] De acordo com a agência Associated Press, a empresa soltou uma nota de pêsames e afirmou que vai melhorar o controle sobre a saúde de seus profissionais." (*UOL Notícias*, 9 jul. 2008. Disponível em: http://carros.uol.com.br/ultnot/2008/07/09/ult634u3082.jhtm.)

Outra característica dos novos tempos na fábrica foi o enfraquecimento dos sindicatos desde o final da década de 1980, o que repercutiu negativamente na capacidade de reivindicação de novos direitos e manutenção das conquistas realizadas. Os temores mais frequentes dessa nova geração de trabalhadores da era da automação são o desemprego e o excesso de trabalho decorrente do "enxugamento" realizado pelas empresas em processo de "racionalização" de atribuição das tarefas.

9 Da fábrica para o escritório

Na segunda metade do século XX, notou-se o deslocamento da mão de obra para o setor de serviços, ou seja, há mais trabalhadores no comércio, transporte e serviços de escritório em geral do que nas fábricas ou no campo. Isso não significa que as atividades agrícolas e industriais tenham perdido importância, mas que elas também dependem do desenvolvimento de técnicas de informação e comunicação. No nosso cotidiano, consumimos serviços de publicidade, pesquisa, comércio, finanças, saúde, educação, lazer, turismo etc. Nos escritórios, a comunicação é ampliada e torna-se cada vez mais ágil, quase instantânea, veiculada em âmbito mundial pela expansão das redes de telefonia e das infovias.

Os recursos da microeletrônica têm facilitado a nova estrutura do *teletrabalho* (trabalho a distância), que possibilita maior autonomia e flexibilidade de horário, desobrigando as pessoas de se dirigirem diariamente a locais fixos, o que, em alguns casos, viabiliza o trabalho no próprio domicílio.

10 Consumo ou consumismo?

A exploração e a alienação da produção estendem-se para a esfera do consumo. Ao prosperarem materialmente, os trabalhadores compartilham do "espírito do capitalismo", atraídos pelas promessas da *sociedade de consumo*. Os centros de compras se transformam em "catedrais do consumo", verdadeiros templos cujo apelo constante às novidades torna tudo descartável e rapidamente obsoleto. E com as facilidades da internet já se pode comprar até sem sair de casa. Vendem-se coisas, serviços, ideias.

Isso não significa, porém, que todo consumo seja alienado, porque o consumo pode ser consciente e criativo.

O consumo consciente

Consumir é um ato humano por excelência, que nos permite atender a necessidades vitais, próprias da sobrevivência, como alimentar-se, vestir-se e ter onde morar. Mas não só. O consumo abrange também tudo o que estimula o crescimento humano em suas múltiplas e imprevisíveis direções e como tal oferece condições para nos tornarmos melhores.

Pelo consumo consciente participamos como pessoas inteiras, movidas pela sensibilidade, imaginação, inteligência e liberdade. Por exemplo, não comemos e bebemos apenas para saciar a fome ou a sede, mas temos preferências que o paladar apura, e usamos de criatividade para inventar novos pratos e bebidas saborosos.

ALBUM/AKG-IMAGES-LATINSTOCK/ANDY WARHOL FOUNDATION, WARHOL, ANDY, BRILLO BOX, 1969, LICENCIADO POR AUTVIS, BRASIL, 2009.

Brillo box. Andy Warhol, 1969.

Andy Warhol, principal representante da *pop-art*, nos instiga a pensar sobre o impacto visual dos produtos na sociedade de consumo ao destacar pela repetição um objeto banal do cotidiano: uma pilha de caixas de alvejante de roupa.

Enfim, mesmo provocado externamente, o consumo supõe a possibilidade de escolha autônoma, não só para estabelecer preferências como para optar por adquirir ou não determinado produto. Nesse sentido, o consumo nunca é um fim em si, mas sempre um meio para outra coisa qualquer. Caso contrário, ele se transforma em consumismo.

O consumo alienado

A organização dicotômica do trabalho a que nos referimos — pela qual se separam a concepção e a execução do produto — reduz as possibilidades de

Infovia. Infraestrutura em fibra óptica para transmissão de voz, dados e imagens.

o trabalhador encontrar satisfação na maior parte da sua vida, enquanto se sente obrigado a realizar tarefas desinteressantes. Muitas vezes, essa situação cria a necessidade artificial de se proporcionar prazer pela posse de bens.

Além disso, a produção em massa tem por corolário o consumo de massa, porque as necessidades artificialmente estimuladas, sobretudo pela publicidade, levam os indivíduos a consumir sempre mais. O consumo alienado degenera em *consumismo* quando se torna um fim em si e não um meio, provocando desejos nunca satisfeitos, um sempre querer mais, um poço sem fundo. A ânsia do consumo perde toda relação com as necessidades reais, o que faz com que as pessoas gastem mais do que precisam e, às vezes, mais do que têm.

PARA REFLETIR

Ao olhar as vitrines, se pudéssemos examinar os "bastidores" da fabricação de muitas roupas "de marca", encontraríamos tecelagens que produzem rápido às custas da exploração de mão de obra barata, principalmente de mulheres. É o caso de países como Guatemala, Honduras, Argélia, Turquia, Malásia e tantos outros, inclusive o Brasil.

O comércio facilita a realização dos desejos ao possibilitar o parcelamento das compras, promover liquidações e ofertas de ocasião, estimular o uso de cartões de crédito, de compras pela internet. As mercadorias são rapidamente postas "fora de moda" porque seu *design* se tornou antiquado ou porque um novo produto se mostrou "indispensável", seja televisão, geladeira, celular ou carro.

11 Crítica à sociedade administrada

Sobre a questão da produção e do consumo, debruçaram-se inúmeros filósofos, entre os quais os pensadores da Escola de Frankfurt, movimento que surgiu na década de 1930 na Alemanha.

Para os frankfurtianos, chegamos ao impasse que nos deixa perplexos diante da técnica — apresentada de início como libertadora — e que pode se mostrar, afinal, artífice de uma ordem tecnocrática opressora. A técnica aplicada ao trabalho tem provocado a alienação do trabalhador e o esgotamento dos recursos naturais. De fato, a exaltação do progresso indiscriminado não tem respeitado o que hoje chamamos de desenvolvimento sustentável.

Ao submeter-se passivamente aos critérios de produtividade e desempenho no mundo competitivo do mercado, o indivíduo perde muito do prazer de sua atividade ao ser regido por princípios aparentemente "racionais". Por isso, Max Horkheimer acrescenta que "a doença da razão está no fato de que ela nasceu da necessidade humana de dominar a natureza". E mais, que "a história dos esforços humanos para subjugar a natureza é também a história da subjugação do homem pelo homem".[6]

JUAN CARLOS MUÑOZ/CID

Degelo em geleira. Perito Moreno, Argentina, 1993.

A intensificação do efeito estufa, devido ao excessivo acúmulo de gases na atmosfera, tem provocado o aumento da temperatura média, no planeta, o que leva ao derretimento dos gelos polares, causando prejuízos para os animais nativos e inundações nos litorais: para muitos estudiosos, uma sequência perversa de causas e efeitos em razão da intervenção humana indiscriminada na natureza.

A razão instrumental

De que "razão" fala o filósofo? Trata-se da *razão instrumental*, que serve para qualquer fim, sem averiguar se é bom ou mau. Na sociedade capitalista, os interesses definem-se pelo critério da eficácia, uma vez que a organização das forças produtivas visa atingir níveis sempre mais altos de

[6] HORKHEIMER, Max. *Eclipse da razão*. Rio de Janeiro: Labor do Brasil, 1976. p. 116.

produtividade e de competitividade. Onde a técnica é o principal, a pessoa deixa de ser fim para se tornar meio de qualquer coisa que se acha fora dela, além de que a relação do ser humano com a natureza passa a ser de domínio e não de harmonia. Na *sociedade da total administração*, segundo a expressão de Horkheimer e Adorno, os conflitos são dissimulados e a oposição desaparece.

A unidimensionalidade

Herbert Marcuse chama *unidimensionalidade* à perda da dimensão crítica, pela qual o trabalhador não percebe a exploração de que é vítima. O filósofo alerta sobre a distinção entre necessidades vitais e falsas necessidades, para que a satisfação dos indivíduos não se reduza a uma "euforia na infelicidade". Assim ele diz:

> A maioria das necessidades comuns de descansar, distrair-se, comportar-se e consumir de acordo com os anúncios, amar e odiar o que os outros amam e odeiam, pertence a essa categoria de falsas necessidades. Tais necessidades têm um conteúdo e uma função sociais determinados por forças externas sobre as quais o indivíduo não tem controle algum; o desenvolvimento e a satisfação dessas necessidades são **heterônomos**. Independentemente do quanto tais necessidades possam ter se tornado do próprio indivíduo, reproduzidas e fortalecidas pelas condições de sua existência; independentemente do quanto ele se identifique com elas e se encontre em sua satisfação, elas continuam a ser o que eram de início — produtos de uma sociedade cujo interesse dominante exige repressão.[7]

E ETIMOLOGIA

Heterônomo. Do grego, *hetero*, "diferente", e *nomos*, "lei". Aquele que é comandado por outrem, que está sujeito a uma lei exterior. O contrário de autônomo.

O que pretendemos não é negar o valor da razão instrumental, pela qual produzimos a cultura, mas resgatar o que se perde em termos de humanização quando a razão técnica prevalece sobre a razão vital. Tampouco, considerar o ser humano indefeso diante de um suposto determinismo a que não pode fugir. A questão fundamental está na reflexão moral e política sobre os fins das ações humanas no trabalho, no consumo, no lazer, nas relações afetivas, a fim de observar se estão a serviço do ser humano ou de sua alienação.

12 Uma "civilização do lazer"?

O lazer é uma criação da civilização industrial e apareceu como fenômeno de massa com características específicas que nunca existiram antes do século XX, quando a nova expressão histórica do lazer surgiu como contraponto explícito ao período de trabalho.

As reivindicações dos trabalhadores sobre o alargamento do tempo de lazer obtiveram alguns êxitos muito lentamente, tais como descanso semanal, diminuição da jornada de trabalho para oito horas, semana de cinco dias, férias. Era o início de uma nova era, que tendia a tomar contornos mais definidos com a intensificação da automação do trabalho. Estava sendo gestada a "civilização do lazer".

A diminuição da jornada de trabalho criou o *tempo liberado*, que não pode ser confundido com o *tempo livre*, pois aquele é gasto com transporte, obrigações familiares, sociais, políticas ou religiosas. O tempo propriamente livre, de lazer, é aquele que sobra após a realização de todas as funções que exigem obrigatoriedade.

O que é lazer, então? O sociólogo francês Joffre Dumazedier diz:

> [...] o lazer é um conjunto de ocupações às quais o indivíduo pode entregar-se de livre vontade, seja para repousar, seja para divertir-se, recrear-se e entreter-se ou, ainda, para desenvolver sua informação ou formação desinteressada, sua participação social voluntária ou sua livre capacidade criadora, após livrar-se ou desembaraçar-se das obrigações profissionais, familiares e sociais.[8]

Há, portanto, três funções solidárias no lazer:

- descanso e, em decorrência, liberação da fadiga;
- divertimento, recreação, entretenimento e, consequentemente, uma complementação que dá equilíbrio psicológico, compensando o esforço no trabalho. O lazer oferece a oportunidade de

[7] MARCUSE, Herbert. *A ideologia da sociedade industrial*: o homem unidimensional. Rio de Janeiro: Zahar, 1973. p. 26.

[8] DUMAZEDIER, Joffre. *Lazer e cultura popular*. São Paulo: Perspectiva, 1973. p. 34.

expandirmos nossa vida imaginária, por meio da mudança de lugar, de ambiente, de ritmo, quer seja em viagens, jogos ou esportes ou ainda por atividades que privilegiam a ficção, o sonho, a crítica, como cinema, teatro, literatura, *shows*;

- participação social mais livre e, com isso, possibilidade de desenvolvimento pessoal; procura desinteressada de amigos, de aprendizagem voluntária, o que estimula a sensibilidade e a razão e facilita condutas inovadoras.

SOLUS-VEER/CORBIS-LATINSTOCK

A fruição do tempo de lazer pode resultar de um jogo na praia com os amigos ou da leitura solitária de um livro prazeroso.

De tudo isso, fica claro que o lazer *ativo* não é um simples "deixar passar o tempo livre", mas aquele no qual a pessoa pode escolher algo prazeroso e que ao mesmo tempo a modifique como ser humano. Não se pretende com isso prescrever antecipadamente o que seria uma boa ou má ocupação do tempo livre: qualquer tipo de lazer é ativo quando somos seletivos, sensíveis aos estímulos recebidos e compreendemos de modo crítico o que vemos, sentimos e apreciamos. Por exemplo, duas pessoas que assistem ao mesmo filme podem ser ativas ou passivas, dependendo da maneira pela qual se posicionam para comparar, apreciar, julgar e decidir por si mesmas, independentemente de modismos ou de propagandas massificantes.

Obstáculos ao lazer

O tempo de lazer tem adquirido importância cada vez maior, configurando-se como um dos grandes desafios do terceiro milênio. Essa é a aposta do sociólogo italiano Domenico de Masi, que lembra como foi terrível o longo período em que o capitalismo amontoou os empregados em fábricas, segregando de modo brutal *trabalho e vida*. Segundo ele, nossa sociedade teria todas as condições de realizar o sonho do não trabalho e do ócio criativo, isto é, do ocupar-se com atividades sem premência de tempo e que permitissem "a elevação do espírito e a produção das ideias". Seria esse um sonho possível?

O problema está em saber se a indústria cultural propicia alternativas de escolhas ou se as cidades oferecem infraestrutura que garanta aos mais pobres a ocupação do seu tempo livre em atividades gratuitas ou menos dispendiosas: lugares onde ouvir música, praças para passeios, clubes populares, locais para prática de esportes e de integração social espontânea. Essas restrições reduzem as possibilidades de lazer ativo, não alienado.

Além disso, bem sabemos estar distante a possibilidade de expandir o tempo de lazer. Vejamos alguns motivos: as empresas têm feito reestruturações severas terceirizando tarefas, o que significa a perda de benefícios antes conquistados; os programas de enxugamento do quadro de pessoal sobrecarrega os funcionários que, sob o risco de desemprego, sentem-se obrigados a jornadas fatigantes, em nome das metas de produtividade estabelecidas pela empresa; o teletrabalho, apesar da aparência confortável de atividade em domicílio, confunde horários de trabalho e momentos de lazer, com evidente prejuízo deste último; a flexibilização do contrato de trabalho faz com que o trabalhador assuma vários empregos de "jornadas curtas", como é o caso dos professores. Além de tudo isso, os sindicatos, defensores dos interesses dos trabalhadores, têm se enfraquecido.

Será possível reverter esse quadro, se a anunciada mecanização e a robotização até agora não cumpriram as esperanças do tempo de lazer dilatado?

13 A sociedade pós-moderna: o hiperconsumo

Nem todos os pensadores, porém, encaram o fenômeno contemporâneo do consumo e do lazer de massas como necessariamente alienados e alienantes, conforme preconizaram os frankfurtianos.

O filósofo francês Gilles Lipovetsky, por exemplo, prefere não demonizar o consumo, mas aceitá-lo como fenômeno do nosso tempo. Ele observa que, desde o final dos anos 1970, devido às técnicas de *marketing* e de preços mais baixos, os bens se tornaram acessíveis a um maior número de pessoas, inclusive para as de menor poder aquisitivo, ávidas de compras nos grandes magazines. Desse modo, surgiu uma nova fase de consumo mais intimista e personalizada. Por destacar no consumo o processo de personalização, Lipovetsky recusa-se a aplicar à sociedade pós-moderna o conceito marcuseano de unidimensionalidade. Também critica Foucault, identificando que houve uma redução progressiva do processo disciplinar no trabalho.

PARA SABER MAIS

O pensamento *pós-moderno* é representado por diversos filósofos com diferentes enfoques. Alguns consideram que os valores centrais da *modernidade* encontram-se esgotados (os pós-modernos, como Lyotard). Outros acreditam que o projeto moderno não se esgotou (os neomodernos, como Habermas). Mas todos compartilham a ideia de que nas últimas décadas do século XX as transformações ocorridas na economia, na tecnologia e consequentemente no modo de viver exigem novos modos de pensar.

Para Lipovetsky, "no rastro da extrema diversificação da oferta, da democratização do conforto e dos lazeres", o acesso às novidades mercantis tornou-se mais comum, diluindo-se de certo modo as regulações de classe. Além disso, os consumidores estão "mais interessados em qualidade de vida, comunicação e de saúde, têm melhores condições de fazer uma escolha entre diferentes propostas da oferta", determinando que o consumo ordene-se "cada dia um pouco mais em função de fins, de gostos e de critérios individuais". Nessa fase a mercantilização das necessidades deixa de ser institucionalizada e torna-se mais subjetiva e emocional.[9]

PARA REFLETIR

Em uma das exposições do Fórum Universal das Culturas de 2004, em Barcelona, havia essa informação: "A riqueza cresce, mas a pobreza também. Quinhentas companhias controlam 70% do comércio mundial e 30% do PIB mundial. Todas estão nos EUA, na Europa e no Japão". (Revista *Fórum 2004*, 9 maio/26 set. 2004, p. 21).
Quais as consequências dessa situação para o trabalho, o consumo e o lazer?

Apesar de considerar o consumidor mais crítico, Lipovestky reconhece o poder massificante da publicidade e os malefícios do *hiperconsumismo*, entendido como a ilusão de que a mercadoria nos garantiria a felicidade. Ao contrário, o que nos preenche a vida é o que permite ao ser humano "inventar-se a si mesmo e inventar coisas". O risco é deixar que o consumo se converta no sentido principal da vida das pessoas.

O sociólogo polonês Zygmunt Bauman não é tão otimista e diz que o consumismo "aposta na *irracionalidade* dos consumidores, e não em suas estimativas sóbrias e bem informadas". Mesmo porque "a sociedade do consumo prospera enquanto consegue tornar *perpétua a não satisfação* de seus membros". Basta observar como os objetos de desejo são facilmente descartáveis para que um novo desejo imperioso se imponha.[10]

14 Para onde vamos?

As maneiras de trabalhar e consumir mudam conforme a época e o lugar, assim como são variadas as concepções que temos sobre essas atividades humanas. Nas últimas décadas, porém, presenciamos transformações extremamente rápidas, que alteraram de maneira drástica nosso modo de vida.

No início do século XX, foram marcantes as iniciativas de produção em série nas linhas de montagem, com a consequente estimulação do consumo de massa, apesar dos efeitos alienantes no campo do trabalho e do consumo. Nada se compara, porém, ao impacto causado no final do milênio com a implantação da tecnologia avançada da automação, bem como da comunicação em tempo real possibilitada pela informática nas fábricas, nos escritórios e no campo.

A produção globalizada na época do hiperconsumo nos obriga a rever as críticas aos antigos modelos de alienação no trabalho e no consumo. Entretanto, no brilho da diversificação das tarefas e das ofertas múltiplas de compras, estaríamos livres de outros modos de manipulação da nossa consciência crítica e portanto de nossas escolhas?

Tudo isso aumenta nossa responsabilidade, tanto no plano pessoal como no coletivo. Apesar dos benefícios alcançados pela nossa civilização, há um grande número de pessoas excluídas do sistema, e o desequilíbrio ecológico agrava-se a cada dia. O importante é verificar, a todo momento, em que medida as atividades do trabalho, consumo e lazer estão a serviço da humanização e da sustentabilidade do planeta e quando se desviam desses objetivos principais.

9 LIPOVETSKY, Gilles. *A felicidade paradoxal*: ensaio sobre a sociedade de hiperconsumo. São Paulo: Companhia das Letras, 2007. p. 41.

10 BAUMAN, Zygmunt. *Vida para consumo*: a transformação das pessoas em mercadoria. Rio de Janeiro: Jorge Zahar, 2008. p. 64-65.

Atividades

Revendo o capítulo

1 Explique quais são os argumentos das duas posições antagônicas assumidas com relação ao trabalho: como tortura e como condição de humanização. Em seguida, posicione-se pessoalmente sobre a questão.

2 Distinga a concepção de trabalho na Antiguidade e na Idade Moderna.

3 Explique o que Marx entende por fetichismo da mercadoria e reificação do trabalhador.

4 Releia a citação de Foucault no tópico 7, "De olho no cronômetro", e explique a relação que o filósofo estabelece entre disciplina, utilidade e obediência.

Aplicando os conceitos

5 Interprete a frase de Aristóteles baseando-se na concepção de trabalho na Grécia Antiga: "[...] se as lançadeiras tecessem e as palhetas tocassem cítaras por si mesmas, os construtores não teriam necessidade de auxiliares e os senhores não necessitariam de escravos". (*Política*, Livro I, capítulo II, 1254a).

6 A era da flexibilização do trabalho exige que todos os trabalhadores sejam alfabetizados, mas também que se ofereça outro tipo de educação para os jovens, diferente da tradicional. Explique por quê.

7 Sísifo, personagem da mitologia grega, foi condenado a empurrar uma pedra até o alto de uma montanha, de onde ela tornava a cair sem cessar. Compare esse mito ao trabalho alienado.

8 Compare as ideias de Marcuse e Lipovetsky apresentadas no capítulo e indique em que eles se opõem. Em seguida, posicione-se sobre o assunto.

Dissertação

9 Elabore uma dissertação com o tema: "Trabalho e lazer: onde está o equilíbrio e a interação?".

Caiu no vestibular

10 Universidade Estadual de Londrina (UEL).

Analise a figura a seguir.

PHOTOS 12/ALAMY-OTHER IMAGES

Cena do filme *Tempos modernos*. Charles Chaplin, 1936.

"Parece que enquanto o conhecimento técnico expande o horizonte da atividade e do pensamento humanos, a autonomia do homem enquanto indivíduo, a sua capacidade de opor resistência ao crescente mecanismo de manipulação das massas, o seu poder de imaginação e o seu juízo independente sofreram aparentemente uma redução. O avanço dos recursos técnicos de informação se acompanha de um processo de desumanização. Assim, o progresso ameaça anular o que se supõe ser o seu próprio objetivo: a ideia de homem." (Max Horkheimer. *Eclipse da razão*. Trad. Sebastião Uchôa Leite. Rio de Janeiro: Labor do Brasil, 1976. p. 6.)

Com base no texto, na imagem e nos conhecimentos sobre racionalidade instrumental, é correto afirmar:

a) A imagem de Chaplin está de acordo com a crítica de Horkheimer: ao invés de o progresso e da técnica servirem ao homem, este se torna cada vez mais escravo dos mecanismos criados para tornar a sua vida melhor e mais livre.

b) A imagem e o texto remetem à ideia de que o desenvolvimento tecnológico e o extraordinário progresso permitiram ao homem atingir a autonomia plena.

c) Imagem e texto apresentam o conceito de racionalidade que está na estrutura da sociedade industrial como viabilizador da emancipação do homem em relação a todas as formas de opressão.

d) Enquanto a imagem de Chaplin apresenta a autonomia dos trabalhadores nas sociedades contemporâneas, o texto de Horkheimer mostra que, quanto maior o desenvolvimento tecnológico, maior o grau de humanização.

e) Tanto a imagem quanto o texto enaltecem a inevitável instrumentalização das relações humanas nas sociedades contemporâneas.

Capítulo 7

Em busca da felicidade

CHAGALL, MARC. "O PASSEIO", 1917-18. LICENCIADO POR AUTVIS, BRASIL, 2009

O passeio. Marc Chagall, 1917-1918.

***O passeio* (1917-1918), de Marc Chagall. Autorretrato do pintor com sua amada mulher Bella. Sobre a grama, a toalha vermelha estendida para o piquenique. Ao fundo, sua aldeia natal, na Rússia. Escreva em poucas linhas que elementos dessa tela são significativos para explicitar a felicidade.**

1 O que significa ser feliz?

"Feliz aniversário!", "Feliz Ano-Novo!", "Felicidades!".

As saudações são nossos votos para aqueles que estimamos. E desejamos o mesmo para nós: ser feliz. Mas é possível ser feliz? Em que consiste a felicidade?

Alguns, mais pessimistas, acham a felicidade um sonho impossível. Os problemas do cotidiano, os sofrimentos físicos e morais, a fome, a pobreza, a violência, o tédio são empecilhos severos. Mas será que mesmo essas pessoas não têm um fiapo de esperança de ter uma vida melhor?

Para outros, como vemos na publicidade, a felicidade estaria nos momentos de consumo, longe do trabalho, com todo o conforto e prazer que o dinheiro pode lhes dar: um carro, um iate, roupas de marca, ausência de sofrimento, um doce "nada fazer"... Por isso tantos esperam as férias, a aposentadoria ou o prêmio da loteria.

Como explicitação dessa felicidade fantasiosa, em algumas revistas os famosos estampam apenas sorrisos, enquanto em outras é exposta com certa crueldade a intimidade de relações malsucedidas, brigas, internações para tratamento de dependência de drogas ou para mais uma cirurgia plástica, na luta contra o envelhecimento.

Pelos consultórios médicos passam pessoas com estresse, a doença do nosso tempo. O enfrentamento de depressões desemboca na banalização do consumo de psicofármacos — as "pílulas da felicidade". Sob essa última perspectiva, a felicidade é vista pelo seu avesso: como a não dor, o não sofrimento, a não perda. De certo modo, representa a adequação das pessoas a comportamentos padronizados, ao que Nietzsche chamaria de "felicidade de rebanho".

PARA REFLETIR

No livro *Admirável mundo novo*, de Aldous Huxley, as pessoas permanecem sempre jovens e são "felizes" porque tomam o *soma*, uma droga que impede a manifestação da tristeza e do sofrimento. Seria isso a felicidade?

Ao contrário dessa busca cega, a felicidade encontra-se mais naquilo que o ser humano faz de si próprio e menos no que consegue alcançar com os bens materiais ou o sucesso. Não se veja aqui a acusação de que rico não pode ser feliz nem o elogio ao despojamento ou à pobreza. Queremos dizer que, no primeiro caso, apenas as posses não nos tornam felizes, porque a riqueza nunca é um bem em si, mas um meio para nos propiciar outras coisas. Quanto à pobreza, aqueles que são excluídos do acesso aos bens que a sociedade produziu começam a vida em desvantagem de oportunidades para sua realização pessoal — para a melhor construção de si mesmo —, o que, muitas vezes, leva ao infortúnio.

2 A "experiência de ser"

De maneira geral, a felicidade comporta um dado característico, que é o *sentimento de satisfação* em relação ao modo como vivemos, à possibilidade de sentirmos alegria, contentamento, prazer. Por experiência, sabemos que não se trata de uma plenitude, porque esse estado de espírito não ocorre o tempo todo, já que a vida feliz não exclui os contratempos, como a dor, o sofrimento, a tristeza.

Só a satisfação não é suficiente para explicar a felicidade, porque ela supõe a realização de desejos que, não raro, são conflitantes. Por exemplo, você pode ficar em dúvida entre assistir a um filme ou ficar estudando.

Os motivos que influem na decisão podem ser de diversas naturezas: o filme é de um bom diretor e trata de um tema que lhe interessa; ou então é puro entretenimento e você precisa se distrair. Por outro lado, o estudo pode ser um prazer, se o assunto lhe despertou o interesse; mas pode representar, naquele momento, a privação de um prazer, por preferir um bem futuro, como a sua profissionalização. Em qualquer caso, os desejos não são compatíveis e uma decisão satisfaz um desejo, mas frustra o outro.

Vemos aí mais um componente da felicidade: a *autonomia da decisão*. Se não somos livres, ficamos sujeitos às influências externas e tornamos nossos sonhos alheios, o que acontece nas sociedades massificadas em que os comportamentos tendem à padronização. Ao contrário, quando agimos de acordo com nossos próprios projetos de vida, decidimos de modo coerente.

Para tanto, é necessária a *reflexão*, que nos permite apreciar o que desejamos da vida como um todo, conforme projetos que dão sentido às nossas decisões. É o que o filósofo francês Robert Misrahi chama de "experiência de ser". E completa:

> Nessa experiência, o sujeito não é mais fragmentado ou dispersado entre diversas personalidades (que opõem, por exemplo, a vida profissional e a criação, a atividade utilitária e a atividade estética, a relação burocrática e a relação autenticamente pessoal). Ele se encontra, ao contrário, unificado, ao mesmo tempo em que unifica essas diversas atividades por seu propósito existencial principal. A personalidade unificada se apreende então como adesão afirmativa a si mesma, e essa adesão, vivida como satisfação ou bem-estar existencial, pode ser apreendida como uma espécie de permanência alegre de sua própria identidade. [...] É esse prazer existencial e consciente de ser e de existir como sujeito e como vida que chamamos de *alegria*.[1]

[1] MISRAHI, Robert. *A felicidade*: ensaio sobre a alegria. Rio de Janeiro: Difel, 2001. p. 31-33.

Tira Frank & Ernest, de Bob Thaves, publicada no jornal *O Estado de S. Paulo*, em 2008.

Relacione esta tira de Bob Thaves com o conceito de "experiência de ser" de Misrahi. Por que não seria possível um *remake* da vida, mas apenas uma continuidade dela?

Ao nos referirmos à experiência de ser de um sujeito livre, consciente de sua individualidade, adentramos no campo da ética. Portanto, a reflexão sobre o que fazer da nossa vida para alcançar a felicidade nos coloca diante de escolhas morais.

Por fim — mas não por último —, o que é a felicidade se não tivermos com quem compartilhar nossa alegria? Portanto, a felicidade é também a celebração da amizade, do amor e do erotismo.

3 Os tipos de amor

É difícil definir o amor, se pensarmos nas mais diversas conceituações que recebeu no correr da história humana, principalmente se levarmos em conta a especificidade desse sentimento, cujo sentido nos escapa. Assim disse o filósofo francês Roland Barthes:

> Que é que eu penso do amor? Em suma, não penso nada. Bem que eu gostaria de saber *o que é*, mas estando do lado de dentro, eu o vejo em existência, não em essência. [...] Mesmo que eu discorresse sobre o amor durante um ano, só poderia esperar pegar o conceito "pelo rabo": por *flashes*, fórmulas, surpresas de expressão, dispersos pelo grande escoamento do Imaginário; estou no *mau lugar* do amor, que é seu lugar iluminado: "O lugar mais sombrio, diz um provérbio chinês, é sempre embaixo da lâmpada".[2]

Apesar dessas dificuldades, tentemos algumas delimitações do conceito. Em primeiro lugar, na linguagem comum, *amor* é usado em diversas acepções, desde as materiais — o amor ao dinheiro — até as religiosas, como o amor a Deus. Fala-se também do amor à pátria, ao trabalho e à justiça. É bem verdade que, em algumas dessas acepções, outros termos seriam mais apropriados, tais como o *desejo de posse* do dinheiro, o *interesse* ou *gosto* pelo trabalho, o *empenho moral* na defesa da justiça e assim por diante.

Para evitar confusões, distinguiremos três tipos de amor: *filía*, *ágape* e *eros*.

a) Filía

O termo grego *filía* (*philia*) geralmente é traduzido por "amizade". Trata-se do amor vivido na família ou entre os membros de uma comunidade. Os laços de afeto que o expressam são, em tese, a generosidade, o desprendimento e a reciprocidade, isto é, a estima mútua.

Além desse sentido geral, distinguimos a amizade propriamente dita, quando um vínculo mais forte une pessoas que se escolheram pelo que cada um é. Por isso Aristóteles explica que "os que desejam bem aos seus amigos por eles mesmos são os mais verdadeiramente amigos". E conclui:

> Mas é natural que tais amizades não sejam muito frequentes, pois que tais homens são raros. Acresce que uma amizade dessa espécie exige tempo e familiaridade. Como diz o provérbio, os homens não podem conhecer-se mutuamente enquanto não houverem "provado sal juntos"; e tampouco podem aceitar um ao outro como amigos enquanto cada um não parecer estimável ao outro e este não depositar confiança nele. Os que não tardam a mostrar mutuamente sinais de amizade desejam ser amigos, mas não o são a menos que ambos sejam estimáveis e o saibam; porque o desejo da amizade pode surgir depressa, mas a amizade não.[3]

2 BARTHES, Roland. *Fragmentos de um discurso amoroso*. Rio de Janeiro: Francisco Alves, 1981. p. 50.
3 ARISTÓTELES. *Ética a Nicômaco*, VIII, 3, 1156b.

b) Ágape

Ágape, do grego *agápe*, significa "amor fraterno". Entre os cristãos primitivos, o termo designava as refeições fraternais, em que se reuniam ricos e pobres, daí o sentido de "caridade", de "amar ao próximo como a si mesmo".

Esse tipo de amor não supõe reciprocidade, porque se ama sem esperar retribuição, assim como independe do valor moral do indivíduo que é objeto de nossa atenção. Em termos profanos — não mais religiosos —, trata-se da benevolência universal, a fraternidade pela qual zelamos pelos outros.

c) Eros

Eros refere-se às relações que costumamos chamar de amorosas propriamente ditas.

Diferentemente das outras expressões de amor já citadas, a paixão amorosa está associada à exclusividade e à reciprocidade. Por isso, ao contrário da tradição, que caracteriza o ser humano apenas como racional, poderíamos vê-lo também como "ser desejante", tal é a força que impulsiona a busca do prazer e da alegria de conquistar o amado. Esse desejo, porém, não visa apenas a alcançar o outro como objeto. Mais que isso, busca o reconhecimento do amado, quer capturar sua consciência, porque o apaixonado *deseja o desejo do outro*.

É de tal ordem a força desse impulso que foi necessário o controle dos instintos agressivos e sexuais, para que a civilização pudesse existir. O mundo humano organizou-se com a *instauração da lei* e, consequentemente, com a *interdição*, pois as proibições estabelecem regras que tornam possível a vida em comum.

No entanto, a sexualidade humana não é simplesmente biológica, não resulta exclusivamente do funcionamento glandular nem se submete à mera imposição de regras sociais. Embora a atividade sexual seja comum aos animais, apenas os humanos a vivenciam como *erotismo*, como busca psicológica, independente do fim natural dado pela reprodução. A sexualidade humana é portanto a expressão do ser que deseja, escolhe, ama, que se comunica com o mundo e com o outro, numa linguagem tanto mais humana quanto mais se exprime de maneira pessoal e única.

Veremos a seguir como os filósofos pensaram o amor, as paixões, o significado do corpo e, por consequência, como compreenderam a felicidade.

4 Platão: Eros e a filosofia

Para os gregos antigos, a felicidade está ligada à atividade do sábio, capaz de levar uma vida virtuosa e racional. Platão, no diálogo *Górgias*, diz, por meio de Sócrates: "Tal é, segundo penso, o fim que é preciso ter sem cessar diante dos olhos para dirigir sua vida. É preciso que cada um empenhe todas as suas forças, todas as do Estado, na direção desse fim, a aquisição da justiça e da temperança como condição da felicidade." (407e).

Vejamos como o filósofo fundamenta essa afirmação.

O mito de Eros

2004 TOPHAM PICTUREPOINT/KEYSTONE

Eros. Vaso ático, c.470 a.C.-450 a.C.

Na mitologia grega, Eros (Cupido, para os romanos) é representado por um belo jovem ou por uma criança travessa que flecha os corações para torná-los apaixonados.

Remake. Do inglês, literalmente, "fazer de novo". Refere-se a filmes ou telenovelas em que as mesmas histórias são encenadas novamente.

"Provar sal junto". Expressão que indica a convivência prolongada entre pessoas, ao citar o sal do alimento que ambos comem inúmeras vezes um ao lado do outro.

No diálogo *O banquete*, Platão relata um encontro em que os convivas discursam sobre o amor. Aristófanes, o melhor comediógrafo da época, conta o mito sobre a origem do amor. No início, os seres humanos eram duplos e esféricos, e os sexos eram três, um deles constituído por duas metades masculinas, outro por duas metades femininas e o terceiro, andrógino, metade masculino, metade feminino. Por terem ousado desafiar os deuses, Zeus cortou-os em dois para enfraquecê-los. A partir dessa separação, cada metade buscou restaurar a unidade primitiva, de onde surgiu o amor recíproco. E como os seres iniciais não eram apenas bissexuais, foi valorizado o amor entre seres do mesmo sexo, sobretudo o masculino, como expressão possível desse encontro amoroso.

Ao ser dada a palavra a Sócrates, a discussão é focada no amor como anseio humano por uma totalidade do ser, representando desse modo o processo de aperfeiçoamento do próprio eu. Sócrates lembra então o diálogo que tivera com a sacerdotisa Diotima sobre a origem e a natureza de Eros. Segundo ela, durante o aniversário de Afrodite, Eros nasceu de Poros (Expediente, Engenho ou Recurso) e de Pénia (Pobreza). Deve, portanto, aos pais a inquietude de procurar sair da situação de pobreza e, por meio de expedientes, alcançar o que deseja: por isso o amor é a oscilação eterna entre o não possuir e o possuir, é um anelo de qualquer coisa que não se tem e se deseja ter.

Pela boca de Sócrates, Platão estabelece uma relação entre Eros e a filosofia, de modo a não reduzir a busca do amor apenas à procura da outra metade que nos completa. Para ele, Eros é ânsia de ajudar o eu autêntico a se realizar, na medida em que a vontade humana tende para o bem e para o belo, quando subordina a beleza física à beleza espiritual. Nesse estágio, é capaz de desligar-se da paixão por determinado indivíduo ou atividade, ocupando-se com a pura contemplação da beleza.

O amor intelectual é, portanto, superior ao amor sensível. Se na juventude predomina a admiração pela beleza física, o verdadeiro discípulo de Eros amadurece com o tempo ao descobrir que a beleza da alma é mais preciosa que a do corpo.

PARA SABER MAIS

O que é o tão falado *amor platônico*? É o amor em que não mais predominam a sensibilidade e as paixões, mas o prazer intelectual e espiritual.

É importante observar que essa concepção deve ser compreendida de acordo com a concepção platônica de submissão do corpo à alma. Assim, Platão subordina as paixões à razão, Eros a Logos.

Corpo e alma: o dualismo platônico

Durante muito tempo os filósofos ocidentais explicaram o ser humano como composto de duas partes diferentes e separadas: o corpo (material) e a alma (espiritual e consciente). Chamamos de *dualismo psicofísico* essa dupla realidade da consciência separada do corpo.

THE METROPOLITAN MUSEUM OF ART

Cavaleiro guiando cavalos, desenho em vaso grego de 540 a.C. Essa figura representa a divisão da alma, segundo Platão. A alma inferior é representada pelos dois cavalos, um branco e um preto, respectivamente a coragem e o desejo. Se os cavalos simbolizam a força, o impulso que nos leva adiante, o cocheiro é a razão que os controla.

Segundo Platão, antes de se encarnar, a alma teria vivido no mundo das ideias, onde tudo conheceu por simples intuição, ou seja, por conhecimento intelectual direto e imediato, sem precisar usar os sentidos. Quando a alma se une ao corpo, ela se degrada, por se tornar prisioneira dele. Passa então a se compor de duas partes:

a) alma superior (a alma intelectiva);

b) alma inferior e irracional (a alma do corpo). Esta, por sua vez, divide-se em duas partes:
   - a alma irascível, impulsiva, sede da coragem, localizada no peito;
   - a alma concupiscível, centrada no ventre e sede do desejo intenso de bens ou gozos materiais, inclusive o apetite sexual.

Anelo. Desejo intenso.

Escravizada pelo sensível, a alma inferior conduz à opinião e, consequentemente, ao erro, perturbando o conhecimento verdadeiro. O corpo é também ocasião de corrupção e decadência moral, caso a alma superior não saiba controlar as paixões e os desejos. Portanto, todo esforço humano consiste no domínio da alma superior sobre a inferior.

Não deixa de parecer contraditória essa desvalorização do corpo, se sabemos o quanto os gregos apreciavam os exercícios físicos, os esportes, além de cultuar a beleza do corpo. Não por acaso, a Grécia foi o berço das Olimpíadas, durante as quais até as guerras cessavam e seus artistas esculpiam corpos perfeitos, simétricos e belos.

No entanto, o aforismo "corpo são em mente sã" apenas confirma a superioridade do espírito: na posse de saúde perfeita, a alma se desprende dos sentidos para melhor se concentrar na contemplação das ideias. Caso contrário, a fraqueza física torna-se empecilho maior à vida intelectual. Nesse contexto, fica claro que a felicidade para Platão é de natureza racional e moral, e depende do controle do corpo e das paixões.

PARA SABER MAIS

A concepção platônica de separação corpo-alma continuou na Idade Média com a tradição platônico-cristã, que associava o corpo a sexo e pecado. A convicção de que as paixões são perigosas e levam à degradação moral estimulou as práticas de purificação pelo ascetismo, por meio de jejum, flagelação e abstinência de sexo.

5 O corpo sob o olhar da ciência

Durante o Renascimento e a Idade Moderna, começou a mudar a concepção de corpo. Um indício foi a prática de dissecação de cadáveres, até então proibida pela Igreja, por ser um ato sacrílego que desvenda o que Deus teria ocultado de nosso olhar. No século XVI, o médico belga Vesalius (1514-1564) causou perplexidade ao desafiar essa tradição. Apesar das dificuldades enfrentadas, seu procedimento revolucionário alterou várias concepções inadequadas da anatomia tradicional, até então baseada na obra de Galeno, médico que viveu no século II e que se restringira a dissecações de animais.

A "profanação" pelo olhar levada a efeito por Vesalius foi ilustrada por Rembrandt no célebre quadro *Lição de anatomia* e por outros pintores, como van Mierevelt. Esse novo olhar sobre o mundo é o da consciência secularizada, da qual se retira o componente religioso para só considerar a natureza física e biológica do corpo, como objeto de estudo científico. Esses antecedentes são indicativos da revolução científica levada a efeito no século XVII por Bacon, Descartes e Galileu.

Descartes: o corpo-máquina

A filosofia de René Descartes (1596-1650) contribuiu para a nova concepção de corpo. Para ele, o ser humano é constituído por duas substâncias distintas:

- a substância pensante (em latim *res cogitans*, "coisa que pensa"), de natureza espiritual: o pensamento;

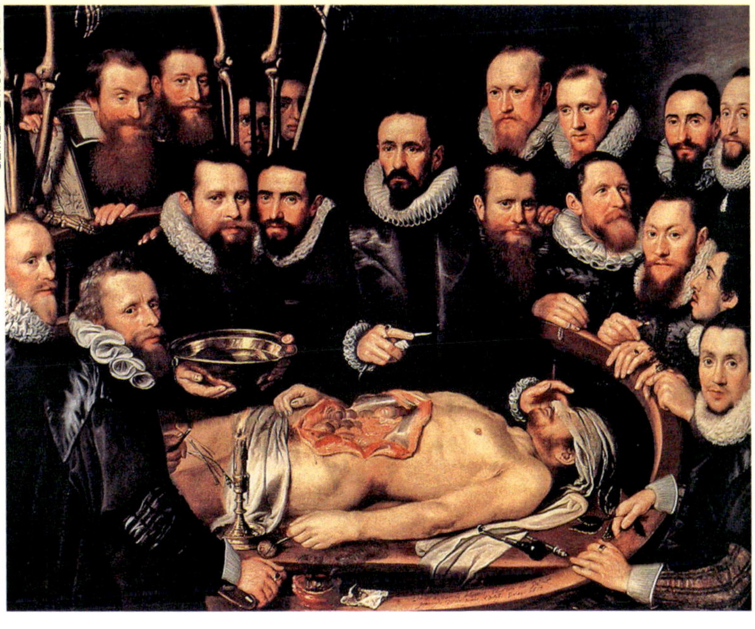

GEMEENTE MUSEA, DELFT

Nesta tela do século XVII, o pintor não representa apenas médicos aprendendo a dissecação. Trata-se do novo olhar profano, voltado para um mundo a ser desvendado pela ciência nascente.

Lição de anatomia do Dr. van der Meer. Michiel Jansz van Mierevelt, 1617.

- a substância extensa (*res extensa*), de natureza material: o corpo.

Eis aí o *dualismo psicofísico* cartesiano. Esse posicionamento, embora pareça com o dualismo platônico, apresenta diferenças, porque Descartes concebe um corpo-objeto, associado à ideia mecanicista do ser humano-máquina. Ou seja, para o filósofo, o nosso corpo age como máquina e funciona de acordo com as leis universais.

Descartes explica, porém, que apesar de diferentes, corpo e alma são substâncias que se relacionam, porque a alma necessita do corpo: é pela imaginação que o corpo fornece à alma os elementos sensíveis do mundo e pelo qual podemos experimentar sentimentos e apetites. Mas cabe à alma submeter a vontade à razão, controlar as paixões que prejudicam a atividade intelectual e provocam tristeza, bem como cultivar aquelas que nos dão alegria. Em *As paixões da alma*, Descartes afirma que podemos conhecer a força ou a fraqueza da alma pelos combates em que a vontade consegue vencer mais facilmente as paixões.

Como vemos, a concepção cartesiana sobre a relação corpo e alma alia-se à necessidade de um comportamento moral livre que, por meio da prática da virtude e da sabedoria, permita ao ser humano controlar as paixões. Seria isso a felicidade? É assim que Descartes escreve em uma carta dirigida à princesa Elisabeth da Boêmia: "a maior felicidade do homem depende desse reto uso da razão e, por conseguinte, que o estudo que serve para adquiri-lo é a mais útil ocupação que se possa ter, como é, sem dúvida, a mais agradável e a mais doce".

6 A inovação de Espinosa

No século XVII, Espinosa constitui uma exceção na tentativa de superar a dicotomia corpo-consciência para restabelecer a unidade humana. Como para ele o desejo é a própria essência humana, interessa-se por tudo o que nos dá alegria e, por consequência, aumenta nossa capacidade de pensar e de agir, distinguindo o que nos leva à tristeza, à passividade e que atrofia nossa potência de existir.

A teoria do paralelismo

Ao analisar as possibilidades de expressão da liberdade, Espinosa desafia a tradição vinda dos gregos. A novidade é a *teoria do paralelismo*, segundo a qual não há relação de causalidade ou de hierarquia entre corpo e espírito: nem o espírito é superior ao corpo, como afirmam os idealistas, nem o corpo determina a consciência, como dizem os materialistas. A relação entre um e outro não é de causalidade, mas de *expressão* e simples *correspondência*, pois o que se passa em um deles exprime-se no outro: a alma e o corpo expressam a mesma coisa, cada um a seu modo próprio.

QUEM É?

Baruch Espinosa (1632-1677), filósofo judeu holandês, sofreu inúmeros reveses em sua vida. Cedo foi expulso da sinagoga, acusado de heresia. Deserdado pela família, ocupou-se como polidor de lentes, para garantir a sobrevivência e dedicar-se à reflexão. Escreveu *Tratado teológico-político* e *Ética*, entre várias obras mal compreendidas e quase nunca lidas, tanto no seu século como nos subsequentes. Sofreu acusações ora de ateísmo, ora de panteísmo. Considerado por muitos um filósofo determinista, no sentido de negar a liberdade humana, Espinosa, ao contrário, critica toda forma de poder, quer político, quer religioso, ao esclarecer quais são os obstáculos à vida, ao pensamento e à política livres. Ele quer descobrir o que nos leva à servidão e à obediência, o que permite e o que impede o exercício da liberdade.

AKG-IMAGES/IPRESS

Espinosa, gravura anônima, século XVIII.

Não convém, portanto, dizer que o corpo é passivo enquanto a alma é ativa, ou vice-versa. Quando passivos, o somos de corpo e alma; quando ativos, o somos de corpo e alma também. Somos ativos quando autônomos, senhores de nossa ação, e passivos quando o que ocorre em nosso corpo ou alma tem uma causa externa mais poderosa que nossa força interna. Daí decorre a heteronomia.

Vejamos como Espinosa concebe as **paixões** da alegria e da tristeza. Qual a diferença entre elas?

ETIMOLOGIA

Paixão. Em grego, *pathos* significa "padecer", "sofrer", no sentido de algo que ocorre no sujeito independentemente de sua vontade. Ao padecer, não somos nós que agimos, mas sofremos a ação de uma causa exterior.

- A alegria é a passagem do ser humano de uma perfeição menor para uma maior.
- A tristeza é a passagem do ser humano de uma perfeição maior para uma menor.

A paixão alegre, ao aumentar o nosso ser e a nossa potência de agir, aproxima-nos do ponto em que nos tornaremos senhores dela e, portanto, dignos de ação. Assim, o amor é a alegria do amante, fortificada pela presença do amado ou da coisa amada. Outras expressões da alegria são o contentamento, a admiração, a estima, a misericórdia.

A paixão triste afasta-nos cada vez mais da nossa potência de agir, por ser geradora de ódio, aversão, temor, desespero, indignação, inveja, crueldade, ressentimento, melancolia, remorso, vingança etc.

E quanto à alma: qual é sua força e sua fraqueza? A virtude da alma, no sentido primitivo de força, de poder, consiste na atividade de pensar, conhecer. Portanto, sua fraqueza é a ignorância. Quando a alma se reconhece capaz de produzir ideias, passa a uma perfeição maior e é afetada pela alegria. Mas, se em alguma situação a alma não consegue entender, a descoberta de sua impotência provoca o sentimento de diminuição do ser e, portanto, a tristeza. Nesse caso, a alma está passiva.

PARA SABER MAIS

Espinosa usa o termo latino *conatus* (esforço, impulso) para designar a tendência de todos os seres a se autopreservarem: "toda a coisa se esforça, enquanto está em si, por perseverar no seu ser" (*Ética*, Parte III, Proposição VI).

Uma ética da felicidade

O que fazer para evitar a paixão triste e propiciar a paixão alegre? Pela teoria do paralelismo, a alma não determina o movimento ou o repouso do corpo, nem o corpo leva a alma a pensar, por isso não cabe ao espírito combater as paixões tristes. O que as destruirá só pode ser uma paixão alegre, nas situações em que, de joguetes dos nossos afetos, podemos passar a ser senhores deles. Portanto, um afeto jamais é vencido por uma ideia, mas um afeto forte é capaz de destruir um afeto fraco.

Diferentemente de outros filósofos que estabelecem hierarquias e subjugam as paixões à razão, para Espinosa a felicidade — e portanto a liberdade — não está em nos livrarmos das paixões. Assim ele diz:

> A felicidade não é o prêmio da virtude, mas a própria virtude; e não gozamos dela por refrearmos as paixões, mas ao contrário, gozamos dela por podermos refrear as paixões.[4]

MUSEO THYSSEN-BORNEMISZA

O pintor realista Edward Hopper (1882-1967) é conhecido pelas telas representativas do cotidiano, aparentemente banais, mas densas de significados. Seus personagens exprimem desalento, tristeza, desengano. Reflita: nesta tela *Quarto de hotel*, a mulher encontra-se em um quarto simples de hotel, as malas ainda nem foram desfeitas. Levemente arcada, aparentemente inerte, tem um papel nas mãos. Em que sentido uma tristeza de tal ordem pode desencadear – segundo os conceitos de Espinosa – uma diminuição do ser?

Hotel room. Edward Hopper, 1931.

4 ESPINOSA, Baruch. *Ética*, Livro V, Proposição XLII.

As boas paixões permitem o desenvolvimento humano, facilitam o encontro das pessoas e proporcionam a alegria. As más impedem o crescimento, corrompem as relações e as orientam para as formas de exploração e destruição.

7 As teorias contemporâneas

No final do século XIX, Friedrich Nietzsche critica Sócrates por ter sido o primeiro a encaminhar a reflexão moral em direção ao controle racional das paixões. Acrescenta que a tendência de desconfiar dos instintos culminou com o ascetismo cristão, que ele responsabiliza pelo processo de domesticação do ser humano, ao torná-lo culpado e fraco. Orienta-se então no sentido de recuperar as forças vitais, instintivas, subjugadas pela razão durante séculos.

Veremos como essas ideias influenciaram os pensadores que se seguiram.

Freud e a natureza sexual da conduta humana

O médico austríaco Sigmund Freud (1856-1939), fundador da psicanálise, ao levantar a hipótese do inconsciente desmente as crenças racionalistas segundo as quais a consciência humana é o centro das decisões e do controle dos desejos. Diante das forças conflitantes das pulsões, o indivíduo reage, mas desconhece os determinantes de sua ação. Caberá ao processo psicanalítico auxiliá-lo a recuperar o que foi silenciado pela repressão dos desejos.

Outra inovação da psicanálise encontra-se na compreensão da natureza sexual da conduta humana. A energia que preside todos os atos humanos é de natureza pulsional, pela qual Freud põe em relevo o conceito de **libido**. De difícil definição, a libido pode ser entendida como a pulsão da energia sexual, mais propriamente a manifestação dinâmica da pulsão sexual na vida psíquica. Na psicanálise, a energia das pulsões refere-se a tudo o que podemos incluir sob o nome de amor.

A sexualidade para Freud tem um sentido bastante amplo e não deve ser associada apenas à genitalidade, isto é, aos atos que se referem explicitamente à atividade sexual. Uma das maneiras de reencaminhar as energias sexuais é a *sublimação*, pela qual a força primária da libido é desviada para um alvo não sexual caracterizado por atividades valorizadas socialmente. Segundo a teoria freudiana, há libido investida em todos os atos psíquicos, o que nos permite encontrar prazer também em atividades que não são primariamente de natureza sexual. Exemplos de formas sublimadas da libido são o trabalho, o jogo, a investigação intelectual, a produção artística, entre outras.

A cultura torna-se possível, portanto, pelo controle do desejo. Nem sempre, porém, a regulação da sexualidade é saudável e consciente, sobretudo quando as normas introjetadas no inconsciente impedem a decisão autônoma das pessoas. O processo de repressão ocorre quando o ego, sob o comando do superego, não toma conhecimento das exigências do id, por serem demasiadamente conflitivas e inconciliáveis com a moral, e por isso elas são rejeitadas, permanecendo no inconsciente. Entretanto, a energia não canalizada reaparece sob a forma de sintomas, muitas vezes neuróticos. A sexualidade expressa-se numa relação ambígua de atração e repulsa, desejo e culpa.

Em *O mal-estar da civilização*, Freud observa que as forças agressivas e egoístas precisaram ser controladas para permitir o convívio humano e a vida moral, mas se pergunta em que medida essa renúncia pode ser autodestrutiva a ponto de comprometer a felicidade. Conclui com pessimismo que é alto o preço pago pelo indivíduo para se tornar civilizado.

A fenomenologia: a intencionalidade

Os filósofos da corrente fenomenológica criticam a concepção dualista que separa corpo-mente, sujeito-mundo. Para tanto, baseia-se no conceito de *intencionalidade*.

E ETIMOLOGIA

Libido. Do latim, *libitus*, "desejo", "vontade".

PARA SABER MAIS

Nietzsche e Freud são examinados em outros capítulos. Para localizar as referências, confira o **Índice de nomes** no final do livro.

PARA SABER MAIS

A fenomenologia é a filosofia (e o método) que nasceu na Alemanha e teve como precursor Franz Brentano, no final do século XIX. Mas foi Edmund Husserl (1859-1938) quem formulou suas principais linhas, abrindo caminho no século seguinte para Martin Heidegger, Karl Jaspers, Jean-Paul Sartre, Maurice Merleau-Ponty, entre outros.

Segundo a noção de intencionalidade, a consciência é sempre consciência *de* alguma coisa. Em outras palavras, não há pura consciência separada do mundo, mas toda consciência visa ao mundo. Desse modo, a fenomenologia tenta superar não só o dualismo corpo-mente, como as dicotomias consciência-objeto e indivíduo-mundo, descobrindo nesses polos relações de reciprocidade.

Afinal, o que é o corpo nessa perspectiva? Ele não se identifica às "coisas" porque, embora o corpo seja facticidade, no sentido de "estar lá com as coisas", não é facticidade pura, por ser também acesso às coisas e a si mesmo. Portanto, a dimensão de facticidade do corpo não se desliga da possibilidade de transcendência.

Se o corpo *não é coisa* nem obstáculo, mas integra a totalidade do ser humano, meu corpo não é alguma coisa que *eu tenho*: *eu sou* meu corpo. O corpo é o primeiro momento da experiência humana, porque antes de ser um "ser que conhece", o sujeito é um "ser que vive e sente", maneira essa de participar, com o corpo, do conjunto da realidade.

Exemplos de integração corpo-consciência

Com o corpo nos engajamos na realidade de inúmeras maneiras possíveis: por meio do trabalho, da arte, do amor, do sexo, da ação em geral.

- Ao estabelecer o contato com outra pessoa, eu me revelo pelos gestos, atitudes, mímica, olhar, enfim, pelas manifestações corporais. Observando o movimento de alguém, não o vejo como um simples ato mecânico, de uma máquina, mas como *gesto expressivo*, nunca apenas corporal, porque o gesto diz algo e nos remete imediatamente à interioridade do sujeito. Um olhar pode significar raiva, desprezo, piedade, súplica ou amor. De fato, o corpo do outro não é uma coisa qualquer, é um corpo *humano*. Do mesmo modo, o instrumento supõe o sentido que lhe conferimos: uma arma tem para o caçador um significado bem diferente do que lhe dá o assassino ou o revolucionário.
- A sexualidade humana não é puramente biológica, separada da pessoa integral. Já vimos que ela é na verdade *erotismo*, e, sob esse aspecto, constitui parte integrante do ser total. Merleau-Ponty cita o exemplo dado por W. Steckel, discípulo dissidente de Freud, para quem a frigidez quase nunca está ligada a condições anatômicas ou fisiológicas. A frigidez traduziria

> a recusa da condição feminina ou da condição de ser sexuado, e esta por sua vez traduz a recusa do parceiro sexual e do destino que ele representa.[5]

Pulsão. Na psicanálise, as pulsões são forças internas que provocam tensões. As pulsões são de diversas naturezas, entre as quais, as sexuais e as de autoconservação.

Facticidade e **transcendência.** São dois conceitos antitéticos (que estão em antítese). Pela facticidade (de *factum*, "fato"), ou imanência, o ser humano encontra-se lançado entre as coisas em situações dadas e não escolhidas por ele. Pela transcendência ele supera, vai além da facticidade. Para outros sentidos de transcendência, consulte o **Vocabulário** no final do livro.

GERARD RANCINAN, JEAN GUICHARD/SYGMA/CORBIS-LATINSTOCK

Na Olimpíada de 1984, em Los Angeles, a maratonista suíça Gabrielle Andersen-Schiess cruzou a linha de chegada 23 minutos após a primeira colocada. Estava absolutamente trôpega, exausta, mas não desistiu apesar da quase falência do corpo.

A partir da frase de Merleau-Ponty: "a dor e a fadiga, em um momento dado, não vêm do exterior, elas sempre têm um sentido", reflita sobre as questões:

a) Que sentido teria para a maratonista suportar a tal ponto a fadiga?

b) Esse esforço extremo nos faz refletir sobre os atletas que, para enfrentar as competições, fazem uso de *doping* ou ultrapassam os limites do próprio corpo. Posicione-se a respeito.

A maratonista suíça Gabrielle Andersen-Schiess, na Olimpíada de 1984, em Los Angeles.

[5] MERLEAU-PONTY, Maurice. *Fenomenologia da percepção*. São Paulo: Martins Fontes, 1999. p 218.

- Poderíamos argumentar que, ao contrário dos exemplos anteriores, a dor e a doença seriam manifestações de pura corporeidade. Afinal, há uma objetividade na cadeira onde demos uma canelada, e todo órgão afetado por alguma doença padece a ação de vírus ou bactérias. Há doenças hereditárias, defeitos congênitos. Tudo isso parece muito distante da ação da consciência. No entanto, a facticidade nunca se separa da transcendência, que resulta do *sentido* que a pessoa dá à dor ou à doença ou no uso que faz dela.

Que conclusão podemos tirar do conceito de intencionalidade, tão caro à fenomenologia? A compreensão que temos do corpo e da consciência, dos afetos, enfim, do mundo e dos outros, nunca resulta da pura intelecção, mas depende do sentido que descobrimos em cada experiência, nos significados que deciframos ao pensar o mundo, o outro e nós mesmos.

Marcuse: Eros e civilização

No século XIX, exerceu-se um controle cada vez mais severo sobre o trabalhador fabril. O princípio de adestramento do corpo, que o submetia à férrea disciplina, com jornada de 14 a 16 horas em locais insalubres, fez com que o trabalho não representasse apenas um freio para o sexo, mas que promovesse um processo de *dessexualização* e *deserotização do corpo*. Ou seja, quando o trabalho é instrumento de exploração econômica, dele é retirado todo prazer e possibilidade de humanização.

Nas décadas de 1960 e 1970, influenciado pelo marxismo e pela psicanálise, o filósofo alemão Herbert Marcuse indagava sobre a possibilidade de uma civilização não repressiva. Embora esperasse que o progresso tecnológico haveria de dilatar o tempo livre e propiciar melhores condições de trabalho, concluiu pela negação dessa utopia, pelo menos naquele momento.

Em *Eros e civilização*, constata que as exigências da nova ordem industrial capitalista provocam uma *super-repressão*, intimamente ligada ao *princípio de desempenho*, segundo o qual o trabalhador interioriza a necessidade de rendimento, de produtividade, preenchendo funções preestabelecidas e organizadas em um sistema cujo funcionamento se dá independentemente da participação consciente de cada um.

Assim, o ideal de produtividade da sociedade industrial faz-se por meio da repressão: "eficiência e repressão convergem". Nesse ambiente repressor, a sexualidade, que deveria impregnar todas as ações humanas prazerosas, restringe-se a momentos isolados, nas horas de lazer, além de ser reduzida à genitalidade, ao ato sexual exclusivamente. Mais ainda, em alguns casos é controlada para não se desviar da função de procriação.

PARA REFLETIR

Reveja no capítulo 6, "Trabalho, alienação e lazer", o conceito de *unidimensionalidade*, pelo qual Marcuse denuncia a perda da dimensão crítica do trabalhador na economia capitalista. Relacione-o com o teor do presente item, indicando os aspectos psicanalíticos e marxistas de sua teoria.

Poderíamos objetar que, a partir da década de 1960, com a chamada revolução sexual, a repressão seria substituída pela valorização da sexualidade, o que significaria, segundo alguns, uma liberação. No entanto, o capitalismo reagiu incorporando as novas tendências a fim de amenizar seus efeitos. Por exemplo, uma ampla produção de revistas, filmes, livros, peças teatrais atende ao interesse despertado pelas questões sexuais. Essa produção, porém, volta-se para um "novo filão" do consumismo: o sexo torna-se vendável e exposto como em um supermercado. Ao examinar o conteúdo de tais publicações, percebe-se que, na verdade, simulam a liberação da sexualidade e reforçam preconceitos.

Para Marcuse, essa liberação é ilusória, porque na verdade é um tipo de repressão mais sutil. Em primeiro lugar, porque a sexualidade "liberada" é a *sexualidade genital*, isto é, a que se centraliza no ato sexual, o que denota empobrecimento da sexualidade humana, que deveria estar difusa não só no *corpo todo* como no *ambiente* e nos *atos não propriamente sexuais*. A canalização dos instintos para os *órgãos* do sexo impede que seu erotismo "desordenado" e "improdutivo" prejudique a "boa ordem" do trabalho e extravase os limites permitidos.

Na verdade, oculta-se que

> o ambiente no qual o indivíduo podia obter prazer — que ele podia concentrar como agradável quase como uma zona estendida de seu corpo — foi reduzido. Consequentemente, o 'universo' de concentração de desejos libidinosos é do mesmo modo reduzido. O efeito é uma localização e contração da libido, a redução da experiência erótica para experiência e satisfação sexuais.[6]

[6] MARCUSE, Herbert. *A ideologia da sociedade industrial*; o homem unidimensional. 4. ed. Rio de Janeiro: Zahar, 1973. p. 83.

WESSELMANN, TOM. "GRANDE NU AMERICANO N. 27", 1962. LICENCIADO POR AUTVIS, BRASIL, 2009

Grande nu americano n. 27. Tom Wesselmann, 1962.

O artista expõe a nudez ao lado de sorvetes e *milk-shakes*, indicando antecipadamente, no início da década de 1960, a ligação entre liberdade sexual e sociedade de consumo, ou seja, a sexualidade como objeto de consumo.

Foucault: a microfísica do poder

Segundo Michel Foucault, autor de *História da sexualidade*, a civilização contemporânea fala muito sobre sexo, sobretudo a partir do discurso científico. Para ele, a ciência "naturaliza" o sexo, reduzindo-o a uma visão biologizante. Ao mostrá-lo como algo "natural", estabelece padrões sobre o que é normal ou patológico, classifica os tipos de comportamento, determina a profilaxia e aprisiona os indivíduos à última palavra do "especialista competente", por meio do qual o sexo é vigiado e regulado.

Foucault vai mais longe ao investigar de que maneira as instâncias do poder atuam sobre o indivíduo para criar modos de agir e de pensar e conclui que a imposição de comportamentos passa pela domesticação e docilização do corpo.

Pela teoria da *microfísica do poder*, Foucault demonstra como a debilitação do corpo não depende necessariamente do aparelho do Estado ou de algum outro modo de dominação às claras, tal como a escravidão. Mas trata-se da ação de micropoderes que se exercem de maneira difusa nos mais diversos campos da vida social e cultural, no próprio seio da sociedade. O novo tipo de disciplina atua na organização do espaço, no controle do tempo e na vigilância, visando à padronização de comportamento.

Marcuse e Foucault, por caminhos diferentes, desvendam o controle sobre o corpo e sobre a sexualidade, ainda quando esta aparece como "normal" ou "liberada". Perguntamos: como fica a felicidade de um sujeito cuja autonomia é diminuída sem que ele perceba? Pode-se falar em felicidade com tão alto controle social?

8 Individualismo e narcisismo

As discussões entre os pensadores a respeito das mudanças institucionais que começaram a ocorrer na segunda metade do século XX identificam complexas reações à antiga ordem. Devido à prevalência do setor de serviços, à entrada na era da informática e da comunicação e à globalização, aceleraram-se as mudanças culturais a partir das décadas de 1980 e 1990.

Desse modo, as crianças e adolescentes educados fora das normas da cultura patriarcal tradicional cresceram convivendo com diferentes padrões de conduta. A família adquiriu formatos plurais, tais como divorciados que se casam novamente, núcleos monoparentais (formados apenas pela mãe ou pelo pai), uniões informais entre homem e mulher e entre pessoas do mesmo sexo. Por decorrência, também os jovens comportam-se com mais liberdade sexual e isenção de culpa do que nas gerações que os antecederam. Ao mesmo tempo, readquirem forças os movimentos de retorno ao ideal da família patriarcal e da defesa da indissolubilidade do casamento, estimulados sobretudo por grupos religiosos. Esse estado de coisas repercute no que entendemos e esperamos das relações amorosas e nas expectativas em torno do que é ser feliz.

Profilaxia. Parte da medicina que trata da preservação da saúde por meio de práticas de higiene e de prevenção de doenças.

Tira *Família Brasil*, de Luis Fernando Verissimo publicada no jornal *O Estado de S. Paulo*, em 2008.

Quais são as consequências do afrouxamento das regras de comportamento que passaram a permitir modos plurais de conduta? O que se percebe em um primeiro momento é o individualismo, porque cada um se volta com mais intensidade para si mesmo, na busca da realização dos desejos aqui e agora. Segundo alguns, diminuiu o interesse pelo coletivo, retraindo-se a participação política rebelde típica dos anos de 1960. Como decorrência, intensificou-se o narcisismo devido à ênfase no aprimoramento da própria imagem e pela ânsia de consumo numa sociedade hedonista e permissiva.

Após longa tradição de desvalorização do corpo e das paixões, de seu controle e normatização, surge a tendência aparentemente transgressiva da liberação e do resgate do corpo, até que no final do século XX se dissemina o culto do corpo visando a garantir a saúde, o bem-estar e a beleza.

O filósofo Gilles Lipovetsky analisa as mudanças do nosso tempo, por ele consideradas inevitáveis. Destaca aspectos positivos na nova ordem, na qual coabitam os fenômenos de massificação e de personalização, de individualismo exacerbado e de individualismo responsável. Por um lado, estaríamos ganhando autonomia e personalização, já que as respostas "não estão prontas", o que permite comportamentos alternativos. Nesse caso, basta conciliar a preocupação de si com a generosidade, no esforço para a construção de uma individualidade responsável pelo outro e pelo mundo.

Por outro lado, Lipovetsky adverte sobre a ambiguidade dessas novas estimulações:

> [...] ao mesmo tempo em que exerce uma função de personalização, o narcisismo realiza também uma missão de *normalização* do corpo: o interesse febril que temos pelo corpo não é, de modo algum, espontâneo e "livre", pois obedece a imperativos sociais, tais como a "linha", a "forma", o orgasmo etc. O narcisismo joga e ganha em todas as tabelas funcionando concomitantemente como operador de despadronização e operador de padronização, sendo que esta jamais se reconhece como tal, mas se dobra diante das mínimas exigências da personalização: a normalização pós-moderna se apresenta sempre como o único meio de o indivíduo ser realmente ele mesmo, jovem, esbelto, dinâmico.[7]

9 Felicidade e autonomia

Ao analisar o que é ser feliz, fizemos um percurso na história da filosofia. Pudemos ver que a felicidade não se separa do processo de constituição da identidade de cada um de nós, do que queremos para nossa vida, da nossa "experiência de ser". Essa busca, porém, não é solitária, mas realiza-se na intersubjetividade: depende das amizades, do amor, do erotismo e, nesse sentido, de como compreendemos nosso corpo, os sentimentos e nossa relação com os outros.

A turbulência e a novidade das mudanças ocorridas a partir das últimas décadas do século XX, que modificaram de maneira drástica os padrões de comportamento, explicam a perplexidade de muitos. Se alguns veem com bons olhos as mudanças, há os que denunciam o braço invisível da alienação em condutas aparentemente autônomas. Nessa ótica, concluem não haver propriamente autonomia, porque os mecanismos de repressão encontram-se na própria sociedade e são exercidos como instrumentos de controle dos desejos, seja para estimulá-los, seja para reprimi-los. É preciso, portanto, prosseguir na busca da autêntica liberação.

7 LIPOVETSKY, Gilles. *A era do vazio*: ensaios sobre o individualismo contemporâneo. Barueri: Manole, 2005. p. 44.

Leitura complementar

O ecletismo da felicidade

"Com o capitalismo de consumo, o hedonismo se impôs como um valor supremo e as satisfações mercantis, como o caminho privilegiado da felicidade. Enquanto a cultura da vida cotidiana for dominada por esse sistema de referência, a menos que se enfrente um cataclismo ecológico ou econômico, a sociedade de hiperconsumo prosseguirá irresistivelmente em sua trajetória. Mas, se novas maneiras de avaliar os gozos materiais e os prazeres imediatos vierem à luz, se uma outra maneira de pensar a educação se impuser, a sociedade de hiperconsumo dará lugar a outro tipo de cultura. A mutação decorrente será produzida pela invenção de novos objetivos e sentidos, de novas perspectivas e prioridades na existência. Quando a felicidade for menos identificada à satisfação do maior número de necessidades e à renovação sem limite dos objetos e dos lazeres, o ciclo do hiperconsumo estará encerrado. Essa mudança sócio-histórica não implica nem renúncia ao bem-estar material, nem desaparecimento da organização mercantil dos modos de vida; ela supõe um novo pluralismo dos valores, uma nova apreciação da vida devorada pela ordem do consumo volúvel.Muitas são as razões que levam a pensar que a cultura da felicidade mercantil não pode ser considerada um modelo de vida boa. São suficientes, no entanto, para invalidar radicalmente seu princípio?

Porque o homem não é Uno, a filosofia da felicidade tem o dever de fazer justiça a normas ou princípios de vida antitéticos. Temos de reconhecer a legitimidade da frivolidade hedonística ao mesmo tempo que a exigência da construção de si pelo pensamento e pelo agir. A filosofia dos antigos procurava formar um homem sábio que permanecesse idêntico a si próprio, querendo sempre a mesma coisa na coerência consigo e na rejeição do supérfluo. Isso é de fato possível, de fato desejável? Não o creio. Se, como sublinha Pascal, o homem é um ser feito de 'contrariedades', a filosofia da felicidade não tem de excluir nem a superficialidade nem a 'profundidade', nem a distração fútil nem a difícil constituição de si mesmo. O homem muda ao longo da vida e não esperamos sempre as mesmas satisfações da existência. Significa dizer que não poderia haver outra filosofia da felicidade que não desunificada e pluralista: uma filosofia menos cética que eclética, menos definitiva que móvel.

No quadro de uma problemática 'dispersa', não é tanto o próprio consumismo que compete denunciar, mas sua excrescência ou seu imperialismo constituindo obstáculo ao desenvolvimento da diversidade das potencialidades humanas. Assim, a sociedade hipermercantil deve ser corrigida e enquadrada em vez de posta no pelourinho. Nem tudo é para ser rejeitado, muito é para ser reajustado e reequilibrado a fim de que a ordem tentacular do hiperconsumo não esmague a multiplicidade dos horizontes da vida. Nesse domínio, nada está dado, tudo está por inventar e construir, sem modelo garantido. Tarefa árdua, necessariamente incerta e sem fim, a conquista da felicidade não pode ter prazo.

[...] Lutamos por uma sociedade e uma vida melhor, buscamos incansavelmente os caminhos da felicidade, mas o que nos é mais precioso — a alegria de viver —, como ignorar que sempre nos será dada por acréscimo?"

LIPOVETSKY, Gilles. *A felicidade paradoxal*. São Paulo: Companhia das Letras, 2007. p. 367-370.

Ecletismo. "Qualquer teoria, prática ou disposição de espírito que se caracteriza pela escolha do que parece melhor entre várias doutrinas, métodos ou estilos" (*Dicionário Houaiss*).

Questões

1. Identifique no texto de Lipovetsky as características negativas e as positivas do que ele denomina cultura da felicidade mercantil.
2. Em que a posição de Lipovetsky se distingue das teorias de Marcuse e Foucault?
3. Posicione-se a respeito da felicidade.

Atividades

Revendo o capítulo

1 Dê as características da felicidade elencadas no tópico 1 (O que significa ser feliz?) e desenvolva uma delas. Se for o caso, indique alguma que você considera importante e que não foi contemplada.

2 Faça um fichamento destacando, em cada momento histórico, a visão predominante a respeito da relação corpo-alma.

3 Explique e dê um exemplo sobre a reação à dicotomia corpo-consciência representada pela corrente fenomenológica.

Aplicando os conceitos

4 É adequada a introdução da disciplina Educação Sexual no currículo do ensino fundamental e médio? Algumas pessoas argumentam que seriam favoráveis "desde que as informações sejam estritamente científicas e restritas à biologia". Qual é sua posição sobre essa orientação? Justifique.

5 "O homem é só um laço de relações, apenas as relações contam para o homem." Em que sentido a frase de Saint-Exupéry pode ser interpretada sob o ponto de vista da busca da felicidade?

6 "Os filósofos concebem as emoções que se combatem entre si, em nós, como vícios em que os homens caem por erro próprio; é por isso que se habituaram a ridicularizá-los, deplorá-los ou, quando querem parecer mais morais, detestá-los [...]. Tive todo o cuidado de não ridicularizar as ações dos homens, não as lamentar, não as detestar, mas adquirir delas verdadeiro conhecimento." (Espinosa. *Tratado político*. São Paulo: Abril Cultural, 1973. p. 313-314. Coleção. Os Pensadores.) A partir dessa citação, responda: Por que Espinosa inovou na compreensão do corpo e da alma ao criticar aqueles que deploram as paixões humanas?

7 Atenda às questões.

a) O que Marcuse quer dizer com a expressão "eficiência e repressão convergem"?

b) Em seguida, explique a frase de Foucault: "o corpo só se torna força útil se é ao mesmo tempo corpo produtivo e corpo submisso".

c) Embora esses dois filósofos tenham teorias diferentes, sob que aspecto podemos aproximá-los?

Caiu no vestibular

8 (PUC-RS) adaptado.

"Todos os dias, a qualquer hora, somos apresentados a novos produtos – o celular com funções incríveis, o automóvel antiestresse, a geladeira que não só conserva os alimentos, mas também preserva o meio ambiente... Muitos, na verdade, são produtos inúteis, fabricados e anunciados para levar nosso dinheiro. Olhe à sua volta: quantas coisas em sua casa, na sua mesa de trabalho, apenas ocupam espaço, mais atrapalham do que ajudam a viver? E quantas são verdadeiramente úteis e necessárias?"

Feito esse inventário, escolha *um ou mais objetos* sem os quais você acha que não poderia viver e desenvolva o seguinte tema de sua **dissertação**: "Um bem indispensável para uma vida confortável".

9 (UFMG) Leia este trecho.

"[Há] três fontes de que o nosso sofrimento provém: o poder superior da natureza, a fragilidade de nossos próprios corpos e a inadequação das regras que procuram ajustar relacionamentos mútuos dos seres humanos na família, no Estado e na sociedade. Quanto às duas primeiras fontes, nosso julgamento não pode hesitar muito. Ele nos força a reconhecer essas fontes de sofrimento e a nos submeter ao inevitável [...] Esse reconhecimento não possui um efeito paralisador. Pelo contrário, aponta a direção para a nossa atividade. Se não podemos afastar todo o sofrimento, podemos afastar um pouco dele e mitigar outro tanto [...] Quanto à terceira fonte, a fonte social de sofrimento, nossa atitude é diferente. Não a admitimos de modo algum; não podemos perceber por que os regulamentos estabelecidos por nós mesmos não representam, ao contrário, proteção e benefício para cada um de nós". (Sigmund Freud. *O mal-estar na civilização e outros trabalhos*. Em: Edição Standard Brasileira das Obras Psicológicas Completas de Sigmund Freud. v. XXI. Trad. José Octávio de Aguiar Abreu. Rio de Janeiro: Imago, 1974. p. 105.)

Com base na leitura desse trecho e considerando outras informações presentes na obra citada, redija um texto justificando a ideia, defendida por Freud, de que a cultura não torna os seres humanos felizes.

Deplorar. Lastimar, lamentar, mostrar desagrado.

Capítulo 8

Aprender a morrer...

ANDY WARHOL FOUNDATION, WARHOL, ANDY, 16 JACKIES, 1964, LICENCIADO POR AUTVIS, BRASIL, 2009

16 Jackies. Andy Warhol, 1964.

Andy Warhol (1928-1987) criou várias versões do retrato de Jackeline Kennedy junto ao féretro do marido, o presidente americano John F. Kennedy, assassinado em novembro de 1963. Jackie, uma mulher jovem, irradiando felicidade, de repente vê-se transformada numa viúva enlutada. Esta serigrafia invoca o contraste da alegria e da tristeza, da plenitude e da perda, polos inseparáveis da vida humana.

1 A morte como enigma

Por que o título do capítulo é "Aprender a morrer..."? Parece contrassenso dizer que a morte, essa desconhecida, pode ser objeto de aprendizagem. No entanto, é assim que Sócrates se refere ao filósofo, cuja única ocupação consistiria em preparar-se para morrer. Na mesma linha, Montaigne cita o filósofo e orador romano: "Diz Cícero que filosofar não é outra coisa senão se preparar para a morte".

Evidentemente, não se trata de estar sempre pensando na morte de maneira mórbida, mas sim que, diante da sua inevitabilidade, possamos aceitá-la com serenidade, revendo os valores e a maneira pela qual vivemos, distinguindo o fútil do prioritário.

Há pessoas que só reavaliam sua maneira de viver em situações-limite, como doença grave, sequestro ou uma ameaça qualquer que revele de modo contundente a fragilidade da vida. Outros preferem não pensar na morte porque a veem como aniquilamento, ao admitir que nada existe depois dela. Como viveríamos a partir dessa hipótese? Levando em conta que a vida talvez devesse ser aproveitada gozando o momento presente, conforme a exaltação do *carpe diem* romano.

Como passagem para outra vida, como aniquilamento ou de acordo com inúmeras outras interpretações possíveis, a morte é um enigma que nos assombra desde sempre. Estudos a respeito dos primórdios da nossa civilização relacionam o registro dos sinais de culto aos mortos ao aparecimento das primeiras angústias metafísicas. Sob esse aspecto, a morte é a fronteira que não representaria apenas o fim da vida, mas o limiar de outra realidade.

A morte daqueles que amamos e a iminência da nossa morte estimulam a crença a respeito da imortalidade ou de algum tipo de continuidade da vida, como a reencarnação. Por isso o recurso à fé religiosa aplaca o temor diante do desconhecido, oferece um conjunto de convicções que orienta o comportamento humano diante do mistério e prescreve maneiras de viver para garantir melhor destino à alma. Desse modo, a angústia da morte leva à crença no sobrenatural, no sagrado, na vida depois da morte.

Com o amparo da fé, a morte representa a passagem para a vida eterna no Paraíso, para um outro tipo de vida humana ou animal, ou para o Nirvana.

Ainda que a fé continue como um farol para muitos, o que discutimos neste capítulo são as reflexões filosóficas sobre a morte. Se a filosofia é uma das expressões da transcendência humana, pela qual buscamos o sentido de nossa existência, a morte não lhe pode ser estranha.

PARA SABER MAIS

A teologia é diferente da filosofia. A teologia (do grego *theos*, "deus", e *logos*, "estudo") trata dos entes sobrenaturais que conhecemos pela fé, pela revelação divina. A filosofia, como vimos no capítulo 1, "A experiência filosófica", trabalha com conceitos explicitados por argumentos, portanto ela é uma reflexão dessacralizada, mesmo quando o próprio filósofo é uma pessoa religiosa.

2 Os filósofos e a morte

Em todos os tempos, portanto, a morte nos aparece como enigma. Admiti-la como um acontecimento inevitável pode nos levar à reflexão ética sobre "como devemos viver". Vejamos como a pensaram alguns filósofos.

Sócrates e Platão

O diálogo de Platão *Fédon* ou *Da imortalidade da alma* relata os momentos finais da vida de Sócrates, enquanto aguarda que lhe tragam a taça de cicuta. Em meio à emoção de todos, contrasta a serenidade do mestre, a tal ponto que Fédon, um dos discípulos presentes, afirma não poder sentir compaixão, já que tem diante dos olhos um homem feliz. Explica o estado de espírito de Sócrates como uma questão de coerência, pois, como filósofo, "não poderia irritar-se com a presença daquilo [a morte] que até então tivera presente no pensamento e de que fizera sua ocupação!" (*Fédon*, 64a).

Como Sócrates preparou-se para a morte? Rejeitando os excessos do comer, do beber e do sexo, sem se deslumbrar com riqueza e honras, e buscando sempre a sabedoria. Sabemos que Sócrates nada escreveu e que portanto é Platão que fala pela boca do mestre. Nesse relato, compreendemos o caráter moral de sua exposição pela qual se esforça para superar as limitações do mundo sensível em direção ao suprassensível. Sua libertação pela morte seria o sinal de outra vida, quando a alma se purificaria ao se separar do corpo.

É bem verdade, Sócrates não tem tanta certeza sobre o que diz a respeito do que viria após a morte, mas afirma a vantagem de aceitar as crenças vigentes e permanecer confiante sobre o destino da alma quando se vive conforme os valores da temperança, da justiça, da coragem, da liberdade e da verdade. Em outro diálogo de Platão, a *Defesa de Sócrates*, a última frase do filósofo é a seguinte: "é chegada a hora de partirmos, eu para a morte, vós para a vida. Quem segue melhor rumo, se eu, se vós, é segredo para todos, menos para a divindade".

Carpe diem. Expressão usada pelo poeta latino Horácio (I a.C.). Literalmente quer dizer "colha o dia", ou seja, aproveite o momento. Assim ele começa o poema: "Colha o dia, confie o mínimo no amanhã".

Nirvana. Termo sânscrito que significa literalmente "perda do sopro", representado pela extinção do eu no Ser (em Buda ou em Brama). O Nirvana não é um lugar, mas um estado da mente de "supremo apaziguamento": cessam os desejos e sofrimentos e liberta-se das transmigrações da alma.

Memento mori. Alberto Dürer, 1503.

Esta gravura expressa o que se chama *memento mori*, expressão latina que significa "lembra-te de que vais morrer". O renascentista Dürer compõe um casal de figuras contrastantes: uma jovem com a coroa e o vestido típicos de uma noiva no dia do seu casamento, ao lado de um personagem mítico das florestas impenetráveis dos Alpes que simboliza a lascívia, a extremada sensualidade. À frente deles, a caveira: ou seja, o amor sagrado e o profano serão ambos inevitavelmente vencidos pela morte. *Memento mori* é uma advertência para que não nos esqueçamos da brevidade da vida.

Epicuro: não temer a morte

Para Epicuro (341-270 a.C.), a morte nada significa porque ela não existe para os vivos, e os mortos não estão mais aqui para explicá-la. De fato, quando pensamos em nossa própria morte, podemos nos imaginar mortos, mas não sabemos o que é a experiência do morrer. O filósofo lamenta que a maioria das pessoas fuja da morte como se fosse o maior dos males, mas para ele não há vantagem alguma em viver eternamente. Mais do que ter a alma imortal, vale a maneira pela qual escolhemos viver.

Essas considerações fazem sentido na concepção **hedonista** de Epicuro. Para ele, o bem encontra-se no prazer. Que tipo de prazer? Hoje em dia costuma-se dizer que a civilização contemporânea é hedonista, por identificar a felicidade com a satisfação imediata dos prazeres, sobretudo pelo consumismo: ter uma bela casa, um carro possante, muitas roupas, boa comida. E também, pela incapacidade de tolerar qualquer desconforto, seja uma simples dor de cabeça ou o enfrentamento das doenças e da morte.

E ETIMOLOGIA

Hedonismo. Do grego *hedoné*, "prazer".

No entanto, não é esse o sentido do hedonismo grego. Segundo a ética epicurista, os prazeres do corpo são causa de ansiedade e de sofrimento; portanto, para que a alma permaneça imperturbável é preciso aprender a gozá-los com moderação. Essa atitude levou Epicuro ao cultivo dos prazeres espirituais, com destaque para a amizade e os prazeres refinados. E completa:

> O sábio, porém, nem desdenha viver, nem teme deixar de viver; para ele, viver não é um fardo e não viver não é um mal. Assim como opta pela comida mais saborosa e não pela mais abundante, do mesmo modo ele colhe os doces frutos de um tempo bem vivido, ainda que breve.[1]

Montaigne: aprender a viver

No início do capítulo vimos que Montaigne cita Cícero, para quem "filosofar é aprender a morrer". Mas o tema da morte reaparece várias vezes em sua obra *Ensaios*. Para ele, meditar sobre a morte é meditar sobre a liberdade, porque quem aprendeu a morrer recusa-se a servir, a submeter-se. Viver bem, portanto, é preparar-se para morrer bem. E assegura: "A vida em si não é um bem nem um mal. Torna-se bem ou mal segundo o que dela fazeis" (*Ensaios*, Livro I, capítulo XX).

Nesse sentido, morrer é apenas o fim de todos nós, mas não o objetivo da vida. É preciso ter em vista o esforço para conhecer-se melhor e aprender a não ter medo da morte.

Heidegger: o "ser-para-a-morte"

Para Heidegger, o ser como possibilidade, como *projeto*, nos introduz na temporalidade. Isso não significa apenas ter um passado e um futuro em que os momentos se sucedem passivamente uns

1 EPICURO. *Carta sobre a felicidade*: a Meneceu. São Paulo: Unesp, 2002. p. 31.

aos outros, mas sim que a existência é este ato de se projetar no futuro, ao mesmo tempo que transcende o passado. O existir humano consiste no lançar-se contínuo às possibilidades, entre as quais justamente a situação-limite da morte. Esse fato inescapável do "ser-para-a-morte" provoca angústia por lançar-nos diante do nada, ou seja, do não sentido da existência.

QUEM É?

ALBUM/AKG-IMAGES-LATINSTOCK

Martin Heidegger, 1959.

Martin Heidegger (1889-1976), filósofo alemão, sofreu a influência da fenomenologia de Husserl, mas desenvolveu pensamento próprio, tornando-se um dos grandes pensadores do século XX. Em sua obra principal, *Ser e tempo*, busca o sentido profundo da existência humana pelo conceito de *Dasein* (em alemão, o "ser-aí"), que examina a consciência que as pessoas têm do seu lugar no mundo e o significado que o mundo tem para elas. Embora rejeitasse para si a classificação de existencialista, influenciou com suas ideias essa tendência filosófica, cujo principal representante foi Sartre. Suas principais obras: *Ser e tempo, Sobre a essência da verdade, Introdução à metafísica*.

O conceito de angústia diante da morte não deve ser confundido com o medo de morrer: trata-se do sentimento de um ser que sabe existir para seu fim. Para Heidegger, a existência autêntica supõe a aceitação da angústia e o reconhecimento de sua finitude. É essa postura que nos orienta para um olhar crítico sobre o cotidiano e nos leva a assumir a construção da vida.

Ao contrário, o ser humano *inautêntico* foge da angústia da morte, refugia-se na impessoalidade, nega a transcendência e repete os gestos de "todo o mundo" nos atos cotidianos. Para esse tipo de indivíduo, a morte está sempre na terceira pessoa, é a morte dos outros. A impessoalidade tranquiliza o indivíduo, confortavelmente instalado em um universo sem indagações, recusando-se a refletir sobre a morte como um acontecimento que nos atinge pessoalmente.

Sartre: o absurdo

O filósofo francês Jean-Paul Sartre (1905-1980), embora influenciado por Heidegger, afirma que a morte é a certeza de que um nada nos espera e que por esse motivo retira todo o sentido da vida, por ser a "nadificação" dos nossos projetos. Mas, diferentemente de Heidegger, conclui pelo absurdo da morte e também da vida, que é uma "paixão inútil". Assim explica:

> ...a morte jamais é aquilo que dá à vida seu sentido: pelo contrário, é aquilo que, por princípio, suprime da vida toda significação. Se temos de morrer, nossa vida carece de sentido, porque seus problemas não recebem qualquer solução e a própria significação dos problemas permanece indeterminada.[2]

O conceito de *náusea*, a que Sartre recorre no romance de mesmo nome, exprime justamente o sentimento quando se toma consciência de que o real é absurdo, desprovido de razão de ser. Numa célebre passagem, Roquentin, a personagem principal do romance, ao olhar as raízes de um castanheiro, tem a impressão de existir à maneira de uma coisa, de um objeto, de estar-aí, como as coisas são. Tudo lhe surge como pura contingência, gratuitamente, sem sentido.

No entanto, isso não significa para Sartre a perda da liberdade para construir nossos projetos, porque estes são independentes da morte, que não constitui obstáculo para o agir livre.

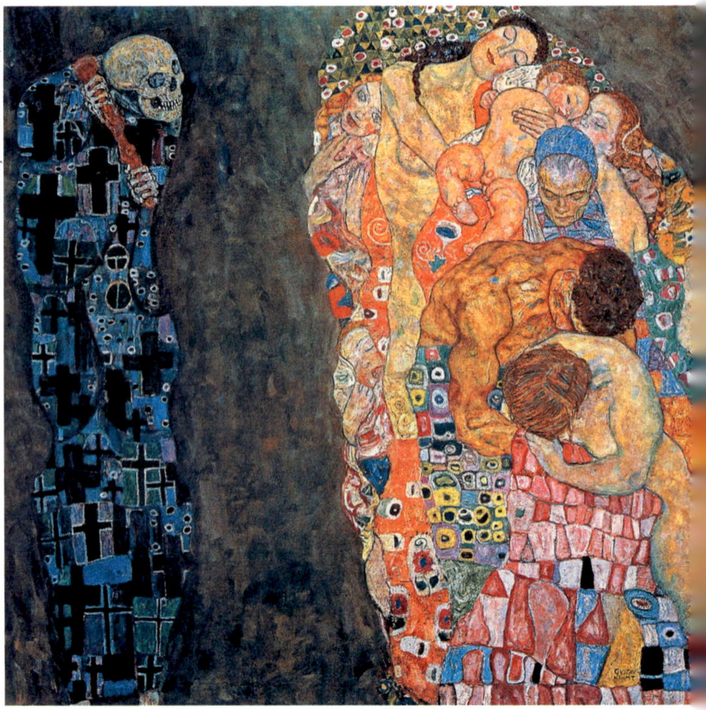

COLEÇÃO PARTICULAR, VIENA

Gustav Klimt (1862-1918), pintor austríaco, em *Morte e vida* mostra-nos as três idades da vida e a morte à espreita.

[2] SARTRE, Jean-Paul. *O ser e o nada*. Petrópolis: Vozes, 1997. p. 652.

Um poeta

Já que falamos no enigma da morte, por que não ouvir também um poeta?

Leia então "Consoada", de Manuel Bandeira.

Quando a Indesejada das gentes chegar
(Não sei se dura ou caroável),
Talvez eu tenha medo.
Talvez sorria, ou diga:
— Alô, iniludível! O meu dia foi bom, pode a noite descer.
(A noite com seus sortilégios)
Encontrará lavrado o campo, a casa limpa,
A mesa posta,
Com cada coisa no seu lugar.[3]

O poeta compara o dia e a noite à vida e à morte. Distingue as reações possíveis de temor e de aceitação (ou seriam ambas possíveis ao mesmo tempo?). A única certeza é a inevitabilidade da morte, mesmo que enigmática, cercada de sortilégios. A morte, a "indesejada das gentes", pode aproximar-se de nós de modo rude ou suave; podemos recebê-la com temor ou sorrindo, não importa se tenhamos vivido bem ou mal. Com o chegar da noite, a mesa posta (a última refeição: o último alento da vida) prenuncia os enigmas do futuro que nos espera. Se vivemos bem, só nos resta dizer: "o meu dia foi bom" e, portanto, posso morrer: "lavrei o campo e limpei a casa"...

3 O tabu da morte

As sociedades tradicionais, fortemente marcadas pela predominância da vida comunitária, são sociedades relacionais, nas quais as pessoas encontram-se inseridas numa totalidade que lhes dá suporte, em que uma série de cerimônias e rituais cercam os acontecimentos do nascer, casar e morrer. Não se pense que seria fácil morrer, porém a morte era aceita de modo mais natural, como parte do cotidiano das pessoas.

É interessante lembrar que ainda na primeira metade do século XX o moribundo permanecia em casa, sua agonia era acompanhada por parentes, amigos e vizinhos e ele tinha consciência de estar morrendo, porque nada lhe era ocultado. Após o desenlace, o morto era velado na própria casa, inclusive com a presença de crianças. O luto dos parentes próximos era sinalizado pela roupa: entre nós, a viúva usava roupas pretas por um ano inteiro, e o viúvo, uma tarja preta no braço.

Esses costumes mudaram a partir de meados do século XX, como resultado do processo de urbanização e de industrialização A grande cidade cosmopolita destruiu os antigos laços e fragmentou a comunidade em núcleos cada vez menores, acelerando o processo do individualismo. Consequentemente, mudou o sentido da morte.

No mundo urbano contemporâneo, quando alguém morre, o velório não é mais em casa, e sim no necrotério, para onde não se costuma levar crianças, que crescem à margem dessa realidade da vida: nunca veem um morto, nem um cemitério. O historiador francês Philippe Ariès aborda essas questões no clássico *História da morte no Ocidente*. Neste livro cita o sociólogo Geoffrey Gorer, que escreveu um estudo com o título provocativo de "A pornografia da morte", para se referir à morte como tabu, substituindo o sexo como principal interdito:

> Antigamente dizia-se às crianças que se nascia dentro de um repolho, mas elas assistiam à grande cena das despedidas, à cabeceira do moribundo. Hoje, são iniciadas desde a mais tenra idade na fisiologia do amor, mas, quando não veem mais o avô e se surpreendem, alguém lhes diz que ele repousa num belo jardim por entre as flores.[4]

A "obscenidade" em falar da morte é mais grave com doentes terminais. É comum os parentes, às vezes com a cumplicidade de médicos, esconderem do paciente sua doença letal e o fim próximo. A tentativa de ocultar a morte iminente talvez explique o requinte de funerárias norte-americanas, que "tomam conta do morto" e o preparam para o velório com serviço de maquiagem, fotos dele jovem e até gravações de sua voz.

Consoada. Espécie de pequena refeição noturna.
Caroável. Amável, meiga.
Iniludível. Que não admite dúvidas.
Sortilégio. Magia para prever o futuro, feitiço.

[3] BANDEIRA, Manuel. *Estrela da vida inteira*. Rio de Janeiro: Nova Fronteira, 2007.
[4] Citado em: ARIÈS, Philippe. *História da morte no Ocidente*. Rio de Janeiro: Francisco Alves, 1977. p. 56.

4 Aqueles que morrem mais cedo

Costuma-se dizer que a morte é democrática por ser um acontecimento que atinge todos: velhos, moços, crianças, ricos e pobres. No entanto, vemos todos os dias casos de pessoas que são assassinadas, que se suicidam, que são vítimas de desastres devido à imprudência — própria ou alheia —, como no caso de acidentes de trânsito.

No entanto, há outros "assassinatos" menos espetaculosos que passam quase desapercebidos e que nem por isso são menos perversos. Trata-se da situação em que se encontra a população mais pobre de países com má distribuição de renda, altas taxas de mortalidade infantil, alimentação inadequada, falta de saneamento básico e precariedade do sistema de saúde, tanto para prevenir doenças como para tratá-las. Além disso, a concentração fundiária, em um país como o Brasil, que ainda não finalizou a reforma agrária, tem provocado disputas por terras, que resultam em violência e assassinatos no campo.

Estatísticas indicam o crescimento dos índices de homicídio de jovens de até 19 anos por causa do narcotráfico. Geralmente são pobres e negros, enquanto, bem sabemos, os grandes chefões encontram-se em locais confortáveis e bem protegidos (observe a charge de Angeli sobre o tema no final do capítulo, nas Atividades).

A história, com suas guerras e massacres, não nos deixa esquecer as pessoas que perderam a vida precocemente, algumas por ideais, outras obrigadas a lutar por causas que desconheciam ou nas quais nem acreditavam. Mas nada foi similar à experiência dos *gulags* soviéticos e dos campos de extermínio nazistas. A filósofa Hannah Arendt usou a expressão "banalidade do mal" para referir-se à violência levada a efeito por funcionários que matavam milhões de pessoas sem se sentirem culpados, sob a alegação de estarem cumprindo ordens. Trata-se da renúncia de qualquer reflexão ética, diante do horror indizível do genocídio.

A filósofa temia que as práticas típicas de governos totalitários se estendessem além daquele período, o que faz sentido quando nos deparamos hoje com movimentos neonazistas atuando de modo violento contra imigrantes de países pobres que invadem a Europa. Ou quando vemos estarrecidos as fotos das sessões de tortura na prisão norte-americana de Abu Ghraib, no Iraque, ou da base de Guantánamo, em que os detentos ficam em celas que mais parecem "gaiolas", apesar das denúncias de violação dos direitos humanos.

5 É legítimo deixar ou fazer morrer?

O ritmo acelerado imprimido pelo sistema de produção e serviços nas últimas décadas do século XX obrigou as pessoas ao trabalho intenso, longe de casa, o que dificulta o atendimento a idosos e doentes. A medicina, cada vez mais especializada, ocupa-se desses "marginais" da sociedade — porque reduzidos à improdutividade —, instalados em "casas de repouso" ou, nos casos mais graves, em hospitais, para serem mais bem assistidos.

Gulags. Instituições penais de trabalhos forçados da então União Soviética que serviam de campos de concentração para os dissidentes do poder.

AP PHOTO/ANDRES LEIGHTON/IMAGEPLUS

Prisão de Guantánamo, Cuba, 2002.

O filósofo italiano Giorgio Agamben define como "vida nua" aquela que, pelo poder político, foi excluída das proteções jurídicas e roubada em toda dignidade, até ser reduzida à mínima sobrevivência biológica.

Guantánamo é uma região de Cuba cedida aos Estados Unidos desde o final do século XIX para servir de base naval. Em 2002, em represália aos ataques terroristas, a base transformou-se em prisão e abriga centenas de detentos de várias nacionalidades, sobretudo iraquianos e afegãos, que vivem em condições deploráveis, sem acusação formal nem direito a advogado ou a qualquer proteção jurídica, em evidente violação das leis internacionais.

Se, por um lado, técnicas avançadas e ambientes assépticos prolongam a vida, por outro lado não se escapa à solidão e à impessoalidade do atendimento. Os enfermeiros e médicos são eficientes, mas o moribundo encontra-se afastado da mão amiga, da atenção sem pressa nem profissionalismo. É bem verdade que esse quadro é real para os que têm acesso a bons hospitais e medicação adequada, o que não vale para a maioria da população de baixa renda.

Às vezes, porém, a mesma tecnologia é capaz de adiar a morte de quem não mais teria chance de sobreviver. Não faltam exemplos de pessoas que ficam meses ou anos em estado de vida precário e até vegetativo, sem que se possa desligar os aparelhos que as mantêm vivas. O grande problema, porém, encontra-se no período em que a vida tornou-se insuportável pela dor e pelo sofrimento ou pela irreversibilidade da doença. As soluções propostas — e muitas vezes colocadas em prática — têm despertado discussões apaixonadas e exigido reflexões éticas.

Vejamos algumas delas.

O cuidado paliativo

Geralmente a assistência médica pode tornar-se excessiva, quando mantém artificialmente a vida, prolongando o sofrimento dos doentes terminais. Por isso já existem instituições que adotam a medicina paliativa, um tipo de atendimento aos pacientes incuráveis que não apressa nem retarda a morte, mas visa a aliviar a dor, dar o conforto possível ao doente, evitando a terapêutica invasiva. Alega-se que, pelos critérios de justiça e benevolência, aliados aos conhecimentos médicos, seria possível reconhecer o momento para esperar que a morte venha naturalmente, sem adiá-la inutilmente por meios artificiais.

Não existe, porém, unanimidade em acatar essa orientação por parte de médicos e familiares. E mesmo quando é aceita, resulta de um debate ético entre médicos, parentes e o doente, quando este ainda se mantém lúcido.

A eutanásia

Diferentemente dos cuidados paliativos, a **eutanásia** é uma maneira de provocar a morte deliberadamente, seja de um doente terminal ou de alguém que deseja morrer devido a uma doença crônica, que tornou a vida insuportável. Em ambos os casos, a motivação alegada para realizar a eutanásia é a compaixão, o não deixar sofrer, quando o sofrimento é excessivo.

E ETIMOLOGIA

Eutanásia. Do grego *eús*, "bom", e *thanatos*, "morte", literalmente "boa morte". O termo foi introduzido pelo filósofo inglês Francis Bacon, no século XVII.

A eutanásia pode ser ativa ou passiva: ativa, quando uma ação provoca a morte; ou passiva, ao serem interrompidos os cuidados médicos, desligando-se os aparelhos.

Do primeiro tipo lembramos o caso real do espanhol Ramón Sampedro — relatado no filme *Mar adentro* —, que após um acidente ao mergulhar ficou tetraplégico durante 29 anos. Lutou judicialmente pela autorização da eutanásia, sem sucesso. Religiosos e a família eram contra a solução extrema, mas Ramón foi ajudado por uma amiga a consumar o que ele próprio chamava de "morte digna".

Como exemplo de eutanásia passiva, o caso da norte-americana Terry Schindler Schiavo foi vastamente divulgado pela mídia em 2005. Ela tinha 41 anos e havia 15 encontrava-se em coma vegetativo, ligada a sondas que a mantinham viva. A luta judicial foi conturbada, porque o pedido para desligamento dos aparelhos, feito pelo marido, tinha a discordância dos pais dela. Finalmente, a justiça concedeu a autorização.

Prós e contras

A eutanásia tem suscitado questões éticas radicais, porque o tema é complexo e exige a participação multidisciplinar de biólogos, médicos, juristas, filósofos, teólogos, intelectuais, cidadãos, mas sobretudo dos protagonistas dessas situações dramáticas. O debate é sempre acirrado, sobretudo devido a antagonismos muitas vezes inconciliáveis. Vamos citar apenas alguns dos argumentos mais comumente usados.

- Os argumentos mais difíceis de contraditar são os de caráter religioso, quando a eles se opõem os que recorrem apenas a critérios laicos. Por exemplo, esperar por um milagre ou dizer que a vida é sagrada são teses evitadas pelos que reivindicam o direito de avaliar moralmente as perspectivas de futuro do doente terminal, caso essas sejam de sofrimento e dores insuportáveis.
- Alguns dizem que a morte é um mal e a vida é um bem, por isso não se pode escolher matar. Outros

Paliativo. Que atenua ou alivia um mal temporariamente.

discordam, ao afirmar que se a morte é um mal, passa a ser um bem, caso a vida tenha se tornado um mal, por não oferecer condições de atividades elementares que fazem a vida boa.

- Para outros, a eutanásia, seja passiva ou ativa, é sempre um crime, sujeito a julgamento. Há os que distinguem a eutanásia do homicídio, por ser um ato que não se orienta pelo ódio, mas pela compaixão, a fim de evitar o prolongamento da dor em situações irreversíveis. Sobre esse argumento, é preciso lembrar que, atualmente, na maioria dos países, a eutanásia é de fato crime; na medicina brasileira está vetada pelo seu código **deontológico**. No entanto, há países em que existe legislação para regular a prática de eutanásia, entre eles Holanda e Bélgica, além de outros que a restringem a casos específicos. Os critérios para essa discriminação são bastante rigorosos, a fim de evitar abusos, desvios de intenção, oportunismo e má-fé.
- Mesmo se houvesse aprovação da eutanásia, há risco de ser errada a previsão de irreversibilidade da situação do paciente quando, por exemplo, após longo tempo, ele poderia voltar de um coma profundo. Em contraposição, argumenta-se que a opção pela eutanásia requer avaliações médicas rigorosas e responsáveis que eliminariam essa hipótese.

Em que pesem esses confrontos, vale lembrar que os valores não são dados de uma vez por todas e merecem ser discutidos de modo desapaixonado — se isso for possível em casos como esses — a fim de que os recursos da alta tecnologia médica sejam usados para o bem dos pacientes e não em seu prejuízo.

6 A negação da morte

Os gregos antigos usavam o termo *hybris* para designar tudo o que ultrapassa a medida, que é excessivo, quando os seres humanos se mostram insolentes e presunçosos. Pois hoje em dia, com o avanço da ciência, há aqueles que desejam driblar a doença e a morte e pagam fortunas para congelar o corpo, na esperança de ser encontrada a cura para sua doença letal e eles possam "renascer".

Recorrem então à **criogenia**, processo de alta tecnologia usado para resfriar materiais a baixíssima temperatura. São inúmeras as suas aplicações sobretudo em medicina, e a mais conhecida do público é o de congelamento de embriões em clínicas de fertilização. Depois de descongelados e implantados no útero, a gestação segue o curso natural.

E ETIMOLOGIA

Deontologia. Do grego, *deon, ontos*, "o que fazer", que sugere a ideia de "dever" diante de uma prática. Trata-se do conjunto de deveres ligados ao exercício de uma profissão, ou seja, seu código de ética.
Criogenia. Do grego *kryos*, "frio", e *geneia*, "gerar": aquilo que gera o frio.

Nos Estados Unidos o congelamento de seres humanos começou a ser conhecido na década de 1960, quando foram fundadas instituições de grande porte para desenvolver técnicas de preservação criogênica. Muitas pessoas, sobretudo aquelas que iam morrer de doença incurável, pagaram preço alto para se submeter ao processo e garantir sua manutenção pelo tempo necessário.

PARA REFLETIR

Sabe-se hoje que ainda está distante a técnica para "ressuscitar" o morto submetido à criogenia. Pensando do ponto de vista antropológico: que mundo uma pessoa congelada em 1980 haveria de encontrar em 2040, caso o procedimento fosse um sucesso? Faça com seu grupo um exercício de imaginação e descreva os primeiros dias dessa criatura "ressuscitada".

7 As mortes simbólicas

A morte, como clímax de um processo, é antecedida por diversos tipos de "morte" que permeiam o tempo todo a vida humana. O próprio nascimento é a primeira morte, no sentido de primeira perda: rompido o cordão umbilical, a antiga e cálida simbiose do feto no útero materno é substituída pelo enfrentamento do novo ambiente. Depois disso, inúmeras perdas e separações marcam nossa vida: à medida que cresce, a criança vê modificar-se sua relação com os pais — e vice-versa.

A oposição entre o velho e o novo repete indefinidamente a primeira ruptura e explica a angústia humana diante de sua própria ambiguidade: ao mesmo tempo que anseia pelo novo, teme abandonar o conforto e a segurança da estrutura antiga a que já se habituou. Os heróis, os santos, os artistas, os revolucionários são os que enfrentam o desafio da morte, tanto no sentido literal como no simbólico, por serem capazes de construir o novo a partir da superação da velha ordem.

Portanto, nem toda perda é um mal. Apesar da dor, ela pode representar transformação, crescimento.

2009 BANCO DE MÉXICO DIEGO RIVERA & FRIDA KAHLO MUSEUMS TRUST. AV.CINCO DE MAYO N. 2, CENTRO, DEL. CUAUHTÉMOC 06059, MÉXICO, D.F.

A coluna partida. Frida Kahlo, 1944.

A artista plástica mexicana Frida Kahlo sofreu um acidente com dolorosas repercussões em sua vida, marcada por intervenções cirúrgicas nem sempre bem-sucedidas. Nesta tela, a coluna grega partida, o colete, os pregos no corpo e as lágrimas expõem o profundo sofrimento que não a impedia de amar, pintar e viver intensamente.

Amor e perda

As relações humanas oferecem um campo fértil para a reflexão sobre a morte. Vamos dar o exemplo do amor: por que temos **ciúme**? Porque tememos perder quem amamos. Se esse alguém dá densidade à nossa emoção e nos enriquece a existência, sofremos até mesmo com a ideia da perda.

E ETIMOLOGIA

Ciúme. Do grego *zelos*, significa o medo de perder o afeto de alguém. Já o termo "zelo" é o cuidado que dedicamos a alguém por quem temos afeição. Por isso costuma-se dizer: "Quem ama, cuida!".

O risco do amor é a perda, seja pela morte de um dos parceiros, seja pela separação. Esta última é dolorosa e difícil, por ser a vivência da morte numa situação vital: a morte do outro em minha consciência e a minha morte na consciência do outro. Por exemplo, quando deixamos de amar ou não mais somos amados; ou, ainda, quando nos separarmos devido a circunstâncias incontornáveis, apesar de o amor recíproco permanecer ainda vivo.

Quando a perda é sentida de forma intensa, a pessoa precisa de um tempo para se reestruturar, porque o tecido do seu ser passa inevitavelmente pelo ser do outro. Há um período de "luto", para só depois buscar novo equilíbrio. Uma característica dos indivíduos maduros é saber integrar a possibilidade da morte no cotidiano da sua vida.

Nas relações duradouras, diversas "mortes" ou perdas permeiam nossas vidas, porque a relação "perde" a expressão anterior do amor para criar novas configurações. Talvez por isso haja os que evitam o aprofundamento das relações: preferem não viver a experiência amorosa para não ter de *viver com a morte*. É nesse sentido que o pensador francês Edgar Morin afirma:

> Nas sociedades burocratizadas e aburguesadas, é adulto quem se conforma em viver menos para não ter que morrer tanto. Porém, o segredo da juventude é este: vida quer dizer arriscar-se à morte; e fúria de viver quer dizer viver a dificuldade.[5]

8 O sofrimento da natureza

Durante muito tempo os recursos naturais foram explorados visando às necessidades dos seres humanos, orgulhosos de dominar a natureza pela sua inteligência e saber. Com o desenvolvimento das ciências e da industrialização, ocorreu uma reviravolta de que não se teve notícia similar em milênios: aos benefícios do progresso acelerado contrapôs-se uma realidade sombria: os efeitos de uma lenta mas progressiva destruição da natureza.

Os sinais mais evidentes alarmaram os cientistas e estimularam as discussões sobre ecologia e ecoética, estudos que se concretizaram na década de 1970 inicialmente na Europa, América do Norte e Austrália. O grande perigo que atemorizava tinha muitas faces: erosão do solo, poluição das águas e

Ecoética. Ou ética ambiental, é o ramo da recente reflexão filosófica denominada ética aplicada que discute os aspectos éticos das relações humanas com a natureza. Trataremos do assunto na Unidade 4 — Ética.

[5] Citado em: MATOS, Olgária. Reflexões sobre o amor e a mercadoria. Revista *Discurso*. São Paulo: Polis/Departamento de Filosofia da FFLCH da USP, 1983. n. 13. p. 209.

do ar, aumento do efeito estufa, chuvas ácidas, acúmulo de materiais não biodegradáveis, lixo atômico e eletrônico, espécies de fauna e flora em extinção, diminuição da diversidade biológica. Enfim, a degradação ecológica.

São evidentes os prejuízos para os seres humanos e animais, que já sofrem as consequências funestas como doenças, muitas vezes letais. Além de que furacões, inundações e outros desastres estão ocorrendo com mais intensidade e frequência nos últimos tempos.

O que é isso senão a morte lenta da natureza?

Outra questão muito discutida é a dos direitos dos animais. Diversos pensadores debruçam-se sobre os meios de coibir os maus-tratos e a matança deles por motivo fútil, como luxo ou prazer. Nesse rol estão o comércio de casacos de pele, o esporte da caça, os rodeios, as touradas. Mas não só. O filósofo Peter Singer, entre outros, condena o abate de animais com a finalidade de nos servir de alimento.

9 Pensar na morte: refletir sobre a vida

A tentativa de resgatar, no mundo atual, a consciência da morte não deve ser entendida como interesse doentio de quem vive obcecado pela morte inevitável, atitude que seria pessimista e paralisante. Ao contrário, ao reconhecer a finitude da vida, reavaliamos nosso comportamento e escolhas. Por exemplo, se tomamos como valores absolutos o acúmulo de bens, a fama e o poder, a reflexão sobre a mortalidade torna menos importantes esses anseios diante de outros valores que nos proporcionam mais dignidade. Essa mesma reflexão pode nos orientar em casos extremos, como a eutanásia ou o aborto.

Na vida cotidiana, tantas pequenas mortes também nos afligem: o indivíduo urbano, massacrado pelo sistema de produção, obrigado a desempenhar funções que não escolheu, segundo um ritmo que não é o seu, sem dúvida não goza de uma boa qualidade de vida. Independentemente do progresso técnico atingido por nossa civilização, permanecem altos os níveis de alienação humana no trabalho, no consumo, no lazer.

A insensibilidade com relação à morte individual tem paralelo com a inconsciência referente ao destino do planeta. Pela primeira vez na história da humanidade a morte ultrapassa a dimensão do indivíduo e ameaça a sobrevivência de todos. Não que as pessoas não saibam dos riscos de um desastre nuclear ou dos prejuízos ao ambiente causados pela poluição, pelo desmatamento ou pelo desperdício de água potável. Mas, tal como a morte, continuam agindo como se essas questões não lhes dissessem respeito.

Em termos planetários, a consciência da morte nos ajuda a questionar os falsos objetivos do progresso a qualquer custo e a nos perguntar sobre o legado para as gerações futuras.

JERRY MASON/SPL DC-LATINSTOCK

Placas de circuitos e carcaças de aparelhos eletrônicos para descarte (2009).

O que você faz com seus aparelhos em desuso? E a prefeitura de sua cidade, o que faz com o lixo eletrônico gerado pelos habitantes e empresas? Escreva um texto explicando por que a conscientização das pessoas a respeito da preservação ambiental implica a resolução ética de mudar hábitos.

Atividades

Revendo o capítulo

1 Releia o tópico 1, "A morte como enigma", e escolha dois filósofos cujas concepções sobre a morte sejam distintas. Explique em que elas se distinguem.

2 Qual é a diferença entre cuidados paliativos e eutanásia? Posicione-se a respeito.

3 Explique as "mortes" simbólicas que enfrentamos durante a nossa vida, antes do desenlace final.

Aplicando os conceitos

4 Durante a Idade Média, os alquimistas procuravam descobrir a fórmula do "elixir da longa vida" ou da "eterna juventude". Atenda às questões.

a) Discuta com seu grupo: como poderíamos relacionar esse sonho com as expectativas daqueles que optaram pela criogenia ou então dos que têm esperança de clonar pessoas ou mesmo animais de estimação?

b) Posicione-se pessoalmente a respeito dessas expectativas.

5 Localize na citação de Montaigne a frase com a qual podemos interpretar a tira do Minduim. Justifique.

"Qualquer que seja a duração de vossa vida, ela é completa. Sua utilidade não reside na duração e sim no emprego que lhe dais. Há quem viveu muito e não viveu. Meditai sobre isso enquanto o podeis fazer, pois depende de vós, e não do número de anos, terdes vivido bastante. Imagináveis então nunca chegardes ao ponto para o qual vos dirigíeis? Haverá caminho que não tenha fim?" (Montaigne. *Ensaios*, livro I, capítulo XX.)

6 "O *trabalho do luto*, como diz Freud, é esse processo psíquico pelo qual a realidade prevalece, e cumpre que ela prevaleça, ensinando-nos a viver apesar de tudo. [...] A vida prevalece, a alegria prevalece, e é isso que distingue o luto da melancolia. Num caso, explica Freud, o indivíduo aceita o veredicto do real – 'o objeto já não existe' –, e aprende a amar alhures, a desejar alhures. No outro, ele se identifica com aquilo mesmo que perdeu, há tanto tempo [...], e se encerra vivo no nada que o obceca. [...] Alguma coisa se inverte aqui; o luto (a aceitação da morte) pende para o lado da vida, quando a melancolia nos encerra na mesma morte que ela recusa." (André Comte-Sponville. *Bom dia, angústia!*. São Paulo: Martins Fontes, 1997. p. 93-95.)

Com base nesta citação, responda às questões.

a) Explique qual é a diferença entre luto e melancolia.

b) De que maneira, diante dessas "mortes", podemos passar pelo luto ou correr o risco de permanecer na melancolia? Explique e dê exemplos.

Caiu no vestibular

7 (UFPR)

Em um texto de 6 a 8 linhas, apresente sua interpretação da charge, explicitando os elementos verbais e não verbais que fundamentam as relações que você estabeleceu.

Tira do Minduim, de Charles Schulz, 2009.

UNIDADE 3

O conhecimento

Segundo o livro de Gênesis, do Antigo Testamento, descendentes de Noé chegaram a uma planície na Babilônia e iniciaram a construção de um templo tão alto que chegaria aos céus. Mas Deus castigou a sua soberba e confundiu as línguas. Eles não mais se entenderam e espalharam-se pelo mundo.

São inúmeros os simbolismos que esse relato provoca. A interpretação mais evidente é sobre a origem das diversas línguas; ou poderia ser uma advertência para que os humanos não queiram igualar-se aos deuses.

Imaginemos, porém, a hipótese de que até hoje a humanidade busca o contrário da Babel: o entendimento universal pelo confronto dos discursos diferentes diante dos quais tentamos o entendimento.

Comecemos com Nietzsche, que comenta o que as pessoas entendem por conhecer, a fim de explicar uma das funções do filosofar: olhar como estranho, "ver de fora" aquilo que é familiar, *problematizar* nossas certezas:

> “O conhecido, isto é, aquilo a que estamos habituados, de modo que não mais nos admiramos, nosso cotidiano, alguma regra em que estamos inseridos, toda e qualquer coisa em que nos sentimos em casa: — como? nossa necessidade de conhecer não é justamente essa necessidade do conhecido, a vontade de, em meio a tudo o que é estranho, inabitual, duvidoso, descobrir algo que não mais nos inquiete? E o júbilo dos que conhecem não seria precisamente o júbilo do sentimento de segurança reconquistado? [...] Erro dos erros! O familiar é o habitual; e o habitual é o mais difícil de 'conhecer', isto é, de ver como problema, como alheio, distante, 'fora de nós'...”
>
> NIETZSCHE, Friedrich. *A gaia ciência*, aforismo 355.

A torre de Babel. Pieter Bruegel, 1563

Comparando o texto de Nietzsche com a alegoria da torre de Babel, reflita sobre o seguinte:

1. Até que ponto, mesmo se falássemos todos nós a mesma língua, a linguagem pode nos confundir em vez de esclarecer?
2. Qual seria o papel da filosofia diante dessa polifonia de vozes divergentes?

Após a leitura desta Unidade, retorne para examinar suas reflexões iniciais.

Capítulo

9

O que podemos conhecer?

Relatividade. Maurits C. Escher, 1953.

Assim Escher explica sua litografia *Relatividade*: "Três planos de gravitação agem aqui verticalmente uns sobre os outros. Três superfícies terrestres, vivendo em cada uma delas seres humanos, intersectam-se em ângulo reto. Dois habitantes de mundos diferentes não podem andar, sentar-se ou ficar em pé no mesmo solo, pois sua concepção de horizontal e vertical não se conjuga. Eles podem, contudo, usar a mesma escada. Na escada mais alta das aqui representadas, movem-se, lado a lado, duas pessoas na mesma direção. Todavia, uma desce e a outra sobe. É claramente impossível um contacto entre ambas, pois vivem em mundos diferentes e não sabem, portanto, da existência uma da outra."[1]

A primeira impressão diante de uma obra de Escher é de estranhamento, mas também de ludicidade, porque o artista brinca com nossa percepção. O que nos faz pensar: Será que tudo o que vejo é mesmo real? E se tudo for uma ilusão de meus sentidos? Convivo com pessoas que pensam de modo

[1] ESCHER, Maurits Cornelis. *Gravuras e desenhos*. Alemanha: Taschen, 1989.

tão diferente de mim, como se vivessem em outra realidade. O que é o real? Qual a garantia de que a realidade não seja um sonho? Já tive certezas tão arraigadas e que se dissolveram com o tempo: teria eu caído em erro? E agora, estaria certo? Quais são as garantias de minhas certezas?

Alguém pode dizer que há coisas de que não posso duvidar, porque são evidentes. Mas essa evidência talvez não seja mais do que o hábito, o costume, pois muitas verdades me foram incutidas desde a infância. Mesmo os povos se enganam, basta lembrar que antes de Copérnico e Galileu parecia óbvio que o Sol girasse em torno da Terra, enquanto ela permanecia fixa no centro do mundo. Nem as ciências podem nos garantir certezas? E, se puderem, que tipo de certeza elas nos dão?

1 O ato de conhecer

O campo de investigação filosófica que abarca as questões sobre o conhecer chama-se *teoria do conhecimento*. Tradicionalmente costuma-se definir **conhecimento** como o modo pelo qual o sujeito se apropria intelectualmente do objeto.

> **E ETIMOLOGIA**
>
> **Conhecimento.** Do latim *cognoscere*, "ato de conhecer". Em português derivaram termos como cognoscente, "o sujeito que conhece", e cognoscível, "o que pode ser conhecido".

Entendemos por conhecimento o *ato* ou o *produto* do conhecimento.

- O *ato* do conhecimento diz respeito à relação que se estabelece entre o sujeito cognoscente e o objeto a ser conhecido. O objeto é algo fora da mente, mas também a própria mente, quando percebemos nossos afetos, desejos e ideias.
- O *produto* do conhecimento é o que resulta do ato de conhecer, ou seja, o conjunto de saberes acumulados e recebidos pela cultura, bem como os saberes que cada um de nós acrescenta à tradição: as crenças, os valores, as ciências, as religiões, as técnicas, as artes, a filosofia etc.

Neste capítulo, vamos privilegiar o primeiro aspecto: o *ato* de conhecer.

2 Os modos de conhecer

De que maneiras o sujeito cognoscente apreende o real? Geralmente consideramos o conhecimento como um ato da razão, pelo qual encadeamos ideias e juízos, para chegar a uma conclusão. Essas etapas compõem o nosso raciocínio. No entanto, conhecemos o real também pela intuição. Vejamos a diferença entre *intuição* e *conhecimento discursivo*.

A intuição

A **intuição** é um conhecimento imediato — alcançado sem intermediários —, um tipo de pensamento direto, uma visão súbita. Por isso é inexprimível: como poderíamos explicar em palavras a sensação do vermelho? Ou a intensidade do meu amor ou ódio? É também um tipo de conhecimento impossível de ser provado ou demonstrado. No entanto, a intuição é importante por possibilitar a invenção, a descoberta, os grandes saltos do saber humano.

> **E ETIMOLOGIA**
>
> **Intuição.** Do latim *intuitio*, do verbo *intueor*, "olhar atentamente", "observar". Intuição é portanto uma "visão", uma percepção sem conceito.

A intuição expressa-se de diversas maneiras, entre as quais destacamos a empírica, a inventiva e a intelectual.

a) **A intuição empírica** é o conhecimento imediato baseado em uma experiência que independe de qualquer conceito. Ela pode ser:
   - sensível, quando percebemos pelos órgãos dos sentidos: o calor do verão, as cores da primavera, o som do violino, o odor do café, o sabor doce;
   - psicológica, quando temos a experiência interna imediata de nossas percepções, emoções, sentimentos e desejos.

b) **A intuição inventiva** é a intuição do sábio, do artista, do cientista, ao descobrirem soluções súbitas, como uma hipótese fecunda ou uma inspiração inovadora. Na vida diária também enfrentamos situações que exigem verdadeiras invenções súbitas, desde o diagnóstico de um médico até a solução prática de um problema caseiro. Segundo o matemático e filósofo Henri Poincaré, enquanto a lógica nos ajuda a demonstrar, a invenção só é possível pela intuição.

ANN RONAN PICTURE LIBRARY/OTHER IMAGES

Arquimedes em xilogravura do século XVI. Autoria desconhecida.

O sábio grego Arquimedes (séc. III a.C.) fora incumbido pelo rei de descobrir se o ourives usara menos ouro na confecção de sua coroa. Como saber sem derreter a peça? Obteve a resposta quando percebeu que ao entrar na banheira deslocava certa quantidade de água. Nesse momento, gritou: "Eureka!" (Descobri!). Arquimedes intuíra não só a solução para a dúvida do rei, mas, principalmente, um dos mais fecundos princípios da hidrostática sobre a densidade dos corpos (se quiser saber mais sobre isso, consulte o capítulo 29, "Ciência antiga e medieval").

Com base em sua experiência pessoal, descreva uma intuição que lhe tenha sido proveitosa.

c) **A intuição intelectual** procura captar diretamente a essência do objeto. Descartes, quando chegou à consciência do *cogito* — o eu pensante —, considerou tratar-se de uma *primeira verdade* que não podia ser provada, mas da qual não se poderia duvidar: *Cogito, ergo sum*, que em latim significa "penso, logo existo". A partir dessa intuição primeira (a existência do ser como pensamento), estabeleceu o ponto de partida para o método da filosofia e das ciências modernas. Outros filósofos posteriores, como Kant e Bergson, embora sob ângulos diferentes, recorreram a intuições.

Conhecimento discursivo

Para compreender o mundo, a razão supera as informações concretas e imediatas recebidas por intuição e organiza-as em conceitos ou ideias gerais que, devidamente articulados pelo encadeamento de juízos e raciocínios, levam à demonstração e a conclusões. Portanto, o conhecimento **discursivo**, ao contrário da intuição, precisa da palavra, da linguagem.

E ETIMOLOGIA

Discurso. Do latim *discursus*, literalmente "ação de correr para diversas partes, de tomar várias direções".

Por ser mediado pelo conceito, o conhecimento discursivo é abstrato. Abstrair significa "isolar", "separar de". Fazemos abstração quando isolamos um elemento que não é dado separadamente na realidade. Quando vemos um copo, temos a imagem dele, uma representação mental de natureza sensível, concreta e particular: um copo de cristal verde lapidado. A ideia abstrata, porém, despreza as características secundárias para obter a representação intelectual do objeto, que é imaterial e geral. Ou seja, a ideia de copo não se refere àquele copo particular, mas a todos os copos existentes.

Quando dizemos "2", não importa se nos referimos a duas pessoas ou duas frutas. A matemática faz abstração ao reduzir as coisas, que têm peso, dureza e cor, a pura quantidade. As ciências em geral baseiam-se em abstrações para estabelecer as leis: ao concluir que o calor dilata os corpos, são abstraídas as características que distinguem cada corpo para considerar apenas os aspectos comuns àqueles corpos, ou seja, o "corpo em geral", enquanto submetido à ação do calor. Quanto mais abstrato o conceito, mais se distancia da realidade concreta. Esse artifício da razão é importante para a superação das particularidades do real e a elaboração de leis gerais explicativas.

Como se dá então o conhecimento? Ao afastar-se do vivido, a razão enriquece o conhecimento pela interpretação e pela crítica. Esse distanciamento, porém, como enfatizam alguns filósofos, pode representar um empobrecimento da experiência intuitiva que temos do mundo e de nós mesmos. Por isso, o conhecimento se faz pela relação contínua entre intuição e razão, vivência e teoria, concreto e abstrato.

3 A verdade

O que é a verdade? O que alguém quer dizer quando afirma que uma proposição é verdadeira?

Primeiro, vamos comparar o conceito de *verdade* com o de *veracidade* e o de *realidade*.

- **Verdade e veracidade**: suponhamos que alguém me diz que há um lado da Lua que nunca é visto da Terra. Se eu lhe perguntar: "Isto é verdade?", a indagação pode ter dois sentidos. O primeiro é se meu interlocutor está me dizendo uma verdade ou se está mentindo. Nesse caso, trata-se da veracidade, que nos coloca diante de uma questão moral: o indivíduo veraz é o que não mente. O segundo sentido é propriamente epistemológico: quero saber se a afirmação de meu interlocutor é verdadeira ou falsa. Para tanto, indago se a proposição corresponde à realidade, se já foi comprovada, se a fonte de informação é digna de crédito ou não. É esse tipo de verdade que iremos discutir neste capítulo.
- **Verdade e realidade**: embora diferentes, esses dois conceitos são frequentemente confundidos na linguagem cotidiana. A verdade do conhecimento diz respeito a uma proposição que pode ser verdadeira ou falsa. Assim, quando afirmamos "Este colar é de ouro", a proposição é falsa caso se trate de uma bijuteria. Mas se nos referimos a coisas (um colar, um quadro, um dente) só podemos afirmar que são *reais*, e não verdadeiras ou falsas.

Portanto, o falso ou o verdadeiro não estão na coisa mesma, mas no juízo, no valor de verdade ou falsidade de uma proposição. Ao beber o líquido escuro que me parecia café, emito os juízos: "Este líquido não é café" e "Este líquido é cevada". Portanto, a verdade ou falsidade existe apenas quando afirmamos ou negamos algo sobre uma coisa, e esses juízos correspondem à realidade.

Estamos diante de um primeiro sentido de verdade: *um juízo verdadeiro é aquele que corresponde aos fatos*. Mas seria assim tão simples? A definição parece óbvia, concorda com o senso comum, mas a questão é muito mais complexa. Será que podemos conhecer as coisas *como elas são de fato*?

4 Podemos alcançar a certeza?

A certeza é o resultado de nossa adesão ao que consideramos verdadeiro. Para entendermos as mudanças ocorridas ao longo da história da filosofia sobre a possibilidade de conhecermos a verdade, vamos distinguir duas tendências principais: o dogmatismo filosófico e o ceticismo.

O dogmatismo

Há vários significados para o conceito de dogmatismo. Vejamos o sentido do senso comum e o sentido filosófico do termo.

a) O dogmatismo do senso comum

No senso comum, o dogmatismo designa as certezas não questionadas do nosso cotidiano: de posse

> **Proposição.** Expressão linguística de um enunciado (com sujeito, verbo e predicado) que pode ser verdadeira ou falsa. O mesmo que juízo.
>
> **Epistemológico.** Relativo ao conhecimento. Conferir outros sentidos de epistemologia no **Vocabulário**, no final deste livro.

Calvin — **Bill Watterson**

Calvin não teve um comportamento veraz: ele simula uma dor intensa que não sente de fato.

do que supõe verdadeiro, a pessoa fixa-se na certeza e abdica da dúvida. O mundo muda, os acontecimentos se sucedem e o dogmático permanece petrificado nos conhecimentos dados de uma vez por todas. Resistindo ao diálogo, teme o novo e não raro tenta impor aos outros seu ponto de vista, sucumbindo à intransigência e à prepotência.

Quando esse tipo de dogmatismo atinge a política, assume um caráter ideológico que nega o pluralismo e abre caminho para a doutrina oficial do Estado ou do partido único, com todas as decorrências, como censura e repressão. Foi o caso dos totalitarismos de esquerda, na União Soviética, e de direita, na Alemanha nazista.

PARA REFLETIR

Do ponto de vista religioso, chamamos **dogma** à verdade fundamental e indiscutível de uma doutrina. Na religião cristã, de acordo com o dogma da Santíssima Trindade, as três pessoas (Pai, Filho e Espírito Santo) não são três deuses, mas apenas um. Não importa se a razão não consiga entender que Deus é ao mesmo tempo uno e trino, porque esse princípio tem como fundamento a revelação divina e, portanto, deve ser aceito pela fé.

ETIMOLOGIA

Dogma. *Dógma*, em grego, significa "doutrina", "ensinamento". *Dogmatikós*, "o que se funda em princípios" ou aquilo que é "relativo a uma doutrina".

b) O dogmatismo filosófico

Se desde sempre a filosofia exerceu uma função crítica das opiniões não refletidas que dão suporte aos preconceitos de toda ordem, como então falar de filosofias dogmáticas?

O dogmatismo filosófico, porém, não tem o sentido pejorativo atribuído ao dogmatismo sem crítica do senso comum. A filosofia dogmática serve para identificar os filósofos que estão convencidos de que a razão pode alcançar a certeza absoluta.

O primeiro a colocar em questão a capacidade de atingir certezas absolutas foi o filósofo escocês David Hume, conforme veremos no próximo tópico, sobre ceticismo. Sua influência foi decisiva para Kant, que, na obra *Crítica da razão* pura, põe a razão em um tribunal a fim de definir os limites e as possibilidades do conhecimento. Por isso a filosofia kantiana chama-se *criticismo*. Kant chega à conclusão de que não se pode conhecer as coisas tal como são em si, mas apenas os *fenômenos*.

Embora fosse um homem religioso, Kant concluiu que não somos capazes de conhecer pela razão as verdades metafísicas, que estão além da experiência sensível, tais como Deus, a alma, a liberdade. Vale observar que não se trata propriamente de ceticismo, ainda que o criticismo kantiano tenha aberto caminho para posturas céticas posteriores.

PARA SABER MAIS

As ideias de Deus, alma e liberdade às quais Kant negara a possibilidade de conhecer pela razão são recuperadas como postulados em outra obra, *A crítica da razão prática*. Esse assunto será retomado nos capítulos 15, "A crítica à metafísica", e no 20, "Teorias éticas".

À luz dessas conclusões, Kant chama de dogmáticos os filósofos anteriores a ele por não terem proposto, como discussão primeira, a crítica da faculdade de conhecer. Ou seja, aqueles filósofos "não acordaram do sono dogmático", no sentido de ainda manterem a confiança não questionada no poder que a razão tem de conhecer. Nesse rol estaria incluído Descartes, que, como vimos, tinha em vista alcançar a verdade indubitável.

O ceticismo

O **cético** tanto observa e pondera que conclui, nos casos mais radicais de ceticismo, que o conhecimento é impossível. Nas tendências moderadas, o cético suspende provisoriamente qualquer juízo ou admite apenas uma forma relativa de conhecimento, reconhecendo os limites para a apreensão da verdade. Para alguns, mesmo que seja impossível encontrar a certeza, não se deve abandonar a busca da verdade.

ETIMOLOGIA

Fenômeno. Do grego *phainómenon*, "o que aparece para nós", "a aparência".
Ceticismo. Do grego *sképsis*, "investigação", "questionamento".

Na Antiguidade grega, o filósofo sofista Górgias de Leontini (séc. IV a.C.), um mestre da retórica, desenvolveu três teses: a) o Ser não existe; b) se existisse alguma coisa, não poderíamos conhecê-la; c) se a conhecêssemos, não poderíamos comunicá-la aos outros. O que parece um jogo de palavras significa a separação entre o ser, o pensar e o dizer, aspectos que os filósofos anteriores (e muitos dos que vieram depois) costumam de certo modo entrelaçar, ao identificar o pensamento do real com a realidade das coisas. Portanto, Górgias critica o conceito de verdade como **aletheia**, como o Ser que se deixa desvelar pelo pensamento.

E ETIMOLOGIA

Aletheia. Para os gregos, *aletheia*, formada por *a* (prefixo negativo) e *léthe* (esquecimento), significa "verdade". Designa o não esquecido, o não oculto, portanto o que se desvela, o que é visto, o que é evidente.

O grande representante do ceticismo foi outro grego, Pirro de Élida (séc. IV-III a.C.).

Pirro acompanhou o imperador macedônio Alexandre Magno em suas expedições de conquista, quando teve oportunidade de conhecer povos com valores e crenças diferentes. Como geralmente fazem os céticos, confrontou a diversidade de convicções, bem como as filosofias contraditórias, abstendo-se, no entanto, de aderir a qualquer certeza.

Para Pirro, a atitude coerente do sábio é a suspensão do juízo e, como consequência prática, a aceitação com serenidade do fato de não poder discernir o verdadeiro do falso. Além do aspecto epistemológico, essa postura tem um caráter ético, porque aqueles que se prendem a verdades indiscutíveis estão fadados à infelicidade, já que tudo é incerto e fugaz.

No Renascimento, o filósofo francês Michel de Montaigne retoma o ceticismo ao contrapor-se às certezas da escolástica e à intolerância, atitude que marcara o período de lutas religiosas. Analisa em *Ensaios* e em outras obras a influência de fatores pessoais, sociais e culturais na formação das opiniões, sempre tão instáveis e diversificadas. A perspectiva de Montaigne denota uma característica da modernidade em vias de se estabelecer: a valorização da subjetividade, do "eu" que reage à imposição cega da tradição. Ao examinar as mais diversas possibilidades, a consciência prefere a dúvida à certeza.

É notável a posição de Montaigne, que, em pleno período pós-descoberta do Novo Mundo, discorda das opiniões daqueles que, numa visão etnocêntrica, chamam os povos nativos de bárbaros e selvagens por praticarem o canibalismo:

> Cada qual considera bárbaro o que não se pratica em sua terra. E é natural, porque só podemos julgar da verdade e da razão de ser das coisas pelo exemplo e pela ideia dos usos e costumes do país em que vivemos.[2]

Escolástica. Designa os filósofos e teólogos medievais que ministravam cursos nas escolas eclesiásticas e nas universidades entre os séculos IX e XVI.

THE BRIDGEMAN ART/GETTY IMAGES

Academia de Platão, mosaico romano, século I d.C.

A Academia de Platão foi a primeira instituição grega de nível superior, reunindo intelectuais de diversas áreas para intensos debates filosóficos. Essas discussões serviram de base aos Diálogos de Platão, entre eles *Górgias*, que trata de retórica, a arte de bem falar. Sabemos das críticas que Sócrates e Platão faziam aos sofistas, por entenderem que eles usavam a retórica como instrumento não só de persuasão, mas de manipulação da verdade, defendendo inclusive o que era falso. Outros historiadores da filosofia veem em Górgias, no entanto, um crítico da noção de verdade como desvelamento do real. Como para Górgias o ser não se deixa desvelar pelo pensamento, resta-lhe o caminho pelo qual a razão busca iluminar os fatos, sem chegar a uma conclusão definitiva.

Discuta com seu colega como ainda no mundo de hoje a retórica é um instrumento ambíguo: tanto pode estar a serviço da conscientização como da manipulação das ideias. Justifique e dê exemplos.

[2] MONTAIGNE, Michael. *Ensaios*. São Paulo: Abril Cultural, 1972. p. 104.

David Hume (séc. XVIII) admite o ceticismo ao reconhecer os limites muito estreitos do entendimento humano. Mais que isso, pondera que estamos subjugados pelos sentidos e pelos hábitos, o que reduz as nossas certezas a simples probabilidades. Recusa a metafísica e portanto os princípios ***a priori*** que tentem justificar nosso conhecimento.

ETIMOLOGIA

A priori. Do latim, "o que é anterior à experiência".

Hume, porém, não se diz cético à maneira de Pirro, porque ele critica apenas o poder da razão de conhecer, e prefere se referir às *crenças* teóricas e práticas, que podem ser corretas ou incorretas e nos orientam no cotidiano. Assim, quando uma bola de bilhar bate em outra e a movimenta, tendemos a aceitar o *princípio da causalidade*: uma bola é a causa do movimento da outra (que é seu efeito). Trata-se, porém, de uma crença, que resulta da conjunção habitual entre um objeto e outro:

> ... após descobrir, pela observação de muitos exemplos, que duas espécies de objetos, como a chama e o calor, a neve e o frio, aparecem sempre ligadas, se a chama ou a neve se apresenta novamente aos sentidos, a mente é levada pelo hábito a esperar o calor ou o frio e a *acreditar* que tal qualidade realmente existe e se manifestará a quem lhe chegar mais perto.[3]

PARA REFLETIR

Não confundir a crença humeana com a crença religiosa. Para Hume, a crença é o conhecimento que não se pode comprovar racionalmente, mas é aceito com base na probabilidade. Já a crença religiosa depende de uma verdade revelada por Deus e é aceita sem contestação.

QUEM É?

THE SCOTTISH NATIONAL PORTRAIT GALLERY

David Hume. Allan Ramsay, 1766.

David Hume (1711-1776), filósofo e historiador escocês, foi um estudioso precoce, leitor de obras dos mais diversos teores. Ensaísta brilhante, seu pensamento crítico e naturalista é representativo do Iluminismo, sobretudo pela sua significativa presença na França, onde teve contato com os Enciclopedistas. Empirista convicto e conhecedor da evolução científica de sua época, insiste sobre a impossibilidade do conhecimento de ir além da experiência. A crítica à religião e a postura cética lhe valeram a acusação de ateísmo. A novidade do seu pensamento influenciou decisivamente os filósofos posteriores, seja para rejeitá-lo, seja para levar em conta sua crítica à metafísica. Suas principais obras são: *Tratado da natureza humana, Investigação sobre o entendimento humano, História da Inglaterra* e *A história natural da religião*, entre outras.

Dentre os brasileiros, o filósofo Oswaldo Porchat Pereira é um representante do neopirronismo. Para ele, nossa visão do mundo não passa de uma racionalização precária, provisória, relativa. E continua:

> Visão de mundo que se reconhece sujeita a uma evolução permanente, que exigirá por isso mesmo uma revisão constante. [...] A natureza mesma de um tal empreendimento, que certamente visa a obtenção de resultados relativamente consensuais, se acomoda sem maior problema ao pluralismo de pontos de vista e de perspectivas fenomênicas diferentes. Ao antigo conflito das verdades se substitui agora o diálogo desses pontos de vista e dessas perspectivas. Mantém-se a aposta no caráter intersubjetivo da racionalidade. Mercê de sua postura cética, a filosofia se pode pensar sob o prisma da comunicação, da conversa, do diálogo, do consenso e... da relatividade. E, assim pensada, ela pode contribuir — e muito — para favorecer o entendimento entre os homens: tendo destruído as verdades, ela poderá eventualmente ensiná-los a conviver com as suas diferenças.[4]

Metafísica. Campo da filosofia que trata do "ser enquanto ser", isto é, do ser independentemente de suas determinações particulares, do ser absoluto e dos primeiros princípios. Consultar também o **Vocabulário** no final do livro.

Fenomênico. Relativo ao fenômeno: o cético adere não à realidade mesma, que ele julga ser inacessível, mas ao fenômeno.

Consenso. Acordo de opiniões após discussão sobre divergências. Antônimo: dissenso.

[3] HUME, David. *Investigação sobre o entendimento humano.* Seção V, Parte I.
[4] PORCHAT PEREIRA, Oswaldo. *Vida comum e ceticismo.* São Paulo: Brasiliense, 1993. p. 252.

5 Teorias sobre a verdade

Que critério nos permite reconhecer a verdade e distingui-la do erro? Ou seja, que condições a verdade exige para ser aceita como tal? Quando afirmar que algo é verdadeiro? A resposta mais frequente está na evidência como critério da verdade. Veremos os filósofos que são adeptos dessa teoria e aqueles que contemporaneamente a criticam.

O critério da evidência

Segundo a *teoria da correspondência*, representada na filosofia desde Aristóteles, é verdadeira a proposição que corresponde a um fato da realidade, tal qual ele se mostra a nós. Sob esse prisma, a verdade é a manifestação para nosso intelecto daquilo que é, tal como é. O critério para identificar o verdadeiro é a *evidência*, que é a visão intelectual do real.

Embora a teoria da correspondência tenha adeptos ainda hoje, recebeu muitas críticas por conta da dificuldade de explicar o que significa uma proposição corresponder a um fato. Em outras palavras, a verdade é a representação do mundo como ele realmente é ou como nos aparece? Afinal, se temos acesso aos fatos apenas pelas nossas crenças, e essas não são verificadas por outros meios, a não ser por elas mesmas, como garantir que nosso pensamento corresponde aos fatos?

Os mestres da suspeita

O racionalismo confiante de que há um mundo objetivo a ser desvendado pela razão começou a sofrer abalos. Já sabemos que Hume e Kant colocaram em questão o critério de verdade dos antigos, mas foi na segunda metade do século XIX e no começo do XX que diversos filósofos intensificaram as críticas ao conceito de verdade como representação e correspondência.

A persistência da memória. Salvador Dalí, 1931. Esta tela surrealista de Dalí nos remete à indagação: "O que é o tempo?". Seria uma realidade externa a nós ou depende apenas do nosso entendimento?

PARA REFLETIR

Kant nos diz que o tempo não nos é dado pela sensação, mas é uma intuição pura: a noção de tempo é *anterior* à percepção das coisas e *condição* para percebê-las. Mas o enfoque dado por Dalí em sua tela é outro: ele não indaga sobre a natureza do tempo, mas do tempo como condição da persistência da memória. Você saberia explicar por que o existir humano depende da memória?

A expressão "mestres da suspeita" foi cunhada pelo filósofo francês Paul Ricoeur (1913-2005) para designar os pensadores Marx, Nietzsche e Freud. Segundo Ricoeur, foram esses três pensadores que suspeitaram das ilusões da consciência. Por consequência, para descobrir a verdade, é preciso proceder à interpretação do que consideramos conhecer a fim de decifrar o sentido oculto no sentido aparente.

a) Marx: a ideologia

Karl Marx (1818-1883) viveu intensamente o período de confronto do proletariado com a elite econômica de seu tempo. Quando esteve na Inglaterra, conheceu de perto a situação deplorável do operariado, obrigado a longas jornadas de trabalho em oficinas insalubres e com baixa remuneração.

Elaborou então sua teoria materialista, segundo a qual as ideias devem ser compreendidas a partir do contexto histórico da comunidade em que se vive, porque elas derivam das condições materiais, no caso, das forças produtivas da sociedade. Percebeu também as contradições que surgem entre essas forças produtivas e as relações de produção. Nesse contexto, as ideias vigentes, que aparecem como universais e absolutas, são de fato parciais e relativas, porque representam as ideias da classe dominante. As concepções filosóficas, jurídicas, éticas, políticas, estéticas e religiosas da burguesia são estendidas para o proletariado, perpetuando os valores a elas subjacentes como verdades universais. Para Marx esse conhecimento que aparece de forma distorcida é a *ideologia*, ou seja, um conhecimento ilusório que tem por finalidade mascarar os conflitos sociais e garantir a dominação de uma classe, impedindo que a classe submetida desenvolva uma visão do mundo mais universal e lute pela autonomia de todos.

b) Nietzsche: o critério da vida

Friedrich Nietzsche (1844-1900) procedeu a um deslocamento do problema do conhecimento, alterando o papel da filosofia. Para ele, o conhecimento não passa de interpretação, de atribuição de *sentidos*, sem jamais ser uma explicação da realidade. Conferir sentidos é, também, conferir *valores*, ou seja, os sentidos são atribuídos a partir de determinada escala de valores que se quer promover ou ocultar.

Para Nietzsche, o conhecimento resulta de uma luta, do compromisso entre instintos. Ao compreender a avaliação que foi feita desses instintos, descobre que *o único critério que se impõe é a vida*. O critério da verdade, portanto, deixa de ser um valor racional para adquirir um valor de existência. O que Nietzsche quer dizer com "critério da vida"? Ao perguntar-se que sentidos atribuídos às coisas fortalecem nosso "querer viver" e quais o degeneram, questiona os valores para distinguir quais nos fortalecem vitalmente e quais nos enfraquecem.

Outra teoria que destaca o caráter interpretativo de todo conhecimento é a do perspectivismo, que consiste em considerar uma ideia a partir de diferentes perspectivas. Essa pluralidade de ângulos não nos leva a conhecer o que as coisas são em si mesmas, mas é enriquecedora por nos aproximar mais da complexidade da vida em seu movimento.

c) Freud e o inconsciente

Sigmund Freud (1856-1939), fundador da psicanálise, desmente as crenças racionalistas de que a consciência humana é o centro das decisões e do controle dos desejos, ao levantar a hipótese do *inconsciente*. Diante de forças conflitantes, o indivíduo reage, mas desconhece os determinantes de sua ação. Caberá ao processo psicanalítico auxiliá-lo na busca do que foi silenciado pela repressão dos desejos.

A hipótese do inconsciente tornou-se fecunda, ao permitir a compreensão de uma série de acontecimentos da vida psíquica. Para a psicanálise, todos os nossos atos trazem significados ocultos que podem ser interpretados. Usando de uma metáfora, poderíamos dizer que a vida consciente é apenas a ponta de um *iceberg*, cuja montanha submersa simboliza o inconsciente.

Os sintomas que vêm do inconsciente devem ser decifrados na sua linguagem simbólica, já que o simbolismo é o modo de representação indireta e figurada de uma ideia, conflito ou desejo inconscientes. Há vários tipos de sondagem do inconsciente, mas, para Freud, os *sonhos* constituem o caminho privilegiado, que ele procura desvendar pelo método da associação livre.

As críticas elaboradas por Marx, Nietszche e Freud repercutiram de maneira significativa nas reflexões posteriores sobre o sentido da verdade e o alcance do nosso conhecimento. Filósofos de correntes diferentes, como o pragmatismo, a filosofia da linguagem, o neopositivismo, o neomarxismo, enfim, das mais diversas tendências, se ocuparam com essa questão. É o que veremos no último capítulo desta Unidade.

BJANKA KADIC/ALAMY-OTHER IMAGES

O divã de Freud. Museu de Freud, Londres, 2000.

Em 1899, Freud lançou *A interpretação dos sonhos*, obra que marcou o nascimento da psicanálise. Segundo a técnica freudiana, o paciente deitado no divã, sem ver seu analista, teria melhores condições de concentrar-se nos seus processos mentais e fazer as associações livres que lhe permitiriam desvelar os significados subjacentes aos seus sonhos.

PARA SABER MAIS

Voltaremos a Marx nos capítulos 15, "A crítica à metafísica", e 26, "As teorias socialistas". Nietzsche será abordado ainda nos capítulos 16, "A crise da razão", e no 20, "Teorias éticas". Freud voltará a ser estudado no capítulo 32, "O método das ciências humanas".

6 A verdade como horizonte

Vimos que, no correr da história humana, existiram diversas maneiras de compreender o que é a verdade. O critério da evidência prevaleceu na Antiguidade e na Idade Média e sofreu alterações na modernidade, com Descartes, que não renunciou à possibilidade do conhecimento. Posteriormente, as posições conflitantes entre dogmáticos e céticos nos ensinam a desconfiar das certezas, postura que se tornou mais aguda na contemporaneidade.

Se não sucumbirmos ao ceticismo radical — que em última instância recusa a filosofia — nem ao dogmatismo — que se aloja na comodidade das verdades absolutas —, poderemos melhor suportar o espanto, a admiração, a controvérsia e aceitar o movimento contínuo entre certeza e incerteza. Isso não significa renunciar à procura do conhecimento, porque conhecer é dar sentido ao mundo, interpretar a realidade é descobrir a melhor maneira para agir.

A verdade continua como um propósito humano necessário e vital, que exige a liberdade de pensamento e o diálogo, para que os indivíduos compartilhem as interpretações possíveis do real.

Leitura complementar

As verdades da razão

"Raciocinar não é algo que aprendemos em solidão, mas algo que inventamos ao nos comunicar e nos confrontar com os semelhantes: toda razão é fundamentalmente *conversação*. 'Conversar' não é o mesmo que ouvir sermões ou atender a vozes de comando. Só se conversa — sobretudo só se discute — entre iguais. Por isso o hábito filosófico de raciocinar nasce na Grécia, junto com as instituições políticas da *democracia*. Ninguém pode discutir com Assurbanipal ou com Nero, e ninguém pode conversar abertamente em uma sociedade em que existem castas sociais inamovíveis. [...] Afinal de contas, a disposição a filosofar consiste em decidir-se a tratar os outros *como se também fossem filósofos*: oferecendo-lhes razões, ouvindo as deles e construindo a verdade, sempre em dúvida, a partir do encontro entre umas e outras.

[...] A democracia se baseia na suposição de que não há homens que nascem para mandar nem outros que nascem para obedecer, mas todos nós nascemos com a capacidade de pensar e, portanto, com o direito político de intervir na gestão da comunidade de que fazemos parte. No entanto, para que os cidadãos possam ser politicamente iguais, é imprescindível que, por outro lado, nem todas as suas opiniões o sejam: deve haver algum meio de hierarquizar as ideias na sociedade não hierárquica, potencializando as mais adequadas e descartando as errôneas ou daninhas. Em resumo, buscando a verdade. Essa é justamente a missão da razão cujo uso todos nós compartilhamos [...]. Na sociedade democrática, as opiniões de cada um não são fortalezas ou castelos para que neles nos encerremos como forma de autoafirmação pessoal: 'ter' uma opinião não é 'ter' uma propriedade que ninguém tem o direito de nos arrebatar. Oferecemos nossa opinião aos outros para que a debatam e por sua vez a aceitem ou refutem, não simplesmente para que saibam 'onde estamos e quem somos'. E é claro que nem todas as opiniões são igualmente válidas: valem mais as que têm melhores argumentos a seu favor e as que melhor resistem à prova de fogo do debate com as objeções que lhe sejam colocadas.

[...] A razão não está situada como um árbitro semidivino acima de nós para resolver nossas disputas; ela funciona *dentro* de nós e *entre* nós. Não só temos que ser capazes de exercer a razão em nossas argumentações como também — e isso é muito importante e, talvez, mais difícil ainda — devemos desenvolver a capacidade de ser *convencidos* pelas melhores razões, venham de quem vierem. [...] A partir da perspectiva racionalista, a verdade buscada é sempre *resultado*, não ponto de partida: e essa busca inclui a conversação entre iguais, a polêmica, o debate, a controvérsia. Não como afirmação da própria subjetividade, mas como caminho para alcançar uma verdade objetiva através das múltiplas subjetividades."

SAVATER, Fernando. *As perguntas da vida*. São Paulo: Martins Fontes, 2001. p. 43-44.

Questões

1 Que relação o autor estabelece entre conversação e democracia?

2 O que significa dizer que a razão funciona *dentro* de nós e *entre* nós?

3 Releia o tópico que fecha o capítulo "A verdade como horizonte" e relacione a ideia de verdade com a frase do autor: "a verdade buscada é sempre *resultado*, não ponto de partida".

Atividades

Revendo o capítulo

1 Quais são as principais características do conhecimento intuitivo?

2 O que é conhecimento discursivo? Dê exemplos diferentes dos já citados.

3 Leia a citação de George Kneller e explique o que se ganha e o que se perde com a abstração.

"A ciência elimina a maior parte da aparência sensível e estética da natureza. Poentes e cascatas são descritos em termos de frequências de raios luminosos, coeficientes de refração e forças gravitacionais ou hidrodinâmicas". (George F. Kneller. *A ciência como atividade humana*. Rio de Janeiro: Zahar, 1980. p. 149.)

4 "O filósofo é crítico, embora não seja cético. Não desespera da verdade, mas recusa todas as certezas, considerando-as provisórias e sujeitas a serem relativizadas por novos argumentos." (Sérgio Paulo Rouanet. *As razões do Iluminismo*. São Paulo: Companhia das Letras, 1987. p. 320.)

Explique a citação respondendo às questões a seguir.

a) O que é um filósofo cético?

b) O que é a filosofia dogmática?

c) É possível recusar tanto o ceticismo como o dogmatismo? Justifique sua resposta.

Aplicando os conceitos

5 Observe as reproduções de uma pintura de Johannes Vermeer (1632-1675) e outra de Han van Meegeren (1889-1947).

COREL/STOCK PHOTOS

Mulher de azul lendo uma carta. Johannes de Vermeer, 1663-1664.

RIJKSMUSEUM AMSTERDAM, HOLANDA

Mulher escrevendo uma carta. Han van Meegeren, 1935.

Meegeren foi um falsário que imitava o estilo de pintores holandeses. Apesar de falsas, suas telas são tão boas que foram adquiridas pelo Museu de Washington.

A propósito dessas obras, explique.

a) Em que sentido as telas de Vermeer e de Meegeren são ambas verdadeiras.

b) E em que sentido a tela de Meegeren é falsa.

6 A citação de Porchat (no tópico "O ceticismo") aborda a questão do conhecimento, mas também pode ser analisada do ponto de vista ético e político. Explique essa afirmação e dê exemplos.

7 O que há de comum entre Marx, Nietzsche e Freud? E em que eles se distinguem?

Dissertação

8 Elabore uma dissertação com o seguinte tema: "A racionalidade é construída mediante o esforço pessoal de argumentação e o diálogo".

Caiu no vestibular

9 (UEL, 2007) "Assim como a natureza ensinou-nos o uso de nossos membros sem nos dar o conhecimento dos músculos e nervos que os comandam, do mesmo modo ela implantou em nós um instinto que leva adiante o pensamento em um curso correspondente ao que ela estabeleceu para os objetos externos, embora ignoremos os poderes e as forças dos quais esse curso e sucessão regulares de objetos totalmente dependem." (David Hume. *Investigação sobre o entendimento humano*. Trad. José Oscar de Almeida Marques. São Paulo: Unesp, 1999. p. 79-80.)

Com base no texto e nos conhecimentos sobre a teoria do conhecimento de Hume, assinale a alternativa correta.

a) Para Hume, o princípio responsável por nossas inferências causais chama-se instinto de autoconservação.

b) Entre o curso da natureza e o nosso pensamento não há qualquer correspondência.

c) Na teoria de Hume, a atividade mental necessária à nossa sobrevivência é garantida pelo conhecimento racional das operações da natureza.

d) O instinto ao qual Hume se refere chama-se hábito ou costume.

e) Segundo Hume, são os raciocínios *a priori* que garantem o conhecimento das questões de fato.

Inferências causais. Processo lógico que, a partir de enunciados, conduz a uma conclusão. No contexto, conclusão sobre as causas.

Capítulo

10 Ideologias

STEDELIJK MUSEUM, AMSTERDAM, HOLANDA

O agitador. George Grosz, 1928.

George Grosz (1893-1959), artista alemão, foi crítico irônico da guerra, da classe dirigente e de todo poder desmedido. Na tela *O agitador*, datada de 1928, o "agitador" é Hitler, que surgia no panorama da política alemã e assumiria o poder em 1933. Grosz exprime com sarcasmo o risco que ele representava e combateu-o de modo incansável. No período que antecedeu o governo nazista, a República de Weimar despertava insatisfações, às quais Hitler prometia atender: veja a comida e a bebida na parte superior do quadro. No entanto, no lado esquerdo, aparece a bota de cano alto, o cassetete de borracha e, em destaque, o tambor, com que Grosz insinua a famosa fala de Hitler: "Eu não sou senão o tambor de reunir", prenunciando sua capacidade de aglutinação popular. O que se segue, já sabemos pela história: a vitória do poder totalitário e a consequente manipulação das consciências.

1 Conceito geral de ideologia

Você já prestou atenção na letra da canção *Ideologia*, de Cazuza e Roberto Frejat? Diante de uma vida sem sentido, um jovem assiste a tudo "em cima do muro" e sequer conhece bem a si mesmo. Lamenta ter perdido o sonho de mudar o mundo e por isso, no refrão, brada por uma ideologia: "Eu quero uma pra viver!". O que transparece nesse apelo é o desejo de valorizar sua vida com significados outros que não dependam de modismos e concepções alheias. Para tanto, ele precisa pensar por si mesmo e adquirir autonomia de ação.

Esse exemplo nos dá o sentido mais geral e positivo do conceito de ideologia, como conjunto de ideias, crenças ou opiniões sobre algum ponto sujeito a discussão. Falamos então da ideologia de um pensador, do corpo sistemático de suas ideias, do seu posicionamento interpretativo diante de certos fatos. É assim que distinguimos ideologia liberal de ideologia socialista, as duas principais visões políticas, sociais e econômicas do nosso tempo.

PARA REFLETIR

Os partidos políticos estabelecem as bases ideológicas que fornecem as diretrizes de ação a seus filiados e políticos em exercício, daí a importância da *fidelidade partidária*. Você saberia identificar entre os partidos atuais aqueles que tendem para o liberalismo e os que se orientam pelo socialismo? Há ainda simpatizantes do comunismo? O que seriam os partidos chamados "de centro" e de "extrema direita"?

Esse sentido de ideologia também serve para designar a teoria pedagógica que orienta a prática de uma escola ou a ideologia de uma religião que determina as regras de conduta dos fiéis. Quando lemos um livro podemos perceber aspectos da ideologia nele subjacente e que denota a visão de mundo de seu autor. E assim por diante.

2 Ideologia: sentido restrito

O termo *ideologia* foi criado no século XIX por Destutt de Tracy, filósofo e político francês, para designar uma "ciência das ideias". Com ela o autor pretendia compreender a formação das ideias numa sociedade por meio de um método semelhante ao das ciências da natureza. Seus seguidores foram chamados *ideólogos* por Napoleão Bonaparte, dando ao termo uma conotação pejorativa, já que rejeitava as posições políticas daquele grupo.

QUEM É?

PHOTOS 12/ALAMY-OTHER IMAGES

Karl Marx, s/d.

SWIM INK/CORBIS-LATINSTOCK

Friedrich Engels, s/d.

Karl Marx (1818-1883), filósofo, cientista social, historiador e revolucionário alemão, nasceu em Trier, de uma família judia convertida ao protestantismo. Seu amigo **Friedrich Engels** (1820-1895), interlocutor intelectual constante, era industrial e pôde, por diversas vezes, ajudar Marx financeiramente nos momentos mais críticos de sua vida pessoal. Marx e Engels exerceram papel-chave na Primeira Internacional (Associação Internacional dos Trabalhadores), que tinha em vista aglutinar as ações dos trabalhadores e coordenar suas reivindicações. Juntos escreveram o *Manifesto comunista* (1848), *A ideologia alemã* e *A sagrada família*. Embora suas ideias fossem gestadas em conjunto, Marx escreveu, sozinho: *A miséria da filosofia*, *Crítica da economia política* e *O capital*, entre outras. De Engels temos: *Anti-Düring*, *Dialética da natureza* e *A origem da família, da propriedade privada e do Estado*.

Posteriormente o conceito foi incorporado ao vocabulário dos pensadores, como Comte, Durkheim, Weber e Mannheim, e assumiu sentidos diferentes em cada um deles. No entanto, foi com Marx e Engels que o conceito se tornou mais conhecido, ao advertirem sobre a necessidade de levar em conta o conhecimento ilusório, que mascara os conflitos sociais. Desse modo, na concepção marxista de ideologia, prevalece o sentido negativo de *instrumento de dominação de uma classe sobre outra*.

O conceito de ideologia foi revisitado por outros filósofos, mesmo por não marxistas, com novas nuanças, como teremos oportunidade de analisar.

3 Conceito marxista de ideologia

Para compreendermos o conceito marxista de ideologia, é preciso rever o que é alienação.[1] Para Marx, a alienação manifesta-se na vida do operário quando o produto do seu trabalho deixa de lhe pertencer. Ao vender a sua força de trabalho, não mais decide sobre o salário, o horário e o ritmo de trabalho; e por ser comandado de fora, perde o centro de si mesmo, tornando-se "alheio", "estranho" a si próprio, portanto alienado.

Esse estado de coisas é típico de sociedades divididas em classes, em que predomina a separação

[1] Consultar o capítulo 6, "Trabalho, alienação e consumo".

entre o trabalho manual e o intelectual, nas quais os trabalhadores perdem a autonomia e se sujeitam à exploração. Por que o operário não reage a essa situação? Marx explica que a ideologia impede a tomada de consciência da alienação. Assim, a coesão social é mantida sem o recurso à violência física.

Embora o conceito de ideologia já estivesse subentendido em suas primeiras obras, Marx introduziu o termo pela primeira vez em *A ideologia alemã*, na qual critica os filósofos hegelianos, cujas reflexões partiam de ideias. De acordo com sua concepção materialista da história, deve-se iniciar pelo exame do modo de produção capitalista para só então analisar como são produzidas as ideias nessa realidade concreta.

Em que consiste portanto a ideologia segundo Marx?

Ideologia é o conjunto de representações e ideias, bem como de normas de conduta, por meio das quais o indivíduo é levado a pensar, sentir e agir da maneira que convém à classe que detém o poder. Essa consciência da realidade torna-se uma *distorção* dela quando camufla os conflitos existentes no seio da sociedade, ao apresentá-la una e harmônica, como se todos os indivíduos partilhassem dos mesmos interesses e ideais.

Portanto, a ideologia:

- constitui um corpo sistemático de *representações* que nos "ensinam" a pensar e de *normas* que nos "ensinam" a agir;
- determina a relação entre os indivíduos e as condições de existência deles, *adaptando-os* às tarefas prefixadas pela sociedade;
- *camufla* as diferenças de classe e os conflitos sociais, ora concebendo a sociedade como "una e harmônica", ora justificando as diferenças existentes;
- garante a *coesão* social e a *aceitação sem críticas* das tarefas mais penosas e pouco recompensadoras, em nome da "vontade de Deus", do "dever moral" ou simplesmente como decorrência da "ordem natural das coisas";
- mantém a dominação de uma classe sobre outra.

Características da ideologia

É interessante observar que a ideologia não é uma *mentira* que a classe dominante inventa para subjugar a classe dominada, porque inclusive os que se beneficiam dos privilégios estão impregnados por ela, e também eles se convencem da verdade dessas ideias.

Vamos então distinguir as características da ideologia.

a) Naturalização

A *naturalização* consiste em aceitar como naturais situações que na verdade resultam da ação humana e, como tais, são *históricas*. Por exemplo: afirmar que desde sempre existiram pobres e ricos, sendo impossível mudar esse estado de coisas. Assim diz o dramaturgo Bertolt Brecht na peça *A exceção e a regra*:

> Nós vos pedimos com insistência:
> Nunca digam – Isso é natural!
> [...]
> A fim de que nada passe por ser imutável.
> [...]
> Sob o familiar, descubram o insólito.
> Sob o cotidiano, desvelem o inexplicável.
> Que tudo que seja dito ser habitual,
> Cause inquietação.
> Na regra é preciso descobrir o abuso.
> E sempre que o abuso for encontrado,
> É preciso encontrar o remédio.[2]

b) Universalização

Outra característica da ideologia é a *universalização*, pela qual os valores da classe dominante são estendidos aos que a ela se submetem. É assim que a empregada doméstica "boazinha" não discute salário nem reclama se trabalha além do horário. Também os missionários que acompanhavam os colonizadores às terras conquistadas certamente não percebiam o caráter ideológico da sua ação ao imporem sua religião e moral ao povo dominado.

c) Abstração e aparecer social

A universalidade das ideias e dos valores resulta de uma *abstração*, ou seja, as representações ideológicas não se referem ao concreto, mas ao *aparecer social*. A sociedade "una e harmônica" é portanto uma abstração, porque, ao analisarmos concretamente as relações sociais, descobrimos a divisão em classes e os conflitos de interesses.

Por exemplo, é difícil contestar que "o trabalho dignifica". É verdade, bem sabemos que o trabalho é condição de nossa humanização, mas essa afirmação é ideológica quando consideramos apenas a *ideia de trabalho*, independentemente da análise da situação concreta e histórico social em que de fato é realizado. Nesse caso, o que descobrimos pode

Insólito. Não habitual, estranho.

[2] BRECHT, Bertolt. "A exceção e a regra". Em: PEIXOTO, Fernando. *Brecht, vida e obra*. Rio de Janeiro: José Álvaro Editor, 1968. p. 123 e 125.

ser exatamente o contrário: o trabalho como embrutecimento e condição de reificação (coisificação) do ser humano.

Basta saber que no tempo de Marx as indústrias inglesas contratavam trabalhadores para uma jornada extensa, sem direito a férias, auxílio para doença ou invalidez nem aposentadoria, além de arregimentarem crianças e mulheres como mão de obra mais barata.

OROZCO, JOSÉ CLEMENTE. *"O RICO SE BANQUETEIA ENQUANTO OS TRABALHADORES LUTAM"*, 1923. LICENCIADO POR AUTVIS, BRASIL, 2009

O rico se banqueteia enquanto os trabalhadores lutam (1923), afresco de José Clemente Orozco (1883-1947). Orozco participou do grupo dos muralistas mexicanos, com David Alfaro Siqueiros e Diego Rivera. O tema constante de seus trabalhos é a luta do povo e o ideal da revolução socialista.

PARA SABER MAIS

Relembrando: **fetichismo** é o processo pelo qual a mercadoria, um ser inanimado, adquire "vida": o valor de uso de uma mercadoria interessa menos que o valor de troca, e é esse valor que passa a determinar as relações humanas, ao contrário do que deveria acontecer. **Reificação** (ou coisificação) é a transformação dos seres humanos em coisas em consequência do fetichismo. Ou seja, a "humanização" da mercadoria desumaniza o trabalhador, que por sua vez é transformado em mercadoria (ver capítulo 6, "Trabalho, alienação e consumo").

d) Lacuna

A universalização e a abstração supõem uma *lacuna* ou a ocultação de algo que não pode ser explicitado, sob pena de desmascarar a ideologia. Por isso ela é ilusória, não no sentido de ser "falsa" ou "errada", mas por ser uma aparência que oculta a maneira pela qual a realidade social foi produzida. Sob o aparecer da ideologia existe a realidade concreta, que precisa ser descoberta pela análise da gênese do processo.

Ao dizer que "o salário paga o trabalho", podemos identificar uma *lacuna* quando, analisando a gênese do trabalho assalariado, descobrimos a mais-valia. Esse artifício, do qual deriva a exploração do trabalhador e sua alienação, oculta condições de vida diferentes para as pessoas na sociedade.

e) Inversão

A ideologia representa a realidade *invertida*, ou seja, o que seria a *origem* da realidade é posto como *produto* e vice-versa: o que é *efeito* é tomado como *causa*. Exemplificando: segundo a ideologia burguesa, a desigualdade social resulta de diferenças individuais: os indivíduos são desiguais *por natureza*, e a desigualdade social é, portanto, inevitável. Para Marx, contudo, a divisão social do trabalho e das relações de produção é, de fato, a causa da desigualdade social.

Se o filho de operário não melhora o padrão de vida, a explicação ideológica atribui o insucesso à incompetência, falta de força de vontade ou indisciplina. É verdade que não se pode desprezar as diferenças entre os indivíduos, mas pelo enfoque ideológico, o sucesso depende apenas da competência pessoal, sem levar em conta as dificuldades decorrentes da divisão de classes. É como se imaginássemos uma corrida em que alguns começam bem na frente dos outros apenas porque nasceram em berço privilegiado.

Outra inversão própria da ideologia decorre da hierarquia entre o pensar e o agir, que instaura a dicotomia entre o trabalho intelectual e o manual. Sob esse esquema, uma classe "sabe pensar", enquanto a outra "não sabe pensar" e, portanto, só executa o que lhe mandam fazer.

4 A ideologia em ação

Com base no exposto, vamos examinar alguns espaços em que a ideologia é veiculada e onde ela poderá ser mais facilmente identificada e criticada.

As histórias em quadrinhos

Os quadrinhos são um fenômeno característico da cultura de massa. Como expressão da produção cultural contemporânea, além da função de entretenimento e lazer, exercem a função mítica e fabuladora típica das obras de ficção, além de preencherem funções estéticas, representantes que são de um nova linguagem artística.

Como toda produção cultural, os quadrinhos encerram ambiguidade: ao mesmo tempo que servem à consciência, podem servir à alienação; tanto levam ao conhecimento como à escamoteação da realidade; tanto podem ser criativos como alienantes.

No início da década de 1970, dois chilenos, Ariel Dorfman e Armand Mattelart, defenderam a tese de que a leitura das histórias em quadrinhos não era tão inocente como se pensava. Da impiedosa crítica aos quadrinhos não escaparam desde os super-heróis até os aparentemente inofensivos personagens de Walt Disney.

Esses autores denunciaram a ideologia subjacente aos quadrinhos, nos quais as histórias escamoteiam os conflitos, transmitem uma visão deformada do trabalho e levam à passividade política. Para eles, na maioria dos enredos a sociedade aparece como una, estática e harmônica, e a "ordem natural" do mundo é quebrada apenas pelos vilões, que, encarnando o mal, atentam contra o patrimônio (roubo de bancos, joias e caixas-fortes). A defesa da legalidade, dada e não questionada, é feita pelos "bons", com a morte dos "maus" ou com a integração desses à norma estabelecida. Resulta daí um maniqueísmo simplista, que reduz todo conflito à luta entre o bem e o mal, sem considerar quaisquer nuanças de uma sociedade em que as pessoas e os grupos tenham opiniões e interesses divergentes.

No entanto, a crítica aos quadrinhos e a outras manifestações culturais de massa, como cinema, novelas e programas de televisão, não pode ser simplista. Há produções que, mesmo sem perder a dimensão de divertimento e prazer, propiciam uma visão crítica da sociedade e de nós mesmos.

Um exemplo clássico dos quadrinhos é o da Mafalda, de Quino, pseudônimo do argentino Joaquim Salvador Lavado (1932). Com humor — às vezes ácido e corrosivo —, questiona os costumes, a política, o conformismo e os preconceitos. Os amiguinhos da consciente e crítica Mafalda representam os estereótipos da alienação, do excessivo pragmatismo e do egocentrismo, enquanto outros são contestadores e criativos.

Nos Estados Unidos, Charles M. Schulz criou histórias que revelam as dificuldades do relacionamento humano, com os personagens Charlie Brown, menino de bom coração, mas tímido, desastrado e um pouco deprimido; Snoopy, o cão *beagle* capaz de filosofar sobre a vida e que age como um adulto bem-sucedido; Lucy, mandona, egoísta e sarcástica; Linus, inseguro, com seu inseparável cobertozinho.

Mais-valia. Segundo Marx, a mais-valia é a forma específica que assume a exploração, uma vez que a parte do *trabalho excedente* não é paga ao operário, servindo para aumentar cada vez mais o capital. Voltaremos a esse assunto no capítulo 26, "As teorias socialistas".

Escamotear. Esconder, encobrir.

Capa do livro de Hergé, *Tintin au Congo*, de 1970.

Hergé – pseudônimo do quadrinista belga Georges Rémi – publicou inúmeras tiras depois reunidas em livros que encantaram crianças e adultos, foram traduzidos em inúmeras línguas e até hoje são divulgados. Entretanto, algumas histórias, sobretudo as da série *As aventuras de Tintin*, geraram polêmica. Em "Tintin no Congo", os africanos são comparados a primitivos ingênuos e a "crianças grandes". Tintin mata vários animais, e, em uma ocasião, 15 antílopes de uma só vez. Algo semelhante ocorreu com "Tintin no País dos Sovietes", em que os bolcheviques são vistos como seres maléficos e perigosos. Mais tarde, o próprio Hergé defendeu-se alegando sua inexperiência e também o momento político vivido no início da década de 1930, quando as tiras foram publicadas. A visão eurocêntrica justificava a colonização do Congo pela Bélgica, e as nações liberais temiam a influência da Revolução Russa e repudiavam o comunismo.

A partir do conceito de ideologia e suas características, relacione eurocentrismo e colonização. Em seguida, posicione-se pessoalmente sobre o assunto.

Bill Watterson, outro quadrinista norte-americano, ao criar a dupla Calvin e seu tigre Haroldo, critica o mundo adulto. Não por acaso o nome do menino rebelde Calvin foi inspirado em Calvino, líder religioso do século XVI que rompeu com a Igreja Católica. Na versão original o nome do tigre é Hobbes, menção explícita ao filósofo do século XVII que tinha uma visão pessimista da natureza humana.

No Brasil, artistas como Angeli, Ziraldo, Glauco, os irmãos Caruso, Fernando Gonsales, Laerte, entre outros, seja em tiras ou em charges, aproveitam temas e situações do imaginário nacional para expressar o "pensar brasileiro" e também o questionar.

Publicidade e mídia

É verdade que a publicidade, por meio de competentes agências e suas criativas campanhas, divulga a variedade e a qualidade do que é produzido pelo mercado. Desse modo, o consumidor toma conhecimento dos produtos e pode fazer escolhas. No entanto, como vivemos em uma época de consumismo, as pessoas são levadas a comprar muito mais do que necessitam, pressionadas por desejos artificialmente estimulados.

A publicidade não vende apenas produtos, mas também ideias. Com o produto são veiculados valores que influenciam a vida no trabalho e nas relações afetivas: "compramos" o desejo de "subir na vida", estilos de vida e convicções políticas e éticas.

Nas eleições, o perfil de candidatos a cargos públicos é feito pela divulgação de suas qualidades e projetos. Sem dúvida é importante que o eleitor os conheça para melhor fazer sua escolha. O risco é o *marketing* político, de modo convincente, criar uma imagem falsa do candidato para conseguir adesões.

Outro espaço possível de ação ideológica são meios de comunicação de massa, como jornais, revistas, rádio, tevê, internet. Pela internet, dispomos, além da troca de mensagens entre particulares, da difusão de versões *on-line* de jornais e de páginas pessoais (*blogs*) das mais diversas tendências políticas.

Diante de um fato, certos aspectos são ressaltados e outros são descartados como menos importantes. Trata-se de um procedimento necessário, se considerarmos o volume de notícias disponíveis. Às vezes, porém, fatos que deveriam ser divulgados são intencionalmente ocultados dos cidadãos. Por exemplo, no tempo da ditadura no Brasil, sobretudo no governo do presidente Médici, prevalecia a censura e não eram noticiadas greves e manifestações contra o governo, muito menos as prisões arbitrárias e ações de tortura.

É bem verdade que nenhum relato é totalmente neutro. Não se trata de distorção voluntária por má-fé, mas da inevitável interpretação que sempre fazemos de qualquer evento. Nesse sentido, a

"Rabo preso". Expressão que qualifica pessoa ou instituição que tem vinculações condenáveis, as quais quer manter em segredo, por exemplo, corrupção.

ZIRALDO

CORTESIA DE RODRIGO LEÃO

Observe as duas tiras. A de Ziraldo, acima, é do período da ditadura brasileira e ironiza a chamada Lei Falcão, que vigorou de 1976 a 1984 e proibiu os debates durante a propaganda eleitoral. A tira de baixo, de Rodrigo Leão, ironiza o *marketing* político atual, quando o candidato tem o "rabo preso".

Com seu colega, indique os principais problemas políticos e as dificuldades dos eleitores em cada momento histórico.

imprensa é formadora de opinião, o que representa algo positivo, desde que, numa sociedade plural e democrática, tenhamos acesso a diversos veículos de informação, que nos permita comparar a diversidade de posicionamentos e construir uma opinião crítica. Quase nunca isso acontece, pois as revistas e jornais alternativos não alcançam a mesma difusão da grande mídia e não suportam a concorrência.

PARA REFLETIR

É um bom hábito informar-se sobre um fato por meio de noticiários de orientação sabidamente diferentes. Vamos tentar? Selecione um fato em evidência na mídia e leia sobre ele em pelo menos quatro noticiosos: em diferentes jornais, revistas e internet.

As distorções são evidentes quando se avalia o desempenho de governantes ou de grupos da sociedade civil. Frequentemente a veiculação da notícia é contaminada por orientações políticas. Por exemplo: ao noticiar uma greve de professores ou de operários, manchetes como "Milhares de crianças sem aula" ou "Milhões de dólares de prejuízo" fornecem a chave interpretativa da notícia. Elas induzem o leitor a desaprovar a greve, sem examinar se as reivindicações dos grevistas são justas ou não. A diferença entre a informação ideológica e a não ideológica é que a primeira veicula interesses de grupos restritos, transforma-se em instrumento de poder e impede o pluralismo. Já a informação não ideológica é aberta à discussão e oferece espaços para debates e opiniões divergentes.

Se existe o risco da mídia comprometida com o poder estabelecido, bem sabemos como a atuação da imprensa foi e tem sido importante no combate ao desmando político e à corrupção. Existem os jornalistas e repórteres investigativos, que, além de relatar e comentar fatos, trazem à luz aspectos que não são veiculados, apesar de importantes para a compreensão das notícias.

5 O discurso não ideológico

A ação e o pensamento nunca são totalmente determinados pela ideologia. Sempre haverá espaços para a crítica e fendas que possibilitam a elaboração do discurso contraideológico.

Em que o discurso não ideológico distingue-se da ideologia? Vimos que o discurso ideológico naturaliza, universaliza, é abstrato e lacunar, faz uma análise invertida da realidade e separa o pensar do agir. Cabe ao discurso não ideológico identificar as distorções e procurar demonstrar como elas foram produzidas historicamente. Além disso, deve restabelecer a relação entre a ação e a reflexão, a fim de não esclerosar cada uma delas como procedimentos e verdades definitivos. Afinal, nós conhecemos as coisas na medida em que as produzimos, daí toda teoria se tornar lacunar — e portanto ideológica — sem o vaivém entre o fato e o pensado.

Em resumo, se a ideologia permeia o tecido social e radica-se em instâncias insuspeitadas das relações humanas, reconhecemos não se tratar de uma força a que as pessoas se submetem de maneira irrevogável. Sempre haverá a possibilidade de estabelecer micropolíticas voltadas para a democratização das relações humanas e de criticar as formas hierarquizadas e imobilistas.

6 Outras concepções marxistas de ideologia

Nos escritos de Marx, o conceito de ideologia manteve o sentido negativo de conhecimento distorcido da realidade social. Como sua obra *A ideologia alemã* foi publicada postumamente e permaneceu por muito tempo desconhecida, pensadores marxistas posteriores, como Lênin — gestor da Revolução Russa de 1917 —, alargaram a abrangência do conceito. A ideologia adquiriu um sentido positivo como conjunto de ideias elaboradas pelo proletariado e que expressam seus interesses, em contraposição à visão de mundo da classe dominante. É assim que Lênin refere-se à "ideologia comunista".

Vejamos outros significados para o conceito.

Gramsci e a hegemonia

O filósofo italiano Antonio Gramsci (1891-1937) reelaborou o marxismo, ao desenvolver conceitos que evitaram a orientação mecanicista daqueles que percebiam a classe dominada como joguete das forças produtivas. Sem negar a dominação, fortaleceu a concepção de um proletariado atuante na luta para assumir seus próprios valores, estratégia para evitar a submissão.

PARA SABER MAIS

Gramsci foi um dos fundadores do Partido Comunista Italiano em 1921. Em 1926 foi preso durante o regime fascista de Mussolini e morreu em 1937, uma semana após ter sido libertado. *Cadernos do cárcere*, obra em seis volumes, escrita na prisão, foi publicada postumamente e influenciou o comunismo europeu.

Para Gramsci, em um primeiro momento a ideologia tem a função positiva de atuar como *cimento* da estrutura social. Quando incorporada ao senso comum, ajuda a estabelecer o consenso, conferindo hegemonia a uma determinada classe, que passará a ser dominante. Com o consentimento da classe subalterna, forma um sistema orgânico articulado por uma cultura comum, difundida pelas instituições a que já nos referimos anteriormente.

Portanto, as ideologias são orgânicas e historicamente necessárias quando "organizam as massas humanas, formam o terreno sobre o qual os homens se movimentam, adquirem consciência de sua posição, lutam etc." Sob esse aspecto, a ideologia tem "o significado mais alto de uma concepção de mundo que se manifesta implicitamente na arte, no direito, na atividade econômica, em todas as manifestações de vida individuais e coletivas"[3] e que tem por função conservar a unidade de todo bloco social.

Os conflitos posteriores entre burgueses e proletários exigem desses últimos a elaboração intelectual de seus próprios valores, uma vez que a ideologia vigente reflete os interesses da classe dominante, a burguesia. O proletariado precisa então de *intelectuais orgânicos*, assim chamados porque surgem "organicamente" a partir de suas próprias fileiras, contrapondo-se aos *intelectuais tradicionais*, a fim de constituírem coerentemente a concepção de mundo dos dominados. São esses intelectuais que dão ao proletariado "a consciência de sua missão histórica". Nesse processo, Gramsci valoriza a atuação do partido, como organizador das massas.

Habermas: ciência e ideologia

Os filósofos de orientação marxista reinterpretaram o conceito de ideologia a partir das novas circunstâncias da vida contemporânea. Entre eles, Jürgen Habermas relacionou ciência, técnica e ideologia para compreender como a consciência tecnocrática do mundo atual impõe-se em nome da economia e da eficiência. Na sociedade industrial avançada dos últimos 100 anos é possível identificar o caráter ideológico de decisões de administradores e especialistas, ainda quando elas são justificadas em termos técnicos aparentemente neutros e não ideológicos.

PARA SABER MAIS

Jürgen Habermas faz parte da segunda fase da Escola de Frankfurt. Confira o boxe sobre isso no capítulo 6, "Trabalho, alienação e consumo" e o capítulo 20, "Teorias éticas".

Habermas distingue o agir instrumental da ação comunicativa:

- O **agir instrumental** diz respeito ao *mundo do trabalho*. Nesse setor, aprendemos a desenvolver habilidades baseadas em regras segundo o que Habermas chama de "agir racional-com-respeito-a-fins", ou seja, um saber empírico que visa a objetivos específicos e bem definidos, orientados para o sucesso e a eficácia da ação. Desse modo, na economia, o valor é o dinheiro; na política, o poder; na técnica, a eficácia.
- O **agir comunicativo** refere-se ao *mundo da vida* e baseia-se nas regras da sociabilidade. Nesse âmbito, as tarefas e habilidades repousam principalmente sobre as regras morais da interação. Pela comunicação livre de dominação, as pessoas procuram chegar ao consenso, ao entendimento mútuo (diálogo), expressando sentimentos, expectativas, concordância e discordância e visando ao bem-estar

Hegemonia. Supremacia, liderança. Do grego *hegemon*, "chefe", e *hegesthai*, "comandar".

LAERTE

Tira de Laerte, em *Classificados*, Livro 3, 2004. Seria essa formiga uma "intelectual orgânica" gramsciana?

3 GRAMSCI, A. *Concepção dialética da história*. 6. ed. Rio de Janeiro: Civilização Brasileira, 1986. p. 16.

de cada um. Trata-se do modo que deveria reger as relações em esferas como família, comunidades, organizações artísticas, científicas, culturais etc.

Onde está o problema? O problema surge quando a racionalidade instrumental estende-se para outros domínios da vida pessoal nos quais deveria prevalecer a ação comunicativa. Assim explica Barbara Freitag:

> A perversão ou patologia instaura-se quando, em lugar do entendimento, da argumentação, do respeito mútuo, os membros passam a agir instrumental ou estrategicamente, usando uns aos outros para fins técnicos, econômicos ou políticos. Seria o caso das famílias proletárias, denunciadas por Marx, que, por razões materiais, usam os filhos como instrumentos para aumentar a renda familiar. Há denúncias de casos no Terceiro Mundo, em que pais vendem seus filhos e filhas, com a finalidade do lucro, ou admitem e favorecem a prostituição de suas filhas e a exploração de seus filhos com fins financeiros. Outra forma de substituição da ação comunicativa pela instrumental é o caso de casais em que um usa o outro para avançar na carreira, sem que haja, fora esse objetivo instrumental, laços afetivos ou de entendimento entre os dois.[4]

A intromissão da ação instrumental em outros domínios da vida empobrece a subjetividade humana e as relações afetivas. Não se avaliam as ações por serem justas ou injustas, mas se são eficazes; ou seja, os valores éticos e políticos são tratados do ponto de vista técnico, adequando-se aos fins propostos pelo sistema. As ações orientam-se pela competição, pelo individualismo, pela busca do rendimento. Desse modo, a ciência e a técnica transformam-se em instrumento ideológico.

A saída, porém, não está em recusar a ciência e a técnica, mas em recuperar o agir comunicativo naqueles espaços em que ele foi "colonizado" pelo agir instrumental. Do ponto de vista político isso significa que, para Habermas, a emancipação não mais depende da revolução, como propôs Marx, mas do aperfeiçoamento dos instrumentos de participação dentro da sociedade, respeitando-se o Estado de direito.

Ricoeur: interpretação e ideologia

Em outra direção, Paul Ricoeur analisa os filósofos Marx, Nietzsche e Freud — "mestres da suspeita", como os denominou —, pensadores que suspeitaram das ilusões da consciência, como vimos no capítulo anterior. Debruça-se então sobre a ideologia marxista, mas, segundo ele, para "*cruzar* Marx, sem segui-lo nem tampouco combatê-lo".

Ao deparar-se com a noção marxista de ideologia como instrumento de dominação de uma classe sobre outra, critica-a porque o "homem da suspeita" pensa estar isento da deformação ideológica que denuncia, como se dissesse: "a ideologia é o pensamento de meu adversário; é o pensamento do *outro*. *Ele* não sabe, *eu*, porém, sei".[5]

QUEM É?

O filósofo francês **Paul Ricoeur** (1913-2005) é representante da hermenêutica, um método e uma filosofia de interpretação. De início influenciado pelo existencialismo cristão de Gabriel Marcel e posteriormente pela fenomenologia de Husserl, prosseguiu suas reflexões envolvido pelo conflito das interpretações das filosofias contemporâneas. Escreveu *História e Verdade, Filosofia da Vontade, Da interpretação, O conflito das interpretações, a metáfora viva*, entre outros

MARTIN BUREAU/AFP PHOTO

Paul Ricoeur, Paris (França), 2003.

Portanto, Ricoeur não nega a ideologia, mas também não aceita separar ciência e ideologia como alternativas inconciliáveis, para aceitá-las como polos relacionados dialeticamente. Desse modo, o conceito de ideologia perde seu caráter depreciativo e assume um aspecto positivo de conhecimento possível.

7 Questionamento e conscientização

Como vimos, a ideologia está presente no cotidiano. Os produtos culturais, os bens e serviços à nossa disposição, as instituições, como escolas, fábricas, igrejas, imprensa falada e escrita etc., podem ser instrumentos de alienação quando nos passam a ilusão de que as desigualdades sociais, econômicas, políticas e culturais são naturais e que portanto não podemos mudá-las.

Contudo, aqueles espaços em que a ideologia se manifesta são os mesmos que possibilitam aprender, refletir e mudar. É pelo esforço de conscientização, pela abertura ao questionamento que identificamos a ideologia.

4 FREITAG, Barbara. *Itinerários de Antígona*: a questão da moralidade. Campinas: Papirus, 1992. p. 240.

5 RICOEUR, Paul. *Interpretação e ideologias*. Rio de Janeiro: Francisco Alves, 1977. p. 65.

Leitura complementar

Dois sistemas de instrução

"Em toda sociedade civilizada existem, necessariamente, duas classes de pessoas: a que tira sua subsistência da força de seus braços e a que vive da renda de suas propriedades ou do produto de funções, onde o trabalho do espírito prepondera sobre o trabalho manual. A primeira é a *classe operária* e a segunda é aquela a qual eu chamaria de *classe erudita*.

Os homens de classe operária têm desde cedo necessidade do trabalho de seus filhos. Essas crianças precisam adquirir desde cedo o conhecimento e, sobretudo, o hábito do trabalho penoso a que se destinam. Não podem, portanto, perder tempo nas escolas. [...]

Os filhos da classe erudita, ao contrário, podem dedicar-se a estudar durante muito tempo. Têm muita coisa para aprender para alcançar o que se espera deles no futuro. Necessitam de certos tipos de conhecimentos que só podem aprender quando o espírito amadurece e atinge determinado grau de desenvolvimento. [...]

Esses são fatos que não dependem de qualquer vontade humana; decorrem necessariamente da própria natureza dos homens e da sociedade: ninguém está em condições de poder mudá-los. Portanto, trata-se de dados invariáveis dos quais devemos partir.

Concluamos, então, que em todo Estado bem administrado e no qual se dá a devida atenção à educação dos cidadãos deve haver dois sistemas completos de instrução que não têm nada de comum entre si."

DESTUTT DE TRACY, Antoine. *Elementos de ideologia*, 1802.

ACERVO DA EEPSG CAETANO DE CAMPOS

No século XIX, poucos tinham acesso a uma escola de formação integral.

CORBIS/LATINSTOCK

Às crianças de famílias pobres era reservada a escola de ofícios.

Questões

1 Reescreva sucintamente o texto de Destutt de Tracy.

2 Em que o sentido de ideologia em Marx é diferente do conceito usado por Destutt de Tracy?

3 A partir das características da ideologia, descritas por Marx, identifique o caráter ideológico do texto.

a) Ocorre naturalização? Explique.

b) Destaque trechos que demonstrem a inversão e a lacuna, se houver.

4 Gramsci afirmou o seguinte sobre as escolas.

"A divisão fundamental da escola em clássica e profissional era um esquema racional: a escola profissional destinava-se às classes instrumentais, ao passo que a clássica destinava-se às classes dominantes e aos intelectuais. [...] A tendência, hoje, é a de abolir qualquer tipo de escola 'desinteressada' e 'formativa'. [...] A crise terá uma solução que, racionalmente, deveria seguir essa linha: escola única inicial de cultura geral, humanista, formativa, que equilibre equanimemente o desenvolvimento das capacidades de trabalho intelectual. Deste tipo de escola única, através de repetidas experiências de orientação profissional, passar-se-á a uma das escolas especializadas ou ao trabalho produtivo." (GRAMSCI, Antonio. *Os intelectuais e a organização da cultura*. Rio de Janeiro: Civilização Brasileira, 5. ed. 1985. p. 118.)

Identifique as diferenças entre os textos de Gramsci e de Destutt de Tracy. Posicione-se sobre o assunto.

Atividades

Revendo o capítulo

1 Em que sentido a ideologia, segundo Marx, é uma distorção da realidade?

2 Aplique os conceitos adequados (lacuna, inversão, aparecer social, universalização, abstração) às afirmações a seguir e justifique sua resposta.

a) O Estado é uma instituição que está a serviço de todos os cidadãos.

b) O sucesso na vida depende do esforço de cada um.

c) A sociedade é como uma orquestra: cada instrumento compõe a harmonia do todo.

3 Os provérbios têm um valor positivo por expressarem a sabedoria popular, mas, dependendo da situação em que são aplicados, adquirem contornos ideológicos. Nos exemplos a seguir, explique qual é o aspecto positivo e em que casos o provérbio é ideológico.

a) "Quem espera sempre alcança."

b) "Cada macaco no seu galho."

c) "Em boca fechada não entra mosca."

Aplicando os conceitos

4 Pesquise e transcreva o poema de Carlos Drummond de Andrade: "Eu, etiqueta", que começa assim: "Em minha calça está grudado um nome / que não é meu de batismo ou de cartório / um nome... estranho". (*Corpo*. Rio de Janeiro: Record, 1984.) Em seguida, atenda às questões:

a) Analise a crítica que o poeta faz ao consumismo exacerbado.

b) O trecho "é duro andar na moda, ainda que a moda seja negar minha identidade" expressa alienação. Transcreva outros exemplos.

c) A frase "eu que antes era e me sabia" refere-se a uma condição de não alienação. Identifique expressões semelhantes a esta no poema.

5 "*Esta* é a verdade da globalização: a construção de *novos* muros isolando os europeus prósperos do fluxo de imigrantes. Tem-se a tentação de ressuscitar aqui a velha oposição 'humanista' marxista entre 'relações de coisas' e 'relações entre pessoas': na celebrada livre circulação aberta pelo capitalismo global, são as 'coisas' (mercadorias) que circulam livremente, ao passo que a circulação das 'pessoas' é cada vez mais controlada."

(Slavoj Zizek. *Bem-vindo ao deserto do Real!:* cinco ensaios sobre o 11 de setembro e datas relacionadas. São Paulo: Boitempo, 2003. p. 171.)

A citação do filósofo esloveno Zizek refere-se a um plano da União Europeia para estabelecer uma força policial de fronteira de toda a Europa a fim de evitar a entrada de imigrantes. Com base nela, atenda às questões:

a) Identifique as expressões que se referem aos conceitos de fetichismo e reificação.

b) Segundo o filósofo, conceitos aplicados por Marx às relações entre operário e patrão são deslocados para conflitos étnicos na era da globalização. Em que sentido podemos dizer que se trata de um fenômeno ideológico?

Painel

6 Em grupo, selecionem em revistas, jornais ou na internet exemplos de:

- quadrinhos com características ideológicas;
- tiras de quadrinistas críticos dos costumes;
- charges políticas.

O grupo demonstrará para a classe as características de cada exemplo escolhido.

Dissertação

7 Escreva um texto sob a forma de prosa ou poesia a partir do seguinte tema: "O importante não é o que fazem de nós, mas o que nós próprios fazemos daquilo que fazem de nós". (Jean-Paul Sartre, citado por Francis Jeanson. *Sartre por ele próprio*. Lisboa: Portugália, 1965. p. 73.)

Caiu no vestibular

8 (UFG-GO) O *slogan* abaixo faz parte da propaganda de um carro de luxo lançado recentemente no mercado.

Um carro que diz onde você chegou antes mesmo de ter saído da garagem. (*IstoÉ*, São Paulo: Três, n. 1928, p. 16-7, 20 ago. 2006).

Analisando o *slogan* da propaganda, que ideia fica subentendida em relação à posse do carro anunciado?

Capítulo
11 Lógica aristotélica

Leia este aforismo de Pascal:

"É justo que o que é justo seja seguido. É necessário que o que é mais forte seja seguido.

A justiça sem a força é impotente; a força sem a justiça é tirânica. A justiça sem a força será contestada, porque há sempre maus; a força sem a justiça será acusada. É preciso, pois, reunir a justiça e a força; e, dessa forma, fazer com que o que é justo seja forte, e o que é forte seja justo.

A justiça é sujeita a disputas: a força é muito reconhecível, e sem disputa. Assim, não se pôde dar a força à justiça, porque a força contradisse a justiça, dizendo que esta era injusta, e que ela é que era justa; e assim, não podendo fazer com que o que é justo fosse forte, fez-se com que o que é forte fosse justo."[1]

Leia esta charge.

JOAQUIN SALVADOR LAVADO (QUINO)

Charge de Quino em *Potentes, prepotentes e impotentes*, 2003.

Nessa charge, Quino contrapõe duas formas de poder: o poder da força e o das ideias. Aquele que faz calar as ideias pela força faz uma pergunta irônica ao intelectual e despreza a disputa das ideias.

Reescreva com suas palavras qual é a posição de Pascal, filósofo francês que viveu no século XVII. Em seguida explique por que é importante desenvolver a arte da argumentação.

---

[1] PASCAL. *Pensamentos*, aforismo 298.

1 O que é lógica?

A lógica faz parte do nosso cotidiano. Na família, no trabalho, no lazer, nos encontros entre amigos, na política, sempre que nos dispomos a conversar com as pessoas usamos argumentos para expor e defender nossos pontos de vista. Os pais discutem com seus filhos adolescentes sobre o que podem ou não fazer, e estes rebatem com outros argumentos.

Se assim é, tanto melhor que saibamos o que sustenta nossos raciocínios, o que os torna válidos e em que casos são inconsistentes. O estudo da lógica serve para organizar as ideias de modo mais rigoroso, para que não nos enganemos em nossas conclusões.

Vamos aqui examinar como surgiu a lógica na Antiguidade grega.

Embora os sofistas e também Platão tenham se ocupado com questões lógicas, nenhum deles o fez com a amplitude e o rigor alcançados por Aristóteles (séc. IV a.C.). O próprio filósofo, porém, não denominou seu estudos de **lógica**, palavra que só apareceu mais tarde, talvez no século seguinte, com os estoicos.

E ETIMOLOGIA

Lógica. Do grego *logos*, "palavra", "expressão", "pensamento", "conceito", "discurso", "razão".

A obra de Aristóteles dedicada à lógica chama-se *Analíticos* e, como o próprio nome diz, trata da *análise do pensamento nas suas partes integrantes*. Essa e outras obras sobre lógica foram reunidas com o título de *Organon*, que significa "instrumento" e, no caso, *instrumento para se proceder corretamente no pensar*.

Vejamos o que significa a lógica, como instrumento do pensar:

- o estudo dos métodos e princípios da argumentação;
- a investigação das condições em que a conclusão de um argumento se segue necessariamente de enunciados iniciais, chamados premissas;
- o estudo que estabelece as regras da forma correta das operações do pensamento e identifica as argumentações não válidas;
- baseada no argumento lógico, que se constitui de três elementos: o termo, a proposição e a argumentação.

2 Termo e proposição

Em lógica, o *termo* é o que chamamos conceito, e a *proposição* é o juízo.

A *proposição* é um enunciado no qual afirmamos ou negamos um *termo* (um conceito) de outro. No exemplo "Todo cão é mamífero" (Todo C é M), temos uma proposição em que o termo "mamífero" afirma-se do termo "cão".

a) Qualidade e quantidade

As proposições podem ser distinguidas pela qualidade e pela quantidade:

Quanto à *qualidade*, são *afirmativas* ou *negativas*: "Todo C é M" ou "Nenhum C é M";

Quanto à *quantidade* são *gerais* — universais ou totais — ou *particulares*. Estas últimas podem ser *singulares* caso se refiram a um só indivíduo: "Todo C é M"; "Algum C é M"; "Este C é M". Observe que a quantidade da proposição é identificada pela extensão (amplitude) do sujeito da proposição (cão).

Exercitando:

- "Todo cão é mamífero": proposição universal afirmativa;
- "Nenhum animal é mineral": universal negativa;
- "Algum metal não é sólido": particular negativa;
- "Sócrates é mortal": singular afirmativa.

b) Extensão dos termos

A *extensão* é a amplitude de um termo, isto é, a coleção de todos os seres que o termo designa (se é universal, particular ou singular). É fácil identificar a extensão do sujeito, mas o predicado exige maior atenção. Observe os seguintes exemplos:

- Todo paulista é brasileiro (P é B)
- Nenhum brasileiro é argentino (B não é A)
- Algum paulista é solteiro (Algum P é S)
- Alguma mulher não é justa (Alguma M não é J)

Para melhor visualizar, vamos representar as proposições por meio dos chamados diagramas de Euler.

PARA SABER MAIS

O matemático suíço Leonard Euler (1707-1783) inventou diagramas para representar os enunciados na lógica. No século seguinte, o também lógico e matemático inglês John Venn os aperfeiçoou, realizando diagramas mais complexos.

Juízo. Há inúmeros significados para o termo. O mais comum, "ter juízo", quer dizer ser sensato; também significa julgamento, faculdade intelectual de julgar. Em lógica, juízo é a proposição que relaciona o sujeito a um predicado.

- Na primeira proposição, "P é B", o termo *paulista* tem extensão total (refere-se a todos os paulistas); mas o termo *brasileiro* tem extensão particular (alguns brasileiros), ou seja, uma parte dos brasileiros é composta de paulistas.

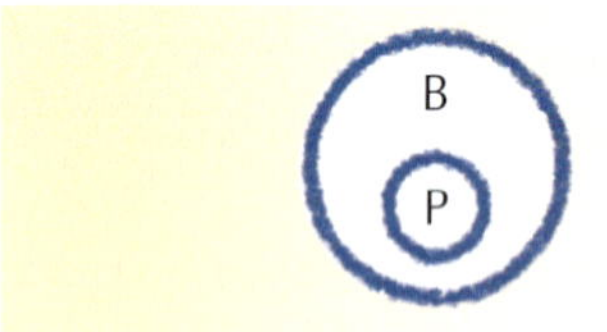

- Na segunda proposição, "B não é A", o termo *brasileiro* é total, porque se refere a todos os brasileiros; e o termo *argentino* também é total, porque os brasileiros estão excluídos do conjunto de todos os argentinos.

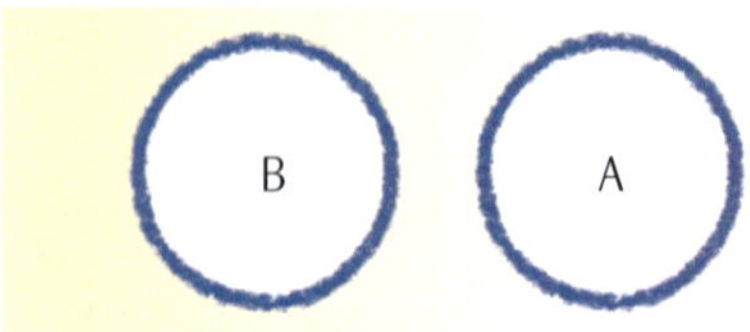

- Na terceira proposição, "Algum P é S", ambos os termos são particulares.

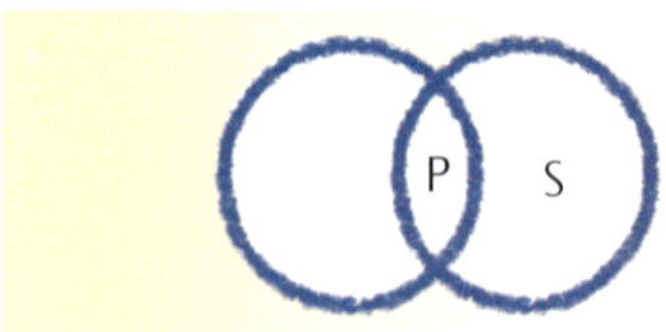

- Na quarta proposição, "Alguma M não é J", o termo *mulher* é particular e *justa* é total.

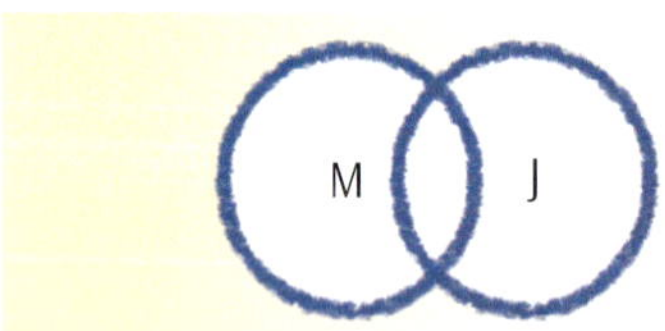

3 Princípios da lógica

Para compreender as relações que se estabelecem entre as proposições, Aristóteles definiu os *primeiros princípios* da lógica, assim chamados por serem anteriores a qualquer raciocínio e servirem de base a todos os argumentos. Por serem *princípios*, são de conhecimento imediato e, portanto, indemonstráveis.

Aristóteles distinguiu três princípios: o de *identidade*, o de *não contradição* e o do *terceiro excluído*.

- Segundo o princípio de **identidade**, se um enunciado é verdadeiro, então ele é verdadeiro. Ou seja, A = A (todo ser é idêntico a si mesmo).
- O princípio de **não contradição** — que alguns denominam simplesmente *princípio de contradição* — afirma que nenhum enunciado pode ser verdadeiro e falso, não sendo possível afirmar e negar simultaneamente a mesma coisa. Ou seja, A = A, isto é, algo não pode ser idêntico a si mesmo e contrário a si mesmo. Portanto, duas proposições contraditórias não podem ser verdadeiras: se for verdadeiro que "alguns seres humanos não são justos", é falso afirmar que "todos os seres humanos são justos".
- O princípio do **terceiro excluído** — às vezes chamado *princípio do meio excluído* — afirma que um enunciado ou é verdadeiro ou é falso, não havendo um terceiro valor. Ou seja, não há proposições "meio" certas. Como disse Aristóteles, "entre os opostos contraditórios não existe um meio".

A essa altura da exposição, é possível perceber que as proposições podem relacionar-se por oposição e dependência.

4 Quadrado de oposições

Com base na classificação das proposições segundo a quantidade e a qualidade, são possíveis diversas combinações, que podem ser visualizadas pelo chamado *quadrado de oposições*, diagrama que explicita as relações entre proposições contrárias, subcontrárias, contraditórias e subalternas.

Vamos identificar cada proposição com uma letra: **A** (gerais afirmativas), **E** (gerais negativas), **I** (particulares afirmativas) e **O** (particulares negativas). Para exemplificar, partimos da proposição geral afirmativa "Todo F é G":

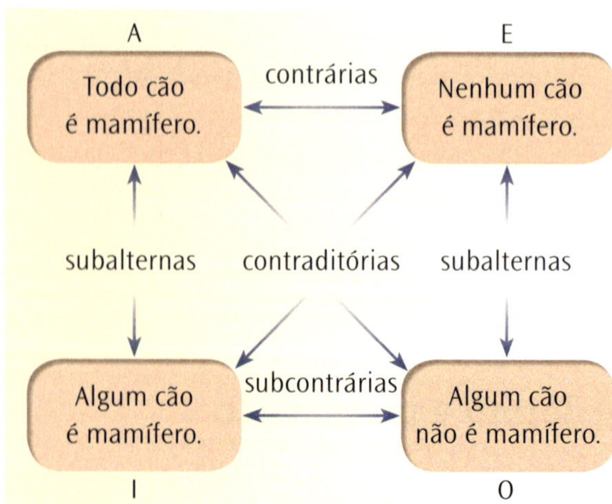

Agora observe:

- As proposições **contraditórias** (**A** e **O**) e (**E** e **I**) não podem ser ambas verdadeiras ou ambas falsas. Se considerarmos verdadeiro "Todos os homens são mortais", "Algum homem não é mortal" é necessariamente falso.
- As proposições **contrárias** (**A** e **E**) não podem ser ambas verdadeiras, embora possam ser ambas falsas: se "Todo homem é mineral" for falso, "Nenhum homem é mineral" é verdadeiro. Já "Todo homem é justo" e "Nenhum homem é justo" são ambas falsas.
- As proposições **subcontrárias** (**I** e **O**) não podem ser ambas falsas, mas ambas podem ser verdadeiras, ou uma verdadeira e a outra falsa: "Algum homem é justo" e "Algum homem não é justo" são ambas verdadeiras. Mas se **I** for falsa, **O** é verdadeira: "Algum cão é gato" (falso) e "Algum cão não é gato" (verdadeiro).
- Quanto às **subalternas**, se **A** for verdadeira (ou falsa), **I** será verdadeira (ou falsa). O mesmo com relação a **E** e **O**.

5 Argumentação

A *argumentação* é um discurso em que encadeamos proposições para chegar a uma conclusão.

Exemplo 1

O mercúrio é um metal.	(premissa maior)
Ora, o mercúrio não é sólido.	(premissa menor)
Logo, algum metal não é sólido.	(conclusão)

Estamos diante de uma argumentação composta por três proposições em que a última, a *conclusão* (ou consequente), deriva logicamente das duas anteriores, chamadas *premissas* (ou antecedentes).

Aristóteles denomina *silogismo* esse tipo de argumentação. Em grego, *silogismo* significa "ligação": a ligação de dois termos por meio de um terceiro. No exemplo, há os termos "mercúrio", "metal" e "sólido". Conforme a posição que ocupam na argumentação, os termos podem ser médio, maior e menor:

- **termo médio** é aquele que aparece nas premissas e faz a ligação entre os outros dois: "mercúrio" é o termo médio, que liga "metal" e "sólido";
- **termo maior** é o que aparece na premissa maior e na conclusão: "metal";
- **termo menor** é o que aparece na premissa menor e na conclusão: "sólido".

PARA SABER MAIS

A capacidade lógica não surge espontaneamente, mas é desenvolvida pela educação. O psicólogo Jean Piaget (1896-1980) estudou quatro fases do desenvolvimento mental: na etapa inicial, o bebê desenvolve sua inteligência aprendendo a coordenar sensações e movimentos; o estágio seguinte é o intuitivo, em que a percepção da realidade não se separa da experiência vivida; a partir dos sete anos, a criança é capaz de desenvolver a inteligência operatória, mas ainda se encontra presa ao concreto. Finalmente, na adolescência, pode exercitar o pensamento abstrato, formal, hipotético-dedutivo, ou seja, pode aprender lógica formal!

Examinemos este outro silogismo:

Exemplo 2

Todos os cães são mamíferos.
Todos os gatos são mamíferos.
Todos os gatos são cães.

Nesse silogismo as premissas são verdadeiras e a conclusão é falsa; a argumentação é inválida.

Vejamos mais um silogismo:

Exemplo 3

Todos os homens são louros.
Pedro é homem.
Pedro é louro.

Percebemos que a primeira premissa é falsa e, apressadamente, concluímos que o raciocínio não é válido. Engano: estamos diante de um argumento logicamente válido, isto é, que não fere as regras do silogismo — mais adiante veremos por quê.

Outro exemplo:

Exemplo 4

Todo inseto é hexápode (tem seis patas).
Ora, todo inseto é invertebrado.
Logo, todo hexápode é invertebrado.

Nesse caso, todas as proposições são verdadeiras. No entanto, a **inferência** é inválida.

ETIMOLOGIA

Inferência. Do latim *inferre*, "levar para": uma proposição leva a outra. Inferir é concluir a partir de proposições.

Regras do silogismo

Primeiramente, vamos distinguir verdade e validade. Em seguida, consultaremos as regras do silogismo para saber se um argumento é válido ou inválido.

Verdade e validade

É preciso muita atenção no uso de verdadeiro/falso, válido/inválido.

- As proposições podem ser *verdadeiras* ou *falsas*: uma proposição é verdadeira quando corresponde ao *fato* que expressa.
- os argumentos são *válidos* ou *inválidos* (e não verdadeiros ou falsos): um argumento é válido quando sua conclusão é *consequência lógica* de suas premissas.

PARA SABER MAIS

As oito regras do silogismo

1. O silogismo só deve ter três termos (o maior, o menor e o médio).
2. De duas premissas negativas nada resulta.
3. De duas premissas particulares nada resulta.
4. O termo médio nunca entra na conclusão.
5. O termo médio deve ser pelo menos uma vez total.
6. Nenhum termo pode ser total na conclusão sem ser total nas premissas.
7. De duas premissas afirmativas não se conclui uma negativa.
8. A conclusão segue sempre a premissa mais fraca (se nas premissas uma delas for negativa, a conclusão deve ser negativa; se uma for particular, a conclusão deve ser particular).

Examinemos agora os argumentos dos 4 exemplos dados anteriormente a fim de aplicar-lhes o que aprendemos. Os exemplos 2 e 4 são inválidos. Vejamos por quê.

- **Exemplo 2 (Todos os cães...):** o termo médio — que aparece na primeira e na segunda premissas — é "mamífero" e faz a ligação entre "cão" e "gato". Segundo a regra 5 do silogismo, o termo médio deve ser pelo menos uma vez *universal*, mas nas duas proposições ele é *particular*, ou seja, "Todos os cães são (alguns dentre os) mamíferos" e "Todos os gatos são (alguns dentre os) mamíferos".
- **Exemplo 4 (Todo inseto...):** os três termos são "inseto", "hexápode" e "invertebrado". O termo maior, "hexápode", é *particular* na premissa maior: "Todo inseto é (algum) hexápode", mas na conclusão é tomado *em toda extensão* (todo hexápode), o que significa afirmar no consequente mais do que foi afirmado no antecedente. Portanto, fere a regra 6.

Quanto aos dois outros exemplos, o 1 e o 3, exercite você mesmo, aplicando neles todas as regras, a fim de confirmar sua validade.

6 Tipos de argumentação

Tradicionalmente dividimos os argumentos em dois tipos, os *dedutivos* e os *indutivos*, sendo que a *analogia* constitui um tipo de indução.

Dedução

Em um argumento dedutivo correto, a conclusão é inferida necessariamente das premissas. Ou seja, o que está dito na conclusão é extraído das premissas, pois na verdade está implícito nelas. Como já vimos, na **dedução** lógica o enunciado da conclusão não excede o conteúdo das premissas, isto é, não se diz mais na conclusão do que já tinha sido dito nelas (regra 8).

E ETIMOLOGIA

Dedução. Do latim *de-ducere*, "conduzir a partir de".

Os quatro silogismos examinados anteriormente são exemplos de *dedução*. Acrescentamos que o silogismo é um raciocínio que parte de pelo menos uma proposição geral e cuja conclusão pode ser uma proposição geral ou uma proposição particular.

Nos exemplos (válidos) a seguir, a primeira dedução parte de premissas gerais e chega a uma conclusão também geral; no segundo caso, a conclusão é particular:

Todo brasileiro é sul-americano.
Todo paulista é brasileiro.
Todo paulista é sul-americano.

Todo brasileiro é sul-americano.
Algum brasileiro é índio.
Algum índio é sul-americano.

No entanto, nem sempre a dedução aparece assim estruturada, por isso precisamos montar o argumento para identificá-lo. Veja um exemplo: "Na prova de Física, uma questão se referia a um caso específico, do qual foram fornecidos os dados no enunciado. Os alunos deveriam lembrar-se de uma lei e aplicá-la aos dados a fim de resolver o problema". Trata-se de um raciocínio dedutivo, pois a lei, que é geral, foi aplicada a um caso, que é particular.

A dedução é um modelo de rigor, mas é estéril, na medida em que não nos ensina nada de novo, apenas organiza o conhecimento já adquirido. Condillac, filósofo francês do século XVIII, compara a lógica aos parapeitos das pontes, porque apenas impedem-nos de cair, mas não nos fazem ir adiante. Isso significa que a conclusão nada acrescenta àquilo que foi afirmado nas premissas. No entanto, se a dedução não inova, não significa que não tenha valor algum, pois sempre fazemos deduções e é preciso investigar quando são válidas ou inválidas.

Indução

Enquanto na dedução a conclusão deriva de proposições universais já conhecidas, na **indução**, ao contrário, chega-se à conclusão a partir de evidências parciais.

A *indução por enumeração* é uma argumentação pela qual, a partir de diversos dados singulares constatados, chegamos a proposições universais. Nesse tipo de argumento ocorre uma *generalização indutiva*, que pode ser de dois tipos:

a) A **indução completa** é aquela em que há condições de ser examinado cada um dos elementos de um conjunto, como nesse caso: "A visão, o tato, a audição, o gosto, o olfato (que chamamos sentidos) têm um órgão corpóreo. Portanto, todo sentido tem um órgão corpóreo.".

b) A **indução incompleta** é aquela em que de *alguns* elementos conclui-se a totalidade. Seguem dois exemplos:
- Esta porção de água ferve a cem graus, e esta outra, e esta outra...; logo, a água ferve a cem graus;
- O cobre é condutor de eletricidade, e o ouro, o ferro, o zinco, a prata também. Logo, o metal (isto é, todos os metais) é condutor de eletricidade.

Diferentemente do argumento dedutivo, o conteúdo da conclusão da indução *excede* o das premissas, por isso a conclusão da indução tem apenas *probabilidade* de ser correta.

A generalização indutiva é precária quando feita apressadamente e sem critérios. É preciso examinar se a amostragem é significativa e se existe número suficiente de casos que permita a passagem do particular para o geral. Por exemplo: ao fazer uma pesquisa de intenção de voto, um instituto consulta amostras significativas de diversos segmentos sociais, segundo metodologia científica. Ao considerar que dentre os eleitores da amostra 25% votarão no candidato X e 10% no Y, conclui que a totalidade dos eleitores votará segundo a mesma proporção da amostragem pesquisada.

Apesar da aparente fragilidade da indução, por não alcançar o rigor do raciocínio dedutivo, trata-se de uma forma muito fecunda de pensar, responsável pela fundamentação de grande parte dos nossos conhecimentos na vida diária e de grande valia nas ciências experimentais. Além disso, todas as nossas previsões têm base na indução, ou seja, partimos de alguns casos da experiência presente e inferimos que ocorrerão com a mesma regularidade futuramente. Cabe ao lógico especificar as condições sob as quais devemos tomar a indução como correta.

PARA SABER MAIS

Sobre o método das ciências, consulte o capítulo 31, "O método das ciências da natureza".

Analogia

Analogia (ou raciocínio por semelhança) é uma *indução parcial* ou imperfeita, na qual passamos de um ou de alguns fatos singulares não a uma conclusão universal, mas a uma outra enunciação singular ou particular. Da comparação entre objetos ou fenômenos diferentes, inferimos pontos de *semelhança*. Observe: "Paulo sarou de suas dores de cabeça com este remédio. Logo, João há de sarar de suas dores de cabeça com este mesmo remédio."; "O macaco foi curado da tuberculose com tal soro; logo os seres humanos serão curados da tuberculose com o mesmo soro".

É claro que o raciocínio por semelhança fornece apenas probabilidade, e não certeza, mas desempenha papel importante na descoberta ou na invenção, tanto no cotidiano como na ciência, na tecnologia e na arte. Grande parte de nossas conclusões diárias baseia-se na analogia. Como nesse exemplo: "Li um bom livro de Graciliano Ramos. Vou ler outro desse autor, pois deve ser igualmente bom". Ou nesse: "Fui bem atendido nessa loja. Voltarei a comprar aqui, pois serei bem atendido novamente". Quando as explicações de determinado fato nos parecem complexas, costumamos recorrer a comparações, que na verdade são analogias: "Quem não está habituado a ler, sofre como um nadador iniciante, engole água e perde o fôlego". Igualmente, o texto literário é enriquecido pela metáfora, que é uma forma de estabelecer semelhança: "Amor é fogo que arde sem se ver" (de um soneto de Camões).

Alexender Fleming trabalhando em seu laboratório, 1950.

Quando o médico Alexander Fleming estava cultivando colônias de bactérias, observou que elas morriam em torno de uma mancha de bolor que se formara. Se o bolor destruía as bactérias, supôs que aquele fungo poderia ser usado como medicamento: assim foi descoberta a penicilina.

Que tipo de raciocínio foi usado por Fleming?

Em todo caso, convém observar se os diferentes objetos comparados obedecem ao *critério de relevância* para chegar a uma conclusão. Assim, as analogias podem ser *fortes* ou *fracas*, dependendo da relevância das semelhanças estabelecidas.

Por exemplo: quando as conclusões de experiências biológicas feitas em cobaias são estendidas a seres humanos, geralmente a analogia é forte. Embora a fisiologia de ambos os seres não seja idêntica, as semelhanças tornam a analogia adequada e fecunda.

A analogia é fraca quando a conclusão se baseia em considerações *irrelevantes*. Se desejo comprar um automóvel que tenha o mesmo rendimento do de meu amigo, a analogia é fraca se levo em conta as semelhanças de cor, estofamento e recursos do painel. A analogia será forte se, ao contrário, considero a marca, o modelo, a potência, o número de cilindros, o peso da carroceria e o combustível utilizado. Esse exemplo, dado pelo professor norte-americano Irving Copi, serve para ressaltar que "o fator de relevância deve ser explicado em função da causalidade" e que, portanto, "para apreciar argumentos analógicos são requeridos alguns conhecimentos das conexões causais" e estas "só podem ser descobertas pela observação e pela experimentação".[2]

7 Falácias

A **falácia**, ou paralogismo, é um tipo de raciocínio incorreto, apesar de ter a aparência de correção. É conhecida também como *sofisma*, embora alguns estudiosos façam uma distinção, pela qual o sofisma teria a intenção de enganar o interlocutor, diferentemente da falácia, que seria um engano involuntário.

São inúmeros os tipos de falácia, e por isso vamos nos restringir a alguns poucos.

Falácias formais

Ocorrem quando as regras do raciocínio correto são contrariadas ou não se atende às regras da inferência válida.

Lembremos dos quatro exemplos de argumentos analisados neste capítulo. Vimos que os exemplos 2 e 4 eram inválidos, por infringirem respectivamente as regras 5 e 6. Portanto, são exemplos de falácias.

As *falácias quanto à matéria* (quanto ao conteúdo, e não quanto à forma) são as que constituem um argumento formalmente correto, mas cuja conclusão deriva de premissa falsa. Veja o exemplo a seguir:

Exemplo 5

Todos os homens são loiros.
Ora, eu sou homem.
Logo, eu sou loiro.

Falácias não formais

São diversos tipos de falácias não formais: muitas decorrem da irrelevância das premissas, que inviabilizam aceitar a conclusão; outras são generalizações apressadas, que partem de falsas causas ou se baseiam em preconceitos; e assim por diante. Geralmente exercem a função psicológica de convencer, ao mobilizar emoções como entusiasmo, medo, hostilidade ou reverência.

Vejamos algumas delas.

- **o argumento de autoridade** é aceitável, desde que a autoridade seja um especialista naquele assunto, mas é irrelevante se, por exemplo, recorrermos à autoridade de um cientista para justificar posições religiosas ou de um jogador de futebol para avaliar política.

[2] COPI, Irving. *Introdução à lógica*. 2. ed. São Paulo: Mestre Jou, 1978. p. 321-322.

Dom Quixote e o moinho de vento. Gustave Doré, século XIX.

Na obra *Dom Quixote de la Mancha*, escrita no início do século XVII, Miguel de Cervantes critica as novelas de cavalaria, que, ignorando as mudanças da época, continuavam exaltando ideais e comportamentos medievais. Dom Quixote, o "cavaleiro da triste figura", vive entre a realidade e o sonho: enfrenta um rebanho de ovelhas como se fosse um exército de inimigos, luta contra gigantes que não passam de moinhos de vento. Mas no leito de morte, reconhece seus disparates e lamenta o tempo perdido. Dê exemplos de conclusões que pareciam verdadeiras e que depois você descobriu serem falsas e baseadas em enganos, mentiras ou preconceitos.

Trata-se de recurso muito comum na propaganda, quando artistas famosos "vendem" desde sabonetes até ideias, como as propostas políticas de um candidato.

- O **argumento contra o homem** é um tipo de argumento de autoridade "às avessas", no sentido de ser pejorativo e ofensivo. Ocorre quando não aceitamos uma conclusão por estar baseada no testemunho de alguém que depreciamos. Ao refutar a verdade, atacamos quem fez a afirmação, por exemplo, se desvalorizamos a filosofia de Francis Bacon porque ele perdeu seu cargo de Chanceler da Inglaterra depois de serem constatados atos de desonestidade; ou ainda se desmerecemos o valor musical de Wagner por causa de sua adesão aos movimentos antissemitas; ou ainda, se desconsideramos a versão de um mendigo como testemunha de um crime.
- A falácia **de acidente** ou de *generalização apressada* é um tipo de falácia indutiva: diante de um erro médico, concluímos apressadamente que a medicina é inútil. Ocorre também quando uma regra geral é aplicada em circunstâncias particulares e "acidentais" em que seria inaplicável. Um exemplo: pessoas excessivamente legalistas que julgam a partir da letra fria das normas e das leis, independentemente da análise cuidadosa das circunstâncias específicas dos acontecimentos.
- A falácia de **ignorância da questão** consiste em se afastar da questão, desviando a discussão. Um advogado habilidoso, que não tem como negar o crime do réu, enfatiza que ele é bom filho, bom marido, trabalhador etc.; um vereador acusado de realizar gastos sem autorização da Câmara põe em relevo a importância e a urgência das despesas; o deputado que defende o governo acusado de corrupção não se detém nos fatos devidamente comprovados, mas discute questões formais do relatório da comissão de inquérito ou enfatiza o pretenso revanchismo dos deputados oposicionistas.
- As falácias de **petição de princípio**, ou *círculo vicioso*, supõem conhecido o que é objeto da questão. "Tal ação é injusta porque é condenável; e é condenável porque é injusta." Nesse exemplo é fácil perceber o erro, mas o mesmo não ocorre neste outro, relatado por Irving Copi: "Permitir a todos os homens

FRANK & ERNEST

Bob Thaves

2009 UNITED MEDIA/IPRESS

Tira de Frank & Ernest, agosto de 2008. E você, já evitou sua falácia lógica hoje?

uma liberdade ilimitada de expressão deve ser sempre, de um modo geral, vantajoso para o Estado; pois é altamente propício aos interesses da comunidade que cada indivíduo desfrute de liberdade, perfeitamente ilimitada, para expressar os seus sentimentos".[3]

- Nas falácias de **ambiguidade** (também chamadas *semânticas* ou de *equívoco*), os conceitos ou enunciados não são suficientemente esclarecidos ou os termos são empregados com sentidos diferentes nas diversas etapas da argumentação. No exemplo seguinte o termo *fim* é usado em dois sentidos diferentes como se fosse o mesmo: "O fim de uma coisa é a sua perfeição; a morte é o fim da vida; logo a morte é a perfeição da vida".
- As **falácias de falsa causa** (ou ***post hoc***) são muito comuns e representam as inúmeras inferências que fazemos no cotidiano ao tomarmos como causa o que não é a causa real. Por exemplo, "não levo minha namorada em jogo do meu time porque da última vez que a levei, meu time perdeu: ela é 'pé frio!'".

E ETIMOLOGIA

Post hoc. Do latim, "após isto". A expressão completa é: *Post hoc, ergo propter hoc*, "após isto, logo por causa disto".

8 A lógica pós-aristotélica

Até o século XIX, a lógica aristotélica não passou por mudança essencial, apesar de ter sofrido as mais diversas críticas.

Hostil a Aristóteles, a filosofia na Idade Moderna procurou caminhos diferentes daqueles trilhados pelo filósofo grego e pelos medievais. É assim que Descartes (século XVII), tendo estudado com os jesuítas de La Flèche, repudia os procedimentos silogísticos da escolástica medieval e procura um novo método para a filosofia que possibilite a invenção e a descoberta e não se restrinja à demonstração do já sabido. Também a física moderna exigia um instrumento diferente da lógica formal. Daí a importância da geometria analítica de Descartes e do cálculo infinitesimal de Leibniz.

Francis Bacon (1561-1626), filósofo inglês, escreve o *Novum Organum* e, como sugere o título da obra, pretende se opor à lógica de Aristóteles, o *Organon*. Bacon reflete o novo espírito da Idade Moderna, que prestigia a técnica, a experiência, a observação dos fatos, e repudia a vocação medieval para os debates puramente formais e as estéreis demonstrações silogísticas. A estas contrapõe outras formas de indução consideradas mais fecundas, que não a de simples enumeração. A parte mais original de sua obra é a que indica as possíveis ocasiões de erro por causa dos preconceitos.

As preocupações com o método das ciências foram retomadas por Stuart Mill no século XIX, mas foi no final daquele século que se configurou a chamada lógica simbólica, como veremos no próximo capítulo.

A lógica aristotélica persiste por mais de dois mil anos, e até cerca de 150 anos atrás representava a organização definitiva do pensamento, como se não houvesse outra lógica possível. No entanto, a prevalência atual da lógica simbólica não significa que a lógica aristotélica tenha sido abandonada. Ao contrário, continua como instrumento eficaz para a verificação da validade dos argumentos e serve de base para as novas lógicas que a complementam e as outras que a ela se opõem.

Infinitesimal. O infinitamente pequeno. Em matemática, cálculo que usa quantidades infinitesimais.

[3] COPI, Irving. *Introdução à lógica*. 2. ed. São Paulo: Mestre Jou, 1978. p. 84.

Leitura complementar

Descoberta da justificação

"Quando um enunciado é feito, duas questões importantes podem ser imediatamente colocadas: De que maneira chegou a ser concebido? Que razões existem para aceitá-lo como verdadeiro? Trata-se de duas questões diferentes. Seria um grave erro confundi-las, e um erro pelo menos tão sério quanto esse é confundir as respostas. A primeira pergunta relaciona-se com a *descoberta*; as circunstâncias lembradas por ela formam o *contexto da descoberta*. A segunda relaciona-se com a *justificação*; assuntos que aqui se tornam relevantes cabem no *contexto da justificação*.

[...]

Sherlock Holmes é um bom exemplo de pessoa com soberbos poderes de raciocínio. Sua habilidade ao inferir e chegar a conclusões é notável. Não obstante, a sua habilidade não depende da utilização de um conjunto de regras que norteiam o seu pensamento. Holmes é muito mais capaz de fazer inferências do que o seu amigo Watson. Holmes está disposto a transmitir seus métodos ao amigo, e Watson é um homem inteligente. Infelizmente, contudo, não há regras que Holmes possa transmitir a Watson capacitando-o a realizar os mesmos feitos do detetive. As habilidades de Holmes defluem de fatores como a sua aguda curiosidade, a sua grande inteligência, a sua fértil imaginação, seus poderes de percepção, a grande massa de informações acumuladas e a sua extrema sagacidade. Nenhum conjunto de regras pode substituir essas capacidades.

Se existissem regras para inferir, elas seriam regras para descobrir. Na realidade, o pensamento efetivo exige um constante jogo de imaginação e de pensamento. Prender-se a regras rígidas ou a métodos bem delineados equivale a bloquear o pensamento. As ideias mais frutíferas são, com frequência, justamente aquelas que as regras seriam incapazes de sugerir. É claro que as pessoas podem melhorar as suas capacidades de raciocínio pela educação, através da prática, mediante um treinamento intensivo; isso tudo, porém, está longe de ser equivalente à adoção de um conjunto de regras de pensamento. Seja como for, ao discutirmos as específicas regras da Lógica veremos que elas não poderiam ser encaradas como adequados métodos de pensar. As regras da Lógica, se fossem aceitas como orientadoras dos modos de pensar, transformar-se-iam numa verdadeira camisa de força.

O que acabamos de dizer pode causar certo desapontamento. Frisamos, de modo enfático, o lado negativo, esclarecendo aquilo que a Lógica não pode fazer. [...] Mas, então, para que serve a Lógica? A Lógica oferece-nos métodos de crítica para avaliação coerente das inferências. É nesse sentido, talvez, que a Lógica está qualificada para dizer-nos de que modo deveríamos pensar. Completada uma inferência, é possível transformá-la em argumento, e a Lógica pode ser utilizada a fim de determinar se o argumento é correto ou não. A Lógica não nos ensina *como inferir*: indica-nos, porém, que inferências podemos *aceitar*. Procede ilogicamente a pessoa que aceita inferências incorretas.

Para poder apreciar o valor dos métodos lógicos, é preciso ter esperanças realistas quanto ao seu uso. Quem espera que um martelo possa efetuar o trabalho de uma chave de fenda está fadado a sofrer grandes desilusões; quem sabe servir-se de um martelo conhece sua utilidade. A Lógica interessa-se pela justificação, não pela descoberta. A Lógica fornece métodos para a análise do discurso, e essa análise é indispensável para exprimir de modo inteligível o pensamento e para a boa compreensão daquilo que se comunica e se aprende."

SALMON, Wesley C. *Lógica*. Rio de Janeiro: Guanabara/Koogan, 1987. p. 24, 28-29.

Questões

1 É adequado recorrer ao personagem de Sherlock Holmes para explicar o que a lógica não é? Justifique.

2 Explique como, a partir da metáfora do martelo e da chave de fenda, o autor delimita e explicita o campo da lógica.

3 Reveja o exemplo do médico Fleming, e localize no texto de Salmon o trecho que explica por que, para fazer esse tipo de inferência, Fleming não poderia ter usado apenas o raciocínio lógico.

Atividades

Aplicando os conceitos

RECRUTA ZERO

Mort Walker

1 Observe a tira do Recruta Zero, de Mort Walker, e responda às questões:

a) Por que a pergunta de Zero supunha uma resposta lógica?

b) De que tipo é a resposta do general?

2 Utilize o quadrado de oposições para responder às questões a seguir, referentes à proposição: "Todo vegetal é ser vivo".

a) Identifique suas proposições contrárias, contraditórias, subalternas e subcontrárias.

b) Considerando que o enunciado "Todo vegetal é ser vivo" é verdadeiro, quais são os enunciados verdadeiros e falsos?

3 Observe os silogismos **I** e **II** e analise-os conforme se pede.

I Toda violeta é roxa.
Toda violeta é flor.
Logo, toda flor é roxa.

II Alguns humanos são sábios.
Alguns humanos não são inteligentes.
Logo, alguns sábios não são inteligentes.

a) Identifique as premissas e a conclusão.

b) Qualifique as proposições segundo a verdade ou a falsidade.

c) Identifique a quantidade e a qualidade das proposições (geral ou particular, afirmativa ou negativa).

d) Identifique a quantidade do predicado de cada proposição.

e) Identifique os três termos que compõem o silogismo.

f) Aplique as regras do silogismo para verificar se o argumento é válido ou não. Justifique sua resposta.

4 Leia com atenção os itens e identifique se os argumentos são *indução*, *dedução* ou *analogia*. Justifique a resposta usando os conceitos aprendidos.

a) Tenho observado vários erros cometidos por José e concluí que ele não serve para esse tipo de trabalho.

b) Quando investi minhas economias na bolsa de valores, escolhi a empresa que teve suas ações em alta no último ano.

c) Entrou um novo filme de Pedro Almodóvar. Vou assistir, porque é bem provável que irei gostar, pois gostei de seu primeiro filme.

d) Diversos metais, tendo sido aquecidos, se dilataram, o que nos fez concluir que o calor dilata os corpos.

e) Antônia não pode ser locutora de rádio ou TV porque tem problemas de dicção.

f) Aplicando a teoria da gravitação universal podemos calcular a massa do Sol e dos planetas e explicar as marés.

g) Com o plano inclinado, Galileu tornou mais lentos fenômenos muito rápidos e assim pôde calcular a lei da queda dos corpos.

h) O cientista Bohr elaborou o modelo atômico à semelhança do modelo do sistema solar.

i) Se todos os metais são brilhantes, então alguns corpos são brilhantes.

5 Identifique o tipo de falácia dos argumentos:

a) O pensamento é um produto do cérebro, logo o pensamento é um atributo da matéria orgânica.

b) O advogado argumenta que seu cliente não deve ser condenado, porque é bom pai, bom filho e a família depende dele para seu sustento.

c) A atriz Fulana, que aprecio muito, decidiu apoiar o candidato Sicrano. Acho que vou votar no candidato que ela recomenda.

d) Todos os homens são racionais. Ora, as mulheres não são homens, portanto, as mulheres não são racionais.

e) Não confio nos políticos. Tive um vizinho que foi vereador e saiu da Câmara enriquecido.

f) Um bom advogado é o que resolve bem a maioria dos processos que lhe são confiados, porque ele tem boa formação universitária e experiência de trabalho. Se ele se preparou bem e se aplicou no trabalho, ganhará nos tribunais a maioria das causas que lhe forem confiadas.

Capítulo

12

Lógica simbólica

Autorretrato probabilístico. Waldemar Cordeiro, 1967.

Filho de pai brasileiro e mãe italiana, Cordeiro nasceu na Itália e veio morar no Brasil aos 21 anos. Foi jornalista, professor universitário e artista plástico pioneiro na chamada arte eletrônica (*arteônica*), tornando-se figura importante no cenário internacional. Observe que no seu autorretrato aparecem repetidas vezes as palavras *sim* e *não*. De fato, toda computação está baseada no *sistema binário*, isto é, composto por apenas dois elementos: sim ou não; tudo ou nada; ligado (*on*) ou desligado (*off*); falso ou verdadeiro.

Neste capítulo você verá como a lógica simbólica vale-se do *princípio de bivalência*, segundo o qual toda proposição é verdadeira ou falsa, não havendo outro valor de verdade que ela possa tomar. O sistema binário implementa os circuitos eletrônicos dos computadores e a linguagem informática.

1 Uma linguagem artificial

Na longa tradição herdada desde Aristóteles, muitos dos problemas enfrentados pelos lógicos decorriam de equívocos das línguas, que se prestam a ambiguidades e falta de clareza, além de deixarem prevalecer conotações emocionais que perturbam o raciocínio. A lógica simbólica ou matemática não difere, em essência, da clássica, mas distingue-se dela de maneira notável, por criar uma *linguagem artificial* e desenvolver uma linguagem técnica específica que introduz maior rigor e se configura, portanto, como instrumento mais eficaz para a análise e a dedução formal.

As grandes modificações introduzidas nessa direção ocorreram a partir do final do século XIX, com os lógicos George Boole (1815-1864) e Gottlob Frege (1848-1925). Depois, muitos outros se destacaram, como Bertrand Russell (1872-1970) e Kurt Gödel (1906-1978).

2 Lógica proposicional

A *lógica proposicional*[1] é uma parte da lógica simbólica que estuda as formas de argumentos, utilizando uma linguagem artificial, com símbolos utilizados para representar as proposições e as conexões que se estabelecem entre elas. São usadas letras do alfabeto, números, parênteses, chaves e sinais específicos, como veremos na sequência.

De início, distinguiremos as proposições simples das compostas, para entender como as sentenças podem ser formalizadas.

Proposições simples e compostas

As *proposições simples* são as formadas por um sujeito e um predicado, podendo ser gerais ou particulares, afirmativas ou negativas. Por exemplo:

a) "O senador renunciou" (particular afirmativa); "O senador não renunciou" (particular negativa).

As *proposições compostas* ocorrem quando duas ou mais proposições são interligadas pelos seguintes *conectivos lógicos* (ou *operadores lógicos*): "e", "ou", "se..., então...", "se e somente se", constituindo respectivamente proposições conjuntivas, disjuntivas, de implicação (ou condicionais) e de equivalência (ou bicondicionais). Nos exemplos seguintes, os conectivos estão em negrito:

b) "Fulano é senador *e* o mandato de senador é de oito anos".

c) "O senador renuncia *ou* o senador será cassado".

d) "*Se* o senador renunciou, *então* não cumpriu seu mandato".

e) "O senador seria cassado *se e somente se* permanecesse em seu cargo".

Para esses conectivos foram criados símbolos que os identificam. As representações que iremos utilizar não são as únicas, por isso indicamos também algumas preferidas por outros lógicos.

a) A *negação* usa o conectivo "não", representado por um til "~".

b) A *conjunção* usa conectivo "e", representado por um ponto "**.**". Outros preferem "&" ou "Λ".

c) A *disjunção* usa o conectivo "ou", simbolizado por "**v**" ou "**w**", porque pode ser de dois tipos:

- O "v" indica a disjunção inclusiva, que admite ambas as alternativas: "Pedro costuma ir à praia de ônibus ou de carro": isso significa que tanto pode ir de uma maneira ou de outra, sendo as duas alternativas verdadeiras (inclusivas).
- O "w" indica a disjunção exclusiva, quando se trata de apenas um ou outro, por exemplo, quando lemos o cardápio do restaurante: "Na oferta especial você pode escolher carne ou massa", caso em que uma escolha exclui a outra. Se uma é verdadeira, a outra é falsa.

a) A *implicação*, na qual o enunciado é *condicional*, usa o conectivo "*se..., então...*", representado por "→". Outros preferem "⊃".

b) A *equivalência* (bicondicionalidade ou bi-implicação) usa o conectivo "... *se e somente se*", representado pelo sinal "↔".

De posse dessa notação, voltemos aos exemplos das proposições simples (simbolizadas apenas por **p**) e das compostas, para simbolizá-las com as letras **p** e **q**, interligadas pelos conectivos.

Para a proposição simples, apenas substituímos a sentença "O senador renunciou" por **p** e "O senador não renunciou" por **~p**.

Conjuntiva. de conjunção, o ato de juntar.
Disjuntiva. de disjunção, o ato de separar

[1] Consultar no final do livro a bibliografia indicada para Lógica. Seguimos mais de perto as obras de Irving Copi, John Nolt, Paulo Roberto Margutti Pinto e Cezar Mortari.

Quanto às proposições compostas, simbolizamos na ordem em que elas aparecem no início deste item:

b) p . q c) p w q d) p → q e) p ↔ q

3 Tabelas de verdade

Vamos agora tratar da validade ou invalidade dos argumentos. Na lógica proposicional, ao atribuir valores de verdade às sentenças, é adotado o *princípio de bivalência*, segundo o qual toda proposição é verdadeira ou falsa, não havendo outro valor de verdade que ela possa tomar.

Dizendo de outro modo:

- os enunciados verdadeiros têm o valor de verdade *verdadeiro* (V).
- os enunciados falsos têm o valor de verdade *falso* (F).

Retomaremos os enunciados simbolizados no item anterior (de *a* a *e*) para aplicar em cada um deles a *tabela de verdade*, a fim de identificar os valores de verdade das proposições.

a) Negação

Considerando os enunciados "O senador renunciou" e "O senador não renunciou", substituímos a primeira sentença pela letra "p" e a segunda sentença por "~p" (que pode ser lido como: "é falso que o senador renunciou"). Lembrando que se uma for verdadeira, a outra é falsa, montamos a seguinte tabela:

p	~p
V	F
F	V

Ou seja, se é verdadeiro que "O senador renunciou" (p), é falso dizer que "O senador não renunciou" (~p) e vice-versa.

b) Conjunção

Retomando o enunciado composto "Fulano é senador e o mandato de senador é de oito anos", podemos substituir a primeira sentença por **p** e a segunda por **q**, donde teremos: p . q. Considerando a relação dos conjuntivos, a determinação do valor de verdade pode ser representada pela tabela de verdade a seguir.

p	q	p . q
V	V	V
V	F	F
F	V	F
F	F	F

Lê-se assim a primeira linha abaixo da risca: "Se p é verdadeiro e q é verdadeiro, p . q é verdadeiro", ou seja, apenas se p e q forem verdadeiros, a conjunção p . q será verdadeira.

c) Disjunção

Como vimos, a disjunção pode ser inclusiva e exclusiva. Na sentença "Pedro costuma ir à praia de ônibus ou de carro", usamos **p** para a alternativa ônibus e **q** para a alternativa carro. Sabendo que se trata de uma disjuntiva inclusiva, simbolizamos **p v q**.

Na sentença "Na oferta especial você pode escolher carne ou massa", estamos diante de uma disjuntiva exclusiva, que simbolizamos **p w q**.

As duas tabelas de verdade sofrem, portanto, uma alteração, indicada a seguir:

Observe que a diferença, nas duas tabelas, é notada na primeira linha abaixo da risca: no quadro da disjunção exclusiva, os dois enunciados não podem ser verdadeiros ao mesmo tempo.

Disjunção inclusiva

p	q	p v q
V	V	V
V	F	V
F	V	V
F	F	F

Disjunção exclusiva

p	q	p w q
V	V	F
V	F	V
F	V	V
F	F	F

d) Implicação (condicional)

No enunciado condicional, afirma-se que uma sentença implica outra. Em um enunciado condicional verdadeiro, não se pode ter o antecedente verdadeiro e o consequente falso. Segundo o exemplo já dado "Se o senador renunciou, então não cumpriu seu mandato", isso significa que do enunciado "o senador renunciou" (p), conclui-se que "ele não cumpriu seu mandato" (q). A tabela de verdade para o enunciado condicional é a seguinte:

p	q	p → q
V	V	V
V	F	F
F	V	V
F	F	V

Nesse caso, em um enunciado condicional verdadeiro não se pode ter o antecedente verdadeiro e o consequente falso.

Os enunciados condicionais são importantes também para refletirmos sobre as *condições suficientes* e *condições necessárias* que ligam as sentenças.

Vejamos o exemplo: "Se João é **p**aulista, então João é **b**rasileiro" (p →b) é o mesmo que dizer que ser paulista é condição suficiente para João ser brasileiro. Ou seja, se da verdade de "p" segue-se a verdade de "q", então "p" é, por definição, condição *suficiente* de "q".

Outro exemplo: "Se Maria é **d**ivorciada, então Maria já foi **c**asada" (d → c), ou seja, "d" pode ser verdadeira só se "c" também for verdadeira, uma vez que "c" é condição *necessária* de "d": não se divorcia quem nunca se casou.

Esse tipo de enunciado hipotético é importante também quando examinamos as conexões entre eventos. Uma condição necessária para que se produza um efeito determinado é aquela sem a qual o evento não pode ocorrer. Por exemplo, o oxigênio é condição necessária para que haja combustão, mas não é condição suficiente.

e) Equivalência

Enquanto a sentença condicional estabelece uma relação de sentido único, a relação de equivalência é bicondicional, porque se dá nos dois sentidos. Por exemplo: "O senador seria cassado se e somente se permanecesse no seu cargo". A tabela de verdade é a seguinte:

p	q	p ↔ q
V	V	V
V	F	F
F	V	F
F	F	V

Nesse caso, dois enunciados são equivalentes quando têm o mesmo valor de verdade, ou seja, se ambos forem verdadeiros, a sentença bicondicional será verdadeira; se ambos forem falsos, ela será também verdadeira.

4 Sinais de pontuação

Quando os enunciados são mais complexos do que os vistos até aqui, precisamos usar, além dos símbolos de que já lançamos mão, outros sinais de pontuação para os tornar inteligíveis e evitar ambiguidade. Aliás, o mesmo acontece na matemática. Por exemplo, na expressão 3 x 5 + 4, o resultado será diferente se agruparmos os números (3 x 5) + 4 ou ainda 3 x (5 + 4): no primeiro caso o resultado é 19 e no segundo é 27. Daí a necessidade de usar parênteses ou chaves.

Vamos exercitar: tente sozinho e só depois confira as respostas.

1. Simbolize as sentenças usando como referência as letras sublinhadas:

a) Além da péssima distribuição de renda no país, continua a corrupção.

b) Se hoje é quinta-feira, então amanhã será sexta-feira.

Respostas:

a) D . C b) Q → S

2. Traduza as variações do enunciado a seguir, a partir dos símbolos que aparecem na sequência (ainda não temos preocupação com a verdade ou falsidade das sentenças):

"A linguagem da economia é o economês, e os economistas falam economês".[2]

Simbolizando: L . E.

a) ~L

b) ~(L . E)

c) L ↔ E

d) (L . ~ E) → L

e) (L v ~E) . (~L . E)

Respostas:

a) A linguagem da economia não é o economês.

b) Não é o caso, ao mesmo tempo, que a "linguagem da economia é o economês" e que "os economistas falam economês".

c) A linguagem da economia é o economês se e somente se os economistas falam economês.

d) Se a linguagem da economia é o economês e se os economistas não falam economês, então a linguagem da economia é o economês.

e) Ou a linguagem da economia é o economês ou os economistas não falam economês. Além disso, a linguagem da economia não é o economês e os economistas falam economês.

[2] O exemplo é de Paulo Roberto Margutti Pinto, *Introducão à lógica simbólica* (Belo Horizonte: UFMG, 2001. p. 83.).

3. "Se A, B e C são enunciados verdadeiros e X, Y e Z são enunciados falsos, quais são os verdadeiros dentre os enunciados seguintes"[3] (para a resposta, consulte as tabelas de verdade.)

a) (C v Z) . (Y v B)

b) ~B v C

c) ~[(~Y v Z) v (~Z v Y)]

d) [A . (B v C)] . ~[(A . B) v (A . C)]

Respostas

a) Verdadeiro. Como exemplo, vamos explicitar apenas este exercício; nos seguintes, que têm chaves, lembre-se de como você trabalha em matemática.

(C v Z) . (Y v B)

V F F V

V V

V

b) Verdadeiro.

c) Falso.

d) Falso.

5 Formas de enunciado

Agora vamos descobrir como identificar se um argumento é válido ou inválido, o que pode ser observado pelas formas do raciocínio. Sob esse aspecto, os enunciados são classificados como tautológicos, contraditórios ou contingentes.

PARA REFLETIR

Lembre-se dos *princípios da lógica formal* que vimos no capítulo anterior:

- o *princípio de identidade* afirma que "se qualquer enunciado é verdadeiro, então ele é verdadeiro", ou seja: p → p é verdadeiro; essa forma de enunciado corresponde a uma tautologia.
- o *princípio de contradição* afirma que "nenhum enunciado pode ser verdadeiro e falso", ou seja: p . ~p é falso; essa forma de enunciado corresponde a uma contradição.
- O *princípio do terceiro excluído* afirma que "um enunciado ou é verdadeiro ou é falso, não havendo um terceiro valor", ou seja, p v ~ p; essa forma de enunciado corresponde a uma bivalência: só há dois valores, o verdadeiro e o falso.

Vejamos melhor cada um desses três tópicos.

Tautologia

Os enunciados cuja característica é a **tautologia** são aqueles em que o valor verdade é sempre verdade, isto é, *designam os enunciados que sempre resultam verdadeiros.* Por isso, todas as tautologias são equivalentes umas às outras.

ETIMOLOGIA

Tautologia. Do grego *tautó*, "o mesmo", e *logos*, "palavra", "sentença". Portanto, tautologia é "dizer o mesmo".

A tautologia é importante para demonstrar a validade de um argumento. Veremos a seguir que, se obtivermos o condicional com as premissas como antecedente e a conclusão como consequente e constatarmos uma tautologia, poderemos concluir que o argumento é válido. Por exemplo:

Se Pedro estuda, então será aprovado. (p → q)

Pedro não foi aprovado. (~ q)

Pedro não estudou. (~ p)

Ou seja: [(p → q). ~ q] → ~ p

A seguir, montamos a tabela que demonstra se há tautologia, e, portanto, se o argumento é válido. Para entender o procedimento, consulte as tabelas de verdade da negação, da conjunção, da disjunção ou do condicional que constam do item 3 e acompanhe a leitura da tabela com as observações enumeradas na sequência:

p	q	~ q	[(p →q)	.	~q]	→	~q
V	V	F	V	F	F	V	F
V	F	V	F	F	V	V	F
F	V	F	V	F	F	V	V
F	F	V	V	V	V	V	V

Decifrando a tabela:

1. Comece pelas sentenças simples "p" e "q", aplicando a tabela de verdade para a conjunção, com suas quatro possibilidades.
2. Observe a coluna "~q" e aplique a tabela de verdade para a negação, a fim de encontrar os novos valores de verdade e falsidade.

[3] O exemplo é de Irving Copi. *Introdução à lógica*. 2. ed. São Paulo: Mestre Jou, 1978. p. 233.

3. Observe a proposição (p → q) e aplique a tabela de verdade do condicional.
4. Observe "~q" e reproduza os valores de verdade já encontrados na terceira coluna (~q).
5. Relacione "~p" e a primeira coluna (p) e aplique a tabela de verdade para a negação.
6. Compare os dois resultados de (p → q) e de "~q" e aplique a tabela da conjunção.
7. Por fim, relacione este último resultado com "~p" e aplique a tabela da condicional. Se todos os resultados forem verdadeiros (como está assinalado), o condicional é tautológico e, portanto, o argumento é válido.

Contradição

Os enunciados cuja característica é a *contradição* são aqueles em que o valor verdade é sempre falso. Por exemplo, a forma de enunciado p . ~p é contraditória. Observe a tabela:

p	p	.	~p
V	V	F	F
F	F	F	V

A coluna sob o operador principal só tem F, portanto, o enunciado é contraditório.

Contingência

A *contingência* refere-se aos enunciados que podem ser verdadeiros ou falsos, sendo que a verdade ou falsidade não pode ser determinada só do ponto de vista lógico (como as contraditórias e tautológicas), mas depende do confronto com a realidade. Por exemplo, os enunciados "Maria é divorciada" e "Maria (a mesma Maria) é solteira". Veja a tabela, em que usamos as letras sublinhadas *d* e *s*:

d	s	d	.	s
V	V	V	V	V
V	F	V	F	F
F	V	F	F	V
F	F	F	F	F

Na coluna mais escura, vemos um V e três Fs, o que indica a contingência porque os enunciados são verdadeiros e falsos.

6 Consistência dos enunciados

A noção de *consistência* é importante na lógica para se verificar, em um conjunto de enunciados, se existe alguma contradição interna. Quando um conjunto de enunciados é consistente, não é possível dele extrair uma contradição. Mas quando um conjunto de enunciados é *inconsistente* (envolve uma contradição), é logicamente impossível que todos os seus enunciados sejam verdadeiros, simultaneamente.

Para Irving Copi[4], é razoável que, na pesquisa científica, "uma hipótese aceitável seja compatível ou coerente com outras hipóteses que já foram bem confirmadas". E dá o exemplo da hipótese de Leverrier de que havia um planeta adicional não registrado, além da órbita de Urano, o que era compatível com a teoria astronômica aceita, hipótese que foi confirmada pela descoberta de Netuno. O mesmo fenômeno repetiu-se com a descoberta de outro astro, Plutão, na época considerado um planeta.

7 A lógica de predicados

Até aqui não examinamos a estrutura interna dos enunciados simples. Vamos então tratar da lógica de predicados, mas tendo em vista o caráter introdutório deste capítulo, não nos estenderemos aqui além de algumas noções iniciais.

A lógica de predicados envolve os *operadores lógicos*, chamados *quantificadores*, que se expressam pelas palavras "qualquer", "todo", "cada", "algum", "nenhum", "existe". Os quantificadores podem ser *universais* e *existenciais.*

O *quantificador universal* é representado pelo símbolo ∀, que significa "qualquer que seja" ou "para todo".

O *quantificador existencial* é representado pelo símbolo ∃, usado em proposições particulares iniciadas por "algum", "para pelo menos um", "para algum".

As *constantes individuais* são simbolizadas com letras minúsculas, de preferência a primeira letra dos nomes próprios, por exemplo "Sócrates" é simbolizado por "s".

[4] COPI, Irving. *Introdução à lógica*. 2. ed. São Paulo: Mestre Jou, 1978. p. 387.

QUEM É?

ALBUM/AKG-IMAGES/LATINSTOCK

Gottlob Frege, 1920.

Gottlob Frege (1848-1925), matemático e filósofo alemão, é considerado um dos principais iniciadores da lógica matemática. Embora já houvesse tentativas anteriores, desde Leibniz (séc. XVII), foi Frege o primeiro a formular a diferença entre constante e variável. Também é dele o conceito de quantificador para ligar as variáveis, fundamento da lógica de predicados, o que para muitos foi uma das maiores invenções intelectuais. As descobertas sobre a linguagem matemática o levaram a refletir sobre a natureza da linguagem em geral, o que o tornou um dos iniciadores da filosofia analítica, influenciando pensadores como Bertrand Russell, Rudolf Carnap e Ludwig Wittgenstein.

Para os predicados são usadas letras maiúsculas: na sentença "Sócrates é humano", "H" simboliza "humano".

As *variáveis individuais* são simbolizadas por letras minúsculas x, y, z, para representar objetos individuais.

Além dessas notações, continuamos usando os conectivos lógicos já conhecidos.

Vamos agora aos exemplos.

a) "Qualquer que seja x, se x é S, então x é P" pode ser formalizado assim:

$\forall x\,(Sx \rightarrow Px)$

b) "Nenhum humano é mortal" pode ser formalizado assim: Qualquer que seja x, se x é H, então x não é M.

Ou seja: $\forall x\,(Hx \rightarrow \sim Mx)$

c) Neste exemplo precisamos recorrer ao *quantificador existencial*: Algum humano é mortal. Podemos dizer: Para pelo menos um x, x é H e x é M. Ou então: Existe um x, tal que x é H e x é M (cujo conectivo é uma conjunção). Donde:

$\exists x\,(Hx\,.\,Mx)$

d) Algumas coisas são **b**rancas e algumas não são **b**rancas.

$\exists xBx\,.\,\exists x{\sim}Bx$

e) Se nada é **c**inza, então não existem **t**ernos **c**inza.

$(\exists x{\sim}Cx) \rightarrow \sim \exists x\,(Tx\,.\,Cx)$

8 Lógicas complementares e alternativas

Nos últimos 150 anos a lógica sofreu uma transformação nunca vista, com a elaboração de sistemas lógicos diferentes do clássico ou tradicional. A utilização de uma simbologia apropriada provocou mudanças profundas, possibilitando maior rigor lógico, suficiente para torná-la propriamente uma ciência formal.

Além da lógica simbólica, desenvolveram-se outros sistemas lógicos. Algumas dessas lógicas são *complementares*, no sentido de ampliarem aspectos da lógica clássica, outras são *rivais* ou *alternativas* e contrariam alguns fundamentos dela.[5]

As diferenças são as mais diversas: algumas consideram a possibilidade e a contingência; ou o tempo verbal assume relevância que não existe na lógica tradicional; em outras, como na lógica do professor brasileiro Newton da Costa, a ideia de contradição desempenha papel importante; há as que recusam o princípio da bivalência – para o qual só dois valores, o verdadeiro e o falso – para admitir um terceiro valor, o *indeterminado*; a mais conhecida delas é a lógica dialética de Marx e Engels, que aceita o princípio de contradição.

9 A importância da lógica simbólica

A lógica clássica, tal como Aristóteles a formulou, e as contribuições que os filósofos fizeram ao longo do tempo, não a alteraram substancialmente. A tal ponto isso é verdadeiro, que, no século XVIII, Kant afirmava ser a lógica uma ciência completa, acabada. A partir do século XIX, porém, surgiram inúmeras lógicas, não só para complementá-la, como a lógica simbólica, mas também para rivalizar com a tradicional.

A importância da lógica tem aumentado com o desenvolvimento da ciência e da tecnologia, na medida em que seu campo de atuação se amplia como instrumento do pensar indispensável em filosofia, matemática, computação, direito, linguística, ciências da natureza e tecnologia em geral. Neste último quesito, citamos a sua contribuição em setores os mais diversos: inteligência artificial, robótica, engenharia de produção, administração, controle de tráfego, entre outros.

Enfim, é a lógica simbólica que nos proporciona inúmeras facilidades em nossa vida diária, de que muitas vezes nem suspeitamos, como retirar dinheiro no caixa eletrônico, distrairmo-nos com os joguinhos computadorizados e digitar comandos no computador. Por exemplo, ao acionar um ícone que se encontra na barra de ferramentas, nem sempre sabemos estar ativando uma função matemática, que é um caso particular da lógica simbólica.

5 Consultar HAACK, Susan. *Filosofia das lógicas*. São Paulo: Unesp, 2002. p. 207 e seguintes; e MORTARI, Cesar A. *Introdução à lógica*. São Paulo: Editora da Unesp/Imprensa Oficial do Estado, 2001. p. 349 e seguintes.

Atividades[6]

Exercícios de simbolização de sentenças

1 De acordo com os exemplos fornecidos no item 4, "Sinais de pontuação", simbolize as sentenças a seguir, usando como referência as letras destacadas em negrito.

a) Simbolize a negação da seguinte sentença: O **p**residente do Brasil é oriundo das camadas pobres da população.

b) Nem li o **l**ivro nem assisti ao **f**ilme.

c) Você passará na **p**rova se e somente se **e**studar muito.

d) Ou não **j**anto ou tomo uma **s**opa.

e) Este não é um **b**olo saboroso.

f) Irei com você ao **c**inema se e somente se eu **t**erminar esse trabalho.

g) Se não conseguir **t**erminar o trabalho, então ficarei em **c**asa.

2 Simbolize as sentenças a seguir, conforme as convenções indicadas.

A = A Argentina ataca as Malvinas.

I = A Inglaterra mobiliza sua esquadra.

B = O Brasil apoia a Argentina.

E = Os EUA apoiam a Inglaterra.

Exemplo: Se a Argentina ataca as Malvinas e a Inglaterra mobiliza sua esquadra, então o Brasil apoia a Argentina e os EUA apoiam a Inglaterra.

$(A . I) \rightarrow (B . E)$

a) Ou a Argentina ataca as Malvinas e o Brasil apoia a Argentina, ou os EUA apoiam a Inglaterra.

b) Não é o caso de, ao mesmo tempo, a Argentina atacar as Malvinas e o Brasil apoiar a Argentina.

c) Se a Argentina não ataca as Malvinas, então a Inglaterra não mobiliza sua esquadra, do mesmo modo que se o Brasil não apoia a Argentina, então os EUA não apoiam a Inglaterra.

3 Observe as letras sentenciais e as sentenças.

R = Os terroristas fazem **r**eféns.

T = Os terroristas exigem que os países retirem suas **t**ropas do Iraque.

E = Os reféns são **e**xecutados.

P = Os **p**aíses retiram suas tropas.

Agora, traduza essas expressões.

a) $P \text{ w } E$

b) $P \ . \sim E$

c) $\sim E \leftrightarrow P$

d) $(R . T) \rightarrow (\sim P \rightarrow E)$

4 Se A e B são enunciados verdadeiros e X e Y são enunciados falsos, aplique as tabelas de verdade nos enunciados a seguir para examinar quais são verdadeiros.

a) $(A \text{ v } B) (X . Y)$

b) $\sim X \rightarrow (A \text{ w } Y)$

c) $[Y \rightarrow (A . B) . X]$

5 Se A, B e C são enunciados verdadeiros e X, Y e Z são enunciados falsos, determine quais dos seguintes são verdadeiros (utilize as tabelas de verdade).

a) $X \rightarrow (B \rightarrow C)$

b) $\sim A$

c) $\sim A . \sim X$

d) $(A . \sim X) \rightarrow A$

e) $[(A . X) \text{ v } B] \rightarrow A$

Exercícios sobre tautologia e contradição

6 Verifique se os enunciados das questões são tautologia e/ou contradição.

a) $(p . q) \rightarrow p$

b) $\sim [p \rightarrow (q \rightarrow p)]$

Exercícios de notação

7 Faça a notação usando os quantificadores universais ou existenciais, as variáveis e as constantes.

a) Alguns **h**umanos não são **j**ustos.

b) Nenhuma **b**aleia é **p**eixe.

c) Todos os **v**ereadores são **r**epresentantes dos munícipes.

d) Algumas **p**essoas são **t**ímidas.

e) Ou qualquer coisa é uma **l**aranja ou nada é uma **l**aranja.

f) Nenhum **p**laneta é estrela.

g) Todos os **ma**míferos são **v**ertebrados.

h) Algumas **c**rianças são **p**recoces.

6 Alguns exercícios foram baseados nas obras de Mortari, Copi e Nolt.

Capítulo

13 A busca da verdade

PALÁCIO APOSTÓLICO, VATICANO, ROMA

A escola de Atenas. Rafael Sanzio, 1506-1510.

Esse famoso afresco de Rafael Sanzio, que orna uma das paredes do Vaticano, representa o retorno à cultura greco-latina, incentivado no Renascimento. Vários filósofos e cientistas de épocas diferentes estão reunidos na pintura, tendo ao centro Platão — que aponta para cima, como se indicasse o mundo das ideias, enquanto seu realista discípulo Aristóteles aponta para baixo. À esquerda, de bege, Sócrates dialoga com Xenofonte (de uniforme militar), Ésquines e Alcibíades. Abaixo, a filósofa Hipátia de Alexandria e Parmênides de Eleia. Solitário, sentado na escada, Heráclito escreve. Na mesma direção, à direita, Euclides, rodeado por discípulos, demonstra um teorema, com um compasso. Ainda à direita, mais para cima, Ptolomeu, de costas, segura um globo terrestre. Inúmeros outros personagens podem ser identificados: Zeno de Eleia, Pitágoras, Epicuro e até o próprio Rafael.

1 O que veremos no capítulo

A teoria do conhecimento é uma disciplina filosófica que investiga as condições do conhecimento verdadeiro.

Os filósofos da Antiguidade e da Idade Média interessaram-se por questões relativas ao conhecimento, embora ainda não se tratasse propriamente de uma teoria do conhecimento como disciplina independente, pois esses filósofos não colocaram em dúvida a capacidade humana de conhecer: eles explicavam como conhecemos. A crítica do conhecimento só começaria na Idade Moderna, com Descartes.

Veremos como surgiram as indagações sobre o tema entre os gregos, desde os pré-socráticos a Platão e Aristóteles, cujas teorias influenciaram de maneira vigorosa o pensamento medieval.

2 A filosofia pré-socrática

Costuma-se dividir a filosofia grega em três grandes momentos, tendo como referência central a atuação de Sócrates. Distinguimos o período *pré-socrático*, o *socrático* (ou clássico) e o período *pós-socrático* (ou helenístico).

O período pré-socrático estende-se pelos séculos VII e VI a.C., quando os filósofos oriundos das colônias gregas como a Jônia (atual Turquia) e Magna Grécia (sul da Itália e Sicília) iniciaram o processo de desligamento entre a filosofia e o pensamento mítico.

Enquanto nos relatos míticos a natureza era explicada a partir da geração dos deuses, os filósofos pré-socráticos investigavam essa origem de maneira racional. Para eles, o princípio (a *arkhé*, em grego) não se encontra na ordem do tempo mítico, mas trata-se de um princípio teórico, fundamento de todas as coisas. Relembramos que grande parte da obra dos primeiros filósofos foi perdida, deles nos restando apenas fragmentos e os comentários feitos pelos filósofos posteriores.

PARA SABER MAIS

Outros filósofos pré-socráticos foram citados no capítulo 3, "O nascimento da filosofia", no qual também há o mapa da Grécia Antiga com a localização da cidade de origem de cada um deles.

Heráclito: tudo flui

Heráclito (544-484 a.C.) nasceu em Éfeso, na Jônia. Tal como seus contemporâneos, procura compreender a multiplicidade do real. Ao contrário deles, porém, não rejeita as contradições e quer apreender a realidade na sua mudança, no seu **devir**. Todas as coisas mudam sem cessar, e o que temos diante de nós em dado momento é diferente do que foi há pouco e do que será depois: "Nunca nos banhamos duas vezes no mesmo rio", pois na segunda vez não somos os mesmos, e também as águas mudaram.

ETIMOLOGIA

Devir. Do latim *devenire*, "chegar", "vir de", "dirigir-se a".

Para Heráclito, o ser é o múltiplo, não apenas no sentido de que há uma multiplicidade de coisas, mas por estar constituído de oposições internas. O que mantém o fluxo do movimento não é o simples aparecer de novos seres, mas a luta dos contrários, pois "a guerra é pai de todos, rei de todos". É da luta que nasce a harmonia, como síntese dos contrários. O dinamismo de todas as coisas pode ser representado pela metáfora do fogo, expressão visível da instabilidade, símbolo da eterna agitação do devir: "o fogo eterno e vivo, que ora se acende e ora se apaga".

PARA SABER MAIS

Costuma-se dizer que Heráclito teve a intuição da *lógica dialética*, que no século XIX foi elaborada por Hegel e depois reformulada por Marx na teoria do materialismo dialético.

Parmênides: o ser é imóvel

Parmênides (c.540-c.470 a.C.) viveu em Eleia, cidade do sul da Magna Grécia. Sua teoria filosófica influenciou de modo decisivo o pensamento ocidental. Criticou a filosofia heraclitiana: ao "tudo flui" de Heráclito, contrapôs a imobilidade do ser. Para Parmênides, é absurdo e impensável afirmar que uma coisa pode ser e não ser ao mesmo tempo. À contradição opõe o princípio segundo o qual "o ser é" e o "não ser não é".

Parmênides, a partir do princípio estabelecido, conclui que o ser é único, imutável, infinito e imóvel. Entretanto, não há como negar a existência do movimento no mundo, pois as coisas nascem e morrem, mudam de lugar e se expõem em infinita multiplicidade. Segundo Parmênides, porém, o movimento existe apenas no *mundo sensível*, e a percepção pelos sentidos é ilusória, porque baseada na opinião (*dóxa*, em grego), e, por isso mesmo, não é confiável. Só o *mundo inteligível* é verdadeiro, pois está submetido ao princípio que mais tarde Aristóteles chamou de identidade e de não contradição.

PARA SABER MAIS

No período clássico os filósofos — sobretudo Aristóteles — tomam as ideias de Parmênides para fundamentar a construção da metafísica e formular os princípios da lógica. Um deles é o *princípio de identidade*, segundo o qual A = A, ou seja, todo ser é igual a si mesmo. Se quiser, consulte o capítulo 11, "Lógica aristotélica".

Uma das consequências da teoria de Parmênides é a *identidade entre o ser e o pensar*: as coisas que existem fora de nós são idênticas ao pensamento e o que não conseguimos pensar não pode ser na realidade.

Veremos adiante como Platão e Aristóteles tentam superar o pensamento de Heráclito e Parmênides.

3 Os sofistas: a arte de argumentar

No período socrático ou clássico (séculos V e IV a.C.), o centro cultural deslocou-se das colônias para a cidade de Atenas. Desse período fazem parte Sócrates e seu discípulo Platão, que posteriormente foi mestre de Aristóteles. O século V a.C. é também conhecido como o século de Péricles, governante na época áurea da cultura grega, quando a democrática Atenas desenvolveu intensa vida política e artística. Os pensadores desse período, embora ainda discutissem questões cosmológicas, ampliaram os questionamentos para a antropologia, moral e política. Também os sofistas são dessa época, pelos quais começaremos.

Os **sofistas** fazem parte da época clássica e alguns deles são interlocutores de Sócrates. Os mais famosos foram: Protágoras, de Abdera (485-411 a.C.); Górgias, de Leôncio, na Sicília (485-380 a.C.); Híppias, de Élis; e ainda Trasímaco, Pródico e Hipódamos, entre outros. Tal como ocorreu com os pré-socráticos, dos sofistas só nos restam fragmentos de suas obras, reunidas nas doxografias, além de referências — muitas vezes tendenciosas — feitas por filósofos posteriores.

ETIMOLOGIA

Sofista. Do grego *sophós*, "sábio", ou melhor, "professor de sabedoria". Posteriormente o termo adquiriu o sentido pejorativo para denominar aquele que emprega sofismas, ou seja, alguém que usa de raciocínio capcioso, de má-fé, com intenção de enganar. *Sóphisma* significa "sutileza de sofista".

Os sofistas foram sempre mal interpretados por causa das críticas de Sócrates, Platão e Aristóteles. São muitos os motivos que levaram à visão deturpada sobre os sofistas que a tradição nos oferece. Em primeiro lugar, há enorme diversidade teórica entre os pensadores reunidos sob a designação de *sofista*. Talvez o que possa identificá-los é o fato de serem considerados sábios e pedagogos. Vindos de todas as partes do mundo grego, ocupam-se de um ensino itinerante, sem se fixarem em nenhum lugar. O constante exercício do pensar e a aceitação de opiniões contraditórias, características dos sofistas, possivelmente deviam-se à incessante circulação de ideias.

Para escândalo de seus contemporâneos, os sofistas costumavam cobrar pelas aulas, motivo pelo qual Sócrates os acusava de "prostituição". Cabe aqui um reparo: na Grécia Antiga, a aristocracia tinha o privilégio da atividade intelectual, pois gozava do ócio, ou seja, da disponibilidade de tempo, já que estava liberada do trabalho de subsistência, ocupação dos escravos. No entanto, os sofistas geralmente pertenciam à classe média e, por não serem suficientemente ricos para se darem ao luxo de filosofar, faziam das aulas seu ofício. Se alguns sofistas de menor valor intelectual podiam ser chamados de "mercenários do saber", na verdade tratava-se de fato acidental que não se aplicava à maioria.

No entanto, a imagem de certo modo caricatural da sofística tem sido revista na tentativa de resgatar sua verdadeira importância. Desde que os sofistas foram reabilitados por Hegel no século XIX, o período por eles iniciado passou a ser denominado *Aufklärung grega*, imitando a expressão alemã que designa o Iluminismo europeu do século XVIII.

A sofística e o ideal democrático

Segundo Werner Jaeger, historiador da filosofia, os sofistas exerceram influência muito forte no seu tempo, vinculando-se à tradição educativa dos poetas Homero e Hesíodo. Sua contribuição para a sistematização do ensino foi notável, pela elaboração de um currículo de estudos: gramática (da qual são os iniciadores), retórica e dialética; na tradição dos pitagóricos, desenvolveram a aritmética, a geometria, a astronomia e a música.

Os sofistas elaboraram o ideal teórico da democracia, valorizada pelos comerciantes em ascensão, cujos interesses passaram a se contrapor aos

Doxografia. Do grego *dóxa*, "opinião", e *graphein*, "escrever". Compilação das doutrinas dos filósofos, considerada os primeiros registros de uma história da filosofia. A mais famosa é a de Diógenes Laércio (séc. III da era cristã).

da aristocracia rural. Nessas circunstâncias, a exigência que os sofistas satisfazem na Grécia de seu tempo é de ordem essencialmente prática, voltada para a vida, pois iniciavam os jovens na arte da retórica, instrumento indispensável para que os cidadãos participassem da assembleia democrática.

Por deslumbrarem seus alunos com o brilhantismo de sua retórica, foram duramente criticados pelos seguidores de Sócrates, que os acusavam de não se importarem com a verdade, pois, afeitos que eram à arte de persuadir, reduziam seus discursos a opiniões relativistas. Além disso, sabemos como Sócrates e Platão não tinham simpatia pela democracia, por causa do risco da demagogia.

PARA REFLETIR

Para criticar os sofistas, Platão usava o conceito de *phármakon*, que significa ao mesmo tempo "remédio" e "veneno". É veneno quando os sofistas usam a linguagem com eloquência para seduzir, iludir, enganar, adular a assembleia sem se importar com a verdade. Quando a linguagem seria "remédio"?

Se os sofistas foram acusados pelos seus detratores de pronunciar discursos vazios, essa fama deve-se ao fato de que alguns deles deram excessiva atenção ao aspecto formal da exposição e da defesa das ideias. E também porque em geral os sofistas estavam convencidos de que a persuasão é o instrumento por excelência do cidadão na cidade democrática.

UNIVERSIDADE DO SUL DA CALIFÓRNIA

Protágoras representado em mosaico da sala de leitura principal da Biblioteca James Harmon Hoose, 2004.

Os melhores deles, no entanto, buscavam aperfeiçoar os instrumentos da razão, ou seja, a coerência e o rigor da argumentação. Não bastava dizer o que se considerava verdadeiro, era preciso demonstrá-lo pelo raciocínio. Pode-se dizer que aí se encontra o embrião da lógica, mais tarde desenvolvida por Aristóteles.

Protágoras, um dos mais importantes sofistas, dizia que "o homem é a medida de todas as coisas". Esse fragmento — entre os poucos conservados de seus escritos perdidos — pode ser entendido como a exaltação da capacidade humana de construir a verdade: o *logos* não mais é divino, mas decorre do exercício técnico da razão humana, a quem cabe confrontar as diversas concepções possíveis de verdade.

4 Sócrates e o conceito

Sócrates (c.470-399 a.C.) nada deixou escrito. Suas ideias foram divulgadas por Xenofonte e Platão, dois de seus discípulos. Nos diálogos de Platão, Sócrates sempre figura como o principal interlocutor. Já o comediógrafo Aristófanes o ridiculariza ao incluí-lo entre os sofistas.

PARA SABER MAIS

Se quiser, consulte o tópico "A experiência filosófica", no final do capítulo 1, onde já discorremos sobre o método e o pensamento de Sócrates.

Sócrates costumava conversar com todos, fossem velhos ou moços, nobres ou escravos. A partir do pressuposto "só sei que nada sei", que consiste justamente na sabedoria de reconhecer a própria ignorância, inicia a busca do saber. Os métodos de indagação de Sócrates provocaram os poderosos do seu tempo, que o levaram ao tribunal sob a acusação de não crer nos deuses da cidade e de corromper a mocidade. Por essa razão foi condenado à morte.

Qual é, porém, o "perigo" de seu método? Ele começa pela fase "destrutiva", a *ironia*, termo que em grego significa "perguntar, fingindo ignorar". Diante do oponente, que se diz conhecedor de determinado assunto, Sócrates afirma inicialmente nada saber. Com hábeis perguntas, desmonta as certezas até que o outro reconheça a própria ignorância (ou desista da discussão).

A segunda etapa do método, a *maiêutica* (em grego, "parto"), foi assim denominada em homenagem à sua mãe, que era parteira. Segundo Sócrates, enquanto ela fazia parto de corpos, ele "dava à luz" ideias novas. Após destruir o saber meramente opinativo (a *dóxa*), em diálogo com seu interlocutor, dava início à procura da *definição do conceito*, de modo que o conhecimento saísse "de dentro" de cada um. Esse processo está bem ilustrado nos diálogos de Platão, e é bom lembrar que, no final, nem sempre se chegava a uma conclusão definitiva: são os chamados diálogos aporéticos.

Nas conversas, Sócrates privilegia as questões morais, por isso em muitos diálogos pergunta o que é a coragem, a covardia, a piedade, a amizade e assim por diante. Tomemos o exemplo da justiça: após serem enumeradas as diversas expressões de justiça, Sócrates quer saber o que é a "justiça em si", o universal que a representa. Desse modo, a filosofia nascente precisa inventar palavras novas ou usar as do cotidiano, dando-lhes sentido diferente. Sócrates utiliza o termo *logos* (na linguagem comum, "palavra", "conversa"), que passa a significar a *razão* de algo, ou seja, aquilo que faz com que a justiça seja justiça.

No diálogo *Laques*, ou *Do valor*, os generais Laques e Nícias são convidados a discorrer sobre a importância do ensino de esgrima na formação dos jovens. Sócrates reorienta a discussão ao indagar a respeito de conceitos que antecedem essa discussão, ou seja, o que se entende por educação e, em seguida, sobre o que é virtude. Dentre as virtudes, Sócrates escolhe uma delas e indaga: "o que é a coragem?". Laques acha fácil responder: "Aquele que enfrenta o inimigo e não foge no campo de batalha é o homem corajoso". Sócrates dá exemplos de guerreiros cuja tática consiste em recuar e forçar o inimigo a uma posição desvantajosa, mas nem por isso deixam de ser corajosos. Cita outros tipos de coragem que ultrapassam os atos de guerra, como a coragem dos marinheiros, dos que enfrentam a doença ou os perigos da política e dos que resistem aos impulsos das paixões. Enfim, o que Sócrates procura não são exemplos de casos corajosos, mas o *conceito de coragem*.[1]

Aporético. Que diz respeito à aporia (do grego, poros, "passagem", a "negação", portanto, "impasse", "incerteza"). Os diálogos aporéticos não têm continuidade porque o oponente se retira ou o debate não avança até uma solução, sobretudo se o interlocutor esquiva-se do debate.

Esgrimir. Praticar a arte de esgrima; significa também discutir, debater. O mesmo ocorre com a palavra *florear*, que significa "usar arma branca com destreza" ou "embelezar um texto".

A arte da esgrima, um dos jogos que os gregos antigos aprendiam nos ginásios, é o assunto inicial do diálogo *Laques*, de Platão. Sabemos que na esgrima os opositores se confrontam a fim de ver quem é mais hábil para vencer a luta. Releia o item sobre os sofistas e responda às questões:

a) Em que sentido esgrimir com palavras é indicativo das críticas feitas por Sócrates e Platão aos sofistas?
b) Reflita e posicione-se a respeito: esse é um procedimento adequado para a discussão filosófica?

Esgrima nos Jogos Olímpicos de Atenas, Grécia (Hungria x França), 2004.

JAMIE SQUIRE/GETTY IMAGES

[1] Consultar CHAUI, Marilena. *Introdução à história da filosofia*: dos pré-socráticos a Aristóteles. São Paulo: Brasiliense, 1994. Nas páginas 146 a 151 há um esclarecedor resumo do diálogo *Laques* com a explicitação do processo metodológico de Sócrates.

5 Platão: o mundo das ideias

Para melhor sintetizar a teoria do conhecimento de Platão, recorremos ao livro VII de *A República*, em que é relatada a famosa "alegoria da caverna"[2]: pessoas estão acorrentadas desde a infância em uma caverna, de tal modo que enxergam apenas a parede ao fundo, na qual são projetadas sombras, que eles pensam ser a realidade. Trata-se porém da sombra de marionetes, empunhadas por pessoas atrás de um muro, que também esconde uma fogueira. Se um dos indivíduos conseguisse se soltar das correntes para contemplar à luz do dia os *verdadeiros objetos*, ao regressar à caverna seus antigos companheiros o tomariam por louco e não acreditariam em suas palavras.

QUEM É?

Platão (428-347 a.C.) era na verdade o apelido de Arístocles de Atenas (talvez porque tivesse ombros largos ou o corpo meio quadrado...), nascido de família aristocrática. Após a condenação de Sócrates, seu mestre, viajou por vários lugares, tentou em vão interferir no governo de Siracusa (Sicília) e por fim retornou a Atenas, onde fundou a escola denominada Academia. Seus diálogos — em que a maioria traz Sócrates como interlocutor principal — abrangem as várias áreas da filosofia nascente, e por isso é o primeiro filósofo sistemático do pensamento ocidental. Sua influência foi sentida no helenismo (neoplatonismo) e adaptada à doutrina cristã inicialmente por Agostinho de Hipona (354-430). Até hoje vigoram muitas de suas ideias sobre a relação corpo-alma, a política aristocrática e a crença na superioridade do espírito em detrimento dos sentidos.

PALÁCIO APOSTÓLICO, VATICANO, ROMA

Platão, de Rafael Sanzio, 1506-1510.

A alegoria da caverna representa as etapas da educação de um filósofo, ao sair do mundo das sombras (das aparências) para alcançar o conhecimento verdadeiro. Após essa experiência, ele deve voltar à caverna para orientar os demais e assumir o governo da cidade. Por isso a análise da alegoria pode ser feita pelo menos sob dois pontos de vista:

- o *político*: com o retorno do filósofo-político que conhece a arte de governar;
- e o *epistemológico*: quando o filósofo volta para despertar nos outros o conhecimento verdadeiro.

PARA SABER MAIS

A valorização da filosofia como conhecimento superior leva Platão à idealização do *rei-filósofo*: para o Estado ser bem governado, é preciso que "os filósofos se tornem reis, ou que os reis se tornem filósofos". Consulte o capítulo 23, "A política normativa".

Platão distingue dois tipos de conhecimento: o sensível e o inteligível, que se subdividem em outros graus.

Observando a ilustração da caverna, identificamos quatro formas da realidade:

- as sombras: a aparência sensível das coisas;
- as marionetes: a representação de animais, plantas etc., ou seja, das próprias coisas sensíveis;
- o exterior da caverna: a realidade das ideias;
- o Sol: a suprema ideia do bem.

O muro representa a separação de dois tipos de conhecimento: o sensível (que corresponde às duas primeiras formas de realidade) e o inteligível (às duas últimas).

ARCHIVO SANTILLANA

Ilustração representando a alegoria da caverna, de Platão, 2001.

[2] Ver a Leitura complementar, no final do capítulo.

A ascensão dialética

Opinião (*dóxa*)
- imagens do sensível (*eikasía*)
- realidades sensíveis: crença (*pístis*)

Ciência (*epistéme*)
- conhecimento matemático: raciocínio hipotético (*diánoia*)
- conhecimento filosófico: intuição intelectiva (*nóesis*)

A dialética platônica

A alegoria da caverna é a metáfora que serve de base para Platão expor a dialética dos graus do conhecimento. Sair das sombras para a visão do Sol representa a passagem dos graus inferiores do conhecimento aos superiores: na *teoria das ideias*, Platão distingue o *mundo sensível*, o dos fenômenos, do *mundo inteligível*, o das ideias.

O mundo sensível, percebido pelos sentidos, é o local da multiplicidade, do movimento; é ilusório, pura sombra do verdadeiro mundo. Por exemplo, mesmo que existam inúmeras abelhas dos mais variados tipos, *a ideia de abelha* deve ser una, imutável, a verdadeira realidade.

O mundo inteligível é alcançado pela dialética ascendente, que fará a alma elevar-se das coisas múltiplas e mutáveis às ideias unas e imutáveis. As ideias gerais são hierarquizadas, e no topo delas está a ideia do Bem, a mais alta em perfeição e a mais geral de todas — na alegoria, corresponde à metáfora do Sol. Os seres em geral não existem senão enquanto participam do Bem. E o Bem supremo é também a Suprema Beleza: o Deus de Platão.

Percebemos então que, acima do ilusório mundo sensível, há as ideias gerais, as essências imutáveis, que atingimos pela contemplação e pela depuração dos enganos dos sentidos. Como as ideias são a única verdade, o mundo dos fenômenos só existe na medida em que participa do mundo das ideias, do qual é apenas sombra ou cópia. Trata-se da *teoria da participação*, mais tarde duramente criticada por Aristóteles.

Se lembrarmos o que foi dito a respeito dos pré-socráticos, podemos constatar que Platão procura superar a oposição entre o pensamento de Heráclito, que afirma a mutabilidade essencial do ser, e o de Parmênides, para quem o ser é imóvel. Platão resolve o problema: o mundo das ideias se refere ao *ser parmenídeo*, e o mundo dos fenômenos ao *devir heraclitiano*.

DARRELL GULIN/CORBIS-LATINSTOCK

Apesar da variedade de raças de cavalo, com porte e pelagens diferentes, para Platão um cavalo só é cavalo enquanto participa da "ideia de cavalo em si".

Teoria da reminiscência

Como é possível ultrapassar o mundo das aparências ilusórias? Platão supõe que o puro espírito já teria contemplado o mundo das ideias, mas tudo esquece quando se degrada ao se tornar prisioneiro do corpo, considerado o "túmulo da alma". Pela *teoria da reminiscência*, Platão explica como os sentidos são apenas *ocasião* para despertar na alma as lembranças adormecidas. Em outras palavras, conhecer é lembrar.

Dialética. No sentido comum, é discussão, diálogo. Em filosofia, varia conforme o filósofo (ver o **Vocabulário**, no final do livro).

Diánoia. É o raciocínio que opera por indução e/ou dedução, ou seja, por etapas.

Nóesis. É a atividade intelectual que resulta do conhecimento imediato, da intuição das essências e princípios.

THE ART ARCHIVE/OTHER IMAGES

Escultura do século IV representando Plutão (Hades) e o cão Cérbero.

Hades — que entre os romanos se chamava Plutão — designa ao mesmo tempo o deus e o mundo dos mortos, também conhecido por Infernos (ou "mundo inferior", por isso não se confunde com o inferno cristão) e para lá iam as almas após a morte. Era o mundo escuro das trevas, temido por todos. Hades fazia-se acompanhar por Cérbero, um cão de várias cabeças e cauda em forma de serpente. Guardião dos Infernos, acolhia com grande gentileza a entrada dos mortos, mas impedia com ferocidade a sua saída.

Assim explica Platão no diálogo *Mênon*:

> A alma é, pois, imortal; renasceu repetidas vezes na existência e contemplou todas as coisas existentes tanto na Terra como no Hades e por isso não há nada que ela não conheça! Não é de espantar que ela seja capaz de evocar à memória a lembrança de objetos que viu anteriormente, e que se relacionam tanto com a virtude como com as outras coisas existentes. Toda a natureza, com efeito, é uma só, é um todo orgânico, e o espírito já viu todas as coisas; logo, nada impede que ao nos lembrarmos de uma coisa — o que nós, homens, chamamos de 'saber' — todas as outras coisas acorram imediata e maquinalmente à nossa consciência. [...] Pois sempre, toda investigação e ciência são apenas simples recordação.[3]

A fala transcrita no texto é de Sócrates, que conversa com Mênon. Para ilustrar a teoria da reminiscência, chama um escravo e lhe pede que examine umas figuras sensíveis e, por meio de perguntas, o estimula a "lembrar-se" das ideias e a descobrir uma verdade geométrica.

PARA REFLETIR

Podemos não concordar na íntegra com a teoria da reminiscência de Platão, mas perguntamos se não a aceitaríamos em parte sob o seguinte aspecto: quando nos defrontamos com algo novo, seja um texto, uma imagem, um relato, só o compreenderemos melhor se já tivermos um "pré-conhecimento" do assunto. Por exemplo, uma pessoa não conseguirá entender um texto extraído de um tratado avançado de física caso nunca tenha estudado essa ciência antes. Você saberia dar outros exemplos?

6 Aristóteles: a metafísica

Desde o momento em que a razão se separou do pensamento mítico, os filósofos gregos criaram conceitos para instrumentalizá-la no esforço de compreensão do real. Entre as diversas contribuições destaca-se a de Aristóteles, pela elaboração dos princípios da lógica e dos conceitos que explicassem o *ser em geral*, área da filosofia que hoje reconhecemos como *metafísica*. Embora sempre façamos referência à metafísica de Aristóteles, ele próprio usava a denominação *filosofia primeira*.

[3] PLATÃO. *Mênon*. 81d.

PARA SABER MAIS

O termo *metafísica* surgiu no século I a.C., quando Andronico de Rodes, ao classificar as obras de Aristóteles, colocou a *filosofia primeira* após as obras de física: *meta física*, ou seja, "depois da física". Posteriormente, esse "depois", puramente espacial, foi entendido como "além", por tratar de temas que transcendem a física, que estão além das questões relativas ao conhecimento do mundo sensível.

A teoria do conhecimento

A teoria do conhecimento aristotélica é exposta nas obras *Metafísica* e *Sobre a alma*. Nesta última, ao explicar a relação entre corpo (matéria) e alma (forma), Aristóteles define a alma como a forma, o ato, a perfeição de um corpo. Também usa os conceitos metafísicos para distinguir o conhecimento sensível do racional e demonstrar como eles dependem um do outro.

Os sentidos são a primeira fonte do conhecimento: sob esse aspecto, Aristóteles critica a teoria da reminiscência platônica. Para ele, a origem das ideias é explicada pela abstração, pela qual o intelecto, partindo das imagens sensíveis das coisas particulares, elabora os conceitos universais, inicialmente pela indução — que é um processo de generalização e caracteriza uma abstração imprópria, porque imprecisa —, depois pela dedução, verdadeiro caminho para abstrair o conceito.

Pela sua teoria do conhecimento, Aristóteles pretende chegar à verdade, que para ele consiste na *adequação do conceito à coisa real*.

A filosofia primeira não é primeira na ordem do conhecer — já que partimos do conhecimento sensível —, mas a que busca as causas mais universais, e, portanto, as mais distantes dos sentidos. Trata-se da parte nuclear da filosofia, na qual se estuda "o ser enquanto ser", isto é, o ser independentemente de suas determinações particulares.

É a metafísica que fornece a todas as outras ciências o fundamento comum, o objeto que elas investigam e os princípios dos quais dependem. Ou seja, todas as ciências referem-se continuamente ao ser e a diversos conceitos ligados diretamente a ele, como identidade, oposição, diferença, gênero, espécie, todo, parte, perfeição, unidade, necessidade, possibilidade, realidade etc. No entanto, cabe à metafísica examinar esses conceitos, ao refletir sobre o ser e suas propriedades.

O conhecimento pelas causas

Aristóteles define a ciência como conhecimento verdadeiro, conhecimento pelas causas, por meio do qual é possível superar os enganos da opinião e compreender a natureza da mudança, do movimento. Para tanto, recusa a teoria das ideias de Platão e sua interpretação radical sobre a oposição entre mundo sensível e mundo inteligível.

Para entender a teoria aristotélica, vamos descrever três distinções fundamentais realizadas pelo filósofo: substância-essência-acidente; ato-potência; forma-matéria. Esses conceitos, por sua vez, servem para compreender a teoria das quatro causas.

Substância: essência e acidente

Costuma-se dizer que Aristóteles "traz as ideias do céu à terra" porque, para rejeitar a teoria das ideias de Platão, reuniu o mundo sensível e o inteligível no conceito de *substância*: cada ser que existe é uma substância.

A substância é "aquilo que é em si mesmo", o suporte dos atributos. Esses atributos podem ser essenciais ou acidentais:

- a **essência** é o atributo que convém à substância de tal modo que, se lhe faltasse, a substância não seria o que é.
- o **acidente** é o atributo que a substância pode ter ou não, sem deixar de ser o que é.

QUEM É?

PALÁCIO APOSTÓLICO, VATICANO, ROMA

Aristóteles, de Rafael Sanzio, 1506-1510.

Aristóteles (384-322 a.C.) nasceu em Estagira, na Macedônia — por isso, às vezes, recebe a designação de *estagirita*. Em Atenas, desde os 17 anos, Aristóteles frequentou a Academia de Platão. A fidelidade ao mestre foi entremeada por críticas que mais tarde justificou: "Sou amigo de Platão, mas mais amigo da verdade". Após a morte de Platão, em 347 a.C, viajou por diversos lugares e foi preceptor do jovem de 13 anos que se tornaria Alexandre, o Grande, da Macedônia. De volta a Atenas, fundou o Liceu, em 340 a.C., assim chamado por ser vizinho do templo de Apolo Lício. Segundo alguns, Aristóteles e os discípulos caminhavam pelo jardim do Liceu, por isso a filosofia aristotélica às vezes é designada como *peripatética* (do grego *peri*, "à volta de", e *patéo*, "caminhar"). Em meados da Idade Média, seu pensamento ressurgiu com vigor, adaptado às teses religiosas. Apesar das críticas sofridas a partir da Idade Moderna, permanece até hoje como referência, sobretudo nas áreas de lógica, metafísica, política e ética.

Por exemplo: a substância individual "esta pessoa" tem como características essenciais os atributos da humanidade (Aristóteles diria que a racionalidade é a essência do ser humano). Os acidentais são, entre outros, ser gordo, velho ou belo, atributos que não mudam o ser humano na sua essência.

Matéria e forma

Além dos conceitos de essência e acidente, Aristóteles recorre às noções de *matéria* e *forma*. Todo ser é constituído de matéria e forma, princípios indissociáveis.

- **Matéria** é o princípio indeterminado de que o mundo físico é composto, é "aquilo de que é feito algo". Trata-se da matéria indeterminada. Quando nos referimos à matéria concreta, trata-se de *matéria segunda*.
- **Forma** é "aquilo que faz com que uma coisa seja o que é". Nesse sentido, a forma é geral (o que faz com que todo animal ou vegetal sejam o que são).

A forma é o princípio inteligível, a essência comum aos indivíduos da mesma espécie pela qual todos são o que são, enquanto a matéria é pura passividade e contém a forma *em potência*.

O movimento (devir) é explicado por meio das noções de substância e acidente, de matéria e forma. Para Aristóteles, todo ser tende a tornar atual a forma que tem em si como potência. Por exemplo, a semente, quando enterrada, tende a se desenvolver e a se transformar no carvalho que é em potência.

Potência e ato

Ao explicitar os conceitos de matéria e forma, é necessário recorrer aos de *potência* e *ato*, que explicam como dois seres diferentes podem entrar em relação, atuando um sobre o outro. Então:

- A **potência** é a capacidade de tornar-se alguma coisa, é aquilo que uma coisa poderá vir a ser. Para se atualizar, todo ser precisa sofrer a ação de outro já em ato.
- O **ato** é a essência (a forma) da coisa tal como é aqui e agora.

Não se trata de uma atualização de uma vez por todas, porque cada ser continua em movimento, recebendo novas formas: os seres vivos nascem e morrem, o feto se transforma em criança e, na sequência, em adolescente, jovem, idoso e assim por diante.

VISUALS UNLIMITED/CORBIS-LATINSTOCK

A semente, quando enterrada, tende a desenvolver-se e a transformar-se na árvore que é em potência. Portanto, todo ser tende a tornar atual a forma que tem em si como potência.

PARA SABER MAIS

Ao afirmar que todo ser tem em potência a sua essência, Aristóteles desenvolve a teoria *essencialista*, que perdurou até a época contemporânea. Filósofos como Marx, Nietzsche e Sartre a criticaram quando aplicada para compreender o ser humano. Para Marx, não há essência humana, porque o ser humano se produz pelo trabalho, conforme seu contexto histórico-social. Nietzsche recusou todos os modelos metafísicos para o mundo e para nós mesmos. Para Sartre, apenas as coisas e os animais são "em-si", enquanto o ser humano é "para-si", por estar aberto à possibilidade de construir ele próprio sua existência.

Recapitulando os conceitos aristotélicos: todo ser é uma substância constituída de matéria e forma; a matéria é potência, o que tende a ser; a forma é o ato. O movimento é, portanto, a forma atualizando a matéria, é a passagem da potência ao ato, do possível ao real.

PARA REFLETIR

O conceito aristotélico de *potência* não deve ser confundido com força: trata-se de uma *potencialidade*, a *ausência de perfeição* em um ser que *pode* vir a possuir essa perfeição. Nesse sentido, até hoje costumamos nos referir às potencialidades de cada um de nós. Seguindo o critério aristotélico, reflita: quais são suas potencialidades essenciais? E as acidentais?

A teoria das quatro causas

As considerações anteriores tornam mais claro o *princípio de causalidade* de acordo com Aristóteles: "tudo o que se move é necessariamente movido por outro". O devir consiste na tendência que todo ser tem de realizar a forma que lhe é própria.

Há quatro sentidos para *causa*: material, formal, eficiente e final.

AKG IMAGES/LATINSTOCK

Detalhe de *Filosofia*, afresco de Rafael Sanzio (1508). Ao lado do medalhão da Filosofia, anjos carregam tabuletas que lembram a base da ciência aristotélica: *causarum cognitio* (conhecimento pelas causas). A tradução para o latim e os anjos indicam a releitura de Aristóteles levada a efeito pelos filósofos cristãos da Idade Média.

Por exemplo, numa estátua:

- a causa *material* é aquilo *de que* a coisa é feita (o mármore);
- a causa *eficiente* é aquela que dá impulso ao *movimento* (o escultor que a modela);
- a causa *formal* é aquilo que a coisa *tende a ser* (a forma que a estátua adquire);
- a causa *final* é aquilo *para o qual* a coisa é feita (a finalidade de fazer a estátua: a beleza, a glória, a devoção religiosa etc.).

Essas são as causas que explicam o movimento, que para Aristóteles é eterno.

Deus: Primeiro Motor Imóvel

Toda a estrutura teórica da filosofia aristotélica desemboca no divino, numa teologia. A descrição das relações entre as coisas leva ao reconhecimento da existência de um ser superior e necessário, ou seja, Deus. Porque, se as coisas são *contingentes* — pois não têm em si mesmas a razão de sua existência —, é preciso concluir que são produzidas por causas exteriores a elas. Ou seja, todo ser contingente foi produzido por outro ser, que também é contingente, e assim por diante. Para não ir ao infinito na sequência de causas, é preciso admitir uma primeira causa, por sua vez incausada, um ser necessário (e não contingente).

PARA SABER MAIS

Para os gregos antigos, a matéria é eterna, portanto Deus não é criador. Segundo Aristóteles, Deus não conhece nem ama os seres individualmente. Ele é puro pensamento, que pensa a si mesmo, é "pensamento de pensamento". Por isso a teologia aristotélica é filosófica e não religiosa.

Esse Primeiro Motor Imóvel (por não ser movido por nenhum outro) é também um puro ato (sem nenhuma potência). Segundo Aristóteles, Deus é Ato Puro, Ser Necessário, Causa Primeira de todo existente. No entanto, como Deus pode mover, sendo imóvel? Porque Deus não é o primeiro motor como causa eficiente, mas sim como causa final: Deus move por atração, ele tudo atrai, como "perfeição" que é.

Crítica de Aristóteles aos antecessores

Além da metafísica, Aristóteles estabeleceu os princípios da lógica formal (ver capítulo 11, "Lógica aristotélica"). Com esses princípios lógicos e os conceitos metafísicos, criticou os filósofos que o antecederam, sobretudo Heráclito, Parmênides e Platão.

Contra Heráclito, segundo o qual tudo estava em constante movimento, Aristóteles demonstra que em toda transformação há algo que muda e algo que permanece. E, pelo princípio de contradição, que um ser não pode ser e não ser ao mesmo tempo. Do mesmo modo critica Parmênides, por ter afirmado que o ser é imóvel, reduzindo o movimento ao mundo sensível. Igualmente, rejeitou a teoria das ideias de Platão.

Para Aristóteles, se o conhecimento se faz com conceitos universais, esses mesmos conceitos são aplicados a cada coisa individual. Com isso, não é preciso justificar a imobilidade do ser (como Parmênides) nem criar o mundo das essências imutáveis, como quis Platão.

PARA SABER MAIS

No período posterior à filosofia clássica teve início o helenismo, marcado pela influência oriental. As principais expressões filosóficas foram o estoicismo, o epicurismo e o ceticismo. Trataremos dos dois primeiros no capítulo 20, "Teorias éticas". Quanto ao ceticismo, sugerimos consultar o capítulo 9, "O que podemos conhecer?".

7 A filosofia medieval: razão e fé

A Idade Média compreende mil anos de história (do séc. V ao XV). Após a queda do Império Romano, formaram-se os novos reinos bárbaros. Lentamente foi introduzida a ordem feudal, de natureza aristocrática, em cujo topo da pirâmide encontravam-se os nobres e o clero.

A Igreja Católica consolidou-se como força espiritual e política. A influência religiosa deveu-se a diversos motivos. A Igreja representava um elemento agregador, numa época em que a Europa estava bastante fragmentada. Do ponto de vista cultural, atuou de maneira decisiva, pois a herança greco-latina foi preservada nos mosteiros. Em um mundo em que nem os nobres sabiam ler, os monges eram os únicos letrados, o que justifica a impregnação religiosa nos princípios morais, políticos e jurídicos da sociedade medieval.

Como não poderia deixar de ser, a grande questão discutida pelos intelectuais da Idade Média era a relação entre razão e fé, entre filosofia e teologia. Destacaremos aqui duas tendências filosóficas: a patrística e a escolástica.

Patrística

A *patrística* é a filosofia dos chamados Padres da Igreja, que teve início no período de decadência do Império Romano, quando o cristianismo se expandia, a partir do século II — portanto, ainda na Antiguidade. No esforço de converter os pagãos, combater as heresias e justificar a fé, aqueles religiosos escreveram obras de apologética, para justificar o pensamento cristão.

Pagão. Aquele que não foi batizado. No contexto, os religiosos chamavam pagãos os filósofos gregos, por terem vivido antes do cristianismo.

Heresia. Doutrina que se opõe aos dogmas da Igreja.

Apologética. A *apologia* é um "discurso para justificar, defender ou louvar". A apologética tinha por objetivo justificar racionalmente a fé cristã e defendê-la das heresias.

AKG IMAGES/BRITISH LIBRARY/IPRESS

Iluminura medieval, 1300-1310.

Os monges copistas cumpriram uma função importante na Idade Média ao reproduzir ou traduzir as obras clássicas. Os manuscritos, em letra gótica, eram ornados com iluminuras — ilustrações com figuras e arabescos. Cada capítulo geralmente começava com uma capitular — a primeira letra — em tamanho maior e ricamente trabalhada. Tratava-se de uma arte e, como tal, exigia habilidade e talento.

Pense nas bibliotecas medievais, situadas em abadias e conventos, e no tempo exigido para a produção dos manuscritos. Quem decidia o que precisaria ser copiado? Que pessoas tinham o acesso às obras? O que significou, no século XVI, a invenção dos tipos móveis por Gutenberg, permitindo a divulgação mais rápida de livros pela imprensa?

O que mudou nos tempos atuais, com a informação circulando pelas infovias da internet? Pesquise sobre a proporção de pessoas quem têm acesso à internet atualmente. Quais as consequências da exclusão digital, num mundo em que a informação está cada vez mais digitalizada?

Durante toda a Idade Média, a aliança entre fé e razão na verdade significava reconhecer a razão como auxiliar da fé e, portanto, a ela subordinada. Agostinho sintetiza essa tendência com a expressão "*Credo ut intelligam*", que significa "Creio para que possa entender".

Os Padres recorreram inicialmente à obra de Plotino (204-270), um neoplatônico. Adaptando o pensamento pagão, realizaram uma grande síntese com a doutrina cristã.

O principal nome da patrística foi Agostinho (354-430), bispo de Hipona, cidade do norte da África. Agostinho retomou a dicotomia platônica do "mundo sensível e mundo das ideias", mas substituiu este último pelas ideias divinas. Segundo a *teoria da iluminação*, recebemos de Deus o conhecimento das verdades eternas: tal como o Sol, Deus ilumina a razão e torna possível o pensar correto.

Na primeira metade do período medieval, conhecida como Alta Idade Média, foi enorme a influência dos Padres da Igreja. Vários pensadores de saber enciclopédico retomaram a cultura antiga, dando continuidade ao trabalho de adequação da herança clássica às verdades teológicas.

Escolástica

No segundo período medieval, conhecido como Baixa Idade Média, ocorreram mudanças fundamentais no campo da cultura já a partir do século XI, sobretudo em razão do renascimento urbano. Ameaças de ruptura da unidade da Igreja e heresias anunciavam o novo tempo de contestação e debates em que a razão buscava sua autonomia. Fundamental nesse processo foi a criação de inúmeras universidades por toda a Europa, o que indicava o gosto pelo racional, e que se tornaram focos por excelência de fermentação intelectual.

A partir dessas mudanças, a *escolástica* surgiu como nova expressão da filosofia cristã. Nesse período, persistiu a aliança entre razão e fé, em que a razão continua como "serva da teologia". O principal representante da escolástica foi Tomás de Aquino.

Fonte: *Atlas historique Larousse*. Paris: Larousse, 1987. p. 55.

Do século X ao XIV foram fundadas mais de 80 universidades na Europa, nas quais se estudava teologia, filosofia, medicina, direito, física, astronomia, matemática. Muitas construções daquela época existem até hoje, como o prédio da Universidade de Oxford, na Inglaterra, que data do século XII.

Na América, devido ao longo período de colonização, as universidades surgiram apenas no século XIX: a primeira, em 1819, nos Estados Unidos. No Brasil, cursos superiores foram implantados no século XIX (médico-cirúrgicos, em 1808; jurídicos, em 1827; engenharia civil, em 1874), mas a primeira universidade data de 1934, a Universidade de São Paulo (USP). Ainda assim, esta e as que se seguiram atendiam a um número restrito de alunos, até sua expansão, apenas na década de 1970.

Tomás de Aquino: apogeu da escolástica

Durante a primeira metade da Idade Média, Aristóteles era visto com desconfiança, ainda mais porque as traduções feitas pelos árabes teriam interpretações que os religiosos viam como perigosas para a fé. A partir do século XIII — no período do apogeu da escolástica —, Tomás de Aquino (1225-1274), monge dominicano, utilizou traduções de Aristóteles feitas diretamente do grego. Sua obra principal, a *Suma teológica*, é a mais fecunda síntese da escolástica, por isso mesmo conhecida como filosofia aristotélico-tomista.

Embora continuasse a valorizar a fé como instrumento de conhecimento, Tomás de Aquino não desconsidera a importância do "conhecimento natural". Se a razão não pode conhecer, por exemplo, a essência de Deus, pode, no entanto, demonstrar sua existência ou a criação divina do mundo. Uma dessas provas é baseada na *Metafísica* de Aristóteles, quando o movimento do mundo em última instância é explicado por Deus, causa incausada.

Além disso, tal como Aristóteles, para explicar o conhecimento, Aquino reconhece a participação dos sentidos e do intelecto: o conhecimento começa pelo contato com as coisas concretas, passa pelos sentidos internos da fantasia ou imaginação até a apreensão de formas abstratas. Desse modo, o conhecimento processa um salto qualitativo desde a apreensão da imagem, que é concreta e particular, até a elaboração da ideia, abstrata e universal.

Daí em diante, a influência de Aristóteles tornou-se bastante forte, sobretudo pela ação dos padres dominicanos e, mais tarde, dos jesuítas, que desde o Renascimento, e por vários séculos, empenharam-se na educação dos jovens.

PARA SABER MAIS

O pensamento de Tomás de Aquino ressurgiu no século XIX por obra do papa Leão XIII. O neotomismo representa o esforço de restauração da "filosofia cristã". No Brasil, encontrou terreno fértil. Desde a Colônia os jesuítas ensinavam o tomismo e, em 1908, foi fundada no Mosteiro de São Bento, em São Paulo, a Faculdade Livre de Filosofia e Letras, na qual ministraram aulas filósofos belgas seguidores dessa tendência.

No entanto, se a recuperação do aristotelismo revelou-se recurso fecundo no tempo de Tomás de Aquino, no Renascimento e na Idade Moderna a escolástica tornou-se entrave para a ciência. Basta lembrar a crítica de Descartes e a luta de Galileu contra o saber intransigente dos escolásticos, fiéis demais à astronomia e à física aristotélicas e, portanto, avessos às novidades da ciência nascente.

A questão dos universais

O que são os universais?

O *universal* é o conceito, a ideia, a essência comum a todas as coisas. Por exemplo, o conceito de ser humano, animal, casa, bola, cadeira, círculo.

Desde o século XI até o XIV, uma polêmica marcou as discussões sobre a *questão dos universais*. Em outras palavras: os gêneros e espécies têm existência separada dos objetos sensíveis? As espécies (como o cão) e os gêneros (como os animais) teriam existência real? Seriam *realidades*, *ideias* ou apenas *palavras*?

As principais soluções apresentadas são: realismo, realismo moderado, conceptualismo e nominalismo.

- Para os **realistas**, como Santo Anselmo (séc. XI) e Guilherme de Champeaux (séc. XII), o universal tem realidade objetiva (são *res*, ou seja, "coisa"). Essa posição é claramente influenciada pela teoria das ideias de Platão.
- O **realismo moderado** é representado no século XIII por Tomás de Aquino. Como aristotélico, afirma que os universais só existem formalmente no espírito, embora tenham fundamento nas coisas.
- Para os **nominalistas**, como Roscelino (séc. XI), o universal é apenas o que é expresso em um nome. Ou seja, os universais são palavras, sem nenhuma realidade específica correspondente. A tendência nominalista reapareceu com algumas nuanças diferentes no século XIV com o inglês Guilherme de Ockam, franciscano que representa a reação à filosofia aristotélico-tomista.
- A posição **conceptualista** é intermediária entre o realismo e o nominalismo e teve como principal defensor Pedro Abelardo (séc. XII), grande mestre da polêmica. Para ele os universais são conceitos, entidades mentais, que existem somente no espírito.

As divergências sobre os universais podem ser analisadas a partir das contradições e fissuras que se instalaram na compreensão mística do mundo medieval. Sob esse aspecto, os realistas são os partidários da tradição, e como tais valorizavam o universal, a autoridade, a verdade eterna representada pela fé. Para os nominalistas, o individual é mais real, o que indica o deslocamento do critério de verdade da fé e da autoridade para a razão humana. Naquele momento histórico do final da Idade Média, o nominalismo representou o racionalismo burguês em oposição às forças feudais que desejava superar.

Christian Slater (o noviço Adso) e Sean Connery (Guilherme de Baskerville) na adaptação para o cinema de *O nome da rosa* (1986).

O nome da rosa, romance de Umberto Eco, conta a história de um franciscano inglês, Guilherme de Baskerville, e seu discípulo, o noviço Adso, que chegam a um mosteiro dominicano na Itália em 1327 para investigar alguns crimes. Guilherme é um filósofo e assim explica ao noviço:

"Se tu vês alguma coisa de longe e não entendes o que seja, contentar-te-ás em defini-la como um corpo extenso. Quando se aproximar de ti, defini-la-ás como um animal, mesmo que não saibas ainda se é um cavalo ou um asno. E por fim, quando estiver mais perto, poderás dizer que é um cavalo, mesmo que não saibas ainda se Brunello ou Favello. E somente quando estiveres à distância apropriada verás que é Brunello (ou esse cavalo e não outro, qualquer que seja o modo como decidas chamá-lo). E esse será o conhecimento pleno, a intuição do singular. [...] De modo que as ideias, que eu usava antes para figurar-me um cavalo que ainda não vira, eram puros signos, como eram signos da ideia de cavalo as pegadas sobre a neve: e usam-se signos e signos de signos apenas quando nos fazem falta as coisas".[4]

Identifique a tendência na qual poderíamos incluir frei Guilherme a propósito da questão dos universais.

PARA SABER MAIS

A questão dos universais não é um problema restrito à Idade Média. Os filósofos empiristas (Hobbes, Hume e Condillac) são nominalistas, ao concluírem que as ideias não existem em si, pois só é possível conhecer algo pela experiência. Nas atuais filosofias contemporâneas, como na filosofia da linguagem, o que é posto em discussão é a relação entre linguagem e realidade.

8 Revisando

No início do capítulo vimos que os gregos discutiram as funções dos sentidos e da razão como instrumentos que nos prendem às aparências das coisas ou nos permitem conhecer a essência delas. As divergências entre os filósofos dependiam da maneira pela qual explicavam como se dá nosso acesso ao ser: se ele é reconhecido na imobilidade parmenídea ou no eterno devir heraclitiano; se reais são as ideias platônicas ou se real é o conhecido por meio dos conceitos universais, aplicados a cada coisa individual, como queria Aristóteles.

O mesmo ocorreu na Idade Média, consideradas as adaptações introduzidas pela chamada "filosofia cristã": a tradição agostiniana foi influenciada pelo neoplatonismo, enquanto a vertente tomista seguiu os passos de Aristóteles.

4 ECO, Umberto. *O nome da rosa*. Rio de Janeiro: Nova Fronteira, 1983. p. 43.

Leitura complementar

Alegoria da caverna

Trata-se de um trecho do Livro VII de A República*: no diálogo, as falas são de Sócrates e Glauco, irmão de Platão.*

"*Sócrates* — Agora leva em conta nossa natureza, segundo tenha ou não recebido educação e compara-a com o seguinte quadro: imagina uma caverna subterrânea, com uma entrada ampla, aberta à luz em toda a sua extensão. Lá dentro, alguns homens se encontram, desde a infância, amarrados pelas pernas e pelo pescoço de tal modo que permanecem imóveis e podem olhar tão somente para a frente, pois as amarras não lhes permitem voltar a cabeça. Num plano superior, atrás deles, arde um fogo a certa distância. E entre o fogo e os prisioneiros eleva-se um caminho ao longo do qual imagina que tenha sido construído um pequeno muro semelhante aos tabiques que os titeriteiros interpõem entre si e o público a fim de, por cima deles, fazer movimentar as marionetes.

Glauco — Posso imaginar a cena.

Sócrates — Imagina também homens que passam ao longo desse pequeno muro carregando uma enorme variedade de objetos cuja altura ultrapassa a do muro: estátuas e figuras de animais feitas de pedra, madeira e outros materiais diversos. Entre esses carregadores há, naturalmente, os que conversam entre si e os que caminham silenciosamente.

Glauco — Trata-se de um quadro estranho e de estranhos prisioneiros.

Sócrates — Eles são como nós. Acreditas que tais homens tenham visto de si mesmos e de seus companheiros outras coisas que não as sombras projetadas pelo fogo sobre a parede da caverna que se encontra diante deles?

Glauco — Ora, como isso seria possível se foram obrigados a manter imóvel a cabeça durante toda a vida?

Sócrates — E quanto aos objetos transportados ao longo do muro, não veriam apenas suas sombras?

Glauco — Certamente.

Sócrates — Mas, nessas condições, se pudessem conversar uns com os outros, não supões que julgariam estar se referindo a objetos reais ao mencionar o que veem diante de si?

Glauco — Necessariamente.

[...]

Sócrates — Imagina agora o que sentiriam se fossem liberados de seus grilhões e curados de sua ignorância, na hipótese de que lhes acontecesse, muito naturalmente, o seguinte: se um deles fosse libertado

No filme *Sócrates*, do cineasta italiano Roberto Rosselini, o filósofo circula por Atenas, conversando com transeuntes e discípulos.

e subitamente forçado a se levantar, virar o pescoço, caminhar e enxergar a luz, sentiria dores intensas ao fazer todos esses movimentos e, com a vista ofuscada, seria incapaz de enxergar os objetos cujas sombras ele via antes. Que responderia ele, na tua opinião, se lhe fosse dito que o que via até então eram apenas sombras inanes e que, agora, achando-se mais próximo da realidade, com os olhos voltados para objetos mais reais, possuía visão mais acurada? Quando, enfim, ao ser-lhe mostrado cada um dos objetos que passavam, fosse ele obrigado, diante de tantas perguntas, a definir o que eram, não supões que ele ficaria embaraçado e consideraria que o que contemplava antes era mais verdadeiro do que os objetos que lhe eram mostrados agora?

Glauco — Muito mais verdadeiro.

Sócrates — E se ele fosse obrigado a fitar a própria luz, não acreditas que lhe doeriam os olhos e que procuraria desviar o olhar, voltando-se para os objetos que podia observar, considerando-os, então, realmente mais distintos do que aqueles que lhe são mostrados?

Glauco — Sim.

Sócrates — Mas, se o afastassem dali à força, obrigando-o a galgar a subida áspera e abrupta e não o deixassem antes que tivesse sido arrastado à presença do próprio sol, não crês que ele sofreria e se indignaria de ter sido arrastado desse modo? Não crês que, uma vez diante da luz do dia, seus olhos ficariam ofuscados por ela, de modo a não poder discernir nenhum dos seres considerados agora verdadeiros?

Glauco — Não poderia discerni-los, pelo menos no primeiro momento.

Sócrates — Penso que ele precisaria habituar-se, a fim de estar em condições de ver as coisas do alto de onde se encontrava. O que veria mais facilmente seriam, em primeiro lugar, as sombras; em seguida, as imagens dos homens e de outros seres refletidas na água e, finalmente, os próprios seres. Após, ele contemplaria, mais facilmente, durante a noite, os objetos celestes e o próprio céu, ao elevar os olhos em direção à luz das estrelas e da lua — vendo-o mais claramente do que ao sol ou à sua luz durante o dia.

Glauco — Sem dúvida.

Sócrates — Por fim, acredito, poderia enxergar o próprio sol — não apenas sua imagem refletida na água ou em outro lugar —, em seu lugar, podendo vê-lo e contemplá-lo tal como é.

Glauco — Necessariamente.

Sócrates — Após, passaria a tirar conclusões sobre o sol, compreendendo que ele produz as estações e os anos; que governa o mundo das coisas visíveis e se constitui, de certo modo, na causa de tudo o que ele e seus companheiros viam dentro da caverna.

Glauco — É evidente que chegaria a estas conclusões.

[...]

Sócrates — Reflete sobre o seguinte: se esse homem retornasse à caverna e fosse colocado no mesmo lugar de onde saíra, não crês que seus olhos ficariam obscurecidos pelas trevas como os de quem foge bruscamente da luz do sol?

Glauco — Sim, completamente.

Sócrates — E se lhe fosse necessário reformular seu juízo sobre as sombras e competir com aqueles que lá permaneceram prisioneiros, no momento em que sua visão está obliterada pelas trevas e antes que seus olhos a elas se adaptem — e esta adaptação demandaria um certo tempo —, não acreditas que esse homem se prestaria à jocosidade? Não lhe diriam que, tendo saído da caverna, a ela retornou cego e que não valeria a pena fazer semelhante experiência? E não matariam, se pudessem, a quem tentasse libertá-los e conduzi-los para a luz?

Glauco — Certamente.

Sócrates — É preciso aplicar inteiramente esse quadro ao que foi dito anteriormente, isto é, assimilando-se o mundo visível à caverna e a luz do fogo aos raios solares. E se interpretares que a subida para o mundo que está acima da caverna e a contemplação das coisas existentes lá fora representam a ascensão da alma em direção ao mundo inteligível terás compreendido bem meus pensamentos, os quais desejas conhecer mas que só Deus sabe se são ou não verdadeiros. As coisas se me afiguram do seguinte modo: na extremidade do mundo inteligível encontra-se a ideia do Bem, que apenas pode ser contemplado, mas que não se pode ver sem concluir que constitui a causa de tudo quanto há de reto e de belo no mundo: no mundo visível, esta ideia gera a luz e sua fonte soberana e, no mundo inteligível, ela, soberana, dispensa a inteligência e a verdade. É ela que se deve ter em mente para agir com sabedoria na vida privada ou pública.

Glauco — Concordo contigo, na medida em que consigo compreender-te."

PLATÃO. *A República* (Livro VII). Brasília: Universidade de Brasília, 1985. p. 46-51.

Titeriteiro. Ou titereiro, aquele que maneja títeres: no contexto, marionetes.

Inane. Desprovido de conteúdo.

Obliterado. Apagado; no contexto, vista perturbada pela escuridão.

Jocosidade. Comicidade, gracejo, o que provoca riso.

Questões

Com base na leitura complementar, atenda às questões:

1 Qual é o significado da caverna e das pessoas amarradas pelas pernas e pelo pescoço? Conforme a dialética platônica, a que tipo de conhecimento corresponde esse estágio?

2 Identifique as outras três etapas do conhecimento.

3 O que representa a metáfora do sol?

4 O trecho "E não matariam, se pudessem, a quem tentasse libertá-los e conduzi-los para a luz?" é uma alusão à morte de Sócrates. Explique por quê.

Atividades

Revendo o capítulo

1 Quais são as diferenças temáticas entre os pré-socráticos e os filósofos do período clássico?

2 Como Platão supera as doutrinas dos pré-socráticos Heráclito e Parmênides?

3 Em que sentido a metafísica aristotélica critica a teoria das ideias de Platão?

4 Quais são as principais características da patrística e da escolástica?

Aplicando os conceitos

5 Leia as citações de Parmênides e explique seu significado. Compare-o com o pensamento de Heráclito.

"Necessário é dizer e pensar que só o ser é; pois o ser é, e o nada, ao contrário, nada é: afirmação que bem deves considerar."

"[...] Por outro lado, [o ser] imóvel nos limites de seus poderosos liames, é sem começo e sem fim; pois geração e destruição foram afastadas para longe, repudiadas pela verdadeira convicção. Permanecendo idêntico e em um mesmo estado, descansa em si próprio, sempre imutavelmente fixo e no mesmo lugar." (Parmênides)

6 Examine as três citações a seguir e responda às questões, levando em conta as características das respectivas tendências filosóficas.

- "O homem é a medida de todas as coisas." (Protágoras)
- "Ora, para nós, é Deus que deverá ser a medida de todas as coisas, muito mais do que o homem, conforme se afirma por aí." (Platão, *As leis*)
- No diálogo *Górgias*, de Platão, o sofista diz a Sócrates que o objetivo da retórica é "poder persuadir por meio de discursos os juízes nos tribunais, os senadores no conselho, o povo na assembleia do povo e em toda outra reunião que seja uma reunião de cidadãos". E completa que a habilidade do retórico consiste "em falar contra todo adversário e sobre qualquer assunto".

a) Qual é a crítica que Platão faz aos sofistas Protágoras e Górgias?

b) Explique por que os filósofos clássicos (Sócrates, Platão e Aristóteles) se opõem aos sofistas.

c) Apesar da crítica de Platão, qual foi a contribuição lógica e política dos sofistas?

7 Analise a seguinte citação e explicite a concepção platônica sobre a relação entre corpo e alma: "O corpo de tal modo nos inunda de amores, paixões, temores, imaginações de toda sorte, enfim, uma infinidade de bagatelas, que por seu intermédio [...] não recebemos na verdade nenhum pensamento sensato. [...] Inversamente, obtivemos a prova de que, se alguma vez quisermos conhecer os seres em si, ser-nos-á necessário separar-nos dele e encarar por intermédio da alma em si mesma os entes em si mesmo. Só então é que nos há de pertencer aquilo de que nos declaramos amantes: a sabedoria.". (Platão. *Fédon*, 65 c e d.)

8 Identifique a que se refere Aristóteles neste trecho.

"É evidente que há um princípio e que as causas dos seres não são infinitas [...]. Com efeito, não é possível que, como da matéria, isto proceda daquilo até o infinito, por exemplo, a carne da terra, a terra do ar, o ar do fogo e isto sem parar; nem quanto àquilo donde é o movimento [a origem do movimento], sendo por exemplo o homem movido pelo ar, o ar pelo sol, o sol pela discórdia, sem que disto haja um limite." (Aristóteles. *Metafísica*, Livro II, Capítulo II.)

9 Por que, para os filósofos cristãos da Idade Média, a filosofia não é a busca da verdade?

10 Explique com que conceitos Agostinho justificaria o fato de os intelectuais cristãos da Idade Média terem se baseado nas obras de Platão e Aristóteles, mesmo sendo estes pagãos.

Caiu no vestibular

11 (UEL 2008) Quatro tipos de causas podem ser objeto da ciência para Aristóteles: causa eficiente, final, formal e material.

Assinale a alternativa correta em que as perguntas correspondem, respectivamente, às causas citadas.

a) Por que foi gerado? Do que é feito? O que é? Quem gerou?

b) O que é? Do que é feito? Por que foi gerado? Quem gerou?

c) Do que é feito? O que é? Quem gerou? Por que foi gerado?

d) Por que foi gerado? Quem gerou? O que é? Do que é feito?

e) Quem gerou? Por que foi gerado? O que é? Do que é feito?

Capítulo 14

A metafísica da modernidade

ERICH LESSING/ALBUM ART-LATINSTOCK

O imperador Justiniano e seu séquito (séc. VI). Mosaico da igreja de São Vital, em Ravena, Itália.

AKG-IMAGES/CAMERAPHOTO-IPRESS

O retiro de São Joaquim entre os pastores, Giotto (1266-1377). Igreja de São Francisco de Assis, Itália.

Observe as imagens. O mosaico bizantino data do século VI, enquanto o afresco de Giotto é do começo do século XIV. Representam, portanto, dois momentos históricos diferentes. No mosaico bizantino, o imperador Justiniano está no centro e é a figura maior do seu séquito. A rigidez e a imobilidade da representação não decorrem da inabilidade do artista, mas da maneira pela qual se expressa a severa hierarquia de classes, estabelecida pela organização social teocrática do Império Romano do Oriente.

Por outro lado, Giotto, primeiro mestre do novo humanismo pré-renascentista, rompeu com o estilo linear da era bizantina e quebrou a rigidez da representação. A cena situa-se em uma paisagem terrena, com árvores, pedras, animais; as figuras humanas sugerem "movimento", são expressivas; há o esforço do pintor para superar a bidimensionalidade, até então característica da pintura medieval.

O contraste entre as duas obras representa as mudanças na mentalidade que iria vigorar no Renascimento e na Idade Moderna.

Você saberia explicar que mudanças são essas?

1 As mudanças na modernidade

Chamamos **modernidade** ao período que se esboça no Renascimento, desenvolve-se na Idade Moderna e atinge seu auge na Ilustração, no século XVIII. O paradigma de racionalidade que então se delineia é o de uma razão que, liberta de crenças e superstições, funda-se na própria subjetividade e não mais na autoridade, seja do poder político absoluto, seja da religião.

De fato, estava sendo gestado um novo período da história ocidental, com mudanças em amplo espectro: sociais, políticas, morais, literárias, artísticas, científicas, religiosas e também filosóficas. A contraposição ao pensamento medieval estimulou a recuperação da cultura greco-latina, agora sem a intermediação da religião, o que denotava a laicização do pensamento: se antes o foco da reflexão era a teologia, na modernidade prevalece a visão antropocêntrica. O século XVII representa, portanto, a culminação de um processo que modificou a imagem do próprio ser humano e do mundo que o cerca.

PARA SABER MAIS

Algumas das mudanças ocorridas no Renascimento e na Idade Moderna foram: as Grandes Navegações e o descobrimento do Novo Mundo; a revolução comercial e a implantação do capitalismo, com a ascensão da burguesia, a formação das monarquias nacionais; a Reforma protestante; as novas ciências da física e da astronomia

O que vemos afirmar-se na modernidade é uma característica importante do pensamento: o racionalismo, a confiança no poder da razão. E uma das expressões mais claras desse racionalismo é o interesse pelo *método*. É verdade que o método sempre foi objeto de discussão na filosofia, mas nunca com a intensidade e a prioridade que lhe dedicaram os filósofos do século XVII. Sob esse aspecto, merecem destaque na filosofia as reflexões de Descartes, Bacon, Locke e, no âmbito da ciência, de Galileu, Kepler e Newton.

O debate culminou na crítica da razão levada a efeito por Kant no século XVIII. Desde então intensificou-se, quando diversas correntes filosóficas passaram a explicar a relação entre o sujeito que conhece e o objeto conhecido, ou seja, a teoria do conhecimento.

2 A questão do método

A revolução científica quebrou o modelo de inteligibilidade do aristotelismo e provocou o receio de novos enganos. Para evitar o erro, a principal indagação do pensamento moderno tornou-se a *questão do método*, que envolveu não só a revisão da metafísica, mas sobretudo o *problema do conhecimento*.

Até então os filósofos partiam do problema do *ser*, mas na Idade Moderna voltam-se para as questões do *conhecer*. Enquanto no pensamento antigo e medieval a realidade do objeto e a capacidade humana de conhecer eram inquestionadas, na Idade Moderna o foco é desviado para a "consciência da consciência". Antes perguntava-se: "Existe alguma coisa?"; "Isto que existe, o que é?". Na modernidade o problema não é saber se as coisas são, mas se *nós* podemos eventualmente conhecê-las. Portanto, as perguntas são outras: "O que é possível conhecer?"; "Qual é o critério de certeza para saber se há adequação entre o pensamento e o objeto?".

Das questões epistemológicas, isto é, relativas ao conhecimento, deriva a ênfase que marcará a filosofia daí por diante. Na Idade Moderna, portanto, o polo de atenção é invertido: volta-se para o *sujeito* que conhece.

As soluções apresentadas a esse problema deram origem a duas correntes filosóficas, uma com ênfase na razão, outra nos sentidos.

- O **racionalismo** engloba as doutrinas que enfatizam o papel da razão no processo do conhecimento. Na Idade Moderna destacam-se como racionalistas: René Descartes — seu principal representante —, Espinosa e Leibniz.
- O **empirismo** é a tendência filosófica que enfatiza o papel da experiência sensível no processo do conhecimento. Destacam-se no período moderno: Francis Bacon, John Locke e David Hume.

ETIMOLOGIA

Empirismo. Do grego *empeiría*, "experiência".

Paradigma. Modelo, padrão; conjunto de teorias, técnicas e valores de uma determinada época e que, de tempos em tempos, entram em crise.

3 O racionalismo cartesiano: a dúvida metódica

Descartes é considerado o "pai da filosofia moderna", porque, ao tomar a consciência como ponto de partida, abriu caminho para a discussão sobre ciência e ética, sobretudo ao enfatizar a capacidade humana de construir o próprio conhecimento.

QUEM É?

René Descartes (1596-1650) é também conhecido pelo nome latino de Cartesius, por isso seu pensamento é dito "cartesiano". Desde muito jovem, o filósofo interessou-se por matemática, geometria e álgebra. Entre os estudos que desenvolveu, estão a geometria analítica e as chamadas *coordenadas cartesianas*. Conhecedor da ciência de seu tempo, Descartes criticou a educação que teve com os jesuítas. Viveu em um período conturbado e, por temor da Inquisição após a condenação de Galileu, aceitou o convite da rainha Cristina para morar na Suécia, onde veio a falecer, talvez devido ao rigoroso inverno. Escreveu *Discurso do método*, *Meditações metafísicas*, *Regras para a direção do espírito*, *Tratado do mundo*, *Princípios de filosofia*, *Tratado das paixões da alma*, além de inúmeras cartas.

MUSEU DO LOUVRE, PARIS

Descartes. Franz Hals, 1649.

O propósito inicial de Descartes foi encontrar um método tão seguro que o conduzisse à verdade indubitável. Procura-o no ideal matemático, isto é, em uma ciência que seja uma *mathesis universalis* (matemática universal), o que não significa aplicar a matemática no conhecimento do mundo, mas usar o tipo de conhecimento que é peculiar à matemática. Como sabemos, esse conhecimento é inteiramente dominado pela inteligência — e não pelos sentidos — e baseado na ordem e na medida, o que lhe permite estabelecer cadeias de razões, para deduzir uma coisa de outra.

Para tanto, Descartes estabelece quatro regras:

- da **evidência**: acolher apenas o que aparece ao espírito como ideia clara e distinta;
- da **análise**: dividir cada dificuldade em parcelas menores para resolvê-las por partes;
- da **ordem**: conduzir por ordem os pensamentos, começando pelos objetos mais simples e mais fáceis de conhecer para só depois lançar-se aos mais compostos;
- da **enumeração**: fazer revisões gerais para ter certeza de que nada foi omitido.

Vejamos como essas regras são aplicadas, ao fundamentar sua filosofia.

Descartes parte em busca de uma verdade primeira que não possa ser posta em dúvida. Começa duvidando de tudo: do testemunho dos sentidos, das afirmações do senso comum, dos argumentos da autoridade, das informações da consciência, das verdades deduzidas pelo raciocínio, da realidade do mundo exterior e da realidade de seu próprio corpo.

Trata-se da *dúvida metódica*, porque é essa dúvida que o impele a indagar se não restaria algo que fosse inteiramente indubitável. Por isso Descartes não é um filósofo cético: ele busca uma verdade.

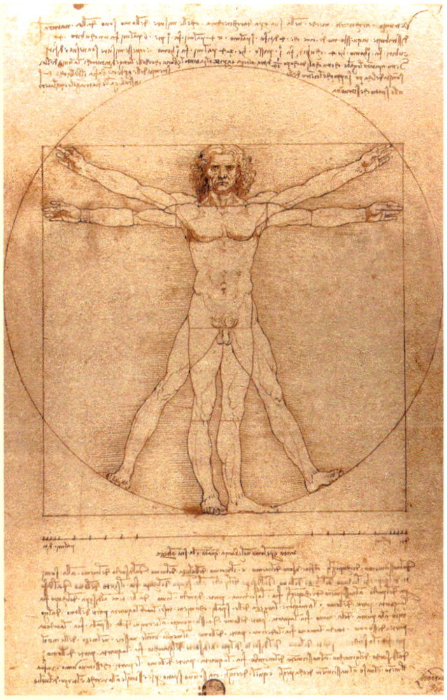

GALERIA DA ACADEMIA, VENEZA, ITÁLIA

Homem vitruviano. Leonardo da Vinci, 1490.

Esse desenho de Leonardo da Vinci tornou-se famoso por ressaltar as proporções matemáticas e a simetria do corpo humano encaixado dentro de um quadrado e de um círculo: quando de pernas juntas e braços em cruz, pés e dedos tocam os limites do quadrado; com pernas afastadas e braços erguidos, tocam as linhas do círculo. A imagem chama-se *Homem vitruviano* porque anteriormente Vitrúvio — um arquiteto romano do século I a.C. — teria tentado sem sucesso identificar essa proporção.

Que relação você percebe entre o rigor do desenho de Leonardo da Vinci e o da filosofia de Descartes?

Cogito, ergo sum

Descartes só interrompe a cadeia de dúvidas diante do seu próprio ser que duvida:

> enquanto eu queria assim pensar que tudo era falso, cumpria necessariamente que eu, que pensava, fosse alguma coisa. E, notando que esta verdade *eu penso, logo existo* era tão firme e tão certa que todas as mais extravagantes suposições dos céticos não seriam capazes de a abalar, julguei que podia aceitá-la, sem escrúpulo, como o primeiro princípio da filosofia que procurava.[1]

Esse "eu" é puro pensamento, uma *res cogitans* (um ser pensante). Portanto, é como se dissesse: "existo enquanto penso". Com essa primeira intuição, Descartes julga estar diante de uma ideia clara e distinta, a partir da qual seria reconstruído todo o saber.

PARA SABER MAIS

Talvez você ache estranho o fato de nos referirmos ao texto de Descartes, um francês, com expressões em latim. É que, naquela época, ainda era costume os intelectuais se expressarem em latim, a língua considerada culta.

Embora o conceito de ideias claras e distintas resolva alguns problemas com relação à verdade de parte do nosso conhecimento, não dá garantia alguma de que o objeto pensado corresponda a uma realidade fora do pensamento. Como sair do próprio pensamento e recuperar o mundo do qual tinha duvidado? Considerando as regras do método, Descartes deveria passar gradativamente de noções já encontradas para outras igualmente indubitáveis.

Para ir além dessa primeira intuição do *cogito*, Descartes examina se haveria no espírito outras ideias igualmente claras e distintas. Distingue então três tipos de ideias:

- as que "parecem ter nascido comigo" (inatas);
- as que vieram de fora (adventícias);
- as que foram "feitas e inventadas por mim mesmo" (**factícias**).

ETIMOLOGIA

Factício. Do latim *factitius*, "artificial". Em Descartes, ideias inventadas pelo espírito.

Ora, o *cogito* é uma ideia que não deriva do particular — não é do tipo das que "vêm de fora", formadas pela ação dos sentidos — nem tampouco é semelhante às que criamos pela imaginação. Ao contrário, já se encontram no espírito, como fundamento para a apreensão de outras verdades. Portanto, são *ideias inatas*, verdadeiras, não sujeitas a erro, pois vêm da razão. Haveria outras ideias desse tipo além do *cogito*?

Outra ideia inata é a de Deus, que veremos a seguir.

A ideia de Deus

Ao examinar a ideia de Deus, Descartes afirma:

> Pelo nome de Deus entendo uma substância infinita, eterna, imutável, independente, onisciente, onipotente e pela qual eu próprio e todas as coisas que são (se é verdade que há coisas que existem) foram criadas e produzidas.[2]

Mas se essa ideia de fato existe na mente, o que garante que represente algo real? Ou seja, Deus existe de fato? Ora, a ideia de um Deus infinito faz pensar que a infinitude repousa na ideia de um ser perfeito. Como somos imperfeitos e finitos, não podemos ter a ideia de perfeição e infinitude, a menos que a causa dessa ideia seja justamente Deus, que imprime em nossa mente a ideia de perfeição e infinitude.

Descartes formula mais uma prova da existência de Deus, conhecida como *prova ontológica*: o pensamento desse objeto — Deus — é a ideia de um ser perfeito; se um ser é perfeito, deve ter a perfeição da existência, caso contrário lhe faltaria algo para ser perfeito. Portanto, ele existe.

Uma vez estabelecida, por dedução, a ideia inata de Deus como ser perfeito, o passo seguinte seria indagar sobre a realidade das coisas materiais.

Cogito, ergo sum. Do latim, "Penso, logo existo". Não se entenda, porém, a conjunção *logo* como a conclusão de um raciocínio dedutivo. Para Descartes, trata-se de uma intuição pura, pela qual o ser pensante é percebido.

Onisciente. Do latim *omnes*, "tudo". Ser que tudo sabe.

Onipotente. Ser que tudo pode.

[1] DESCARTES, René. *Discurso do método*. São Paulo: Abril Cultural, 1973. p. 54.
[2] Idem. 115.

PARA SABER MAIS

O termo ontologia vem do grego *ontos*, "ser". A prova cartesiana da existência de Deus é ontológica justamente porque busca provar o *ser* de Deus. O argumento ontológico foi usado anteriormente por Anselmo de Aosta (século XI), filósofo e teólogo medieval. Retomado por Descartes, o argumento foi criticado por Kant, que o inverteu: só poderíamos afirmar que um ser é perfeito se ele existisse de fato. Até hoje esse argumento é controverso.

O mundo

Retomando o caminho percorrido, vimos que Descartes começara duvidando da existência do mundo e de seu próprio corpo. Chegou a levantar inclusive a hipótese de um *deus enganador*, um *gênio maligno*, que o fizesse perceber um mundo inexistente.

O pensador. Auguste Rodin, 1881.

THE BRIDGEMAN ART LIBRARY/ GETTY IMAGES

Esta escultura, universalmente usada para representar a reflexão filosófica, exige, ela mesma, nossa reflexão: para Descartes, seria o momento primeiro de introspecção puramente racional, na busca das ideias claras e distintas.

E você, como interpreta a escultura de Rodin?

Considerando a certeza de que Deus existe e é infinitamente perfeito, podemos concluir que não nos enganaria. A existência de Deus é garantia de que os objetos pensados por ideias claras e distintas são reais. Portanto, o mundo existe de fato. E, dentre as coisas do mundo, o meu próprio corpo existe.

Os objetos do mundo externo, porém, chegam à consciência como ideias adventícias (que têm uma realidade externa), e Descartes aplica o seu método para verificar quais dessas ideias são claras e distintas. Encontra a ideia de *extensão*, uma propriedade essencial do mundo material. Desse modo, são secundárias as propriedades como cor, sabor, peso, som, por serem subjetivas e delas não podermos ter ideias claras e distintas.

Ao intuir o *cogito*, Descartes já identificara a *res cogitans* (coisa pensante): a ela une a *res extensa* (coisa extensa), o corpo, também atributo das coisas do mundo. À extensão, acrescenta a ideia de movimento, que Deus injetou no mundo quando o criou.

Consequências do *cogito*

No percurso realizado por Descartes, nota-se uma incontestável valorização da razão, do entendimento, do intelecto. Como consequência, acentua-se o *caráter absoluto e universal da razão*, que, partindo do *cogito*, e só com suas próprias forças, descobre todas as verdades possíveis. Daí a importância de um método de pensamento, como garantia de que as imagens mentais — ou representações da razão — correspondam aos objetos a que se referem, que por sua vez são exteriores à própria razão.

Outra consequência do *cogito* é o *dualismo psicofísico* (ou dicotomia corpo-consciência), segundo o qual o ser humano é um ser duplo, composto de substância pensante e substância extensa. Descartes sente dificuldade para conciliar as duas substâncias, cujo antagonismo será objeto de debates durante os dois séculos subsequentes. De fato, o corpo é uma realidade física e fisiológica — e, como tal, possui massa, extensão no espaço e movimento, bem como desenvolve atividades de alimentação, digestão etc. —, por isso, está sujeito às leis deterministas da natureza. Por outro lado, as principais atividades da mente, como recordar, raciocinar, conhecer e querer, não têm extensão no espaço nem localização. Nesse sentido, não se submetem às leis físicas, antes são a ocasião da expressão da liberdade.

Estabelecem-se, portanto, dois domínios diferentes: o corpo, objeto de estudo da ciência, e a mente, objeto apenas de reflexão filosófica. Essa distinção marcará as dificuldades do desenvolvimento das chamadas ciências humanas a partir do final do século XIX.

PARA SABER MAIS

Já abordamos o pensamento de Descartes nos capítulos 7, "Em busca da felicidade", e 9, "O que podemos conhecer". Sobre a relação corpo e alma em Descartes, consultar os capítulos 7, "Em busca da felicidade".

4 O empirismo britânico

Ao contrário do racionalismo, o empirismo enfatiza o papel dos sentidos e da experiência sensível no processo do conhecimento. A tendência empirista disseminou-se principalmente na Inglaterra. De fato, os britânicos tinham forte tradição empirista, que remontava às pesquisas realizadas na universidade de Oxford, no século XIII. Os frades franciscanos Robert Grosseteste e Roger Bacon já naquela época realçavam a significação histórica da ciência e do papel que ela poderia desempenhar na vida da humanidade. Desafiavam portanto a tradição escolástica ao se ocuparem com observações e experimentos ópticos no estudo da natureza da luz, entre outras pesquisas.

Veremos agora Francis Bacon, John Locke e David Hume, expoentes do pensamento empirista nos séculos XVII e XVIII.

Francis Bacon: saber é poder

Francis Bacon (1561-1626) foi um nobre inglês que fez carreira política e chegou a chanceler no governo do rei Jaime I. Como filósofo, planejou uma grande obra, *Instauratio magna* (A grande instauração), de que faz parte o *Novum organum* (Novo órgão), que por sua vez tem o significativo subtítulo "Indicações verdadeiras acerca da interpretação da natureza".

É conhecido como severo crítico da filosofia medieval, por considerá-la desinteressada e contemplativa, uma vez que, de acordo com o espírito da nova ciência moderna, Bacon aspirava a um saber instrumental que possibilitasse o controle da natureza.

Na obra *Novum organum*, o termo "órgão" é entendido como *instrumento do pensamento*. Por isso critica a lógica aristotélica, por considerar a dedução inadequada para o progresso da ciência. A ela opõe o estudo pormenorizado da indução, como método mais eficiente de descoberta, insistindo na necessidade da experiência e da investigação segundo métodos precisos.

Assim diz Bacon:

> Os gregos, com efeito, possuem o que é próprio das crianças: estão sempre prontos para tagarelar, mas são incapazes de gerar, pois a sua sabedoria é farta em palavras, mas estéril em obras.[3]

MUSÉE D'ORSAY, PARIS, FRANCE

Ninfeias azuis. Claude Monet, 1916-1919.

No final do século XIX e começo do século XX, os pintores impressionistas romperam com a arte tradicional ao pintar ao ar livre, exprimindo a sensação visual das transparências do ar e da água. É possível relacionar o impressionismo ao empirismo, porque ao pintor interessa transpor para a tela a primeira impressão que se forma na retina quando lança seu olhar para a natureza. Sua mente é, como diriam os empiristas, uma folha em branco. As pinceladas curtas, soltas, as puras manchas de cor e a ausência de contorno correspondem às impressões sensíveis – o ponto de partida do conhecimento na matriz empirista.

[3] BACON, Francis. *Novum organum*. Livro I, LXXII.

Bacon inicia seu trabalho pela denúncia dos preconceitos e das noções falsas que dificultam a apreensão da realidade, aos quais chama de ídolos.

- Os *ídolos da tribo* "estão fundados na própria natureza humana, na própria tribo ou espécie humana". São os preconceitos que circulam na comunidade em que se vive. Trata-se da comodidade das verdades dadas e não questionadas, o que é o contrário do espírito científico, cujas hipóteses devem ser confirmadas pelos fatos. Por exemplo, é o caso das generalizações da astrologia, para ele uma falsa "ciência".

PARA REFLETIR

Discuta com seu colega quais são os principais preconceitos que vigoram no meio em que vocês vivem, seja no país, na escola ou em seus grupos de amizade.

Esses ídolos também levam a explicações **antropomórficas**, ao se atribuir à natureza características propriamente humanas. Por exemplo, os antigos diziam que "a natureza tem *horror* ao vácuo" ou então que "os corpos caem porque eles *tendem* para baixo". Os alquimistas identificam a natureza bruta com o comportamento humano ao se referir à simpatia e antipatia de certos fenômenos.

ETIMOLOGIA

Antropomórfico. Do grego *antrópos*, "homem", e *morphé*, "forma": o que adquire forma humana.

- Os *ídolos da caverna* são os provenientes de cada pessoa como indivíduo. E completa:

> Cada um [...] tem uma caverna ou uma cova que intercepta e corrompe a luz da natureza; seja devido à natureza própria singular de cada um; seja devido à educação ou conversação com os outros; seja pela leitura dos livros ou pela autoridade daqueles que se respeitam e admiram.[4]

Alguns indivíduos observam as diferenças entre as coisas e outros as semelhanças; uns são mais contemplativos, outros mais práticos, e assim por diante. Bacon cita o filósofo pré-socrático Heráclito, que criticava as pessoas por procurarem a ciência em seus pequenos mundos, e não no mundo maior, que seria o mesmo para todos.

- Os *ídolos do mercado* (ou *do* **foro**) são os que decorrem das relações comerciais, nas quais as pessoas se comunicam por meio das palavras, sem perceberem que a linguagem tem um efeito perturbador, distorce a realidade e nos arrasta para inúteis controvérsias e fantasias. Por exemplo, palavras como "sorte" ou "primeiro motor" referem-se a coisas inexistentes.

Ídolo. Do latim *idolum*, e do grego, *eidolon*, que significa "imagem". Do ponto de vista religioso, é a imagem de uma divindade para ser cultuada. Para Bacon, significa ideia falsa e ilusória.

COREL/STOCK PHOTOS

Ruínas do Fórum romano (Roma), em 2000. O *forum* era o centro da vida romana, onde eram tratados assuntos de interesse público e privado nos estabelecimentos comerciais, nos templos e nos tribunais.

[4] BACON, Francis. *Novum organum*. Livro I, LXXII.

E ETIMOLOGIA

Foro. Do latim *forum*, "praça pública", "mercado".

- Os *ídolos do teatro* são os "ídolos que imigraram para o espírito dos homens por meio das diversas doutrinas filosóficas e também pelas regras viciosas da demonstração". Por isso compara os sistemas filosóficos a fábulas que poderiam ser representadas no palco. Muitas vezes essas doutrinas mesclam-se com a teologia, o saber comum ou as superstições arraigadas. Por isso, mais do que teorias, valeria pesquisar as leis da natureza.

De formigas, aranhas e abelhas

Para Bacon, apenas após a depuração do pensamento desses ídolos que o corrompem é que o método indutivo poderia ser aplicado com rigor. Não se trata porém da indução aristotélica, mas de uma indução que se constitui como chave interpretativa. Ou seja, o cientista deve fazer uma série de interrogações à natureza e pela experimentação forçá-la a responder.

Nesse sentido, é interessante a comparação feita por Bacon para criticar tanto os racionalistas como os empiristas, mostrando-se como alguém que parte dos sentidos e da experiência, mas vai além deles:

> Os que se dedicaram às ciências foram ou empíricos ou dogmáticos. Os empíricos, à maneira das formigas, acumulam e usam as provisões; os racionalistas, à maneira das aranhas, de si mesmos extraem o que lhes serve para a teia. A abelha representa a posição intermediária: recolhe a matéria-prima das flores do jardim e do campo e com seus próprios recursos a transforma e digere.[5]

A importância de Bacon decorre da valorização da experiência, fundamental para o desenvolvimento da ciência. Até hoje nos referimos ao *ideal baconiano* para designar essa esperança desmedida nos benefícios da ciência e do progresso, cujas consequências danosas começamos a sentir no século XX, com a devastação da natureza.

As falhas de seu método devem-se a não ter construído um sistema completo, enquanto seus exemplos de indução são menos exatos que o método indutivo-dedutivo de Galileu. Além disso, Galileu teve o mérito de recorrer à matemática, enquanto a física de Bacon restringia-se às qualidades corporais.

PARA REFLETIR

O ideal baconiano, segundo o qual "saber é poder", mostrou-se no século XX como uma experiência danosa ao se buscar o progresso a qualquer custo. Converse com um colega para listar exemplos de como o desenvolvimento tecnológico pode ao mesmo tempo trazer benefícios e causar riscos e danos às pessoas e ao meio ambiente.

John Locke: a *tabula rasa*

O filósofo inglês John Locke (1632-1704) elaborou sua teoria do conhecimento na obra *Ensaio sobre o entendimento humano*, que tem por objetivo saber "qual é a essência, qual a origem, qual o alcance do conhecimento humano".

PARA SABER MAIS

Locke também foi importante como teórico do liberalismo, como veremos no capítulo 24, "A autonomia da política".

BSIP/BOL/H VOSS-IMAGEPLUS

O selo de cera era usado para lacrar documentos e em seguida imprimia-se o carimbo que identificava o remetente. Locke usa o exemplo para comparar com a mente, que inicialmente é igual a uma cera em que ainda nada foi inscrito.

Locke critica a doutrina das ideias inatas de Descartes, afirmando que a alma é como uma *tabula rasa* — tábua sem inscrições —, como um pedaço de cera em que não há qualquer impressão, um papel em branco. Por isso o conhecimento começa apenas a partir da experiência sensível. Se houvesse ideias inatas, as crianças já as teriam, além de que a ideia de Deus não se encontra em toda parte, pois há povos sem essa representação ou, pelo menos, sem a representação de Deus como ser perfeito.

[5] BACON, Francis. *Novum organum*. Livro I, XCV.

Se estabelecermos uma comparação com a teoria do conhecimento cartesiana, podemos dizer que, enquanto Descartes enfatiza o papel do *sujeito* no processo do conhecimento, Locke enfatiza o papel do *objeto*.

A origem das ideias

Ao investigar a origem das ideias, ao contrário dos filósofos racionalistas, que privilegiam as verdades de razão — típicas da lógica e da matemática —, Locke preferiu o caminho psicológico ao indagar como se processa o conhecimento. Distingue, então, duas fontes possíveis para nossas ideias: a *sensação* e a *reflexão*.

- **A sensação**, cujo estímulo é externo, resulta da modificação feita na mente por meio dos sentidos.

Locke observa que pela sensação percebemos que as coisas têm qualidades que podem produzir as ideias em nós. Essas qualidades são primárias e secundárias:

As *qualidades primárias* são *objetivas*, por existirem realmente nas coisas: a solidez, a extensão, a configuração, o movimento, o repouso e o número.

As *qualidades secundárias*, ao contrário das primárias, variam de sujeito para sujeito e, como tais, são em parte relativas e *subjetivas*; são elas cor, som, odor, sabor etc.

- **A reflexão,** que se processa internamente, é a percepção que a alma tem daquilo que nela ocorre. Portanto, a reflexão fica reduzida à *experiência interna* do resultado da *experiência externa* produzida pela sensação.

As cores da palheta são qualidades secundárias, portanto subjetivas. Já a palheta, que é um objeto de madeira, tem as qualidades primárias e objetivas de extensão e solidez.

Assim, a razão reúne as ideias, as coordena, compara, distingue, compõe, ou seja, as ideias entram em conexão entre si. Portanto, as *ideias simples* que vêm da sensação combinam-se entre si, formando as *ideias complexas*, por exemplo as ideias de identidade, existência, substância, causalidade etc.

Nesse sentido, Locke conclui que não podemos ter ideias claras e distintas, como pensara Descartes. E como o intelecto "constrói" essas ideias, não se pode dizer, como os antigos, que conhecemos a essência das coisas. Por serem formadas pelo intelecto, as ideias complexas não têm validade objetiva, são apenas nomes de que nos servimos para ordenar as coisas. Daí o seu valor prático, e não cognitivo.

PARA REFLETIR

Se você leu com atenção o capítulo anterior, no qual abordamos a questão dos universais, poderá comparar a posição sobre as ideias complexas de Locke com a do *nominalista* Guilherme de Ockam, um monge inglês. Quais são as semelhanças?

Se o intelecto sozinho não é capaz de inventar ideias, mas depende da experiência, que fornece o conteúdo do pensamento, como fica para Locke a ideia de Deus, já que todo conhecimento passa necessariamente pelos sentidos? Para ele, só estamos "menos certos" com relação à existência das coisas externas, mas o mesmo não ocorre quando se trata da existência de Deus. Por certeza intuitiva, sabemos que o *puro nada* não produz um ser real; ora, se os seres reais não existem desde a eternidade, eles devem ter tido um começo, e o que teve um começo deve ter sido produzido por algo. E conclui que deve existir um Ser eterno, que pode ser denominado Deus.

Desse modo, o empirista Locke recorre a um argumento metafísico para provar a existência de Deus. Veremos a seguir como Hume aprofunda o empirismo com mais vigor e, no próximo capítulo, trataremos da ousadia de Kant para ir às últimas consequências do ponto de vista epistemológico.

David Hume: o hábito e a crença

David Hume (1711-1776), filósofo escocês, levou mais adiante o empirismo de Francis Bacon e John Locke.

PARA SABER MAIS

Já aprendemos sobre Hume no capítulo 9, "O que podemos conhecer?". Voltaremos a ele no capítulo 20, "Teorias éticas".

Conforme a tradição empirista, em sua obra *Tratado da natureza humana*, Hume preconiza o método de investigação, que consiste na observação e generalização. Afirma que o conhecimento tem início com as *percepções* individuais, que podem ser *impressões* ou *ideias*. A diferença entre elas depende apenas da força e vivacidade pelas quais as percepções atingem a mente.

- As **impressões** são as *percepções* originárias que se apresentam à consciência com maior vivacidade, tais como as sensações (ouvir, ver, sentir dor ou prazer etc.).
- As **ideias** são as *percepções* derivadas, cópias pálidas das impressões e, portanto, mais fracas.

Nesse sentido, o sentir (impressão) distingue-se do pensar (ideia) apenas pelo grau de intensidade. Além de que a impressão é sempre anterior e a ideia dela depende. Desse modo, Hume rejeita as ideias inatas.

As ideias, por sua vez, podem ser complexas, quando pela imaginação as combinamos entre si por meio de associações. Hume dá o exemplo de uma montanha de ouro e de um centauro.

THE BRIDGEMAN ART LIBRARY/KEYSTONE

O centauro é fruto da imaginação humana, pois associamos as ideias de cavalo e de homem em uma só figura. Nesta tela de Pompeo Batoni, *Aquiles e o centauro Quíron* (1746), o centauro Quíron, preceptor de Aquiles, herói grego da guerra de Troia, ensina o discípulo a usar a razão e a força.

A imaginação é um feixe de percepções unidas por associação a partir da semelhança, da contiguidade (no espaço ou no tempo) e da relação de causa e efeito. No entanto, essas relações não podem ser observadas, pois não pertencem aos objetos. As relações são apenas modos pelos quais passamos de um objeto a outro, de um termo a outro, de uma ideia particular a outra, simples passagens externas que nos permitem *associar* os termos a partir dos princípios de causalidade, semelhança e contiguidade.

Por exemplo, quando uma bola de bilhar choca-se com outra, que então se põe em movimento, não há nada na experiência que justifique denominar a primeira bola como causa do movimento da segunda. Do mesmo modo, ao associarmos calor e fogo, peso e solidez ou concluirmos que o sol surgirá amanhã porque surgiu ontem e hoje.

Hume nega, portanto, a validade universal do princípio de causalidade e da noção de necessidade a ele associada. O que observamos é a sucessão de fatos ou a sequência de eventos e não o nexo causal entre esses mesmos fatos ou eventos. É o *hábito* criado pela observação de casos semelhantes que nos faz ultrapassar o dado e afirmar mais do que a experiência pode alcançar. A partir desses casos, supomos que o fato atual se comportará de forma análoga. A única base para as ideias ditas gerais, portanto, é a *crença* — e não a certeza —, que, do ponto de vista do entendimento, faz uma extensão ilegítima do conceito.

5 Para finalizar

Neste capítulo vimos que, no século XVII, a questão epistemológica adquiriu um interesse central sobretudo no pensamento dos filósofos Descartes, Bacon, Locke e Hume, ao estabelecerem métodos para investigar o alcance e limites do conhecimento humano.

Desse modo, deu-se o confronto entre duas tendências opostas: o racionalismo e o empirismo. Os racionalistas confiam na capacidade humana de atingir verdades universais e eternas, enquanto os empiristas questionam o caráter absoluto da verdade, pois para estes o conhecimento parte de uma realidade em transformação constante, na qual tudo é relativo ao tempo, ao humano.

As consequências do confronto entre empirismo e racionalismo serão objeto das reflexões de Kant, ainda no século XVIII. Veremos no próximo capítulo como o pensamento kantiano influenciou fortemente a filosofia do século XIX.

Leitura complementar

O mundo e a consciência

"O dualismo cartesiano e a doutrina da total separação das substâncias levam, no limite, a um estranhamento da consciência em relação ao mundo. Mas hoje sabemos que a consciência não pode ser posta como uma entidade absolutamente autônoma e separada, a não ser em termos estritamente metodológicos. Por isso somos levados a considerar não apenas o problema das relações *entre* a consciência e o mundo, como também a questão, para nós talvez mais premente, da consciência *no* mundo. Pois o progresso e a obtenção da sabedoria através do correto exercício da razão são inseparáveis da consideração da *história* da humanidade, em que Descartes toca apenas superficialmente. Hoje sabemos que todas as realizações humanas, e mesmo a relação do homem com aquilo que eventualmente o ultrapassa e o transcende, passam pela mediação da história, que é necessariamente o nosso contexto de conhecimento e de ação.

Isso nos leva a procurar saber, principalmente diante do desenvolvimento histórico dos últimos tempos, até que ponto o homem é senhor de suas próprias realizações. Há elementos para acreditar que, embora os *meios* que o progresso técnico e científico colocou à disposição dos homens tenham um alcance incalculável, a capacidade de servir-se de tais meios para promover os *fins* mais compatíveis com a felicidade e a dignidade humanas é limitada. Para Descartes, a *sabedoria* deveria aproximar meios e fins. Mas ele concebia essa relação sem a mediação significativa do desenvolvimento histórico que obrigatoriamente aí se interpõe. A experiência nos ensinou que o progresso do saber nem sempre caminha junto com o progresso da sabedoria e que os homens por vezes parecem ter dificuldades para lidar com os frutos do conhecimento: os produtos da ciência ameaçam voltar-se contra nós. É essa uma perspectiva que contraria completamente as mais autênticas aspirações da filosofia cartesiana, mas que, ainda assim, se coloca como distorção a ser compreendida a *partir* do ideal de conhecimento como domínio e posse da natureza.

Desse modo, podemos dizer que a filosofia de Descartes projeta a luz e a sombra. A consciência humana, através do saber e dos produtos desse saber, pode iluminar o mundo e a vida. Mas, se o progresso do saber não estiver vinculado aos parâmetros de autonomia, liberdade, dignidade e felicidade, o futuro do homem pode apresentar-se como um horizonte sombrio.

Entre essas duas faces da herança cartesiana, cabe ao homem escolher."

LEOPOLDO E SILVA, Franklin. *Descartes, a metafísica da modernidade*. São Paulo: Moderna, 1993. p. 103-104. (Coleção Logos).

Questões

1 Qual é a distinção feita pelo autor entre consciência **e** mundo e consciência **no** mundo?

2 Em que sentido Descartes teria descartado a história?

3 Explique o que significa dizer que a filosofia de Descartes projetou luz e sombra.

Atividades

Revendo o capítulo

1 Releia a legenda das imagens que abrem o capítulo e reveja sua resposta à questão ali formulada. O que representa, do ponto de vista do conhecimento, o contraste entre as duas representações?

2 Por que não se pode dizer que a dúvida de Descartes o transforma em um filósofo cético?

3 Sob que aspectos Locke discorda de Descartes?

4 Qual a principal diferença entre o racionalismo e o empirismo? Faça um esquema para demonstrar sua resposta.

Aplicando os conceitos

5 Atribua as citações seguintes a Descartes ou a Locke e justifique sua resposta.

a) "... penso não haver mais dúvida de que não há princípios práticos com os quais todos os homens concordam e, portanto, nenhum é inato."

b) "Primeiramente, considero haver em nós certas noções primitivas, as quais são como originais, sob cujo padrão formamos todos os nossos outros conhecimentos."

6 "A verdadeira causa e raiz de todos os males que afetam as ciências é uma única: enquanto admiramos e exaltamos de modo falso os poderes da mente humana, não lhe buscamos auxílios adequados." (Francis Bacon. *Novum Organum*. Livro I, aforismo IX.)

Responda.

a) O que Bacon critica nesse aforismo?

b) Quais seriam os "auxílios adequados" que deveriam ser buscados?

7 "O *hábito* é, pois, o grande guia da vida humana. É aquele princípio único que faz com que nossa experiência nos seja útil e nos leve a esperar, no futuro, uma sequência de acontecimentos semelhante às que se verificaram no passado. Sem a ação do hábito, ignoraríamos completamente toda questão de fato além do que está imediatamente presente à memória ou aos sentidos." (David Hume. *Investigação sobre o entendimento humano*. São Paulo: Abril Cultural, 1973. p. 145-146.)

a) Para Hume, qual é o papel do hábito no conhecimento?

b) Explique essa afirmação: A noção de hábito levou Hume ao ceticismo.

Caiu no vestibular

8 (UFMG 2006) Leia este trecho.

"Suporei, pois, que há não um verdadeiro Deus, que é a soberana fonte da verdade, mas certo gênio maligno, não menos ardiloso e enganador do que poderoso, que empregou toda a sua indústria em enganar-me. Pensarei que o céu, o ar, a terra, as cores, as figuras, os sons e todas as coisas exteriores que vemos são apenas ilusões e enganos de que ele se serve para surpreender minha credulidade. Considerar-me-ei a mim mesmo absolutamente desprovido de mãos, de olhos, de carne, de sangue, desprovido de quaisquer sentidos, mas dotado da falsa crença de ter todas essas coisas. Permanecerei obstinadamente apegado a esse pensamento; e se, por esse meio, não está em meu poder chegar ao conhecimento de qualquer verdade, ao menos está ao meu alcance suspender meu juízo. Eis por que cuidarei zelosamente de não receber em minha crença nenhuma falsidade, e prepararei tão bem meu espírito a todos os ardis desse grande enganador que, por poderoso e ardiloso que seja, nunca poderá impor-me algo." (Descartes. *Meditações*. Trad. J. Guinsburg e Bento Prado Júnior. São Paulo: Abril Cultural, 1979. p. 88-89.)

Nesse trecho, o autor refere-se aos grandes poderes de um suposto gênio maligno. Com base na leitura desse trecho e considerando outras ideias contidas nessa obra de Descartes, redija um texto explicando como o filósofo se mostra capaz de vencer o gênio maligno.

9 (UEL 2007) Segundo Francis Bacon, "são de quatro gêneros os ídolos que bloqueiam a mente humana. Para melhor apresentá-los, lhes assinamos nomes, a saber: Ídolos da Caverna; Ídolos do Foro e Ídolos do Teatro". (F. Bacon. *Novum Organum*. Trad. de José Aluysio Reis de Andrade. São Paulo: Nova Cultural, 1988. p. 21.)

Com base nos conhecimentos sobre Bacon, os Ídolos da Tribo são:

a) os ídolos dos homens enquanto indivíduos.

b) aqueles provenientes do intercurso e da associação recíproca dos indivíduos.

c) aqueles que imigraram para o espírito dos homens por meio das diversas doutrinas filosóficas.

d) aqueles fundados na própria natureza humana.

Capítulo

15

A crítica à metafísica

HERITAGE/KEYSTONE

Detalhe do frontispício da *Enciclopédia*, ou *Dicionário analítico de ciências, artes e ofícios*. Charles Nicolas Cochin, o Jovem, 1764.

Bem ao estilo do ideal iluminista, no centro dessa ilustração que consta do frontispício da *Enciclopédia*, vemos a Verdade, envolta em intensa luz, ladeada à esquerda pela Imaginação (a poesia), prestes a enfeitá-la, e à direita pela Razão (a filosofia), que lhe retira o manto. Esse gesto faz alusão à palavra grega alétheia, "verdade", que etimologicamente significa "não oculto", e, portanto, o que é "desvelado", "descoberto", "trazido à luz" pela razão.

A obra grandiosa da *Enciclopédia* é composta de 28 volumes, sendo 17 de textos e 11 de estampas. Organizada por Denis Diderot, contou com mais de cem colaboradores, entre eles figuras de peso como Montesquieu, D'Alembert, Voltaire, Rousseau, Condorcet, D'Holbach. A obra divide-se em três partes: História (Memória), Filosofia (Razão) e Poesia (Imaginação).

A parte de filosofia inclui a ciência, conhecida também como "filosofia natural". Observe que o subtítulo da obra — "Dicionário analítico de ciências, artes e ofícios" — revela o crescente interesse pelas artes e pelos ofícios, o que representa a valorização do artesão e do trabalho. Nela destaca-se a esperança depositada nos benefícios do progresso da técnica e no poder da razão de combater o fanatismo, a intolerância, inclusive religiosa, a escravidão, a tortura, a guerra.

Discuta com seu colega em que medida os ideais iluministas foram cumpridos — ou não — ao longo dos séculos subsequentes.

E ETIMOLOGIA

Enciclopédia. Do grego *egkuklopaideía*, literalmente "ensino circular" (panorâmico), por extensão, "educação completa".

1 De que trata o capítulo

A reflexão que abre o capítulo nos dá a dimensão do que representou para o século XVIII e seguintes o movimento intelectual da Ilustração. A crença na razão como guia na busca da verdade acentuou o processo que vinha da modernidade, desde que Descartes destacou o poder do sujeito de atingir o que era indubitável.

Veremos como as dificuldades colocadas por outros pensadores diante da pretensão da razão levaram a uma primeira revisão crítica realizada por Kant. Por sua vez, já no século XIX, Hegel, Comte e Marx, entre outros, aprofundaram as divergências abrindo novas perspectivas, sobretudo a partir do desenvolvimento tecnológico e industrial, cujo impacto já era inegável.

2 A Ilustração: o Século das Luzes

O século XVIII é o período conhecido como Iluminismo, Século das Luzes, Ilustração ou *Aufklärung* (em alemão, "Esclarecimento"). Como as designações sugerem, trata-se do otimismo em reorganizar o mundo humano por meio das luzes da razão.

Desde o Renascimento desenrolava-se a luta contra o princípio da autoridade e buscava-se o reconhecimento de que os poderes humanos por si mesmos seriam capazes de orientar-se sem tutela alguma. O racionalismo e o empirismo do século XVII deram o substrato filosófico dessa reflexão.

A filosofia do Iluminismo também sofreu a influência da revolução científica levada a efeito por Galileu no século XVII. O método experimental recém-descoberto teve a técnica como aliada, expediente que fez surgir as chamadas ciências modernas, entre elas a física e a astronomia. Posteriormente, a ciência seria responsável pelo aperfeiçoamento da tecnologia, o que provocou no ser humano o desejo de melhor conhecer a natureza para dominá-la.

Por fim, a natureza passou a ser vista de maneira secularizada, desvinculada da religião. Livre de qualquer controle externo, sabendo-se capaz de procurar soluções para seus problemas com base em princípios racionais, o ser humano estendeu o uso da razão a todos os domínios: político, econômico, moral e inclusive religioso.

Roland Desné assim explica a exaltação do poder humano nesse período:

> a segurança do filósofo é a segurança do burguês que deve à sua inteligência, ao seu espírito de iniciativa e de previdência, o lugar que tem na sociedade [...] A emancipação do homem, na qual Kant vê o traço distintivo do Iluminismo, é a emancipação de uma classe, a burguesia, que atinge sua maioridade.[1]

PARA SABER MAIS

O século XVIII é o período das revoluções burguesas. Ainda no final do século anterior, em 1688, a Revolução Gloriosa na Inglaterra destronou os Stuarts absolutistas e, em 1789, no continente europeu, os Bourbons foram depostos com a Revolução Francesa. No Novo Mundo ocorreram movimentos de emancipação, como a Independência dos Estados Unidos (1776), e, no Brasil, a Conjuração Mineira (1789) e a Conjuração Baiana (1798), com nítida influência dos ideais iluministas.

A influência do Iluminismo estendeu-se por toda a Europa, principalmente na Inglaterra, na França e na Alemanha.

3 Kant: o criticismo

No tempo de Kant (século XVIII), a ciência newtoniana já estava plenamente constituída e as questões relativas ao conhecimento ainda giravam em torno da controvérsia entre racionalistas e empiristas. Kant estava atento à confusão conceitual a respeito da natureza do nosso conhecimento e debruçou-se sobre o assunto em sua obra *Crítica da razão pura*, mudando o rumo dessa discussão.

Sua filosofia é chamada *criticismo* porque, diante da pergunta "Qual é o verdadeiro valor dos nossos conhecimentos e o que é conhecimento?", Kant coloca a razão em um tribunal para julgar o que pode ser conhecido legitimamente e que tipo de conhecimento não tem fundamento. Segundo o próprio Kant, a leitura da obra de Hume o despertou do "sono dogmático" em que estavam mergulhados os filósofos que não se questionavam se as ideias da razão correspondem mesmo à realidade.

[1] DESNÉ, Roland, citado por CHÂTELET, François (org.). *História da filosofia*: ideias, doutrinas. v. 4. Rio de Janeiro: Zahar, s.d. p. 74.

Pretendia superar a dicotomia racionalismo-empirismo: condenou os empiristas (tudo que conhecemos vem dos sentidos) e não concordava com os racionalistas (tudo quanto pensamos vem de nós mesmos). Para ele, o conhecimento deve constar de juízos universais, da mesma maneira que deriva da experiência sensível.

QUEM É?

COLEÇÃO PARTICULAR

Immanuel Kant, s/d, autoria desconhecida.

Immanuel Kant (1724-1804) nasceu na Prússia (Alemanha), em Königsberg, cidade de onde nunca saiu. Era profundamente religioso e levou vida metódica, dedicando-se a estudar e ensinar. Foi um dos maiores expoentes do Iluminismo, ao superar o racionalismo e o empirismo. Alertado pelo ceticismo de Hume, examinou as possibilidades e limites da razão em sua obra *Crítica da razão pura*, na qual indaga sobre "o que podemos conhecer"; em *Crítica da razão prática* trata das possibilidades do ato moral ao perguntar sobre "o que podemos fazer"; em *Crítica da faculdade do juízo* investiga os juízos estéticos, distinguindo o belo do agradável e do útil. Defendeu sobretudo a autonomia moral do sujeito, a liberdade de pensamento e a "paz perpétua", título de um texto famoso que até hoje merece atenção. Publicou também *Fundamentos da metafísica dos costumes* e *A religião dentro dos limites da simples razão*, entre outras obras.

Sensibilidade e entendimento

Para superar a contradição entre racionalistas e empiristas, Kant explica que o conhecimento é constituído de algo que recebemos de fora, da experiência (*a posteriori*) e algo que já existe em nós mesmos (*a priori*) e, portanto, anterior a qualquer experiência.

ETIMOLOGIA

A posteriori. Do latim *posterus, posterioris*, "posterior".
A priori. Do latim *prior*, "precedente", "anterior".

- O que vem de fora é a *matéria* do conhecimento, que são as próprias coisas: nisso concorda com os empiristas.
- O que vem de nós é a *forma* do conhecimento: com os racionalistas, admite que a razão não é uma "folha em branco".

Qual é então a diferença entre Kant e os filósofos que o antecedem? É o fato de que matéria e forma *atuam ao mesmo tempo*. Para conhecer as coisas, precisamos da experiência sensível (matéria); mas essa experiência não será nada se não for organizada por formas da sensibilidade e do entendimento, que, por sua vez, são *a priori* e *condição da própria experiência*.

A *sensibilidade* é a faculdade receptiva, pela qual obtemos as representações exteriores, enquanto o *entendimento* é a faculdade de pensar ou produzir conceitos. Em cada uma dessas faculdades, Kant identifica formas *a priori*.

- As **formas *a priori* da sensibilidade** ou intuições puras são o *espaço* e o *tempo*. Ou seja, o espaço e o tempo não existem como realidade externa, são antes formas *a priori* que o sujeito precisa para organizar as coisas. Dizendo de outra maneira, fora de nós estão as coisas, mas quando as percebemos "em cima", "embaixo", "do lado" ou então "antes", "depois", "durante" é porque temos a intuição apriorística do espaço e do tempo, caso contrário não poderíamos percebê-las.
- As **formas *a priori* do entendimento** são as *categorias*. Como o entendimento é a *faculdade de julgar*, de unificar as múltiplas impressões dos sentidos, as categorias funcionam como conceitos puros, que não têm conteúdo, por serem formas *a priori*, condição do conhecimento. Kant identifica 12 categorias, entre as quais destacaremos três: a substância, a causalidade e a existência. Quando observamos a natureza e afirmamos que uma coisa "é isto", ou "tal coisa é causa de outra", ou "isto existe", temos, de um lado, coisas que percebemos pelos sentidos, mas, de outro, algo lhes escapa, isto é, respectivamente as categorias de substância, de causalidade, de existência. Essas categorias não vêm da experiência, mas são postas pelo próprio sujeito cognoscente. Portanto, segundo Kant:

Nenhum conhecimento em nós precede a experiência, e todo o conhecimento começa com ela. Mas embora todo o nosso conhecimento comece *com* a experiência, nem por isso todo ele se origina justamente *da* experiência. Pois poderia bem acontecer que mesmo o nosso conhecimento de experiência seja um composto daquilo que recebemos por impressões e daquilo que nossa própria faculdade de conhecimento [...] fornece de si mesma. [...] Tais *conhecimentos* denominam-se *a priori* e distinguem-se dos *empíricos*, que possuem suas fontes *a posteriori*, ou seja, na experiência.[2]

PARA SABER MAIS

Lembre-se de que Hume explica a causalidade pelo hábito e pela crença. Kant o refuta ao afirmar que a causalidade é uma *condição da experiência* e que não podia ser derivada dela. Posteriormente, outros filósofos criticaram Kant, até que na década de 1920 o físico alemão Werner Heisenberg formulou o *princípio de incerteza*, que põe em xeque o determinismo e questiona a noção de causalidade (consultar o capítulo 31, "O método das ciências da natureza").

As ideias da razão e a metafísica

Com sua teoria, Kant garante a possibilidade do conhecimento científico como universal e necessário. No entanto, até aqui trata-se do conhecimento fenomênico, isto é, restrito ao conhecimento dos **fenômenos**, que percebemos inicialmente pelos sentidos e pelo entendimento. Poderíamos, porém, conhecer a "coisa em si" (o **noumenon**)?

O que seria a coisa em si? São as ideias da razão para as quais a experiência não nos dá o conteúdo necessário. Nesse sentido, o *noumenon* pode ser pensado, mas não pode ser conhecido efetivamente, porque, como vimos, o conhecimento humano limita-se ao horizonte da experiência. No entanto, o ser humano deseja ir além da experiência e nisso consiste o trabalho da razão, que investiga as ideias de alma, mundo e Deus, justamente os objetos da metafísica.

Ao examinar cada uma dessas ideias, Kant se depara com as **antinomias** da razão pura, isto é, com argumentos contraditórios que se opõem em tese e antítese.

Vamos dar alguns poucos exemplos, entre outros a que Kant recorreu:

- a ideia de liberdade tanto pode ter argumentos a favor como contra (determinismo);
- pode-se argumentar tanto que o mundo tem um início e é limitado ou que não teve início e é ilimitado;
- tanto se argumenta que o mundo existe a partir de uma causa necessária, que é Deus, ou que não existe um ser absolutamente necessário que seja a causa do mundo.

Kant conclui, portanto, não ser possível conhecer as coisas tais como são em si. Decorre dessa constatação a impossibilidade do conhecimento metafísico. Devemos, portanto, nos abster de afirmar ou negar qualquer coisa a respeito dessas realidades. Trata-se de um **agnosticismo**.

ETIMOLOGIA

Fenômeno. Do grego *phainoménon*, "aparência", o que "aparece" para nós.
Noumenon. Do grego, "o que é pensado"; particípio passado de *noein*, "pensar"; Kant usa o termo para designar "a coisa em si", em oposição a "fenômeno".
Antinomia. Do grego *anti-nomía*, "contradição das leis", "conflito de leis".
Agnosticismo. Do grego *a*, "não", e *gnosis*, "conhecimento". Para um agnóstico a razão é incapaz de afirmar ou negar a existência do mundo, da alma e de Deus. Com frequência o termo ficou reduzido à ideia de Deus e, nesse caso, distingue-se do ateísmo, que nega a existência de Deus.

Entretanto, em outra obra, *Crítica da razão prática*, Kant recupera as realidades da metafísica que criticara no processo anterior. Enquanto a *razão pura* ocupa-se das *ideias*, a *razão prática* volta-se para a *ação moral*, que só é possível porque os seres humanos — ao contrário da natureza, sujeita aos determinismos — podem agir mediante ato de vontade, por autodeterminação. Pela análise do mundo ético, Kant recoloca as questões da liberdade humana, da imortalidade da alma e da existência de Deus, recuperadas como postulados. Trata-se de postulados, ou seja, de pressupostos que lhe permitem explicar a lei moral e seu exercício. Assim Kant justifica-se: "tive de suprimir o *saber* para encontrar lugar para a *fé*".

PARA SABER MAIS

Os temas referentes à *Crítica da razão prática* serão retomados no capítulo 20, "Teorias éticas".

A herança kantiana

O pensamento kantiano é conhecido como *idealismo transcendental*. A expressão "transcendental" em Kant significa aquilo que dá a condição de possibilidade da experiência, ou seja, o conhecimento transcendental é o que trata dos conceitos *a priori* dos objetos, e não dos objetos como tal.

[2] KANT, Immanuel. *Crítica da razão pura*. São Paulo: Abril Cultural, 1980. p. 23.

A liberdade guiando o povo. Eugène Delacroix, 1830.

Esta tela foi pintada no ano da revolução que depôs o rei Carlos X da França e representou uma inovação sob vários aspectos. Abandonando os princípios da representação acadêmica, que preferia cenas posadas em ateliê, Delacroix busca na rua a turbulência de um acontecimento daquele momento histórico. Em lugar de personagens importantes, prefere o povo anônimo, na luta destemida. A Liberdade é representada por uma mulher que ergue a bandeira tricolor da França e empunha um mosquete com baioneta. O menino armado simboliza a jovem República. A tela expressa diferentes níveis de tensão: entre classes, jovens e velhos, homens e mulheres, vivos e mortos. Observe a imagem com um colega e tentem localizar algumas dessas oposições.

O próprio Kant descreveu sua filosofia crítica como uma "revolução copernicana": tal como Copérnico levantara a hipótese de não ser o Sol que gira em torno da Terra, mas o contrário, também Kant afirma que se a metafísica anterior admitia que o nosso conhecimento devia regular-se pelos objetos, agora admitimos que os objetos regulam-se pelo nosso conhecimento. Portanto, são os objetos que se adaptam ao conhecimento, e não o contrário.

Mesmo fazendo a crítica do racionalismo e do empirismo, o procedimento kantiano redundou em idealismo: ainda que reconheça a experiência como fornecedora da matéria do conhecimento, é o nosso espírito, graças às estruturas *a priori*, que constrói a ordem do universo.

Da crítica feita por Kant à metafísica, na *Crítica da razão pura*, surgiram duas linhas divergentes entre os filósofos do século XIX:

- A primeira, representada pelos **materialistas** (Feuerbach) e **positivistas** (Comte). Para Feuerbach, a matéria é anterior ao espiritual e o determina; posteriormente, os *materialistas dialéticos* Karl Marx e Friedrich Engels incorporaram ao materialismo de Feuerbach a noção hegeliana de dialética. Para Comte, a ciência (o saber positivo) é a forma mais adequada de conhecimento, daí ter reduzido o conhecimento à descrição dos fenômenos, e a filosofia, à mera síntese dos resultados das diversas ciências particulares.
- A segunda, dos **idealistas**, que levaram às últimas consequências a capacidade que Kant atribuía à razão de impor formas *a priori* ao conteúdo dado pela experiência. Os principais nomes foram Johann G. Fichte, Friedrich Schelling e Wilhelm Hegel. Trataremos dos idealistas e positivistas em tópicos específicos, a seguir.

Um novo tempo

No final do século XVIII e começo do século XIX ocorreram significativas transformações:

- As revoluções: a independência dos Estados Unidos (1776) e a Revolução Francesa (1789) foram celebradas como conquistas das Luzes.
- A implantação do Terror na França por Robespierre e posteriormente a instauração do Império por Napoleão: tudo parecia contradizer o espírito do Iluminismo.
- Prenúncio do romantismo na Alemanha (década de 1770) com o movimento *Sturm und Drang* ("tempestade e ímpeto"), com o nacionalismo e a exaltação da natureza, do gênio, do sentimento e da fantasia.

Esse foi um período de grande produção literária, com destaque para Goethe e Schiller, e filosófica, com Jacobi e Herder. Esse movimento desembocou na recuperação da cultura clássica, no gosto pela arte e filosofia gregas, cujo equilíbrio se contrapôs à impetuosidade do período inicial do romantismo.

O monge à beira-mar, de Caspar David Friedrich, 1809.

O pintor David Friedrich produziu inúmeras paisagens que exprimem o "sentimento do sublime", típico do romantismo. Nesta tela, observe a figura diminuta do monge olhando o mar, enquanto tem a experiência simultânea de fascínio e terror face ao "demasiadamente grande". Os sentimentos provocados pela visão do horizonte ilimitado do mar e a imensidão da natureza nos colocam diante do incomensurável, pelo qual nos damos conta de nossa pequenez e finitude.

Nesse ambiente cultural surgiu o idealismo filosófico, representado por Johann Gottlieb Fichte, Friedrich Schelling e Georg Hegel, sendo este último o que exerceu maior influência no pensamento posterior.

4 Hegel: o idealismo dialético

O alemão Georg Wilhelm Friedrich Hegel (1770-1831) viveu a turbulência daqueles momentos que sacudiram a Europa e entusiasmou-se com eles. Conta-se que, ainda jovem, com dezenove anos, ao lado de Schelling e Hölderlin, celebrou a Revolução Francesa com o plantio simbólico de uma árvore. Sua admiração por Napoleão, pela capacidade humana de transformação e pelo elogio aos movimentos políticos revolucionários refletiu-se em sua concepção filosófica de história e em sua epistemologia.

Imbuído do espírito de sua época, fundou seu sistema a partir da noção de liberdade do sujeito, cuja experiência não é solitária, mas se encontra envolvida pelo coletivo — instância essencial para a consciência de si mesmo. Nesse sentido, Hegel criticou a filosofia transcendental de Kant por ser muito abstrata e alheia às etapas da formação da autoconsciência do indivíduo e deste na sua cultura.

Hegel escreveu inúmeras obras, entre as quais *Fenomenologia do espírito, Ciência da lógica, Enciclopédia das ciências filosóficas, Introdução à história da filosofia* e *Princípios da filosofia do Direito*; outras resultaram das anotações de seus alunos na universidade de Jena.

A produção filosófica de Hegel talvez represente o último exemplo de teoria sistemática, que forma um todo acabado cujas partes se interligam de maneira coesa. No entanto, sua vasta erudição e a transformação que realiza em conceitos tradicionais tornam sua filosofia de difícil interpretação, às vezes hermética. Conceitos como ser, lógica, absoluto e dialética assumem sentidos radicalmente novos. Por exemplo: o ser não é o ser da metafísica tradicional, mas designa uma realidade em processo, uma estrutura dinâmica. Além de que nenhum conceito é examinado por si mesmo, mas sempre em relação ao seu contrário: ser-nada, corpo-mente, liberdade-determinismo, universal-particular, Estado-indivíduo. Ou seja, o ser está em constante mudança: esta é a **dialética** hegeliana, inspirada no pré-socrático Heráclito.

E ETIMOLOGIA

Dialética. Do grego *dialektiké*, termo composto de lego, "falar", e dia, "através de", "por meio de". Entre os gregos, significa o diálogo, a arte da discussão. Em Hegel, explica a mudança pela contradição.

A dialética

Hegel introduz uma noção nova, a de que a *razão é histórica*, ou seja, a verdade é construída no tempo. Partindo da noção kantiana de que a consciência (ou o sujeito) interfere ativamente na construção da realidade, propõe o que se chama *filosofia do devir*, do ser como processo, como movimento, como vir-a-ser. Desse ponto de vista, o ser está em constante transformação, donde surge a necessidade de fundar uma nova lógica que não parta do princípio de identidade, que é estático, mas do princípio de contradição, para dar conta da dinâmica do real. A sua nova lógica Hegel chama *dialética*.

Hegel desenvolve, portanto, um novo conceito de história, também dialético: o presente é engendrado por longo e dramático processo; a história não é simplesmente acumulação e justaposição de fatos acontecidos no tempo. Resulta de um processo cujo motor interno é a contradição dialética, que conduz ao autoconhecimento do espírito no tempo.

Segundo a dialética, todas as coisas e ideias surgem e morrem. Como diz o poeta Goethe: "Tudo o que existe merece desaparecer". Mas essa força destruidora é também a força motriz do processo histórico. A ideia central é a de que a morte é criadora, geradora. Todo ser contém em si mesmo o germe da sua ruína e, portanto, de sua superação.

Em sua principal obra, *Fenomenologia do espírito*, o termo *fenomenologia* remete à noção de *fenômeno* como aquilo que nos aparece, que se manifesta, na medida em que é um objeto distinto de si, porque nele descobrimos a contradição, que por sua vez será superada em um terceiro momento. Vamos exemplificar as três etapas da dialética com o desenvolvimento da planta, que passa pelo botão, flor e fruto:

- o botão: é a afirmação;
- a flor: é a contradição, é a negação do botão;
- o fruto: é uma categoria superior, a superação da contradição entre botão e flor.

MUSÉE NATIONAL DU CHÂTEAU DE MALMAISON

Napoleão sobre o cavalo na passagem de São Bernardo. Jacques Louis David, 1801. Hegel admirava Napoleão até que, em 1807, as tropas francesas acamparam em frente de sua casa, em Jena, na Alemanha.

PARA SABER MAIS

É comum referir-se à tese, antítese e síntese como as três etapas da dialética hegeliana. No entanto, o próprio Hegel não fez uso desses termos, que foram introduzidos em 1837 por um comentador, Heinrich Chalybaus.

Para melhor entender o processo dialético, lembramos que Hegel usa a palavra alemã *aufheben*, "superar". A riqueza do termo está em significar "suprimir", "negar" e também "conservar". Essa ambivalência é adequada para representar que, na superação da contradição, o que é negado é ao mesmo tempo mantido pela dialética. Portanto, a contradição não se reduz à alternativa de enunciados excludentes de tipo "ou-ou".

PARA REFLETIR

O que seria a crise da adolescência senão a contradição entre aquilo que fomos na infância e o que negamos dela? Por isso confrontamos nossos pais e seus valores, ao mesmo tempo que esses valores fazem parte de nós. A maturidade é que irá superar a contradição, ao nos constituirmos como sujeitos livres... até que outras contradições surjam para serem superadas. Você viveu ou vive essas contradições em sua adolescência? Dê um exemplo.

Desse modo, conhecer a gênese, o processo de constituição pelas mediações contraditórias, é conhecer o real. Por esse movimento, a razão passa por todos os graus, desde o da natureza inorgânica, da natureza viva, da vida humana individual até a vida social.

Vejamos esse processo.

Para explicar o devir, Hegel parte não da natureza, da matéria, mas da *ideia* pura:

- a *ideia*, para se desenvolver, cria um objeto oposto a si, a natureza;
- a *natureza* é a ideia alienada, o mundo privado de consciência; da luta desses dois princípios opostos surge o espírito;
- o *espírito* é ao mesmo tempo pensamento e matéria, isto é, a ideia que toma consciência de si por meio da natureza.

O idealismo

O que Hegel entende por espírito? Num sentido geral, espírito (*Geist*, em alemão) é uma atividade da consciência que se manifesta no tempo e se expressa em três momentos distintos:

- o *espírito subjetivo* é o espírito individual, ainda encerrado na sua subjetividade (como ser de emoção, desejo, imaginação);
- o *espírito objetivo* opõe-se ao espírito subjetivo: como tal, é o espírito exterior como expressão da vontade coletiva por meio da moral, do direito, da política. O espírito objetivo realiza-se naquilo que se chama *mundo da cultura*;

ELIO CIOL/CORBIS-LATINSTOCK

Mosaico de Minerva, 1880.
Minerva é a versão latina da grega Atena, deusa da razão, das artes, da literatura e da filosofia, geralmente representada com a coruja, uma ave noturna.

- o *espírito absoluto*, ao superar o espírito objetivo, realiza a síntese final em que o espírito, terminando o seu trabalho, compreende-o como realização sua. A mais alta manifestação do espírito absoluto é a filosofia, saber de todos os saberes, quando o espírito atinge a absoluta autoconsciência, depois de ter passado pela arte e religião.

Por isso, Hegel chama a filosofia de "*pássaro de Minerva* que chega ao anoitecer", ou seja, a crítica filosófica é feita ao final do trabalho realizado.

O espírito absoluto na verdade é o mais complexo, porque ele é a totalidade ou síntese que resulta de todo o percurso anterior de autoconhecimento do espírito.

Ao explicar o movimento gerador da realidade, Hegel desenvolve uma dialética *idealista*: a racionalidade não é mais um modelo a se aplicar, mas é o próprio tecido do real e do pensamento. Na *Filosofia do Direito*, Hegel diz que o mundo é a manifestação da ideia: "o real é racional e o racional é real". A verdade, nesse caso, deixa de ser um fato para ser um resultado do desenvolvimento do espírito.

A razão nasce, portanto, no momento em que a consciência adquire "a certeza de ser toda a realidade" por meio das etapas fenomenológicas da razão no processo dialético. É esta a principal contribuição de Hegel: a defesa de uma concepção processual de tudo o que existe.

Essa maneira de pensar é um idealismo porque os seres humanos pensam sobre si mesmos, mas também sobre a natureza, que inicialmente surge como um "outro", diferente de mim, o que é superado quando ela é "idealizada" pela razão.

Na filosofia posterior a Hegel, tornou-se fecunda a ideia de que a razão é histórica e transforma-se a partir de conflitos e contradições. Como veremos, ora os pensadores reafirmam o caráter determinante da razão e reforçam o idealismo, ora criticam esse idealismo. É o que fazem os marxistas, que enfatizam as contradições sociais e políticas como determinantes do processo que provoca a mudança da própria razão.

PARA SABER MAIS

Voltaremos a Hegel no capítulo 25, "O liberalismo do século XIX".

5 Comte: o positivismo

A Revolução Industrial no século XVIII, expressão do poder da burguesia em expansão, demonstrou a eficácia do novo saber inaugurado pela ciência moderna no século anterior. Ciência e técnica tornaram-se aliadas, provocando modificações jamais suspeitadas. Basta lembrar que, antes da máquina a vapor, era usada apenas a energia natural (força humana, das águas, dos ventos, dos animais) e, por mais que tenha havido avanços nas técnicas adotadas pelos diversos povos através dos tempos, nunca um novo modo de produzir energia foi tão crucial como a obtida do vapor, que só se tornou possível com a Revolução Industrial.

A exaltação diante dos novos saberes e formas de poder levou à concepção do *cientificismo*, que se caracteriza pela valorização da ciência. Ela se tornou o único conhecimento possível, e o método das ciências da natureza passou a ser o único válido e que deveria, portanto, ser estendido a todos os campos de conhecimento e de atividades humanas.

A doutrina positivista, cujo principal representante foi o francês Augusto Comte (1798-1857), nasceu nesse ambiente cientificista — que o próprio filósofo ajudou a exacerbar. Em sua obra *Curso de filosofia positiva*, propôs-se a examinar como ocorreu o desenvolvimento da inteligência humana desde os primórdios, a fim de dar as diretrizes de como seria melhor pensar a partir do progresso da ciência.

A lei dos três estados

Comte diz ter descoberto uma grande lei fundamental, segundo a qual o espírito humano teria passado por três estados históricos diferentes: o teológico, o metafísico e finalmente o positivo.

- no estado **teológico**, as explicações dos fenômenos supõem uma causalidade sobrenatural; os fenômenos da natureza, a origem dos seres, os costumes são explicados pela ação dos deuses.

DE AGOSTINI/GETTY IMAGES

Tumba de Nefertari, esposa de Ramsés II (19ª dinastia), século XIII a.C. Osíris verde, deus da vida e da morte. No Egito Antigo, o culto de natureza mistura-se com o nascimento das divindades. Osíris é verde porque representa a fertilidade da terra, ao mesmo tempo que é o senhor da vida, da morte e da ressurreição.

- no estado **metafísico**, os agentes sobrenaturais são substituídos por forças abstratas, por noções absolutas pelas quais são explicadas a origem e o destino do universo; por exemplo, na sua metafísica, Aristóteles explica a queda dos corpos pela essência dos corpos pesados, cuja natureza os faria "tender para baixo", para o seu "lugar natural".
- no estado **positivo**, que decorreu do desenvolvimento das ciências modernas, as ilusões teológicas e metafísicas foram superadas pelo conhecimento das relações invariáveis dos fatos, por meio de observações e do raciocínio, que visam alcançar leis universais. Por exemplo, Galileu Galilei, espírito positivo, não *indaga* por que os corpos caem, não procura as causas primeiras e últimas, mas se contenta em descrever *como* o fenômeno da queda ocorre.

Para Comte, o termo "positivo" designa o real em oposição ao quimérico, a *certeza* em oposição à indecisão, o *preciso* em oposição ao vago. Portanto, o estado positivo corresponde à maturidade do espírito humano, objetivo de toda educação daí em diante. É nesse sentido que diz:

> Todos os bons espíritos repetem, desde Bacon, que somente são reais os conhecimentos que repousam sobre fatos observados. Essa máxima fundamental é evidentemente incontestável, se for aplicada, como convém, ao estado viril de nossa inteligência.[3]

Desse modo, o positivismo retoma a orientação daqueles que aproveitaram a crítica feita por Kant à metafísica, no século XVIII. E leva às últimas consequências o papel reservado à razão de descobrir as relações constantes e necessárias entre os fenômenos, ou seja, as *leis invariáveis* que os regem. Ao se estender para as explicações sobre os fenômenos humanos, essa concepção recusa a noção de liberdade.

A classificação das ciências

O determinismo cientificista do positivismo desconsiderou as expressões míticas, religiosas e metafísicas. E à filosofia, que papel lhe foi reservado? Segundo Comte, cabe a ela a sistematização das ciências, a generalização dos mais importantes resultados da física, da química, da história natural.

Comte reconhece que a matemática, pela simplicidade de seu objeto, constitui uma espécie de instrumento de todas as outras ciências e desde a Antiguidade teria atingido o estado positivo. Elaborou então a classificação das ciências — cinco, ao todo: astronomia, física, química, fisiologia (biologia) e "física social" (sociologia). Essa classificação parte da ciência mais simples, mais geral e mais afastada do humano, que é a astronomia, até a mais complexa e concreta, a sociologia.

3 COMTE, Augusto. *Curso de filosofia positiva*. São Paulo: Abril Cultural, 1973. p. 11.

A sociologia, ciência soberana

Comte afirmava ser o fundador da sociologia, por ter sido ele quem lhe deu o nome e o estatuto de ciência. Definiu-a como *física social*, mas na verdade tomou os modelos da biologia e explicou a sociedade como um organismo coletivo. Entusiasmara-se pela então recente teoria frenológica de Gall, que analisava a inteligência humana pela sua origem orgânica, inclusive buscando delimitar a localização, no cérebro, das faculdades mentais — conhecer, sentir, querer —, sem considerar conceitos como "eu", "alma", "consciência", típicos da filosofia tradicional.

Inspirado por essa teoria, Comte afirmava que apenas uma elite teria capacidade de desenvolver a parte frontal do cérebro, sede da faculdade superior, ou seja, da inteligência e dos sentimentos morais. Concluiu pela necessidade de a maioria dos seres humanos — dominados pela afetividade e, portanto, causadores da instabilidade social — ser moldada e dirigida em nome da harmonia e da ordem social, a fim de garantir o "progresso dentro da ordem".

Reconhece que o indivíduo, submetido à consciência coletiva, tem pouca possibilidade de intervenção nos fatos sociais. A ordem da sociedade é permanente, à imagem da invariável ordem natural. A sociologia de Comte gira em torno de núcleos constantes, como a propriedade, a família, o trabalho, a pátria, a religião.

Para alguns intérpretes, a filosofia comteana pode ser considerada uma reação conservadora à Revolução Francesa (1789). No entanto, a professora Lelita de Oliveira Benoit não identifica seu pensamento com o caminho contrarrevolucionário encabeçado por De Maistre, por exemplo. Comte não pensava em uma volta ao passado, à realeza e ao catolicismo, a fim de conservar a ordem burguesa abalada pela revolução. Não pretendia eliminar o progresso, mas desenvolver uma teoria da ordem com o progresso: ele queria participar da reconstrução, instituindo a ordem de maneira soberana.

É essa ideia de ordem que dominou seu trabalho de sistematização da filosofia, levando-o a classificar as ciências e todo o conhecimento em quadros fechados, estanques. Vale observar que a palavra *ordem* significa ao mesmo tempo "arranjo" e "mando". É o próprio Comte que afirma: "Nenhum grande *progresso* pode efetivamente se realizar se não tende finalmente para a evidente consolidação da *ordem*".

A história não é mais pensada como vir-a-ser, mas como sequência congelada de estados definitivos. A evolução seria a realização, no tempo, daquilo que já existia em forma embrionária e que se desenvolveria até alcançar o seu ponto final. O conceito de ciência comteano é o de um saber acabado, que se mostra sob a forma de resultados e receitas. Tendo colocado a ciência positiva como o ápice da vida e do conhecimento humanos, Comte estabeleceu uma série de postulados aos quais a ciência deveria se conformar. O principal deles seria assegurar a marcha normal e regular da sociedade industrial. Ora, ao fazer isso, Comte trocou a teoria filosófica do conhecimento por uma ideologia.

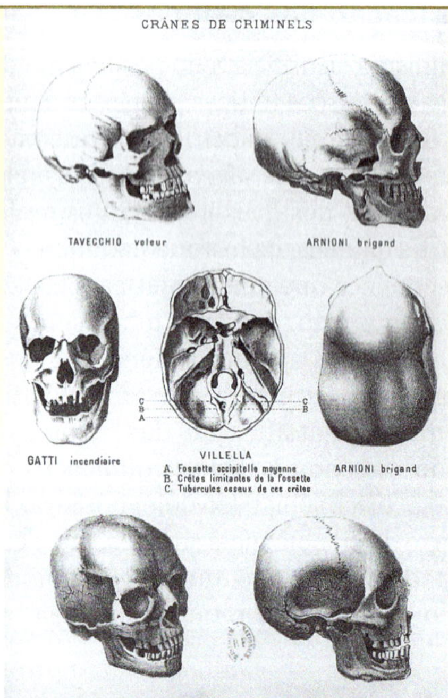

THE BRIDGEMAN ART LIBRARY/KEYSTONE

Existe criminoso nato? Há quem pense que sim. O médico criminalista italiano Cesare Lombroso (1836-1909), igualmente influenciado pela frenologia de Gall, desenvolveu uma teoria para "identificar", na formação craniana e nos traços de fisionomia, os sinais da delinquência. Suas conclusões, de orientação positivista, teve larga aceitação por um certo período. Teria desaparecido sua influência? Você certamente já assistiu a telejornais de notícia policial. Na imprensa e nas conversas, sobretudo quando ocorre um crime bárbaro, é comum algumas pessoas tentarem explicar as ações criminosas com base em condicionantes psicológicos (distúrbios mentais, comportamento antissocial nato) ou fisiológicos (biológicos), que determinariam de modo incontrolável aqueles atos.

Qual é seu ponto de vista? Para você, as teorias de Lombroso para explicar o comportamento criminoso são válidas ou não? Justifique sua resposta.

Crânios de criminosos. Cesare Lombroso, 1887.

A religião da humanidade

A rígida construção teórica de Comte culminou com a concepção da *religião positivista*. Não deixa de ser incoerente a criação de uma religião, pois, no contexto do seu pensamento, o estado teológico é o mais arcaico e infantil da humanidade. No entanto, desde seus primeiros escritos já aparecia essa noção de espiritualidade, que não se confundia com a religião tradicional. Diante do poder espiritual arruinado de seu tempo, Comte via a necessidade de refundá-lo em princípios não teológicos, por meio da criação de uma Igreja Positivista, principalmente para convencer o proletariado a abandonar o projeto revolucionário.

A religião do positivismo integra a sociedade dos vivos na comunidade dos mortos, na trindade formada pelo Grande Ser (a humanidade), pelo Grande Feitiço (a Terra) e pelo Grande Meio (o Universo). Seria a religião da humanidade que forneceria o enquadramento social para colocar os indivíduos ao abrigo das convulsões históricas. A religião positivista produziria então o milagre da harmonia social.

TASSO MARCELO/AGÊNCIA ESTADO

Interior da Igreja Positivista do Brasil. Rio de Janeiro, 2005. O templo positivista foi construído segundo orientações expressas de Augusto Comte. Nas paredes laterais, 13 bustos homenageiam grandes personalidades, responsáveis pelos progressos na ciência, na indústria, nas artes, na arquitetura, como Moisés, Homero, Aristóteles, Dante e Gutemberg. No altar principal, há uma pintura de Clotilde de Vaux, por quem Comte se apaixonara: com uma criança no colo, ela simboliza a humanidade.

O positivismo no Brasil

O positivismo exerceu grande influência no pensamento latino-americano. Em 1876, foi fundada a Sociedade Positivista do Brasil e, em 1881, Miguel Lemos e Teixeira Mendes fundaram a Igreja e Apostolado Positivista do Brasil, cujo templo se situa na cidade do Rio de Janeiro. São eles também os idealizadores da bandeira brasileira, com o seu dístico "Ordem e Progresso".

Outros representantes foram Luís Pereira Barreto e Benjamin Constant, este último militar e matemático, conhecido pela participação atuante no movimento político que culminou com a proclamação da República. Como ministro da Instrução (equivalente ao da Educação), tentou transformar a tradição humanística do ensino com a introdução dos estudos científicos.

Os adeptos do positivismo eram geralmente jovens da pequena burguesia comercial de cidades em crescimento, cujo anseio pela industrialização se contrapunha aos interesses dos proprietários de terra. Muitos positivistas eram militares, médicos e engenheiros, o que denotava a valorização do conhecimento científico.

A herança positivista

Além da influência na proclamação da República, o positivismo, no Brasil, repercutiu de maneira decisiva na concepção cientificista, a que já nos referimos no início deste tópico.

Essa orientação marcou a epistemologia das ciências humanas no início do século XX, dando origem à sociologia de Durkheim (1858-1917), que quis fazer dela uma ciência objetiva, examinando os fatos sociais como "coisas".

Também a psicologia teve início na Alemanha, no final do século XIX, como *psicofísica*. Seus representantes, como Wilhelm Wundt (1852-1920), eram médicos voltados para o exame de questões relativas à percepção, com experiências controladas em laboratórios, deixando de lado questões que não pudessem ser observadas.

PARA SABER MAIS

Voltaremos à influência de Comte no capítulo 32, "O método das ciências humanas".

Frenologia. Teoria segundo a qual cada uma das faculdades mentais se localiza em uma parte do córtex cerebral. O tamanho ocupado por cada faculdade poderia ser percebido pela configuração externa do crânio.

ARQUIVO GERAL DA CIDADE DO RIO DE JANEIRO

Moradores da vila operária na Rua do Senado. Rio de Janeiro, 1906.

Moradores diante de cortiço. A literatura naturalista do século XIX exemplifica bem a tendência ao materialismo e ao determinismo com a separação entre mente e corpo. São comuns as descrições de personagens como simples joguete do meio, da raça, do momento. Nos romances *O mulato* e *O cortiço*, de Aluísio Azevedo, o negro e o pobre são condicionados pelas circunstâncias, das quais não conseguem escapar.

6 Marx: materialismo e dialética

Os alemães Karl Marx (1818-1883) e Friedrich Engels (1820-1895) escreveram juntos algumas obras e outras separadamente, mas sempre estiveram um ao lado do outro por convicções de pensamento e por amizade. Engels, rico industrial, muitas vezes acolheu Marx e a família em momentos de dificuldades financeiras.

Juntos observaram que o avanço técnico aumentara o poder humano sobre a natureza e foi responsável por riquezas e progresso; mas, de outro lado, e contraditoriamente, trouxera a escravização crescente da classe operária, cada vez mais empobrecida.

Leitores de Hegel, aproveitaram dele a dialética. Porém, Marx e Engels perceberam que a teoria hegeliana do desenvolvimento geral do espírito humano não conseguia explicar a vida social. Dando sequência às críticas feitas por Feuerbach ao idealismo, Marx e Engels realizaram uma inversão, assentando as bases do *materialismo dialético*. Engels afirma que:

> a dialética de Hegel foi colocada com a cabeça para cima ou, dizendo melhor, ela, que se tinha apoiado exclusivamente sobre sua cabeça, foi de novo reposta sobre seus pés.[4]

Ou seja, enquanto para Hegel o mundo material é a encarnação da "ideia absoluta", da "consciência", para o materialismo o mundo material é anterior ao espírito e este deriva daquele. Segundo a visão materialista, o movimento é a propriedade fundamental da matéria e existe independentemente da consciência. A matéria, como dado primário, é a fonte da consciência, e esta é um dado secundário, derivado, pois é reflexo da matéria.

No contexto dialético, porém, a consciência humana, mesmo historicamente situada, não é pura passividade: o conhecimento das relações determinantes possibilita ao ser humano agir sobre o mundo, até mesmo no sentido de uma ação revolucionária.

Materialismo histórico

O *materialismo histórico* é a aplicação dos princípios do materialismo dialético ao campo da história. Como o próprio nome indica, é a explicação da história a partir de fatores materiais (econômicos, técnicos). Pelo senso comum costuma-se explicar a história pela ação das grandes figuras, como César, Carlos Magno, Luís XVI, ou das grandes ideias, como o helenismo, o positivismo, o cristianismo, ou ainda pela intervenção divina. Marx inverte esse processo: no lugar das ideias, estão os fatos materiais; no lugar dos heróis, a luta de classes.

4 ENGELS, G. "Ludwig Feuerbach e o fim da filosofia clássica alemã". Em: MARX-ENGELS. *Antologia filosófica*. Lisboa: Estampa, 1971. p. 136.

ARQUIVO NACIONAL, RIO DE JANEIRO

Cartaz, provavelmente do início do século XX.

A Lei Áurea, que pôs fim à escravidão, resultou do crescente encarecimento da mão de obra escrava, das pressões internas em prol da abolição, incluindo as revoltas e fugas de escravos, e do fortalecimento de fazendeiros do oeste paulista, os quais, de mentalidade mais capitalista, já tinham iniciado a experiência com a mão de obra livre. Sob essa perspectiva, os motivos econômicos tiveram maior força na abolição do que os ideológicos, ao contrário do que insinua a ilustração. Nela o branco cumprimenta o negro, e a expressão "Agora sim!" demonstra um otimismo que não se cumpriu, já que os ex-escravos não foram adequadamente integrados ao mercado de trabalho nem à sociedade, e lutam até hoje contra o preconceito e a discriminação. Discuta com seu colega por que esse tema foi escolhido para fazer parte em um tópico sobre a teoria de Marx.

PARA SABER MAIS

Consulte também os capítulos 6, "Trabalho, alienação e consumo", e o 26, "As teorias socialistas".

O marxismo não nega o heroísmo de alguns nem as ideias, mas explica a realidade a partir da estrutura material de uma determinada sociedade. A ideia é algo secundário, não no sentido de ser menos importante, mas sim por derivar de condições materiais, ou seja, as ideias do direito, da literatura, da filosofia, das artes ou da moral estão diretamente ligadas ao modo de produção econômico. Por exemplo: na moral medieval, a valorização da fidelidade do vassalo ao suserano decorre do modo de produção que estabelece os fortes liames da hierarquia. Sem a fidelidade, a relação de produção na sociedade feudal estaria arruinada.

Com o comércio e a indústria nascente, que se baseava no modo de produção capitalista, deixam de existir senhores, vassalos e seus servos. As relações de trabalho estabelecidas por contratos e a ideia de cidadania se sobrepõem aos valores de fidelidade e servidão.

Portanto, segundo Marx, para estudar a sociedade não se deve partir do que os indivíduos dizem, imaginam ou pensam, mas da identificação de como produzem os bens materiais necessários a sua vida. Analisando as forças produtivas e as relações de produção é que se descobre como os seres humanos produzem sua vida, suas ideias e como fazem a história.

Assim dizem Marx e Engels em *A ideologia alemã*:

> Não é a consciência que determina a vida, mas a vida que determina a consciência.[5]

E Marx, em *Teses sobre Feuerbach*:

> Os filósofos se limitaram a *interpretar* o mundo de diferentes maneiras; o que importa é *transformá-lo*.[6]

O que os dois filósofos querem nos dizer? Que a realidade não pode ser compreendida apenas pelas ideias, mas também pela atividade humana. Não basta teorizar, se não partirmos da vida concreta e a ela voltarmos para transformá-la. O movimento dialético entre teoria e prática chama-se *práxis*. Mas não se veja na teoria uma atividade anterior à prática e que a determina nem vice-versa, uma vez que ambas encontram-se dialeticamente envolvidas.

No mesmo texto *Teses sobre Feuerbach* (Tese II), Marx diz:

> A questão de saber se cabe ao pensamento humano uma verdade objetiva não é uma questão teórica, mas *prática*. É na práxis que o homem deve demonstrar a verdade, isto é, a realidade e o poder, o caráter terreno de seu pensamento. A disputa sobre a realidade ou não realidade do pensamento isolado da práxis é uma questão puramente escolástica.

Escolástica. Com este termo, Marx ironiza a tradição aristotélico-tomista, que para ele é idealista, contemplativa e, portanto, desligada dos reais interesses humanos.

5 MARX, Karl e ENGELS, Friedrich. *A ideologia alemã*. São Paulo: Hucitec, 1984. p. 37.
6 MARX, Karl. *Teses sobre Feuerbach*. São Paulo: Hucitec, 1984. p. 14.

A ideologia

Segundo o materialismo dialético marxista, as ideias devem ser compreendidas no contexto histórico vivido pela comunidade. No entanto, Marx vai além, mostrando que muitas vezes esse conhecimento aparece de maneira distorcida, como *ideologia*, ou seja, como conhecimento ilusório que tem por finalidade mascarar os conflitos sociais e garantir a dominação de uma classe sobre outra, quando se vive em uma sociedade dividida em classes, com interesses antagônicos.

Para Marx, as concepções filosóficas, éticas, políticas, estéticas, religiosas da burguesia são estendidas para o proletariado, perpetuando os valores a elas subjacentes como verdades universais. E desse modo, impedem que a classe submetida desenvolva uma visão do mundo mais universal e lute por sua autonomia.

CÍVICA GALLERIA D'ARTE MODERNA, MILÃO

O quarto estado. Giuseppe Pelizza da Volpedo, 1898-1901. O título da obra sugere que o proletariado seria o novo poder emergente. Os três estados eram no século XIX a nobreza, o clero e o "terceiro estado" (a burguesia).

Se levarmos às últimas consequências a ideia de que, sob uma perspectiva dialética, a consciência nunca é cegamente determinada, pode-se concluir que caberá à classe dominada desenvolver o discurso não ideológico, portador de universalidade e não mais restrito aos interesses de uma classe dominante. E, como dirá Marx, o proletariado poderá lutar inclusive pela revolução, entendida como transformação radical do ser humano e da sociedade.

7 Para uma visão de conjunto

No século XVIII, Kant propôs superar a dicotomia racionalismo-empirismo, que fora a principal discussão epistemológica do século anterior. Aliou as formas *a priori* da sensibilidade e do entendimento ao conteúdo fornecido pela experiência sensível, mas esbarrou nas antinomias da razão que o impediam de conhecer as realidades metafísicas. A filosofia de Kant desembocou, no século XIX, no idealismo e no materialismo, nos quais destacamos Hegel, Comte e Marx.

Hegel inovou ao perceber a realidade como um processo dialético: a razão é histórica, a verdade é construída no tempo. O pensamento, posto em movimento na história, desferiu um golpe na visão estática e metafísica do mundo. Para o idealismo hegeliano, mais do que um modelo a ser aplicado, a racionalidade é o próprio tecido do real e do pensamento.

Comte procurou entender o novo mundo criado pela ciência, pela tecnologia e pelo desenvolvimento industrial. Descartou a metafísica ao reconhecer a ciência positiva como um saber acabado, o ápice da vida e do conhecimento humanos, configurando assim a concepção cientificista que marcaria um longo período.

Apropriando-se da dialética e baseado em uma visão materialista do mundo, Marx reforçou a dimensão comunitária da vida e viu no conhecimento uma maneira de intervir no mundo (conhecer para transformar). Com a crítica da ideologia — esse saber ilusório —, antecipou questões que, no século seguinte, desencadearam a chamada "crise da razão".

Deixamos aqui de examinar o pensamento de Nietzsche, para abordá-lo na próxima parte, tal a força iconoclasta de suas ideias e sua influência na filosofia do século XX.

Iconoclasta. Que destrói imagens sagradas (ícones). No contexto, que se opõe à tradição, que destrói valores constituídos.

Atividades

Revendo o capítulo

1 Elabore um quadro comparativo destacando as principais características do idealismo e do materialismo.

2 Quais são as formas *a priori* da sensibilidade segundo Kant?

3 Sob que aspecto Hegel inovou com a sua concepção de história?

4 Por que a doutrina de Comte é conhecida como positivismo?

5 Que inversão Marx e Engels realizaram no conceito de dialética hegeliana?

Aplicando os conceitos

6 A partir da concepção de espaço e tempo e das categorias é possível compreender como Kant tenta superar o racionalismo e o empirismo. Explique por quê.

7 Hume e Kant tratam do conceito de causalidade. Em que os dois filósofos divergem?

8 Analise e justifique o dístico "Ordem e Progresso" da bandeira brasileira usando conceitos da filosofia positivista.

9 O texto a seguir é do filósofo francês Granger: "A razão, longe de ser uma forma definitivamente fixa do pensamento, é uma incessante conquista. Em perpétua concorrência com as atitudes ditas irracionais, *ela constitui em cada época uma figura de equilíbrio provisório* da imaginação criadora, e enquanto tal, através de mil vicissitudes permanecerá como uma das forças mais vivas de nossa civilização." (Gilles-Gaston Granger. *A razão*. São Paulo: Difusão Europeia do Livro, 1962. p. 127-128.)

a) Identifique dois filósofos estudados no capítulo aos quais o texto se aplica.

b) Justifique sua resposta.

Dissertação

10 Com base na citação de Kant, disserte sobre a contribuição do período iluminista para a autonomia de pensamento.

"O Esclarecimento [Iluminismo] é a saída do homem da condição de menoridade autoimposta. [...] *Sapere aude!* Tem coragem em servir-te de teu *próprio* entendimento! Este é o mote do Esclarecimento." (Immanuel Kant. Que é Esclarecimento? Em: Danilo Marcondes. *Textos básicos de ética: de Platão a Foucault*. Trad. de Pedro Caldas. Rio de Janeiro: Jorge Zahar, 2007. p. 95.)

Caiu no vestibular

11 (UEL, 2008) Leia o texto a seguir.

"A razão humana, num determinado domínio dos seus conhecimentos, possui o singular destino de se ver atormentada por questões que não pode evitar, pois lhe são impostas pela sua natureza, mas às quais também não pode dar respostas por ultrapassarem completamente as suas possibilidades." (Kant. *Crítica da razão pura* (Prefácio da primeira edição, 1781. Trad. Manuela Pinto dos Santos e Alexandre Fradique Morujão. Lisboa: Fundação Calouste Gulbenkian, 1994. p. 3.)

Com base no texto e nos conhecimentos sobre Kant, o domínio destas intermináveis disputas chama-se

a) experiência.

b) natureza.

c) entendimento.

e) sensibilidade.

d) metafísica.

12 (Insaf) Marx, no Prefácio de *Para a crítica da economia política*, afirma que "...na produção social da própria vida, os homens contraem relações determinadas, necessárias e independentes de sua vontade, relações de produção estas que correspondem a uma etapa determinada de desenvolvimento de suas forças produtivas materiais". Nesse sentido, desenvolve também seu conceito de consciência, que define como sendo determinada:

a) pela filosofia. Assim, é o pensamento filosófico que forma a consciência do homem;

b) pela produção espiritual dos homens. Assim, é a consciência que determina a produção social da vida e não a produção social da vida que determina a consciência;

c) pela religião. Assim, é toda a ética religiosa que determina a consciência humana;

d) pelo ser social dos homens. Assim, é a produção social da vida que determina a consciência e não a consciência que determina a produção social da vida;

e) pelo aparelho ideológico do Estado. Assim, é a política, à qual se subordina a economia, a responsável pela formação da consciência de um povo.

Capítulo

16 A crise da razão

Parade amoureuse (Desfile amoroso). Francis Picabia, 1917.

Picabia participou de diversas correntes estéticas de vanguarda no começo do século XX. Talvez você pense que esta "máquina" seja uma homenagem ao avanço tecnológico, mas trata-se de uma paródia. Com uma engenhoca "que não serve para nada", Picabia ironiza a racionalidade técnica, a mentalidade focada no útil e desviada de fins propriamente humanos.

Você já desejou ter um objeto e só depois de possuí-lo percebeu que não tinha utilidade para você? Numa situação como essa, você agiu racionalmente ou não? Comente com um colega.

1 Antecedentes da crise

O movimento romântico, que irrompeu no século XIX, representa uma reação ao racionalismo iluminista, à crença de que a razão seria capaz de alcançar a verdade e de que a ciência, por meio da tecnologia, nos tornaria "mestres e senhores da natureza".

Os românticos valorizavam o ser humano integral, daí a importância das artes. A educação estética teria, como objetivo, desenvolver a harmonia das faculdades do sujeito: a sensibilidade, a imaginação e o entendimento.

PARA SABER MAIS

Outras informações sobre a arte e o conhecimento você encontra na Unidade sobre Estética, especialmente no capítulo 35, "A arte como forma de pensamento".

As primeiras fissuras da crise da razão surgiram com o ceticismo de Hume (séc. XVIII) e tornaram-se mais agudas com o criticismo de Kant, que abalou a metafísica.

No final do século XIX e início do seguinte, a crise da razão delineou-se mais claramente e repercutiu em todo o século XX, o que levou à necessidade de se repensar a filosofia. Pensadores de influência marcante, como os alemães Arthur Schopenhauer e Friedrich Nietzsche e o dinamarquês Soren Kierkegaard, são alguns dos que puseram à prova os alicerces da razão.

Kierkegaard: razão e fé

Sören Kierkegaard (1813-1885), pensador dinamarquês, é um dos precursores do existencialismo contemporâneo. Dentre suas obras, destacamos *Temor e tremor*, *O conceito de angústia*, *Migalhas filosóficas*.

Severo crítico da filosofia moderna, Kierkegaard afirma que desde Descartes até Hegel o ser humano não é visto como ser existente, mas como abstração — reduzido ao conhecimento objetivo —, quando na verdade a existência subjetiva, pela qual o indivíduo toma consciência de si, é irredutível ao pensamento racional, e por isso mesmo possui valor filosófico fundamental.

A esse respeito, o professor Benedito Nunes completa:

> Não se diga, porém que ela [a existência] é incognoscível. Ao contrário, dada a imediatidade, para o homem, entre ser e existir, o conhecimento que temos da existência é fundamental, prioritário. O homem se conhece a si mesmo como existente. Esse conhecimento, inseparável da experiência individual, não transforma a existência num objeto exterior ao sujeito que conhece.[1]

Para Kierkegaard, a existência é permeada de contradições que a razão é incapaz de solucionar. Critica o sistema hegeliano por explicar o dinamismo da dialética por meio do conceito, quando deveria fazê-lo pela paixão, sem a qual o espírito não receberia o impulso para o salto qualitativo, entendido como decisão, ou seja, como ato de liberdade. Por isso é importante na filosofia de Kierkegaard a reflexão sobre a angústia que precede o ato livre.

A consciência das paixões leva o filósofo — e também teólogo — a meditar sobre a fé religiosa como estágio superior da vida espiritual. Para ele, a mais alta paixão humana é a fé. É ela que nos permite o "salto no escuro" que é o "salto da fé". Mas ela é, também, uma paixão plena de paradoxos. Como exemplo, o filósofo cita Abraão, personagem do Antigo Testamento que se dispõe a sacrificar o próprio filho para obedecer à ordem divina: não porque a compreendesse, mas porque tinha fé. O estágio religioso é para Kierkegaard o último de um caminho que o indivíduo pode percorrer na sua existência, sendo superior inclusive à dimensão puramente ética.

Nietzsche: o critério da vida

Friedrich Nietzsche (1844-1900) procedeu a um deslocamento do problema do conhecimento, alterando o papel da filosofia. Para ele, o conhecimento não passa de interpretação, de atribuição de *sentidos*, sem jamais ser uma explicação da realidade. Conferir sentidos é, também, conferir *valores*, ou seja, os sentidos são atribuídos a partir de determinada escala de valores que se quer promover ou ocultar.

A tarefa da filosofia é a de interpretar "a escrita de camadas sobrepostas das expressões e gestos humanos". O trabalho interpretativo volta-se, em primeiro lugar, para o exame do conjunto do texto metafísico, a fim de desmascarar o modo pelo qual a linguagem passou do nomear as coisas concretas para o sistematizar verdades eternas.

[1] NUNES, Benedito. *A filosofia contemporânea*; trajetos iniciais. São Paulo: Ática, 1991. p. 47.

MUSEU HERMITAGE, SÃO PETERBURGO

O anjo impede Abraão de sacrificar seu filho Isaac. Rembrant, 1635.

A história de Abraão é relatada no livro do Gênesis. Kierkegaard, em *Temor e tremor*, pergunta-se o que teria levado Abraão a transgredir a sua virtude de pai, que "deve amar o filho mais do que a si mesmo". Ele o faz não para salvar um povo ou apaziguar a ira dos deuses, mas porque Deus lhe exigiu essa prova de fé, que ele aceita, apesar do absurdo e do seu conflito entre o dever para com o filho e o dever para com Deus. Com seu ato, transcendeu a ética. Um anjo deteve sua mão no momento final.

Reflita com um colega a respeito da hierarquia entre ética e religião. O que você faria no lugar de Abraão?

Como método de decifração, Nietzsche propõe a **genealogia**, que coloca em relevo os diferentes processos de instituição de um texto, mostrando as lacunas, os espaços em branco mais significativos, o que não foi dito ou foi recalcado e que permitiu erigir determinados conceitos em verdades absolutas e eternas. A genealogia, portanto, visa a resgatar o conhecimento primeiro e que foi transformado em verdade metafísica, estável e intemporal. Mas a vida é um devir — está sempre em movimento — e, portanto, não é possível reduzi-la a conceitos abstratos, a significados estáveis e definitivos.

E ETIMOLOGIA

Genealogia. Do grego *génos*, "origem", "nascimento", "descendência", e *logos*, "estudo", "razão". Em Nietzsche, genealogia significa o questionamento da *origem* dos valores.

Para Nietzsche, o conhecimento resulta de uma luta, de um compromisso entre instintos. Pelo procedimento genealógico, ao compreender a avaliação que foi feita desses instintos, descobre que *o único critério que se impõe é a vida*. O critério da verdade, portanto, deixa de ser um valor racional para adquirir um valor de existência. O que Nietzsche quer dizer com "critério da vida"? Ao fazer o exame genealógico, pergunta-se que sentidos atribuídos às coisas fortalecem nosso "querer-viver" e quais o degeneram. Enfim, a interpretação genealógica questiona os valores para saber o que nos fortalece vitalmente e o que nos enfraquece.

A esse respeito, a professora Scarlett Marton cita Nietzsche:

> Fazer qualquer apreciação passar pelo crivo da vida equivale a perguntar se ela contribui para favorecê-la ou obstruí-la; submeter ideias ou atitudes ao exame genealógico é o mesmo que inquirir se são signos de plenitude de vida ou da sua degeneração; avaliar uma avaliação, enfim, significa questionar se é sintoma de vida ascendente ou declinante.[2]

PARA SABER MAIS

Voltaremos a examinar a crítica feita por Nietzsche à moral tradicional. No capítulo 20, "Teorias éticas", mostraremos como ele se pergunta pelo próprio "valor dos valores".

[2] MARTON, Scarlett. *Nietzsche*, a transvaloração dos valores. São Paulo: Moderna, 1993. p. 62.

Nietzsche dá o exemplo da dificuldade de se dizer o que é a honestidade. Pois nada sabemos de uma qualidade essencial que se chame *a* honestidade, mas sabemos, isso sim, de numerosas ações individualizadas, portanto desiguais. Ao reunir todas elas sob o conceito de *honestidade*, estamos diante de uma abstração. O que se perde nesse processo é que, ao colocar seu agir sob a regência das abstrações, as intuições são desprezadas para privilegiar o conceito.

Como conhecemos, então? Para Nietzsche, o conhecimento se vale da metáfora. Se na linguagem comum a metáfora é um ornamento e como tal não tem significado de conhecimento propriamente dito, para ele a metáfora assume um caráter cognitivo. Só ela consegue perceber as coisas no seu devir permanente, porque cada metáfora intuitiva é individual, e, por isso, escapa ao "grande edifício dos conceitos". O conceito, por sua vez, nada mais é do que "o resíduo de uma metáfora".

Assim diz Nietzsche:

> O que é a verdade, portanto? Um batalhão móvel de metáforas, metonímias, antropomorfismos, enfim, uma soma de relações humanas, que foram enfatizadas poética e retoricamente, transpostas, enfeitadas, e que, após longo uso, parecem a um povo sólidas, canônicas e obrigatórias: as verdades são ilusões, das quais se esqueceu que o são, metáforas que se tornaram gastas e sem força sensível, moedas que perderam sua efígie e agora só entram em consideração como metal, não mais como moedas.[3]

Outro aspecto do caráter interpretativo de todo conhecimento é a teoria do perspectivismo, que consiste em perseguir uma ideia a partir de diferentes perspectivas. Essa pluralidade de ângulos não nos leva a conhecer o que as coisas são em si mesmas, mas é enriquecedora por nos aproximar mais da complexidade da vida em seu movimento.

SUPERSTOCK-OTHER IMAGES/THE WILLEM DE KOONING FOUNDATION, "WOMAN II", 1952, LICENCIADO POR AUTVIS, BRASIL, 2009

Woman II. Willem de Kooning, 1952.

A figura feminina desse quadro (*Woman II*, 1952) é deformada e até grotesca, com olhos enormes e sorriso sinistro, o que denota uma pintura "pulsional", com nítida influência da psicanálise e do existencialismo. A pintura de Willem de Kooning expressa uma reação à fria racionalidade instrumental, organizadora e calculista, que reprime a natureza humana nos aspectos mais amplos de sua vida instintiva.

Metáfora. Do grego *metaphorá*, "mudança", "transposição". É uma figura de linguagem que realiza a transposição do sentido próprio de uma palavra ao sentido figurado, estabelecendo uma comparação. Por exemplo, quando dizemos estar com "uma fome de leão" ou que suportamos uma desilusão com "nervos de aço".

Metonímia. Do grego *metonymia*, "emprego de um nome por outro". Figura de retórica que consiste no uso de uma palavra fora do seu significado normal. Na frase "comi dois pratos", "pratos" significa "porções de alimento".

Canônico. Do latim *canon, canonis*, "lei", "regra", "padrão". Referente a cânone (ou cânon), conjunto de leis eclesiásticas; por extensão, na atividade cotidiana, comportamento social padronizado por regras.

2 A crise da subjetividade

O que chamamos crise da razão é também uma crise da ideia de subjetividade. Vimos que a herança mais grata da modernidade, a partir de Descartes, foi a descoberta de que o sujeito era capaz de conhecer, que chega à verdade indubitável do *cogito* e que se torna o autor de seus atos, pela vontade livre.

[3] NIETZSCHE, Friedrich. *Introdução teorética sobre verdade e mentira no sentido extramoral*, §1.

Porém, a partir do final do século XIX, os "mestres da suspeita" — Marx, Nietzsche, Freud — introduziram elementos de desconfiança na capacidade humana de conhecer a realidade objetiva e de ter acesso transparente a si mesmo. A esse respeito Freud refere-se às *feridas narcísicas*.

PARA SABER MAIS

Sobre os "mestres da suspeita", consulte o capítulo 9, "O que podemos conhecer?".

A expressão *feridas narcísicas* foi cunhada por Freud ao se referir à humilhação sofrida pelo indivíduo em momentos diferentes da história: no século XVI, quando Copérnico retirou a Terra do centro do Universo; no século XIX, quando a teoria da evolução de Darwin tirou o sujeito do centro do reino animal; com a teoria do inconsciente de Freud, que retirou o ser humano do centro de si mesmo. A essas feridas, costuma-se acrescentar uma quarta, a de Marx, em que a subjetividade livre e autônoma deixou de ser o centro da história.

Nas décadas que se seguiram, vários pensadores debruçaram-se sobre a questão da "morte do sujeito", que significa a desconstrução do conceito de subjetividade tal como fora "construída" na Idade Moderna.

No entanto, a crítica não é tão simples. Poderíamos então perguntar: mas aquele que procura desvendar o conhecimento ilusório — seja Marx, Nietzsche ou Freud — teria acesso a uma pretensa "realidade escondida"? Se não há discursos neutros sobre a realidade, o que inviabiliza a noção clássica de verdade? Como saber se alcançamos a verdade? Talvez por isso Nietzsche tenha se referido ao perspectivismo, para designar o esforço de um interminável trabalho de interpretação da realidade.

O impasse com o qual nos deparamos é o ceticismo e o relativismo, ou seja, a descrença na possibilidade do conhecimento e/ou o subjetivismo de todo conhecimento, que dependeria da pessoa, do lugar e do tempo. Como contornar essas dificuldades? Vejamos como diferentes correntes filosóficas enfrentaram os novos questionamentos.

PARA SABER MAIS

Sobre ceticismo, consulte o capítulo 9, "O que podemos conhecer?"; sobre relativismo, veja o capítulo 17, "Entre o bem e o mal".

3 Fenomenologia e intencionalidade

A fenomenologia é um método e uma filosofia que surgiu com o alemão Edmund Husserl (1859-1958), cujas principais obras são *Investigações lógicas*, *A filosofia como ciência rigorosa*, *Ideias para uma fenomenologia pura e uma filosofia fenomenológica*, *Meditações cartesianas*, entre outras. Influenciou filósofos importantes que seguiram percursos autônomos, entre os quais Martin Heidegger, Maurice Merleau-Ponty e Jean-Paul Sartre.

A fenomenologia critica o empirismo em sua expressão positivista do século XIX e procura resolver a contradição entre corpo-mente e sujeito-objeto que se arrastava desde Descartes. Nesse sentido, Husserl entende por *fenomenologia* o processo pelo qual examina o fluxo da consciência, *ao mesmo tempo* que é capaz de representar um objeto fora de si. Se examinarmos o conceito de *fenômeno*, que em grego significa "o que aparece", compreenderemos melhor como a fenomenologia aborda os objetos do conhecimento como aparecem, como se apresentam à consciência.

A fenomenologia critica a filosofia tradicional por desenvolver uma metafísica cuja noção de ser é vazia e abstrata, voltada para a explicação. Ao contrário, a fenomenologia visa à descrição da realidade e coloca como ponto de partida de sua reflexão o próprio ser humano. No esforço de encontrar o que é dado na experiência, descreve "o que se passa" efetivamente do ponto de vista daquele que vive determinada situação concreta.

O postulado básico da fenomenologia é a noção de *intencionalidade*, que significa "dirigir-se para", "visar alguma coisa". Desse modo, toda consciência é intencional por sempre *visar* algo fora de si, *tender* para algo. Contrariando o que afirmam os racionalistas (como Descartes), não há pura consciência, separada do mundo, porque toda consciência é consciência de alguma coisa. E contra os empiristas (como Locke), a fenomenologia preconiza que não há objeto em si, já que o objeto é sempre *para* um sujeito que lhe dá significado.

Por meio do conceito de intencionalidade, a fenomenologia contrapõe-se à filosofia positivista do século XIX, presa demais à visão objetiva do mundo e que se baseia na crença de um conhecimento científico cada vez mais neutro e despojado de subjetividade. Por isso propõe a "humanização" da ciência, a partir de uma nova relação entre sujeito e objeto, ser humano e mundo, considerados polos inseparáveis.

A fenomenologia desconsidera toda indagação a respeito de uma realidade *em si*, separada da relação com o sujeito que conhece. Não há um puro ser "escondido" atrás das aparências ou do fenômeno: a consciência desvela progressivamente o objeto por meio de seguidos perfis, de perspectivas as mais variadas.

A consciência é portanto doadora de sentido, fonte de significado. Conhecer é um processo que não acaba nunca, é uma exploração exaustiva do mundo. Vale lembrar que a "consciência do mundo" não se reduz ao conhecimento intelectual, pois a consciência é fonte de intencionalidades não só cognitivas, mas afetivas e práticas. O nosso olhar é o ato pelo qual temos a *experiência vivida* da realidade percebendo, imaginando, julgando, amando, temendo etc. Nesse sentido, a fenomenologia é uma filosofia da vivência.

PARA SABER MAIS

Veremos a fenomenologia de Merleau-Ponty no capítulo 19, "Podemos ser livres?". Sobre Heidegger e Sartre, trataremos no capítulo 20, "Teorias éticas".

4 A Escola de Frankfurt

Fundada em 1923 sob o nome de Instituto para a Pesquisa Social, a Escola de Frankfurt reuniu sociólogos, filósofos e cientistas políticos. Os que mais se destacaram foram Theodor Adorno, Max Horkheimer, Walter Benjamin e Herbert Marcuse, que foram influenciados por Marx, apesar das críticas que lhe fizeram.

PARA SABER MAIS

Citamos as principais obras dos pensadores da Escola de Frankfurt: Adorno e Horkheimer escreveram juntos *Dialética do esclarecimento*; Adorno: *Teoria estética* e *Minima moralia*; Horkheimer: *A situação atual da filosofia social*, *Estudos sobre a autoridade e a família*, *Eclipse da razão*; Marcuse: *Eros e civilização*, *A ideologia da sociedade industrial – O homem unidimensional*; Benjamin: *O conceito de crítica de arte no romantismo alemão*, *Origem do drama barroco alemão*, além de inúmeros ensaios.

A filosofia dos frankfurtianos é conhecida como *teoria crítica*, em oposição à *teoria tradicional*, representada pelos filósofos desde Descartes e cujo racionalismo atingiu seu melhor momento no Iluminismo. O que eles criticam? Leitores de Marx, Nietzsche, Freud e Heidegger, os frankfurtianos sabem que não se adere à razão inocentemente. Concluem que a razão, exaltada tradicionalmente por ser "iluminada", também traz sombras em seu bojo, quando se torna instrumento de dominação.

Na obra *Eclipse da razão*, Horkheimer distingue dois tipos de razão: a cognitiva e a instrumental. A primeira, como o nome diz, é a que busca conhecer a verdade, enquanto a razão instrumental é a operacional, aquela que visa agir sobre a natureza e transformá-la. No entanto, no capitalismo, com o desenvolvimento das ciências aplicadas à técnica — que permitiu o progresso da tecnologia a patamares jamais vistos —, a razão instrumental tomou tal vulto que se sobrepôs à razão cognitiva.

Esses teóricos identificam a origem do irracional ao exercício desse tipo de racionalidade, que, em última análise, visa à dominação da natureza para fins lucrativos e coloca a ciência e a técnica a serviço do capital. Segundo os frankfurtianos, o germe do desenvolvimento dessa faceta da razão, já identificada em Descartes, aperfeiçoou-se em seu caminho até chegar a Marx, que aderiu a ela, à sua maneira, acreditando na força da razão para combater o obscurantismo.

PARA REFLETIR

Os pensadores da Escola de Frankfurt produziram grande parte de suas obras na primeira metade do século XX e nelas já explicitaram os problemas que hoje identificamos como *ecológicos*, ao denunciarem o que chamaram "sofrimento da natureza".

No entanto, quando a valorização dos meios se sobrepõe aos fins humanos, esvanece a ideia de que a ciência e a técnica seriam condição de emancipação social. Em vez de emancipar, provocaram o desaparecimento do sujeito autônomo, engolido pela uniformidade imposta pela indústria cultural, como disseram Adorno e Horkheimer, ou mergulhado na sociedade unidimensional, conforme conceito de Marcuse.

Os frankfurtianos criticam a razão de dominação, o controle da natureza exterior e também interior, pela repressão das paixões. Olgária Matos explica por que os frankfurtianos recusam esse tipo de racionalidade que apenas quer dominar em vez de compreender a natureza:

> A racionalidade que separa sujeito de objeto, corpo e alma, eu e mundo, natureza e cultura acaba por transformar as paixões, as emoções, os sentidos, a imaginação e a memória em inimigos do pensamento. Cabe ao sujeito, destituído de seus aspectos empíricos e individuais, ser o mestre e conhecedor da natureza; ele passa a dar ordens à natureza, que deve aceitar a sua anexação ao sujeito e falar a sua linguagem — linguagem das matemáticas e dos números. Só assim a natureza poderá ser conhecida, isto é, *controlada*, dominada, o que não significa ser *compreendida* em suas dissonâncias em relação ao sujeito e nos acasos que ela torna manifestos. Os acasos da natureza são incontornáveis porque constituem um obstáculo resistente ao exercício triunfante da razão controladora.[4]

Por tudo isso, o indivíduo autônomo, consciente de seus fins, deve ser recuperado. Sua emancipação só será possível no âmbito individual, quando for resolvido o conflito entre a autonomia da razão e as forças obscuras e inconscientes que invadem essa mesma razão.

5 Habermas: o agir comunicativo

Jürgen Habermas (1929) é um dos principais representantes da chamada segunda geração da Escola de Frankfurt. Foi assistente de Adorno antes de seguir caminhos próprios de investigação filosófica. Escreveu *Conhecimento e interesse*, *A teoria do agir comunicativo*, *O discurso filosófico da modernidade*, entre outros.

Habermas continuou a discussão a respeito da razão instrumental, iniciada pelos frankfurtianos. Como vive em época posterior a eles, encontra-se diante de uma realidade diferente, representada pela sociedade industrial do capitalismo tardio — o capitalismo contemporâneo de tecnologia avançada, produção em escala e consumo em massa. Esse novo contexto o levou a elaborar uma teoria social baseada no conceito de *racionalidade comunicativa*, que se contrapõe à razão instrumental.

Por meio dessa teoria, critica a filosofia da consciência da tradição moderna por ser fundada em uma reflexão solitária, centrada no sujeito. Propõe outro paradigma em que a razão não seja monológica, mas dialógica, como resultado do processo de entendimento intersubjetivo: são os sujeitos, situados historicamente, que, pela fala, estabelecem uma relação interpessoal numa comunidade comunicativa.

Essa "pluralidade de vozes" não paralisa a razão no relativismo, uma vez que, por meio do procedimento argumentativo, o grupo busca o consenso a partir de princípios que visam a assegurar sua validade. Portanto, a verdade não resulta da reflexão isolada, no interior de uma consciência solitária, mas é exercida por meio do diálogo orientado por regras estabelecidas pelos membros do grupo, numa situação dialógica ideal. A *situação ideal de fala* consiste em evitar a coerção e dar condições para todos os participantes do discurso exercerem os atos de fala. Interlocutor ativo dos teóricos da filosofia analítica da linguagem, para Habermas o critério da verdade não consiste na correspondência do enunciado com os fatos mas sim no *consenso discursivo*.

Habermas é também representante da *ética do discurso* (que veremos no capítulo 20, "Teorias éticas").

6 Foucault: verdade e poder

O filósofo francês Michel Foucault (1926-1984) descarta a hipótese de buscar uma verdade essencial, opondo-se à epistemologia da modernidade. Investigando como as ideias de loucura, disciplina e sexualidade foram construídas historicamente desde o século XVI, apresenta uma nova teoria em que estabelece um nexo entre saber e poder. Suas principais obras são *Arqueologia do saber*, *História da loucura na era clássica*, *As palavras e as coisas*, *Vigiar e punir*, *História da sexualidade* e *Microfísica do poder*.

Ao contrário da tradição da modernidade, pela qual o saber antecede o poder, para ele, a verdade não se encontra separada do poder, antes é o poder

Monológico. O que diz respeito ao monólogo. No contexto, Habermas critica Descartes e Kant, cuja razão subjetiva busca por si mesma o caminho que levaria à verdade indubitável.

[4] MATOS, Olgária. *A Escola de Frankfurt*: luzes e sombras do Iluminismo. São Paulo: Moderna, 1993. p. 48. (Coleção Logos).

que gera o saber. De início, pelo processo **arqueológico**, identifica determinadas maneiras de pensar, certas regras de conduta que constituem um "sistema de pensamento" em um determinado período. Posteriormente, propõe a tática genealógica, que não substitui a arqueologia, mas vai além dela e a completa. Trata-se então de explicar as mudanças ocorridas naqueles sistemas de discurso, para saber como a verdade tem sido produzida no âmbito das relações de poder. E mais que isso, para ativar os saberes libertos da sujeição.

E ETIMOLOGIA

Arqueologia. Do grego *arkhé*, "princípio", "causa original", e *logos*, "estudo".

Suas investigações tiveram início no exame das condições do nascimento da psiquiatria e pela descoberta de que o saber psiquiátrico não se constituiu para entender o que é a loucura, mas como instrumento de poder que propicia o processo de dominação do louco e de seu confinamento em instituições fechadas. Assim, os mendigos passaram a ser recolhidos em asilos e tornaram-se objeto de uma "tática dos mecanismos dualistas da exclusão que separa o louco do não louco, o perigoso do inofensivo, o normal do anormal".

Para Foucault, à medida que a burguesia se constituiu classe dominante, precisou de uma disciplina que excluísse os "incapazes" e "inúteis para o trabalho", como os loucos e mendigos. Com o desenvolvimento do processo de produção industrial, interessou-se por mecanismos de controle mais eficazes, a fim de tornar os corpos dóceis e os comportamentos e sentimentos adequados ao novo modo de produção. Assim explica Foucault:

> A burguesia compreende perfeitamente que uma nova legislação ou uma nova constituição não serão suficientes para garantir sua hegemonia; ela compreende que deve inventar uma nova tecnologia que assegurará a irrigação dos efeitos do poder por todo o corpo social, até mesmo em suas menores partículas.[5]

MUSEU DO LOUVRE, PARIS, FRANÇA

A nau dos loucos. Hieronymus Bosch, c.1490-1500.

Foucault relata, em *História da loucura*, que entre as diversas expressões literárias e pictóricas sobre a loucura, no Renascimento, uma das mais recorrentes foi a da "nau dos loucos", que os transportava para lugares distantes ou os deixava à deriva, assombrando a imaginação das pessoas. A proximidade entre loucura e sabedoria simbolizava toda uma inquietude e uma ambiguidade entre razão e desrazão, entremeadas por ameaça e zombaria. No entanto, observa que, na era clássica, aos poucos a loucura foi reduzida ao silêncio, para não mais comprometer as relações entre a subjetividade e a verdade. Além de expulsa por uma razão dominadora, a loucura passa a ser vista como doença, e seu controle, feito em instituições fechadas que se espalharam pela Europa nos séculos XVII e XVIII: a nau transformara-se em hospício. O mesmo tratamento foi dado aos pobres e desocupados.

Reflita sobre o fato de até hoje pessoas diferentes serem motivo de preconceitos ou mesmo excluídas do padrão aceito socialmente. Que "naus-preconceito" ainda navegam em nossos mares?

[5] FOUCAULT, Michel. *Microfísica do poder*. Rio de Janeiro: Graal, 1979. p. 218.

Nos séculos XVII e XVIII, os processos disciplinares assumiram a fórmula geral de dominação exercida em diversos espaços: nos colégios, nos hospitais, na organização militar, nas oficinas, na família e também pela medicalização da sexualidade. O controle do espaço, do tempo, dos movimentos foi submetido ao olhar vigilante, que, por sua vez, introjetou-se no próprio indivíduo.

PARA SABER MAIS

Consulte o capítulo 6, "Trabalho, alienação e consumo", no qual nos referimos ao *panopticon*, construção imaginária cuja arquitetura permitia a visibilidade total e portanto, o controle total das pessoas.

A extensão progressiva dos dispositivos de disciplina ao longo daqueles séculos e sua multiplicação no corpo social configuram o que se chama "sociedade disciplinar". Desse modo, desenvolve-se uma "microfísica do poder", porque, para Foucault, o poder não se exerce de um ponto central como qualquer instância do Estado, mas está disseminado em uma rede de instituições disciplinares. São as próprias pessoas, nas suas relações recíprocas (pai, professor, médico), que, a partir do "saber constituído", fazem o poder circular. Cabe à genealogia do saber investigar como e por que esses discursos se constituíram, que poderes estão na origem deles, ou seja, *como o poder produz o saber*.

Portanto, a noção de verdade para Foucault está ligada ao exercício ou, mais propriamente, a práticas de poder disseminadas no tecido social. Esse poder não é exercido pela violência aparente nem pela força física, mas pelo adestramento do corpo e do comportamento, a fim de "fabricar" o tipo de trabalhador adequado para a sociedade industrial capitalista.

7 Pragmatismo e neopragmatismo

O **pragmatismo**, uma contribuição filosófica dos Estados Unidos, desenvolveu-se a partir do final do século XIX e no século seguinte orientou-se em diferentes tendências.

ETIMOLOGIA

Pragmatismo. Do grego *pragma*, "ato", "ação"; donde *pragmatikós*, "relativo aos fatos, aos negócios". Na linguagem comum, *pragmático* é o que é suscetível de aplicação prática, o que visa ao útil: *não* é este, porém, o sentido do pragmatismo.

Herdeiro da tradição do empirismo britânico de Locke, Hume e Stuart Mill, o pragmatismo buscou libertar-se da metafísica racionalista. No entanto, isso não significa a sua adesão ao empirismo, porque as duas tendências da modernidade não conseguiram resolver a relação entre experiência e razão, matéria e pensamento.

Crítica ao fundacionismo

Tanto o racionalismo como o empirismo traziam problemas para estabelecer o critério da verdade, uma vez que sempre esbarravam na exigência de um fundamento como garantia da evidência de nossas crenças. Por exemplo, geralmente os filósofos buscam justificar uma crença baseando-se em outra, em outra e mais outra, até chegar a uma que seja o ponto de partida e que sustente as demais, como uma "fundação": se usarmos a metáfora de um edifício, todos os tijolos se sustentam pela fundação. É assim que Platão chegou à noção de Bem, ou Descartes à ideia clara e distinta do *cogito*.

A essa perspectiva rígida da filosofia tradicional, o pragmatismo contrapõe a *experiência* como um conjunto de relações que os seres humanos estabelecem entre si e com o entorno. Desse modo, o "teste" da verdade é a experiência, entendida não como no senso comum, mas como uma atividade conceptual capaz de guiar nossas ações futuras na nossa relação com o ambiente. Ou seja, os conceitos não são ideias abstratas, mas instrumentos para nos orientar a ação.

Por isso mesmo, o pragmatista Dewey, por exemplo, evita usar os termos verdade ou verdadeiro, porque remetem a algo estático, aceito de uma vez por todas, não correspondendo à experiência, que é dinâmica — uma constante reconstrução da realidade.

Os conceitos de experiência, embora variem entre os pragmatistas, teriam algo em comum, como diz o historiador da filosofia Nicola Abbagnano:

> Para o pragmatismo, a experiência é substancialmente *abertura para o futuro*: uma característica básica será a possibilidade de fundamentar uma previsão. [...] Desse ponto de vista, uma "verdade" é, não porque possa ser confrontada

Fundacionismo: Denomina-se *fundacionismo* ou *fundacionalismo* a tendência epistemológica que entende a verdade como "crença justificada", ou seja, o conhecimento como uma estrutura que se ergue baseada em fundamentos certos e seguros, como na metafísica tradicional.

com os dados acumulados da experiência passada, mas sim por ser suscetível de um qualquer *uso* na experiência futura. [...] Nesse sentido, a tese fundamental do pragmatismo é a de que toda a verdade é uma regra de ação, uma norma para a conduta futura.[6]

A verdade depende, portanto, dos resultados práticos alcançados pela ação. Vale lembrar que o pragmatismo filosófico não reduz grosseiramente a verdade à utilidade. Para William James, outro importante pragmatista, uma proposição é verdadeira quando "funciona", isto é, permite que nos orientemos na realidade, levando-nos de uma experiência a outra.

Representantes do pragmatismo

O iniciador do pragmatismo foi Charles Sanders Peirce (1839-1914), estudioso da lógica simbólica e da semiótica (teoria dos signos). Grande parte de seus inúmeros ensaios, conferências e artigos foi reunida e publicada após sua morte.

Peirce propõe o conceito de *falibilismo* — que mais tarde seria usado pelo neopositivista Popper.[7] Segundo o falibilismo, não podemos estar absolutamente certos de nada. Como saber algo, então? Ao analisar a linguagem, Peirce observa que o pensamento produz "hábitos de ação" e estes derivam de *crenças*, que por sua vez tranquilizam nossas dúvidas. Mas como saber se essas crenças são válidas?

Nem todas as crenças nos levam a bons resultados, apenas aquelas que conduzem à ação de forma eficaz: dentre estas, as mais sólidas são as que se originam da ciência e podem ser confirmadas pela experiência. Mesmo assim nenhuma prova científica é "para sempre", porque a qualquer momento poderá ser contestada por algum "fato surpreendente", ou seja, por um fato problemático que exigirá novas experiências.

Com o tempo, Peirce preferiu denominar sua teoria de *pragmaticismo*, para se distinguir dos seus seguidores, com os quais tinha divergências fundamentais.

William James

Com William James (1842-1910), em que pese o enfoque empirista, ainda predominam aspectos metafísicos que fundamentam seu espiritualismo, focado na moral e na religião. Foi ele quem disseminou as ideias pragmatistas, tornando-as conhecidas. Entre suas obras, destacam-se: *Princípios de psicologia*, *A vontade de crer*, *As variedades de experiência religiosa*, *Pragmatismo*, *O significado da verdade*.

James entende o pragmatismo como um método que nos ajuda a olhar os fatos e avaliar os efeitos práticos, a fim de nos orientar adequadamente em nossa experiência. Portanto, James tem uma concepção instrumental da verdade: a *utilidade*, isto é, a capacidade de operar e de agir é determinante para identificar a ideia verdadeira.

No campo da moral ocorre o mesmo: o bem e o mal distinguem-se em função da sua utilidade e importância para a vida. Por isso, em *A vontade de crer*, James afirma que se pode crer em tudo o que se queira, mesmo nas verdades que não foram demonstradas, como na fé religiosa.

John Dewey

John Dewey (1859-1952), seguidor de James, foi filósofo e educador. Sua vasta produção intelectual compreende artigos, ensaios, conferências. Suas principais obras: *Escola e sociedade*, *Democracia e educação*, *Experiência e educação*, *Ensaios de lógica experimental*.

O pragmatismo de Dewey é uma espécie de instrumentalismo. Como é importante que as ideias estejam ligadas à prática, elas são propriamente instrumentos para resolver problemas: sua relevância ou não e sua eficácia para alcançar este fim garantem sua validade. Por isso as ideias não são verdadeiras ou falsas nem absolutas, porque podem ser corrigidas ou aperfeiçoadas.

O neopragmatismo

No final do século XX, o neopragmatismo teve seu principal expoente no também norte-americano Richard Rorty (1931-2007), herdeiro de John Dewey, Martin Heidegger e leitor de Ludwig Wittgenstein. Seu pensamento já se acha imbuído das contribuições da filosofia analítica e fertilizado por debates com filósofos das mais diversas tendências, sobretudo da epistemologia, como Donald Davidson e Jürgen Habermas. Escreveu, entre outras obras, *Contingência, ironia e solidariedade* e *A filosofia e o espelho da natureza*.

Rorty recusa-se a buscar a "verdade objetiva", criticando a epistemologia tradicional, segundo a qual a mente humana teria a capacidade de *espelhar* a

6 ABBAGNANO, Nicola. *História de filosofia*. Lisboa: Editorial Presença, 1976. v. 11, p. 7.

7 Voltaremos a Popper no capítulo 31, "O método das ciências da natureza".

natureza e atingir sua representação precisa. Propõe uma nova concepção de filosofia, antiplatônica por excelência, porque não essencialista nem tampouco sistemática. Rejeita, como os demais pragmatistas, o fundacionismo, ou seja, a noção de verdade última como fundação de todas as outras.

No entanto, enquanto os pragmatistas clássicos referem-se à "experiência", os contemporâneos falam em "linguagem". Só que não se trata da linguagem que, sob a concepção tradicional, é um "véu" que se interpõe entre nós e o objeto, ocultando o que as coisas são em si, mas sim a linguagem como um meio de ligar objetos uns aos outros. Exemplo: não podemos saber o que é uma mesa, a não ser ligando-a a conceitos como: é de madeira, castanha, dura — machuca se esbarramos nela —, é velha; do mesmo modo, o número 10 só tem sentido na sua relação com outros: está entre o 9 e 11, é a soma de 6 e 4, é divisível por 2.

Rorty abandona de vez a tentativa de construir uma teoria da verdade para examinar as relações linguísticas e sujeitar-se apenas à relação entre as pessoas, pois a racionalidade aperfeiçoa-se na comunidade, pela troca de versões e de crenças. Para ele, o significado está sempre em aberto, mantendo-se assim por meio da reflexão que não dispensa o diálogo permanente, na "grande conversação" capaz de buscar as novas crenças e novas descrições de um mundo em mutação.

Além de Rorty, são representantes desse movimento, evidentemente com diferenças de enfoques e de conclusões, Hilary Putnam (1926) e Donald Davidson (1917-2003).

8 A filosofia da linguagem

A crítica à metafísica e à possibilidade de se atingir a verdade a partir da noção de subjetividade encontra sua posição mais radical na filosofia analítica, que abandona as noções do "sujeito que conhece" para se limitar à investigação da linguagem: nossa relação com o mundo é como uma relação de significação.

Chama-se "giro linguístico" (ou virada linguística) a revolução que representou o novo paradigma filosófico da epistemologia. Dizendo de outra maneira, enquanto a filosofia tradicional promoveu a análise como investigação das essências ou como descrição de uma dimensão existencial, a filosofia analítica privilegia a apreensão por conceito, utilizando os novos recursos da linguística à sua disposição e os da lógica simbólica, que permitem a análise lógica das sentenças.

Entre os diversos representantes da filosofia analítica, escolhemos tratar de Wittgenstein.

Ludwig Wittgenstein

O austríaco Wittgenstein é considerado um dos principais filósofos do século XX. O impacto de suas obras foi notável para o encaminhamento das discussões a respeito das relações entre linguagem e pensamento, o que, segundo alguns, repercutiu no positivismo lógico do Círculo de Viena e na filosofia analítica de Oxford, apesar de posições conflitantes.

NEUE PINAKOTHEK, MUNIQUE, ALEMANHA

Retrato de Margaret Stonborough--Wittgenstein. Klimt, 1905. O pintor Gustav Klimt frequentava a casa da família de Ludwig Wittgenstein e retratou Margaret, irmã do filósofo. Além de Klimt, eram assíduos os compositores Johannes Brahms, Clara Schumann e Gustav Mahler.

Primeira fase: Tractatus logico-philosophicus

No prefácio de *Tractatus logico-philosophicus* (1921), Wittgenstein atribui o impulso para suas ideias às obras de Frege e Bertrand Russell. Declara também que seu propósito é tratar dos problemas da filosofia, o que faria a partir da compreensão da lógica de nossa linguagem e sobre os limites dela: "o que é de todo exprimível, é exprimível claramente; e aquilo de que não se pode falar, guarda-se em silêncio". O que o filósofo quer dizer com isto?

Primeiro, que nada se pode saber fora da linguagem, o que representa a sua opção metodológica pelo "giro linguístico". Portanto, é por meio da linguagem que os fatos são representados. Wittgenstein diz *fatos*, e não *coisas*, porque "o mundo é a totalidade dos fatos, não das coisas". Enquanto os objetos são estruturas simples, os fatos são complexos, e é por meio destes que temos acesso ao mundo.

Por exemplo, nada dizemos diante do conceito "água", mas sim quando se trata de uma proposição: "a água é límpida", "a água ferve a 100º C", que indicam fatos do mundo. Se dissermos "a água ferve a 20º", sabemos que isso não ocorre, mas não há uma impossibilidade lógica de ocorrer; assim como dizer que "o unicórnio tem um chifre": embora o unicórnio não exista, a proposição é estruturada de modo coerente. Já a proposição "chove e não chove" indica algo contraditório que não ocorre nem pode ocorrer. Portanto, só compreendemos proposições com sentido, ainda quando não correspondam a nenhum fato.[8]

Na proposição 4112 do *Tractatus*, Wittgenstein assim define o papel da filosofia:

> O objetivo da filosofia é a clarificação lógica dos pensamentos.
> A filosofia não é uma doutrina, mas uma atividade.
> Um trabalho filosófico consiste essencialmente em elucidações.
> O resultado da filosofia não é "proposições filosóficas", mas o esclarecimento de proposições.
> A filosofia deve tornar claros e delimitar rigorosamente os pensamentos, que de outro modo são como que turvos e vagos.[9]

Na frase destacada, está posto o propósito da filosofia em depurar a linguagem daquilo que a "enfeitiçava" e fora o objetivo malsucedido de filósofos anteriores, ou seja, de buscar a essência da linguagem. Wittgenstein abandona qualquer pretensão metafísica do conhecimento e restringe-se a ver como a linguagem *funciona*.

E sobre o que se deve calar? Ora, como vimos, só a ciência trata dos fatos, enquanto cabe à filosofia apenas examinar o mecanismo lógico da linguagem como expressão do pensamento. Por isso nada pode dizer sobre os fundamentos da ética, da estética e da religião. Não que elas não existam ou sejam menos importantes. Ao contrário. Mas estão no campo do inefável, daquilo que não se pode exprimir: deles nada podemos dizer, apenas mostrar. Voltaremos a essa discussão no capítulo 20, "Teorias éticas".

QUEM É?

LEEMAGE/OTHER IMAGES

Ludwig Wittgenstein, 1930.

O filósofo austríaco **Ludwig Wittgenstein** (1889-1951) nasceu em uma rica família vienense em cuja residência circulava a elite intelectual do seu tempo. Suas obras mais importantes foram *Tractatus logico-philosophicus* (1921) e *Investigações filosóficas*. Personalidade singular, estudou engenharia mecânica, matemática e lógica; alistou-se como voluntário do exército austríaco durante a Primeira Grande Guerra, exercendo funções como a de porteiro; foi professor em Cambridge, Inglaterra, onde teve como interlocutor Bertrand Russell, que prefaciou seu *Tractatus*. Sua carreira universitária foi alternada com períodos de isolamento numa cabana que possuía na Noruega e por uma experiência como professor secundário para camponeses em vilarejos pobres da Áustria. A elaboração de *Investigações filosóficas* — obra publicada postumamente — representou uma guinada no curso de suas ideias, sempre na busca do rigor para entender a capacidade e os limites da linguagem em expressar o pensamento.

Segunda fase: Investigações filosóficas

Após muito tempo sem escrever — supunha não ter mais nada a dizer depois do *Tractatus* — Wittgenstein, a partir de 1929, repensou sua filosofia e reformulou-a sob muitos aspectos, processo que culminou com a elaboração de *Investigações filosóficas*.

Como anteriormente, continuou ocupando-se do significado das proposições, não mais se atendo ao que elas se referem, mas ao modo como elas são usadas. Percebeu que geralmente buscamos nas proposições o que elas explicam ou denominam. Retomando o exemplo anterior, "a água é límpida", damos uma característica da água. Mas, se dizemos simplesmente "Água!", isso pode ter vários significados, dependendo das circunstâncias: tenho sede, rendo-me ao adversário, preciso apagar o incêndio, ensino uma criança a falar e tantos outros. Portanto, não se trata mais de uma representação, mas de uma hipótese cuja adequação à realidade precisa ser conferida. E certamente terá várias, daí ter criado a expressão "jogos de linguagem". De que se trata?

8 Adaptado de MORENO, Arley R. *Wittgenstein*: os labirintos da linguagem: ensaio introdutório. São Paulo: Moderna, 2000. p. 21. (Coleção Logos).

9 WITTGENSTEIN, Ludwig. *Tractatus logico-philosophicus*. Lisboa: Fundação Calouste Gulbenkian, 1995. p. 62-63.

PHILIPPE MIGEAT/OTHER IMAGES/KOSUTH, JOSEPH. 'UMA E TRÊS CADEIRAS', 1965, LICENCIADO POR AUTVIS, BRASIL, 2009

Instalação *Uma e três cadeiras*. Joseph Kosuth, 1965.

A obra *One and three chairs* (*Uma e três cadeiras*), do artista plástico norte-americano Joseph Kosuth, é emblemática do movimento chamado *arte conceitual*. Consiste de uma cadeira, da fotografia do mesmo móvel e da ampliação fotográfica do verbete "cadeira" de um dicionário.

O artista propunha a questão: em qual das três imagens está a verdadeira identidade da cadeira? Na coisa em si, em sua imagem ou na descrição verbal? Em que sentido as indagações do artista se aproximam das questões propostas pela filosofia da linguagem?

> Essa expressão procura salientar, com a palavra 'jogo', a importância da *praxis* da linguagem, isto é, procura colocar em evidência, a título de elemento *constitutivo*, a multiplicidade de atividades nas quais se insere a linguagem; concomitantemente, essa expressão salienta o elemento essencialmente dinâmico da linguagem — por oposição, como vemos, à fixidez da forma lógica.[10]

Talvez se pense que o novo enfoque estivesse levando a análise da linguagem à incerteza das coisas vagas demais. Tal não é a convicção do filósofo, pois a consistência e o sentido são relativos aos *usos* que pretendemos fazer dos conceitos: a exatidão conceitual é um atributo do uso, mesmo que de fato nos comuniquemos com conceitos vagos, ambíguos.

Os jogos de linguagem são inúmeros, e estão sempre sendo recriados uns e esquecidos outros. Em cada jogo específico, a palavra tem o seu significado pelo uso que assume, pois a linguagem muda conforme o contexto, como pedir, ordenar, aconselhar, xingar, narrar etc.

E a filosofia, para que serve? É preciso, primeiro, curar a cegueira do filósofo, acostumado com abstrações e generalizações, para que olhe os antigos fenômenos estudados sob uma nova ótica, prestando atenção às formas de vida e à multiplicidade de sentidos. Cabe à filosofia apenas descrever, analisar, elucidar a linguagem, como sugerira anteriormente. Agora, porém, a elucidação filosófica é sobre as regras do uso dos jogos de linguagem, e prossegue a batalha "contra o enfeitiçamento de nossa inteligência por meio da linguagem".

9 O discurso da pós-modernidade

Nas duas últimas décadas do século XX ocorreram transformações cruciais na nossa sociedade por conta da revolução da informática e da fragmentação dos grandes blocos dos saberes, como as concepções sistemáticas da ciência, literatura, pintura e arquitetura. Irrompemos no que se chamou *pós-modernidade*.

O conceito de pós-moderno não é de fácil definição, pois há diferentes explicações para o fenômeno. De maneira geral, consiste no estado de espírito que descrê na herança das Luzes: não se aceitam mais os grandes sistemas, como o marxismo, o liberalismo, a esperança depositada no progresso, nem faz mais sentido a ilusão de que a razão haveria de nos orientar para uma sociedade mais harmônica. Tudo parece envelhecido e ultrapassado, cada vez mais distante do sonho iluminista da libertação humana pelo conhecimento.

[10] MORENO, Arley R. *Wittgenstein*, os labirintos da linguagem: ensaio introdutório. São Paulo: Moderna, 2000. p. 55.

PARA SABER MAIS

É importante distinguir Ilustração e Iluminismo. A **Ilustração**, que tem em Kant o seu principal representante, ocorreu em determinado momento histórico, situado no século XVIII, quando floresceram ideias como a defesa da ciência e da racionalidade crítica contra a fé, a superstição e o dogma religioso, a defesa das liberdades individuais e dos direitos do cidadão contra o autoritarismo e o abuso do poder. Já **Iluminismo** significa uma tendência intelectual aistórica, não limitada a qualquer época, que combate o mito e o poder a partir da razão. Assim entendido, o Iluminismo apresenta-se como processo que coloca a razão sempre a serviço da crítica do presente, de suas estruturas e realizações históricas.

Em que tipo de descrença nos lançam os novos tempos? Na descrença na razão iluminista, diante de malogros como: os da Alemanha letrada, da qual emergiu o Holocausto; do mais alto conhecimento da física contemporânea, capaz de gestar a bomba que destruiu Hiroshima e Nagasaki; dos princípios morais absolutos e universais, que se dissolveram na diversidade dos valores vitais e da espontaneidade.

As vanguardas artísticas perdem sua força de escândalo. A crítica à austeridade do modernismo é percebida na arquitetura pós-moderna, que ironiza as teorias da funcionalidade na arquitetura — tese da tendência alemã da Bauhaus — e propõe criações com referências ecléticas ao passado.

Na filosofia, o pensamento dito "pós-moderno" sofreu influência do perspectivismo de Nietzsche e dos vários filósofos a que já nos referimos e que desvendaram as ilusões do conhecimento, denunciaram a razão emancipadora (que mostrou sua face de dominação) e questionaram a possibilidade de se alcançar a verdade.

O francês Jean-François Lyotard (1924-1998), além de muitos outros filósofos, tematizou essa questão na obra *A condição pós-moderna* (1979). Foucault, Rorty, Davidson, Derrida, Gianni Vattimo, com Lyotard, representam de certa maneira as perplexidades desse período.

Lyotard afirma que o pós-moderno representa a "incredulidade diante das metanarrativas", ou seja, diante das grandes narrativas, que se dizem capazes de explicar a realidade de modo absoluto e universal. Foi esse o sonho de Descartes e de todas as teorias radicais, globalizantes, tais como as construídas por Hegel, Marx, Freud e até pelas grandes religiões. Opostamente a eles, a pós-modernidade aceita o fragmentário, o descontínuo, o caótico.

Bauhaus. Do alemão, "construindo uma casa": nome de uma escola de arquitetura e desenho industrial da Alemanha que vigorou na década de 1920. O estilo era geométrico e austero, mas refinado e funcional.

Eclético. Que mistura um pouco de cada estilo.

ROUGH GUIDES/ALAMY-OTHER IMAGES

O arquiteto Charles Moore projetou esta praça, a Piazza d'Italia (1976-1979), em New Orleans, uma homenagem à colônia italiana local. Caracteriza-se por um *revival* – uma volta ao passado – e uma combinação do antigo com o moderno que resulta num pastiche de estilos: colunas gregas sob luz de néon vermelha, frontões, excesso de cores.

BIBLIOTECA REAL DE WINDSOR

Nesta gravura de Goya lê-se: "O sono da razão produz monstros". Segundo o filósofo inglês Simon Blackburn, a referência completa seria: "A imaginação abandonada pela razão produz monstros impossíveis; unida a ela, é a mãe das artes e a fonte dos seus encantos".[11]

Observe a imagem do homem que dorme, assombrado por morcegos, corujas, animais noturnos assustadores. E, aos seus pés, um gato de olhos vivos, capaz de enxergar no escuro e de estar sempre atento, de dia e de noite. Não seria uma alegoria pertinente para representar a razão sempre desperta?

Analise a citação, que contrapõe as duas possibilidades da imaginação, usando os conceitos aprendidos neste capítulo.

O sono da razão. Francisco de Goya, 1796-1798.

Contra o movimento pós-moderno, Jürgen Habermas escreveu *A modernidade, um projeto inacabado*, justamente para dizer que a tarefa iniciada por Kant, de superação da incapacidade humana de se servir do seu próprio entendimento e ousar servir-se da própria razão, ainda deverá ser completada. É tarefa a ser refeita em cada momento, a partir do exercício da *razão crítica*.

10 Para não finalizar

Desde o final do século XIX, nos inúmeros caminhos apontados pelos mais diversos filósofos, vêm sendo abertas discussões sobre os enganos do racionalismo exacerbado. Delineia-se um novo paradigma epistemológico que visa a desconstruir o paradigma da modernidade iniciado por Descartes e Locke, configurado na oposição racionalismo *versus* empirismo.

Hoje, entretanto, os conceitos de razão e crítica precisam ser reexaminados. Quando se fala em razão, não mais é possível acreditar ingenuamente que somos racionais só em decorrência da nossa humanidade. Muito além da razão, a exemplo de Nietzsche, buscamos a gênese dos valores e a recuperação dos instintos vitais. E, a partir de Freud e Marx, admitimos que a razão pode também ser deturpadora e pervertida.

Diante dos impasses da razão que produz o irracionalismo — sobretudo quando ela se torna arma do poder e agente do autoritarismo, em vez de instrumento da liberdade humana —, diversos filósofos seguiram caminhos às vezes conflitantes e muitos que polemizaram entre si, culminando com a crítica mais severa levada a efeito pelos pós-modernos.

Outros procuram recuperar o impulso crítico nascido com a Ilustração, que acenara com a esperança de construção racional do nosso destino, livres da tirania e das superstições. O paradigma da racionalidade moderna precisa ser contestado, não por meio do irracionalismo, mas sim pela atividade crítica da razão mais completa e mais rica, que dialoga e se exerce na intersubjetividade.

[11] BLACKBURN, Simon. *Pense*. Lisboa: Gradiva, 2001. p. 22.

Atividades

Revendo o capítulo

1 Por que o título do capítulo refere-se à "crise da razão"?

2 O que significa a experiência religiosa para Kierkegaard?

3 Como a fenomenologia, com o conceito de *intencionalidade*, contrapôs-se à teoria do conhecimento tradicional?

4 Em que consiste o "giro linguístico" e quais foram seus principais representantes? Escolha um deles para explicar como se deu essa "virada" ou mudança de paradigma.

Aplicando os conceitos

5 O que Nietzsche quer dizer com: a verdade é um "batalhão de metáforas" ou "as verdades são ilusões"? O que essas afirmações representaram para a teoria do conhecimento contemporânea?

6 Examine a citação a seguir e justifique por que Freud foi um pensador que influenciou a nova concepção contemporânea de sujeito do conhecimento.

"O conteúdo manifesto do sonho, recordado vagamente de manhã e que, não obstante a espontaneidade aparente, se exprime em palavras com esforço, deve ser diferenciado dos pensamentos latentes do sonho, que se têm de admitir como existentes no inconsciente. [...] O conteúdo manifesto do sonho é o substituto deformado para os pensamentos inconscientes do sonho. Esta deformação é obra das forças defensivas do ego, isto é, das resistências que na vigília impedem, de modo geral, a passagem para a consciência dos desejos reprimidos do inconsciente." (Sigmund Freud. *Cinco lições de psicanálise*. São Paulo: Abril Cultural, 1974. p. 29. (Coleção Os Pensadores)

7 "Historicamente, o processo pelo qual a burguesia tornou-se no decorrer do século XVIII a classe politicamente dominante abrigou-se atrás da instalação de um quadro jurídico explícito, codificado, formalmente igualitário, e através da organização de um regime de tipo parlamentar e representativo. Mas o desenvolvimento e a generalização dos dispositivos disciplinares constituíram a outra vertente, obscura, desse processo." (Michel Foucault. *Vigiar e punir*: história da violência nas prisões. Petrópolis: Vozes, 1987. p. 194). A partir dessa citação, atenda às questões:

a) Qual é a contradição a que Foucault faz referência no texto?

b) Quais são os dispositivos disciplinares a que ele se refere?

c) Justifique com um exemplo o fato de que, para Foucault, o poder antecede o saber.

8 "Se por evolução científica e progresso intelectual queremos significar a libertação do homem da crença supersticiosa em forças do mal, demônios e fadas, e no destino cego – em suma, a emancipação do medo – então a denúncia daquilo que atualmente se chama de razão é o maior serviço que a razão pode prestar." (Max Horkheimer. *Eclipse da razão*. Rio de Janeiro: Labor do Brasil, 1976. p. 198.) A partir da citação de Horkheimer, atenda às questões:

a) No início da frase Horkheimer elogia o racionalismo iluminista? Explique como ele o faz.

b) Em seguida, o filósofo denuncia a razão. Por quê?

9 Observe a tela de Magritte e leia a citação de Rorty. Em seguida, atenda às questões.

MAGRITTE, RENÉ. "A REPRODUÇÃO PROIBIDA", 1937. LICENCIADO POR AUTVIS, BRASIL, 2009 PHOTOTHÈQUE R. MAGRITTE.

Magritte, pintor belga do movimento surrealista, sempre introduz o imaginário no real. Na tela, que se chama *A reprodução proibida* (1937), brinca com o espelho que mostra a figura de costas e não de frente.

"A imagem que mantém cativa a filosofia tradicional é a da mente como um grande espelho, contendo variadas representações – algumas exatas, outras não – e capaz de ser estudado por meio de métodos puros, não empíricos." (Richard Rorty. *A filosofia e o espelho da natureza*. Rio de Janeiro: Relume Dumará, 1994. p. 27.)

a) Que relações de semelhança podem ser feitas entre a tela de Magritte e a posição teórica de Rorty ao criticar o conceito de verdade da filosofia tradicional?

b) Além de Rorty, Habermas e Wittgenstein também se contrapõem à concepção tradicional de conhecimento. Explique como o fazem.

Dissertação

10 Tema: "O ser humano é o centro de si mesmo?".

UNIDADE 4

Ética

Navegar é preciso

“Navegar é preciso, viver não é preciso”

Pompeu, general romano, século I a.C.

Palavras de pórtico

“Navegadores antigos tinham uma frase gloriosa: ‘Navegar é preciso; viver não é preciso’.
Quero para mim o espírito [d]esta frase, transformada a forma para a casar como eu sou: Viver não é necessário; o que é necessário é criar.
Não conto gozar a minha vida; nem em gozá-la penso. Só quero torná-la grande, ainda que para isso tenha de ser o meu corpo (e a minha alma) a lenha desse fogo.
Só quero torná-la de toda a humanidade; ainda que para isso tenha de a perder como minha.
Cada vez mais assim penso. [...]”

PESSOA, Fernando. *Obra poética*. 3. ed. Rio de Janeiro: Nova Aguilar, 1999. p. 15.

Observe essas duas citações: a frase de Pompeu e o texto de Fernando Pessoa – na verdade, um fragmento solto em seus guardados. Embora pareça que o general e o poeta digam o mesmo, um exame mais atento revela uma diferença fundamental.

SERVICE HISTORIQUE DE LA MARINE, VINCENNES, FRANÇA

Partida de Lisboa para o Brasil, gravura de Theodore de Bry, 1592.

Para Pompeu, a frase é clara: diante dos marinheiros temerosos de enfrentar a tempestade e a guerra, o general é incisivo: é preciso navegar e até enfrentar a morte. O termo usado é o verbo "precisar": os marinheiros precisam navegar, mesmo com o risco de morrerem.

Para Fernando Pessoa, não se trata de viver apenas, mas de viver a vida humana em sua grandeza, em sua dimensão de criação. Nesse caso o termo "preciso" não é um verbo, mas um adjetivo: a vida não é algo "exato".

Ou seja:

- a navegação é *precisa* porque depende de instrumentos, de mapas, que levam os navegantes ao porto seguro;
- a vida não é *precisa* porque não há roteiros, receitas nem modelos para bem viver com grandeza; cada um de nós está diante da liberdade de escolher caminhos, para o bem e para o mal; a vida navega nas águas da liberdade.

Essa introdução é a primeira pista para refletirmos sobre o significado dos valores na vida humana, de que trataremos nesta Unidade. Responda às questões:

1. Por que diante de valores éticos, estéticos, políticos (entre outros) não existem receitas nem modelos?
2. Para Fernando Pessoa, "é necessário criar": em que sentido isso vale também para você, em sua vida cotidiana? Especificamente, como você pode ser criativo em sua vida moral?

Após o estudo dos capítulos desta Unidade, volte a essas questões para verificar se alterou sua maneira de pensar.

Capítulo 17

Entre o bem e o mal

Detalhe do quadro *Combate do Carnaval e da Quaresma*. Pieter Bruegel, o velho, 1559.

Pieter Bruegel (c. 1525-1569), pintor flamengo, é conhecido pela perspicácia com que descreve os costumes populares, retratando o período do final da Idade Média e da Renascença. A tela *Combate do Carnaval e da Quaresma* é repleta de cenas que representam situações as mais variadas, dentre as quais selecionamos esse significativo detalhe: no lado esquerdo, o símbolo do Carnaval, e no direito, o da Quaresma.

- O Carnaval é um homem gordo, sentado sobre um tonel de vinho, como se fosse um cavalo; os estribos são panelas, o chapéu é um pastelão; nas mãos, um espeto com uma cabeça de porco. A propósito, *carnaval* significa "a despedida da carne", tanto no sentido literal como referente ao sexo. O carnaval é, portanto, o excesso, a gula, a abundância, a estimulação dos sentidos, o prazer, a vida.
- A Quaresma — período após o carnaval até o domingo de Páscoa — é uma mulher magra, pálida, vestida de cinza e que tem uma colmeia como chapéu. A colmeia representa a comunidade ordeira das abelhas; ao mel atribuía-se o poder de "limpar os pecados"; na ponta da vara que segura em riste, como se fosse lutar, dois arenques secos; enquanto é puxada por dois religiosos – uma freira e um padre –, crianças ao seu redor tocam matraca, instrumento de madeira que produz um som seco, apropriado para tempos de tristeza e recolhimento. A caracterização da figura lembra o comedimento, o controle dos desejos, a melancolia, a penitência, o jejum, a abstinência, a morte.

Essa alegoria nos faz refletir sobre os dilemas que cercam nossa conduta moral: como devemos agir? E perguntamos: não seria possível pensar na moral como algo diferente do "combate" entre o excesso e a falta, o gozo desmedido e a extrema contenção dos sentidos?

1 Uma história real

> Em 1964, nos Estados Unidos, às 3h20 da madrugada, uma mulher de vinte e oito anos voltava para casa após o trabalho. Ela era gerente de um bar da região. Diante do seu domicílio, na calçada, foi apunhalada por um homem. Vários moradores das casas vizinhas observaram a cena. Da sacada de um apartamento em frente, um homem gritou: 'Deixe a moça em paz!'. O agressor afastou-se por alguns instantes mas voltou em seguida, apunhalando-a de novo, enquanto ela gritava por socorro. Outras luzes se acenderam, ele pegou seu carro e partiu. Catherine Genovese arrastou-se até sua porta e tentava abri-la, quando o agressor voltou e lhe deu o golpe fatal.
>
> Às 3h50, a polícia recebeu um chamado de vizinhos e em dois minutos chegou ao local. Dentre as trinta e oito pessoas que assistiram ao assassinato, apenas um homem, uma senhora de setenta anos e uma jovem vieram falar com os policiais. O homem explicou que ao presenciar a agressão, não sabia o que fazer e ligou para um de seus amigos advogados. Depois foi ao apartamento da mulher de setenta anos para lhe pedir que telefonasse para a polícia. Resmungou que ele mesmo não queria se envolver nesse caso.[1]

Quando a polícia ouviu os moradores após a tragédia, muitos confessaram não saber por que não tomaram providência alguma; um deles afirmou que tinha sono e por isso preferiu voltar para a cama; uma dona de casa achou que era briga de namorados e que, portanto, não era problema dela; outros tiveram medo de intervir; e alguns não sabiam bem por que não tomaram providência alguma.

Voltaremos a esse caso mais adiante. Por enquanto, comecemos por um conceito mais amplo, o de *valor*.

2 Os valores

Diante de pessoas, coisas e situações, estamos constantemente fazendo avaliações: "Esta caneta é ruim, pois falha muito"; "Esta moça é atraente"; "Acho que João agiu mal não ajudando você"; "Prefiro comprar este, que é mais barato".

Essas afirmações referem-se a:

- **juízos de realidade**, quando partimos do fato de que a caneta e a moça existem;
- **juízos de valor**, quando lhes atribuímos uma qualidade que mobiliza nossa atração ou repulsa.

Observe que, nos exemplos, destacamos valores de utilidade, beleza, morais (bem e mal), econômicos. Desse modo, os valores podem ser lógicos, utilitários, estéticos, afetivos, econômicos, religiosos, éticos.

Mas o que são *valores*? Embora a temática dos valores seja tão antiga como a humanidade, só no século XIX surgiu a *teoria dos valores* ou **axiologia**. A axiologia não se ocupa dos *ser* (como a metafísica), mas das *relações* entre os seres e o sujeito que os aprecia.

E ETIMOLOGIA

Axiologia. Do grego *axios*, "valor".

Os seres — sejam eles coisas inertes, seres vivos ou ideias — mobilizam nossa *afetividade* por atração ou por repulsa. Portanto, algo possui valor quando não nos deixa indiferentes. É nesse sentido que García Morente diz:

> Os valores não são, mas *valem*. Uma coisa é valor e outra coisa é ser. Quando dizemos de algo que vale, não dizemos nada do seu ser, mas dizemos que não é indiferente. A não indiferença constitui esta variedade ontológica que contrapõe o valor ao ser. A não indiferença é a essência do valer.[2]

Os valores são, num primeiro momento, herdados. Ao nascermos, o mundo cultural é um sistema de significados já estabelecido, de tal modo que aprendemos desde cedo como nos comportar à mesa, na rua, diante de estranhos, como, quando e quanto falar em determinadas circunstâncias; como andar, correr, brincar; como cobrir o corpo e quando desnudá-lo; como apreciar a beleza ou a feiura; quais são nossos direitos e

Ontológico. Relativo à ontologia, parte da metafísica que estuda o ser como uma noção universal. Do grego *ón, óntos*, particípio do verbo "ser", "existir".

[1] BLACKBURN, Pierre. *L'étique*: fondements et problématiques contemporaines. Québec: Éditions du Renouveau Pédagogique Inc., 1996. p. 88-89.

[2] MORENTE, Manuel García. *Fundamentos de filosofia*: lições preliminares. 2. ed. São Paulo: Mestre Jou, 1966. p. 296.

deveres. Conforme atendemos ou transgredimos os padrões, os comportamentos são avaliados como *bons* ou *maus*, seja do ponto de vista ético, estético, religioso etc.

PARA REFLETIR

Faça uma lista de comportamentos que você considera bons e outros que são maus; de coisas belas ou feias. Compare com a lista de um colega.

JOEL MAIA/ABRIL IMAGENS

A atriz Leila Diniz escandalizou a sociedade conservadora em 1971 ao banhar-se no mar de Ipanema (no antigo estado da Guanabara, atual município do Rio de Janeiro) de biquíni, expondo sua gravidez de oito meses numa época em que as mulheres usavam batas para esconder as formas durante a gestação.

Segundo a valoração, as pessoas podem: achar bonito ou feio o desenho que acabamos de fazer; criticar-nos por não termos cedido lugar a uma pessoa mais velha; considerar bom o preço que pagamos por uma mercadoria; elogiar-nos por manter a palavra dada. Nós próprios nos alegramos ou nos arrependemos de nossas ações. Isso quer dizer que o resultado de nossos atos está sujeito à sanção em intensidades variadas: a crítica de um amigo, "aquele" olhar da mãe, a indignação ou até a coerção física, quando alguém é preso por um crime.

Embora haja diversos tipos de valores, vamos considerar neste capítulo apenas os valores *éticos* ou *morais*.

3 Moral e ética

Os conceitos de **moral** e **ética**, ainda que diferentes, são com frequência usados como sinônimos. No entanto, podemos estabelecer algumas diferenças entre eles, embora essas definições variem conforme o filósofo.

ETIMOLOGIA

Moral. Do latim *mos, moris*, "costume", "maneira de se comportar regulada pelo uso"; e *moralis, morale*, adjetivo referente ao que é "relativo aos costumes".
Ética. Do grego ethos, "costume".

- **Moral** é o *conjunto de regras que determinam o comportamento dos indivíduos em um grupo social.* De modo simplificado, o sujeito moral é aquele que age bem ou mal na medida em que acata ou transgride as regras morais admitidas em determinada época ou por um grupo de pessoas. Diz respeito à ação moral concreta, quando nos perguntamos: O que devo fazer? Como devo agir nessa situação? O que é certo? O que é condenável?, e assim por diante.
- **Ética** ou filosofia moral é a reflexão sobre as noções e princípios que fundamentam a vida moral. Essa reflexão orienta-se nas mais diversas direções, dependendo da concepção de ser humano tomada como ponto de partida. Por exemplo, à pergunta "O que é o bem e o mal?", respondemos diferentemente, caso o fundamento da moral esteja na ordem cósmica, na vontade de Deus ou em nenhuma ordem exterior à própria consciência humana.

Do ponto de vista da ética, podemos ainda perguntar: Há uma hierarquia de valores a obedecer? Se houver, o bem supremo é a felicidade? O prazer? A utilidade? O dever? A justiça? Igualmente, é possível questionar: Os valores são essências? Têm conteúdo determinado, universal, válido em todos os tempos e lugares? Ou, ao contrário, são relativos: "verdade aquém, erro além dos Pireneus", como criticava Pascal? Haveria possibilidade de superação das posições contraditórias do universalismo e do relativismo?

PARA SABER MAIS

As respostas a essas e outras questões nos darão as diversas concepções éticas elaboradas pelos filósofos, como veremos no capítulo 20, "Teorias éticas".

4 Caráter histórico e social da moral

A fim de garantir a sobrevivência, o ser humano age sobre a natureza transformando-a em cultura. Para que a ação coletiva seja possível, são estabelecidas regras que organizam as relações entre os indivíduos, por isso é impossível um povo sem qualquer conjunto de normas de conduta. Segundo o antropólogo francês Lévi-Strauss, a passagem do reino animal ao reino humano, ou seja, a passagem da natureza à cultura, é produzida pela instauração da lei, por meio da proibição do *incesto*. Assim se estabelecem as relações de parentesco e de aliança sobre as quais é construído o mundo humano, que é simbólico.

PARA SABER MAIS

Incesto é a relação sexual entre parentes consanguíneos e afins, de acordo com o grau estipulado pelo grupo ou pela lei. Sobre isso, consulte o capítulo 4, "Natureza e cultura".

Exterior e anterior ao indivíduo, há portanto a *moral constituída*, pela qual o comportamento é orientado por meio de normas. Em função da adequação ou não à norma estabelecida, o ato será considerado moral ou imoral. O comportamento moral também varia de acordo com o tempo e o lugar, conforme as exigências das condições nas quais as pessoas organizam-se ao estabelecerem as formas de relacionamento e as práticas de trabalho. À medida que essas relações se alteram, ocorrem lentas modificações nas normas de comportamento coletivo.

5 A liberdade do sujeito moral

A moral, ao mesmo tempo que é o conjunto de regras de como deve ser o comportamento dos indivíduos de um grupo, é também *a livre e consciente aceitação das normas*. Isso significa que o ato só é propriamente moral se passar pelo crivo da aceitação pessoal da norma. A exterioridade da moral pressupõe portanto a necessidade da interioridade, da adesão mais íntima.

Mesmo admitindo o caráter histórico e social, a moral não se reduz à herança dos valores recebidos pela tradição, porque já a partir da adolescência, o indivíduo desenvolve o pensamento abstrato e a reflexão crítica e tende a se questionar sobre os valores herdados.

A ampliação do grau de consciência e de liberdade, e portanto de responsabilidade pessoal no comportamento moral, introduz um elemento contraditório entre a norma vigente e a escolha pessoal. Se aceitarmos unicamente o caráter social da moral, o ato moral reduz-se ao cumprimento da norma estabelecida, dos valores dados e não discutidos. Nessa perspectiva, a educação moral visaria apenas a inculcar nas pessoas o medo das sanções pela não observância das normas.

Sanção. Consequência de um comportamento que pode ser objeto de elogio ou reprimenda, recompensa ou punição. Aplica-se no campo da moral e do direito: *sanção moral* e *sanção jurídica*.

STAPLETON HISTORICAL COLLECTION/HIP/TOPFOTO-KEYSTONE

Interior de harém. Cairo (Egito), século XIX. Alguns povos aceitam a poligamia, enquanto outros são monogâmicos; para uns o casamento é indissolúvel, e outros permitem o divórcio: essas normas dependem das religiões, dos costumes e de determinações legais.

Por outro lado, se aceitarmos como predominante a interrogação do indivíduo que põe em dúvida a regra, corremos o risco de destruir a moral: quando ela está focada exclusivamente nos interesses pessoais, recai no *individualismo*, na "tirania da intimidade" e, consequentemente, no amoralismo, na ausência de princípios. Ora, o ser humano não é um Robinson Crusoé na ilha deserta, mas "convive" com pessoas, e qualquer ato seu compromete os que o cercam.

O aspecto social é considerado sob dois pontos de vista. Em primeiro lugar, significa apenas a herança dos valores do grupo, mas, depois de passar pelo crivo pessoal, a dimensão social readquire a perspectiva humana e madura que destaca a ênfase na *intersubjetividade* essencial da moral. Em outras palavras, quando criamos valores, não o fazemos para nós mesmos, mas como seres sociais que se relacionam com os outros.

Essa flexibilidade não deve ser interpretada como defesa do relativismo em que todas as formas de conduta são aceitas indistintamente. O professor José Arthur Gianotti assim se expressa:

> Os direitos do homem, tais como em geral têm sido enunciados a partir do século XVIII, estipulam condições mínimas do exercício da moralidade. Por certo, cada um não deixará de aferrar-se à sua moral; deve, entretanto, aprender a conviver com outras, reconhecer a unilateralidade de seu ponto de vista. E com isto está obedecendo à sua própria moral de uma maneira especialíssima, tomando os imperativos categóricos dela como um momento particular do exercício humano de julgar moralmente. Desse modo, a moral do bandido e a do ladrão tornam-se repreensíveis do ponto de vista da moralidade pública, pois violam o princípio da tolerância e atingem direitos humanos fundamentais.[3]

6 Dever e liberdade

O ato moral provoca efeitos não só na pessoa que age, mas naqueles que a cercam e na própria sociedade como um todo. Portanto, para ser moral, um ato deve ser livre, consciente, intencional, mas também *solidário*. O ato moral supõe a solidariedade e a reciprocidade com aqueles com os quais nos comprometemos. Esse **compromisso** não é superficial e exterior, mas revela-se como uma "promessa" pela qual nos vinculamos à comunidade.

Dessas características decorre a exigência da *responsabilidade*. **Responsável** é a pessoa consciente e livre que assume a autoria do seu ato, reconhecendo-o como seu e respondendo pelas consequências dele.

E ETIMOLOGIA

Compromisso. Do latim *promittere*, prometer.
Responsável. Do latim *responsus*, do verbo *respondere*, aquele que "responde por seus atos".

A responsabilidade cria um *dever*: o comportamento moral, por ser consciente, livre e responsável, é também obrigatório. Mas a natureza da obrigatoriedade moral não está na exterioridade; é moral justamente porque o próprio sujeito impõe-se o cumprimento da norma. Pode parecer paradoxal, mas a obediência à lei livremente escolhida não é coerção: ao contrário, é liberdade. Como juiz interno, a consciência moral avalia a situação, consulta as normas estabelecidas, interioriza-as como suas ou não, toma decisões e julga seus próprios atos. O compromisso humano é a obediência à decisão livremente assumida.

No entanto, o compromisso não exclui a desobediência, o que determina justamente o caráter moral ou imoral do nosso ato: por sermos realmente livres, temos a possibilidade de transgredir a norma, mesmo aquela que nós mesmos escolhemos respeitar.

Desejo e vontade

O que caracteriza fundamentalmente o agir humano é a capacidade de antecipação ideal do resultado a ser alcançado. Por isso o ato moral é um ato *voluntário*, ou seja, um ato de vontade que decide realizar o fim proposto.

É importante não confundir *desejo* e *vontade*. O desejo não resulta de escolha, porque surge em nós com toda a sua força e exigência de realização. Já a vontade consiste no poder de reflexão que antecede a realização ou não do desejo. Seguir o impulso do desejo sempre que ele se manifesta é a negação da moral e da possibilidade de qualquer vida em sociedade. Aliás, a educação da criança supõe aprender a avaliar a adequação ou não de realizar o desejo, a fim de priorizar alguns, adiar outros e rechaçar os que lhe parecem inadequados.

3 GIANOTTI, José Arthur. "Moralidade pública e moralidade privada". Em: NOVAES, Adauto (org.). *Ética*. São Paulo: Companhia das Letras/Secretaria Municipal de Cultura, 1992. p. 245.

Tira de *Minduin*, de Charles Schulz, publicada em *O Estado de S. Paulo*, 2008.
O personagem Lino reflete, nesta tira, que só pode transgredir as normas quem as conhece. Ou seja, a vida moral começa quando nos tornamos capazes de distinguir o bem do mal.

7 A bússola e a balança[4]

Voltemos ao assassinato relatado no início do capítulo. O que chocou nessa história foi a insensibilidade moral das testemunhas do crime, que poderiam ter salvado a moça com um simples telefonema, já que a polícia chegou dois minutos após o chamado, quando nada mais poderia ser feito. Essas pessoas não pararam para refletir sobre se o que faziam era certo ou errado — nesse caso, sobre o que *não fizeram*, pois configurou-se a *omissão de socorro*.

Teria faltado apenas a racionalidade, a capacidade de reflexão? Não só. Quando pesamos os prós e os contras de cada ação, o fazemos não apenas com a razão, mas também com a sensibilidade, com nossos sentimentos e emoções. Ao nos tornarmos mais maduros, partilhamos as alegrias e aflições das pessoas que nos cercam, não só as de nossa convivência próxima, mas de qualquer ser humano.

PARA REFLETIR

A sensibilidade amadurecida não restringe o olhar em direção às pessoas do seu entorno, mas estende-o às gerações passadas, cuja herança cultural enriquece nosso presente. Também somos sensíveis às gerações futuras ao cuidarmos da preservação do ambiente, o que inclui flora, fauna e riquezas naturais. Em que sentido conscientização significa não só conhecimento, mas desenvolvimento da sensibilidade?

A bússola

O que faltou àquelas pessoas foi uma bússola interna. Para não nos perdermos, a bússola real indica o norte, enquanto a metáfora da bússola imaginária nos "norteia" na direção do que é melhor para ser feito no plano moral. Só isso basta? Nem sempre.

Suponha que alguém possui uma bússola interna e está consciente do que deve ou não deve ser feito, mas se pergunte: "Por que devo agir moralmente se isso pode ferir meus interesses pessoais?". Para essa resposta, precisamos de outra imagem, a da balança.

A balança

Imagine um gerente de pessoal de uma empresa examinando os testes e as entrevistas dos candidatos a um emprego, que fica em dúvida entre dois pretendentes: um deles saiu-se muito bem e tem longa experiência na função; o outro não é de todo ruim, até pode vir a melhorar, mas é inferior ao primeiro. A dúvida do gerente deve-se ao fato de que o segundo é cunhado de um grande amigo seu, por quem fora recomendado.

E agora? Ele sabe que o justo seria admitir o mais competente, tanto pelo merecimento como pelo interesse da empresa, que seria mais bem servida pelo funcionário mais bem habilitado. No final, porém, escolheu o cunhado do amigo. Em um prato da balança está o ponto de vista da moral: o que é justo ser feito. No outro, o que pesou mais: suas relações de amizade. Esse exemplo pode estender-se para outros semelhantes, quando um homem deixa de contratar alguém por ser mulher, negro ou homossexual, entre outros tipos de discriminação.

Foi o que aconteceu no caso do assassinato. Diante da compaixão pela vítima, prevaleceram outras atitudes: "isso não me diz respeito"; "não quero me envolver com a polícia"; "estou com sono"...

[4] Seguimos aqui, de maneira livre, a obra de BLACKBURN, Pierre. *L'étique*: fondements e problématiques contemporaines. Québec: Éditions du Renouveau Pédagogique Inc., 1996.

Alguém poderá dizer que o ponto de vista legal teria prioridade sobre o moral. Depende. Ninguém deve transgredir as leis vigentes, mas e quando elas são injustas? Nesse caso, valem os movimentos de conscientização para que sejam mudadas. Foi esse o esforço dos abolicionistas, dos revolucionários, dos que ousam pensar que é possível um mundo melhor.

Os exemplos clássicos são o de Mahatma Gandhi (1869-1948) e o de Martin Luther King (1929-1968). Gandhi liderou a resistência indiana contra a dominação britânica. Suas estratégias eram de não colaboração, greve pacífica, jejum, boicote, desobediência civil. Luther King foi líder da luta pela igualdade de direitos dos negros na sociedade norte-americana e os conclamava a participar sem medo de atos de *desobediência civil*, mesmo sabendo que poderiam ser presos, como muitas vezes aconteceu.

PARA SABER MAIS

Desobediência civil foi um conceito usado pelo norte-americano Henry Thoreau e título de um de seus livros. Inicialmente, referia-se à desobediência individual às leis injustas. O conceito foi ampliado para a dimensão coletiva necessária. Tanto Luther King como Gandhi eram advogados e reconheciam a importância do respeito ao estado de direito, mas conclamavam as pessoas a desobedecer em conjunto as leis injustas e arcar com as consequências.

PARA SABER MAIS

Voltaremos a Gandhi e Luther King no próximo capítulo, para identificar neles os mais altos graus de desenvolvimento moral.

Esses gestos de rebeldia pacífica visavam a despertar a consciência social das pessoas para a injustiça sofrida pelos negros, em um caso, e pelos colonizados, de outro, e realmente surtiram efeito.

8 Ética aplicada

A partir da segunda metade do século XX, intelectuais das mais diversas áreas têm refletido sobre o desenvolvimento das tecnologias que têm sido danosas ao ambiente. Há tempos os ecologistas nos advertem sobre os riscos decorrentes do desrespeito ao equilíbrio da natureza.

Ao longo desse debate, desde a década de 1970, surgiram teóricos da chamada *ética aplicada*, um ramo recente da reflexão filosófica da qual podemos destacar temas como *bioética*, *ética ambiental* (ou *ecoética*) e *ética dos negócios*.

O que há de comum nesses três ramos da ética aplicada é o diálogo multidisciplinar, que não se restringe aos filósofos, mas se amplia na interlocução com os diversos profissionais, conforme o campo da pesquisa, tais como medicina, biologia, direito, teologia, economia, sociologia, antropologia, política e psicologia. Além, evidentemente, de dar voz às pessoas comuns, leigas no assunto, mas que de fato sofrem o impacto dessas alterações que vêm ocorrendo no mundo em velocidade assustadora.

A ética aplicada é, portanto, um ramo contemporâneo da filosofia que nos coloca diante do desafio da deliberação sobre problemas práticos, que exigem conscientização dos riscos que nos ameaçam e a justificação racional das medidas a serem assumidas.

MAURICE JOSEPH/ALAMY-OTHER IMAGES

Em 1930, Gandhi liderou milhares de indianos por ocasião da Grande Marcha do Sal. Caminharam a pé vários dias até o mar, onde recolheram a água e a deixaram secar para obter o sal: o propósito era desobedecer às ordens inglesas do monopólio do sal.

FRANK & ERNEST — Bob Thaves

UNITED MEDIA/IPRESS

Tira de Bob Thaves publicada em *O Estado de S. Paulo*, em 2008.

Aplique as explicações sobre a bússola e a balança para analisar a resposta do personagem Frank: o que pesa mais em suas decisões morais?

Como exemplo, citamos o filósofo Karl-Otto Apel (1922), que, ao considerar os efeitos da ciência aplicada em tecnologias que têm sido danosas ao ambiente, concluiu pela necessidade de desdobrar a reflexão ética em três níveis: a **microesfera**, a **mesoesfera** e a **macroesfera**.

> **E ETIMOLOGIA**
>
> **Micro.** do grego: *mikrós*, "pequeno"; *mésos*, "meio", "centro"; *makrós*, "grande".

A microesfera trata das ações da esfera íntima, como família, matrimônio, vizinhança; a mesoesfera refere-se ao âmbito da política nacional; a macroesfera aborda o destino da humanidade.

Estaria portanto no âmbito da macroesfera, ou da macroética, enfrentar problemas como o risco destruidor das ações bélicas e o progressivo desequilíbrio ambiental, que representam um desafio urgente.

9 Aprender a conviver

Voltemos à história real relatada no início do capítulo. A insensibilidade dos vizinhos da mulher assassinada pode ser um exemplo isolado do descaso com que muitas pessoas veem — ou se recusam a ver — o sofrimento alheio e da própria natureza, seja por desejo de lucro ou por interesses mesquinhos.

O delicado tecido da moral diz respeito ao indivíduo no seu "foro íntimo", ao mesmo tempo que o vincula às pessoas com as quais convive. Embora ética e política não se confundam, elas relacionam-se, cada uma no seu campo específico. Por um lado, a política, ao estender a justiça social a todos, permite que os indivíduos tenham condições de melhor formação moral. Por outro, a vida moral é importante no exercício da cidadania, para que os interesses egoístas não se sobreponham aos coletivos.

Estabelecer a dinâmica entre o privado e o público é tarefa das mais difíceis e delicadas, que exige aprendizagem e criatividade. Assim aprendemos a conviver.

FRANS KRAJCBERG

Detalhe da escultura de Frans Krajcberg, década de 1990. Frans Krajcberg (1921) é pintor, escultor e fotógrafo, nascido na Polônia e naturalizado brasileiro. Tornou-se famoso pelas esculturas com troncos de árvores mortas, calcinadas pelo fogo.

Leitura complementar

Por que ética?

"Por que ética? E o que é a ética? Não poderemos nos contentar com uma representação qualquer ou indeterminada. Da mesma forma, pressupondo uma pré-compreensão completamente indeterminada, desde o início podemos nos perguntar: por que afinal devemos nos ocupar com a ética? Na filosofia, mas também nos *curricula* das escolas, a ética parece ser um fenômeno da moda. Entre os jovens intelectuais, antigamente havia interesse mais pelas assim chamadas teorias críticas da sociedade. Ao contrário disto, na ética supõe-se uma reflexão sobre valores reduzida ao individual e ao inter-humano. E teme-se que aqui contudo não seria possível encontrar nada de obrigatório, a não ser remontando-se a tradições cristãs ou de outras religiões. É o ético, ou então, ao contrário, as relações de poder, que são determinantes na vida social? E estas não determinam, por sua vez, as representações éticas de um tempo? E se isto é assim, ao se pretender lidar diretamente com a ética e não a partir de uma perspectiva de crítica da ideologia, não representaria isto um retorno a uma ingenuidade hoje insustentável?

Por outro lado, não podemos desconsiderar que, tanto no âmbito das relações humanas quanto no político, constantemente julgamos de forma moral. No que diz respeito às relações humanas, basta observar que um grande espaço nas discussões entre amigos, na família ou no trabalho abrange aqueles sentimentos que pressupõem juízos morais: rancor e indignação, sentimentos de culpa e de vergonha. Também no domínio político julga-se moralmente de forma contínua, e valeria a pena considerar que aparência teria uma disputa política não conduzida pelo menos por categorias morais. O lugar de destaque que os conceitos de democracia e de direitos humanos assumiram nas discussões políticas atuais também é, mesmo que não exclusivamente, de caráter moral. A discussão sobre a justiça social, seja em âmbito nacional ou mundial, é também uma discussão moral. Quem rejeita a reivindicação de um certo conceito de justiça, quase nem o pode fazer sem contrapor-lhe um outro conceito de justiça. Em verdade as relações de poder de fato são determinantes, mas é digno de nota que elas necessitem do revestimento moral.

Por fim, existe uma série de discussões políticas relativas aos direitos de grupos particulares ou marginalizados, as quais devem ser vistas como questões *puramente* morais: a questão acerca de uma lei de imigração limitada ou ilimitada, a questão do asilo, os direitos dos estrangeiros, a questão sobre se e em que medida nos deve ser permitida ou proibida a eutanásia e o aborto; os direitos dos deficientes; a questão de se também temos obrigações morais perante os animais, e quais. Acrescentam-se aqui as questões da ecologia e da nossa responsabilidade moral para com as gerações que nos sucederão. Uma nova dimensão moralmente desconcertante é a da tecnologia genética.

O complexo de questões acima mencionado diz respeito a estados de coisas que em parte são novos (por exemplo, a tecnologia genética), e em parte alcançaram, através do avanço tecnológico, um lugar de destaque até agora não existente (por exemplo, a responsabilidade para com as gerações futuras, e algumas questões da eutanásia). Outras questões já estavam desde antigamente presentes, mas encontram-se fortemente colocadas na consciência geral – e podemos nos perguntar por quê: por exemplo, problemas das minorias, aborto, animais. Não se encontra aqui pelo menos uma das razões pelas quais a ética novamente é tomada de forma importante? A maioria das éticas antigas – por exemplo, as kantianas – tinham em vista apenas aquelas normas que desempenhavam um papel na vida intersubjetiva de adultos contemporâneos e situados em uma proximidade espaço-temporal; e de repende sentimo-nos desorientados em confronto com os problemas do aborto, da pobreza do mundo, das próximas gerações ou da tecnologia genética."

TUGENDHAT, Ernst. *Lições sobre ética*. Petrópolis: Vozes, 1996. p. 11-13.

Questões

1 O autor refere-se ao grande espaço reservado aos temas éticos nas discussões com nossos amigos. Você poderia fazer uma lista desses temas? Em seguida, escolha um deles e posicione-se.

2 O sentimento de indignação ou de vergonha indica que participamos de uma comunidade moral. Dê um exemplo e explique por quê.

3 Qual é a relação entre política e ética? A partir dessa relação, destaque a questão da justiça como tema central da ética.

Curricula. Termo latino para currículos (no plural).

Atividades

Revendo o capítulo

1 O que significa dizer que "a não indiferença é a essência do valor"?

2 Explique esta afirmação: O ser humano, diferentemente do animal, é capaz de produzir interdições.

3 Por que não é contraditório afirmar que a moral autêntica supõe a aceitação livre das normas, ao mesmo tempo que a moral tem um caráter histórico e social?

4 Como explicar que na moral convivem polos opostos como o dever (a obrigação) e a liberdade?

Aplicando os conceitos

5 Mesmo considerando a tolerância um valor máximo da convivência humana, qual é a dificuldade em aceitar a moral de grupos como Máfia, Klu-Klux-Klan ou neonazistas?

6 Durante a ditadura militar no Brasil, vários filmes foram censurados por serem considerados atentatórios à moral (como o *Último tango em Paris*, de Bernardo Bertolucci), ou à religião (como *Je vous salue Marie*, de Jean-Luc Godard). Discuta a questão da relação entre moral e estética.

7 Timoty McVeigh foi um terrorista que matou 168 pessoas em um atentado a bomba em Oklahoma City (1995). Foi executado seis anos depois com injeção letal. Pouco antes de morrer, recitou o poema *Invictus* (o que não foi vencido), do inglês William Ernest Henley, e que termina assim: "Eu sou o mestre do meu destino e o comandante da minha alma". Comente essa declaração a partir do conceito de moral.

8 Explique por que não há moral do desejo, uma vez que só é moral o ato voluntário.

9 Imaginemos um museu onde se encontra exposta, por empréstimo, a famosa pintura *Mona Lisa*, e um incêndio se propaga rapidamente no local. O diretor do Museu entra no recinto disposto a resgatar a tela e depara-se com um funcionário desacordado por causa da fumaça. Só há tempo para uma escolha: salvar o quadro ou o funcionário. Com a metáfora da bússola e da balança, explique o que ocorre caso o diretor prefira salvar o funcionário ou escolha resgatar o quadro. E se você fosse o diretor, o que teria feito?

MUSEU DO LOUVRE, PARIS, FRANÇA

A *Mona Lisa* (século XVI), de Leonardo da Vinci, é um pequeno quadro que, além do valor monetário, é um símbolo da cultura renascentista.

10 "Cada um desses homens [Abraham Lincoln, Mahatma Gandhi e Martin Luther King] sentia muito profundamente que o âmago da moralidade (e o âmago da sociedade) era o igual respeito pela dignidade humana. Cada um deles foi capaz de mostrar o respeito mútuo pressuposto pelo ponto de vista moral, reconhecendo a exigência moral de se engajar em diálogo com aqueles que discordavam profundamente deles. Foram essas características que os tornaram não apenas grandes visionários morais, mas também grandes educadores morais." (Kohlberg, Boyd e Levine. "O retorno do estágio 6: seu princípio e o ponto de vista de vista moral". Em: Angela M. Brasil Biaggio. *Lawrence Kohlberg*: ética e educação moral. São Paulo: Moderna, 2002. p. 128.)

Considerando a citação, atenda às questões:

a) O que é, do ponto de vista moral, *respeitar os outros*? Em que sentido o respeito não se confunde com submissão e temor?

b) Como Lincoln, Gandhi e Luther King expressaram de fato o respeito pela dignidade humana, inclusive aos que deles discordavam?

c) Em que sentido Kohlberg se refere a eles como educadores?

Dissertação

11 (UFMG-2003) "Tudo compreender é tudo desculpar?" Redija um texto, posicionando-se em relação a essa indagação.

Capítulo 18

Ninguém nasce moral

Norman Rockwell, *Gossips (Bisbilhoteiros)*, 1948.

O ilustrador norte-americano Norman Rockwell é um cronista dos costumes. Na capa que desenhou para uma revista semanal norte-americana, tematiza a bisbilhotice da vida alheia. A maledicência diverte as pessoas, menos aquele que foi objeto dela: seria esse, no entanto, um costume inofensivo e sem consequências?

1 Aprender a autonomia

Todas as pessoas precisam ser educadas para a convivência. O processo de aprendizagem supõe descentramento, um sair de si mesmo, tanto do ponto de vista da inteligência como da afetividade ou da moral. A descoberta de que o outro é um "outro eu" é fundamental para superar o egocentrismo. No entanto, o desenvolvimento desses três níveis mentais — inteligência, afetividade e moralidade — não é automático, porque exige a intermediação de agentes culturais — pais, professores, adultos em geral.

Do ponto de vista moral, a educação começa pela **heteronomia**, em que as regras morais são introjetadas sem crítica, até que possa alcançar a **autonomia**, típica da maturidade. Se na fase da heteronomia as crianças obedecem às regras que lhes são impostas, aos poucos é preciso abrir espaços de discussão a fim de estimular a adesão pessoal e autônoma às normas.

E ETIMOLOGIA

Heteronomia. Do grego *héteros*, "diferente", "outro", e *nómos*, "lei", "norma". No contexto, aceitação das regras dadas externamente.
Autonomia. Do grego *autós*, "si mesmo", "eu mesmo". No contexto, o que é capaz de decidir por si mesmo.

O grande impasse entre heteronomia e autonomia ocorre na adolescência, período de contradições em que, abandonando as características infantis, o indivíduo ainda não assumiu as obrigações e responsabilidades da vida adulta. Veremos a seguir como os psicólogos Piaget e Kohlberg, teóricos da linha construtivista, explicam o desenvolvimento da moralidade.

2 A teoria de Piaget

O psicólogo suíço (e também filósofo) Jean Piaget (1896-1980) elaborou a teoria conhecida como *psicologia genética*, base para a aplicação de fecundas práticas pedagógicas. Segundo essa teoria, não há inteligência inata: a gênese da razão, da afetividade e da moral avança progressivamente em estágios sucessivos nos quais a criança organiza o pensamento e o julgamento. Por isso sua teoria e as que dela derivam são chamadas *construtivistas*, já que o saber é construído pela criança, e não imposto de fora.

PARA SABER MAIS

"Psicologia genética", para Piaget, é o estudo do desenvolvimento individual, da gênese da lógica, das percepções, das normas, que não são inatas, mas resultam de uma construção progressiva.

O *desenvolvimento mental* é estudado de três pontos de vista: da lógica, da afetividade e da moral. Vale lembrar, no entanto, que as referências às idades baseiam-se em padrões de Genebra, cidade suíça onde Piaget fez suas observações e experiências. Portanto, dependendo do grupo social a que pertença a criança, variam as faixas etárias, e pode ser que as últimas etapas nem sejam atingidas pelo adulto.

Segundo Piaget, são quatro os estágios do desenvolvimento mental:

a) Estágio sensório-motor (de zero a dois anos)

A maneira pela qual o bebê conhece o mundo é sobretudo *sensório-motora*, ou seja, nesse estágio predomina o desenvolvimento das percepções sensoriais e dos movimentos.

- Do ponto de vista da inteligência, não se pode ainda dizer que a criança pensa, mas a inteligência do bebê evolui à medida que aprende a coordenar as sensações e os movimentos.
- Quanto à afetividade, na relação do bebê com as pessoas prevalece a *indiferenciação*, ou seja, a separação entre ele e o mundo não é percebida muito nitidamente. É como se ele fizesse parte de uma totalidade da qual não se distingue como sujeito individual. Podemos ver como o bebê descobre gradativamente o seu corpo quando, por volta dos três meses, o encontramos, fascinado, olhando a própria mão. O psicanalista francês Jacques Lacan refere-se à "experiência do espelho", pela qual, por volta dos 18 meses, a criança reconhece a dualidade, descobrindo-se como um ser separado da mãe e de todo o resto.

CIÇA/FOLHA IMAGEM

Tira de Ciça, publicada no jornal *Folha de S.Paulo*, em 1985. A autonomia de decisão supõe a capacidade de gerir por si mesmo o próprio destino.

- Do ponto de vista moral, a vida do bebê é pré-moral e, portanto, nele predomina a **anomia**.

E ETIMOLOGIA

Anomia. Do grego *a*, "não", e *nomos*, "lei": ausência de lei, de normas.

b) Estágio intuitivo ou simbólico (dos dois aos sete anos)

O segundo momento começa quando a lógica infantil realiza um salto, com a *descoberta do símbolo* e a aprendizagem da fala.

PARA SABER MAIS

A palavra infância vem do latim *infans, infantis*, e significa "aquele que não sabe falar".

- Nesse estágio a inteligência é intuitiva porque não se separa da experiência vivida, isto é, a criança não transpõe abstratamente o que foi vivenciado pela percepção. Por exemplo: mesmo sabendo ir até a casa da avó, a criança ainda é incapaz de representar o caminho com um conjunto de pequenos objetos tridimensionais que simbolizam casas, ruas, igrejas etc. Isso acontece porque suas lembranças são motoras, e a representação implica a descentralização da experiência, ainda centrada no próprio corpo da criança quando ela caminha de fato à casa da avó.

Trata-se de uma forma de *inteligência egocêntrica*, entendida não como um defeito, mas decorrente da própria condição humana nesse estágio. Egocentrismo significa estar centrado em si mesmo: a criança é seu próprio ponto de referência; ela pensa, sente e age a partir de si mesma e não se coloca no lugar do outro.

- Afetivamente a criança é também egocêntrica, percebe o mundo girando em torno dela, exige atenção, não reparte brinquedos, quer a satisfação de todos os desejos; nas conversas, não interage propriamente, tem dificuldade de discutir e de ouvir o outro: por isso prevalecem nos encontros entre crianças verdadeiros "monólogos coletivos".
- Do ponto de vista moral, de início não se pode dizer que exista introjeção das regras de convívio social, as quais a criança reluta em aceitar. É interessante observar como ela ainda não está pronta para os jogos com regras.

Após os três ou quatro anos, a criança começa propriamente a fase heteronômica, de aceitação da norma, tornando-se mais sociável. Mesmo quando desobedece, sabe que transgride as normas, e por isso tem receio de ser descoberta e sofrer punição. Embora a heteronomia seja típica do mundo infantil, ela persiste em muitos adultos, quando se submetem aos valores da tradição e obedecem passivamente aos costumes por conformismo ou por temor à reprovação da sociedade.

c) Estágio das operações concretas (de sete a 12 anos)

O terceiro estágio é mais longo e representa o grande salto da ação às operações mentais concretas. Elas são concretas porque se baseiam diretamente nos objetos e não em hipóteses, habilidade que será conquistada no estágio final.

- A lógica deixa de ser puramente intuitiva e passa a *operatória*. A criança *interioriza a ação* — o que não ocorria no exemplo da visita à casa da avó. Desse modo, aprende as operações matemáticas, percebe a relação lógica do sistema de parentesco, classifica, torna as intuições reversíveis.

A percepção é reversível quando a criança é capaz de operacionalizá-la. Por exemplo, se estamos frente a frente à criança e levantamos a mão direita, pedindo a ela que faça o mesmo, se ela já for capaz de reversibilidade, levantará a mão direita, o que significa inverter mentalmente a nossa posição.

IAN TROWER/ALAMY-OTHER IMAGES

Essa aula de tai chi chuan ilustra a capacidade de reversibilidade: o professor levanta o braço esquerdo e os alunos fazem o mesmo, o que significa inverter mentalmente o que veem. Note que três deles se confundiram. Bali, na Indonésia, em 2005.

A operacionalização no terceiro estágio, porém, ainda é *concreta*, por depender de certa maneira das percepções intuitivas e, dessa forma, da experiência vivida. Mesmo assim, o pensamento já se organiza de modo mais coerente e permite construções lógicas mais aprimoradas. A força do egocentrismo diminui, porque o discurso lógico tende a ser mais objetivo, por estabelecer o confronto com a realidade e com os outros discursos, além de alicerçar-se em provas que se afastam das explicações mitológicas da fase anterior.

- Do ponto de vista afetivo, os progressos na sociabilidade são percebidos na formação de grupos: se no estágio anterior prevalecia a contiguidade — ou seja, as crianças apenas encontram-se lado a lado —, agora os laços expressam companheirismo ou antipatias. A nova organização é coesa sob a ação de líderes e em confronto com grupos antagônicos.
- Sob o aspecto moral afirma-se a heteronomia, com a introjeção das normas da família e da sociedade. Nos jogos essa tendência revela-se na aceitação das regras: por exemplo, nos jogos de botão, bola de gude, damas, as normas são seguidas rigorosamente.

d) Estágio das operações formais (a partir da adolescência)

Finalmente, o último estágio é o da adolescência, quando amadurecem as características da vida adulta.

- O pensamento lógico atinge o nível das *operações formais* ou *abstratas*. Além de interiorizar a ação vivida, como ocorria na fase anterior das operações concretas, o adolescente é capaz de distanciar-se da experiência: é o amadurecimento do *pensamento formal* ou *hipotético-dedutivo*. A reflexão torna possível o pensamento científico, matemático e filosófico.

Exemplificando: as discussões entabuladas pelos jovens a respeito da família podem surgir das experiências pessoais, mas orientam-se para a generalização e a abstração da família como uma instituição. A teorização leva à crítica da própria vivência e à elaboração de projetos de mudança — o plano de vida. Os debates desenvolvem-se por meio da argumentação apoiada em conceitos. O processo de desprendimento da própria subjetividade é sinal de que o egocentrismo intelectual está em vias de ser superado.

- Afetivamente, a superação do egocentrismo realiza-se pela aprendizagem da *cooperação* e da *reciprocidade*. Os grupos do terceiro estágio, que se organizavam em torno de uma liderança, são substituídos por outros baseados na discussão e no consenso.
- A capacidade de reflexão dá condições para o amadurecimento moral, pela organização autônoma das regras e pela livre deliberação. Enquanto no estágio anterior prevalece o respeito unilateral, fundado em uma moral de coação, heteronômica, ao entrar na vida adulta torna-se possível o exercício do respeito mútuo, não hierárquico, típico das relações autônomas.

BENNETT DEAN/CORBIS-LATINSTOCK

Crianças brincando de pebolim. Vietnã, 1995. No terceiro estágio, as crianças começam a introjetar as normas sociais; apreciam inclusive os jogos, cujas regras seguem com rigor.

A autonomia, porém, não nega a influência externa e outros determinantes da conduta, mas destaca no indivíduo a capacidade de refletir sobre as limitações que lhe são impostas, a partir das quais reorienta a ação para superar os condicionamentos. Portanto, quando decide por cumprir uma norma, o centro da decisão é ele mesmo, a sua própria consciência moral. Autonomia é autodeterminação.

Reflexão, discussão, reciprocidade, autonomia são termos que aqui se acham enlaçados. Refletir é desdobrar o pensamento, pensar duas vezes: ao refletirmos, trazemos o outro para dentro de nós, por isso, refletir é discutir interiormente. Essa atitude é possível porque de fato descobrimos o outro como um *alter ego* — um outro eu — exterior a nós, capaz de argumentação, que aprendemos a respeitar.

Do mesmo modo, a discussão é a exteriorização da reflexão. Se nos dispusermos a discutir conforme o pressuposto de que não mudaremos de ideia, não haverá discussão, mas "diálogo de surdos". Portanto, a discussão supõe reciprocidade: disponibilidade para ouvir o outro, mas também preservação de nossa individualidade e autonomia.

3 A teoria de Kohlberg

Uma das diferenças do trabalho de Kohlberg em relação ao de seu mestre Piaget é que ele rejeita a teoria do paralelismo entre a psicogênese do pensamento lógico e a psicogênese da moralidade. Isto é, o desenvolvimento lógico não provoca automaticamente o amadurecimento moral. Se o pensamento lógico formal é condição necessária para a vida moral plena, não é, entretanto, suficiente. Suas observações e experimentações comprovam que a maturidade moral geralmente só pode ser alcançada pelo adulto, cerca de dez anos depois da adolescência e, mesmo assim, depende de condições que examinaremos adiante.

Essa conclusão decorreu de experiências para averiguar o comportamento moral de grupos os mais diversos, em escolas de diferentes segmentos sociais, em prisões, quarteis e *kibutz*. Kohlberg aplicou rico material em grupos de controle em diversos países e acompanhou essas pessoas por vários anos. Por exemplo, em Chicago (EUA), durante 15 anos, realizou entrevistas a cada três anos, em um grupo de 75 meninos e rapazes que, no início das experiências, tinham de dez a 16 anos.

PARA SABER MAIS

Experiências semelhantes foram realizadas no Brasil, por Angela M. Brasil Biaggio. Em 1995, houve uma tentativa de aplicar uma adaptação do modelo de "comunidade justa" em uma escola de Porto Alegre (RS).

Para Kohlberg, o nível mais alto de moralidade exige estruturas lógicas novas e mais complexas do que aquelas do pensamento formal. Por isso reformula a teoria dos estágios morais e distingue três grandes níveis de moralidade: o pré-convencional, o convencional e o pós-convencional, cada um deles composto de dois estágios.

Os níveis da moralidade segundo Kohlberg

O eixo do processo é o convencional, isto é, o conjunto de normas aceitas e desejáveis de uma sociedade. No primeiro período, o pré-convencional, a criança adentra lentamente no mundo das normas morais. O último estágio, o pós-convencional, supõe maior maturidade moral, a ponto de eventualmente precisar transgredir certas normas, em nome de princípios fundamentais, como a justiça.

QUEM É?

LEE LOCKWOOD/TIME & LIFE PICTURES/GETTY IMAGES

Lawrence Kohlberg, 1927.

Lawrence Kohlberg (1927-1987), psicólogo norte-americano, dedicou-se ao estudo da teoria piagetiana, centrando suas atenções na questão moral. Foi professor da Universidade de Harvard e realizou diversas experiências sobre desenvolvimento moral, além de coordenar os projetos de "comunidades justas". Acompanhou pessoalmente suas experiências em várias partes do mundo, como Estados Unidos, Turquia, Israel e Taiwan. Ao fazer a explicitação dos fundamentos filosóficos de suas atividades, mereceu o diálogo com filósofos como Jürgen Habermas e Karl-Otto Apel. A originalidade de sua teoria está na análise do pensamento pós-convencional, pelo qual amplia o campo da maturidade moral, ao argumentar que não basta ao indivíduo introjetar as normas de sua cultura, mas deve ir além, se percebe que pode haver conflito entre a lei e a justiça. Suas principais obras: *O desenvolvimento dos modos de pensamento e opção moral entre dez e dezesseis anos* (tese de doutorado na Universidade de Chicago), *Do é para o dever ser, Ensaios sobre o desenvolvimento moral* (2 volumes), além de outras obras, inúmeros artigos e conferências.

a) Nível pré-convencional

O nível pré-convencional caracteriza-se pela moralidade heterônoma.

No primeiro estágio desse nível, as regras morais são dadas pela autoridade e aceitas de modo incondicional; a criança obedece a fim de evitar castigo ou para merecer recompensa. Sob a perspectiva sociomoral, predomina o ponto de vista egocêntrico.

No segundo estágio desse mesmo nível, inicia-se o processo de descentração, com o reconhecimento de que, ao lado do interesse próprio, outras pessoas

ERICH LESSING/ALBUM-LATINSTOCK

Goya, *Crianças brincando* (1791). As brincadeiras em grupo preparam as crianças para a entrada no terceiro estágio do nível convencional, quando se exercitam as relações interpessoais, importantes para superar o egocentrismo infantil.

Kibutz. Fazenda ou colônia coletiva em Israel. Nessas comunidades todos cooperam de forma voluntária.

também têm interesses que devem ser respeitados. Mas, como a moral ainda é individualista, busca-se estabelecer trocas e acordos.

b) Nível convencional

No nível convencional é superada a fase anterior, ao valorizar-se o reconhecimento do outro. Pertencem a esse nível o terceiro e o quarto estágios.

No terceiro estágio, predominam as expectativas interpessoais e a identificação com as pessoas do grupo a que se pertence, com expressões de confiança e lealdade aos parceiros. O grupo começa a ter prioridade sobre o indivíduo e as regras são seguidas para garantir o desempenho do papel de "bom menino" e de "boa menina", pois há preocupação com as outras pessoas e seus sentimentos. Nesse estágio, prevalece a "regra de ouro" segundo a qual devemos ser bons porque gostaríamos que, se o outro estivesse no nosso lugar, agisse do mesmo modo.

No quarto estágio, as relações individuais organizam-se do ponto de vista do sistema, das instituições, da manutenção da ordem social e da sociedade concreta, com suas regras, papéis e leis que garantem seu funcionamento, tendo em vista o bem-estar da sociedade ou de grupos.

c) Nível pós-convencional

Este é o nível mais alto da moralidade e compreende o quinto e o sexto estágios. Chama-se *pós-convencional* porque nele a pessoa começa a perceber os conflitos entre as regras e o sistema.

No quinto estágio, a perspectiva do sistema, típica do nível convencional, acaba prevalecendo devido à forte incorporação do contrato social que apela à obediência às regras e às leis. No entanto, a pessoa reconhece haver enorme variedade de valores e opiniões e que, muitas vezes, existem conflitos

ED FERREIRA/AGÊNCIA ESTADO

Seção realizada no Plenário da Câmara dos Deputados, em Brasília, em 2007. O bom funcionamento das instituições supõe que os adultos tenham alcançado o quarto estágio do nível convencional, tornando-se capazes de interessar-se pelo bem-estar da sociedade.

inconciliáveis entre o legal e o moral, sobretudo em relação a valores e direitos como vida e liberdade, em contraposição às normas estabelecidas.

No sexto e último estágio, os comportamentos morais regulam-se finalmente por *princípios*. Os valores independem dos grupos ou das pessoas que os sustentam, porque são princípios racionais e universais de justiça: igualdade dos direitos humanos, respeito à dignidade das pessoas, reconhecimento de que elas são fins em si e precisam ser tratadas como tal. Não se trata de recusar leis ou contratos, mas de reconhecer que eles são válidos *porque* se apoiam em princípios.

Kohlberg lembra a ação corajosa de Luther King contra as leis segregacionistas dos Estados Unidos que impediam os negros de frequentarem escolas de brancos e os discriminavam em diversos setores da vida pública. Nesse sentido, os movimentos pacíficos de desobediência civil representam o esforço de mudança em direção a uma sociedade mais justa.

IVAN COSENZA DE SOUZA

Tira de Henfil publicada no jornal *O Pasquim*. Rio de Janeiro, 1972.

Henfil é o pseudônimo de Henrique de Sousa Filho (1944-1988), cartunista e quadrinista, entre outras atividades com que contribuiu para a vida cultural brasileira. Seus personagens inesquecíveis revelam a veia satírica desse severo crítico da ditadura brasileira e da pobreza do Nordeste e ainda nos fazem rir das fraquezas e mesquinharias humanas. Nessa tira ele ilustra um comportamento que não é tão raro entre adultos. Observe que o pai "troca" com o filho a posição a que esteve submetido o dia todo. Considerando os níveis de moralidade segundo Kohlberg, classifique o comportamento desse pai. Dê exemplos similares extraídos de sua experiência.

Um exemplo: o dilema de Heinz

Observemos esse exemplo, um dilema proposto por Kohlberg: Heinz estava com a esposa gravemente enferma e o remédio que a salvaria custava mil dólares; como não podia comprá-lo do farmacêutico que detinha a fórmula, após esgotadas as tentativas de consegui-lo de modo transparente, roubou-o. Kohlberg pergunta se o marido fizera bem ou não em ter roubado, e analisa as diversas respostas dadas, pelas quais identifica o nível moral do entrevistado, o que se percebe pelo tipo de argumento usado:

- "não devia roubar, senão poderia ser preso", ou então "só deve roubar bem escondido para não ser preso": nível pré-convencional, primeiro estágio (medo da punição);
- "deve roubar porque se no futuro precisar de alguma coisa, sua mulher o ajudará": nível pré-convencional, segundo estágio (troca, acordo);
- uma criança de Taiwan — portanto com costumes muito diferentes das ocidentais — argumentou: "deve roubar porque se sua esposa morrer, ele vai ter de pagar o enterro e isso custa muito caro", resposta que se encaixa também no segundo estágio;
- "deve roubar porque ela é a sua mulher, é da sua família": nível convencional, terceiro estágio (pertencimento ao grupo);
- as respostas daqueles que estão no quinto estágio do nível pós-convencional são mais elaboradas e destacam o conflito entre a lei que protege a propriedade *versus* o direito inalienável que cada pessoa tem de conservar a própria vida.
- no sexto e último estágio, o sujeito moral defronta-se com os dilemas de toda sociedade injusta em que os valores econômicos prevalecem sobre os vitais, e decide pelo roubo; assim diz um juiz, um de seus entrevistados:

— Ela está muito doente, [...] é um ser humano e farei tudo o que puder ajudá-la; [...] sua vida pode ser salva e ela poderá recuperar sua dignidade de ser humano, sendo isso o que justifica que faça o que puder para tanto.
— Deveria Heinz roubar para salvar a vida de um estranho?
— Se for um estranho, darei a mesma resposta porque tenho a convicção de que as pessoas devem, quando podem, salvar as vidas dos outros, devido à dignidade dos seres humanos [...] sem vida não há dignidade ou respeito para salvar.[1]

Em seguida, Kohlberg explicita ainda mais a questão, perguntando a Joan, outra entrevistada:

— É importante fazer tudo o que for possível para salvar a vida *de outrem*?
— Acho que isso depende. Se eu estiver descendo uma rua, sim, farei tudo o que puder para salvar a vida de uma outra pessoa [prestes a ser atropelada por um carro]. Porém, em outras situações isso irá depender. Se você for um doente terminal e decidiu [...] não fazer mais quimioterapia, ou coisa parecida, não acho que eu tenha o direito de interferir em sua posição, dizendo que você deve fazer a quimioterapia, que vai estender sua vida por mais uma semana ou mês. [...] Eu não digo que preservar a vida é uma coisa essencial ou mais importante. Penso que preservar a dignidade e a integridade da pessoa seja o mais importante.[2]

Essas conclusões não devem ser vistas como respostas "ideais", "corretas" etc. São apenas exemplos de argumentações possíveis diante de um conflito. O importante é a disponibilidade para decisões que não estejam engessadas pelo convencional, quando se trata de situações cruciais. Além disso, o diálogo é fundamental, porque a vida moral não diz respeito ao indivíduo solitário, mas pressupõe a intersubjetividade.

Kohlberg e a educação moral

Com suas pesquisas empíricas, Kohlberg constatou que um percentual baixíssimo de cidadãos atinge o nível de moralidade pós-convencional, o que se deve a inúmeros motivos. Em primeiro lugar, partindo do pressuposto de que não nascemos morais, mas que o comportamento moral evolui por etapas, precisamos ter oportunidade de conviver de modo solidário, para que ocorra a superação do egocentrismo. Para tanto, supõe-se que pais e professores já estejam maduros moralmente para auxiliarem as crianças nesse processo. Mais ainda, que a *atmosfera moral* do ambiente em que elas vivem propicie condições de mobilidade de um estágio a outro.

1 KOHLBERG, Lawrence et al. (org.). *The moral domain*. Cambridge: M.I.T. Press, p. 151-181. Em: BIAGGIO, Angela Maria Brasil. *Lawrence Kohlberg*: ética e educação moral. São Paulo: Moderna, 2002. p. 104. (Coleção Logos).

2 Idem, p. 108.

No entanto, Kohlberg admitiu serem muitas as dificuldades em encontrar professores que o auxiliassem nessa tarefa, por isso ocupava-se primeiramente com a formação deles, antes de aplicar seu projeto com crianças e adolescentes. De fato, se examinarmos o comportamento dos adultos à luz dos três níveis de moralidade, podemos encontrar a maioria deles no nível convencional e outros até no pré-convencional, tipicamente infantil.

Por exemplo, espera-se que alguém não transgrida um sinal de trânsito por respeito à própria vida e à vida alheia, mas há motoristas que agem como criança do primeiro estágio, quando obedecem ao sinal por temor à multa ou transgridem a lei na ausência de vigilância, seja de policial ou de radar eletrônico. E quantos outros agem a partir do critério do "toma lá, dá cá"? Se faço o bem a quem me faz o bem e o mal a quem me faz o mal, permaneço no estágio dois, de trocas e acordos. E o que dizer do corporativismo daqueles que protegem seus pares de maneira mais benevolente e permanecem indiferentes aos que não pertencem a seu grupo, à sua família, à sua religião, à sua pátria?

Nesses exemplos, se os próprios adultos nem sempre atingem os níveis mais altos da moralidade, como nos empenharmos na educação moral dos jovens?

4 Pressupostos filosóficos

As teorias de Piaget e Kohlberg sofreram a influência de vários filósofos, mas é em Kant que está o fundamento do conceito de justiça que orienta as práticas educativas desses pensadores.

Em palestra proferida em Tóquio, Japão, em 1985, Kohlberg fez um levantamento de seus questionamentos sobre os princípios que fundamentam a moral. E diz:

> A afirmação de Kant, do princípio básico do imperativo categórico 'trate todo ser humano como um fim em si mesmo, não apenas como um meio', parecia extremamente fundamental. Respeito igual pela dignidade humana parecia-me ser a essência da justiça.[3]

PARA SABER MAIS

Kant entende por imperativo categórico aquele que é incondicionado, absoluto, voltado para a realização da ação tendo em vista o dever. Diferentemente, o imperativo hipotético orienta a ação moral tendo em vista a felicidade, o interesse etc. Leia mais no capítulo 20, "Teorias éticas".

No trabalho efetivo desenvolvido nas escolas, visando à educação moral, confirma a influência de John Dewey, representante do pragmatismo:

> O trabalho nas escolas começou com duas suposições de John Dewey. A primeira era que não se pode desenvolver uma teoria de construção de pontes aplicando pesquisa pura. A segunda foi que construir

GLAUCO/FOLHA IMAGEM

Charge de Glauco sobre a reforma ministerial de 2007 e o nepotismo.

A charge de Glauco satiriza o costume – de longa data – de políticos contratarem parentes para ocupar cargos públicos, prática conhecida como nepotismo. Em agosto de 2008 o Supremo Tribunal de Justiça (STJ) proibiu a contratação de parentes até o terceiro grau nos poderes da União, do Estado e dos municípios, a não ser mediante concurso. Mas será que apenas entre políticos persevera o hábito de "primeiro os meus, depois os seus"? Segundo o historiador Sérgio Buarque de Holanda, o brasileiro é *cordial*: não se entenda por esse termo o uso comum de "amistoso", mas sim aquele que age com o coração (*cor*, em latim), o que pressupõe agir pelos sentimentos, obviamente de amor ou de ódio, de valorização de preferências e de discriminações, sem levar em conta o preceito democrático de justiça universal. Que comportamento similar você já observou no seu cotidiano?

[3] "Minha busca pessoal pela moralidade universal". Em: BIAGGIO, Angela M. Brasil. *Kohlberg*: ética e educação moral. São Paulo: Moderna, p. 93. (Coleção Logos).

uma teoria da educação é uma via de mão dupla, envolvendo a colaboração entre professores, alunos e o téorico da educação. O ponto central de nossos esforços é a fé na democracia enquanto veículo para a criação de uma comunidade justa e solícita. [...] Se os alunos fossem levar a sério pensar ou discutir sobre dilemas morais, essa discussão tinha que ter influência sobre as decisões que ocorriam na prática no ambiente institucional.[4]

Por se tratar de uma teoria que tem por base a autonomia da razão — sua herança kantiana —, a proposta de Kohlberg é conhecida por sua natureza cognitivista, por privilegiar a argumentação racional para justificar uma ação e condenar outra.

As tendências cognitivas de educação em valores sofreram críticas por parte daqueles que as consideram excessivamente racionalistas, além de buscarem uma duvidosa universalização dos princípios morais. É bem verdade que no terreno da ética contemporânea muitas são as discordâncias, como veremos no último capítulo desta unidade.

5 Outras tendências

Vejamos agora algumas orientações que diferem daquelas que escolhemos privilegiar neste capítulo.[5]

a) Os valores religiosos

A mais antiga educação em valores é a religiosa, que persiste ainda hoje. Baseia-se nas crenças em verdades reveladas, contidas em livros sagrados ou simplesmente transmitidas oralmente.

Por ser baseada em valores absolutos, à medida que as sociedades ocidentais se diversificaram e tornaram-se mais abertas ao pluralismo, à racionalização e portanto à laicização do pensamento, as normas religiosas perderam em amplitude. Mesmo aqueles que as seguem, abrem-se para discussões a fim de conciliar certos preceitos às exigências contemporâneas.

b) A tendência sociológica

Na sua obra *A educação moral*, o sociólogo Émile Durkheim (1858-1917) propõe uma moral laica, independente dos valores religiosos. Para ele, educar é socializar a criança, ajudá-la a assumir os valores da comunidade a que pertence. Quando há conflitos, esses são entendidos como dificuldade de adaptação aos valores vigentes, o que revela a importância em adequar o comportamento aos papéis de cada um na sociedade.

Para evitar a crítica de que nesse caso a moral funciona de maneira heteronômica, Durkheim argumenta que do mesmo modo que nas ciências da natureza só conhecemos bem quando respeitamos as leis, também a autonomia moral pode ser livre, quando se compreende que as regras devem ser seguidas. Assim, o sujeito torna a norma exterior (heterônoma) em assentimento interior (autonomia).

c) A formação de hábitos virtuosos

Esta é uma tendência muito comum ainda hoje, cujos princípios podem ser encontrados na tradição grega, sobretudo por influência de Aristóteles. Lembramos a frase famosa, "uma andorinha só não faz verão", segundo a qual apenas um ato bom não identifica o indivíduo virtuoso. Sob esse aspecto, educar moralmente é ensinar virtudes, construir hábitos e forjar o caráter.

De certo modo, ensinam-se virtudes às crianças de modo abstrato: seja justo, não minta, não se aproprie do que não é seu, não agrida, seja responsável e generoso, cumpra seus deveres. Essa prática enfatiza as tradições da cultura e deixa pouco espaço para que se assumam pessoalmente as regras de modo autônomo. Além de que a exterioridade da ação não reflete necessariamente o amadurecimento moral.

De fato, duas crianças com o mesmo comportamento — por exemplo, que emprestam material para o colega — podem estar em níveis morais diferentes, como já percebera Kohlberg: uma age assim por já ser cooperativa, enquanto a outra porque teme a reprimenda do professor ou por desejar ser elogiada.

Outra crítica é que a moral não é um livro de receitas de comportamentos "certos", já que muitas vezes nos encontramos em situações que exigem maturidade e elaboração pessoal para resolver conflitos cuja solução não tem como ser prevista.

d) A clarificação de valores

Como diz o título, essa tendência visa a examinar os valores dados a fim de descobrir quais deles poderão ser considerados seus. Os principais representantes dessa corrente são os professores norte-americanos L. Raths, M. Harmin e Sidney Simon, que apresentam os diversos passos desse processo bastante flexível e dinâmico.

4 "Minha busca pessoal pela moralidade universal". Em: BIAGGIO, Angela M. Brasil. *Kohlberg*: ética e educação moral. São Paulo: Moderna, p. 98-99. (Coleção Logos).

5 Adaptamos neste tópico, de modo sintético, algumas explicações de PUIG, Josep Maria. *A construção da personalidade moral*. São Paulo: Ática, 1998. p. 23-76.

MUSEU DO LOUVRE

O mestre-escola, tela de Adrien Van Ostade, 1662.

A palmatória foi usada e aceita por longo tempo nas escolas, como maneira de obrigar os alunos a aceitarem as normas impostas. Por que, do ponto de vista da educação moral, os castigos físicos vão na contramão das ideias de Kohlberg e de tantos pedagogos atuais?

O papel do professor será então oferecer *alternativas* — e nunca revelar suas próprias preferências — a fim de que o educando se sensibilize a respeito dos próprios valores. Os passos são orientados inicialmente por estratégias que permitam fazer a *seleção* dos valores que cada um julga mais adequados; em seguida vem a fase de *apreciação* desses valores, avaliando inclusive as consequências deles. Só então dá-se a *escolha* que irá orientar a ação daí em diante.

A respeito dessa orientação, o professor catalão Josep Puig diz:

> As teorias sobre a clarificação de valores têm trazido aspectos muito interessantes e inovadores para a educação moral, mas também têm deixado de lado elementos que não deveriam ser esquecidos. O reconhecimento da pessoa como ser livre e autônomo, com capacidade para decidir o que em cada momento considera o melhor, pode resultar em uma defesa do individualismo mais puro, sem levar em conta a perspectiva social.[6]

Em síntese, trata-se de uma concepção que, ao igualar qualquer tipo de escolha, ancora-se em critérios subjetivos e emotivos que podem levar a uma concepção relativista da moral, em um período em que crianças e jovens estão em processo de formação.

6 A construção da personalidade moral

Vimos que ninguém nasce moral, mas pela educação o indivíduo terá a chance de constituir sua personalidade moral. O sujeito ético procede a um descentramento, tornando-se capaz de superar o narcisismo infantil, e move-se na direção do outro, reconhecendo sua igual humanidade. Ao contrário da educação moral doutrinadora, as normas de coexistência assumidas devem supor a deliberação livre e responsável. É o próprio sujeito que indaga sobre suas escolhas de vida, que tipo de pessoa gostaria de ser, qual a melhor maneira de relacionar-se com os outros.

As dificuldades enfrentadas para educar moralmente as crianças ou para instalar uma comunidade de entendimento e diálogo levam-nos a admitir que, na sociedade competitiva e individualista em que vivemos, pode parecer utopia aspirar por valores como a justiça, baseados na reciprocidade e no compromisso pessoal. De fato, o desenvolvimento moral não se restringe apenas à questão ética, mas depende de uma política democrática interessada em dar condições para ampliar o acesso de todas as crianças à educação. E, para evitar o círculo vicioso, também preparar os professores na sua formação ética e política.

6 PUIG, Josep Maria. *A construção da personalidade moral*. São Paulo: Ática, 1998.

Leitura complementar

O dilema do bote salva-vidas

Neste relato, Kohlberg analisa as respostas de dois entrevistados a quem foram apresentados os dilemas: o Juiz D. e outra respondente, chamada Joan, ambos identificados no estágio 6.

"'O dilema apresenta uma situação na qual há três pessoas em um bote com quase nenhuma chance de sobrevivência a não ser que uma dessas pessoas saia dele. As três pessoas são o capitão, que é quem sabe navegar, um homem forte e jovem e um velho fraco com um ombro quebrado e que não pode remar eficientemente. Nenhum deles quer saltar do bote espontaneamente. Parece haver três escolhas nesse dilema. A primeira é uma solução utilitária extrema, baseada na chance de salvar mais vidas. Essa solução exige que o capitão mande o velho saltar do bote. A segunda solução, que pode ser considerada a mais justa, seria tirar a sorte para ver quem deve pular. A terceira solução é aquela na qual ninguém pula do bote, caso em que há grande probabilidade de todos virem a morrer. Em resposta a esse dilema, o Juiz D. diz: 'Penso que eles realmente deveriam ter tirado a sorte. Esse método, pelo menos, seria consistente com minha convicção de igualdade dos seres humanos. Nenhuma vida é melhor do que a outra e não há razão no mundo para dois tirarem a vida de outro. E o motivo é exatamente o mesmo a que venho me referindo, isto é, o respeito pela dignidade da vida humana'. [...]

O Juiz D. resolve o dilema do bote salva-vidas com o princípio de respeito pelas pessoas manifestado na opção de tirar a sorte. No entanto, ele não interpreta esse princípio como a obrigatoriedade de obter a concordância por meio do diálogo. Essa sua omissão impede-nos em parte de identificar as respostas do Juiz D. como exemplo do estágio 6. Ao contrário, a concepção de Joan de respeito pelas pessoas a leva a procurar o acordo por meio do diálogo a ponto de manter o diálogo, na situação do bote salva-vidas, embora, nessas condições, fique muito ameaçada a probabilidade de sobrevivência de todos:

— 'O que deve fazer o capitão?'

— 'Bem, não penso que o capitão deva fazer algo por conta própria, é claro. Acho que essa é uma decisão que precisa ser tomada pelas três pessoas envolvidas.'

— 'Como chegarão a tomar essa decisão — se nenhum deles quer espontaneamente pular do bote — uma vez que isso faz parte da situação?'

— 'Bem, certamente compreendo que naquele momento nenhum deles se voluntaria a saltar do barco. Sabe, isso é algo que precisa ser discutido por muito tempo e pensado individualmente e mais discutido. É uma decisão cooperativa. Ninguém tem o direito de tomar essa decisão isoladamente.' [...]

— 'Mas eles podem não chegar a um consenso.'

— 'Bem, acho que nessa situação é difícil acreditar que ninguém tomaria a decisão de pular do barco, mas, se não o fizerem, todos irão morrer. Quero dizer que os três estão na situação juntos, devendo haver uma decisão cooperativa ou nada.'

Enquanto afirmamos que a disposição de entrar em diálogo é uma parte necessária do ponto de vista moral, também questionamos se o compromisso de Joan com a busca de acordo por meio do diálogo até que todos morram seria a solução moralmente correta desse dilema. [...] Frankena relaciona claramente a necessidade de diálogo com o ponto de vista moral. Entretanto, também está consciente do fato de que o diálogo pode ser interrompido. Nesse caso, Frankena afirma que o pensador moral maduro não exige um consenso real, mas um *consenso ideal*. Como ele diz[7]: [...] 'Aqui entra a autonomia do agente moral — ele deve adotar o ponto de vista moral exigindo um consenso eventual com outros que fazem o mesmo, porém ele próprio deve julgar [mesmo que se engane]'".

KOHLBERG, Lawrence et al. *O retorno do estágio 6*: seu princípio e ponto de vista moral. Em: BIAGGIO, Angela Maria Brasil. *Lawrence Kohlberg*: ética e educação moral. São Paulo: Moderna, 2002. p.108-112. (Coleção Logos).

Questões

1 Em que as respostas do Juiz D. e de Joan diferem?

2 Por que, segundo Kohlberg, o diálogo é importante em questões de dilemas morais?

3 Qual é a opinião de Frankena a respeito do diálogo?

4 Dê sua opinião sobre o dilema do bote salva-vidas.

---

7 FRANKENA, W. K. *Ethics*. Citado por Kohlberg na fonte indicada no texto.

Atividades

Revendo o capítulo

1 Faça o fichamento da teoria de Piaget.

2 Faça o fichamento da teoria de Kohlberg.

3 Destaque as semelhanças e diferenças entre Piaget e Kohlberg.

Aplicando os conceitos

4 O egocentrismo infantil é um elemento constitutivo de determinada fase do desenvolvimento intelectual, afetivo e moral da criança. O que dizer dos adultos que não perderam esse traço?

5 Leia a citação de Barbara Freitag e responda às questões.

"Os gregos diferenciavam, como sabemos, entre dois conceitos distintos de tempo: *kronos* e *kairós*. O primeiro conceito refere-se à passagem contínua do tempo (donde, cronologia) e o segundo conceito refere-se ao momento certo, maduro, para certos eventos. Há, também, no caso da psicogênese infantil, momentos certos (*kairós*) para promover o pensamento lógico, a moralidade autônoma e a competência linguística. Sociedades que se omitem e não fornecem as condições materiais e sociais adequadas para as novas gerações nos momentos certos perdem a oportunidade de criar cidadãos maduros, capazes de assumir com responsabilidade e autonomia suas funções na sociedade." (Barbara Freitag. *Itinerários de Antígona*: a questão da moralidade. Campinas: Papirus, 1992. p. 283.)

a) Por que, segundo Piaget e Kohlberg, o desenvolvimento do pensamento lógico e da moralidade não diz respeito apenas a uma evolução mecânica do psiquismo infantil?

b) Analisando as teorias de Piaget e Kohlberg, em que sentido podemos destacar o conceito de *kairós* na educação moral?

c) O conceito de *kairós* nos coloca diante da questão política que envolve a intenção de educar moralmente as crianças. Explique por quê.

6 A partir da seguinte citação de Montesquieu (século XVIII), identifique os três níveis de moralidade segundo Kohlberg.

"Se eu soubesse de algo que fosse útil a mim, mas prejudicial à minha família, eu o rejeitaria de meu espírito. Se soubesse de algo útil à minha família, mas não à minha pátria, procuraria esquecê-lo. Se soubesse de algo útil à minha pátria, mas prejudicial à Europa, ou então útil à Europa, mas prejudicial ao gênero humano, consideraria isto como um crime." (Montesquieu. *Mes pensées*. Em: *Oeuvres completes*. Paris: Gallimard, 1958, vol. I. p. 981.)

7 Em grupo, escolha uma das orientações de educação moral expostas no tópico 5, "Outras tendências".

a) Indique possíveis críticas que Kohlberg faria a essa orientação.

b) Verifique entre os integrantes do grupo quem se contrapõe a teorias cognitivistas (como a de Piaget e Kohlberg) e por quê.

Dissertação

8 Considerando a máxima kantiana de que devemos tratar todo ser humano como fim e não como meio, faça uma redação sobre o fato de que na sociedade em que vivemos nem sempre essa máxima é respeitada.

Pesquisa e debate

9 Como educar as novas gerações?

O trabalho deverá ser feito em três etapas:

a) em grupo, entrevistar pessoas de diversas faixas etárias, propondo-lhes a questão acima (além da resposta, anotar idade, estado civil, profissão, escolarização do entrevistado);

b) com base nas anotações, analisar os dados recolhidos e fazer uma comparação com os conceitos aprendidos no capítulo, inclusive na leitura complementar, e elaborar um relatório;

c) o relatório de cada grupo será exposto à classe e servirá de base para uma discussão geral.

Capítulo 19

Podemos ser livres?

RMN/RÉUNION DES MUSÉES NATIONAUX-OTHER IMAGES

A tela do pintor flamengo Peter Paul Rubens, *As parcas fiando o destino de Maria de Médici*, representa as divindades que na Grécia eram designadas Moiras (*moira*, em grego, significa "destino"). Elas são três irmãs que dividem entre si as seguintes funções: Cloto (aquela que "fia") tece os fios dos destinos humanos; Láquesis (que significa "sorte") põe o fio no fuso; Átropos (ou seja, "inflexível") corta impiedosamente o fio que mede a vida de cada mortal. Nesse mito está implícita a ideia de que a ação humana depende dos desígnios divinos. Os relatos de Homero e Hesíodo revelam como os heróis até se orgulham de ser escolhidos por certos deuses, que os fazem seus protegidos, defendendo-os da ação malévola de outros deuses.

Podemos dizer que muito desse mito ainda permanece entre as pessoas que admitem ser impotentes diante da força do destino, da fatalidade. E você, acredita em destino?

As parcas fiando o destino de Maria de Médici. Peter Paul Rubens, 1622-1626.

1 Mito, tragédia e filosofia

Uma das características da consciência mítica é a aceitação do destino: os costumes dos ancestrais têm raízes no sobrenatural e as ações humanas são determinadas pelos deuses. Em consequência, não se fala propriamente em comportamento ético, por faltar a dimensão de subjetividade que caracteriza o ato livre e autônomo.

Ao analisarmos a passagem do mito à razão na Grécia Antiga, vimos como ocorreu o desenvolvimento da consciência crítica. Resta, no entanto, apresentar um lapso intermediário caracterizado pela *consciência trágica*, que representa o momento em que o mito não foi totalmente superado e ainda não se firmou a consciência filosófica.

A tragédia grega floresceu por curto período, e os autores mais famosos foram Ésquilo (525-456 a.C.), Sófocles (496-406 a.C.) e Eurípedes (c. 480-406 a.C.). O conteúdo das peças teatrais é retirado dos mitos, mas há algo novo no tratamento dado pelos autores — sobretudo Sófocles — ao relato das façanhas dos heróis.

PARA SABER MAIS

A passagem do mito à razão é analisada no capítulo 3, "O nascimento da filosofia".

WERNER FORMAN-AKG IMAGES/LATINSTOCK-MUSEU GREGORIANO PROFANO

Cópia romana de um relevo grego do século IV a.C. No teatro grego usavam-se máscaras para expressar emoções fortes de alegria, tristeza, pavor. Havia também as máscaras femininas, usadas por homens, porque as mulheres não podiam atuar no teatro.

Tomemos por exemplo a tragédia *Édipo-Rei* de Sófocles. Nela conta-se que Laio, senhor de Tebas, soube pelo oráculo que seu filho recém-nascido haveria de assassiná-lo e casar-se em seguida com a própria mãe. Laio antecipa-se ao destino e manda matar o filho, mas suas ordens não são cumpridas, e a criança cresce em lugar distante. Quando adulto, Édipo consulta o oráculo e, ao tomar conhecimento do destino que lhe fora reservado, foge da casa daqueles que supunha serem seus verdadeiros pais a fim de evitar o cumprimento daquela sina. No caminho desentende-se com um estranho — e o mata. Esse desconhecido era, na verdade, seu pai. Entrando em Tebas, Édipo casa-se com Jocasta, viúva de Laio, ignorando ser ela sua mãe. E assim cumpriu-se o destino.

Mesmo que Sófocles tenha tomado do mito o enredo da história, as figuras lendárias apresentam-se com a face humanizada, agitam-se e questionam o destino. A todo momento emerge a força nova da vontade que se recusa a sucumbir aos desígnios divinos e tenta transcender o que lhe é dado, por meio de um ato de liberdade. Quando Jocasta tenta demover Édipo dessa busca, assim ele diz:

> Hei de seguir a trilha até o fim: eu não posso deixar de esclarecer o enigma do meu próprio nascimento![1]

Quando Édipo intuiu ser ele próprio o assassino procurado em Tebas, levou o inquérito até o fim, como se estivesse em busca da própria identidade. Apesar de no final vencer a irracionalidade, Édipo não foi um ser passivo. A *tragédia* consiste justamente em revelar a contradição entre determinismo e liberdade, na luta contra o destino levada a cabo pela pessoa que emerge como ser de vontade. Quando no final Édipo se cega, diz:

> Foi o deus Apolo que me quis submeter a esta amargura! Porém a mão que golpeou meus olhos não foi a de ninguém, senão a minha: que mais pudera eu desejar ver, se a vista só me dava desprazer?[2]

A tentativa de reflexão e de autoconhecimento retrata o *logos* nascente. Daí em diante a filosofia representará o esforço da razão em *compreender o mundo* e *orientar a ação*.

1 SÓFOCLES. *Édipo-Rei*. São Paulo: Abril Cultural, 1976. p. 66. (Coleção Teatro Vivo).

2 Idem, p. 82.

2 Somos livres ou determinados?

Quando nos referimos ao conceito de liberdade, podemos fazê-lo a partir de diversas perspectivas. Há os que descreem da possibilidade de escolha livre e outros para quem uma pessoa livre é aquela que pensa e age por si própria, não é constrangida a fazer o que não deseja nem é escrava ou prisioneira de seu destino.

Vejamos algumas concepções de filósofos que fizeram uma indagação radical a respeito do que é liberdade, para saber se somos sujeitos livres ou se apenas temos a ilusão da liberdade.

3 A liberdade incondicional e o livre-arbítrio

Na tradição filosófica em geral, desde os gregos, enfatizou-se a liberdade humana absoluta, teoria pela qual temos a escolha de agir de um modo ou de outro, independentemente das forças que nos constrangem. Segundo essa perspectiva, ser livre é decidir e agir como se quer, sem determinação causal, seja exterior (ambiente em que se vive), seja interior (desejos, motivações psicológicas, caráter). Mesmo admitindo que tais forças existam, o ato livre pertenceria a uma esfera independente em que se realiza a liberdade humana. Ser livre é, portanto, ser incausado.

Os gregos

A concepção de liberdade remonta a Sócrates, que imprime uma orientação racionalista à ética. Para ele, virtudes — como a justiça, a fortaleza, a temperança, a prudência — dependem do conhecimento que delas temos. Ou seja, agimos bem quando conhecemos a virtude e mal quando a ignoramos. Desse modo, alguém é corajoso quando a razão o orienta a enfrentar os desafios e não se acovardar. A crítica que se faz a essa posição intelectualista de Sócrates é a de ter desconsiderado a vontade humana como elemento capaz de contrariar a disposição racional para o bem.

Aristóteles define o ato voluntário como "princípio de si mesmo", de modo que tanto a virtude como o vício dependem da vontade do indivíduo. Ao examinar as paixões humanas — a cólera, o medo, a audácia, a inveja, a alegria, o desejo —, Aristóteles diz que elas são apetites e, diante delas, não podemos dizer se somos bons ou maus, porque não dependem de nossa escolha. A virtude, no entanto, não é um apetite, mas uma *disposição de caráter* relacionada com uma escolha determinada por um princípio racional próprio do homem dotado de sabedoria prática. Já as virtudes ou vícios envolvem escolha, e por isso podem ser bons ou maus e estão sujeitos às honras ou aos castigos.

No entanto, fazemos uma ressalva ao abordar a questão da liberdade na Antiguidade. Segundo a filósofa Hannah Arendt, naquele período a ideia de liberdade ainda restringia-se ao campo político e não dizia respeito à vida privada. Diz ela que para Aristóteles a "vida boa" é a vida do cidadão que não precisava se ocupar com os atos diários de sobrevivência — função de mulheres e escravos — e podia se dedicar à atuação livre na pólis.

De fato, na Grécia Antiga, apenas no âmbito da pólis — e portanto da política — fala-se em liberdade, compartilhada entre os iguais. Ao contrário, a família é o "espaço da necessidade", mergulhada nas exigências de sua preservação. Além disso, na vida privada só há desiguais, porque o chefe de família exerce um poder de vida ou morte inquestionável sobre mulheres, crianças e escravos. Só que o chefe de família tem a possibilidade de liberar-se das necessidades da vida e, em companhia de outros homens, inserir-se no espaço público por palavras e ações.

PARA SABER MAIS

Hoje usamos o termo "déspota" para designar o governante dominador, tirano, que governa à revelia das leis. Na Grécia Antiga *despótes* era a denominação dada ao chefe de família.

É ainda Hannah Arendt quem diz:

> ... sempre que o mundo artificial não se torna palco para ação e discurso — como ocorre com comunidades governadas despoticamente que os [os homens] banem para a estreiteza dos lares, impedindo assim o ascenso de uma esfera pública — a liberdade não possui realidade concreta. Sem um âmbito público politicamente assegurado, falta à liberdade o espaço concreto onde aparecer.[3]

Virtude. Do grego *areté*. Originalmente teve um duplo significado, físico e moral. Fisicamente, tem virtude quem é corajoso, valoroso; moralmente, é a força da alma que tende para o bem.

[3] ARENDT, Hannah. *Entre o passado e o futuro*. São Paulo: Perspectiva, 1978. p. 195.

Santo Agostinho

A noção de liberdade, como liberdade "interior", relacionada ao próprio eu e não mais vinculada apenas ao espaço público, só aparece como discussão teórica com os teólogos cristãos. Agostinho de Tagaste (354-430) — ou Santo Agostinho, bispo de Hipona (África) — foi o primeiro a usar o conceito de livre-arbítrio, como faculdade da razão e da vontade, em sua obra *De libero arbitrio voluntatis* (*Sobre a livre escolha da vontade*).

No sentido ético, livre-arbítrio significa *liberdade de indiferença*, por meio da qual o sujeito age pela força de sua vontade, independentemente dos constrangimentos que sofre. Em seu livro *Confissões*, Agostinho relata a luta interna que culminou com a sua conversão ao catolicismo, depois de ter levado uma vida por ele considerada dissoluta. A vivência dos conflitos de uma consciência atormentada pela noção do pecado o fez exaltar o poder da vontade. Ou seja, se a razão conhece, é a vontade que decide e escolhe, o que caracteriza o voluntarismo da sua teoria, em oposição ao intelectualismo de Sócrates. Mas, como cristão, realça o poder da graça divina que o auxilia a escolher o bem e a rejeitar o mal.

Idade Moderna

Deixando o campo das discussões teológicas, o filósofo racionalista Descartes também ocupa-se com a questão do livre-arbítrio. Em uma das máximas da moral provisória, defende que o ser humano deva sempre procurar dominar a si mesmo, desejando apenas o que *pode* fazer. Mesmo que as paixões possam ser boas em si, cabe à razão averiguar como as utilizamos, a fim de dominá-las, já que a força das paixões está em iludir a alma com razões enganosas e inadequadas. Portanto, o intelecto tem prioridade sobre as paixões, na medida em que o melhor conhecimento delas é condição para que possamos controlá-las.

A concepção do livre-arbítrio ainda hoje tem seus adeptos. Veremos a seguir uma tendência que a ela se opõe de modo radical, para depois analisar aquelas que visam a superar essa contradição.

4 O que é determinismo?

Segundo o determinismo científico, *tudo o que existe tem uma causa*. O mundo explicado pelo princípio do determinismo é o mundo da necessidade, e não o da liberdade. *Necessário* significa tudo aquilo que tem de ser e não pode deixar de ser. Nesse sentido, *necessidade* é o oposto de *contingência*, que significa "o que pode ser de um jeito ou de outro".

Exemplificando: se aqueço uma barra de ferro, ela se dilata: a dilatação é necessária, no sentido de ser um efeito inevitável, que não pode deixar de ocorrer. No entanto, é contingente que neste momento eu esteja usando roupa vermelha ou amarela.

XINHUA/CORBIS-LATINSTOCK

Turistas chineses em câmara de gravidade zero, sob a proteção de astronautas russos, em centro de treinamento espacial. Moscou, 2004.

Ora, se a ciência não partisse do pressuposto do determinismo, seria impossível estabelecer qualquer lei. A física, a química, a biologia constituíram-se como ciências ao longo dos quatro últimos séculos na medida em que identificam relações constantes e necessárias entre os fenômenos. Não haveria conhecimento científico se tudo fosse contingente, isto é, se pudesse acontecer ora de um modo, ora de outro.

PARA SABER MAIS

A noção de determinismo nas ciências predominou até o século XIX. No século seguinte, as teorias de Planck, Einstein, Heisenberg e outros relativizaram o conceito que deixou de supor a previsão científica como *infalível* para considerá-la apenas *provável*. Veremos melhor essa questão no capítulo 31, "O método das ciências da natureza".

Positivismo e ciências humanas

Não demorou para que o determinismo, conceito básico para a explicação nas ciências da natureza, também passasse a ser usado para compreender os fenômenos humanos. No século XVIII, os filósofos materialistas franceses D'Holbach e La Mettrie procuraram explicar os atos humanos como simples elos de uma cadeia causal universal.

Mas foi no século XIX que o filósofo francês Augusto Comte (1798-1857), principal expoente da doutrina positivista, fundou a sociologia, que ele chamava de *física social*. Como sabemos, Comte desenvolveu a "lei dos três estados", segundo a qual o espírito humano teria passado por três fases: o teológico, o metafísico e o positivo. Este último coincidiria com o desenvolvimento das ciências experimentais, estágio da maturidade intelectual que deixou para trás as outras formas de conhecimento, por ele consideradas infantis.

PARA SABER MAIS

Outras informações sobre Comte, no capítulo 15, "A crítica à metafísica".

Vejamos o que são essas três fases da humanidade:

- **Estado teológico:** de início, as tribos justificavam miticamente o mundo em que viviam e até os europeus durante muito tempo aceitaram a teoria do direito divino dos reis;
- **Estado metafísico:** nos séculos XVIII e XIX, os teóricos inventavam teorias como "liberdade de consciência", "soberania popular", que não passam de ficções, palavras que nada explicam e ainda fomentam revoluções;
- **Estado positivo:** seria aquele atingido pelas ciências modernas, que se baseiam no conhecimento das relações invariáveis dos fatos, e que, por meio de observações e do raciocínio, enunciam leis universais. Portanto, para que a ciência sociológica se tornasse *positiva*, deveria usar o método das ciências experimentais; ou seja, submeter-se aos métodos da biologia, da química, da física.

Comte apenas deu os parâmetros para a nova sociologia, indicando a necessidade de se examinar cientificamente os fundamentos da inteligência e da moral, passando pelo estudo das paixões, a fim de evitar as turbulências que sempre perturbaram os governantes.

PARA REFLETIR

Até hoje persiste a tendência positivista de analisar os fatos humanos sob a perspectiva das ciências experimentais. Por exemplo: seriam determinantes do comportamento os fatores biológicos (hereditariedade, distúrbios hormonais, etnia), químicos (ação de remédios), climáticos (relação entre clima e temperamento das pessoas) e outros. Procure fatos concretos que ilustrem esses casos e posicione-se a respeito: seriam esses fatores determinantes absolutos?

Algumas influências

A literatura foi influenciada pelo determinismo positivista: a estética naturalista oferece inúmeros exemplos da explicação do comportamento humano como decorrente de fatores determinantes, sem possibilidade alguma de transcendência. Émile Zola, romancista francês do século XIX, afirmava que o romance experimental era uma consequência da evolução científica, cabendo-lhe continuar e completar a fisiologia. Portanto, ele substitui o estudo do sujeito abstrato pelo estudo do ser humano natural, submetido às leis físico-químicas e determinado pelas influências do meio.

Outra influência positivista foi a constituição de ciências como a psicologia. Não por acaso os primeiros estudiosos eram médicos, como o alemão Wilhelm Wundt (1852-1920), que fundou o primeiro laboratório para examinar aspectos da percepção sensorial, principalmente a visão, fator que podia ser mais bem controlado experimentalmente.

Nos Estados Unidos destacou-se o início da teoria comportamentalista (behaviorismo). Assim diz o psicólogo norte-americano John B. Watson (1878-1938):

> Deem-me doze crianças sadias, de boa constituição, e a liberdade de poder criá-las à minha maneira. Tenho a certeza de que, se escolher uma delas ao acaso, e puder educá-la, convenientemente, poderei transformá-la em qualquer tipo de especialista que eu queira — médico, advogado, artista, grande comerciante, e até mesmo em mendigo e ladrão —, independente de seus talentos, propensões, tendências, aptidões, vocações e da raça de seus ascendentes.[4]

No entanto, essa visão um tanto redutora dos primeiros behavioristas foi revista pelas pesquisas científicas de outro psicólogo norte-americano, Burrhus F. Skinner (1904-1990), que criou o behaviorismo radical. Estudioso de condicionamentos em animais e seres humanos, deu prosseguimento ao ideal de controle do comportamento, mas de maneira mais elaborada e científica.

Behaviorismo. Do inglês *behaviour*, "comportamento". Teoria e método de investigação psicológica que examina de maneira objetiva o comportamento humano e dos animais.

[4] Apud HEIDBREDER, Edna. *Psicologias do século XX*. 3. ed. São Paulo: Mestre Jou, 1975. p. 218.

AKG-IMAGES/LATINSTOCK

Tela *Naná*. Édouard Manet, 1877.

Esta tela impressionista de Édouard Manet foi recusada no salão oficial de Paris por retratar uma prostituta de luxo em trajes íntimos observada por seu amante. Essa personagem é Naná, de um livro homônimo de Émile Zola, no qual o escritor descreve a vida de uma artista sem importância do teatro de variedades no final do século XIX, e que pela beleza e sedução extorque os bens de seus amantes. Ao mesmo tempo, Zola expõe o desregramento e a hipocrisia da sociedade. Segundo o enfoque naturalista do escritor, a origem pobre e humilde da protagonista explica a frieza e o cálculo com que envolve os homens em sua teia. Ao mesmo tempo, percebemos nessa literatura a mudança na concepção da "heroína" do romance que, de mulher frágil e dependente, surge como a destruidora de lares. Seria preciso esperar mais tempo para que a figura feminina fosse vista além desses dois polos excessivamente simplificadores. Comente com um colega as mudanças que já ocorreram nesse âmbito até os dias atuais.

PARA SABER MAIS

Sobre as tendências da psicologia, consulte o capítulo 32, "O método das ciências humanas".

A consequência do positivismo para as ciências humanas foi, entre outras, a afirmação de que não há liberdade humana ou, no melhor dos casos, que não faz sentido discutir esses assuntos "metafísicos".

5 Os teóricos da liberdade

Até aqui, vimos, de um lado, os defensores do livre-arbítrio, e, de outro, os que negam a liberdade, ao admitir que o ser humano está submetido a determinismos. No entanto, nem sempre as interpretações são tão simples, porque mesmo entre os pensadores citados persistem nuanças difíceis de conciliar.

A seguir, vamos examinar outras concepções que deslocam o questionamento ao propor que não interessa saber se somos livres ou não, mas que, a partir dos determinantes — e por meio deles —, de que maneira podemos exercer a liberdade.

A liberdade em Espinosa

Voltando um pouco no tempo, encontramos o filósofo holandês Baruch Espinosa, que viveu no século XVII, autor de uma teoria original, considerada por muitos determinista e, portanto, negadora da liberdade. No entanto, as consequências que de fato extrai da sua teoria seguem, no sentido inverso, em direção a uma concepção inovadora da relação corpo-alma e a uma ética da alegria e da liberdade.

PARA SABER MAIS

No capítulo 7, "Em busca da felicidade", Espinosa nos propõe uma ética da alegria.

Para Espinosa, Deus não é um ser transcendente como tradicionalmente descrito, mas uma Substância que constitui o Universo inteiro e não se separa daquilo que produziu, ou seja, é causa imanente dos seus modos, entre os quais está o ser humano. Daí a conhecida expressão latina *Deus sive Natura*: Deus ou Natureza.

O conatus

Todos os seres, em decorrência dessa ligação com os atributos divinos, têm uma potência natural de autoconservação, que Espinosa chama de *conatus*, segundo o qual "toda coisa se esforça, enquanto está em si, por perseverar no seu ser"[5]. Trata-se de uma força vital, afirmativa, que se expressa no corpo como *apetite* e na alma, como *desejo*. A intensidade do *conatus* depende da qualidade de nossos apetites

5 ESPINOSA. *Ética*, Parte III, Proposição VI.

e desejos, que aumentam a capacidade de existir e pensar, e da maneira como nos relacionamos com as forças externas, que podem nos subjugar, diminuindo nossa força interna e nos tornar passivos.

E ETIMOLOGIA

***Conatus*.** Do latim, "esforço" físico ou moral; "empenho"; "inclinação".

Para melhor entender essa mudança de direção, Espinosa distingue as paixões alegres das paixões tristes e completa que "o desejo que nasce da alegria é mais forte do que o desejo que nasce da tristeza". Os desejos nascidos da alegria (amor, amizade, generosidade, benevolência, gratidão) são mais fortes porque aumentam nossa capacidade de agir e de conhecer, permitem o desenvolvimento humano, facilitam o encontro das pessoas. Já os desejos nascidos da tristeza (inveja, ódio, medo, orgulho, ciúme, vingança) são mais fracos por impedirem o crescimento, corromperem as relações e se orientarem para as formas de exploração e destruição.

Segundo essa concepção original, Espinosa não hierarquiza corpo e alma: a razão não é superior aos afetos, nem cabe a ela controlá-los. Os apetites e desejos jamais serão dominados por uma ideia ou uma vontade, mas apenas por outros afetos mais fortes: a alma nada pode contra uma paixão triste, na medida em que somente uma paixão mais forte poderá afastar uma paixão mais fraca.

AKG-IMAGES/LATINSTOCK

Afresco *A inveja*, capela Scrovegni, Pádua. Giotto, 1306. Numa das paredes dessa capela há belos afrescos de Giotto (século XIV). Entre os que representam as virtudes e os vícios, encontra-se a inveja, sobre as chamas, com a língua em forma de serpente a lhe entrar pelos olhos: o invejoso, que maldiz o bem que o outro possui, tem a visão do mundo e de si mesmo prejudicada pela paixão.

Onde está a liberdade?

Como se vê, Espinosa não nega a causalidade interna (o determinismo), antes a considera adequada para que o ser atinja sua essência. Mais que isso, não culpabiliza as paixões como forças perigosas a serem submetidas e controladas pela pretensa força superior da razão e da vontade, como até então sempre se aceitou na tradição do livre-arbítrio.

Entende portanto a liberdade como autodeterminação. O indivíduo é livre quando age de acordo com sua causalidade interna. Quando sucumbe à influência externa, é coagido, determinado. A liberdade deriva do esforço de perseverar no seu ser, que terá como efeito a alegria. Ao contrário, as paixões tristes (medo, humildade, arrependimento, inveja) aumentam nossa impotência e perpetuam nossa servidão.

6 Consciência e liberdade

Contemporaneamente, continuam as tentativas de superar a oposição determinismo-liberdade, para investigar em que medida o ser humano é *determinado* e *livre*. Vejamos primeiramente as respostas que se orientam pela perspectiva racionalista, que privilegia a consciência moral como capacidade intelectual do conhecimento.

Segundo essa visão, não há como negar que o ser humano sofre influências da cultura que herdou e do tempo e espaço em que vive. No entanto, por ser consciente, é capaz de conhecer esses condicionamentos. A partir da consciência das causas (e não à revelia delas), é possível construir um projeto de ação. Portanto, encontramos a liberdade no poder de transformação sobre a natureza do mundo e sobre a própria natureza humana.

O filósofo francês Alain — pseudônimo de Émile-Auguste Chartier (1868-1951) — diz que "quando era pequeno, e antes que tivesse visto o mar, acreditava que os barcos iam sempre para onde o vento os empurrava". Mas sabemos como um hábil marinheiro manobra um veleiro e, fazendo zigue-zagues, pode seguir para onde quiser, "avançando contra o vento pela própria força do vento".

Desse modo, a causalidade não é ignorada, mas introduz-se uma outra causa — a consciência do determinismo — que transforma o sujeito em ser atuante, e não simples efeito passivo das causas que agem sobre ele. A ação livre concretiza-se no trabalho do indivíduo como ser consciente e prático.

IVO GONZÁLES/AGÊNCIA O GLOBO

Lars Grael e Marcelo Jordão disputando as Olimpíadas de 2008, na China. Os velejadores conhecem o determinismo do vento, mas com a habilidade de suas manobras o veleiro não segue apenas para onde sopra o vento, mas para onde eles desejam ir. A não ser quando há calmaria...

7 A fenomenologia: a liberdade situada

No século XX, diversos filósofos da corrente fenomenológica abordaram a questão da liberdade na tentativa de superar a antinomia determinismo-liberdade. Para eles, a discussão sobre liberdade não se completa no plano de uma liberdade abstrata, nem conforme uma concepção racionalista, que privilegie apenas o trabalho da consciência, mas sim a partir da liberdade do sujeito encarnado, situado e capaz de relacionar-se com o mundo e consigo mesmo.

Na linguagem da fenomenologia, traduzimos os dois polos determinismo-liberdade como *facticidade* (ou *imanência*) e *transcendência*. Esses polos são antitéticos, ou seja, contraditórios, mas estão indissoluvelmente ligados.

a) Facticidade

A facticidade é a dimensão de "coisa" que todo ser humano tem, é o conjunto das suas determinações. Segundo a *facticidade*, encontramo-nos no mundo com um corpo, com determinadas características psicológicas, como pertencentes a uma família, a um grupo social, situados em um tempo e espaço que não escolhemos.

b) Transcendência

No entanto, não estamos no mundo como as coisas estão. A *transcendência* é a ação pela qual o ser humano executa o movimento de ir além dessas determinações, não para negá-las, mas para lhes dar um sentido. É a dimensão da liberdade.

Merleau-Ponty

Um dos mais importantes filósofos da corrente fenomenológica, o francês Maurice Merleau-Ponty (1908-1961) relaciona a liberdade à compreensão do corpo, entendido como condição de nossa experiência no mundo. Para ele, não *tenho* um corpo, mas *sou* meu corpo, ou seja, meu corpo não é um objeto no mundo, mas é aquilo pelo qual o mundo existe para mim. Por isso, o corpo não é uma coisa que está no espaço e no tempo, porque ele "*habita* o espaço e o tempo".

QUEM É?

Maurice Merleau-Ponty (1908--1961), filósofo francês, foi responsável pela introdução da fenomenologia de Edmund Husserl na França, dando-lhe contornos originais. Deve-se a ele a primeira reflexão mais densa sobre o corpo vivido, em oposição à clássica divisão entre sujeito e objeto. Foi por meio da filosofia do corpo que estendeu as discussões para temas como conhecimento, liberdade, linguagem, política, estética, intersubjetividade. Escreveu *Humanismo e terror, A estrutura do comportamento, Fenomenologia da percepção, As aventuras da dialética, Visível e invisível.*

2005 TOPFOTO/KEYSTONE

Maurice Merleau--Ponty, 2005.

Merleau-Ponty desfaz a ideia tradicional de que de um lado existe o mundo dos objetos, do corpo, da pura facticidade e, de outro, o mundo da consciência e da subjetividade, da transcendência. O que ele pretende é compreender melhor as relações entre a consciência e a natureza, entre o interior e o exterior. Essas relações são de ambiguidade e sobreposição:

> A verdade não "habita" apenas o "homem interior", ou, antes, não existe homem interior, o homem está no mundo, é no mundo que ele se conhece.[6]

[6] MERLEAU-PONTY, Maurice. *Fenomenologia da percepção*. 2. ed. São Paulo: Martins Fontes, 1999. p. 6.

A realidade não aparece da mesma maneira à percepção das pessoas, mas se dá a partir da vivência de cada um; não surge por meio de uma consciência explícita, mas por um modo de existir e de dar sentido ao mundo.

De que modo essas questões se relacionam com a liberdade, entendida como um plano de ação de transformação da realidade vivida? Em *Fenomenologia da percepção*, Merleau-Ponty dá o exemplo de um operário que toma consciência da exploração a que está submetida sua classe e que se engaja na revolução. Essa consciência não brota de um esforço intelectual de conhecimento, nem de uma escolha racional após o exame de um leque de alternativas de ação. Antes disso, o indivíduo viveu as dificuldades de sobrevivência, o medo do desemprego, os sonhos abortados.

Ora, enquanto para alguns essa situação aparece como uma fatalidade a que não teria meios de se opor, outros reagem diante dos fatos, pelas reivindicações, pelas greves, por eventuais conquistas. Segundo Merleau-Ponty, o operário se engaja quando percebe

> concretamente o sincronismo entre sua vida e a vida dos operários e a comunidade de seus destinos. [...] O espaço social começa a se polarizar, vê-se surgir uma região dos explorados. [...] A classe se realiza, e dizemos que uma situação é revolucionária quando a conexão que existe objetivamente entre as partes do proletariado [...] é enfim vivida na percepção de um obstáculo comum à existência de todos.[7]

PHOTOS 12/ALAMY-OTHER IMAGES

A liberdade é construída na relação com os que enfrentam os mesmos problemas e desafios. Cena do filme *Germinal* (1993), de Claude Beni, baseado em livro homônimo de Émile Zola que trata das greves de trabalhadores de minas de carvão no século XIX, na França.

Antes de ter a consciência explícita da situação, "antes de explodir em palavras e de se referir a fins objetivos", o movimento amadurece na coexistência com os outros. A crítica feita às interpretações tradicionais está, portanto, no fato de que elas desconsideram o projeto existencial. A liberdade só se realiza se formos capazes de assumir nossa situação natural e social.

No final do capítulo, selecionamos um texto complementar que enriquece essas considerações.

Sartre e o existencialismo

Jean-Paul Sartre (1905-1980) escreveu *O ser e o nada*, sua principal obra filosófica, em 1943. Sofreu forte influência da fenomenologia de Husserl e da filosofia de Heidegger. Seu pensamento é muito conhecido e gerou, inclusive, uma "moda existencialista", também pelo fato de ter se tornado famoso romancista e teatrólogo. Sua produção intelectual foi marcada pela Segunda Guerra Mundial e pela ocupação nazista da França.

Podemos dizer que há um Sartre de antes da guerra e outro do pós-guerra, tal o impacto que a Resistência Francesa exerceu sobre sua concepção política de engajamento. *Engajamento* significa a necessidade de se voltar para a análise da situação concreta, como responsável pelas mudanças sociais e políticas de seu tempo. Pelo engajamento, a liberdade deixa de ser apenas imaginária porque o indivíduo compromete-se na ação.

PARA SABER MAIS

Na peça de teatro *As moscas*, que versa sobre o mito grego de Orestes e Electra, Sartre faz uma alegoria da ocupação alemã em Paris e inaugura, com essa obra, o chamado "teatro de situação".

O envolvimento com a política do seu tempo também repercutiu na discussão da moral do sujeito concreto. Por isso, para Sartre, não é possível prever o conteúdo da moral, mas apenas indagar se o que fazemos é ou não em nome da liberdade.

A existência precede a essência

Para melhor entendermos a concepção de liberdade sartriana, comecemos pela análise de uma frase fundamental do existencialismo: "a existência precede a essência". Segundo as concepções tradicionais, o ser humano possui uma essência, uma natureza humana universal, do mesmo modo que todas as coisas têm igualmente uma essência. Por exemplo, a essência de

[7] MERLEAU-PONTY, Maurice. *Fenomenologia da percepção*. 2. ed. São Paulo: Martins Fontes, 1999. p. 596.

uma mesa é o ser mesmo da mesa, aquilo que faz com que ela seja mesa e não cadeira. Não importa que a mesa seja de madeira, fórmica ou vidro, que seja grande ou pequena, mas que tenha as características que nos permitam usá-la como mesa.

ACERVO U.H./FOLHA IMAGEM

O escritor brasileiro Jorge Amado entre Jean-Paul Sartre e Simone de Beauvoir, em visita à cidade de Araraquara, no interior do estado de São Paulo, em 1960.

Não é essa, no entanto, a posição de Sartre. Para ele, no caso do ser humano, *a existência precede a essência*, ao contrário do que ocorre com as coisas e os animais. O que isso significa? Assim diz Sartre:

> o homem primeiramente existe, se descobre, surge no mundo; e que só depois se define. O homem, tal como o concebe o existencialista, se não é definível, é porque primeiramente não é nada. Só depois será alguma coisa e tal como a si próprio se fizer. Assim, não há natureza humana, visto que não há Deus para a conceber. O homem é, não apenas como ele se concebe, mas como ele quer que seja, como ele se concebe depois da existência, como ele se deseja após este impulso para a existência; o homem não é mais que o que ele faz. Tal é o primeiro princípio do existencialismo.[8]

Qual é a diferença entre o ser humano e as coisas? É que só ele é livre, porque nada mais é do que seu **projeto**, ou seja, o ser que age tendo em vista o que virá. Portanto, só o ser humano **existe** (*ex-siste*) porque, sendo consciente, é um "ser-para-si", já que a consciência é autorreflexiva, pensa sobre si mesma, é capaz de pôr-se "fora" de si. É a consciência que distingue o ser humano das coisas e dos animais, que são "em-si", ou seja, não são capazes de se colocar "do lado de fora" para se autoexaminarem.

> **E ETIMOLOGIA**
>
> **Projeto.** Do latim *projectus*, "lançado para a frente"; o prefixo *pro* indica "diante de".
> **Existir.** Do latim *exsistere*, que no sentido primitivo é "elevar-se para fora de".

O que acontece ao indivíduo quando se percebe "para-si", aberto à possibilidade de construir ele próprio a sua existência? Descobre que não há essência ou modelo para orientar o seu caminho e que o futuro encontra-se disponível e aberto; portanto, está irremediavelmente "condenado a ser livre". Sartre cita a frase de Dostoiévski em *Os irmãos Karamazov*: "Se Deus não existe, então tudo é permitido", para lembrar que os valores não são dados nem por Deus nem pela tradição: só ao próprio indivíduo cabe inventá-los.

a) Angústia e má-fé

Eis que, ao experimentar a liberdade, e ao sentir-se como um vazio – a consciência é nada –, o indivíduo vive a angústia da escolha. Muitas pessoas não suportam essa angústia, fogem dela, aninhando-se na *má-fé*. A má-fé é a atitude característica de quem finge escolher, sem na verdade escolher, é um "autoengano". Imagina que seu destino já está traçado; aceita as verdades exteriores, "mente" para si mesmo e simula ser ele próprio o autor dos seus atos, já que aceitou sem críticas os valores dados. Não se trata de uma mentira, pois esta supõe os outros para quem mentimos, enquanto na má-fé o indivíduo dissimula para si mesmo, com o objetivo de evitar fazer uma escolha pela qual deva se responsabilizar.

Aquele que recusa a liberdade, torna-se desonesto, desprezível (*salaud*, em francês), pois nesse processo recusa a dimensão do "para-si" e torna-se "em-si", semelhante às coisas. Perde a transcendência, que lhe daria autenticidade, e reduz-se à facticidade. Sartre chama de *espírito de seriedade* esse comportamento de recusa da liberdade para viver o conformismo e a "respeitabilidade" da ordem estabelecida e da tradição. Esse processo é exemplificado no conto *A infância de um chefe*.

b) Liberdade e responsabilidade

Com base no que foi dito a respeito do existencialismo, poderíamos supor que Sartre defende o

[8] SARTRE, Jean-Paul. *O existencialismo é um humanismo*. Lisboa: Presença, 1970. p. 216.

individualismo, cada um preocupando-se com a própria liberdade e ação. Contra esse mal-entendido, adverte:

> Mas se verdadeiramente a existência precede a essência, o homem é responsável por aquilo que é. Assim, o primeiro esforço do existencialismo é o de pôr todo o homem no domínio do que ele é e de lhe atribuir a total responsabilidade da sua existência. E, quando dizemos que o homem é responsável por si próprio, não queremos dizer que o homem é responsável pela sua restrita individualidade, mas que é responsável por todos os homens. [...] Com efeito, não há dos nossos atos um sequer que, ao criar o homem que desejamos ser, não crie ao mesmo tempo uma imagem do homem como julgamos que deve ser. [...] Se a existência, por outro lado, precede a essência e se quisermos existir, ao mesmo tempo que construímos a nossa imagem, esta imagem é válida para todos e para toda a nossa época. Assim, a nossa responsabilidade é muito maior do que poderíamos supor, porque ela envolve toda a humanidade.[9]

Segundo alguns autores, vários problemas decorreram do pensamento sartriano, desencadeados pela consciência capaz de criar valores e, ao mesmo tempo, de se responsabilizar por toda a humanidade, o que parece gerar uma contradição indissolúvel. Sartre colocou-se nos limites da ambiguidade, pois, se a moral é impossível porque o rigor de um princípio leva à sua destruição, por outro lado a realização humana e da sua liberdade exige o comportamento moral. Sartre sempre prometeu escrever um livro sobre moral, mas não realizou seu projeto.

8 Ética e liberdade

No percurso para discutir o conceito de liberdade, começamos com as concepções unilaterais do livre-arbítrio e do determinismo, segundo as quais a liberdade humana é afirmada ou negada de maneira categórica. Para outros filósofos, porém, não são inconciliáveis os polos liberdade-determinismo. Não se deve privilegiar a capacidade intelectiva em detrimento de experiências mais amplas nem restringir a liberdade à ação de um indivíduo solitário.

Segundo a discussão contemporânea é impossível a liberdade fora da comunidade humana. As nossas relações não são de contiguidade, mas de intersubjetividade, de engendramento, isto é, não estamos simplesmente uns ao lado dos outros, mas *somos feitos uns pelos outros*, daí não podermos falar propriamente do ser humano como uma "ilha".

O caráter social da liberdade contrapõe-se à ideia individualista de liberdade herdada da tradição liberal burguesa, cuja concepção clássica é: "A liberdade de cada um é limitada unicamente pela liberdade dos demais". No entanto, nem sempre a liberdade de escolha é tão livre quanto se apregoa, sobretudo nas sociedades em que predominam privilégios para poucos, restringindo o campo de ação livre da maioria.

Sabemos que a vida moral só é possível como ação baseada na cooperação, na reciprocidade e no desenvolvimento da responsabilidade e do compromisso. Só assim torna-se viável a efetiva liberdade de cada um. Nesse sentido, o outro não é o limite da nossa liberdade, mas a condição para atingi-la.

STUDIO LIPNITZKI/ROGER-VIOLLET-IMAGEPLUS

A peça de teatro *Entre quatro paredes* – em francês, *Huis-clos*, que significa algo como "sem saída", representa a morte em vida, quando as pessoas renegam a própria liberdade e se recusam a aceitar a liberdade alheia. A ação transcorre no inferno – ambientado em uma sala pouco mobiliada. Trata-se de uma alegoria em que os "mortos", um homem e duas mulheres, em desespero, se agridem e acusam um ao outro o tempo todo, situação que foi resumida com a expressão "o inferno são os outros".

Encenação da peça *Huis-clos*, de Jean-Paul Sartre. Paris, setembro de 1946.

[9] SARTRE, Jean-Paul. *O existencialismo é um humanismo*. Trad. e notas Vergílio Ferreira. 3. ed. Lisboa: Presença, 1970.

Leitura complementar

A liberdade

"O que é então a liberdade? Nascer é ao mesmo tempo nascer do mundo e nascer no mundo. O mundo está já constituído, mas também não está nunca completamente constituído. Sob o primeiro aspecto, somos solicitados, sob o segundo, somos abertos a uma infinidade de possíveis. Mas esta análise ainda é abstrata, pois existimos sob os dois aspectos *ao mesmo tempo*. Portanto, nunca há determinismo e nunca há escolha absoluta, nunca sou coisa e nunca sou consciência nua. Em particular, mesmo nossas iniciativas, mesmo as situações que escolhemos, uma vez assumidas, nos conduzem como que por benevolência. A generalidade do 'papel' e da situação vem em auxílio da decisão e, nesta troca entre a situação e aquele que a assume, é impossível delimitar a 'parte da situação' e a 'parte da liberdade'. Torturam um homem para fazê-lo falar. Se ele se recusa a dar os nomes e os endereços que querem arrancar-lhe, não é por uma decisão solitária e sem apoios; ele ainda se sente com seus camaradas e, engajado ainda na luta comum, está como que incapaz de falar; ou então, há meses ou anos, ele afrontou esta provação em pensamento e apostou toda a sua vida nela; ou enfim, ultrapassando-a, ele quer provar aquilo que sempre pensou e disse da liberdade. Esses motivos não anulam a liberdade, mas pelo menos fazem com que ela não esteja sem escoras no ser. Finalmente, não é uma consciência nua que resiste à dor, mas o prisioneiro com seus camaradas ou com aqueles que ele ama e sob cujo olhar ele vive. [...] E sem dúvida é o indivíduo, em sua prisão, quem revivifica a cada dia esses fantasmas, eles lhe restituem a força que ele lhes deu, mas, reciprocamente, se ele se envolveu nesta ação, se ele ligou a estes camaradas ou aderiu a esta moral, é porque a situação histórica, os camaradas, o mundo ao seu redor lhe parecem esperar dele aquela conduta. Assim, poderíamos continuar sem fim a análise. Escolhemos nosso mundo e o mundo nos escolhe.

[...] A escolha que fazemos de nossa vida sempre tem lugar sobre a base de um certo dado. Minha liberdade pode desviar minha vida de sua direção espontânea, mas por uma série de deslizamentos, primeiramente esposando-a, e não por alguma criação absoluta. Todas as explicações de minha conduta por meu passado, meu temperamento, meu ambiente são portanto verdadeiras, sob a condição de que os consideremos não como contribuições separáveis, mas como momentos de meu ser total do qual é-me permitido explicar o sentido em diferentes direções, sem que alguma vez se possa dizer se sou eu quem lhes dá seu sentido ou se o recebo deles. Sou uma estrutura psicológica e histórica. Com a existência recebi uma maneira de existir, um estilo. Todos os meus pensamentos e minhas ações estão em relação com esta estrutura, e mesmo o pensamento de um filósofo não é senão uma maneira de explicitar seu poder sobre o mundo, aquilo que ele é. E todavia, sou livre, não a despeito ou aquém dessas motivações, mas por seu meio. Pois esta vida significante, esta certa significação da natureza e da história que sou eu, não limita meu acesso ao mundo, ao contrário ela é meu meio de comunicar-me com ele. É sendo sem restrições nem reservas aquilo que sou presentemente que tenho oportunidade de progredir, é vivendo meu tempo que posso compreender os outros tempos, é me entranhando no presente e no mundo, assumindo resolutamente aquilo que sou por acaso, querendo aquilo que quero, fazendo aquilo que faço que posso ir além. Só posso deixar a liberdade escapar se procuro ultrapassar minha situação natural e social recusando-me em primeiro lugar assumi-la, em vez de, através dela, encontrar o mundo natural e humano."

MERLEAU-PONTY, Maurice. *Fenomenologia da percepção*. São Paulo: Martins Fontes, 1999. p. 608-611.

Questões

Explique com suas palavras o que Merleau-Ponty quer dizer com as seguintes frases.

a) "Nascer é ao mesmo tempo nascer *do* mundo e nascer *no* mundo."

b) "Nunca há determinismo e nunca há escolha absoluta, nunca sou coisa e nunca sou consciência nua."

c) "Sou livre, não a despeito ou aquém dessas motivações, mas por seu meio."

Atividades

Revendo o capítulo

1 Faça o fichamento das concepções de liberdade incondicional e livre-arbítrio.

2 Faça o fichamento sobre a concepção de determinismo.

3 Explique por que, segundo Espinosa, determinismo e liberdade não são conceitos que se excluem.

4 Explique o que significa facticidade e transcendência e por que, segundo a fenomenologia, são polos indissociáveis.

Aplicando os conceitos

5 "Ao contrário de outros seres, animados ou inanimados, nós homens podemos *inventar* e *escolher*, em parte, nossa forma de vida. Podemos optar pelo que nos parece bom, ou seja, conveniente para nós, em oposição ao que nos parece mau e inconveniente. Como podemos inventar e escolher, podemos nos *enganar*, o que não acontece com os castores, as abelhas e as térmitas [cupins]. De modo que parece prudente atentarmos bem para o que fazemos, procurando adquirir um certo saber-viver que nos permita acertar. Esse saber-viver, ou *arte de viver*, se você preferir, é o que se chama de *ética*." (Fernando Savater. *Ética para meu filho*. São Paulo: Martins Fontes, 1993. p. 31.)

A partir da citação do autor, atenda às questões.

a) O autor diz que "podemos *inventar* e *escolher*, em parte, nossa forma de vida". Por que afirma que isso se dá *em parte*?

b) Explique por que a ética é a dimensão que separa a ação humana da animal.

c) Por que a escolha livre supõe responsabilidade ética?

6 "A felicidade não é o prêmio da virtude, mas a própria virtude; e não gozamos dela por refrearmos as paixões, mas ao contrário, gozamos dela por podermos refrear as paixões." (Espinosa. *Ética*, Livro V, Proposição XLII.)

Por que, para Espinosa, a felicidade não é o prêmio da virtude, mas a própria virtude?

7 Explique por que a frase "o homem define-se pelo seu projeto" indica que Sartre opõe-se às teorias deterministas.

8 "O paternalismo, que reclama a mulher no lar, define-a como sentimento, interioridade e imanência; na realidade, todo existente é, ao mesmo tempo, imanência e transcendência; quando não lhe propõem um objetivo, quando o impedem de atingir algum, quando o frustram em sua vitória, sua transcendência cai inutilmente no passado, isto é, recai na imanência; é o destino da mulher no patriarcado. [...] Mantida à margem do mundo, a mulher não pode definir-se objetivamente através desse mundo e seu mistério cobre apenas um vazio." (Simone de Beauvoir. *O segundo sexo*. vol. I. Fatos e mitos. 2. ed. São Paulo: Difusão Europeia do Livro, 1961. p. 301 e 304.)

Nesse trecho, Simone de Beauvoir critica a dominação masculina (patriarcado) na sua obra pioneira, publicada em 1949 e que significou um marco na luta pela humanização da mulher.

a) Justifique a afirmação de que a mulher em certas circunstâncias não atinge a transcendência.

b) Em que medida *permanecer na imanência* significa não ter possibilidade de vida moral adulta?

c) O que é preciso para que a mulher saia da imanência?

d) A descrição feita ainda é válida para a mulher de hoje?

Dissertação

9 A partir do conceito de liberdade, interprete o ditado talmúdico: "Se eu não for por mim mesmo, quem será por mim? Se eu for apenas por mim, que serei eu? Se não agora – quando?" (Mishnah, Abot).

Caiu no vestibular

10 (UFU, 2007) Escolha a alternativa correta.

Segundo Sartre, "a existência precede a essência". Isso pode ser interpretado como:

a) O homem se define pelo caminho que vai trilhando em sua existência e não pelo significado do conceito de homem.

b) A existência humana depende do plano que Deus determina a cada criatura.

c) O materialismo define a vida e o espírito não existe.

d) O entendimento que se tem de "natureza humana" é o que vai direcionar a existência humana.

e) A liberdade não participa do contexto da existência do homem.

Talmud. Obra do judaísmo que reúne comentários sobre a lei mosaica (de Moisés).

Mishnah, Abot. Coletânea de textos judaicos, que inclui o Talmud.

Capítulo

20 Teorias éticas

INA FASSBENDER/REUTERS/LATINSTOCK

Manifestantes protestam em Colônia contra a construção de uma mesquita por iniciativa da comunidade turca radicada na cidade. Alemanha, 2007.

"Em 2007, nacionalistas conservadores do grupo Pró-Köhl (Pró-Colônia), na Alemanha, organizaram movimentos para proibir a construção de uma mesquita muçulmana na cidade, alegando as diferenças inconciliáveis entre língua e cultura. Em fevereiro de 2009, outra manifestação anti-islâmica foi programada, mas dissolvida pela polícia. Em contraposição, em outubro de 2008, foi inaugurada a maior mesquita da Alemanha na cidade de Duisburg, sem qualquer hostilidade, inclusive com a participação de alemães de outras religiões."[1]

Sabemos, pelo noticiário, como têm recrudescido nos últimos tempos movimentos neonazistas contra imigrantes em toda a Europa, sejam turcos, árabes, africanos, asiáticos e latinos em geral. Isso se chama *xenofobia*. Com a crise financeira mundial iniciada em 2008, a atuação contra imigrantes cresceu em virtude do desemprego estrutural que ela provocou.

Eis aí um tema para a reflexão moral e ética nos dias de hoje. Posicione-se a respeito.

[1] JENKNER, Carolin. "Por que ninguém protestou contra a maior mesquita na Alemanha". Disponível em http://noticias.uol.com.br/midiaglobal/derspiegel/2008.

1 A diversidade das teorias

Por que estudar as diferentes teorias éticas? Talvez você se pergunte por que interessa saber o que um grego de 2500 anos atrás pensou sobre a felicidade, se hoje o mundo é outro, muito diferente do que era naquele tempo.

Ao estudá-los, porém, percebemos que a discussão ética é muito mais complexa do que, por exemplo, trocar ideias em um bate-papo com os amigos; e que as nossas argumentações seriam mais sólidas e rigorosas se fossem enriquecidas com o que os pensadores vêm discutindo há mais tempo. Não para segui-los cegamente, mas para aproveitar o que a experiência deles nos oferece e podermos pensar por nós mesmos. Além disso, percebemos que não existe propriamente "a ética", mas "éticas", e os filósofos que vieram depois dos gregos da era clássica aproveitaram-se daquelas reflexões, alterando-as conforme a época em que viveram.

2 A reflexão ética grega

No século V a.C., no período clássico da filosofia grega, os filósofos ampliaram as áreas de reflexão, abrangendo as questões morais. No entanto, na Antiguidade, o sujeito moral não podia ser compreendido na sua completa individualidade, como hoje. Os gregos eram antes de tudo *cidadãos*, membros de uma comunidade, e a ética ligava-se intrinsecamente à política.

Dizendo de outra maneira, era no campo da política que os gregos exerciam a liberdade, já que se tratava do espaço dos "iguais". Enquanto isso, na vida da família prevalecia a desigualdade, porque as mulheres e os escravos submetiam-se ao poder do chefe. A sua inferioridade devia-se ao destino que lhes cabia, de manter a subsistência da vida em atividades relacionadas com o corpo: o escravo pelo trabalho manual e a mulher pela procriação.

Assim diz a filósofa Hannah Arendt:

> O ser político, o viver numa pólis, significava que tudo era decidido mediante palavras e persuasão, e não através de força e violência. Para os gregos, forçar alguém mediante violência, ordenar ao invés de persuadir, eram modos pré-políticos de lidar com as pessoas, típicos da vida fora da pólis, característicos do lar e da vida em família, na qual o chefe da casa imperava com poderes incontestes e despóticos.[2]

Essa visão hierarquizada vinha desde os tempos homéricos em que aos "melhores" (*aristói*, em grego) cabia decidir os destinos da cidade. Das muitas mudanças ocorridas na era clássica, destaca-se que os valores da aristocracia guerreira foram substituídos pelos da cidadania. Nesse caso, a excelência é a filia (*philia*), cuja tradução literal é "amizade", "amor" e tem o sentido amplo de "reciprocidade entre os iguais". Ou seja, a *philia* é a base da vida pública, das relações na comunidade.

PARA SABER MAIS

Como antepositivo, *philia* reaparece em várias palavras. Filosofia: "amor à sabedoria"; filantropia (*antropos*, "homem"): "amor à humanidade". E como pospositivo: cinéfilo: "que ama cinema"; italianófilo: "que gosta da Itália e dos italianos".

Outro aspecto marcante da filosofia antiga é o viés metafísico, segundo o qual a compreensão do mundo baseia-se na noção de *ser*, ou seja, na busca de um sentido que nos conduza à essência do ser. Por exemplo: o que é o ser da virtude? o que é a verdade? o que é o bem? Daí a importância que, desde Sócrates, deu-se à definição do conceito.

Platão: ética e sabedoria

Inúmeros são os diálogos em que Platão (427-345 a.c.) descreve as discussões de Sócrates a respeito das virtudes e da natureza do bem. Neles, ressalta a convicção de que a virtude identifica-se com a sabedoria e o vício com a ignorância: portanto, a virtude pode ser aprendida. Na célebre passagem de *A República* em que Platão descreve a *alegoria da caverna*, reaparece essa ideia: o sábio é o único capaz de se soltar das amarras que o obrigavam a ver apenas sombras e, ao dirigir-se para fora, poder contemplar o sol, que representa a *ideia do Bem*.

Portanto, "alcançar o bem" relaciona-se com a capacidade de "compreender bem". A partir dessa concepção, na cidade que imagina em sua obra, a Calípolis (cidade bela), Platão distingue uma sociedade dividida em três classes sociais: os governantes, os soldados (guardiães) e os produtores (camponeses, artesãos, comerciantes). Em cada uma das classes, prevalece um aspecto da alma: o racional para os governantes, a alma irascível para os guardas e a alma concupiscível para os produtores.

[2] ARENDT, Hannah. *A condição humana*. São Paulo: Forense Universitária, 1999. p. 35-36.

PARA SABER MAIS

Já vimos a divisão da cidade platônica com mais detalhes no capítulo 7, "Em busca da felicidade", e voltaremos a ela no 23, "A política normativa".

Como só o filósofo atinge o nível mais alto de sabedoria, cabe a ele exercer a virtude maior da justiça e portanto a função de governar. Outras virtudes menores, mas também importantes para a cidade, destinam-se aos soldados defensores da pólis (a coragem) e aos trabalhadores comuns, artesãos e comerciantes (a temperança, ou moderação).

A cidade perfeita é a aquela em que predominam em cada classe as virtudes citadas e a justiça consiste na harmonia entre as três virtudes.

Aristóteles: o justo meio

Discípulo de Platão, Aristóteles (384-322) aprofundou a discussão a respeito das questões éticas. Na obra *Ética a Nicômaco,* procura o que representa o fim último de todas as atividades humanas, uma vez que tudo o que fazemos visa a alcançar um bem — ou o que nos parece ser um bem. Examinando todos os bens desejáveis, tais como os prazeres, a riqueza, a honra, a fama, observa que eles visam sempre a outra coisa e não são fruídos por si mesmos. Pergunta-se então pelo sumo bem, aquele que em si mesmo é um fim, e não um meio para o que quer que seja. E o encontra no conceito de "boa vida", de "vida feliz" (em grego, *eudaimonia*). Por isso a filosofia moral de Aristóteles é uma eudemonia.

A felicidade

Portanto, prazeres, riqueza, honra, fama não são condições necessárias para nos conduzirem à felicidade, porque só nos tornarão felizes as ações mais próximas daquilo que é essencialmente peculiar ao ser humano. E o que mais o caracteriza é a *atividade da alma que segue um princípio racional*: ou seja, o exercício da inteligência teórica, da contemplação.

É certo que, tal como Platão, Aristóteles reservava ao filósofo o exercício mais complexo da racionalidade, mas reconhece que também as pessoas comuns aspiram pelo saber e se deleitam com ele, satisfeitas quando esclarecem dúvidas ou compreendem melhor algo que antes lhes parecia confuso.

A virtude

A vida humana, porém, não se resume ao intelecto, e encontra sua expressão na ação, em uma atividade bem realizada; o objetivo é, portanto, combinar um certo modo de vida com um princípio racional. Por exemplo, "a função de um tocador de lira é tocar lira, e a de um bom tocador de lira é fazê-lo bem".[3] Ou seja, o bem é a atividade exercida de acordo com a sua excelência ou **virtude**.

DIETER KLAR/DPA/CORBIS-LATINSTOCK

Jimmy Hendrix em concerto nas Ilhas Fehmarn, Alemanha (1970). Um guitarrista que conhece bem seu instrumento e tem talento, se for um excelente intérprete, é chamado de virtuose.

Metafísica. Já vimos esse conceito no capítulo 3, "O nascimento da filosofia". Consulte também o **Vocabulário**, no final do livro.

Irascível. Para Platão, a alma irascível é impulsiva, sede da coragem, localizada no peito.

Concupiscível. A alma concupiscível é a sede do desejo intenso de bens ou gozos materiais, inclusive o apetite sexual; localiza-se no ventre.

Contemplação. O termo grego para contemplação é *theoría*, que inicialmente significava "ver", "observar", e passou a significar "ver com o espírito", "pensar", "conhecer", "contemplar".

[3] ARISTÓTELES. *Ética a Nicômaco*. Livro I, cap. 7, 1098 a 10.

Virtude é a permanente disposição de caráter para querer o bem, o que supõe a coragem de assumir os valores escolhidos e enfrentar os obstáculos que dificultam a ação.

ETIMOLOGIA

Virtude. Do latim *vir* "homem", "varão"; daí *virtus*, "poder", "potência" (ou possibilidade de passar ao ato).

Em todos os sentidos dados pela etimologia de virtude, persiste a ideia de força, de capacidade. Em moral, a virtude é a força com a qual nos aplicamos ao dever e o realizamos.

A vida moral não se resume a um só ato moral, mas é a repetição do agir moral. Em outras palavras, o agir virtuoso não é ocasional e fortuito, mas um hábito, fundado no desejo e na capacidade de perseverar no bem, assim como a felicidade supõe a vida toda e não se reduz a um só momento. A esse respeito, diz Aristóteles:

> Uma andorinha não faz verão, nem um dia tampouco; e da mesma forma um dia, ou um breve espaço de tempo, não faz um homem feliz e venturoso.[4]

Portanto, se a virtude intelectual é alcançada pela aprendizagem, a virtude moral resulta da prática, do hábito.

O justo meio

A moral não é uma ciência exata e enfrenta a dificuldade de lidar com os elementos irracionais da alma, como os afetos fortes das paixões humanas, a fim de submetê-los à ordem da razão. Por isso, Aristóteles desenvolve a teoria da mediania, pela qual toda virtude é boa quando é controlada no seu excesso e na sua falta. Em outras palavras, agir virtuosamente é encontrar o justo meio entre dois extremos, que são chamados vícios. Veja alguns exemplos:

- a virtude da coragem pode tornar-se excessiva quando é temeridade (audácia excessiva) e deficiente na covardia;
- "gastar dinheiro" pode significar a virtude da generosidade, da prodigalidade, enquanto seus extremos são a dissipação ou a avareza;
- a virtude da temperança é o meio termo entre voluptuosidade e insensibilidade.
- no trato com os outros, a virtude é a afabilidade, enquanto seus extremos são a subserviência e a grosseria.

JETTA PRODUCTIONS/GETTY IMAGES

Nesta cena, dois colegas de trabalho demonstram contrariedade, mas a mulher está muito irada, dedo em riste. Teria passado do justo meio? Segundo Aristóteles, no trato com as pessoas, o ideal é manter o meio termo da cordialidade, cujos extremos são a irascibilidade ou a indiferença. Mas "às vezes devemos nos inclinar para o excesso e outras vezes para a deficiência".

Aristóteles adverte, porém, que não é fácil determinar o justo meio, nem quais são os extremos. Pode ser que uma pessoa que age de modo temerário classifique o corajoso (que seria prudente) como um covarde. Ou a irascibilidade (ira, irritação) não configure um excesso em determinadas ocasiões que não permitem a apatia. E afirma:

> Tais coisas dependem de circunstâncias particulares, e quem decide é a percepção. Fica bem claro, pois, que em todas as coisas o meio termo é digno de ser louvado, mas que às vezes devemos inclinar-nos para o excesso e outras vezes para a deficiência. Efetivamente, essa é maneira mais fácil de atingir o meio termo e o que é certo.[5]

PARA REFLETIR

Com um colega, a partir da citação de Aristóteles, dê outros exemplos de avaliação de comportamentos em que, dependendo das circunstâncias, o justo meio deveria inclinar-se para o excesso ou a falta. Por exemplo, nos casos de vaidade, vergonha, confiança, gentileza, respeito próprio.

[4] ARISTÓTELES. *Ética a Nicômaco*. Livro I, cap. 7, 1098 a 15.
[5] Idem. Livro II, cap. 9, 1109 b 25.

Justiça e amizade

Segundo Aristóteles, o indivíduo bom é generoso, isto é, não pensa apenas em si, mas orienta-se para atender às dificuldades e necessidades dos outros. Nesse sentido, a justiça refere-se às relações entre as pessoas (virtude individual, usada para consigo mesmo e para com os outros) e entre os indivíduos e o governo (virtude social), estabelecidas em leis. Portanto, a justiça pode ser uma virtude moral ou política.

Ao se referir à justiça, Aristóteles recorre aos termos de proporção e igualdade. Tratar as pessoas com justiça consiste em distribuir os bens em sua devida proporção, o que nos faz lembrar da teoria do justo meio: não se deve dar às pessoas nem demasiado nem de menos. Ou seja, deve haver uma justa proporção entre o bem atribuído (ou prêmio) e o mérito demonstrado.

Além de que a justiça deve ser distributiva, ao levar em conta a diferença entre as pessoas. Por exemplo, ao servir seus filhos durante a refeição, a mãe oferece quantidades diferentes para cada um, de acordo com a idade, o apetite e as condições de saúde. Até o tipo de alimento varia, quando se trata, por exemplo, de um bebê ou de um adolescente.

Por fim, Aristóteles considera a amizade como o coroamento da vida virtuosa, possível apenas entre os prudentes e justos, já que a amizade supõe a justiça, a generosidade, a benevolência, a reciprocidade dos sentimentos. Amar a si e aos amigos de maneira generosa e desinteressada "é o que há de mais necessário para viver".

A ética helenista

No período helenista (séculos III e II a.C.), a Grécia passou por turbulências políticas, decorrentes da conquista macedônica levada a efeito por Alexandre Magno. Assim, o interesse que se centralizava na pólis aos poucos se desviou predominantemente para questões morais, destacando-se duas doutrinas: o *hedonismo* e o *estoicismo*.

Hedonismo

Para os **hedonistas**, o bem encontra-se no prazer. Segundo o senso comum, costuma-se dizer que a civilização contemporânea é hedonista, por identificar a felicidade à satisfação imediata dos prazeres, sobretudo pelo consumismo: ter uma bela casa, um carro possante, muitas roupas, boa comida, múltiplas experiências sexuais; e também pela incapacidade de tolerar qualquer desconforto, seja uma simples dor de cabeça ou o enfrentamento de doenças e da morte.

E ETIMOLOGIA

Hedonismo. Do grego *hedoné*, "prazer".

No entanto, não é esse o sentido do hedonismo grego, que surgiu com Epicuro de Samos (341-270 a.C.). Segundo a ética epicurista, os prazeres do corpo são causas de ansiedade e sofrimento, por isso, para que a alma permaneça imperturbável, é preciso aprender a gozar os prazeres com moderação e a desprezar os prazeres materiais, o que leva Epicuro a privilegiar os prazeres espirituais, sobretudo os que dizem respeito à amizade.

Assim diz Epicuro:

> O prazer é o início e o fim de uma vida feliz. Com efeito, nós o identificamos com o bem primeiro e inerente ao ser humano, em razão dele praticamos toda escolha e toda recusa, e a ele chegamos escolhendo todo bem de acordo com a distinção entre prazer e dor.
> Embora o prazer seja nosso bem primeiro e inato, nem por isso escolhemos qualquer prazer: há ocasiões em que evitamos muitos prazeres, quando deles nos advêm efeitos o mais das vezes desagradáveis; ao passo que consideramos muitos sofrimentos preferíveis aos prazeres, se um prazer maior advier depois de suportarmos essas dores por muito tempo.[6]

BRIDGEMAN ART LIBRARY/COLEÇÃO PARTICULAR/ARCHIVES CHARMET/KEYSTONE

O jardim dos filósofos. Antal Strohmayer, 1834.
Os epicuristas eram conhecidos como os "filósofos do jardim", local em Atenas onde celebravam a amizade, aprendendo a cuidar da vida como um belo jardim.

[6] EPICURO. *Carta sobre a felicidade (a Meneceu)*. São Paulo: Unesp, 2002. p. 37-38.

JOHN HARPER/CORBIS-LATINSTOCK

Coluna grega (*stoá*). Atenas (Grécia), construída entre 159 e 138 a.C. Chamava-se *stoá* o pórtico de prédios gregos que formavam uma galeria com colunas. Em um desses, Zeno de Cítio reunia-se com seus discípulos, conhecidos como estoicos (*stoikós*), isto é, os filósofos do Pórtico.

PARA REFLETIR

Dê exemplos de como hoje em dia as aspirações de muitas pessoas têm uma base hedonista. E em que sentido se afastam das conclusões a que chegou Epicuro?

Estoicismo

Na mesma época, Zeno de Cítio (336-264 a.C.) criou a ética estoica, que se contrapunha ao epicurismo no sentido de desprezar os prazeres em geral, por considerá-los fonte de muitos males. As paixões devem ser eliminadas porque só provocam sofrimento, e por isso a virtude do sábio, que vive de acordo com a natureza e a razão, consiste em aceitar com impassibilidade o destino e a dor.

Havia na ética estoica a crença no fatalismo, por isso propunha a aceitação da necessidade decorrente da ordem do Universo. Como nada pode ser feito contra essas forças externas, a felicidade consiste na liberdade interior de exercitar a insensibilidade diante da dor e do sofrimento. Como é próprio da natureza humana viver racionalmente, cabe à razão substituir o instinto pela vontade, a fim de alcançar a harmonia de vida e, portanto, a sabedoria.

Para concluir esse tópico sobre a moral grega, vale observar o que há de comum no pensamento dos filósofos do período clássico e do helenismo: a concepção de que a virtude resulta do trabalho reflexivo, da sabedoria e do controle racional dos desejos e paixões.

3 As concepções éticas medievais

Na Idade Média, após a queda do Império Romano, que se esfacelou em inúmeros reinos bárbaros, a Igreja Católica surgiu como um elemento agregador das diferenças, ao difundir a mesma fé cristã. O clero era o único detentor da educação e, portanto, guardião da tradição greco-romana, que foi adaptada aos ideais religiosos, segundo os quais o sobrenatural tem primazia sobre o humano. Logo, toda ação orienta-se para a contemplação de Deus e a conquista da vida eterna.

A visão teocêntrica do mundo fez os valores religiosos impregnarem as concepções éticas, de modo que os critérios do bem e do mal vinculavam-se à fé e dependiam da esperança de vida após a morte. De acordo com essa perspectiva, os valores são transcendentes porque resultam de doação divina, o que determina a identificação do sujeito moral ao ser temente a Deus.

As teorias estoicas foram bem-aceitas pelo cristianismo ainda na época do Império Romano, fecundando as ideias ascéticas do período medieval. O controle das paixões tinha em vista a vida futura, quando realmente os seres humanos poderiam ser felizes.

MASSIMO LISTRI/CORBIS-LATINSTOCK

A tentação de Santo Antão, 1500. Nessa tela, com a exaltada imaginação que lhe era peculiar, Hieronymus Bosch (século XVI) retrata Santo Antão em sua ascese.

4 O pensamento moderno

Na Idade Moderna, o pensamento humano passou por mudanças cruciais. O teocentrismo medieval foi substituído por um crescente antropocentrismo: em lugar da fé, a reflexão filosófica seculariza-se, ou seja, volta-se para buscar o seu fundamento racional.

As alterações sociais e econômicas delinearam uma nova era de ascensão da burguesia, com o florescimento do comércio e do capitalismo. A revolução científica produziu outra realidade, em que se descobriu o poder do conhecimento humano, capaz de transformar o ambiente, ou como se dizia então, de "dominar a natureza" e tornar-se "senhor" dela.

Hume: os sentimentos morais

O filósofo escocês David Hume (1711-1776) participou da polêmica sobre a origem do conhecimento com a obra *Investigações sobre o entendimento humano*. Ao contrário do racionalismo cartesiano, abraçou um empirismo radical, o que o levou a assumir uma postura declaradamente cética. Criticou a tradição e destacou-se por ter provocado em Kant a reflexão sobre os limites do nosso conhecimento.

Além da posição inovadora quanto ao conhecimento, Hume também diverge das concepções tradicionais em sua obra mais importante, *Tratado da natureza humana*, na qual desenvolve uma *moral do sentimento*. Para ele, são as paixões que determinam a vontade, e não a razão. Isso significa que os atos morais dizem respeito aos sentimentos de aprovação ou desaprovação de nossos atos e às sensações de agrado e prazer ou de dor e remorso que deles resultam. Ou seja, enquanto a razão se ocupa com o que é verdadeiro ou falso, isto é, fazendo juízos de realidade, os atos morais requerem juízos de valor, que nos ajudam a identificar nossas ações como boas ou más, como virtude ou vício.

5 A moral iluminista

O movimento intelectual do século XVIII conhecido como *Iluminismo, Ilustração* ou *Aufklärung* e que caracteriza o chamado *Século das Luzes* exaltava a capacidade humana de conhecer e agir pela "luz da razão". Critica a religião, que submete o indivíduo à heteronomia, que o subjuga a preconceitos e o conduz ao fanatismo. Rejeita toda tutela baseada no princípio de autoridade. Em contraposição, defende o ideal de tolerância e de autonomia.

Kant: o formalismo moral

A máxima expressão do pensamento iluminista encontra-se em Immanuel Kant (1724-1804), que, além da *Crítica da razão pura*, escreveu a *Crítica da razão prática* e a *Fundamentação da metafísica dos costumes*, nas quais apresenta sua teoria moral.

> **PARA SABER MAIS**
>
> Tratamos da *Crítica da razão pura* no capítulo 15, "A crítica à metafísica".

Enquanto na *Crítica da razão pura* indaga sobre "o que podemos conhecer", na *Crítica da razão prática* trata das possibilidades do ato moral ao perguntar sobre "o que podemos fazer". Ora, enquanto tudo na natureza age segundo leis, apenas o ser humano age segundo princípios, o que exige dele a capacidade de escolha: portanto, só ele tem uma vontade. E como para agir racionalmente precisa de princípios, a vontade é a *razão prática*, o instrumento para compreender o mundo dos costumes e orientar o indivíduo na sua ação.

O imperativo

Analisando os princípios da consciência moral, Kant usa o conceito de *imperativo*, que pode ser:

a) segundo um tempo verbal, uma ordem: "faça!", "retire-se!";

b) na linguagem comum, o que se impõe como um dever: "respeitar as pessoas é um imperativo para mim";

c) para *Kant*, o imperativo é um mandamento da razão que serve para orientar a ação e se exprime pelo verbo *dever*. Distingue então dois tipos de imperativos:

- o *imperativo hipotético* ordena uma *ação como meio* de alcançar qualquer outra coisa que se queira; ou seja, a ação é boa porque me possibilita alcançar outra coisa além dela (por exemplo, um objeto, o prazer, o interesse, a felicidade).
- o *imperativo categórico* é o que visa a uma ação como necessária por si mesma, ou seja, *a ação é boa em si*, e não por ter como objetivo outra coisa; portanto, é assim chamado por ser incondicionado, absoluto, voltado para a realização da ação tendo em vista o dever.

Ascetismo. Prática da *ascese*, que consiste no exercício de uma vida austera, pelo controle das paixões, visando à perfeição moral e, em alguns casos, religiosa.

Ao distinguir os *imperativos hipotéticos* dos *imperativos categóricos*, Kant conclui que a vontade humana é verdadeiramente moral apenas quando regida por estes últimos. Nesse sentido, rejeita as concepções éticas que predominavam até então, quer seja da filosofia grega, quer seja da cristã, que norteiam a ação moral a partir de condicionantes como a felicidade, o prazer ou o interesse. Para o sujeito racional a ação não deve ser movida por interesses com o objetivo de ser feliz ou evitar a dor, ou ainda para alcançar o céu ou não sofrer a punição divina.

Pelo imperativo categórico, o agir moralmente funda-se exclusivamente na razão. Mais ainda, a lei moral que a razão descobre é universal, pois não se trata de descoberta subjetiva, mas da pessoa como ser racional, e que é necessária, pois é ela que preserva a dignidade humana. Nas palavras do próprio Kant:

> Age apenas segundo uma máxima tal que possas ao mesmo tempo querer que ela se torne lei universal.[7]

Exemplificando, suponhamos a norma moral "não roubar":

- para a concepção judaico-cristã, o fundamento da norma encontra-se no sétimo mandamento de Deus: "Não furtarás".
- para os teóricos jusnaturalistas (como Rousseau), funda-se no direito natural, comum a todos os seres humanos;
- para os empiristas (como Locke, Condillac), a norma deriva do interesse próprio, pois o sujeito que a desobedece será submetido ao desprazer, à censura pública ou à prisão;
- para Kant, a norma enraíza-se na própria natureza da razão. Caso se aceite o roubo e consequentemente o enriquecimento ilícito e eleva-se essa máxima (pessoal) ao nível universal, haverá uma contradição: se todos podem roubar, não há como manter a posse do que foi furtado.

Autonomia e dignidade

A autonomia da razão para legislar supõe a liberdade e o dever. Todo imperativo impõe-se como dever, mas essa exigência não é heterônoma — exterior e cega — e sim livremente assumida pelo sujeito que se autodetermina. É essa a diferença que Kant percebe entre a sua ética e as anteriormente propostas, porque para ele o indivíduo só está sujeito *à sua própria legislação*, ainda que ele admita que essa lei por ele erigida deve ser *universal*.

A ideia de autonomia e de universalidade da lei moral leva a um outro conceito: o da dignidade humana, e, portanto, do ser humano como fim e não como meio para o que quer que seja.

JONNE RORIZ/AE

Fiscais do Ministério Público do Trabalho, em operação de combate ao trabalho escravo em áreas de corte de cana no interior paulista, vistoriam alojamento onde os trabalhadores vivem em condições precárias. Município de Nhandeara (SP), 2007.

Muitos trabalhadores são aliciados com promessas de bom emprego, boa remuneração e a possibilidade de breve retorno com economias garantidas. Levados para municípios ou estados distantes dos seus, são endividados propositalmente, de modo a ficarem vinculados ao empregador, que detém seus documentos. Vivem em condições precárias e sofrem todo tipo de intimidação; transferidos de um lugar a outro constantemente, acabam perdendo a noção de onde se encontram. Como podemos comentar a situação de trabalho escravo usando os argumentos de Kant?

[7] KANT, Immanuel. *Fundamentação da metafísica dos costumes*. São Paulo: Abril Cultural, 1980. p. 129. (Coleção Os Pensadores).

Para tanto, Kant distingue as coisas que têm preço e as que têm dignidade. As que têm preço podem ser trocadas por um valor equivalente, mas as que têm dignidade valem por si mesmas e estão acima de qualquer preço. Isso significa que a moralidade por excelência é a que respeita qualquer ser humano como fim em si mesmo e não meio para o que quer que seja. Portanto, apenas os seres humanos — e qualquer um deles — têm dignidade.

Assim diz Kant:

> Age de tal maneira que uses a humanidade, tanto na tua pessoa como na pessoa de qualquer outro, sempre e simultaneamente como fim e nunca simplesmente como meio.[8]

Ao acentuar o caráter pessoal da liberdade, Kant elabora as categorias da moral iluminista racional e laica. No entanto, a moral kantiana é formalista porque fundada na razão universal, abstrata, o que mereceu a crítica dos filósofos posteriores. A partir do final do século XIX e ao longo do século XX, os filósofos orientam-se no sentido de descobrir o sujeito concreto da ação moral. É o que veremos na sequência.

6 O utilitarismo ético

O utilitarismo ético nasceu na Inglaterra do século XIX, onde florescia o capitalismo industrial, que prometia, pelo avanço da tecnologia, a era do conforto e do bem-estar — mesmo que, de fato, as discrepâncias entre riqueza e pobreza estivessem longe de ser superadas. Talvez justamente devido a esse desnível, a intenção dos utilitaristas era estender a todos aqueles benefícios, o que se percebe pelo avanço da discussão a respeito da reforma social, entre os liberais, e da revolução, entre os socialistas.

O criador do utilitarismo foi Jeremy Bentham (1748-1832), já influenciado por outros pensadores. Segundo o "princípio de utilidade", tomado como critério para avaliar o ato moral, o bem é o que possibilita a felicidade e reduz a dor e o sofrimento. Além disso, porém, deve beneficiar o maior número de pessoas.

O termo "utilitarismo" foi usado pela primeira vez por John Stuart Mill (1806-1873), o divulgador mais famoso dessa concepção. Pode-se dizer que se trata da forma atualizada do hedonismo grego, na medida em que destaca a busca do prazer, só que com ênfase no caráter social.

Coerente com seus propósitos, Stuart Mill criticava o egoísmo que prevalecia no liberalismo clássico e preconizava um liberalismo com aspirações democráticas. Casado com Harriet Taylor, feminista e socialista, participou da fundação da primeira sociedade defensora do direito de voto para as mulheres.

Assim diz Stuart Mill:

> O credo que aceita como fundamento da moral o Útil ou Princípio da Máxima Felicidade considera que uma ação é correta na medida em que tende a promover a felicidade, e errada quando tende a gerar o oposto da felicidade. Por felicidade entende-se o prazer e a ausência da dor; por infelicidade, dor, ou privação do prazer. Para proporcionar uma visão mais clara do padrão moral estabelecido por essa teoria, é preciso dizer muito mais; em particular, o que as ideias de dor e prazer incluem e até que ponto essa questão fica em aberto.[9]

Stuart Mill abrindo passagem para as sufragistas, charge de 1867. A legenda da charge é a seguinte: "A lógica de Mill, ou direito a voto para mulheres: 'Por favor, abram caminho aí para estas... hum... pessoas...' ".

Stuart Mill oferece explicações para superar o que chamou de questões "em aberto", mas mesmo assim o utilitarismo, embora tenha sido muito aceito no século XIX, suscitou inúmeras controvérsias, sobretudo diante do critério para decidir quais são os prazeres superiores, quais devem ser desprezados e como conciliar o interesse pessoal e o coletivo.

[8] KANT, Immanuel. *Fundamentação da metafísica dos costumes*. São Paulo: Abril Cultural, 1980. p. 135. (Coleção Os Pensadores).

[9] STUART MILL, John. *O utilitarismo*. São Paulo: Iluminuras, 2000. Em: MARCONDES, Danilo. *Textos básicos de ética*. Rio de Janeiro: Jorge Zahar, 2007. p. 129.

7 As ilusões da consciência

No século XVII, de maneiras diferentes, Hume e Espinosa já haviam levantado críticas à tradição que valorizava a consciência como capaz de dominar as paixões. Na mesma linha, no século XIX e começo do XX, tornaram-se clássicas as rupturas empreendidas por aqueles que foram chamados "mestres da suspeita": Marx, Nietzsche e Freud.

Essa denominação foi dada por Paul Ricoeur, que reconheceu nas teorias dos três pensadores o esfacelamento da crença de que possamos conhecer a realidade tal como é ou de agir apenas a partir de pressupostos racionais sobre os quais teríamos clareza. Mais ainda, que seria preciso abandonar as discussões puramente abstratas sobre a moral e voltar-se para o indivíduo concreto.

Como Marx e Freud são analisados em outros capítulos, vamos nos estender na análise do pensamento de Nietzsche.

PARA SABER MAIS

Consulte os capítulos 7, "Em busca da felicidade", 9, "O que podemos conhecer?", e 32, "O método das ciências humanas".

THE GRANGER COLLECTION/OTHER IMAGES

O duelo entre Heitor e Aquiles em vaso grego de cerca de 490 a.C. A cena descreve o grego Aquiles lutando com o troiano Heitor pouco antes de matá-lo, no relato do final da *Ilíada*. Ambos expressam a virtude do "guerreiro belo e bom".

Nietzsche: a transvaloração dos valores

O pensamento de Nietzsche (1844-1900) orienta-se no sentido de recuperar as forças vitais, instintivas, subjugadas pela razão durante séculos. Para tanto, critica Sócrates por ter sido o primeiro a encaminhar a reflexão moral em direção ao controle racional das paixões. Segundo Nietzsche, a tendência de desconfiança nos instintos culmina com o cristianismo, que acelera a "domesticação" do ser humano. Em diversas obras, como *Sobre a genealogia da moral*, *Para além do bem e do mal* e *Crepúsculo dos ídolos*, em estilo apaixonado e mordaz, Nietzsche faz a análise histórica da moral e denuncia a incompatibilidade entre esta e a vida. Em outras palavras, sob o domínio da moral, o ser humano se enfraquece, tornando-se doentio e culpado.

Nietzsche relembra a Grécia homérica, do tempo das epopeias e das tragédias, momento em que predominavam o que para ele eram os verdadeiros valores aristocráticos, quando a virtude reside na força e na potência, como atributo do guerreiro belo e bom, amado dos deuses. Segundo Homero, entre inimigos não há bom ou mau, porque ambos são valorosos.

ALBUM/AKG-IMAGES/LATINSTOCK/THE MUNCH-MUSEUM/THE MUNCH-ELLINGSEN GROUP, MUNCH, EDVARD. "NIETZSCHE", 1906, LICENCIADO POR AUTVIS, BRASIL, 2009.

Nietzsche. Edvard Munch, 1906. Após a morte de Nietzsche, prevaleceu uma distorção de seu pensamento, para associá-lo ao nazismo e ao antissemitismo. Isso se deveu à atuação de sua irmã Elisabeth, que difundiu suas obras descontextualizando trechos e sonegando outros que melhor explicitavam sua posição, o que desvirtuou sua filosofia, claramente contrária ao racismo e ao nacionalismo germânico.

Ao fazer a crítica da moral tradicional, Nietzsche preconiza a "transvaloração de todos os valores". Diz Scarlett Marton:

> A noção nietzschiana de valor opera uma subversão crítica: ela põe de imediato a questão do valor dos valores e esta, ao ser colocada, levanta a pergunta pela criação dos valores. Se até agora não se pôs em causa o valor dos valores 'bem' e 'mal', é porque se supôs que existiram desde sempre; instituídos num além, encontravam legitimidade num mundo suprassensível. No entanto, uma vez questionados, revelam-se apenas 'humanos, demasiado humanos'; em algum momento e em algum lugar, simplesmente foram criados.[10]

GALERIA DEGLI UFFIZI, FLORENÇA, ITÁLIA

Baco. Caravaggio, 1596. Baco é o nome romano de Dioniso, deus grego do vinho e do êxtase. Nietzsche criou os termos "apolíneo" e "dionisíaco" para opor Apolo a Dioniso: o primeiro é o deus da racionalidade, da ordem e da harmonia, enquanto Dioniso representa o excesso, a inspiração, a exaltação da vida.

A genealogia da moral

Se os valores não existiram desde sempre, mas foram criados, Nietzsche propõe a **genealogia** como método de investigação sobre a origem deles. Mostra assim as lacunas, o que não foi dito ou foi recalcado, permitindo que alguns valores predominassem sobre outros, tornando-se conceitos abstratos e inquestionáveis.

Pela genealogia Nietzsche descobre que os instintos vitais foram submetidos e degeneraram. Procura então ressaltar aqueles valores comprometidos com o "querer-viver". Denuncia a falsa moral, "decadente", "de rebanho", "de escravos", cujos valores seriam a bondade, a humildade, a piedade e o amor ao próximo. Distingue então a moral de escravos e a moral de senhores.

a) A moral de escravos

A moral de escravos é herdeira do pensamento socrático-platônico — que provocou a ruptura entre o trágico e o racional — e da tradição judaico-cristã, da qual deriva a moral decadente, porque baseada na tentativa de subjugação dos instintos pela razão. O homem-fera, animal de rapina, é transformado em animal doméstico ou cordeiro. A moral plebeia estabelece um sistema de juízos que considera o bem e o mal valores metafísicos transcendentes, isto é, independentes da situação concreta vivida.

A moral de escravos nega os valores vitais e resulta na passividade, na procura da paz e do repouso. O indivíduo se enfraquece e tem diminuída sua potência. A alegria é transformada em ódio à vida, o ódio dos impotentes. A conduta humana, orientada pelo ideal ascético, torna-se vítima do ressentimento e da má consciência — o sentimento de culpa.

O ressentimento nasce da fraqueza e é nocivo ao fraco. O indivíduo ressentido, incapaz de esquecer, é como o dispéptico: fica "envenenado" pela sua inveja e impotência de vingança. Ao contrário, o indivíduo nobre sabe "digerir" suas experiências, e esquecer é uma das condições de manter-se saudável.

Dispéptico. Que digere mal os alimentos. No contexto, o ressentido "remói" o seu fracasso.

[10] MARTON, Scarlett. *Nietzsche, a transvaloração dos valores*. São Paulo: Moderna, 1993. p. 50. (Coleção Logos).

O sentimento de culpa é o ressentimento voltado contra si mesmo, daí fazendo nascer a noção de pecado, que inibe a ação. O ideal ascético nega a alegria da vida e coloca a mortificação como meio para alcançar a outra vida num mundo superior, do além. As práticas de altruísmo destroem o amor de si, domesticando os instintos e produzindo gerações de fracos.

b) A moral de senhores

A moral "de senhores" é a moral positiva que visa à conservação da vida e dos seus instintos fundamentais. É positiva porque baseada no *sim* à vida, e configura-se sob o signo da plenitude, do acréscimo. Funda-se na capacidade de criação, de invenção, cujo resultado é a alegria, consequência da afirmação da potência. O indivíduo que consegue se superar é o que atingiu o além-do-homem.

O sujeito além-do-homem é aquele que consegue reavaliar os valores, desprezar os que o diminuem e criar outros que estejam comprometidos com a vida. Assim diz Roberto Machado:

> É por isso que contra o enfraquecimento do homem, contra a transformação de fortes em fracos — tema constante da reflexão nietzschiana — é necessário assumir uma perspectiva além de bem e mal, isto é, "além da moral". Mas, por outro lado, para além de bem e mal não significa para além de bom e mau. A dimensão das forças, dos instintos, da vontade de potência permanece fundamental. "O que é bom? Tudo que intensifica no homem o sentimento de potência, a vontade de potência, a própria potência. O que é mau? Tudo que provém da fraqueza".[11]

A vontade de potência

Com o que foi exposto, talvez se pense que Nietzsche chega ao extremo individualismo e amoralismo. Muitos inclusive o chamaram de **niilista**, para acusá-lo de não acreditar em nada e negar os valores, o que não faz jus ao seu pensamento. Ao contrário, o filósofo atribuía o niilismo à moral decadente dos valores tradicionais, que acomodaram o ser humano na mediocridade que tudo uniformiza.

Destruir esses valores é a condição para que possam nascer os valores novos do além-do-homem, o que só pode ser alcançado pela *vontade de poder*. Também essa expressão leva a confusões: não se trata de poder que domina os outros, mas das forças vitais recuperadas pelo indivíduo dentro de si "num dionisíaco dizer-sim ao mundo" e que se encontravam entorpecidas.

Nesse sentido, o poder é virtude no sentido de força, vigor, capacidade. Portanto, virtude é autorrealização. Se essa moral valoriza a individualidade, o faz tanto para si como para os outros, pois cada um pode ser ele mesmo.

E ETIMOLOGIA

Niilismo. Do latim *nihil*, "nada".

8 A filosofia da existência

No século XIX, o filósofo dinamarquês Kierkegaard foi o primeiro a descrever a *angústia* como experiência fundamental do ser livre ao se colocar em situação de escolha. Mais tarde, no século seguinte, os existencialistas continuaram o caminho por ele aberto, buscando compreender a singularidade da escolha livre.

Heidegger

Embora tenha abordado a questão da existência, o filósofo Martin Heidegger (1889-1976) recusa ser enquadrado entre os filósofos existencialistas, argumentando que as reflexões acerca da existência são, na sua filosofia, apenas introdução à análise do problema do ser, e não propriamente da existência pessoal. Mas não resta dúvida de que inspirou o pensamento dos existencialistas.

Heidegger, discípulo de Husserl, na obra *Ser e tempo* segue o método fenomenológico para discutir e elaborar uma teoria do ser. Assim, parte da análise do *ser*, que ele denomina *Dasein* no caso do ser humano. Esta expressão alemã significa justamente o "ser-aí", isto é, um ser-no-mundo: o ser humano não constitui uma consciência separada do mundo; ser é "estourar", "eclodir" no mundo.

Desse modo, os filósofos da corrente fenomenológica criticam a concepção dualista que separa corpo-mente, sujeito-mundo.

Para tanto, a fenomenologia baseia-se no conceito de *intencionalidade*. Segundo essa noção, a consciência é sempre consciência *de* alguma coisa. Em outras palavras, não há pura consciência separada do mundo, mas toda consciência visa ao mundo. Desse modo, a fenomenologia tenta superar não só o dualismo corpo-mente, como as dicotomias consciência-objeto e indivíduo-mundo, descobrindo nesses polos relações de reciprocidade.

[11] MACHADO, Roberto. *Nietzsche e a verdade*. Rio de Janeiro: Rocco, 1984. p. 77.

PARA SABER MAIS

Tratamos da fenomenologia e do conceito de intencionalidade também nos capítulos 7, "Em busca da felicidade", e 19, "Podemos ser livres?". Neste último capítulo são vistos os franceses Merleau-Ponty e Sartre, filósofos importantes para a fenomenologia.

Facticidade e transcendência

O "ser-aí" não é a consciência separada do mundo, mas está numa situação dada, toma conhecimento do mundo que ele próprio não criou e ao qual se acha submetido em um primeiro instante. A isso chamamos facticidade. Além da herança biológica, o indivíduo recebe a herança cultural, que depende do tempo e do lugar em que nasceu.

A partir do "ser-aí", Heidegger demonstra a especificidade humana, que é a existência. Se o indivíduo é lançado no mundo de maneira passiva, pode tomar a iniciativa de descobrir o sentido da existência e orientar suas ações nas mais diversas direções. A isso se chama *transcendência*. Nesse procedimento, descobre a temporalidade, pois, ao tentar compreender o seu ser, dá sentido ao passado e projeta o futuro. Ao superar a facticidade, atinge um estágio superior, que é a *Existenz*, a pura existência do *Dasein*. Essa passagem, porém, não é feita sem dificuldade, porque, mergulhado na facticidade, tende a recusar seu próprio ser, cujo sentido se anuncia, mas que ainda se acha oculto. A angústia surge da tensão entre o que o indivíduo é e aquilo que virá a ser, como dono do seu próprio destino. Portanto, a angústia retira o indivíduo do cotidiano e o reconduz ao encontro de si mesmo.

A autenticidade

A autenticidade ou a inautenticidade da sua vida decorre do sentido que o ser humano imprime à sua ação. O indivíduo inautêntico é o que se degrada vivendo de acordo com verdades e normas dadas; a despersonalização o faz mergulhar no anonimato, que anula qualquer originalidade. É o que Heidegger chama mundo do "se", ao designar a impessoalidade da ação: come-se, bebe-se, vive-se, como todos comem, bebem, vivem. Ao contrário, a pessoa autêntica é aquela que se projeta no tempo, sempre em direção ao futuro. A existência é o lançar-se contínuo às possibilidades sempre renovadas.

Entre as possibilidades, a pessoa vislumbra uma delas, privilegiada e inexorável: a morte. O "ser-aí" é um "ser-para-a-morte". A máxima "situação-limite", que é a morte, ao aparecer no cotidiano, possibilita-lhe o olhar crítico sobre sua existência. É característica da inautenticidade abordar a morte como "morte na terceira pessoa", ou seja, a morte dos outros, evitando tematizar a própria finitude e, portanto, nunca questionando a própria existência.

Além-do-homem. Da expressão alemã *Übermensch*, que significa "sobre-humano", "que transpõe os limites do humano". Também "super-homem" é usado, embora dê margens a mal-entendidos.

DIANA ONG/SUPERSTOCK/KEYSTONE

Focus group, da artista chino-americana Diana Ong, 2000. A multidão sempre lembra a massa informe: as mesmas roupas, a mesma pressa. As mesmas ideias nesses rostos sem identidade? Isso nos faz lembrar a advertência de Heidegger sobre o mundo do "se".

HAGAR

Dik Browne

Tira de *Hagar*, de Dik Browne, publicada no jornal *Folha de S.Paulo*, em 2009. Hagar é um guerreiro *viking* e, pelo visto, ele e seus vizinhos não alcançaram o entendimento.

9 A ética contemporânea: o desafio da linguagem

No século XX surgiu uma nova maneira de encarar as questões éticas e morais. A consciência, tal como era entendida na modernidade, deixou de ser o critério último de avaliação e cedeu lugar para a interpretação da linguagem.

PARA SABER MAIS

Os representantes que valorizavam a interpretação da linguagem foram os filósofos da filosofia analítica, com destaque para Wittgenstein e, mais recentemente, Richard Rorty. Consulte o capítulo 16, "A crise da razão".

A ética do discurso: Habermas

Na primeira metade do século XX, filósofos tais como os representantes da Escola de Frankfurt (Horkheimer, Adorno, Benjamin, Marcuse) analisaram a crise da razão contemporânea, o "eclipse da razão". Para evitar os irracionalismos, queriam recuperar a razão não repressora, capaz de autocrítica e posta a serviço da emancipação humana.

Esses filósofos utilizaram o conceito de *Iluminismo* em sentido amplo, não restrito ao período histórico da Ilustração, no século XVIII. Ou seja, um pensador iluminista pertence a qualquer tempo, na medida em que faz uso das luzes da razão para combater as superstições, o arbítrio do poder e para defender o pluralismo e a tolerância.

Em que a tendência iluminista poderia nos ajudar no impasse da busca dos fundamentos da moral? Vamos encontrar algumas pistas no pensamento do filósofo Jürgen Habermas (1929), que desenvolveu a teoria da *ação comunicativa*, conceito básico para a compreensão da chamada *ética do discurso*. Dessa tendência também fazem parte Karl-Otto Apel (1922) e Ernt Tugendhat (1930)

A *ética discursiva* recorre à razão para sua fundamentação. Embora sob a influência de Kant, o conceito de razão em Habermas não se reduz ao de *razão reflexiva*, mas é ampliado para uma concepção de *razão comunicativa*. Enquanto na razão kantiana o juízo categórico funda-se no sujeito e supõe a razão monológica, o sujeito em Habermas é descentrado, porque a razão comunicativa apoia-se no diálogo, na interação entre os indivíduos do grupo, mediada pela linguagem, pelo discurso.

Evidentemente, a interação entre os sujeitos precisa ser feita sem pressões típicas do sistema econômico (que se baseia na força do dinheiro), ou do sistema político (que se funda no exercício do poder). Nesse sentido, no mundo da economia e da política os acordos são pactos, negociações em que prevalecem os interesses particulares e portanto a racionalidade instrumental.

QUEM É?

Jürgen Habermas, 2001.

Jürgen Habermas, filósofo e teórico social alemão, nasceu em 1929. Inicialmente sofreu influência da Escola de Frankfurt, para depois seguir itinerário próprio, constituindo o que se chamou a segunda geração da Escola. Escreveu *Teoria e praxis*, *Técnica e ciência como "ideologia"*, *Conhecimento e interesse*, *Consciência moral e agir comunicativo* e *O discurso filosófico da modernidade*, entre outras obras e conferências. De formação marxista, nem por isso deixou de fazer uma revisão crítica tendo em vista o capitalismo avançado da sociedade industrial contemporânea. Ao analisar as relações entre ciência, técnica e economia política, desenvolveu a teoria do agir comunicativo, que contém os conceitos básicos da ética do discurso.

Ao contrário, a razão comunicativa é mais rica por ser processual, construída a partir da relação entre os sujeitos, como seres capazes de posicionarem-se criticamente diante das normas. No entanto, a validade das normas não deriva de uma razão abstrata e universal nem depende da subjetividade narcísica de cada um, mas do consenso encontrado a partir do grupo, do conjunto dos indivíduos, em uma "situação ideal de fala". Assim, a subjetividade transforma-se em intersubjetividade, mais propriamente em intercomunicação. Se retomássemos o exemplo dado neste capítulo no tópico sobre Kant, a validade da norma "não roube" deveria estar fundada na razão comunicativa e resultaria do discurso interpessoal.

A ação comunicativa supõe, portanto, o *entendimento* entre os indivíduos que procuram, pelo uso de argumentos racionais, convencer o outro — ou se deixar convencer — a respeito da validade da norma, até que ela possa ser universalizável: aceita por todos. Instaura-se, então, o mundo da sociabilidade, da espontaneidade, da solidariedade, da cooperação.

Os oponentes da teoria habermasiana criticam a impossibilidade de se alcançar esse ideal. No entanto, a intenção não é realizar a utopia, mas ter o ideal como horizonte do discurso, ainda que inalcançável. Se pensarmos nas discussões atuais sobre ética aplicada, diante dos problemas comuns a todos os que habitam este planeta, é possível compreender como cada vez mais é necessário rever comportamentos e buscar soluções, ainda que as conclusões sejam revistas com frequência.

10 Para não concluir

Observe que, ao longo do capítulo, apesar da variedade de enfoques em cada período histórico, é possível identificar algumas tendências como predominantes. Por exemplo, na Antiguidade e Idade Média, a preocupação com a moral é metafísica — voltada para as definições do ser (do que é) — e busca princípios absolutos e eternos. A partir da modernidade, o foco desvia-se para o sujeito que conhece — é a fase da valorização da consciência, que pensa e que orienta o agir. Finalmente, na época contemporânea, as discussões giram em torno da linguagem, do uso que fazemos dela, sobre o que as palavras explicitam e o que ocultam.

Mesmo sem encontrar o fundamento último que possa justificar os atos morais, há quem procure fundamentá-los por meio da argumentação compartilhada, de modo a esclarecer por que alguns valores são preferíveis a outros, por que certos critérios são válidos e outros não. É essa crença que nos mantém na busca de normas válidas, ainda que provisórias.

Afinal, seria possível alcançar a universalidade dos valores morais, numa época marcada pela heterogeneidade de comportamentos, por segmentos sociais tão diversos como as mulheres, os homossexuais, os negros, os indígenas, que defendem posições igualitárias na sociedade discriminadora?

Para Comte-Sponville, é possível:

> A moral pode ser ao mesmo tempo relativa (em sua fonte) e universalizável (em seu horizonte). De um ponto de vista prático, é o universal que prevalece, ou deve prevalecer: é isso que está em jogo no combate pelos direitos humanos.[12]

HONG JIN-HWAN/AFP/GETTY IMAGES

Coreanos do Sul protestam contra o programa nuclear da Coreia do Norte, 2009. A energia nuclear é um tema controverso, porque pode ser usada para fins bélicos, mas também em benefício da saúde, além de ser importante fonte energética. Essa decisão sobre seus fins não diz respeito apenas a alguns, mas exige a "conversação" entre diversos setores da sociedade: intelectuais, cientistas, biólogos, médicos, filósofos, teólogos, psicólogos, antropólogos, sociólogos, ambientalistas e a população em geral.

[12] COMTE-SPONVILLE, André; FERRY, Luc. *Sabedoria dos modernos*. São Paulo: Martins Fontes, 1999. p. 37.

Leitura complementar

O que é Esclarecimento

*Esse famoso texto de Kant foi publicado em 1784 em um periódico. O Esclarecimento (*Aufklärung*, em alemão) é o período da Ilustração, do Iluminismo, o Século das Luzes.*

"O *Esclarecimento* é a *saída do homem da condição de menoridade autoimposta*. *Menoridade* é a incapacidade de servir-se de seu entendimento sem a orientação de um outro. Esta menoridade é autoimposta quando a causa da mesma reside na carência não de entendimento, mas de decisão e coragem em fazer uso de seu próprio entendimento sem a orientação alheia. *Sapere aude!* Tem coragem em servir-te de teu *próprio* entendimento! Este é o mote do Esclarecimento.

Preguiça e covardia são as causas que explicam por que uma grande parte dos seres humanos, mesmo muito após a natureza tê-los declarado livres da orientação alheia [...], ainda permanecem, com gosto e por toda a vida, na condição de menoridade. As mesmas causas explicam por que parece tão fácil outros afirmarem-se como seus tutores. É tão confortável ser menor! Tenho à disposição um livro que entende por mim, um pastor que tem consciência por mim, um médico que me prescreve uma dieta etc.: então não preciso me esforçar. Não me é necessário pensar, quando posso pagar; outros assumirão a tarefa espinhosa por mim; a maioria da humanidade (aí incluído todo o belo sexo) vê como muito perigoso, além de bastante difícil, o passo a ser dado rumo à maioridade, uma vez que tutores já tomaram para si de bom grado a sua supervisão. Após terem previamente embrutecido e cuidadosamente protegido seu gado, para que estas pacatas criaturas não ousem dar qualquer passo fora dos trilhos nos quais devem andar, tutores lhes mostram o perigo que as ameaça caso queiram andar por conta própria. Tal perigo, porém, não é assim tão grande, pois, após algumas quedas, aprenderiam finalmente a andar; basta, entretanto, o exemplo de um tombo para intimidá-las e aterrorizá-las por completo para que não façam novas tentativas.

É, porém, difícil para um indivíduo livrar-se de uma menoridade quase tornada natural.

[...]

Contudo, é possível que um público se esclareça a respeito de si mesmo. Na verdade, quando lhe é dada a liberdade, é algo quase inevitável. Pois aí encontrar-se-ão alguns capazes de pensar por si, até mesmo entre os tutores instituídos para a grande massa, que, após se libertarem do jugo da menoridade, espalharão em torno de si o espírito de uma apreciação racional do próprio valor e da tarefa de cada ser humano, que consiste em pensar por si mesmo. Saliente-se aqui que o público, que antes havia sido posto sob este jugo pelos tutores, posteriormente os obriga a tal sujeição quando é atiçado por alguns desses tutores, eles próprios incapazes de atingir o esclarecimento. Assim, é prejudicial plantar preconceitos porque acabam se voltando contra aqueles que o fomentaram. Por esse motivo, só lentamente o público consegue chegar ao esclarecimento. Através de uma revolução sucederá provavelmente a queda de um despotismo pessoal e de uma opressão ambiciosa e dominadora, mas jamais será promovida uma verdadeira reforma na maneira de se pensar; em verdade, apenas novos preconceitos, da mesma maneira que os antigos, servirão de guia da grande massa ignara.

Para o Esclarecimento, porém, nada é exigido além da *liberdade;* e mais especificamente a liberdade menos danosa de todas, a saber: utilizar *publicamente* sua razão em todas as dimensões.

[...]

Mas o que o povo não consegue decidir para si mesmo, não deverá um monarca fazê-lo, pois sua legítima autoridade baseia-se no fato de que ele une a vontade geral do povo à sua. Quando ele se presta somente a observar que toda melhoria verdadeira ou presumida esteja de acordo com a ordem civil, então pode deixar seus súditos fazerem aquilo que consideram necessário para a salvação de suas almas; isso não lhe diz respeito. O que lhe cabe é evitar que um impeça violentamente o outro de trabalhar em seu estabelecimento e evolução pessoais."

KANT, Immanuel. *Que é Esclarecimento?*. Em: MARCONDES, Danilo. *Textos básicos de ética*: de Platão a Foucault. Trad. Pedro Caldas. Rio de Janeiro: Jorge Zahar, 2007. p. 95-99.

Questões

1 Explique o lema: "Tem coragem de servir-te de teu próprio entendimento".

2 Quem são os tutores que atualmente impedem a humanidade de pensar por si?

3 Por que a passagem à maioridade é considerada difícil e perigosa?

4 Comente a relação que existe entre política e ética pessoal.

Atividades

Revendo o capítulo

1 Ao analisar a virtude, o que Aristóteles entende por *justo meio*?

2 Explique qual é o sentido da frase de Epicuro: "Chamamos ao prazer princípio e fim da vida feliz".

3 Usando os conceitos de Espinosa, esclareça a frase do filósofo e explique em que ela é inovadora no seu tempo: "O desejo que nasce da alegria é mais forte do que o desejo que nasce da tristeza".

4 Explique o que Kant entende por *autonomia* e *heteronomia*, no campo da moral.

5 Em que consiste o procedimento genealógico levado a efeito por Nietzsche?

Aplicando conceitos

6 Em 2003, o instituto de pesquisas Pew Research Center constatou que 80% dos brasileiros afirmam ser necessário crer em Deus para ser uma pessoa moral, enquanto apenas 13% dos franceses compartilham a mesma opinião. A partir desse tópico, responda:

a) Aplique o conceito de imperativo categórico kantiano para justificar a posição da maioria dos franceses.

b) Posicione-se pessoalmente a respeito do conteúdo da pesquisa.

7 Analise a citação de Karl-Otto Apel, relacionando-a com a experiência e observação do mundo em que você vive.

"A civilização técnico-científica confrontou todos os povos, raças e culturas, sem consideração de suas tradições morais grupalmente específicas e culturalmente relativas, com uma problemática ética comum a todos. Pela primeira vez, na história da espécie humana, os homens foram praticamente colocados ante a tarefa de assumir a responsabilidade solidária pelos efeitos de suas ações em medida planetária." (Karl-Otto Apel. *Estudos de moral moderna*. Petrópolis: Vozes, 1994. p. 74.)

8 Tendo em vista a citação de Horkheimer e Adorno, critique a posição de Hitler usando os conceitos estudados neste capítulo.

"Um truque recomendado pelo próprio Hitler é a subdivisão do mundo em ovelhas brancas e ovelhas negras, os bons, a cujo grupo se pertence, e os maus, ou seja, o inimigo criado expressamente para as finalidades da demagogia. Os primeiros estão salvos, os outros condenados, sem transição ou limitação, e sem exame de consciência, como Hitler recomenda numa passagem célebre do *Minha luta*, onde diz que, para alguém se afirmar com eficácia contra um adversário ou um concorrente, é necessário pintá-lo com as tintas mais carregadas." (Max Horkheimer e Theodor W. Adorno (orgs.). *Temas básicos da sociologia*. São Paulo: Cultrix, 1973. p. 175.)

Dissertação

9 Escolha uma das concepções éticas abordadas no capítulo para dar os motivos pelos quais concorda com ela; ou, se preferir, por que dela discorda.

Caiu no vestibular

10 (UEL, 2007). "De acordo com a ética do discurso, uma norma só deve pretender validez quando todos os que possam ser concernidos por ela cheguem (ou possam chegar), enquanto participantes de um Discurso prático, a um acordo quanto à validez dessa norma." (Jürgen Habermas. *Consciência moral e agir comunicativo*. Trad. Guido A. de Almeida. Rio de Janeiro: Tempo Brasileiro, 1989. p. 86.)

Com base no texto e nos conhecimentos sobre a ética do discurso de Habermas, assinale a alternativa correta.

a) O princípio possibilitador do consenso deve assegurar que somente sejam aceitas como válidas as normas que exprimem um desejo particular.

b) Nas argumentações morais basta que um indivíduo reflita se poderia dar seu assentimento a uma norma.

c) Os problemas que devem ser resolvidos em argumentações morais podem ser superados apenas monologicamente.

d) O princípio que norteia a ética do discurso de Habermas expressa-se, literalmente, nos mesmos termos do imperativo categórico kantiano.

e) Uma norma só poderá ser considerada correta se todos os envolvidos estiverem de acordo em dar-lhe o seu consentimento.

UNIDADE 5

Filosofia política

A tela *O balão vermelho*, do pintor suíço radicado na Alemanha Paul Klee (1879-1940), atrai-nos pelas formas e cores e revela um talento especial de o pintor expressar em suas obras a harmonia da música – ele mesmo filho de músicos, violista e casado com uma pianista. A alegria multicolorida de suas obras se desvaneceu, porém, desde que os nazistas classificaram suas pinturas como "arte degenerada", retiraram-nas das galerias alemãs e fecharam a famosa escola Bauhaus, onde Klee lecionava. Profundamente triste, exilou-se na Suíça.

O filósofo Walter Benjamin comprou uma tela de Paul Klee: a *Angelus novus*. Deu-lhe a seguinte interpretação, bastante pessoal:

"Há um quadro de Klee que se intitula *Angelus novus* [Anjo novo]. Representa um anjo que parece querer afastar-se de algo que ele encara fixamente. Seus olhos estão escancarados, sua boca dilatada, suas asas abertas. Tal deve ser o aspecto do anjo da história. Seu rosto está dirigido para o passado. Onde nós vemos uma cadeia de acontecimentos, ele vê uma única catástrofe, que acumula incansavelmente ruína sobre ruína e as joga aos seus pés. Ele gostaria de deter-se para despertar os mortos e reunir os vencidos, mas uma tempestade sopra do paraíso e prende-se em suas asas com tanta força que ele não pode mais fechá-las. Essa tempestade o impele irresistivelmente para o futuro, ao qual ele dá as costas, enquanto o amontoado de ruínas cresce até o céu. Essa tempestade é o que chamamos progresso."

Tese sobre a filosofia da história. Tese IX.

Angelus novus. Paul Klee, 1920.

A metáfora de Benjamin para o *Angelus novus* critica a ilusão do progresso e a violência exercida sobre os vencidos ao longo da história humana, tecida pelo poder político que visa à dominação e não à emancipação dos indivíduos. É o que atesta a vida de Benjamin e Klee, perseguidos pelo nazismo.

Esses exemplos nos obrigam a refletir sobre o jogo de forças que é a política, na esperança de que seja possível devolver aos indivíduos o que eles têm perdido ao longo da história.

Red balloon. Paul Klee, 1922.

Veremos, nesta Unidade, como os filósofos refletiram sobre a política.

1. O que você pensa a respeito da interpretação do quadro de Klee feita por Walter Benjamin?

2. Podemos afirmar que a relação que o filósofo estabeleceu entre progresso e história humana é, por um ângulo, pessimista, mas, por outro, abre uma esperança de redenção. Explique.

Capítulo 21

Política: para quê?

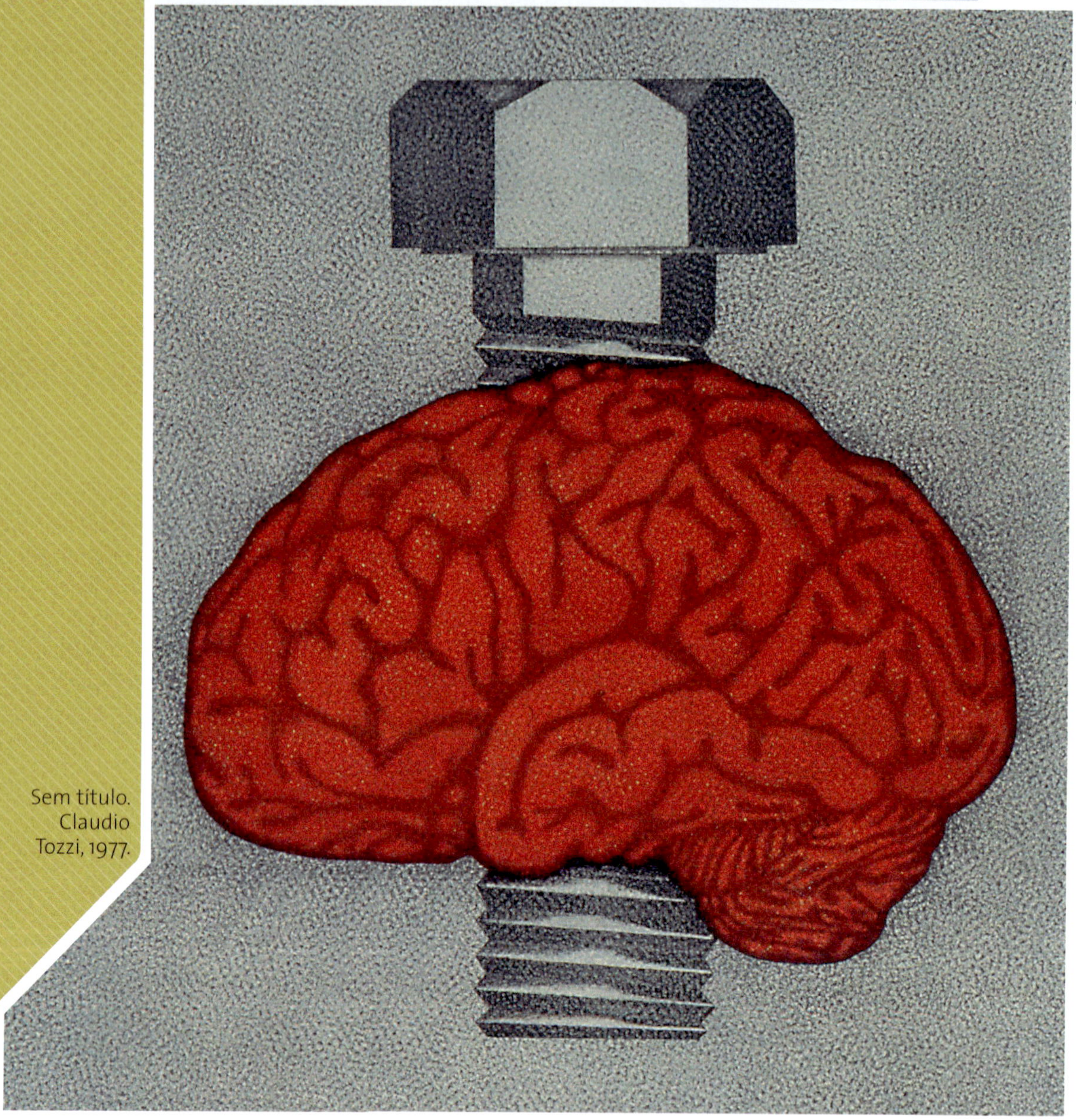

COLEÇÃO PARTICULAR

Sem título. Claudio Tozzi, 1977.

Claudio Tozzi participou dos movimentos de resistência à ditadura brasileira na década de 1960, tendo sido preso quando criou diversos painéis do guerrilheiro Guevara "procurado vivo ou morto", entremeado com pessoas pobres e crianças abandonadas, obra que foi destruída. Na década seguinte, realizou uma série de gravuras em que desenha o parafuso que, segundo o artista, é altamente estético. Certamente esta apreciação tem também um sentido político. Você saberia interpretá-la?

1 A filosofia política

Na conversa diária, usamos a palavra *política* em vários sentidos. Por exemplo, para alguém muito intransigente aconselhamos ser "mais político"; nos referimos também à "política" da empresa, da escola ou da Igreja, como expressões da estrutura de poder interno.

Há também um sentido pejorativo de política, quando pessoas desencantadas, devido às denúncias de corrupção e violência, associam indevidamente política à "politicagem", falsa política em que predominam os interesses particulares sobre os coletivos.

Afinal, de que trata a política?

A *política* é a arte de governar, de gerir o destino da cidade. Explicar em que consiste a política é outro problema, pois, se acompanharmos o movimento da história, veremos que essa definição toma nuanças as mais diferentes conforme a época, assim como variam as expectativas a respeito de como deve ser a ação do político.

E ETIMOLOGIA

Política. Do grego *pólis*, "cidade".

Múltiplos são os caminhos, se quisermos estabelecer a relação entre política e poder; entre poder, força e violência; entre autoridade, coerção e persuasão; entre Estado e governo etc. Por isso é complicado tratar de política "em geral". É preciso delimitar as áreas de discussão.

Desse modo, podemos entender a política como *luta pelo poder*: a conquista, a manutenção e a expansão do poder. Ou refletir sobre as *instituições políticas* por meio das quais o poder é exercido. E também indagar sobre a *origem*, *natureza* e *significação do poder*. Esse último aspecto sugere questões como: Qual o fundamento do poder? Qual a sua legitimidade? É necessário que alguns mandem e outros obedeçam? O que torna viável o poder de um sobre o outro? Qual o critério de autoridade?

Abordaremos algumas dessas questões nos capítulos desta Unidade à medida que tratarmos dos problemas com que se ocuparam os filósofos no correr da história.

2 Poder e força

A *política* trata das relações de *poder*.

Poder é a *capacidade ou possibilidade de agir, de produzir efeitos desejados sobre indivíduos ou grupos humanos*. O poder supõe dois polos: o de quem exerce o poder e o daquele sobre o qual o poder é exercido. Nesse sentido, o poder é uma *relação* ou um conjunto de relações pelas quais indivíduos ou grupos interferem na atividade de outros indivíduos ou grupos.

Para que alguém exerça o poder, é preciso que tenha *força*, entendida como instrumento para o exercício do poder. Quando falamos em força, é comum pensar-se imediatamente em força física, coerção, violência. Na verdade, este é apenas um dos tipos de força.

Assim diz o filósofo francês Gérard Lebrun:

> Se, numa democracia, um partido tem peso político, é porque tem *força* para mobilizar um certo número de eleitores. Se um sindicato tem peso político, é porque tem *força* para deflagrar uma greve. Assim, *força* não significa necessariamente a posse de meios violentos de coerção, mas de meios que me permitam influir no comportamento de outra pessoa. A força não é sempre (ou melhor, é rarissimamente) um revólver apontado para alguém; pode ser o charme de um ser amado, quando me extorque alguma decisão (uma relação amorosa é, antes de mais nada, uma relação de forças; conferir as *Ligações perigosas*, de Laclos). Em suma, a força é a canalização da potência, é a sua determinação. E é graças a ela que se pode definir a potência na ordem nas relações sociais ou, mais especificamente, políticas.[1]

3 Estado e legitimidade do poder

Entre tantas formas de força e poder, as que nos interessam neste capítulo referem-se à política e, em especial, ao poder do Estado que, desde os tempos modernos (século XVII), configura-se como a instância por excelência do exercício do poder político em várias áreas da vida pública.

Embora a força física seja condição necessária e exclusiva do Estado para o funcionamento da ordem na sociedade, não é condição suficiente para a manutenção do poder. Ele precisa ter legitimidade, que se configura pelo consentimento dos governados.

Ao longo da história humana foram adotados os mais diversos *princípios de legitimidade do poder*:

- nos Estados teocráticos, o poder legítimo vem da vontade de Deus;

[1] LEBRUN, Gérard. *O que é poder*. São Paulo: Brasiliense, 1981. p. 11-12. (Coleção Primeiros Passos).

WARNER BROTHERS/ALBUM/ALBUM CINEMA/LATINSTOCK

John Malkovich e Michelle Pfeiffer na adaptação para o cinema de *Ligações perigosas*, dirigido por Stephen Frears.

Ligações perigosas (*Liaisons dangereuses*) é um romance epistolar — construído a partir de cartas — escrito pelo francês Choderlos de Laclos, no século XVIII. Adaptado para o cinema em 1988, com direção de Stephen Frears, a história se passa nos ambientes luxuosos da nobreza francesa decadente, no período que antecedeu a Revolução Francesa, e relata uma aposta feita entre a marquesa de Merteuil e o visconde de Valmont, conhecido pelas conquistas amorosas. O desafio seria seduzir uma bela mulher casada, tímida e fiel ao marido. Valmont camufla seus interesses pessoais, egoístas, simulando genuíno afeto. No entanto, nessa história trágica, uma vez desencadeado o jogo de sedução — um jogo de forças —, os acontecimentos fogem do controle dos "jogadores", porque, ainda que artificialmente provocada, da atração pode florescer o sentimento verdadeiro. Reflita: sob que aspectos é imoral a aposta feita pelos dois nobres?

- nas monarquias hereditárias, o poder é transmitido de geração a geração e mantido pela força da tradição;
- nos governos aristocráticos, apenas os melhores exercem funções de mando; o que se entende por *melhores* varia conforme o tipo de aristocracia: os mais ricos, os mais fortes, os de linhagem nobre ou, até, os da elite do saber;
- na democracia, o poder legítimo nasce da vontade do povo.

A discussão a respeito da legitimidade do poder é importante na medida em que a obediência é prestada apenas ao poder consentido, situação na qual é voluntária e, portanto, livre. Caso contrário, abre-se a brecha do direito à resistência.

4 A institucionalização do poder

Vejamos como se deu a legitimação do poder a partir da Idade Moderna. Com o fortalecimento das monarquias nacionais, o Estado passou a deter a posse de um território e tornou-se apto para fazer e aplicar as leis, recolher impostos, ter um exército.

Por isso, segundo o filósofo e sociólogo alemão Max Weber (1864-1920), o Estado moderno é reconhecido por dois elementos constitutivos: a presença do *aparato administrativo* para prestação de serviços públicos e o *monopólio legítimo da força*.

Além disso, com a secularização da consciência, o Estado distanciou-se da maneira de pensar medieval, predominantemente religiosa. À tese de que todo poder emana de Deus, contrapôs-se a teoria da origem social do pacto feito sob o consentimento dos indivíduos.

Com a institucionalização do Estado, o governante não mais se identifica com poder, mas é apenas o depositário da soberania popular. O poder legítimo é, portanto, um poder *de direito*, que repousa não mais na violência nem no privilégio de classe, mas no mandato popular. O súdito transforma-se em cidadão, já que participa ativamente da comunidade cívica.

Sob o impacto do Século das Luzes, no século XVIII, expandiu-se a defesa do *constitucionalismo*, entendido como a teoria e a prática dos limites do poder exercido pelo *direito* e pelas *leis*. Portanto, o poder torna-se legítimo porque emana do povo e se faz em conformidade com a lei.

5 Uma reflexão sobre a democracia

A palavra *democracia* é formada etimologicamente por dois termos gregos, *demos* e *kratia*, "governo do povo".

No sentido mais primitivo, *demos* designava os diversos distritos que constituíam as dez tribos em que a cidade de Atenas fora dividida por ocasião das reformas de Clístenes (século VI a.C.), procedimento que pôs fim à tirania. Com o tempo, *demos* significou genericamente "povo" ou "comunidade de cidadãos". O termo *kratia* deriva de *kratos*, que significa "governo", "poder", "autoridade". Hoje em dia entendemos *democracia* como "governo do povo", "governo de todos os cidadãos".

PARA SABER MAIS

Consulte o capítulo 23, "A política normativa", sobre as teorias políticas da Antiguidade e Idade Média.

Se política significa "o que se refere ao poder", resta-nos perguntar: *onde é o lugar do poder na democracia*? Segundo Marilena Chaui[2], as determinações constitutivas do conceito de democracia são as ideias de *conflito, abertura* e *rotatividade*.

a) Conflito

Para muitos, o conflito carrega um sentido pejorativo, como algo que devesse ser evitado a qualquer custo. Ao contrário, divergir é inerente à sociedade pluralista. Se a democracia respeita o pensamento divergente, isto é, os múltiplos discursos, ela também admite uma heterogeneidade essencial; portanto, o conflito de poderes é inevitável. Se evitamos os conflitos, corremos o risco de camuflá-los, ou reduzi-los à mera oposição pela oposição. Na sociedade democrática, o conflito é trabalhado pela discussão e pelo confronto; é assim que a história se faz, nessa aventura em que o cidadão se lança em busca do possível, a partir de dificuldade e imprevistos.

O ESTADO DE S. PAULO — Quinta-feira, 10-5-73 JORNAL DA TARDE — 5

O ministro renunciou. Aqui está sua explicacão:

CIRNE LIMA NÃO É MAIS MINISTRO DA AGRICULTURA. ESTA É SUA EXPLICAÇÃO AO PRESIDENTE:

DOCES

BOMBOM ESPECIAL

BOMBOM MINEIRO

BOMBOM DE CÔCO

Página de jornal de 10 de maio de 1973 que reproduz receita em substituição a artigos ou reportagens censuradas. A liberdade de imprensa é fundamental em uma democracia, por fazer circular a informação e dar voz a opiniões divergentes.

b) Abertura

Na democracia a informação circula livremente e a cultura não é privilégio de alguns. A circulação não se reduz ao mero *consumo* de informação e cultura, mas pressupõe também a *produção* de cultura, que a enriquece. Um povo instruído é um povo que aumenta seu poder de reivindicação; daí a necessidade da ampla extensão da educação.

c) Rotatividade

O poder na democracia não privilegia grupo ou classe, mas permite que todos os setores da sociedade sejam legitimamente representados. Por isso o filósofo francês Claude Lefort diz que o lugar do poder é o *lugar vazio*, ou seja, é o lugar com o qual ninguém pode se identificar para que seja exercido transitoriamente por quem for escolhido para tal.

A fragilidade da democracia

Embora a democracia seja a antítese de todo poder autocrático, o exercício do poder muitas vezes perverte-se nas mãos de quem o detém. Por exemplo, a *transparência* é um atributo do espaço democrático, por isso o jurista e filósofo italiano Norberto Bobbio prefere definir a democracia como o "poder em público", justamente no sentido de que os governantes devem tomar suas decisões às claras, para que os governados "vejam" como e onde as tomam. No entanto, Bobbio diz:

> O poder tem uma irresistível tendência a esconder-se. Elias Canetti[3] escreveu de maneira lapidar: "O segredo está no núcleo mais interno do poder". É compreensível também porque: quem exerce o poder sente-se mais seguro de obter os efeitos desejados quanto mais se torna invisível àqueles aos quais pretende dominar.[4]

Aceitar a diversidade de opiniões, o desafio do conflito, a grandeza da tolerância, a visibilidade plena das decisões é exercício de maturidade política. Por isso mesmo, a democracia é frágil e não há como evitar o que faz parte da sua própria natureza. Se ela permite a expressão de pensamentos divergentes, entre eles surgirão os que combatem a democracia, por identificá-la à anarquia ou porque desejam simplesmente impor seu ponto de vista;

---

2 CHAUI, Marilena. *Cultura e democracia*: o discurso competente e outras falas. São Paulo: Moderna, 1980. p. 156.

3 CANETTI, Elias. *Massa e poder*. 2. ed. São Paulo: Companhia das Letras, 2005.

4 BOBBIO, Norberto. *Teoria geral da política*: a filosofia política e as lições dos clássicos. Rio de Janeiro: Campus, 2000. p. 389.

haverá também aqueles que pretenderão homogeneizar os pensamentos e ações. Um dos riscos é o totalitarismo, como consequência de determinados grupos sucumbirem à tentação de restabelecer a "ordem" e a hierarquia, ou seja, um governo autoritário.

6 O avesso da democracia: totalitarismo e autoritarismo

Na história do mundo sempre existiram tiranias. Em virtude de privilégios, o faraó do Egito, o césar romano e o rei cristão medieval apropriam-se do poder identificando-o com seu próprio corpo e se tornam intermediários entre os indivíduos e Deus, ou intérpretes da Suprema Razão.

Identificado com determinada pessoa ou grupo, o poder personalizado não é legitimado pelo consentimento da maioria e depende do prestígio e da força dos que o possuem. Trata-se da usurpação do poder, que perde o seu lugar público quando é incorporado na figura do governante.

Como exemplos atuais, vejamos a seguir os regimes totalitários e autoritários.

Regimes totalitários

O totalitarismo, fenômeno político do século XX, mobilizou de modo surpreendente grandes segmentos da sociedade de diversos países. O totalitarismo de direita, conservador, ocorreu, por exemplo, na Alemanha nazista e na Itália fascista; o de esquerda, de orientação comunista, desenvolveu-se na União Soviética, na China e no Leste Europeu.

Nazismo e fascismo

O nazismo alemão e o fascismo italiano apresentavam algumas características principais em comum:

- O Estado interferia em todos os setores: na vida familiar, econômica, intelectual, religiosa e no lazer. Nada restava de privado e autônomo; em todos, o Estado difundia a ideologia oficial.
- Não havia pluralismo partidário, instituição básica da democracia liberal; o partido único, rigidamente organizado e burocratizado, promovia a identificação entre o poder e o povo.
- O partido criou vários organismos de massa: sindicatos de todos os tipos, agrupamentos de auxílio mútuo, associações culturais de trabalhadores de diversas categorias, organizações de jovens, crianças e mulheres, círculos de escritores, artistas e cientistas.
- A disciplina era exaltada, e a figura do chefe, mistificada.
- Os poderes legislativo e judiciário estavam subordinados ao executivo.
- O Estado concentrava todos os meios de propaganda: o objetivo era veicular a ideologia oficial às massas, forjando convicções inabaláveis e manipulando a opinião pública. Para garantir uma base de apoio popular, geralmente apelava aos sentimentos e à imaginação das pessoas, e não à razão.

KEYSTONE/HULTON ARCHIVE/GETTY IMAGES

Na noite de 10 de maio de 1933, em Berlim, os nazistas queimaram mais de 20 mil publicações (foto à esquerda), entre livros, revistas e fotografias, dos mais diversos teores: de filósofos, cientistas, poetas; de escritores judeus, pacifistas, antimilitaristas; sobre sexualidade e outros assuntos. No mesmo local, hoje chamado Bebelplatz, erigiu-se em 2006 um monumento para que o sinistro acontecimento não fosse esquecido (foto à direita). No subterrâneo da praça foi construída uma biblioteca com as prateleiras vazias, que pode ser vista através de um piso de vidro. Em uma placa, a frase do poeta Henrich Heine: "Onde se queimam livros, no final também se queimam pessoas". Com base na frase de Heine, reflita sobre a censura na cultura.

HELMUT BAAR/IMAGEBROKER/OTHER IMAGES

- A formação da polícia política (Gestapo, na Alemanha; Organização para a Vigilância e a Repressão ao Antifascismo, a Ovra, na Itália), controlando um enorme aparelho repressivo.
- Campos de concentração e de extermínio, como o de Auschwitz, na Polônia.
- Controle de informações por meio da censura, tanto de notícias quanto da produção artística e cultural.
- Na educação de crianças e jovens, valorização das disciplinas de moral e cívica, visando à formação do caráter, da força de vontade, da disciplina, do amor à pátria; dava-se atenção especial à educação física, tendo em vista o ideal de corpos perfeitamente sadios.
- O nazismo alemão teve conotação fortemente racista e baseava-se em teorias supostamente científicas para valorizar a *raça ariana,* ou seja, um grupo que se considerava "mais puro" e superior, composto de pessoas brancas, altas, fortes e inteligentes; assim, justificavam-se a perseguição e o genocídio de judeus, de ciganos, considerados "raça" inferior, e de homossexuais, que seriam "degenerados".

PARA REFLETIR

Mussolini era conhecido como *Duce* ("aquele que conduz") e o lema fascista era "Crer, obedecer, combater". Hitler era chamado de *mein Führer* ("meu condutor", "meu chefe") e costumava dizer: "Tu não és nada, o teu povo é tudo". Como podemos perceber nesses termos, *Duce* e *Führer*, os sinais do totalitarismo?

As doutrinas totalitárias influenciaram outros governos: em Portugal, com o controle do poder por Oliveira Salazar, e na Espanha, com o general Francisco Franco. Sob alguns aspectos, também tiveram reflexos no movimento da Ação Integralista Brasileira, fundada por Plínio Salgado em 1932.

Stalinismo

Segundo Marx, na fase transitória entre o capitalismo e a nova ordem deveria instalar-se a ditadura do proletariado, que desapareceria com o tempo. Na realidade, porém, após a Revolução Russa de 1917, diante da intenção de evitar a contrarrevolução, o fortalecimento do Estado na União Soviética já se verificava no governo de Lênin e recrudesceu quando Joseph Stálin subiu ao poder, em 1924.

O totalitarismo stalinista teve diversas características semelhantes ao nazismo e ao fascismo, como o partido único onipotente, a ausência de liberdade de imprensa e de expressão, a perseguição aos políticos dissidentes, reprimidos pela *Tcheka*, a polícia política e campos de trabalhos forçados, os *gulags*.

O escritor dissidente Soljenitsin, da então União Soviética, costumava referir-se a Stálin como o **Egocrata**, o ser todo-poderoso que apaga a distinção entre a esfera do Estado e a da sociedade civil. Sua atuação fez com que o partido, onipresente, se incumbisse de difundir a ideologia dominante em todos os setores de atividades.

ETIMOLOGIA

Egocrata. Do grego, "poder do eu".

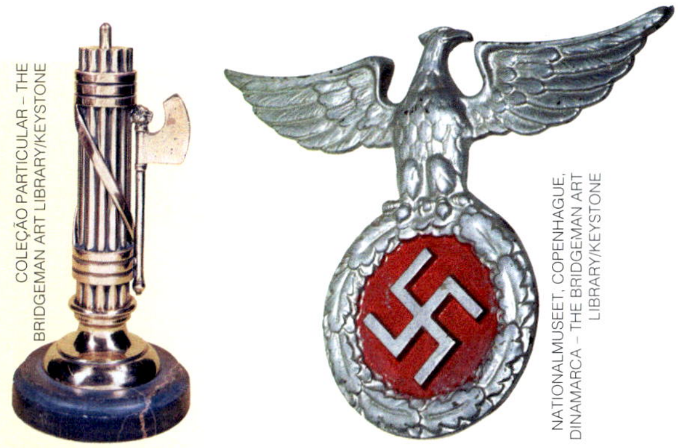

COLEÇÃO PARTICULAR - THE BRIDGEMAN ART LIBRARY/KEYSTONE

NATIONALMUSEET, COPENHAGUE, DINAMARCA - THE BRIDGEMAN ART LIBRARY/KEYSTONE

À esquerda, símbolo do fascismo italiano. *Fascismo* vem do italiano *fascio* (feixe). Na Roma Antiga, os magistrados eram precedidos por funcionários que empunhavam machados cujos cabos compridos eram reforçados por muitas varas fortemente atadas em torno da haste central. Simbolizavam o poder do Estado de decapitar os inimigos da ordem pública, e as varas amarradas, a unidade do povo em torno de sua liderança. Em 1919, Mussolini fundou os *fasci di combattimento*, que em seguida proliferaram por toda a Itália.

À direita, insígnia nazista de 1942. O termo *nazismo* surgiu quando Hitler entrou para o Partido Operário Alemão e alterou o nome para Partido Operário Alemão Nacional-Socialista (Nationalsozialistische Deutsche Arbeiterpartei), cuja abreviação passou a ser *Nazi*. Hitler também criou o estandarte da suástica, símbolo do movimento. A suástica é um símbolo antiquíssimo, de origem mística, desenhada em várias versões. Chama-se também cruz gamada, por ser formada por braços dobrados nas pontas como na letra grega gama maiúscula: Γ.

Desse modo, ao mesmo tempo que mobiliza as massas, o totalitarismo, seja de direita ou esquerda, destrói a autonomia dos indivíduos, ao arregimentá-los baseando-se em uma ideologia imposta pelo terror, a fim de evitar a dissidência: a espionagem onipresente, quer seja pela polícia política, quer seja pela atmosfera de delação até no núcleo familiar, expõe as pessoas a uma vigilância permanente e à ameaça de expurgo, prisão, deportação e morte.

Após a morte de Stálin (1953), teve início o processo de desestalinização, quando foram criticados o dogmatismo e o culto à personalidade e denunciados os crimes e violências do regime.

Regimes autoritários

Os regimes autoritários costumam ser identificados indevidamente com os governos totalitários. O que há de comum entre eles é que ambos cerceiam as liberdades individuais em nome da segurança nacional, recorrem à maciça propaganda política, exercem a censura e dispõem de aparelho repressivo.

Nos regimes autoritários, porém, não há uma ideologia de base que sirva "para a construção da nova sociedade" nem há mobilização popular que lhes dê suporte. Ao contrário, em vez de doutrinação política e de incentivo ao engajamento ativista (ainda que dirigido), prevalece a despolitização, que leva à apatia política. O clima de repressão violenta gera medo, desestimulando a atuação política independente. Sempre que possível, os governos autoritários procuram manter a aparência de democracia: permitem a existência de partidos de oposição, mas que atuam apenas formalmente. Mesmo o partido do governo é mero apêndice do poder executivo.

SCOTT OLSON/GETTY IMAGES

Ainda hoje, partidos de extrema direita apoiam grupos neonazistas que assumem a defesa do Estado forte e expressam de modo violento sua intolerância racial. Na imagem, neonazistas protestam em frente ao Museu do Holocausto, em Skokie, Illinois (EUA), em 2009.

COLEÇÃO PARTICULAR

Fernando Botero, crítico das ditaduras latino-americanas, satiriza os governos militares na tela *Retrato oficial da Junta Militar*, de 1971. O governante aparece cercado pelos representantes da artilharia e da cavalaria, enquanto sua mulher tem no colo o primogênito já fardado, como que predestinado à sucessão. No alto das cabeças, voam moscas, sugerindo o odor de algo podre.

O governo autoritário também utiliza os militares na burocracia estatal, e a elite econômica conta com oficiais das forças armadas nos postos-chave. Os militares saem do quartel para integrar a instituição política mais importante da nação. Foi o que aconteceu por ocasião do golpe militar de 1964, que impôs o regime autoritário no Brasil durante duas décadas. Na América Latina, outros países também passaram pela experiência autoritária, como o Uruguai e a Argentina.

7 O equilíbrio instável de forças

Como vimos, a democracia não constitui um modelo a ser seguido, mas algo que se constrói pelo diálogo, pelo enfrentamento dos conflitos de opiniões divergentes, tendo em vista o bem comum. A liberdade democrática não se refere, porém, à conquista exclusiva de direitos, mas supõe que o cidadão assuma seus deveres pela conscientização das exigências do convívio social de seu tempo.

O equilíbrio das forças políticas é sempre instável e por isso exige a atenção constante para os riscos de desvio do poder. Por isso mesmo a condição do fortalecimento da democracia encontra-se na politização das pessoas, que devem abandonar a passividade política e o individualismo para se tornarem mais participantes e conscientes da coisa pública.

Leitura complementar

Mentira e democracia

"A *democracia* se caracteriza, como aponta Kelsen, por uma visão do mundo baseada no respeito pelo Outro, e pelo princípio de legalidade, do controle e da responsabilidade do poder, que exigem que os governantes sejam expostos à luz pública para o efeito específico das avaliações dos governados. Contrasta com a autocracia, que se fundamenta na hierarquia paternal da desigualdade e na autorreferência solipsista da vontade da soberania e para a qual o ideal do poder é o poder do governante enquanto ser invisível que tudo vê e nada mostra.

É por isso, aliás, que a *diplomacia* da Idade Moderna tinha como nota o *segredo* e a *dissimulação,* pois emanava do poder pessoal de soberanos absolutistas, que não prestavam contas, aos seus súditos, de sua ação e da ação de seus agentes. Será Kant quem irá contestar a tradição da razão de Estado ao ver na publicidade do poder, também no plano internacional, um caminho para a paz, identificando como uma das causas da guerra o arbítrio do soberano não democrático que ignora a vontade dos governados. É por esse motivo que se estabeleceu uma relação entre a democracia interna e a paz externa, e que uma das notas da diplomacia de países democráticos é a propensão para a *diplomacia aberta.*

Porque a democracia se baseia no princípio da confiança e da boa-fé, e não no medo, ela sucumbe quando a esfera do público perde transparência e se vê permeada pelo *segredo* e pela *mentira,* que é o que ocorre quando a palavra esconde e *engana,* ao invés de *revelar,* conforme determina o princípio ético da veracidade.

O que converte governados *engagés* em *enragés*, gerando a violência, observa Hannah Arendt, é a hipocrisia da mentira dos governantes. Da mesma maneira, é a mentira dos governantes que gera o ceticismo e a impotência dos governados, que não têm base para agir sem os alicerces da verdade dos fatos. É por isso que a mentira pública, da mesma maneira que o segredo, como exceção ao princípio da transparência do poder, requer um controle, ainda que *a posteriori,* de natureza pública, na dupla acepção de comum e de visível.

[...]

O direito à plena informação da cidadania, ainda que em certos casos defasado no tempo — que são as hipóteses de sigilo, por um certo período, daquilo que é imprescindível à segurança da sociedade e do Estado —, é mais do que um instrumento jurídico necessário para "domesticar" a propensão ao realismo do poder do príncipe. É, como meio de conter a mentira dos governantes, uma expressão de justiça. Com efeito, a justiça tem entre os seus componentes inarredáveis o valor da igualdade. Este valor a teoria democrática atualizou historicamente, afirmando o primado da veracidade na *res publica*, ao pressupor como norma geral da convivência humana politicamente ordenada a reciprocidade, e ao postular, consequentemente, na relação entre governantes e governados a exigência da 'igualdade de oportunidades' na aferição daquilo que é a gestão do interesse comum. É neste sentido, para evocar o texto do padre Antônio Vieira [...], que 'A verdade' — ao contrário da mentira — 'é filha legítima da justiça, porque a justiça dá a cada um o que é seu'. No caso, dar a cada um o que é seu significa, democraticamente, tornar do conhecimento público, através de uma informação exata e honesta, aquilo que é e deve ser comum a todos: a *res publica."*

LAFER, Celso. "A mentira: um capítulo das relações entre a ética e a política". Em: NOVAES, Adauto (org.). *Ética*. São Paulo: Companhia das Letras, 1992. p. 233-235.

Questões

1 Segundo o autor, o que distingue a democracia da autocracia?

2 Por que o ideal democrático da transparência é um direito de justiça?

3 Baseando-se no texto acima, critique as "polícias políticas" do nazismo e do stalinismo mencionadas no capítulo.

4 A exigência de transparência nos atos políticos não vale para a vida pessoal dos cidadãos, que devem ter garantias de que não ocorrerá a invasão do Estado à sua privacidade. A partir desse ideal democrático, discuta com um colega como os governos autocráticos transgridem esse direito.

Solipsismo. Que diz respeito somente a si mesmo.
Engagés. Do francês, "engajados", "compromissados": no contexto, cidadãos politizados e participantes.
Enragés. Do francês, "enraivecidos", "revoltados".
Res publica. Do latim, "coisa pública", donde "república".

Atividades

Revendo o capítulo

1 Qual é a relação entre poder e força?

2 Do ponto de vista da legitimidade do poder, compare as monarquias cristãs da Idade Média, a monarquia absoluta da modernidade e a dos governos liberais.

3 Explique por que, ao contrário do que comumente se pensa, o conflito é inerente à democracia.

4 Quais são as diferenças entre autoritarismo e totalitarismo?

Aplicando os conceitos

5 Por que a censura é incompatível com a democracia?

6 "À violência é sempre dado destruir o poder; do cano de uma arma desponta o domínio mais eficaz, que resulta na mais perfeita e imediata obediência. O que jamais poderá florescer da violência é o poder." (Hannah Arendt. *Da violência*. Brasília: Universidade de Brasília, 1985. p. 29.) Justifique por que Hannah Arendt não reconhece poder nos atos violentos.

7 No século XVIII o jurista italiano César Beccaria condenou as penas cruéis e a tortura, abrindo a discussão a respeito dos direitos humanos. Em que medida esse tema ainda é atual, inclusive em países que se dizem democráticos?

8 Leia a citação e atenda às questões.

"O liberal [...] é um homem de quem [se deve] ter pena, porque está às voltas com um problema insolúvel: determinar até que ponto pode serrar o galho no qual está sentado sem correr o risco de quebrá-lo. É também, por princípio, um cidadão insatisfeito. Que escureça o horizonte social, que cresça o espectro do 'socialismo' – e ele se torna partidário de um 'regime forte'. Que este se instale, suprima as liberdades civis e se interesse de muito perto pelo funcionamento da economia – o liberal espuma de indignação e volta a ser homem de esquerda. Ou de centro-esquerda." (Gérard Lebrun. *O que é poder*. São Paulo: Brasiliense, 1981. p. 82.)

a) Explique em que sentido Lebrun critica a ambiguidade do liberalismo no que se refere ao ideal democrático.

b) Tendo em vista a crise financeira mundial iniciada em 2008, reflita sobre a tentação de se desejar um "regime forte".

Dissertação

9 Desenvolva uma dissertação a partir do seguinte tema: "Uma má democracia é sempre preferível a uma boa ditadura" (Norberto Bobbio).

Trabalho em grupo

10 Junto com os colegas, escolha um dos temas abaixo, relacionados às perspectivas da implantação da democracia. Pesquisem em livros, *sites*, revistas e elaborem um texto com as conclusões do grupo. Preparem uma apresentação para a classe. Sugestão de temas:

a) Democracia representativa: importância do Executivo, do Legislativo e do Judiciário e do equilíbrio dos três poderes.

b) Direitos e deveres dos cidadãos: a cidadania ativa, as forças políticas da sociedade civil, as organizações não governamentais.

c) Democracia e exclusão: as deficiências da democracia substancial; os sem-teto, sem-terra, sem-escola, os marginalizados da cultura, a exclusão digital (falta de acesso aos meios eletrônicos).

d) Democracia e liberdade de expressão: imprensa e censura; liberdade artística, religiosa etc.

Caiu no vestibular

11 (UFMG) Leia esta afirmação.

"Os homens normais não sabem que tudo é possível." (David Rousset, citado por Hannah Arendt. *Origens do totalitarismo*. São Paulo: Companhia das Letras, 1998. p. 337.)

Observe esta fotografia.

FPG/HULTON ARCHIVE/GETTY IMAGES

Tropas nazistas ouvem discurso de Adolf Hitler na cidade de Nuremberg, na Alemanha, em 1934.

Redija um texto estabelecendo uma correlação entre a fotografia e a citação.

Capítulo

22 Direitos humanos

Abu Ghraib 72. Fernando Botero, 2005.

O artista colombiano Fernando Botero, conhecido pelas robustas figuras que costuma pintar, é um crítico severo do desprezo pelo sofrimento humano. Após a publicação de fotos de torturas infligidas por soldados norte-americanos aos prisioneiros de Abu Ghraib, complexo penitenciário próximo de Bagdá, Botero dedicou uma série inteira para documentar as cenas de crueldade.

Esses acontecimentos nos fazem pensar no conceito de civilização. Por ocasião do início da guerra entre Estados Unidos e Iraque, para a qual vários países do Ocidente enviaram suas tropas, tornou-se comum a errônea generalização que associa todos os árabes ao terrorismo, difundindo-se o falso dualismo entre povos bárbaros (os árabes) e civilizados (os ocidentais).

No entanto, as fotos de torturas comprovam que também aqueles que se dizem "civilizados" são capazes de atos bárbaros. Nesse sentido, reflita: do ponto de vista dos direitos humanos, o que seriam "ações civilizadas"?

1 Para começar[1]

Em 10 de dezembro de 2008, a Declaração Universal dos Direitos Humanos completou 60 anos de idade. Mas os direitos e as garantias fundamentais estabelecidos em seus 30 artigos parecem, ainda hoje, um pálido ideal a ser conquistado num futuro ainda longínquo. Basta uma rápida olhada ao redor para constatar que os direitos humanos são cotidianamente desrespeitados e negados a grande parte da população do planeta, a começar pelo artigo primeiro da Declaração: "Todas as pessoas nascem livres e iguais em dignidade e direitos".

Além de tal desrespeito, os direitos humanos ainda são vistos por muitos com enorme desconfiança: para uns não passam de "direitos de bandidos"; para outros, trata-se de uma invenção hipócrita do Ocidente, cujo verdadeiro objetivo não seria garantir direitos, mas sim expandir os valores europeus e liberais, impondo-os arbitrariamente aos mais distantes e diferentes rincões do planeta, em desrespeito às diversidades culturais e tradições milenares.

A discussão sobre direitos humanos não pode ser reduzida a esses termos, sob o risco de ser empobrecida. É preciso levar em conta o amplo leque de conquistas realizadas em boa parte do planeta nos últimos 60 anos e no Brasil nas últimas três décadas. Sem esquecer, claro, dos direitos ainda a serem conquistados.

TOEI CO. LTD./ALBUM/ALBUM CINEMA/LATINSTOCK

No filme *A balada de Narayama* (1983), o diretor Shohei Imamura conta a história de uma comunidade muito pobre, com escassez de alimento, que segue a tradição de levar os velhos para morrer no alto da montanha, no meio da neve.

Um exemplo brasileiro

Um bom exemplo das notáveis transformações do cenário brasileiro é destacado pela professora de Direito Flávia Piovesan, a respeito dos casos de violação de direitos humanos. De acordo com a Comissão Interamericana de Direitos Humanos (CIDH), no período entre 1970 e 2004, foram registrados 75 casos de violação de direitos humanos não solucionados pelo Estado brasileiro.

Com base nos casos destacados pela professora Flávia Piovesan[2], pode-se extrair o seguinte quadro:

Violação dos direitos humanos no Brasil (1970-2004)

Número de casos	Objeto discutido
10	Detenção arbitrária, tortura e assassinato cometidos pelo governo brasileiro
2	Violação dos direitos de povos indígenas
13	Violência rural
34	Violência policial
5	Violação de direitos de crianças e adolescentes
4	Violência contra a mulher
1	Discriminação racial
6	Violência contra defensores de direitos humanos

Agora os aspectos mais reveladores dessa pesquisa.

Conforme aponta Flávia Piovesan, apenas 11 casos — incluindo todos aqueles que denunciam detenção arbitrária, tortura e assassinato pelo governo — referem-se ao período compreendido entre 1964 e 1985, os anos do governo militar. O perfil das vítimas de violação dos direitos humanos era majoritariamente de classe média (advogados, professores, estudantes, líderes da Igreja Católica etc.).

A grande maioria dos outros 64 casos concentra-se entre os anos de 1992 e 2004, durante o amadurecimento de nossa recente democracia. Nesse segundo período, mudou o perfil das vítimas: destacam-se as pessoas pobres (que vivem em favelas, ruas, estradas, prisões e até mesmo em regime de trabalho escravo no campo) ou pertencentes a grupos vulneráveis (mulheres, negros, crianças, adolescentes, entre outros).

Uma interpretação

Como interpretar esses dados? Seria superficial considerar que durante o governo militar apenas a classe média estivesse sujeita à violação de direitos humanos e que a classe mais pobre e vulnerável vivesse melhor.

[1] Este capítulo foi escrito e gentilmente cedido por Guilherme Arruda Aranha, professor de Filosofia do Direito da PUC-SP e da Fundação Instituto de Ensino para Osasco (FIEO)

[2] PIOVESAN, Flávia. *Direitos humanos e o Direito Constitucional Internacional*. São Paulo: Saraiva, 2009.

Durante a ditadura militar, o Brasil resistiu em aderir aos tratados internacionais de direitos humanos, uma vez que o próprio regime — autoritário e não democrático — praticava direta e explicitamente a violência. Para se manter no poder, o governo não podia admitir a defesa jurídica da oposição, feita justamente pela classe média, que conseguiu levar ao conhecimento da CIDH aqueles poucos casos, entre tantos outros que nem sequer foram objeto de denúncia ou então ficaram sem solução.

A população pobre e vulnerável, por sua vez, era e continua sendo vítima da constante violação de direitos humanos. A diferença é que, durante a ditadura, essa população não tinha a quem recorrer, por isso a violência permanecia invisível aos olhos da população privilegiada e, pior ainda, do Poder Judiciário.

Após a redemocratização da política brasileira, porém, foram ratificados diversos tratados internacionais de direitos humanos. A população pobre, com o auxílio de grupos organizados da sociedade civil (e agora não mais reprimidos pelo regime), passou a exigir solução jurídica para as violências recorrentes das quais são vítimas, o que justifica o maior número de casos analisados pela CIDH.

Apesar do esforço, o Brasil não conseguiu romper com a mentalidade autoritária do regime militar, o que se nota pelo número elevado de casos de violência sistemática praticada ainda hoje pela polícia. Se antes era o próprio Estado que praticava a violência contra segmentos da classe média que lhe faziam oposição, hoje é a polícia quem a exerce contra a população mais pobre. Muitas vezes, diante desses fatos persiste o silêncio cúmplice do setor mais conservador da classe média, além da omissão do Estado, às vezes incapaz de deter os abusos praticados por seus agentes.

Esse é o cenário dos direitos humanos no Brasil. Para debater mais sobre os direitos humanos hoje em dia, é preciso compreender a evolução histórica dos direitos, não só no Brasil mas também no mundo.

2 Direito natural e direito positivo

Voltemos um pouco na história para entendermos como o direito foi visto pelos antigos e como passou a ser compreendido até os dias de hoje.

Na Antiguidade, os gregos promoviam discussões e elaboravam teorias sobre o direito e a justiça, conceitos que para eles se confundiam: não fazia sentido pensar num direito que não fosse ao mesmo tempo justo. Os gregos também indagavam se a justiça nascia da própria lei ou se haveria uma justiça anterior, derivada da natureza.

PALAZZO DEI CONSERVATORI, SALA DELLA LUPA - ALBUM/AKG-IMAGES/PIROZZI/LATINSTOCK

Intolerância, instalada na Usina do Gasômetro durante o Fórum Mundial de Educação, Porto Alegre, 2003.

Na instalação *Intolerância*, do artista goiano Siron Franco, o impacto da simulação de corpos amontoados traz a trágica lembrança das vítimas da ditadura militar. A obra foi instalada pela primeira vez na inauguração do Memorial da Liberdade (2002), onde antes funcionava o Departamento de Ordem Pública e Social (Dops), local em que os presos políticos eram interrogados e torturados, na região central da capital paulista. Por que, na sua opinião, a obra foi instalada no Memorial da Liberdade?

Essas questões deram origem às teorias **jusnaturalistas**, que se caracterizaram pela tentativa de distinguir o *direito positivo* do *direito natural*.

E ETIMOLOGIA

Jusnaturalismo. Do latim *jus, juris*, "direito", de onde vem "direito natural".

O **direito natural** segue longa tradição e não é escrito. Seria um direito eterno e imutável, válido em qualquer lugar e em todos os tempos, anterior e eticamente superior ao direito positivo.

O **direito positivo** é um direito criado pelo ser humano e instituído pela norma escrita ou pelo costume.

Há várias correntes jusnaturalistas ao longo da história. Na Grécia Antiga, procurava-se o direito natural na "ordem natural do cosmos", que seria perfeita e acabada, anterior à existência humana. Portanto, as leis feitas pelos homens (direito positivo) deveriam aproximar-se, na medida do possível, da ordem natural do cosmos (direito natural).

Ratificar. Confirmar, validar, corroborar. Diferente de *retificar*, que significa "corrigir".

Para os juristas medievais, que eram influenciados pelo cristianismo, o direito natural era transcendente: a verdadeira justiça não era a humana, mas a divina. Desse modo, caberia aos juristas harmonizar os textos legais às sagradas escrituras, optando sempre pela solução mais justa de acordo com a religião.

Já para os pensadores dos séculos XVII e XVIII, o direito natural nasceria com os indivíduos. É uma concepção individualista sobre a origem dos direitos naturais. A partir do século XIX, as teorias jusnaturalistas foram contestadas por teóricos do positivismo jurídico.

AKG IMAGES - LATINSTOCK

Escultura etrusca representando a loba e os irmãos Rômulo e Remo, séculos V-IV a.C. Segundo a lenda romana, os gêmeos Rômulo e Remo foram abandonados num rio, mas salvos por uma loba, que os amamentou. Anos depois, Rômulo fundou a cidade de Roma.

A prudência na Grécia e em Roma

De acordo com as teorias do direito natural, era necessário que as leis regulassem a vida dos cidadãos. Mas essas leis, para serem legítimas, deveriam ser justas.

Segundo Aristóteles, a **prudência** — *phrónesis*, em grego — é uma qualidade moral necessária ao exercício da atividade filosófica e política. Também chamada *sabedoria prática*, seria uma virtude moral que levaria os indivíduos, por meio da ponderação dos discursos contrários, a discernir entre o certo e o errado, o justo e o injusto.

PARA SABER MAIS

Sobre as teorias aristotélicas da virtude, da prudência e do justo meio, consulte o capítulo 20, "Teorias éticas".

Mais tarde, os romanos adaptaram o conceito aristotélico de *phrónesis*, que, vinculado ao Direito, passou a designar a virtude do discernimento necessária ao bom julgamento jurídico. Contudo, em vez de buscar o certo e o justo na ordem natural do cosmos, como faziam os gregos, os romanos encontraram na história mítica da fundação de Roma seu modelo de virtude e retidão moral.

Envolta em lendas, Roma teria nascido da união de diversas famílias que aceitaram ter o mesmo culto comum: a cidade surgira de um ritual religioso, sempre renovado para manter as mesmas crenças.

3 Os teóricos da modernidade

A partir do século XVII, iniciou-se um processo de dessacralização das esferas do saber: a arte, a ciência, a filosofia, a política e o Direito reivindicavam autonomia em relação aos dogmas religiosos, e as noções de Estado e de Direito conquistaram essa autonomia.

Vejamos como na modernidade modificaram-se as ideias de Direito, poder e justiça.

O Estado moderno

A partir do século XVI, com o surgimento das monarquias nacionais e o desenvolvimento do capitalismo, outras concepções de poder foram elaboradas para se ajustarem aos novos tempos.

Nicolau Maquiavel (1469-1527) inaugurou o pensamento político moderno ao analisar o tema do poder de modo inédito, abordando-o independentemente de qualquer perspectiva cosmológica (dos gregos) ou teológica (dos medievais). Para ele, o poder é forjado nas relações humanas e, como tal, pertence a este mundo.

Foi o filósofo inglês Thomas Hobbes (1588-1679), contudo, quem deu ao tema do poder o primeiro tratamento jurídico na modernidade. Partiu da curiosa premissa segundo a qual o ser humano é movido por suas paixões naturais e, portanto, o objetivo do indivíduo não é fazer o bem para os outros nem salvar a própria alma, mas satisfazer seus próprios desejos e interesses, mesmo que para isso seja necessário prejudicar os outros.

A premissa hobbesiana não é propriamente pessimista. Pode ser considerada filosoficamente útil para pensar o tema do poder sem ilusões e com realismo: se a tendência humana é usar o poder em benefício próprio, o desafio consiste em domar esse poder, controlando-o artificialmente. A hipótese de Hobbes é que, na ausência de um Estado forte e centralizado, os indivíduos tenderiam a regredir a um hipotético estado de natureza no qual cada um trataria de si e a vida se tornaria precária, violenta, terrível e curta.

O Direito, encarado até então como atividade ética e prudencial, como fenômeno anterior e independente da noção de Estado, passou a identificar-se com o próprio Estado, que, na visão de Hobbes, deve ser o detentor exclusivo da produção jurídica.

Nota-se com Hobbes uma novidade: a construção artificial do Estado é a um só tempo a construção artificial do Direito, que é transformado em instrumento com o objetivo de assegurar a paz, possibilitando uma vida tranquila, protegida da agressão dos outros.

Os pensadores modernos, por sua vez, deduziram da natureza humana aquilo que chamaram de direitos inatos. Diferentemente das teorias clássicas e medievais, porém, o direito natural adquiriu na modernidade inequívoco contorno individualista.

Liberdade como autonomia

Na modernidade discutiu-se um rol crescente de direitos considerados naturais e inatos, universais e atemporais, a começar pelo direito à vida e à segurança (Thomas Hobbes), até chegarmos aos direitos à liberdade (John Locke) e à igualdade (Jean-Jacques Rousseau).

Essas teorias foram tecendo os conceitos de liberdade e autonomia, que tiveram sua expressão mais clara no Iluminismo (século XVIII), sobretudo com o pensamento do filósofo alemão Immanuel Kant.

REPRODUÇÃO

No Brasil colonial, as ideias iluministas circulavam clandestinamente. *Libertas, quae sera tamen* ("Liberdade, ainda que tardia") era o lema da Conjuração Mineira, em 1789, que terminou com a execução de Tiradentes.

Liberdade negativa e positiva

Nas esferas política e filosófica, a modernidade forjou o ideal de liberdade negativa e liberdade positiva (ou política):

- **Liberdade negativa** é a liberdade de uma gama de direitos, como liberdade de pensamento, expressão, culto religioso, associação, iniciativa comercial, entre outros, que devem ser respeitados pelo Estado. Por que o adjetivo *negativo*? Porque esses direitos coincidem com a esfera dos comportamentos não regulados por leis, portanto, trata-se de uma *liberdade de não impedimento*. Por exemplo: não há lei que regulamente a liberdade de uma pessoa frequentar um culto religioso, de expressar um pensamento, de casar-se com quem quiser.
- **Liberdade positiva** (ou **liberdade política**) é a liberdade *no* Estado: ao cidadão é garantida por lei a possibilidade de participar ativamente no exercício dos poderes estatais, sejam eles legislativos, executivos ou judiciários. Trata-se da liberdade como autonomia, na explicação de Norberto Bobbio:

> A primeira ampliação do conceito de liberdade ocorreu com a passagem da teoria da liberdade como não impedimento para a teoria da liberdade como *autonomia*. [...] Com o conceito de autonomia, a liberdade não consiste mais na ausência de leis, mas sim na presença de leis internamente desejadas e internamente estabelecidas.[3]

É preciso lembrar, finalmente, que durante os séculos XVII e XVIII a burguesia ainda não havia conquistado o poder político e lutava contra as pressões dos regimes absolutistas, como era o caso, por exemplo, de França, Espanha e Portugal.

Transcendente. O que é de ordem superior. No caso dos cristãos, a justiça não é deste mundo, mas se encontra fora dele, em Deus. É o contrário de **imanente**: o que pertence a este mundo.

Phrónesis. Termo grego com vários significados: sabedoria prática (moral), sensatez, prudência, discernimento.

Dessacralização. O que deixou de ser sagrado. O mesmo que **laicização**: tornar laico, não influenciado pelos dogmas religiosos.

Inato. O que nasce com o indivíduo, portanto, o que é *natural* no ser humano.

[3] BOBBIO, Norberto. *Teoria geral da política*: a filosofia política e as lições dos clássicos. Rio de Janeiro: Campus, 2000. p. 489.

Aos olhos dos pensadores da época, os ideais do liberalismo e do Iluminismo pareciam direitos naturais, universais e absolutos. Esse teor é evidente na Declaração de Independência dos Estados Unidos (1776), na Declaração dos Direitos do Homem e do Cidadão (1789) da França pós-revolucionária e em inúmeros outros discursos e documentos que marcaram a ascensão definitiva da burguesia. Os reflexos dessas ideias se fizeram sentir no Brasil em várias tentativas de independência.

4 Os códigos modernos e os direitos sociais

Na passagem do século XVIII para o XIX, iniciou-se uma nova fase política e jurídica da modernidade. Diversos países, sob a influência da filosofia iluminista, promulgaram sua Constituição — inclusive com a forma moderna que conhecemos hoje e que, de algum modo, persistiu na Carta Magna brasileira de 1988.

Foi nesse período que os três poderes — Executivo, Legislativo e Judiciário — conquistaram autonomia. Substituiu-se, assim, a antiga ordem, segundo a qual o rei detinha em suas mãos o controle dos três poderes.

Todo cidadão, mesmo sem título de nobreza, passou a poder reivindicar participação em um dos três poderes. Essa participação apresentava, contudo, uma importante ressalva: aquele que integrava um dos poderes ficava impedido de fazer parte dos outros dois. Constituía-se, então, a liberdade política ou liberdade positiva.

PARA REFLETIR

Por que "aquele que integra um dos poderes fica impedido de fazer parte dos outros dois"? Qual é a vantagem disso para a democracia?

A novidade dos códigos: o positivismo jurídico

Além da Constituição, alguns países também promulgaram códigos de Direito, que hierarquicamente estavam submetidos ao primeiro documento. Na França, o Código Civil de 1804, também conhecido como Código de Napoleão, entrou para a história como um dos primeiros da modernidade.

A novidade jurídica representada por esse código é enorme. Antes, os juízes, ao avaliar um caso, invocavam costumes e valores morais da época, dispositivos legais de códigos antigos e obsoletos, como o Código de Justiniano (século VI), e o que entendiam ser as normas de Direito natural.

Como consequência, o Direito vigente era confuso e não se sabia como um juiz poderia ou deveria fundamentar sua decisão.

Com a promulgação do Código de Napoleão, porém, o juiz deveria julgar sempre com base na lei registrada no documento. Desse modo, o jurista passou a ter novos desafios:

- Cabia-lhe identificar as normas válidas e vigentes de acordo com as leis promulgadas pelo Poder Legislativo e julgar conforme suas disposições.
- Os antigos códigos não poderiam ser invocados como fundamento de decisão jurídica.
- Como a antiga prudência aristotélica havia sido relegada a segundo plano, agora o mais importante para o jurista era desenvolver um conhecimento técnico que permitisse rigor e certeza nas decisões.
- A noção de direito natural passou a ser considerada estranha ao mundo jurídico e ilegítima como fundamento de decisão.

No século XX, o filósofo e jurista Hans Kelsen (1881-1973) propôs uma forma mais elaborada do positivismo jurídico, sustentando que uma norma pode ser válida — porque baseada em lei —, mesmo que seja injusta. Ele justifica sua posição afirmando que a justiça é um valor relativo: como muda no tempo e no espaço, não pode ser usada como critério adequado para uma decisão.

SAN VITALE, RAVENA, ITÁLIA

Mosaico bizantino do século VI representando o imperador Justiniano e seu séquito. Quando Justiniano governou o Império Romano do Oriente (século VI), foi elaborado um código composto de um sistema de leis baseado na recompilação do Direito romano.

Com Kelsen configurou-se a ciência do Direito, a busca de um Direito universalmente válido, independente de reflexões axiológicas, ou seja, realizada com base em valores.

5 Liberdade e igualdade?

No século XIX, a Europa foi sacudida por ideias anarquistas, comunistas e socialistas, que criticavam os ideais liberais e denunciavam como embuste a alegação de que o povo teria participação na política.

Para os revolucionários, a suposta liberdade burguesa só era possível à custa da miséria da classe operária, muitas vezes submetida a condições cruéis e desumanas de trabalho e sem acesso a nenhum dos três poderes. Contra a liberdade burguesa, reivindicavam a igualdade material e social de todos os seres humanos.

Essas lutas adentraram o século XX. As críticas ao liberalismo repercutiram na Constituição do México (1917), da Alemanha (1919) e, de modo mais radical e contundente, na Declaração dos Direitos do Povo Trabalhador e Explorado (1918), que sucedeu a Revolução Russa de 1917.

Que novidades as constituições mexicana e alemã trouxeram? Ambas afirmavam que o Estado tinha obrigação de assegurar a todo e qualquer cidadão direitos econômicos, sociais e culturais, como acesso à educação e à saúde gratuitos e de qualidade, além de fomentar o acesso e o desenvolvimento cultural e artístico. Vários direitos sociais foram incorporados nos documentos, como: limitação da jornada de trabalho, garantias contra o desemprego, proteção da maternidade, estabelecimento de idade mínima para trabalhos industriais e noturnos.

COLEÇÃO PARTICULAR - THE GRANGER COLLECTION, NOVA YORK/OTHER IMAGES

Zapata, líder da Revolução Mexicana de 1910 contra o ditador Porfirio Díaz, foi defensor dos direitos dos camponeses. A pintura *Zapatistas* (1931) é de José Orozco, artista mexicano que retratou o tema da revolução em sua arte.

Teve início, assim, mais uma fase daqueles direitos que depois seriam chamados de direitos humanos: a fase da igualdade ou da "liberdade através do Estado". Porém, os desdobramentos políticos da primeira metade do século XX, marcado por duas grandes guerras mundiais, não permitiriam que a constituição mexicana e a alemã se tornassem um modelo de proteção dos direitos sociais.

6 A comunidade internacional

A Primeira Guerra Mundial terminou em novembro de 1918. Cerca de um ano depois, um tratado internacional assinado por 44 países deu origem à Liga das Nações. Um de seus principais objetivos — assegurar a paz — foi frustrado em 1939, com a expansão nazista na Europa e a eclosão da Segunda Guerra Mundial. Esse foi o fim da Liga, que não chegou a completar 20 anos de existência.

Além das duas Grandes Guerras, no século XX também passamos por experiências arbitrárias e violentas de poder, praticadas por governos totalitários (como o nazismo na Alemanha, o fascismo na Itália e o stalinismo na União Soviética) e por ditaduras militares implantadas em diversos pontos do planeta, da Ásia à América Latina, incluindo-se o Brasil (1964-1985).

Como resultado, milhões de seres humanos tiveram seus direitos suspensos e suas propriedades confiscadas. Foram perseguidos, presos arbitrariamente e assassinados pelo governo do próprio país em que haviam nascido, crescido e vivido.

Em 1948, a Declaração Universal dos Direitos Humanos foi aprovada pela Assembleia Geral da recém-criada ONU. Embora essa declaração não seja tecnicamente considerada um tratado internacional com força jurídica vinculante entre os países membros da ONU, ela representa um consenso em torno dos valores ali defendidos, além de ter sido modelo para a elaboração de dois importantes tratados de direitos humanos: o Tratado Internacional dos Direitos Civis e Políticos e o Tratado Internacional dos Direitos Econômicos, Sociais e Culturais (ambos aprovados pelo Brasil em 1992).

Força jurídica vinculante. Obrigatoriedade.

Com o término da Segunda Guerra Mundial, em 1945, foi criada a Organização das Nações Unidas (ONU) para fortalecer a paz, desenvolver entre as nações uma relação baseada no respeito ao princípio da igualdade de direitos e estimular a cooperação internacional nos problemas mundiais. Na foto, a primeira Assembleia Geral da ONU, realizada em Londres, em 1946.

A partir de 1948, portanto, a proteção dos direitos humanos deixou de ser matéria de exclusivo interesse interno de um Estado, tornando-se tema de interesse de grande parte da comunidade internacional. Afinal, aprendemos com o século XX que o Estado, por meio de governos autoritários, pode converter-se no grande violador dos direitos de seus próprios cidadãos.

Com o objetivo de evitar a conversão do Estado de Direito em Estado autoritário, desenvolveu-se um sistema jurídico internacional de proteção dos direitos humanos. Assim, os Estados que se mostram deficientes ou omissos em seu dever de proteger esses direitos passaram a ser juridicamente responsabilizados pelo Direito Internacional.

A ordem internacional após 1948

A ordem internacional que surgiu a partir de 1948 apresenta algumas inovações, como a universalização, a indivisibilidade e a participação.

Universalização

Os direitos humanos são universalizáveis, mas não são universais, pois não são eternos, imutáveis, cósmicos nem religiosos, como se acreditou ao longo da história da humanidade. Ao contrário: os direitos humanos são valores históricos.

Trata-se de uma invenção humana em constante processo de construção e reconstrução, afinal os direitos mudam com o tempo. Mas podem ser universalizáveis em determinada época, após debate e consenso. A universalização dos direitos é, portanto, uma convenção marcada pelo consenso dos países que integram a ONU em determinado período.

PARA REFLETIR

Os direitos humanos não são universais, mas sim universalizáveis. Você entendeu qual é a diferença? Debata a questão com seus colegas.

Indivisibilidade

Os direitos humanos são indivisíveis. Os direitos civis e políticos, próprios do discurso liberal da cidadania, devem ser conjugados com os direitos econômicos, sociais e culturais, que defendem a igualdade e são próprios do discurso social da cidadania.

Atualmente reivindica-se também o direito à paz, à preservação do ambiente e do patrimônio comum da humanidade, entre outros. São direitos que não são deste ou daquele indivíduo, mas do gênero humano.

Cada um desses direitos não se supera nem se exclui. Os direitos humanos, por serem indivisíveis, acumulam-se e fortalecem-se.

Participação

O *status* do indivíduo se modificou na nova ordem internacional. Os Estados assumiram a obrigação de garantir o respeito aos direitos humanos dentro de seu território. Porém, se falhar nessa tarefa, o indivíduo que tiver seus direitos violados poderá recorrer a organismos internacionais para se defender do próprio Estado em que vive.

É verdade que o acesso a tais organismos, como a Comissão Interamericana de Direitos Humanos (CIDH), é ainda tímido e deficiente. Mas é possível constatar avanços, pois durante o regime militar no Brasil, por exemplo, esse acesso era ainda mais difícil.

A democratização da política interna dos países não apenas facilitou como possibilita e estimula a participação da sociedade civil no palco da política internacional. Um dos objetivos desse engajamento é, sem dúvida, o aperfeiçoamento dos mecanismos de proteção internacional dos direitos humanos.

7 Direitos humanos: "direitos de bandidos"?

Depois de conhecer um pouco da história do Direito, pode-se perceber o equívoco daqueles que "fecham a cara" diante da expressão "direitos humanos", imaginando que tais direitos se resumem à defesa de bandidos. Igualmente distorcida é a ideia de que os militantes dos direitos humanos não têm compaixão pelas vítimas da violência urbana e criminal e se interessam apenas pelo bem-estar de criminosos.

Direito de bandidos? A expressão em si não é absurda, porque os criminosos também têm direitos. Aliás, uma das novidades da Declaração Universal dos Direitos Humanos é a extensão desses direitos a todos os seres humanos, independentemente da condição racial, social, econômica e até criminal.

Qualquer criminoso, por mais que tenha cometido um ato odioso e bárbaro, não perde sua condição humana e tem o direito tanto de saber do que é acusado como de ser defendido por advogado em processo judicial. O que as organizações de direitos humanos defendem não é o crime ou a impunidade, mas sim que os acusados sejam julgados e, se condenados, punidos de acordo com os termos da lei.

Se a violência dos criminosos é condenável, igualmente condenável é a punição vingativa e a violência injustificável de alguns agentes do Estado, que abusam de seu poder ao torturar e executar criminosos ou suspeitos.

PARA REFLETIR

Entre alguns povos antigos, predominava a lei de talião: pagava-se o mal com o mesmo mal. Quem roubasse tinha a mão cortada, quem matasse deveria ser morto, quem estuprasse era castrado. Essa lei teve inicialmente um sentido, por interromper as vinganças de família que faziam sucessivas vítimas. Mas seria ainda hoje um procedimento justificável? Dê sua opinião sobre esse tipo de punição.

E as vítimas da violência urbana e criminal? Também há exemplos de organizações de direitos humanos que dão assistência a essas pessoas. O que não se pode, contudo, é confundir a atuação daqueles que exigem o respeito à lei por parte dos agentes estatais com o drama vivido pelas vítimas da violência. São dois problemas de ordem diversa.

Finalmente, questões relacionadas a racismo, trabalho infantil, educação, saúde, meio ambiente, desigualdade de gênero, entre tantas outras, também fazem parte da luta pelos direitos humanos. Não é incorreto dizer, aliás, que problemas desse tipo mobilizam a maior parte dos militantes hoje em dia.

WEINSTEIN COMPANY/COURTESY EVERETT COLLECTION/LATINSTOCK

A violência institucional da polícia foi para a tela do cinema. O filme brasileiro *Tropa de elite*, dirigido por José Padilha, expõe à sociedade a urgência de debater: o crime pode ser combatido com o uso da força desmedida, da tortura e da ofensa aos direitos humanos?

8 Para não concluir

Hoje, as pessoas que já usufruem dos direitos humanos talvez nem se deem conta de que esses direitos foram conquistados e construídos em séculos de luta contra a opressão e a discriminação.

Quando alguém escreve uma opinião contrária ao governo, num *blog* ou no jornal; quando alguém vota ou é votado para um cargo público; quando uma pessoa pobre ingressa no Judiciário e exige da prefeitura de sua cidade os remédios necessários para tratar sua doença; quando um indivíduo escolhe a profissão, a cidade em que mora, a religião que professa; quando a violência contra a mulher, contra os negros ou contra os homossexuais se torna criminosa; quando uma categoria profissional realiza uma greve por melhores condições de trabalho, em todos esses casos, e em muitos outros, estamos falando de direitos humanos.

Atividades

Revendo o capítulo

1 Escreva com suas palavras qual foi a conclusão de Flávia Piovesan sobre os 75 casos de violação de direitos humanos que foram levados à Comissão Interamericana de Direitos Humanos (CIDH).

2 Explique qual é a importância do conceito de prudência (*phrónesis*) para os gregos.

3 Sob que aspecto o conceito de prudência adquiriu outras nuanças na Idade Média?

4 O que mudou no conceito de poder, a partir da modernidade?

5 Qual foi a importância dos códigos do século XIX?

Aplicando os conceitos

6 Em 10 de dezembro de 2008, foram comemorados os 60 anos da assinatura da Declaração Universal dos Direitos Humanos. Como você interpreta a imagem do pôster de comemoração? O que significa a frase temática: "Iguais na diferença"?

REPRODUÇÃO

Dissertação

7 Escreva uma dissertação com argumentos que justifiquem seu ponto de vista sobre o tema: "Direitos humanos são 'direitos de bandidos'?".

Caiu no vestibular

8 (UEL) Leia o texto a seguir.

"Os Direitos Humanos têm um pressuposto que é o de reconhecer que aquilo que consideramos indispensável para nós é também para o próximo. Reconhecer esse postulado nos leva a outras dificuldades: definir quais bens materiais e simbólicos são indispensáveis a nós e aos outros, ou ainda, a todos os seres humanos. [...] A distinção entre 'bens compressíveis', como os cosméticos, os enfeites, roupas extras, e bens incompressíveis, como o alimento, a casa, a roupa, não é suficiente para criarmos critérios sobre quais direitos são essenciais. Poderíamos ampliar o entendimento dos bens incompressíveis que não seriam apenas aqueles que asseguram a sobrevivência física em níveis decentes, mas também os que garantem a integridade espiritual. Desse modo, seriam bens incompressíveis a alimentação, a moradia, o vestuário, a instrução, a saúde, a liberdade individual, o amparo da justiça pública, a resistência à opressão, e, também, o direito à crença, à opinião, ao lazer e, por que não, à arte e à literatura." (Antonio Candido. *Direitos humanos e literatura*. Disponível em: http://www.dhnet.org.br/direitos/textos/textos_dh/literatura.html. Acesso em: 7 jul. 2007.)

Com base no texto, assinale a alternativa em que o verso apresenta clara correspondência com a temática.

a) Vamos comer / Vamos comer feijão / Vamos comer / Vamos comer farinha / Se tiver / Se não tiver então ô ô ô ô. (Caetano Veloso. *"Vamo" comer*.)

b) Bebida é água. / Comida é pasto. / Você tem sede de quê? / Você tem fome de quê? / A gente não quer só comida, / A gente quer comida, diversão e arte. / A gente não quer só comida, / A gente quer saída para qualquer parte. / A gente não quer só comida, / A gente quer bebida, diversão, balé. (Arnaldo Antunes; Marcelo Fromer; Sérgio Britto. *Comida*.)

c) Fome do cão, fome do cão, fome do cão, fome do cão / O ronco da Iara é da fome do cão / O ronco do bucho é da fome do cão / Fome do cão, fome do cão, fome do cão, fome do cão. (Raimundos; Rumbora e Rodolfo Abrantes. *Fome do cão*.)

d) Trem sujo da Leopoldina / Correndo correndo / Parece dizer / Tem gente com fome / Tem gente com fome / Tem gente com fome. (João Ricardo Solano Trindade. *Tem gente com fome*.)

e) Ummmm que fome / Tô com uma fome de leão / Come, come / Vo fazer uma refeição / Come, come / Vou detonar o macarrão / Come, come / Batata, vagem, agrião. (Jairzinho Oliveira. *Comer me faz crescer*.)

Compressível. Literalmente, o que pode ser diminuído por compressão. No contexto, os bens que não são essenciais e podem faltar. Do mesmo modo, incompressíveis são os indispensáveis.

Capítulo

23 A política normativa

A alegoria do tempo governado pela prudência. Tiziano Vecelli (Ticiano), 1565.

Tiziano Vecelli (c. 1490-1576), pintor italiano, representa nessa tela uma alegoria da prudência: três faces humanas, na juventude, na maturidade e na velhice; e três animais, o cão, o leão e o lobo. O próprio artista escreveu no alto da tela: (da experiência) "do passado, o presente age prudentemente para não estragar a ação futura". Segundo alguns, os animais, de acordo com a arte egípcia, representariam igualmente esses três períodos. O que pensar dessa alegoria? Talvez signifique que a virtude da prudência exige memória, inteligência e previdência. Reflita: os filósofos gregos, sobretudo Aristóteles, atribuíam ao bom governante a virtude da prudência. Em que medida essas três características seriam importantes na política?

Previdência. Capacidade de prever.

1 A política como teoria

Costuma-se dizer que a democracia nasceu na Grécia, mais propriamente em Atenas. Embora tenha durado pouco tempo, surgiu como uma proposta original que ao longo dos tempos fecundou teorias e sonhos de liberdade e igualdade dos mais diversos teores.

Queremos dizer que, por serem os gregos os primeiros a filosofar, também foram eles os primeiros a refletir criticamente sobre a política, por isso costuma-se afirmar que eles "inventaram" a política. Não que outros povos já não tivessem exercido o poder, mas que apenas entre os gregos essa reflexão se desliga dos mitos e teoriza sobre a possibilidade humana de engendrar por si mesma as leis e a organização da vida coletiva.

Neste capítulo veremos como as concepções teóricas dos gregos do período clássico marcaram profundamente a tradição ocidental. Suas concepções de política, desligadas dos mitos dos ancestrais e centradas nas leis racionais da cidade, tiveram continuidade na Idade Média, embora adaptadas à visão religiosa do mundo.

2 A democracia grega

A passagem do mundo rural e aristocrático da Grécia dos tempos homéricos (séculos XII a VIII a.C.) para a formação das primeiras aglomerações urbanas no período arcaico (a partir do século VIII a.C.) determinou mudanças na estrutura social, política e econômica. A intensificação do sistema escravista acentuou a divisão do trabalho, desenvolveu o artesanato e estimulou o comércio, que dava vazão aos produtos excedentes.

Os gregos lançaram-se ao mar em busca de terras mais férteis e novos pontos de comércio, fundando colônias na Jônia (atual Turquia) e na Magna Grécia (sul da atual Itália, incluindo a Sicília).

PARA SABER MAIS

Tratamos de Grécia Antiga também nos capítulos 3, "O nascimento da filosofia", e 13, "A busca da verdade".

Nas póleis destacavam-se dois lugares: a *acrópole* e a *ágora*. A acrópole constituía a parte elevada na qual era construído o templo e que também servia de ponto de defesa da cidade. A *ágora* era a praça central destinada às trocas comerciais e na qual os cidadãos se reuniam para debater os assuntos da cidade e resolver problemas legais.

As primeiras póleis, que teriam surgido na Jônia nos séculos VIII e VII a.C., disseminaram-se por todo o mundo grego. Com a invenção da moeda, a economia deixou de se basear na troca em espécie, passando a ser monetária. Em decorrência disso, os comerciantes e proprietários de oficinas enriquecidos, mas ainda sem representação política, aspiravam ao poder, que até então se encontrava nas mãos da aristocracia.

Atenas no período clássico

Atenas teve uma sequência de legisladores — Drácon, Sólon e Clístenes — que destacaram o caráter humano das leis e não mais o divino. Além disso, aos poucos promoveram a ideia de cidadania, ao possibilitar a todos os cidadãos atenienses a participação na assembleia do povo, na qual eram eleitos os funcionários do Estado. Mas foi no governo de Clístenes, no final do século VI a.C., que o regime ateniense se democratizou: devido à nova distribuição das famílias em diversas tribos, o poder da nobreza territorial ficou reduzido.

PARA SABER MAIS

O *período clássico* da filosofia grega centraliza-se na figura de Sócrates (470-399 a.C.) e seu discípulo Platão. Os sofistas também fazem parte dessa época.

O apogeu da democracia em Atenas ocorreu no século V a.C., quando Péricles era governante. No entanto, o historiador Tucídides destaca o poder de liderança de Péricles, que tinha sempre as rédeas na mão:

> quando a massa queria tomar o freio, sabia como espantá-la e atemorizá-la, e quando se deprimia ou desesperava sabia dar-lhe alento. Deste modo, Atenas "só de nome era democracia", sob o seu comando; "na realidade, era o domínio de um eminente", a monarquia da superior habilidade política.[1]

Outra crítica à democracia ateniense deve-se à constatação de que o fato de morar na mesma cidade não tornava seus habitantes igualmente cidadãos. Desse privilégio eram excluídos os estrangeiros, as

1 JAEGER, Werner. *Paideia*. São Paulo: Herder, s. d. p. 431.

mulheres e os escravos. Importante ressaltar que o braço escravo, em todas as atividades artesanais, liberava o cidadão livre para as atividades reflexivas, políticas e de lazer.

Apesar dessas contradições, o ideal democrático representou uma novidade em termos de proposta de poder que, daí em diante, iria orientar as aspirações humanas por sociedades mais justas.

3 Os sofistas e a retórica

Coube aos filósofos sofistas, no século V a.C., a função de justificar o ideal democrático. Foram eles que elaboraram teoricamente e legitimaram o ideal democrático da nova classe em ascensão, a dos comerciantes enriquecidos, os quais, desde que fossem cidadãos da pólis, tinham direito ao exercício do poder. À virtude (*areté*) da aristocracia guerreira opuseram a virtude do cidadão: a principal delas é a justiça. Enquanto na aristocracia predominava a *areté* ética, restrita à excelência do nobre guerreiro, no novo modelo a justiça tornou-se política e mais objetiva que a anterior, pois o critério do justo e do injusto sustentava-se na lei escrita, válida para todo cidadão.

A exigência atendida pelos sofistas não era apenas de ordem teórica, mas também prática, voltada para a vida. Segundo Jaeger, historiador da filosofia, por esse motivo exerceram influência muito forte, vinculando-se à tradição educativa dos poetas Homero e Hesíodo.

Como mestres da nova *areté* política, os sofistas recorreram à *retórica*, que é a arte de bem falar, de utilizar a linguagem em um discurso persuasivo. É bem verdade que essa educação não se destinava ao povo em geral, mas à elite intelectual, àqueles bons oradores que poderiam, nas assembleias públicas, fazer uso da palavra livre e pronunciar discursos convincentes e oportunos. Com o brilhantismo da participação no debate público, deslumbravam os jovens do seu tempo. Os sofistas desenvolveram então o espírito crítico e aprimoraram a expressão.

Por que então Sócrates e seus discípulos acusavam os sofistas de superficialidade e de pronunciar um discurso vazio? Talvez essa fama se devesse à excessiva atenção de alguns deles ao aspecto formal da exposição e à defesa das ideias, sobretudo quando enfatizavam a persuasão e não a verdade da argumentação. No entanto, é preciso lembrar que a depreciação deles, levada a efeito por Sócrates e Platão, ajudou a manter a imagem caricatural dos sofistas.

ALBUM/AKG-IMAGES/LATINSTOCK

O século de Péricles. Philipp Foltz, 1853. Tendo o Partenon ao fundo, o povo reunido na ágora ouve a palavra de Péricles.

PARA SABER MAIS

A partir do século XIX houve uma revisão historiográfica visando a reabilitar o prestígio da sofística. Consultar o capítulo 13, "A busca da verdade".

Os mais famosos sofistas foram: Protágoras, de Abdera (485-411 a.C.); Górgias, de Leôncio, na Sicília (485-380 a.C.); Híppias, de Élis, e Trasímaco, Pródico, Hipódamos, entre outros.

4 A teoria política de Platão

O pensamento político de Platão (428-347 a.C.) encontra-se sobretudo nas obras *A República* e *Leis*. Em estilo agradável, muitas vezes poético e com alegorias, Platão escreve diálogos em que seu mestre Sócrates é o principal interlocutor.

Seu verdadeiro nome era Arístocles. O apelido, "Platão", talvez se devesse aos ombros largos. Ateniense de família aristocrática e fascinado pela política, sofreu pesados reveses ao tentar convencer Dionísio, o Velho, rei da Sicília, a aplicar suas teorias. Inicialmente bem recebido, após sérias desavenças foi vendido como escravo. Reconhecido e libertado por um rico armador, não desistiu do seu projeto político, retornando duas vezes à Sicília. Embora mais cauteloso, não obteve sucesso, e a amargura dessas tentativas frustradas transparece em *Leis*, sua última obra.

Persuasão. Ação de convencer. Os gregos têm dois termos para indicar a persuasão: *peithó* significa convencer respeitando a vontade alheia; *apáte* refere-se ao uso de argumentos para enganar e convencer por meio de mentiras.

O século V a.C., "época das luzes" da Grécia, terminou tristemente com a derrota de Atenas na guerra contra Esparta, a condenação e a morte de Sócrates e as convulsões sociais que agitaram a cidade, acentuando em Platão o descrédito na democracia.

A utopia platônica: *A República*

No livro VII de *A República*, Platão ilustra seu pensamento com o famoso mito da caverna, que daria margem a interpretações diversas, como a epistemológica e a política.

PARA SABER MAIS

Para mais detalhes da alegoria da caverna, consulte o capítulo 13, "A busca da verdade".

Segundo a interpretação epistemológica, aqueles que são prisioneiros na caverna e tomam as sombras como se fossem a realidade, ao serem libertos, elevam-se da *opinião* à *ciência*, alcançando o verdadeiro conhecimento. Tornam-se, então, filósofos, e devem retornar ao meio das pessoas comuns para orientá-las no reto caminho do saber.

A interpretação política decorre da pergunta: "Como influenciar aqueles que não veem?". Cabe ao sábio ensinar, procedendo à educação política, pela transformação das pessoas e da sociedade, desde que essa ação seja orientada pelo modelo ideal contemplado. Mais que isso, o filósofo deve governar.

Platão imagina então uma cidade **utópica**, a **Calípolis**.

ETIMOLOGIA

Utopia. Do grego *outopos*, "em nenhum lugar": aquilo que ainda não existe, mas pode vir a ser.
Calípolis. Do grego *kalós*, "belo", "beleza", e *pólis*, "cidade": cidade bela.

Partindo do princípio de que as pessoas são diferentes, e por isso ocupam lugares e funções diversas na sociedade, Platão propõe que o Estado, e não a família, assuma a educação das crianças até os sete anos, evitando assim a cobiça e os interesses decorrentes dos laços afetivos e das relações humanas inadequadas. O Estado orientaria também as práticas de eugenia para que não se consumassem casamentos entre desiguais, oferecendo melhores condições de reprodução e, ao mesmo tempo, criando creches para a educação coletiva das crianças.

MUSEU DO LOUVRE, PARIS

O filósofo em meditação, de Rembrandt, 1632. No ambiente escuro, a luz da janela ilumina o filósofo. Uma escada sugere algo que se busca em um nível superior do conhecimento: seria a verdade, que, segundo Platão, só os filósofos seriam capazes de alcançar?

A educação das três classes

A educação promovida pelo Estado seria feita em etapas, de acordo com o tipo de "alma" de cada um. O que Platão tem em vista é preparar os indivíduos para exercer as três funções fundamentais da vida coletiva: as atividades que atendem às necessidades materiais, as de guarda e defesa da cidade e as de governantes. Observe também que cada classe corresponde a uma das três partes da alma, a apetitiva, a irascível e a racional:

- Até os 20 anos, todos deviam ser educados da mesma maneira; após a identificação, aqueles que possuíssem "alma de bronze" deveriam se dedicar à agricultura, ao artesanato e ao comércio, cabendo-lhes, portanto, cuidar da *subsistência da cidade*. A virtude por excelência desse grupo é a temperança, pela qual deveriam controlar os desejos de prazer.
- Os demais continuariam os estudos por mais dez anos, até a segunda seleção, quando seriam identificados aqueles que têm "alma de prata". A eles seriam destinadas a guarda do Estado, a *defesa da cidade*. A virtude dos guerreiros é a coragem, exercida pelo domínio sobre o caráter irascível de sua alma.
- Os mais notáveis, que sobraram das seleções anteriores, por terem a "alma de ouro", seriam instruídos na arte de pensar a dois, ou seja, na arte de dialogar. Estudariam filosofia, fonte de toda verdade, que eleva a alma até o conhecimento mais puro. Aos 50 anos, aqueles que passaram com sucesso pela série de provas seriam admitidos no corpo supremo dos magistrados. Caberia a eles o *governo da cidade*, por serem os únicos a ter a ciência da política. Como homens mais sábios, seriam alçados à função de manter

a cidade coesa. Também seriam os mais justos, uma vez que justo é aquele que conhece a justiça. Como virtude principal, a justiça constitui a condição de exercício das outras virtudes.

A sofocracia: o rei-filósofo

Se para Platão a política é a arte de governar as pessoas com o seu consentimento, e o político é aquele que conhece essa difícil arte, só poderá ser chefe quem conhece a ciência política. Por isso a democracia é inadequada, porque a igualdade só é possível na repartição dos bens, mas nunca no igual direito ao poder. Para o Estado ser bem governado, é preciso que "os filósofos se tornem reis, ou que os reis se tornem filósofos".

Portanto, Platão propõe um modelo aristocrático de poder, não uma aristocracia da riqueza, mas aquela em que o poder é confiado aos mais sábios. Ou seja, trata-se de uma **sofocracia**.

E ETIMOLOGIA

Sofocracia. Do grego *sophós*, "sábio", e *kratia*, "poder".

A esse respeito, diz Platão:

> Será então o momento de conduzir à consumação final aqueles que, aos cinquenta anos, tiverem saído ilesos das provas a que se submeteram. Os que tiverem distinguido em todos os atos de sua conduta e em todos os ramos do conhecimento serão compelidos a dirigir o olhar da alma para o ser que ilumina todas as coisas; a enxergar o Bem em si e a utilizá-lo como modelo para governar, cada um por sua vez, e durante o resto de sua vida, a Cidade, os particulares e a si próprios. Deverão consagrar à filosofia uma grande parte do seu tempo e, chegando a sua vez, carregar nos ombros o peso das funções políticas e da direção das questões públicas tendo em mira apenas o bem da Cidade, com a convicção, não de que executam uma função honrosa, mas de que cumprem um dever iniludível.[2]

O rigor do Estado concebido por Platão ultrapassa em muito a proposta de educação. Como a virtude suprema é a obediência à lei, o legislador tem de conseguir seu cumprimento, em primeiro lugar, pela persuasão, aguardando a atuação consentida dos cidadãos livres e racionais. Caso não o consiga, deve usar a força: a prisão, o exílio ou a morte. Do mesmo modo, a censura é justificável quando visa à manutenção do Estado.

As formas de governo

Platão foi o primeiro pensador a refletir, na sua utopia, sobre a melhor forma de governo, a sofocracia. Mas, observando a política real de seu tempo, alerta para o poder degenerado, em que o governo não respeita as leis nem tem por objetivo a justiça coletiva, e sim o interesse de pessoas ou grupos. Está mesmo convencido de que, após uma série de governos justos, a tendência é decair, devido à negligência dos magistrados das cidades, à dissidência interna ou às guerras.

As formas de governos degenerados são quatro, descritos no Livro VIII de *A República*:

- a ***timocracia***, em que o culto da virtude é substituído pelo impulso guerreiro;
- a ***oligarquia***, na qual o exercício do poder é destinado aos mais ricos.
- a *democracia*, em que o poder é atribuído aos mais pobres. Para Platão, nessa forma de governo acaba prevalecendo a **demagogia**, característica do político que manipula e engana. No livro VIII de *A República*, Platão critica a *democracia* porque, por definição, o povo é incapaz de adquirir a ciência política. A pretensão à igualdade democrática é falaciosa, porque a verdadeira igualdade baseia-se no valor pessoal, que é sempre desigual, já que uns são melhores do que outros.
- a *tirania*, que resulta geralmente dos abusos da democracia, o que exige um guia que assuma todos os poderes. Com o tempo, o **tirano** abusa desse poder em proveito próprio, gerando a pior forma de governo, exercida pela força de um só e sem ter por objetivo o bem comum. O tirano é a antítese do magistrado-filósofo.

E ETIMOLOGIA

Timocracia. Do grego *thymós*, "irascibilidade", "cólera", daí coragem: é a característica dos guerreiros.
Oligarquia. Do grego *olygarkhía*, "governo de poucos": *olygos*, "pouco", e *arkhé*, "governo" e também "princípio".
Demagogia. Do grego *demos*, "povo", e *agogós*, "conduzir": "o que conduz o povo".
Tirano. Do grego *tyrannos*, que tem dois sentidos: o soberano, aquele que é superior; ou, segundo a forma degenerada, aquele que abusa do poder.

Iniludível. Que não admite dúvida.

[2] PLATÃO. *A República*. Livro VII. Brasília: Universidade de Brasília, 1985. p. 84.

Se notarmos bem, as formas de governo examinadas por Platão baseiam-se na "alma" que predomina nos homens que governam. Daí os riscos de degeneração: os guerreiros, que são corajosos, podem tornar-se violentos; os oligarcas, por serem mais ricos, acentuariam sua cobiça; os pobres, desejosos de liberdade e igualdade, promoveriam a anarquia.

Portanto, o bom governante é aquele que conhece a virtude e é capaz de agir segundo ela. É corajoso, temperante, justo, sábio.

5 A teoria política de Aristóteles

Aristóteles (384-322 a.C.), discípulo de Platão, mas crítico de seu mestre, elaborou uma filosofia original. Recusa o autoritarismo da utopia platônica, por considerá-la impraticável e inumana. Recusa também a sofocracia, que atribui poder ilimitado a uma parte apenas do corpo social, os mais sábios, alegando que a exclusão hierarquiza demais a sociedade. Não aceita que a família deva ser dissolvida nem que a justiça, virtude por excelência do cidadão, possa desvincular-se da amizade, da *philia*.

A amizade e a justiça

A palavra grega *philia*, embora se traduza por "amizade", assume sentido mais amplo quando se refere à cidade: significa a concordância entre as pessoas com ideias semelhantes e interesses comuns, de onde resultam a camaradagem, o companheirismo. Daí a importância da educação na formação ética dos indivíduos, por prepará-los para a vida em comunidade.

A amizade não se separa da justiça. Essas duas virtudes se relacionam e se complementam, fundamentando a unidade que deve existir na cidade. Se a cidade é a associação de iguais, a justiça é o que garante o princípio da igualdade. Justo é o que se apodera da parte que lhe cabe, é o que distribui o que é devido a cada um.

É preciso lembrar, no entanto, que Aristóteles não se refere à igualdade simples ou aritmética, mas à *justiça distributiva*, segundo a qual a distribuição justa é a que leva em conta o mérito das pessoas: não se dá o igual para desiguais, já que as pessoas são diferentes.

A justiça está intimamente ligada ao império da lei, pela qual a razão prevalece sobre as paixões cegas. Retomando a tradição grega, a lei é, para Aristóteles, o princípio que rege a ação dos cidadãos, é a expressão política da ordem natural. Mesmo considerando a importância das leis escritas, Aristóteles valoriza também as leis não escritas, trazidas pelo costume.

Quem é cidadão?

Já vimos que a democracia grega excluía da cidadania os estrangeiros, as mulheres e os escravos. Aristóteles também o faz, mas na obra *Política* propõe-se discutir o que se pode entender por *cidadania*. Esta depende do direito de participar da vida pública. Assim ele afirma:

> Um cidadão integral pode ser definido por nada mais nem nada menos que pelo direito de administrar justiça e exercer funções públicas; algumas destas, todavia, são limitadas quanto ao tempo de exercício, de tal modo que não podem de forma alguma ser exercidas duas vezes pela mesma pessoa, ou somente podem sê-lo depois de certos intervalos de tempo prefixados; para outros encargos não há limitações de tempo no exercício de funções públicas (por exemplo, os jurados e os membros da assembleia popular).[3]

Em seguida, Aristóteles adverte que há outros tipos de cidadania, dependendo da constituição vigente na cidade, e que a definição dada se aplica especificamente à cidadania em uma democracia constitucional (ou politeia).

Para Aristóteles, é necessário ter qualidades que variam conforme as exigências da constituição aceita pela cidade, assim como o governante deve ser um bom cidadão, embora as funções de um e de outro sejam diferentes. Embora na Atenas democrática os artesãos estivessem entre os cidadãos, caso fossem homens livres e nativos da cidade, na sua teoria política Aristóteles prefere excluir da cidadania a classe dos artesãos, comerciantes e trabalhadores braçais em geral. Em primeiro lugar, porque a ocupação não lhes permite o tempo de ócio necessário para participar do governo; e em segundo lugar porque, reforçando o desprezo que os antigos tinham pelo trabalho manual, esse tipo de atividade embrutece a alma e torna quem o exerce incapaz da prática de uma virtude esclarecida.

Vale lembrar ainda a polêmica justificativa de Aristóteles à escravidão:

[3] ARISTÓTELES. *Política*. Livro III, capítulo I, 1275b.

THE GRANGER COLLECTION, NOVA YORK/OTHER IMAGES

Vaso grego do século V a.C. mostrando um camponês e um escravo. Os escravos eram prisioneiros de guerra ou pessoas que não conseguiram pagar suas dívidas. Quando o escravo acompanhava as crianças ou jovens à escola era chamado *pedagogo* (*paidós*, "criança", *agogé*, "conduzir"): aquele que conduz a criança".

> Se as lançadeiras tecessem e as palhetas tocassem cítaras por si mesmas, os construtores não teriam necessidade de auxiliares e os senhores não necessitariam de escravos.[4]

Para Aristóteles, os homens livres e concidadãos aprisionados em guerras não deveriam ser escravizados, mas sim os "bárbaros" — nome genérico atribuído aos não gregos — que, por serem "inferiores", possuíam disposição natural para a escravidão. Recomendava apenas que o tratamento do senhor ao escravo não fosse cruel, devendo mesmo ser estabelecidos laços afetivos, como nas antigas famílias dos tempos homéricos, quando os escravos pertenciam ao lar.

PARA REFLETIR

Discuta com seu colega se esse tipo de concepção que inferioriza certos grupos na sociedade ainda é encontrado nos dias atuais. Em caso afirmativo, explicite e posicione-se a respeito.

As formas de governo

Enquanto Platão privilegia a matemática, ciência abstrata por excelência, Aristóteles, filho de médico, sofre influência da biologia. Daí seu gosto pela observação e classificação, o que o leva a recolher informações sobre 158 constituições existentes. Além de descrever as diversas constituições, Aristóteles estabelece uma *tipologia das formas de governo* que se tornou clássica.

Aristóteles usa os seguintes critérios de distinção:

a) segundo o critério da quantidade, o governo pode ser *monarquia* (governo de um só), *aristocracia* (governo de um pequeno grupo) e *politeia* (governo constitucional da maioria).

b) conforme o critério axiológico (de valor), as três formas são *boas se* visam ao interesse comum; e são *más*, corrompidas, degeneradas, se têm como objetivo o interesse particular. Portanto, a cada uma das três formas boas descritas correspondem respectivamente três formas degeneradas: a *tirania*, em que o governo de um só visa ao interesse próprio; a *oligarquia*, na qual vence o interesse dos mais ricos ou nobres; e a *democracia*, pela qual a maioria pobre governa em detrimento da minoria rica.

O quadro a seguir esclarece a classificação:

Formas de governo

		Critérios do valor	
		Boas	**Corrompidas**
Critérios do número	**Um**	Monarquia	Tirania
	Poucos	Aristocracia	Oligarquia
	Muitos	Politeia	Democracia

Embora considere a monarquia, a aristocracia ou a politeia formas corretas e adequadas de exercício do poder, Aristóteles prefere a última, embora distinga diversos tipos, e exclui as que tornam as decisões de assembleias superiores à constituição, levando à demagogia. As vantagens da politeia ou democracia constitucional talvez se devam à constatação de que a tensão política sempre deriva da luta entre ricos e pobres e, portanto, se um regime conseguir conciliar esses antagonismos, será mais fácil assegurar a paz social.

Sob esse aspecto, Aristóteles retoma o critério já usado no campo da ética, segundo o qual a virtude sempre está no meio-termo. Aplicando o critério da mediania às classes que compõem a sociedade, descobre na *classe média* — constituída pelos indivíduos que não são muito ricos nem muito pobres — as condições de virtude para criar uma política estável, já que diminui a possibilidade de ocorrência de revoltas.

[4] ARISTÓTELES. *Política*. Livro I, capítulo II, 1254a.

SGM/KEYSTONE

Os mosteiros medievais eram centros de cultura porque guardavam as obras clássicas e estimulavam o trabalho intelectual dos monges voltados para essa atividade. O mosteiro de Saint-Michel, na Normandia (França), começou a ser construído no século VIII sobre um monte rochoso. No século X, os beneditinos lá se instalaram. Esse mosteiro já serviu de fortaleza e hoje é local de intenso turismo.

6 O bom governo

A teoria política grega orientava-se para a busca dos parâmetros do *bom governo*. Platão e Aristóteles envolveram-se nas questões políticas de seu tempo e criticaram os maus governos. Platão tentou efetivamente implantar um governo justo na Sicília e idealizou em *A República* um modelo a ser alcançado. Aristóteles, mesmo recusando a utopia de seu mestre, aspirava igualmente a uma cidade justa e feliz. Assim ele afirma:

> Se dissemos com razão na *Ética* [*a Nicômaco*] que a vida feliz é a vivida de acordo com os ditames da moralidade e sem impedimentos, e que a moralidade é um meio-termo, segue-se necessariamente que a vida segundo este meio-termo é a melhor — um meio-termo acessível a cada um dos homens. O mesmo critério deve necessariamente aplicar-se à boa ou má qualidade de uma cidade ou de uma constituição, pois a constituição é um certo modo de vida para uma cidade.[5]

O que Aristóteles quer dizer? Que existe uma ligação indissolúvel entre a vida moral e a política, na medida em que as questões do bom governo, do regime justo, da cidade boa dependem da virtude do bom governante. Em decorrência disso, o bom governante deve ter a virtude da *prudência prática (phrónesis)*, pela qual será capaz de agir visando ao bem comum. Trata-se de virtude difícil, nem sempre alcançável.

Desse modo, tanto Platão como Aristóteles elaboram uma teoria política de natureza *descritiva*, porque é uma reflexão que parte da descrição dos fatos, mas também de natureza *normativa* e *prescritiva*, porque pretende indicar quais as *boas formas de governo*. E essas normas estão estreitamente ligadas à ideia do bom governante.

Veremos como a tendência prescritiva do bom governo persistiu na Idade Média até ser criticada no século XVI, por Maquiavel.

7 Idade Média: política e religião

No primeiro período da Idade Média, o Império Romano esfacelou-se em diversos reinos bárbaros. O desejo de unidade de poder, de restauração da unidade perdida, expressou-se na difusão do cristianismo, que passou a representar o ideal de Estado universal.

Não por acaso, os intelectuais pertenciam às ordens religiosas e, consequentemente, as principais questões filosóficas baseavam-se nas relações entre fé e razão, esta sempre subordinada àquela. Porque, se a fé é o conhecimento mais elevado e o critério adequado da verdade, não cabe à filosofia buscar a verdade, mas apenas demonstrar racionalmente essa verdade.

De início os religiosos receavam os textos gregos, por serem obras pagãs, mas com as devidas interpretações e adaptações à fé cristã, os pensadores medievais aderiram inicialmente ao platonismo e depois ao aristotelismo.

Estado e Igreja

Ao contrário das concepções da Antiguidade, em que a função do governo era assegurar a vida boa, na Idade Média predominou a *concepção negativa do Estado*. Por ser a natureza humana sujeita ao pecado e ao descontrole das paixões, caberia ao

[5] ARISTÓTELES. *Política*. Livro IV, capítulo IX, 1295b.

Estado o papel de intimidação para todos agirem retamente. Daí a estreita ligação entre política e moral, que exige a formação do governante justo, não tirânico, capaz de obrigar todos a obedecer aos princípios da moral cristã. Segundo essa concepção religiosa, configuram-se duas instâncias de poder: a do Estado e a da Igreja.

- a natureza do Estado é secular, temporal, voltada para as necessidades mundanas, e sua atuação é exercida pela força física;
- a Igreja é de natureza espiritual, voltada para os interesses da salvação da alma, e deve encaminhar o rebanho para a religião por meio da educação e da persuasão.

8 Agostinho, bispo de Hipona

Sobre o tema das relações entre Estado e Igreja, debruçaram-se inicialmente os Padres da Igreja, ou Patrística, da qual participaram os intelectuais católicos, com destaque para Agostinho.

QUEM É?

OGNISSANTI, FLORENÇA, ITÁLIA

Santo Agostinho em seu gabinete, pintura de Sandro Botticelli, 1480.

Na cidade de Tagaste, hoje Souk-Ahras, na Argélia, norte da África, nasceu **Aurélio Agostinho** (354-430), que seria bispo de Hipona e posteriormente canonizado pela Igreja Católica. Apesar de ter vivido no final da Antiguidade, antes da queda do Império Romano, suas teorias fertilizaram todo o primeiro período da Idade Média. Na sua juventude interessou-se pela religião dos maniqueus, o que despertou sua curiosidade pelas questões sobre o bem e o mal. Após uma juventude conturbada, voltada para os prazeres, converteu-se ao cristianismo por influência de sua mãe, igualmente canonizada: Santa Mônica. Adaptou o platonismo à fé católica e escreveu diversos livros: *Confissões, De magistro, A cidade de Deus.*

Na obra *A cidade de Deus*, Agostinho trata das *duas cidades*, a "cidade de Deus" e a "cidade terrestre", que para ele não devem ser entendidas simplesmente como o reino de Deus que se sucede à vida terrena, mas conforme o paralelismo entre dois planos de existência na vida de cada um. Ou seja, todos vivem a dimensão terrena vinculada à sua história natural, à moral, às necessidades materiais e ao que diz respeito a tudo o que é perecível e temporal. Outra dimensão é a celeste, que corresponde à comunidade dos cristãos, a qual vive da fé e se inspira no amor a Deus. A cidade terrestre é o reino do pecado e será aniquilada no fim dos tempos. A cidade de Deus opõe a graça ao pecado e a eternidade à finitude.

Agostinismo político

A repercussão da teoria das duas cidades, à revelia do autor, desembocou na doutrina chamada *agostinismo político*, que influenciou todo o pensamento medieval. Essa teoria define o confronto entre o poder do Estado e o da Igreja pela superioridade do poder espiritual sobre o temporal. A tensão entre os dois poderes assumiu diferentes expressões no decorrer do período, criou inúmeros conflitos entre reis e papas e gerou facções políticas, como veremos mais adiante.

Embora a oposição entre Estado e Igreja já viesse de longa data, foi o beneditino Bernardo de Claraval, no século XII, que formulou de maneira mais expressiva o pensamento político-religioso medieval por meio da figura da "luta das duas espadas":

> A espada espiritual e a espada material pertencem, uma e outra, à Igreja; mas a segunda deve ser manejada a favor da Igreja e a primeira pela própria Igreja; uma está na mão do padre, a outra na mão do soldado, mas à ordem do padre e sob o comando do imperador.[6]

9 A escolástica: Tomás de Aquino

No século XIII, deu-se o apogeu da escolástica, escola cristã na qual destacou-se a obra de Tomás de Aquino (1225-1274). O tomismo caracterizou-se pela grande síntese do aristotelismo e pela densa discussão a respeito das verdades teológicas da fé cristã.

Naquele século os tempos já eram outros, com o renascimento das cidades e a intensificação do comércio, o debate das ideias nas universidades e a provocação das heresias, que desafiavam a ortodoxia religiosa. Também Tomás de Aquino mudou o enfoque dos temas políticos e, sob a influência de Aristóteles, debruçou-se sobre questões como a natureza do poder e das leis e o tema clássico do melhor governo.

No entanto, coerente com a visão religiosa do mundo, conclui que o Estado conduz o ser humano até um certo ponto, quando então é necessário o

[6] BERNARDO DE CLARAVAL, citado por TOUCHARD, Jean. *História das ideias políticas.* Lisboa: Europa-América, 1970. v. 2. p. 81.

concurso do poder da Igreja, sem dúvida superior, e que cuidará da dimensão sobrenatural de seu destino. Embora mantendo a hierarquia entre as duas instâncias, atenua sem dúvida os excessos da doutrina nascida do conflito entre Igreja e Estado.

Atento ao risco da tirania, entende a paz social como resultado da unidade do Estado e valoriza a virtude do governante, dando continuidade à versão da política grega que prescreve o comportamento virtuoso do governante.

10 Tempos de ruptura

Paralelamente às elaborações teóricas que justificavam a teocracia, a sociedade medieval transformava-se, gerando anseios de laicização, isto é, de assumir uma orientação não religiosa, o que se deveu a vários acontecimentos de ruptura, tais como o renascimento das cidades e do comércio e as expressões anticlericais das heresias.

Para combater as heresias, a partir do século XII, a Igreja criou a Inquisição (ou Santo Ofício), com tribunais que julgavam os "desvios da fé". Recorria-se à delação anônima, ao julgamento sem advogados, à tortura. As penas variavam da prisão perpétua à condenação à morte, geralmente na fogueira.

PALAZZO PUBLICCO, SIENA, ITÁLIA - THE GRANGER COLLECTION, NOVA YORK/OTHER IMAGES

Nesses afrescos de Ambrogio Lorenzetti, do século XIV, é clara a intenção pedagógica de distinguir as virtudes do bom governo (no alto) dos vícios do mau governo (acima), de acordo com a tradição teórica da política medieval que identificava o tirano como o próprio demônio.

THE GRANGER COLLECTION, NOVA YORK/OTHER IMAGES

Os habitantes das novas cidades, reis e imperadores ousaram enfrentar o poder papal, ainda que sujeitos à reação rigorosa da Igreja. No século XI, o papa Gregório VII ameaçou de excomunhão Henrique IV, rei da Germânia, obrigando-o a implorar perdão por três dias, humildemente descalço, às portas do castelo papal de Canossa. Gravura c. 1830.

Teóricos pré-renascentistas

Os teóricos do final da Idade Média e que podem ser considerados pré-renascentistas elaboraram novas ideias que, embora não tenham provocado alterações políticas imediatas, deram início a uma lenta e profunda transformação no sentido de valorizar o poder do Estado em detrimento do poder pontifício.

Na Itália, destacaram-se as teorias de Dante Alighieri e de Marsílio de Pádua, que sofreram influência da situação especial da Itália, dividida em inúmeros pequenos Estados independentes, que até 1250 estiveram sob a tutela dos imperadores alemães. A interferência da Igreja nos negócios políticos, como o desejo de imperadores alemães de recuperarem o poder sobre a península itálica, desencadeou a luta de facções entre *guelfos* (partidários do papa) e *gibelinos* (partidários do imperador). Esses últimos representaram, em última instância, o ideal de secularização do poder em oposição à ação política da Igreja.

Dante Alighieri (1265-1321), poeta italiano, mais conhecido como autor de *A divina comédia*, também escreveu *A monarquia*, obra em que introduz teses naturalistas e propõe a eliminação do papel mediador do papa. Segundo ele, Deus, criador da natureza, nos dotou de livre raciocínio e vontade que nos permitem a perfeita condução do Estado:

Ao duplo fim do homem é necessário um duplo poder diretivo: o do sumo pontífice que, segundo a revelação, conduz o gênero humano à vida eterna, e o imperador que, segundo as lições da filosofia, dirige o gênero humano para a felicidade temporal. [...] Assim, torna-se evidente que a autoridade temporal do monarca desce sobre ele, sem qualquer intermediário.[7]

Ao colocar a autoridade temporal e política como independente da autoridade do papa e da Igreja, Dante admite que o governante deve depender diretamente de Deus, o que de certo modo prenuncia a doutrina do direito divino dos reis e o fortalecimento da monarquia.

Na Inglaterra, Guilherme de Ockam (1270-1347), como franciscano e teólogo, recorreu às Escrituras e à Patrística para criticar a indevida ingerência da Igreja nas leis civis.

Esses pensadores do declínio da Idade Média prenunciavam as novas expressões de poder civil que se sobrepunham ao poder eclesiástico: o particularismo nacional predominando sobre o universalismo da Igreja.

O conjunto desses fatos e teorias concorreu para a valorização dos poderes seculares, fortalecendo a soberania do Estado, noção que surgiria no centro da formação das monarquias nacionais, a ser levada a efeito na Idade Moderna pela aliança entre a burguesia e os reis, como veremos no próximo capítulo.

11 Balanço final

Neste capítulo vimos a reflexão política nascer na Grécia Antiga, sobretudo fundamentada pelas obras de Platão e Aristóteles, que influenciaram toda a filosofia posterior. O aspecto principal dessas teorias é a convicção de que o bom governo depende de um regime baseado em leis que não sejam corrompidas, bem como depende das virtudes dos cidadãos e dos governantes.

Durante a Idade Média essas teorias foram adaptadas pelos religiosos, de modo a não conflitarem com o cristianismo.

Dante e seu poema **(1465), de Domenico Michelino. Esta pintura representa, na parte esquerda inferior, os que descem, condenados ao Inferno; e na montanha com sete patamares estão os que sobem no Purgatório, com esperança de purgar (limpar) seus pecados e ganhar o Céu. É assim que em *A divina comédia* Dante relata o destino dos pecadores. Mas seu poema, além das críticas morais que faz aos homens de seu tempo, também revela suas preocupações políticas. Leia o trecho do Canto XVI do Purgatório:**

DUOMO, FLORENÇA, ITÁLIA

"Bem haja Roma, que ao bom mundo, então,
ergueu dois sóis, por revelar a estrada
ali da terra, e aqui da salvação.
Mas um o outro eclipsou, e uniu-se a espada
à pastoral; e, juntos, claramente,
não podem bem cumprir sua jornada."

Observe que os "dois sóis" a que ele se refere são os dois poderes, o temporal e o espiritual, que na Roma Antiga estariam separados. Explique o que significam essas duas estrofes do ponto de vista da teoria política de Dante Alighieri. Compare o teor desses versos com a posição de Agostinho.

7 ALIGHIERI, Dante. *A monarquia*. São Paulo: Abril Cultural, 1973. p. 231. (Coleção Os Pensadores).

Leitura complementar

I
Oração fúnebre aos guerreiros

[Péricles (495-429 a.C.) faz a oração fúnebre aos guerreiros mortos durante o primeiro ano da Guerra do Peloponeso (431).]

"Vivemos sob uma forma de governo que não se baseia nas instituições de nossos vizinhos; ao contrário, servimos de modelo a alguns ao invés de imitar outros. Seu nome, como tudo depende não de poucos, mas da maioria, é democracia. Nela, enquanto no tocante às leis todos são iguais para a solução de suas divergências privadas, quando se trata de escolher (se é preciso distinguir em qualquer setor), não é o fato de pertencer a uma classe, mas o mérito, que dá acesso aos postos mais honrosos; inversamente, a pobreza não é razão para que alguém, sendo capaz de prestar serviços à cidade, seja impedido de fazê-lo pela obscuridade de sua condição. Conduzimo-nos liberalmente em nossa vida pública, e não observamos com uma curiosidade suspicaz a vida privada de nossos concidadãos, pois não nos ressentimos com nosso vizinho se ele age como lhe apraz, nem olhamos com ares de reprovação que, embora inócuos, lhe causariam desgosto. Ao mesmo tempo que evitamos ofender os outros em nosso convívio privado, em nossa vida pública nos afastamos da ilegalidade, principalmente por causa de um temor reverente, pois somos submissos às autoridades e às leis, especialmente àquelas promulgadas para socorrer os oprimidos e as que, embora não escritas, trazem aos transgressores uma desonra visível a todos."

TUCÍDIDES. *História da Guerra do Peloponeso*. Brasília: Universidade de Brasília. Em: FIGUEIREDO, Carlos (org.). *100 discursos históricos*. Belo Horizonte: Leitura, 2002. p. 21-22.

Suspicaz. Características de quem desconfia de outro.

II
Democracia e tirania

[Os trechos a seguir referem-se a diálogos entre Sócrates e os irmãos de Platão, Glauco e Adimanto.]

"Pois bem!, a meu ver, a democracia aparece quando os pobres, tendo conquistado a vitória sobre os ricos, chacinam uns, banem outros e partilham igualmente, com os que sobram, o governo e os cargos públicos; e frequentemente estes cargos são sorteados. [...]

Em primeiro lugar, não é verdade que eles são livres, que a cidade transborda de liberdade e de franqueza de palavra, havendo nela licença para fazer o que se quer? [...]

Ora, é claro que toda parte onde reina tal licença cada qual organiza a vida do modo que lhe apraz. [...]

Assim é possível que ele [o governo democrático] seja o mais belo de todos. Qual uma vestimenta variegada que oferece toda variedade de cores, este governo, ao oferecer toda variedade de caracteres, poderá afigurar-se de rematada beleza. E talvez muitas pessoas, semelhantes às crianças e às mulheres que admiram as variegações, decidirão que é o mais belo. [...]

É, como vês, um governo agradável, anárquico e variegado, que confere uma espécie de igualdade tanto ao que é desigual como ao que é igual. [...]

Ora, não será o desejo insaciável deste bem [a liberdade] e a indiferença por tudo o mais que muda este governo e o compele a recorrer à tirania? [...]

Então, se os que a governam não se mostram totalmente dóceis e não lhe servem larga medida de liberdade, ela os castiga, acusando-os de criminosos e oligarcas. [...]

Ora, vês o resultado de todos esses abusos acumulados? Concebes, efetivamente, que tornam a alma dos cidadãos de tal modo assustadiça que, à menor aparência de coação, estes se indignam e se revoltam? E chegam por fim, bem sabes, a não mais se preocupar com leis escritas ou não escritas, a fim de não ter absolutamente nenhum senhor. [...]

Pois então! este governo tão belo e tão juvenil é que dá nascimento à tirania, pelo menos no meu pensar."

Platão. *A República*. 2. ed. São Paulo: Difel, 1973. v. 2. p. 162-172.

Questões

1 Quais são as características da democracia indicadas por Péricles?

2 Na fala de Sócrates, que representa a posição de Platão, como é vista a democracia?

3 Se Platão critica a democracia, que tipo de governo propõe?

Atividades

Revendo o capítulo

1 Os sofistas, mestres da retórica, ensinam a arte da persuasão. Quais são as vantagens desse instrumento na democracia e quais os seus riscos?

2 Interprete a alegoria da caverna do ponto de vista político.

3 Faça um quadro comparativo entre Platão e Aristóteles, indicando as diferenças e semelhanças entre as suas concepções de política.

4 Na Idade Média, o que muda e o que representa uma continuidade em relação à política grega?

5 O que é o agostinismo político?

Aplicando os conceitos

6 No tempo de Péricles, a democracia ateniense supunha a igualdade de direito perante a lei (isonomia) e a igualdade de direito à palavra na assembleia (isegoria). Responda às questões.

a) Os conceitos de isonomia e isegoria ainda são desejáveis na política atual? Justifique sua resposta.

b) Considerando que nas democracias contemporâneas as assembleias legislativas são constituídas por representantes eleitos, de que modo poderia ser garantido o direito à isegoria a todo cidadão?

7 "O que dissemos a propósito da Cidade e de sua construção não é uma quimera vã. Sua execução é difícil, mas viável, como dissemos, de uma única maneira: quando assumirem o poder dos governantes – um ou vários – que, sendo verdadeiros filósofos, desprezam as honras que hoje disputam, por considerá-las indignas de um homem livre e despojado e têm na mais alta estima a retidão – e as honras que dela decorrer – assim como a justiça, que considerarão como a mais importante e a mais necessária de todas as coisas." (PLATÃO. *A República*, livro VII. Brasília: Universidade de Brasília, 1985. p. 85). Baseando-se na citação, atenda às questões.

a) Explique em que sentido a afirmação de Platão fundamenta a concepção de sofocracia.

b) Qual é a posição de Aristóteles a respeito?

c) A concepção do governante justo faz parte do pensamento dos dois filósofos. Explique como esse aspecto constitui uma característica importante da concepção política antiga e medieval.

8 Leia os itens de um documento do século XI, atribuído ao papa Gregório VII, e atenda às questões.

"III. Apenas o pontífice romano pode depor ou absolver os bispos.

IX. O papa é o único homem a quem todos os príncipes beijam os pés.

XII. É-lhe permitido depor os imperadores.

XVIII. A sua sentença não deve ser reformada por ninguém e apenas ele pode reformar as sentenças de todos os outros.

XIX. Não deve ser julgado por ninguém.

XXVII. O papa pode dispensar o cumprimento do juramento de fidelidade feito aos injustos." (Citado por Jean Touchard (org.). *História das ideias políticas*. v. 2. Lisboa: Europa-América, 1970. p. 44-45.)

a) Identifique nessas prescrições a influência da doutrina do agostinismo político.

b) Quais as críticas que, no século XIV, foram feitas por Dante Alighieri e Marsílio de Pádua?

Dissertação

9 Escolha um dos temas para sua dissertação.

a) O simbolismo da ágora entre nós – Quais seriam nossos espaços efetivos de discussão democrática?

b) A César o que é de César e a Deus o que é de Deus.

Seminário

10 Em grupo, preparem a exposição de um seminário a partir do seguinte tema: "Os fundamentalismos religiosos no século XX e sua influência na política". Observem que em diversas tendências religiosas os fundamentalistas representam uma facção conservadora e dogmática que reage a comportamentos mais flexíveis que, segundo lhes parece, desvirtuam a ortodoxia. Embora tenha se generalizado a referência aos fundamentalistas islâmicos, eles existem também no cristianismo (protestantismo e catolicismo), bem como no judaísmo.

Capítulo

24 A autonomia da política

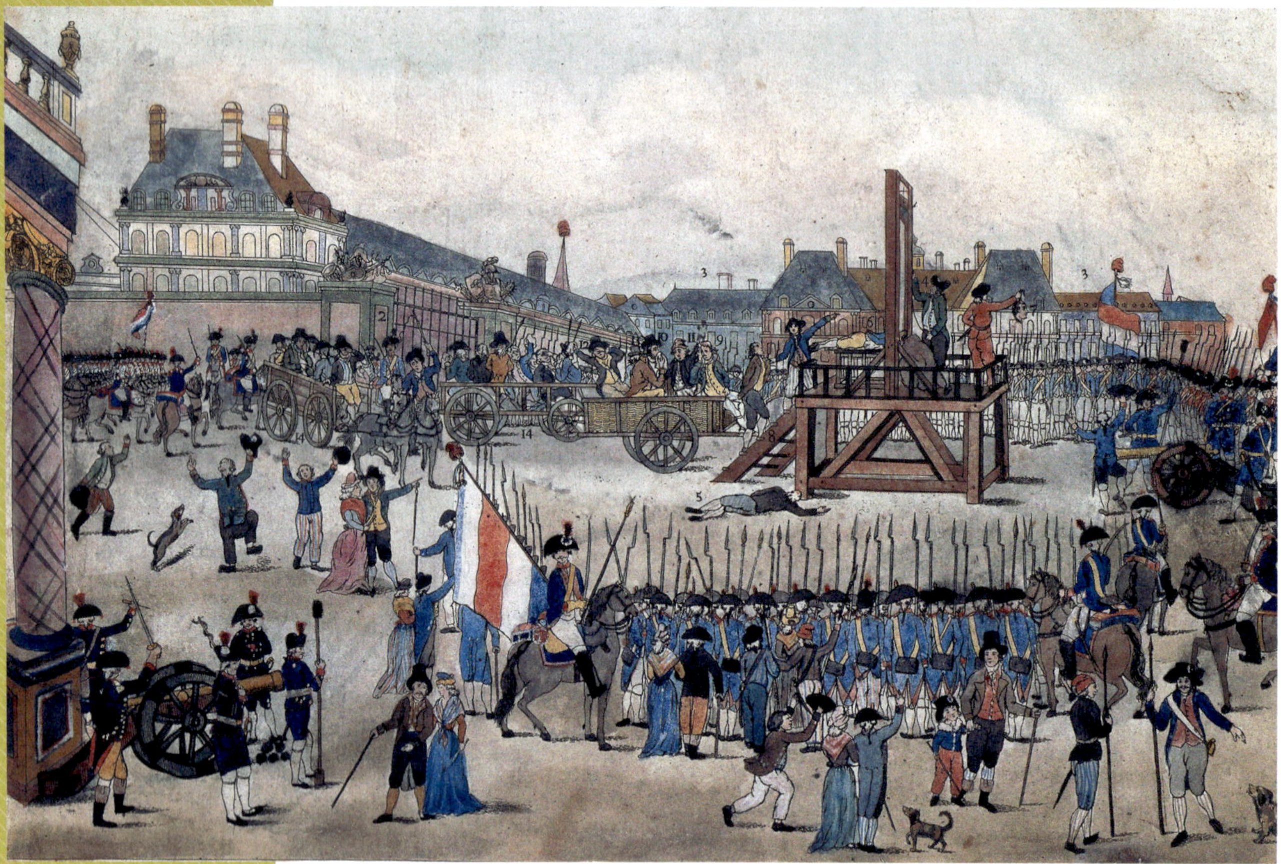

Execução de Robespierre e seus seguidores na Praça da Concórdia, em Paris, em 1794, representada em gravura colorida do século XVIII.

Com a execução de Robespierre e seus companheiros, em 1794, se encerrava a contradição daqueles que, imbuídos dos ideais de liberdade, igualdade e fraternidade da Revolução Francesa, ocorrida cinco anos antes, foram capazes de instaurar a política do Terror. Você conhece acontecimentos históricos similares ocorridos no século XX ou no século XXI que exemplifiquem as incoerências daqueles que querem impor a igualdade constrangendo a liberdade pela força?

1 A formação do Estado nacional

Desde o final do século XIV, em Portugal, e durante o século XV, na França, Espanha e Inglaterra, começaram a surgir as monarquias nacionais, com o fortalecimento do rei e, portanto, a centralização do poder. Desse modo configurou-se o Estado moderno, com prerrogativas de governo central, tais como o monopólio de fazer e aplicar leis, recolher impostos, cunhar moeda, ter um exército, e ser o único a deter o monopólio legítimo da força e o aparato administrativo para prestar serviços públicos.

Neste capítulo veremos como foram fundamentadas teoricamente as diretrizes políticas da modernidade, examinando o pensamento de Maquiavel e dos contratualistas Hobbes, Locke e Rousseau, que discutem sobre diferentes aspectos do liberalismo nascente.

2 A Itália dividida: Maquiavel

Enquanto as demais nações europeias centralizavam o poder, a Alemanha e a Itália permaneceram fragmentadas em inúmeros Estados, sujeitos a disputas internas e a hostilidades entre cidades vizinhas. A Itália, especialmente, sofria com a ganância de outros países, como Espanha e França, que assolavam a península com ocupações intermináveis.

Na Itália dividida viveu Nicolau Maquiavel (1469-1527), na república de Florença. Observava com apreensão a falta de estabilidade política da Itália, dividida em principados e repúblicas onde cada um dispunha de sua própria milícia, geralmente formada por mercenários. Nem mesmo os Estados Pontifícios deixavam de formar seus exércitos.

Maquiavel era maquiavélico?

Escrito em 1513 e dedicado a Lourenço de Medici, *O príncipe* provocou inúmeras interpretações e controvérsias. À primeira vista, essa obra parece defender o absolutismo e o mais completo imoralismo:

> É necessário a um príncipe, para se manter, que aprenda a poder ser mau e que se valha ou deixe de valer-se disso segundo a necessidade.[1]

QUEM É?

PALAZZO VECCHIO, FLORENÇA, ITÁLIA

Nicolau Maquiavel em pintura de Santi de Tito, século XVI.

Maquiavel não foi apenas um intelectual que teorizou a respeito de política, mas um político que viveu na prática a luta de poder no período em que Florença, tradicionalmente sob a influência da família Médici, encontrava-se por uma década governada pelo republicano Soderini. Ao ocupar a Segunda Chancelaria do governo, desempenhou inúmeras missões diplomáticas na França, Alemanha e nos diversos Estados italianos, quando entrou em contato direto com reis, papas e nobres. Nessas ocasiões conheceu o *condottiere* César Bórgia, empenhado na ampliação dos Estados Pontifícios, e, observando sua maneira de agir, viu nele o modelo de príncipe de que a Itália precisava para ser unificada. Após a deposição de Soderini, os Médici voltaram à cena política e Maquiavel caiu em desgraça, recolhendo-se para ocupar-se com as obras que o consagraram. Escreveu peças de teatro (como a famosa comédia *A Mandrágora*), poesia e ensaios diversos, dentre os quais se destacam *O príncipe* e *Comentários sobre a primeira década de Tito Lívio*.

Da leitura apressada de sua obra decorre o *mito do maquiavelismo*, que tem atravessado os séculos. Na linguagem comum, chamamos pejorativamente de *maquiavélica* a pessoa sem escrúpulos, traiçoeira, astuciosa, que, para atingir seus fins, usa de mentira e de má-fé e nos engana com tanta sutileza que não percebemos a manipulação. Como expressão dessa amoralidade, costuma-se vulgarmente atribuir a Maquiavel a famosa máxima: "Os fins justificam os meios".

No entanto, essa interpretação é excessivamente simplista e deformadora do pensamento maquiaveliano, porque se encontra fora do contexto mais amplo da obra. Para restaurar sua teoria convém analisar com mais atenção o impacto das inovações nas concepções políticas de seu tempo, ainda muito impregnadas da visão religiosa medieval.

Para nos contrapormos à análise pejorativa do maquiavelismo, convém examinar as características de duas obras: *O príncipe*, a mais conhecida, e *Comentários sobre a primeira década de Tito Lívio*, em que Maquiavel desenvolve ideias **republicanas**.

E ETIMOLOGIA

República. Do latim *res*, "coisa" pública. No contexto, governo voltado para o bem comum e expressão da vontade popular.

A aparente contradição entre as duas obras é interpretada como a análise de duas circunstâncias diferentes da ação política: em um primeiro momento, representado pela ação do príncipe na Itália dividida, o poder deve ser conquistado e mantido, e para tanto justifica-se o poder absoluto; posteriormente, alcançada a estabilidade, é possível e desejável a instalação do governo republicano.

Além disso, as ideias já democráticas aparecem veladamente também no capítulo IX de *O príncipe*, quando Maquiavel discorre sobre a necessidade de o governante ter o apoio do povo, sempre melhor do que o apoio dos grandes, que podem ser traiçoeiros. O que estava sendo timidamente esboçada era a ideia de consenso, que adquiriu importância fundamental nos séculos seguintes.

Virtù e *fortuna*

Para descrever a ação do príncipe, Maquiavel usa as expressões italianas *virtù* e *fortuna*.

[1] MAQUIAVEL, Nicolau. *O príncipe*. São Paulo: Abril Cultural, 1973. p. 69. (Coleção Os Pensadores).

Virtù significa virtude, no sentido grego de força, valor, qualidade de lutador e guerreiro viril. Príncipes de *virtù* são governantes especiais, capazes de realizar grandes obras e provocar mudanças na história. Não se trata, portanto, do príncipe virtuoso, bom e justo, segundo os preceitos da moral cristã, mas sim daquele que tem a capacidade de perceber o jogo de forças da política, para então agir com energia a fim de conquistar e manter o poder.

Fortuna, em sentido comum, significa acúmulo de bens, riqueza. Sua origem é a deusa romana Fortuna, que representa a abundância, mas também é aquela que move a roda da sorte. Especificamente, *fortuna* significa ocasião, acaso, sorte. Para agir bem, o príncipe não deve deixar escapar a ocasião oportuna. De nada adiantaria ser virtuoso, se o príncipe não soubesse ser precavido ou ousado e aguardar a ocasião propícia, aproveitando o acaso ou a sorte das circunstâncias, como observador atento do curso da história.

No entanto, a *fortuna* de pouco serve sem a *virtù*, pois pode transformar-se em mero oportunismo. Por isso Maquiavel distingue entre o príncipe de *virtù*, que é forçado pela necessidade a usar da violência visando ao bem coletivo, e o tirano, que age por capricho ou interesse próprio.

THE BRITISH LIBRARY – HERITAGE-IMAGES/IMAGESTATE/OTHER IMAGES

Essa iluminura, de cerca de 1520, representa a roda da fortuna como símbolo da mutabilidade do poder: enquanto uns o alcançam, outros entram em desgraça.

A política como categoria autônoma

Maquiavel subverteu a abordagem tradicional da teoria política feita pelos gregos e medievais, e por isso é considerado o fundador da ciência política, ao enveredar por novos caminhos "ainda não trilhados", como ele mesmo diz.

Pode-se dizer que a política de Maquiavel é *realista*, ao se basear em "como o homem age de fato". A observação das ações dos governantes seus contemporâneos e dos tempos antigos, sobretudo de Roma, leva-o à constatação de que eles sempre agiram pelas vias da corrupção e da violência. Partindo do pressuposto de que a natureza humana é capaz do mal e do erro, analisa a ação política sem se preocupar em ocultar "o que se faz e não se costuma dizer".

A esse realismo alia-se a tendência *utilitarista*, pela qual Maquiavel desenvolve uma teoria voltada para a ação eficaz e imediata. Para ele, a ciência política só tem sentido se propiciar o melhor exercício da arte política. Trata-se do começo da ciência política: da teoria e da técnica da política, entendida como disciplina autônoma, porque desvinculada da ética pessoal e da religião, além de ser examinada na sua especificidade própria.

Ética e política

Para Maquiavel, a moral política distingue-se da moral privada, uma vez que a ação política deve ser julgada a partir das circunstâncias vividas e tendo em vista os resultados alcançados na busca do bem comum. Com isso, Maquiavel distancia-se da *política normativa* dos gregos e medievais, porque não busca as normas que definem o *bom regime*, nem explicita quais devem ser as virtudes do *bom governante*. Em alguns casos, como o de Platão, a preocupação em definir como deve ser o bom governo levou à construção de utopias, o que merece a crítica de Maquiavel.

A nova ética analisa as ações não mais em função de uma hierarquia de valores dada *a priori*, mas sim em vista das consequências, dos resultados da ação política. Não se trata de amoralismo, mas de uma nova moral centrada nos critérios da avaliação *do que é útil à comunidade*: se o que define a moral é o bem da comunidade, constitui dever do príncipe manter-se no poder a qualquer custo, por isso às vezes pode ser legítimo o recurso ao mal — o emprego da força coercitiva do Estado, a guerra, a prática da espionagem e o método da violência.

O pensamento de Maquiavel nos leva à reflexão sobre a situação dramática e ambivalente do governante: se aplicar de forma inflexível o código moral que rege sua vida pessoal à vida política, sem dúvida colherá fracassos sucessivos, tornando-se um político incompetente.

Essas ponderações poderiam levar as pessoas a considerar que Maquiavel defende o político imoral, os corruptos e os tiranos. Não se trata disso. A leitura maquiaveliana sugere a superação dos escrúpulos imobilistas da moral *individual*, mas não rejeita a moral própria da ação política.

Para Maquiavel, a moral não deve orientar a ação política, segundo *normas gerais e abstratas*, mas a partir do exame de uma situação específica e em função do resultado dela, já que toda ação política visa à sobrevivência do grupo e não apenas de indivíduos isolados. Na nova perspectiva, para fazer política é preciso compreender o sistema de forças existentes de fato e calcular a alteração do equilíbrio provocada pela interferência de sua própria ação nesse sistema: como vimos, o desafio está em compreender bem a relação *fortuna-virtù*.

Com o distanciamento da política normativa dos gregos e a secularização da política, cabe ao próprio governante estabelecer caminhos. O filósofo francês Claude Lefort nos ajuda a compreender:

> Em definitivo, em nenhum lugar está traçada a via real da política. [...] O príncipe deve acolher a indeterminação e [...] se ele renunciar à ilusória segurança de um fundamento, terá a chance de descobrir, na paciente exploração dos possíveis, os sinais da criação histórica, e de inscrever sua ação no tempo.[2]

Maquiavel republicano

No ostracismo político, após a queda de Soderini, Maquiavel se ocupa com a elaboração dos *Comentários sobre a primeira década de Tito Lívio*,[3] e só interrompe esse trabalho por alguns meses para escrever *O príncipe*.

Ao explicitar suas ideias democráticas, desmente as interpretações tendenciosas da tradição que reforçaram o mito do maquiavelismo. Nessa obra analisa os riscos da corrupção, que faz prevalecer os interesses particulares sobre os coletivos, e reconhece na lei o instrumento eficaz para forçar as pessoas a respeitarem o bem comum.

ALINARI ARCHIVES, FLORENÇA/OTHER IMAGES

Nos jardins internos do Palácio Rucellai, em Florença, na Itália, construído por Alberti (século XV), Maquiavel lia trechos de suas obras republicanas para os amigos.

A democracia e o conflito

Outra novidade de sua teoria republicana é a elaboração da moderna concepção de ordem, não a ordem hierárquica, que cria a harmonia forçada, mas a que resulta do conflito. Trata-se de uma mudança radical de enfoque, uma vez que as utopias costumam valorizar a paz de uma sociedade sem antagonismos, o que significa não reconhecer a realidade do mundo humano em constante confronto. Ou seja, Maquiavel percebe que o conflito é um fenômeno inerente à atividade política, e que esta se faz justamente a partir da conciliação de interesses divergentes. A liberdade resulta de forças em luta, num processo que nunca cessa, já que a relação entre as forças antagônicas é sempre de equilíbrio tenso.

Ostracismo. Afastamento das funções públicas. O termo vem do costume, na Grécia Antiga, de se votar a exclusão de um cidadão das decisões públicas, escrevendo seu nome em uma casca de ostra untada com cera.

2 LEFORT, Claude. *Le travail de l'oeuvre Machiavel.* Paris: Gallimard, 1986. p. 432.

3 Os *Comentários* baseiam-se na obra de Tito Lívio, historiador que viveu no século I a.C. e escreveu sobre Roma. Sua obra era dividida em *décadas*, cada uma referente ao conjunto de dez livros; apesar do título, Maquiavel analisa, de fato, mais do que os dez primeiros livros.

PARA REFLETIR

Durante a ditadura militar no Brasil, o general Médici se gabava de que em seu governo (1969-1974) não tinham ocorrido greves nem conflitos. No entanto, vigorava um controle rigoroso para evitar os confrontos e as expressões de descontentamento, com censura, tortura, prisões e mortes. Reflita: podemos dizer que esse tipo de "tranquilidade" significa ordem e paz?

Maquiavel elogia a Roma Antiga ao afirmar que as divergências entre aristocratas e povo não provocaram a decomposição da República, mas a fortaleceram. Reitera que o Estado deve criar mecanismos para que o povo expresse seus desejos, bem como estabelecer formas de controle de seus excessos.

No entanto, o pensamento de Maquiavel tem um sentido próprio, na medida em que expressa a tendência fundamental de sua época: em um primeiro momento, a defesa do poder absoluto do Estado — capaz de unificar a Itália —, e a valorização da política secular, não atrelada à religião. Talvez por isso se ressinta de um certo *politicismo*, ou seja, de hipertrofia da política, de cujas consequências últimas nem ele próprio suspeitasse. Embora não tivesse usado o conceito de *razão de Estado*, já se esboçava a doutrina que iria vigorar no século seguinte, quando o governante absoluto, em circunstâncias críticas e extremamente graves, a ela recorre permitindo-se violar normas jurídicas, morais, políticas e econômicas.

PARA REFLETIR

As democracias contemporâneas já não toleram abusos de força nem atos fora da legalidade, além de terem como objetivo a transparência da atuação governamental. Como se justifica que, na prisão de Guantánamo, o governo dos Estados Unidos tenha confinado presos acusados de terrorismo sem culpa formada nem proteção de direitos fundamentais? (Sobre isso, consulte o capítulo 22, "Direitos humanos".)

3 Soberania e Estado moderno

Assim como o moderno conceito de Estado nasceu com Maquiavel, foi o jurista francês Jean Bodin (1530-1596) quem desenvolveu a ideia de soberania. Na linha do pensamento político de fortalecimento do poder central, para Bodin é a soberania que mantém a unidade de todos os membros e partes que formam o corpo da República.

Para que sejam garantidas a coesão e a independência do Estado, a soberania deve ser *perpétua* e *absoluta*. Isto é, o poder soberano deve ser exercido durante toda a vida de seu detentor, que, por sua vez, estará "absolvido do poder das leis": cabe a ele o poder de "dar e anular a lei". Mesmo que o soberano ancore suas decisões em razões fortes e boas, tudo depende exclusivamente de sua vontade, e não do consentimento de qualquer outra pessoa. O conceito de soberania foi fundamental para justificar o poder centralizado das monarquias nacionais.

Outras conceituações foram importantes no século XVII, tais como o *jusnaturalismo* e o contrato social.

PARA SABER MAIS

Sobre jusnatualismo, consulte o capítulo 22, "Direitos humanos".

As teorias contratualistas

O fortalecimento do Estado moderno levou ao absolutismo real. Desde o século XVI as monarquias se fortaleceram na Inglaterra, na Espanha e no século XVII na França.

O poder absoluto foi sustentado pela teoria do direito divino dos reis, defendida na França pelo bispo e teólogo Jacques-Bénigne Boussuet e na Inglaterra por Robert Filmer. No entanto, com a secularização do pensamento político, os filósofos procuravam o fundamento racional do poder soberano, para legitimá-lo sem recorrer à intervenção divina ou a qualquer fundamentação religiosa. Daí a temática recorrente do *contrato social* dos filósofos Thomas Hobbes, John Locke e Jean-Jacques Rousseau.

Os filósofos contratualistas partiam da hipótese do estado de natureza, em que o indivíduo viveria como dono exclusivo de si e dos seus poderes. Esses pensadores queriam compreender o que teria justificado abandonar um fictício estado de natureza para constituir o Estado político, mediante contrato, bem como discutir que tipo de soberania deveria resultar desse pacto.

O que buscavam era a *origem* do Estado. Não se trata de uma abordagem histórica, de modo que seria ingenuidade concluir que a "origem" do Estado referia-se ao seu "começo". O termo deve ser entendido no sentido lógico, e não cronológico, como princípio do Estado, ou seja, como sua "razão de ser". O ponto crucial não é a história, mas a legitimidade da ordem social e política, a base legal do Estado.

Soberania. O Estado soberano é o que tem a posse de um território no qual o comando sobre seus habitantes se faz pela centralização do poder. Nesse caso, a força torna-se um poder legítimo e de direito.

MUSEU DO LOUVRE, PARIS

O rei Luís XIV em pintura de Hyacinthe Rigaud, 1701. Na França, Luís XIV, o rei Sol, foi um monarca absoluto. É dele a frase que resumia seu poder: "*L'État c'est moi*" (O Estado sou eu).

Segundo o novo critério, a legitimidade do poder não se funda mais no divino, mas na *representatividade* e no *consenso*. Essa temática já aparece em Hobbes, embora baseada em outros pressupostos e com resultados e propostas diferentes daquelas discutidas posteriormente por Locke e Rousseau.

4 Hobbes e o poder absoluto do Estado

Thomas Hobbes (1588-1679), inglês de família pobre, conviveu com a nobreza, de quem recebeu apoio e condições para estudar. Teve contato com Descartes, Francis Bacon e Galileu. Dedicou-se, entre outros assuntos, ao problema do conhecimento, tema básico das reflexões do século XVII, representando a tendência empirista. Neste capítulo, veremos sua contribuição para o pensamento político, expresso nas obras *De cive* e *Leviatã*.

Na época em que Hobbes viveu, o absolutismo real atingira o seu apogeu, mas ao enfrentar inúmeros movimentos de oposição baseados em ideias liberais encontrava-se em vias de ser ultrapassado. Em um primeiro momento, o absolutismo favorecera a economia mercantilista, que trouxera a vantagem de proteger as indústrias nascentes, mas com o desenvolvimento do capitalismo comercial, o intervencionismo estatal começou a ser repudiado, uma vez que a burguesia ascendente aspirava à economia livre. Por outro lado, o sentimento de independência em relação ao papado e a crítica à teoria do direito divino dos reis revelavam a tendência à laicização do pensamento.

Além disso, a vida política foi agitada por movimentos revolucionários na França e na Inglaterra, o que deve ter impressionado Hobbes, daí a ênfase dada à segurança na sua teoria política.

A teoria hobbesiana

Vejamos agora como Hobbes entende o estado de natureza, que tipo de pacto preconiza e que soberania reivindica.

Estado de natureza

Para Hobbes, no estado de natureza, o ser humano tem direito a tudo:

> O *direito de natureza*, a que os autores geralmente chamam *jus naturale*, é a liberdade que cada homem possui de usar seu próprio poder, da maneira que quiser, para a preservação de sua própria natureza, ou seja, de sua vida; e, consequentemente, de fazer tudo aquilo que seu próprio julgamento e razão lhe indiquem como meios adequados a esse fim.[4]

Ora, enquanto perdura esse estado de coisas, não é possível segurança nem paz alguma. A situação dos indivíduos deixados a si próprios é de anarquia, que gera insegurança, angústia e medo. Os interesses egoístas predominam e cada um torna-se um lobo para o outro (em latim, *homo homini lupus*). As disputas provocam a guerra de todos contra todos (*bellum omnium contra omnes*), com graves prejuízos para a indústria, a agricultura, a navegação, o desenvolvimento da ciência e o conforto dos indivíduos.

O contrato social

Na sequência do raciocínio, Hobbes pondera que o indivíduo reconhece a necessidade de

> renunciar a seu direito a todas as coisas, contentando-se, em relação aos outros homens, com a mesma liberdade que aos outros homens permite em relação a si mesmo.[5]

A renúncia à liberdade só tem sentido com a transferência do poder a determinada pessoa ou pessoas. A transferência mútua de direitos, voluntariamente, é o que se chama *contrato*. A nova ordem é, portanto, celebrada mediante um contrato, um pacto, pelo qual todos

[4] HOBBES, Thomas. *Leviatã*. São Paulo: Abril Cultural, 1974. p. 82.
[5] Idem, p. 83.

abdicam de sua vontade em favor de "um homem ou de uma assembleia de homens, como representantes de suas pessoas". Desse modo, por não ser sociável por natureza, o ser humano o será por artifício: o medo e o desejo de paz levam os indivíduos a fundar um estado social e a autoridade política, abdicando de seus direitos em favor do soberano.

A soberania

Qual é a natureza do poder legítimo resultante do consenso? Que tipo de soberania é garantida pelo pacto? Para Hobbes, o poder do soberano deve ser *absoluto*, isto é, ilimitado. A transmissão do poder dos indivíduos ao soberano deve ser total, caso contrário, por pouco que seja conservada a liberdade natural, instaura-se de novo a guerra. Cabe ao soberano julgar sobre o bem e o mal, o justo e o injusto; e ninguém pode discordar dele, pois tudo o que o soberano faz é resultado do investimento da autoridade consentida pelo súdito.

E, se não há limites para a ação do governante, não é sequer possível ao súdito julgar se o soberano é justo ou injusto, tirano ou não, pois é contraditório dizer que o governante *abusa* do poder: não há abuso quando o poder é ilimitado.

Vale aqui desfazer o mal-entendido comum pelo qual Hobbes é identificado como defensor do absolutismo real. Na verdade, para ele, o Estado pode ser monárquico, quando constituído por apenas um governante, como pode ser formado por alguns ou muitos, por exemplo, uma assembleia. O importante é que, uma vez instituído, o Estado não seja contestado: ser absoluto significa estar "absolvido" de qualquer constrangimento. Portanto, o indivíduo abdica da liberdade ao dar plenos poderes ao Estado a fim de proteger sua própria vida e a propriedade individual.

COLEÇÃO PARTICULAR

Frontispício de *Leviatã*, de Thomas Hobbes, século XVII. Essa figura bíblica de um monstro cruel e invencível representa o poder do Estado absoluto. Empunhando os símbolos do poder civil e do religioso, é um gigante cuja carne é a mesma de todos os que a ele delegaram a missão de os defender.

O poder do Estado é exercido pela força, pois só a iminência do castigo pode atemorizar os indivíduos. "Os pactos sem a espada [*sword*] não são mais que palavras [*words*]", diz Hobbes. Investido de poder, o soberano pode prescrever leis, escolher conselheiros, julgar, fazer a guerra e a paz, recompensar e punir. Hobbes preconiza ainda a censura, já que o soberano é juiz das opiniões e doutrinas contrárias à paz.

Quando, afinal, o próprio Hobbes pergunta se não é muito miserável a condição de súdito diante de tantas restrições, conclui que nada se compara à condição dissoluta de indivíduos sem senhor ou às misérias da guerra civil.

PARA SABER MAIS

No século XVII, Baruch Espinosa elaborou uma teoria política que se contrapõe à de Hobbes, por criticar o pacto: todo reconhecimento a um governo deve ser provisório e nada justifica que cada um renuncie aos poderes individuais. A sociedade civil que resulta da união de todos deve ser a que dará maior poder a todos, cujas ações reguladas pelas leis e pelas assembleias poderão levar à paz baseada na concórdia e não na simples supressão das hostilidades pela intimidação. À noção de súdito passivo, Espinosa opõe a do cidadão com liberdade para pensar e agir.

5 A teoria política de Locke

John Locke (1632-1704), filósofo inglês, era médico e descendia de burgueses comerciantes. Refugiado na Holanda por ter-se envolvido com acusados de conspirar contra a Coroa, retornou à Inglaterra no mesmo navio em que viajava Guilherme de Orange, símbolo da consolidação da monarquia parlamentar inglesa.

Locke assumiu papel importante na discussão sobre a teoria do conhecimento, tema privilegiado do pensamento moderno a partir de Descartes. A respeito desse assunto escreveu *Ensaio sobre o entendimento humano*, em que defende a teoria empirista. Com a obra *Dois tratados sobre o governo civil*, tornou-se o teórico da revolução liberal inglesa. Suas ideias políticas fecundaram todo o século XVIII, dando o fundamento filosófico das revoluções liberais ocorridas na Europa e nas Américas.

Estado de natureza e contrato

Assim como Hobbes e posteriormente Rousseau, Locke partiu da concepção pela qual os indivíduos isolados no *estado de natureza* unem-se mediante *contrato social* para constituir a *sociedade civil*. Segundo essa teoria, apenas o pacto torna legítimo o poder do Estado.

Diferentemente de Hobbes, porém, Locke não descreve o estado de natureza como um ambiente de guerra e egoísmo. O que então levaria os indivíduos a abandonar essa situação, delegando o poder a outrem? Para Locke, no estado natural cada um é juiz em causa própria; portanto, os riscos das paixões e da parcialidade são muito grandes e podem desestabilizar as relações entre os indivíduos. Por isso, visando à segurança e à tranquilidade necessárias ao gozo da propriedade, todos consentem em instituir o corpo político.

Locke segue a tendência jusnaturalista e, nesse sentido, está convencido de que os direitos naturais humanos não desaparecem em consequência desse consentimento, mas subsistem para limitar o poder do Estado. Justifica, em última instância, o direito à insurreição: o poder é um *trust*, um depósito confiado aos governantes — trata-se de uma relação de confiança —, e, se estes não visarem ao bem público, é permitido aos governados retirar essa confiança e oferecê-la a outrem, posição que distingue Locke de Hobbes.

A institucionalização do poder

Na Idade Média transmitia-se por herança tanto a propriedade como o poder político: o herdeiro do rei, do conde, do marquês recebia não só os bens como também o poder sobre aqueles que viviam nas terras herdadas.

Locke estabelece a distinção entre o público e o privado, âmbitos que devem ser regidos por leis diferentes. Assim, o poder político não deve, em tese, ser determinado pelas condições de nascimento, bem como o Estado não deve intervir, mas garantir e tutelar o livre exercício da propriedade, da palavra e da iniciativa econômica.

Desse modo, um aspecto progressista do pensamento liberal é a concepção *parlamentar* do poder político, que se acha nas instituições políticas, e não no arbítrio dos indivíduos. Enquanto para Hobbes o pacto concede o poder absoluto e indivisível ao soberano, para Locke o poder legislativo é o poder supremo, ao qual deve se subordinar tanto o executivo quanto o poder federativo (encarregado das relações exteriores).

O conceito de propriedade

Como representante dos ideais burgueses, Locke enfatiza que os indivíduos abandonam o estado de natureza para preservar a propriedade. Mas o que ele entende por propriedade? Em um sentido muito amplo, é "tudo o que pertence" a cada indivíduo, ou seja, sua vida, sua liberdade e seus bens.

A primeira coisa que a pessoa possui, portanto, é o seu corpo: todo indivíduo é proprietário de si mesmo e de suas capacidades. O trabalho de seu corpo é propriamente dele; portanto, o trabalho dá início ao direito de propriedade em sentido estrito (bens, patrimônio). Isso significa que, na concepção de Locke, todos são proprietários: mesmo quem não possui bens é proprietário de sua vida, seu corpo, seu trabalho e, portanto, dos frutos do seu trabalho.

PARA REFLETIR

Pode parecer óbvio que somos proprietários de nosso corpo, mas naquele momento foi um avanço, se pensarmos que servos e escravos não são donos de si mesmos e que em ex-colônias, como o Brasil, existiu escravidão legal até o século XIX. Ainda hoje, formas camufladas de trabalho escravo desafiam essas conquistas do liberalismo nascente.

A concepção ampla de liberdade leva, entretanto, a certas contradições, pois o direito à ilimitada acumulação de propriedade produz um desequilíbrio na sociedade, criando um estado de desigualdade que Locke acaba por dissimular em um discurso de caráter de universalidade. Quando se refere a todos os cidadãos, considerando-os igualmente proprietários, o discurso contém uma ambiguidade, porque todos, possuindo bens ou não, são considerados membros da sociedade civil, mas apenas os que têm fortuna podem ter plena cidadania. Ou seja, segundo Locke, os proprietários de bens são os que estariam interessados e capacitados para preservar as riquezas acumuladas.

Ressalta-se desse modo o elitismo que persiste na raiz do liberalismo, já que a igualdade defendida é de natureza abstrata, geral e puramente formal. Não há possibilidade de igualdade real, quando só os mais ricos têm plena cidadania.

6 O liberalismo clássico

Embora Hobbes defenda o governo absoluto, vimos que ele não aceita a teoria do direito divino dos reis. Ao contrário, por ser contratualista, afirma que o governo legítimo é o que resulta do pacto, da vontade dos indivíduos.

Podemos dizer que a Revolução Gloriosa, na Inglaterra, foi uma conquista burguesa, que exigia do rei a convocação regular do parlamento, sem o que ele não podia fazer leis ou revogá-las, cobrar impostos ou manter um exército. Instituiu-se o ***habeas corpus***, a fim de evitar prisões arbitrárias; a partir de então, nenhum cidadão podia ficar preso indefinidamente sem ser acusado diante dos tribunais, a não ser por meio de denúncia bem definida. Tais ideias subverteram as concepções políticas nos séculos XVII e XVIII.

Conceito de liberalismo

Afinal, que ideias novas são essas?

Na linguagem comum costumamos chamar de *liberal* a pessoa tolerante e generosa, tanto no sentido de não controlar gastos como no sentido de não ser autoritária. Chamamos também de *liberais* os profissionais como médicos, dentistas, advogados quando trabalham por conta própria.

Aqui, no entanto, não nos interessam esses significados da palavra *liberal*, mas sim os que indicam o *conjunto de ideias éticas, políticas e econômicas da burguesia*, em oposição à visão de mundo da nobreza feudal.

À burguesia interessava separar Estado e sociedade, entendendo nesta última o conjunto das atividades particulares dos indivíduos, sobretudo as de natureza econômica. Essa separação reduziria igualmente a interferência do privado no público, já que o poder procurava outra fonte de legitimidade diferente da tradição e das linhagens de nobreza.

CAPITÓLIO, WASHINGTON

As ideias revolucionárias nasceram com os intelectuais europeus, mas a Declaração de Independência dos Estados Unidos (1776) foi aplaudida como o primeiro modelo de República da época. Pouco depois foram reprimidas no Brasil as tentativas de emancipação das conjurações mineira e baiana. (*Declaração de Independência*, pintura de John Trumbull, 1818.)

Liberalismo: três aspectos

O liberalismo pode ser entendido sob pelo menos três enfoques: o político, o ético e o econômico.

O *liberalismo político* constituiu-se contra o absolutismo real e buscou nas teorias contratualistas a *legitimação* do poder, que não mais se fundava no direito divino dos reis nem na tradição e herança, mas no *consentimento* dos cidadãos. Decorreu dessa maneira de pensar o aperfeiçoamento das instituições do voto e da representação, a autonomia dos poderes e a limitação do poder central.

REPRODUÇÃO

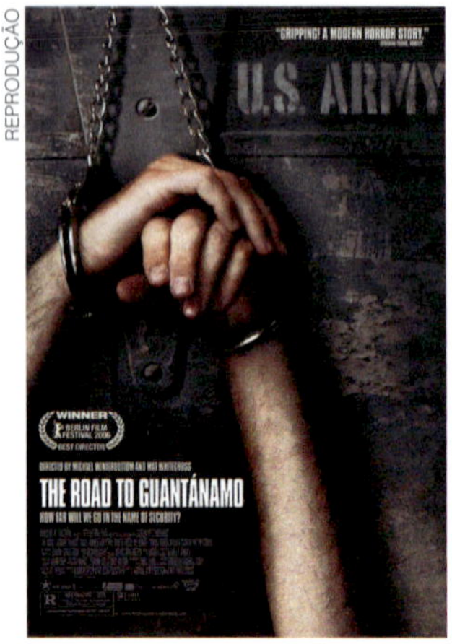

No século XVIII, o italiano Cesare Beccaria, com sua obra *Dos delitos e das penas*, foi um precursor das críticas às penas cruéis e ao recurso à tortura para obter confissões. Na ilustração, cartaz do filme *Caminho para Guantánamo* (Michael Winterbottom, 2006), baseado em fatos reais.

O *liberalismo ético* supõe o prevalecimento do estado de direito, que rejeita o arbítrio, as prisões sem culpa formada, a tortura, as penas cruéis e estimula a tolerância para com as crenças religiosas; para tanto, defende os direitos individuais, como liberdade de pensamento, expressão e religião.

O *liberalismo econômico* opõe-se inicialmente à intervenção do poder do rei nos negócios, que se exercia por meio de procedimentos típicos da economia mercantilista, tais como a concessão de monopólios e privilégios. A economia liberal consolidou-se com o escocês Adam Smith (1723-1790) e o inglês David Ricardo (1772-1823), que defendiam a propriedade privada dos meios de produção e a economia de mercado baseada na livre iniciativa e competição.

7 O liberalismo do século XVIII

O século XVIII destacou-se pelo conjunto de ideias do movimento conhecido como *Ilustração*, que se espalhou por toda a Europa. A explosão das "luzes" foi preparada nos séculos anteriores com o racionalismo cartesiano, a revolução científica e o processo de laicização da política e da moral. As esperanças depositadas na ciência e na técnica, instrumentos capazes de dominar a natureza, baseavam-se na convicção de que a razão é fonte de progresso material, intelectual e moral, o que leva à crença e à confiança na sua perfectibilidade.

A difusão das ideias iluministas na França foi facilitada pela ampla produção intelectual de intelectuais conhecidos como *enciclopedistas*. Entre eles, destacamos Montesquieu e Rousseau.

PARA SABER MAIS

Os *enciclopedistas* foram os pensadores que escreveram a Enciclopédia, ou *Dicionário analítico de ciências, artes e ofícios*, obra volumosa que reunia várias áreas do saber e do agir. Entre eles, destacaram-se Denis Diderot, D'Alembert, Voltaire, Montesquieu, Rousseau. Consulte o capítulo 15, "A crítica à metafísica".

Montesquieu: a autonomia dos poderes

Montesquieu (1689-1755) nasceu perto de Bordéus, na França. Filho de família nobre, seu nome era Charles-Louis de Secondat, barão de la Brède e posteriormente barão de Montesquieu. Recebeu formação iluminista com os padres oratorianos e cedo se tornou crítico severo e irônico da monarquia absolutista decadente, bem como do clero. Em *Cartas persas*, obra de sua juventude, satiriza o rei, o papa e a sociedade francesa de seu tempo.

Na sua obra mais importante, *O espírito das leis*, trata das instituições e das leis, e busca compreender a diversidade das legislações existentes em diferentes épocas e lugares. A pertinência das observações e o cuidado com o método permitem encontrar em seu trabalho elementos que prenunciam a análise sociológica. Ao analisar as relações que as leis têm com a *natureza* e o *princípio* de cada governo, Montesquieu desenvolve alentada *teoria do governo* que alimenta as ideias fecundas do *constitucionalismo*, pelo qual a autoridade é distribuída por meios legais, de modo a evitar o arbítrio e a violência.

Essa ideias encaminham-se, com Montesquieu, para a melhor definição da *separação dos poderes*, ainda hoje uma das pedras angulares do exercício do poder democrático. Refletindo sobre o abuso do poder real, Montesquieu conclui que "só o poder freia o poder", daí a necessidade de cada poder — executivo, legislativo e judiciário — manter-se autônomo e constituído por pessoas diferentes.

A concepção de Montesquieu influenciou a redação do artigo 16 da *Declaração dos direitos do homem e do cidadão*, de 1789: "Toda sociedade em que não for assegurada a garantia dos direitos e determinada a separação dos poderes não tem Constituição".

É bem verdade que a proposta da divisão dos poderes ainda não se encontrava em Montesquieu com a força e a clareza que se costumou posteriormente lhe atribuir. Em outras passagens de sua obra, Montesquieu não defende uma separação tão rígida, pois o que ele pretendia de fato era realçar a relação de forças e a necessidade de equilíbrio e harmonia entre os três poderes.

Embora o pensamento de Montesquieu tenha sido apropriado pelo liberalismo burguês, as suas convicções destacam os interesses de sua classe e, portanto, o aproximam dos ideais de uma *aristocracia liberal*. Ou seja, critica toda forma de despotismo, mas prefere a monarquia moderada e não aprecia a ideia de ver o povo assumindo o poder.

ABRIL IMAGENS

Capa da revista *Veja*, edição 15, de 18 de dezembro de 1968, apreendida pelo regime militar. Em 1968, durante a ditadura militar no Brasil, no governo do general Arthur da Costa e Silva, foi decretado o Ato Institucional nº 5 (AI-5). O Congresso foi fechado por tempo indeterminado e os direitos políticos foram suspensos, além de ter sido implantada rigorosa censura. Tratava-se do controle do poder executivo sobre os outros poderes, o legislativo e o judiciário.

Rousseau e a democracia direta

A concepção política de Jean-Jacques Rousseau, suíço que viveu na França, de certo modo seguiu a tendência iniciada no século anterior, por Hobbes e Locke, de crítica ao absolutismo real que propunha o pacto social para legitimar o governo. Há, no entanto, uma diferença fundamental em sua teoria, qual seja, a novidade da democracia direta.

O estado de natureza e o contrato social

Rousseau resolveu a questão da legitimidade do poder fundado no contrato social ao criar a hipótese segundo a qual os indivíduos viviam em estado de natureza, sadios, cuidando de sua própria sobrevivência, até o momento em que surgiu a propriedade e uns passaram a trabalhar para outros, gerando escravidão e miséria.

Habeas corpus. Termo latino que significa literalmente "possuir seu corpo". Juridicamente é a proteção ao direito de liberdade de locomoção, quando ameaçado por autoridade.

QUEM É?

MUSÉE ANTOINE LECUYER, SAINT-QUENTIN, FRANÇA

Retrato de Jean-Jacques Rousseau, Maurice Quentin de La Tour, 1753.

Jean-Jacques Rousseau (1712-1778), filho de um relojoeiro de poucas posses, nasceu em Genebra (Suíça) e viveu a partir de 1742 em Paris, onde fervilhavam as ideias liberais. Ao participar de um concurso da Academia de Dijon, ganhou o prêmio ao responder negativamente ao tema proposto "*O restabelecimento das ciências e das artes terá contribuído para aprimorar os costumes?*". Na contramão das esperanças iluministas depositadas no poder da razão humana para construir um mundo melhor, Rousseau não via com otimismo o desenvolvimento da técnica e do progresso. Fez amizade com Diderot, filósofo do grupo iluminista do qual participavam Voltaire, D'Alembert e D'Holbach, conhecidos como *enciclopedistas*. Convidado a escrever os verbetes sobre música, circulava nesse meio como elemento destoante. Enfrentou, inclusive, sérios atritos com Voltaire. Precursor do romantismo, Rousseau valoriza o sentimento e, sempre um apaixonado, suas ideias revelam a carga emocional decorrente de uma sensibilidade exacerbada. As principais ideias políticas de Jean-Jacques Rousseau estão nas obras *Discurso sobre a origem e os fundamentos da desigualdade entre os homens* e *Do contrato social*. Escreveu também obras de pedagogia, como *Emílio*.

Rousseau parece demonstrar extrema nostalgia do estado feliz em que vive o "bom selvagem", antes de ser introduzida a desigualdade, a diferenciação entre rico e pobre, poderoso e fraco, senhor e escravo e a predominância da lei do mais forte. O indivíduo que surge da desigualdade é corrompido pela sociedade e esmagado pela violência.

Trata-se de um falso pacto social, esse que coloca as pessoas sob grilhões. Há que se considerar a possibilidade de outro contrato verdadeiro e legítimo, pelo qual o povo esteja reunido sob uma só vontade. O contrato social, para ser legítimo, deve se originar do consentimento necessariamente unânime. Cada associado se aliena totalmente, ou seja, abdica sem reserva de todos os seus direitos em favor da comunidade. Como todos abdicam igualmente, na verdade cada um nada perde, pois

> este ato de associação produz, em lugar da pessoa particular de cada contratante, um corpo moral e coletivo composto de tantos membros quantos são os votos da assembleia e que, por esse mesmo ato, ganha sua unidade, seu eu comum, sua vida e sua vontade.[6]

Soberano e governo

Pelo pacto, o indivíduo abdica de sua liberdade, mas como ele próprio é parte integrante e ativa do todo social, ao obedecer à lei, obedece a si mesmo e, portanto, é livre: "A obediência à lei que se estatuiu a si mesma é liberdade". Isso significa que, para Rousseau, o contrato não faz o povo perder a soberania, pois não é criado um Estado separado dele mesmo.

Sob certo aspecto, essa teoria é inovadora por distinguir os conceitos de *soberano* e *governo*, atribuindo ao povo a soberania inalienável. Cada associado, mesmo quando se aliena totalmente em favor da comunidade, nada perde de fato, porque, na qualidade de *povo incorporado*, mantém a *soberania*. Ou seja, *soberano* é, para Rousseau, o corpo coletivo que expressa, por meio da lei, a vontade geral. A soberania do povo, manifesta pelo legislativo, é *inalienável*, isto é, não pode ser representada. Segundo a concepção rousseauniana de democracia, toda lei não ratificada pelo povo em pessoa é nula.

Por isso, o ato pelo qual o *governo* é instituído pelo povo não submete este àquele. Ao contrário, não há um "superior", pois os depositários do poder não são senhores do povo, podendo ser eleitos ou destituídos conforme a conveniência. Os magistrados que constituem o governo estão subordinados ao poder de decisão do soberano e apenas *executam* as leis, devendo haver inclusive boa rotatividade na ocupação dos cargos.

Rousseau preconiza, portanto, a *democracia direta* ou participativa, mantida por meio de assembleias frequentes de todos os cidadãos. Também distingue dois tipos de participação na comunidade. Como soberano, o povo é ativo e considerado *cidadão*. Mas exerce igualmente uma soberania passiva, assumida na qualidade de *súdito*. Então, o mesmo indivíduo, enquanto faz a lei, é cidadão, mas é súdito enquanto a ela obedece e se submete.

PARA SABER MAIS

Atualmente, no sistema misto da democracia semidireta, são usados mecanismos típicos de democracia direta que atuam como corretivos das distorções da representação política tradicional. São eles: os conselhos populares, assembleias, experiências de autogestão, organizações não governamentais (ONGs) e, na esfera do legislativo, o plebiscito, o referendo e os projetos de iniciativa popular.

6 ROUSSEAU, Jean-Jacques. *Do contrato social.* São Paulo: Abril Cutural, 1973. p. 39. (Coleção Os Pensadores).

A vontade geral

Na qualidade de povo incorporado, o soberano dita a vontade geral, cuja expressão é a lei. O que vem a ser a *vontade geral*? É preciso antes distinguir entre *pessoa pública* (cidadão ou súdito) e *pessoa privada*. A pessoa privada tem uma vontade individual que geralmente visa ao interesse egoísta e à gestão dos bens particulares. Se somarmos as decisões baseadas nos benefícios individuais, teremos a *vontade de todos* (ou vontade da maioria). No entanto, cada indivíduo particular também pertence ao espaço público, faz parte de um corpo coletivo com interesses comuns, expressos pela *vontade geral*.

Nem sempre, porém, o interesse de um coincide com o de outro, pois o que beneficia a pessoa privada pode ser prejudicial ao coletivo. Por isso, não se confunde a *vontade de todos* com a *vontade geral*, pois o somatório dos interesses privados tem outra natureza que a do interesse comum.

Encontra-se aí o cerne do pensamento de Rousseau, aquilo que o faz reconhecer na pessoa um ser superior capaz de autonomia e liberdade, entendida esta como a superação de toda arbitrariedade, pois se trata da submissão a uma lei, erguida acima de si, mas por si mesmo. A pessoa é livre na medida em que dá o livre consentimento à lei. E consente por considerá-la válida e necessária.

> Aquele que recusar obedecer à vontade geral a tanto será constrangido por todo um corpo, o que não significa senão que o forçarão a ser livre, pois é essa a condição que, entregando cada cidadão à pátria, o garante contra qualquer dependência pessoal.[7]

A concepção política de Rousseau, por sua singularidade, não representa precisamente a tradição liberal. Embora seja um contratualista e se posicione contra o absolutismo, ultrapassa o elitismo de Locke ao propor uma visão mais democrática de poder, o que, sem dúvida, empolgou políticos como Robespierre e até leitores como o jovem Marx. Os aspectos avançados do pensamento de Rousseau estão na denúncia da violência dos que abusam do poder conferido pela propriedade, bem como por desenvolver uma concepção mais democrática de poder, baseada na *soberania popular* e no conceito-chave de *vontade geral*.

PARA SABER MAIS

Costuma-se dizer que Rousseau provocou uma "revolução copernicana" na educação: como Copérnico, que ao propor a teoria heliocêntrica inverteu o sistema astronômico vigente centrado na Terra, a concepção pedagógica de Rousseau coloca a criança no centro do processo educativo, lugar que antes era reservado ao mestre.

Mesmo assim, como filho de seu tempo, Rousseau, ao partir da tese contratualista de certo modo mantém a perspectiva individualista do pensamento burguês. Ao denunciar a violência como resultado da natureza humana corrompida pela posse da propriedade, sua teoria ainda se encontra presa a uma análise moral de um fenômeno que os teóricos socialistas posteriores irão identificar como resultante de antagonismos sociais.

8 A concepção política da modernidade

Na gestação do que vieram a ser os tempos modernos, o novo paradigma da política elaborou seus princípios ao romper com a ideia de bom governo que predominou na Antiguidade e na Idade Média. Baseada em uma postura realista, pensadores como Maquiavel buscaram compreender o sistema de forças que atuam de fato no seio da sociedade e do poder. Na sequência, Hobbes e Locke, em oposição à visão religiosa medieval, procuravam a ordem racional e laica nos conceitos de soberania e contrato social, consentimento e obediência política, tendo em vista a coesão do Estado e a segurança dos indivíduos. Alguns ousaram mais, como Rousseau, cujas convicções democráticas fecundariam o século XIX.

Em meio a posições muitas vezes divergentes, na modernidade foram esboçadas as novas linhas que orientaram daí em diante as ideias liberais e os primeiros passos em direção à conquista de cidadania e democracia.

7 ROUSSEAU, Jean-Jacques. *Do contrato social*. São Paulo: Abril Cultural, 1973. p. 42. (Coleção Os Pensadores).

Leitura complementar

I. Maquiavel

"Percebe-se facilmente de onde nasce o amor à liberdade dos povos; a experiência nos mostra que as cidades crescem em poder e em riqueza enquanto são livres. É maravilhoso, por exemplo, como cresceu a grandeza de Atenas durante os cem anos que se sucederam à ditadura de Pisístrato. Contudo, mais admirável ainda é a grandeza alcançada pela república romana depois que foi libertada dos seus reis. Compreende-se a razão disto: não é o interesse particular que faz a grandeza dos Estados, mas o interesse coletivo. E é evidente que o interesse comum só é respeitado nas repúblicas: tudo o que pode trazer vantagem geral é nelas conseguido sem obstáculos. Se uma certa medida prejudica um ou outro indivíduo, são tantos os que ela favorece, que se chega sempre a fazê-la prevalecer, a despeito das resistências, devido ao pequeno número de pessoas prejudicadas."

MAQUIAVEL, Nicolau. *Comentários sobre a primeira década de Tito Lívio*. 2. ed. rev. Trad. Sérgio Bath. Brasília: Universidade de Brasília, 1982. p. 197-198.

II. Hobbes

"Pois graças a esta autoridade que lhe é dada por cada indivíduo no Estado, é-lhe conferido o uso de tamanho poder e força que o terror assim inspirado o torna capaz de conformar as vontades de todos eles, no sentido da paz em seu próprio país, e da ajuda mútua contra os inimigos estrangeiros. É nele que consiste a essência do Estado, a qual pode ser assim definida: *Uma pessoa de cujos atos uma grande multidão, mediante pactos recíprocos uns com os outros, foi instituída por cada um como autora, de modo a ela poder usar a força e os recursos de todos, da maneira que considerar conveniente, para assegurar a paz e a defesa comum.*

Aquele que é portador dessa pessoa se chama *soberano*, e dele se diz que possui *poder soberano*. Todos os restantes são *súditos*."

HOBBES, Thomas. *Leviatã*. São Paulo: Abril Cultural, 1974. p. 109-110. (Coleção Os Pensadores).

III. Locke

"Embora em uma comunidade constituída, erguida sobre a sua própria base e atuando de acordo com a sua própria natureza, isto é, agindo no sentido da preservação da comunidade, somente possa existir um poder supremo, que é o legislativo, ao qual tudo mais deve ficar subordinado, contudo, sendo o legislativo somente um poder fiduciário destinado a entrar em ação para certos fins, cabe ainda ao povo um poder supremo para afastar ou alterar o legislativo quando é levado a verificar que age contrariamente ao encargo que lhe confiaram. Porque, sendo limitado qualquer poder concedido como encargo para conseguir-se certo objetivo, por esse mesmo objetivo, sempre que se despreza ou contraria manifestamente esse objetivo, a ele se perde o direito necessariamente, e o poder retorna às mãos dos que o concederam, que poderão colocá-lo onde o julguem melhor para garantia e segurança próprias."

LOCKE, John. *Segundo tratado sobre o governo*. São Paulo: Abril Cultural, 1973. p. 99. (Coleção Os Pensadores).

IV. Rousseau

"Deve-se compreender, nesse sentido, que, menos do que o número de votos, aquilo que generaliza a vontade é o interesse comum que os une, pois nessa instituição cada um necessariamente se submete às condições que impõe aos outros: admirável acordo entre o interesse e a justiça, que dá às deliberações comuns um caráter de equidade que vimos desaparecer na discussão de qualquer negócio particular, pela falta de um interesse comum que una e identifique a regra do juiz à da parte. [...]

Que será, pois um ato de soberania? Não é uma convenção entre o superior e o inferior, mas uma convenção do corpo com cada um de seus membros: convenção legítima por ter como base o contrato social, equitativa por ser comum a todos, útil por não poder ter outro objetivo que não o bem geral e sólida por ter como garantia a força pública e o poder supremo."

ROUSSEAU, Jean-Jacques. *Do contrato social*. São Paulo: Abril Cultural, 1973. p. 56. (Coleção Os Pensadores).

Poder fiduciário. Poder dado em confiança.

Questões

1 Leia o trecho I, de Maquiavel, e explique em que ele se distingue das ideias contidas em *O príncipe*. Em seguida, justifique por que não se trata de uma contradição do pensamento político de Maquiavel.

2 Leia o trecho IV, de Rousseau, e compare com os de Hobbes e Locke, explicando em que eles se distinguem.

Atividades

Revendo o capítulo

1 O que é maquiavelismo e por que esse mito não se aplica a Maquiavel?

2 Os filósofos dos séculos XVII e XVIII eram jusnaturalistas. Explique essa afirmação.

3 Qual foi a importância das teorias contratualistas no movimento contra o absolutismo?

4 Qual é a novidade do pensamento de Montesquieu?

Aplicando os conceitos

5 Leia o trecho de Maquiavel e atenda às questões.

"Era necessário que Ciro encontrasse os persas descontentes do império dos medas e os medas muito efeminados e amolecidos por uma longa paz. Teseu não teria podido revelar suas virtudes se não tivesse encontrado os atenienses dispersos. Tais oportunidades, portanto, tornaram felizes a esses homens; e foram as suas virtudes que lhes deram o conhecimento daquelas oportunidades. Graças a isso, a sua pátria se honrou e se tornou feliz." (Nicolau Maquiavel. *O príncipe*. p. 30.)

a) Explique os fatos descritos usando os conceitos de *virtù* e *fortuna*.

b) Em que o sentido de virtude para Maquiavel não se confunde com o conceito de moral?

6 Na letra da canção *Língua*, Caetano Veloso cita Hobbes indiretamente, quando diz: "Sejamos o lobo do lobo do homem".

a) Explique qual era a frase de Hobbes e o que significava.

b) Analise o significado possível do verso de Caetano.

7 Em que medida as teorias contratualistas representam o interesse de secularização do poder?

8 Leia a citação de Locke e atenda às questões.

"Poderão afirmar que, sendo a idolatria um pecado, não pode ser tolerada. Se disserem que a idolatria é um pecado e, portanto, deve ser escrupulosamente evitada, esta inferência é correta; mas não será correta se disserem que é um pecado e, portanto, deve ser punida pelo magistrado. Não cabe nas funções do magistrado punir com leis e reprimir com a espada tudo o que acredita ser um pecado contra Deus."

John Locke. *Carta acerca da tolerância*. São Paulo: Abril Cultural, 1973. p. 24. (Coleção Os Pensadores).

a) Que característica do liberalismo se encontra nessa citação de Locke?

b) Dê exemplos de fatos que ainda ocorrem na política do mundo contemporâneo e que contrariam esse princípio.

9 Explique a frase de Rousseau, usando os conceitos de sua teoria política.

"O homem nasce livre, e por toda a parte encontra-se a ferros. O que se crê senhor dos demais, não deixa de ser mais escravo do que eles. Como adveio tal mudança? Ignoro-o. Que poderá legitimá-la? Creio poder resolver esta questão." (Jean-Jacques Rousseau. *Do contrato social*, Livro I, capítulo I.)

Dissertação

10 Desenvolva uma dissertação com base no tema: "Em política, os fins justificam os meios?".

Caiu no vestibular

11 (UEL) Leia o texto a seguir.

"Dado que todo súdito é por instituição autor de todos os atos e decisões do soberano instituído, segue-se que nada do que este faça pode ser considerado injúria para com qualquer de seus súditos, e que nenhum deles pode acusá-lo de injustiça." (Thomas Hobbes. *Leviatã, ou Matéria, forma e poder de um estado eclesiástico e civil*. Trad. João Paulo Monteiro e Maria Beatriz Nizza da Silva. São Paulo: Nova Cultural, 1988. p. 109.)

Com base no texto e nos conhecimentos sobre o contratualismo de Hobbes, é correto afirmar:

a) O soberano tem deveres contratuais com os seus súditos.

b) O poder político tem como objetivo principal garantir a liberdade dos indivíduos.

c) Antes da instituição do poder soberano, os homens viviam em paz.

d) O poder soberano não deve obediência às leis da natureza.

e) Acusar o soberano de injustiça seria como acusar a si mesmo de injustiça.

Capítulo 25

Liberalismo e democracia

MUSEU DO PRADO, MADRI

Três de maio de 1808: os fuzilamentos na montanha do príncipe Pio. Francisco de Goya, 1814.

Francisco de Goya y Lucientes (1746-1828), pintor espanhol, foi um crítico do seu tempo. Realizou uma série de gravuras em que ironiza o moralismo e a hipocrisia, e em suas telas denuncia a violência e a impiedade humanas. Em *Três de maio de 1808* representa um fato ocorrido na invasão de Madri por tropas napoleônicas: Goya figura o povo como vítima do conflito entre forças bonapartistas, que se apresentam como defensoras do liberalismo, e as forças tradicionais monarquistas e católicas da Espanha. Como mestre do *claro-escuro* que imortalizou sua obra, nessa tela, mais sombria, o tom escuro contrasta com os personagens iluminados por uma lanterna, pondo em evidência os rostos das vítimas, diante de um pelotão em posição rígida e impessoal. Goya, entusiasta das teorias iluministas vindas da França revolucionária, percebe com horror a contradição em que as ideias de fraternidade se travestiam de barbárie.

1 Liberdade ou igualdade?

No século XIX, as exigências democráticas não partiam apenas dos burgueses, mas antes de tudo eram também anseios dos operários, cujo número crescia consideravelmente, já que a Revolução Industrial, iniciada no século anterior, aumentara a concentração urbana. Os operários, organizados em sindicatos e influenciados por ideias socialistas e anarquistas, reivindicavam melhores condições de trabalho e de moradia (como veremos no próximo capítulo).

O impacto das recentes organizações de massa deram a tônica do pensamento político do século XIX. Diante das novas exigências de *igualdade*, segundo as quais a liberdade deveria se estender a um número cada vez maior de pessoas por meio da legislação e de garantias jurídicas, começou a configurar-se o *liberalismo democrático*.

As reivindicações de igualdade manifestaram-se das mais variadas maneiras:

- defesa do sufrágio universal, contra o voto censitário, que excluía os não proprietários das esferas de decisão; pressões para reformas eleitorais;
- ampliação das formas de representação (partidos, sindicatos);
- exigência de liberdade de imprensa;
- implantação da escola elementar universal, leiga, gratuita e obrigatória, cuja luta se mostrou bem-sucedida na Europa e nos Estados Unidos.

Desse modo, os polos de liberdade e igualdade representam um confronto que ficou claro no século XIX, mas que até hoje dilacera o pensamento liberal, dando origem a duas tendências principais:

- o *liberalismo conservador*, que defende a liberdade, mas não a democracia: nele não prevalecem aspirações igualitárias;
- o *liberalismo radical*, que, além da liberdade, defende a igualdade, a extensão dos benefícios a todos.

Vejamos como, nas tendências do liberalismo na Inglaterra e na França, essas ideias se desenvolveram, se bem que sempre nuançadas.

2 O liberalismo inglês

No século XIX, a Inglaterra constituía o país mais poderoso do mundo, pois o império colonial britânico expandira-se pelos diversos continentes. Além disso, vivia-se o apogeu da Revolução Industrial, que criou uma nova ordem, essencialmente moderna, com novos parâmetros econômicos e sociais.

COURTESY OF THE TRUSTEES OF SIR JOHN SOANE'S MUSEUM, LONDRES – THE BRIDGEMAN ART LIBRARY/KEYSTONE

Na tela *A votação* (*The polling*), de 1754, o pintor inglês William Hogarth faz uma abordagem satírica de candidatos à eleição pedindo votos e ressaltando um ar de balbúrdia no evento.

No campo da filosofia, desenvolvia-se a teoria utilitarista, cujos principais representantes foram Jeremy Bentham e John Stuart-Mill, como veremos a seguir.

Jeremy Bentham (1748-1832) é o fundador do *utilitarismo*. A teoria utilitarista pretende ser instrumento de renovação social, com base em um método rigorosamente científico.

PARA SABER MAIS

Para os utilitaristas, a verdade depende dos resultados práticos alcançados pela ação, o que não significa reduzir grosseiramente a verdade à utilidade: uma proposição é verdadeira quando "funciona", isto é, permite que nos orientemos na realidade, levando-nos de uma experiência a outra. O utilitarismo influenciou as teorias pragmatistas no século XX. Consulte o capítulo 16, "A crise da razão".

Bentham substitui a teoria do direito natural, típica dos filósofos contratualistas do século anterior, pelo "princípio da utilidade": o único critério para orientar o legislador é criar leis que promovam a felicidade para o maior número de cidadãos e, nesse sentido, critica as resoluções liberais que levam ao egoísmo.

Para ele, o governo deve visar à felicidade para um número cada vez maior de pessoas. Seus objetivos são: prover a subsistência, produzir a abundância, favorecer a igualdade e manter a segurança. Para tanto, são necessárias eleições periódicas, sufrágio livre e universal, liberdade de contrato.

John Stuart Mill (1806-1873) seguiu inicialmente a corrente utilitarista — na qual foi introduzido por seu pai, James Mill —, mas a modificou profundamente, já que sofreu outras influências, desde o positivismo de

Comte ao socialismo de Saint-Simon. Embora amigo e admirador de Tocqueville, Stuart Mill desenvolveu o liberalismo na linha de aspiração mais democrática. Atento ao sofrimento das massas oprimidas, defendeu a coparticipação na indústria bem como a representação proporcional na política a fim de permitir a expressão de opiniões minoritárias. Como acirrado defensor da absoluta liberdade de expressão, do pluralismo e da diversidade, valorizava o debate das teorias conflitantes.

Sob a influência de sua mulher, Harriet Taylor, feminista e socialista, participou da fundação da primeira sociedade defensora do direito de voto para as mulheres.

MUSEUM OF BRANDS, PACKAGING AND ADVERTISING, LONDRES

Cartaz sobre a luta das sufragistas na Inglaterra, século XIX. Desde esse período eclodiram movimentos de reivindicação do voto feminino, aprovado pela Inglaterra, em 1918.

3 O liberalismo francês

Enquanto na Inglaterra e nos Estados Unidos as instituições políticas e sociais consolidavam os ideais liberais, a França enfrentou no século XIX experiências difíceis e contraditórias, após a esperança de "liberdade, igualdade e fraternidade", representada pela Revolução Francesa:

- o governo do revolucionário Robespierre, declaradamente ultrademocrático, descambou no Terror;
- Napoleão Bonaparte foi coroado imperador;
- com Napoleão III, a França entrou no Segundo Império, distanciando-se cada vez mais dos ideais democráticos.

Tocqueville

Alexis de Tocqueville (1805-1859), aristocrata de nascimento e conhecido como o "Montesquieu do século XIX", analisou com lucidez as contradições de seu tempo. Esteve nos Estados Unidos, onde recolheu informações para sua obra mais famosa, *Democracia na América*, cujos dois volumes foram publicados em 1835 e 1840.

Tocqueville tinha plena consciência de que a implantação da democracia era inevitável, mas seu grande desafio era conciliar *liberdade* e *igualdade*. Ele temia a excessiva concentração de poderes no Estado, cujo resultado seria a tirania ou o surgimento de uma sociedade de massa, que anula as diferenças individuais e leva ao conformismo da opinião e à "tirania da maioria".

Para evitar esses desequilíbrios julgava importante a promulgação de leis que garantissem as liberdades fundamentais e a vigilância constante pelo exercício da cidadania.

Alguns autores, ao examinar a ênfase de Tocqueville nos temores quanto aos riscos do igualitarismo, destacam o traço aristocrático da sua visão de mundo. A propósito da tensão entre liberdade e igualdade, Norberto Bobbio comenta a respeito de Tocqueville:

> [...] dividido como estava entre a admiração-inquietude pela democracia e a devoção-solicitude pela liberdade individual, trazia dentro de si o dissídio entre liberdade e igualdade. Lembram-se da célebre frase com que ele encerra sua obra maior? "As nações modernas não podem evitar que as condições se tornem iguais; mas depende delas que a igualdade as leve à escravidão ou à liberdade, à civilização ou à barbárie, à prosperidade ou à miséria."[1]

4 Hegel: a crítica ao contratualismo

Friedrich Hegel (1770-1831), filósofo alemão, acompanhou apaixonadamente os acontecimentos que marcaram um ponto de ruptura da história: a derrocada do mundo feudal e o fortalecimento da ordem burguesa. É essa a contradição dialética cuja resolução Hegel aponta como a tarefa da Razão.

Para compreendermos, porém, a crítica que Hegel faz às concepções liberais que o antecederam, é preciso nos reportarmos à sua concepção dialética, da qual resultou um novo conceito de história: o presente é retomado como resultado de longo e dramático processo, por isso a história não é a simples acumulação e justaposição de fatos acontecidos no tempo, mas o fruto de verdadeiro engendramento, de um devir cujo motor interno é a contradição dialética.

[1] BOBBIO, Norberto. *Teoria geral da política*: a filosofia política e as lições dos clássicos. Rio de Janeiro: Campus, 2000. p. 270-271.

MUSÉE DE LA VILLE DE PARIS, MUSÉE CARNAVALET, PARIS

No século XVIII, diversos movimentos expressavam as aspirações de liberdade e igualdade. A Declaração dos Direitos do Homem e do Cidadão (representada nesta tela do século XVIII), na França revolucionária de 1789, refletiu intenções que até hoje representam nossos anseios.

PARA SABER MAIS

O pensamento de Hegel é abordado também no capítulo 15, "A crítica à metafísica".

A dialética do senhor e do escravo

Na obra *Fenomenologia do espírito*[2], Hegel desenvolve uma passagem importante para compreender a maneira dialética pela qual ele explica como a consciência torna-se autoconsciência.

Ao examinar o conceito de *consciência-de-si*, Hegel descobre que a consciência é movida pelo desejo de exteriorização e, portanto, tende para fora de si, para um "outro", do qual precisa se "apropriar", "dominar": cada eu precisa de outra consciência que o reconheça. E isso se faz pelo confronto, pela luta, pela dominação. Aquele que se arriscou e venceu, torna-se o senhor; e o que se intimidou, aceita a servidão e trabalha para o senhor.

Aos poucos, inverte-se o processo: o senhor, que era forte e dono de si, passa a depender em tudo do servo, e é este que se fortalece, ao se descobrir capaz e independente pelo trabalho. No entanto, a assimetria dessa relação entre independente e dependente reproduz a relação entre sujeito e objeto, quando o melhor seria entre dois sujeitos, em que o reconhecimento fosse mútuo e recíproco.

O Estado: síntese final

A dialética da consciência-de-si não deve nos fazer supor que Hegel estaria, como os contratualistas, explicando um possível "estado de natureza".

Na verdade ele nega a anterioridade dos indivíduos — seja ela concebida formal ou historicamente —, pois não é o indivíduo que escolhe o Estado, mas é por ele constituído. Ou seja, não há como pensar o indivíduo em estado de natureza, porque ele é sempre um *indivíduo social*.

Segundo a concepção dialética hegeliana, o Estado sintetiza, numa realidade coletiva, a totalidade dos interesses contraditórios entre os indivíduos. Vejamos:

- a *família* é a síntese dos interesses contraditórios entre seus membros;
- a *sociedade civil* é a síntese que supera as divergências entre as diversas famílias; Hegel foi o primeiro a usar a expressão sociedade civil, dando-lhe um sentido novo, que corresponde à esfera intermediária entre a família e o Estado; a sociedade civil é o lugar das atividades econômicas, e, portanto, onde prevalecem os interesses privados, sempre antagônicos entre si, por isso mesmo é o lugar das diferenças sociais entre ricos e pobres e da rivalidade dos profissionais entre si;
- o Estado representa a unidade final, a síntese mais perfeita que supera as contradições existentes entre o privado e o público e que põem em perigo a coletividade; no Estado, cada um tem a clara consciência de agir em busca do bem coletivo, sendo, assim, por excelência, a esfera dos interesses públicos e universais.

STEFANO BIANCHETTI/CORBIS-LATINSTOCK

Nesta pintura do século XIX, foi retratado Hegel na biblioteca da sua casa em Berlim, vestindo o traje que ele costumava usar pela manhã. O barrete indica que ele pertencia ao mundo acadêmico.

---

[2] HEGEL, G. Friedrich. *Fenomenologia do espírito*. Petrópolis: Vozes, 1992. p. 126-134 (correspondem aos parágrafos 178 a 195).

No movimento dialético, as esferas da família e da sociedade civil não devem ser entendidas como formas anteriores ou exteriores ao Estado, pois na verdade só existem e se desenvolvem no Estado.

A influência hegeliana

A respeito da importância de Hegel, diz Gildo Marçal Brandão:

> Com Hegel, portanto, completa-se o movimento iniciado por Maquiavel, voltado para apreender o Estado tal como ele é, uma realidade histórica, inteiramente mundana, produzida pela ação dos homens. Nesse percurso foram definitivamente arquivadas as teorias da origem natural ou divina do poder político; afirmada a absoluta soberania e excelência do Estado; a especificidade da política diante da religião, da moral e de qualquer outra ideologia; reconhecida a modernidade e centralidade da questão da liberdade e, sobretudo — pois é esta a principal contribuição de Hegel —, resolvido o Estado num processo histórico, inteiramente imanente.[3]

A importância do Estado na filosofia política de Hegel provocou interpretações diversas, inclusive a de ter sido ele um teórico do absolutismo prussiano, ideias que, em última análise, justificariam o totalitarismo no século XX. Vários filósofos insurgiram-se contra essa simplificação deformadora do pensamento hegeliano, desde o próprio Marx até Eric Weil, no século XX.

Hegel exerceu grande influência na política posterior, e seus seguidores dividiram-se em dois grupos opostos, denominados direita e esquerda hegeliana. Entre esses últimos, encontram-se Marx e Engels.

5 As contradições do século XIX

Em comparação com as teorias liberais dos dois séculos anteriores, os pensadores do século XIX representam um avanço em direção às ideias de liberdade e igualdade. No entanto, nesse período ainda persistiram inúmeras contradições:

- nem sempre a implantação das aspirações liberais conciliou os interesses econômicos aos aspectos éticos e intelectuais que essas mesmas teorias defendiam;

THE GRANGER COLLECTION, NOVA YORK/OTHER IMAGES

Gravura francesa, de 1898, satirizando a partilha da China pelas potências imperialistas. A expansão imperialista das grandes potências do século XIX se fez pela colonização de territórios na Ásia e na África.

- apesar da difusão das ideias democráticas, nos grandes centros da Europa permaneceram sem solução questões econômicas e sociais que afligiam a crescente massa de operários: pobreza, jornada de trabalho de 14 a 16 horas, mão de obra mal paga de mulheres e crianças;
- a expansão do capitalismo estimulou ideias imperialistas que justificaram a colonização e, por essa razão, os países europeus "democráticos" não abriram mão do controle econômico e político sobre suas colônias. O próprio Stuart Mill argumentava que a ideia de governo democrático ajustava-se apenas aos hábitos dos povos avançados, sobretudo dos brancos.

No Brasil, os movimentos liberais do século XIX restringiram-se à luta pela liberalização do comércio, na esperança de sacudir o jugo do monopólio português. No entanto, mantinha-se a tradição das elites, a escravidão e o analfabetismo, compatíveis com o tipo de economia agrária então vigente.

A contrapartida do discurso liberal encontrou-se nas teorias socialistas, como veremos no próximo capítulo.

Imanente. Qualidade do que pertence ao interior do ser. No contexto, o Estado resulta do movimento dialético, do qual representa a unidade final, a síntese que supera a contradição entre o privado e o público.

[3] BRANDÃO, Gildo Marçal. "Hegel: o Estado como realização histórica da liberdade". Em: WEFFORT, Francisco C. (org.). *Os clássicos da política*. v. 2. São Paulo: Ática, 1989. p. 111-112.

Leitura complementar

Liberdade e igualdade

"O significado tradicional de liberdade — aquele a partir do qual se falava de uma liberdade de culto, ou de pensamento, ou de reunião, ou de associação, em sentido geral e específico, de uma liberdade pessoal — era aquele relacionado à faculdade de se fazer ou não fazer determinadas coisas não impedido por normas vinculantes; era a liberdade entendida como não impedimento, ou *liberdade negativa*. A esfera da liberdade coincidia com a esfera dos comportamentos não regulados, e portanto lícitos ou indiferentes. [...]

A primeira ampliação do conceito de liberdade ocorreu com a passagem da teoria da liberdade como não impedimento para a teoria da liberdade como *autonomia*, quando 'liberdade' passou a ser entendida não mais apenas como o não ser impedido por normas externas, mas [...] como o obedecer a leis estabelecidas por nós para nós mesmos. Com o conceito de autonomia, a liberdade não consiste mais na ausência de leis, mas sim na presença de leis internamente desejadas e internamente estabelecidas. Quando afirmou, no *Contrato social,* que a liberdade é 'a obediência à lei que prescrevemos a nós mesmos', Rousseau deu-nos a mais perfeita definição desse novo conceito de liberdade, que pode bem ser definida como rousseauniana. Com base nesse conceito de liberdade como autonomia nasceu a teoria da liberdade política como desenvolvimento das liberdades civis, ou da forma democrática de regimento como desenvolvimento e integração puramente e originariamente liberal. [...]

Também o conceito de igualdade é extremamente amplo e pode ser enriquecido por diferentes conteúdos. Tal como ocorreu com a história do direito de liberdade, a história do direito à igualdade também se desenvolveu por sucessivos enriquecimentos. Dizer que nas relações humanas deve ser aplicado o princípio da igualdade significa muito pouco, se não forem especificados ao menos dois aspectos: 1) igualdade em quê? 2) igualdade entre quem? [...]

Com relação à primeira pergunta, 'igualdade em quê?', a Declaração Universal responde que os seres humanos são iguais 'em dignidade e direitos'. A expressão seria extremamente genérica se não devesse ser entendida no sentido de que os 'direitos' sobre os quais fala são precisamente os direitos fundamentais enunciados em seguida. O que na prática significa que os direitos fundamentais enunciados na Declaração devem constituir uma espécie de mínimo denominador comum das legislações de todos os países. É como se disséssemos, em primeiro lugar, que os seres humanos são livres [...], e posteriormente se acrescenta que são *iguais no gozo dessa liberdade*. [...]

Com relação à segunda pergunta, 'igualdade entre quem?', a Declaração responde que, no que se refere aos direitos fundamentais, todos os seres humanos são iguais, ou seja, responde afirmando uma igualdade *entre todos,* e não apenas entre os pertencentes a esta ou aquela categoria. Isto significa que, em relação aos direitos fundamentais enumerados na declaração, todos os seres humanos devem ser considerados pertencentes à mesma categoria. Como tenhamos chegado ao reconhecimento de que os seres humanos, todos os seres humanos, pertencem à mesma categoria em relação aos direitos fundamentais cada vez mais amplos, não pode ser nem de longe resumido. Podemos dizer, contudo, em linhas gerais, que esse ponto de chegada é a conclusão de um processo histórico de sucessivas equiparações entre diferentes, ou seja, de sucessivas eliminações de discriminações entre indivíduos, que fez desaparecer pouco a pouco categorias parciais descriminantes absorvendo-as em uma categoria geral unificadora. [...] A igualdade entre todos os seres humanos em relação aos direitos fundamentais é o resultado de um processo de gradual eliminação de discriminações, e portanto de unificação daquilo que ia sendo reconhecido como idêntico: uma natureza comum do homem acima de qualquer diferença de sexo, raça, religião etc."

BOBBIO, Norberto. *Teoria geral da política*: a filosofia política e as lições dos clássicos. Rio de Janeiro: Campus, 2000. p. 488-492.

Questões

1 Qual é o sentido da liberdade negativa? Como esse conceito evoluiu?

2 Sob que aspectos podemos entender o conceito de igualdade?

3 Quais são as dificuldades da política contemporânea em alcançar o equilíbrio entre liberdade e igualdade?

Atividades

Revendo o capítulo

1 Qual foi o impacto da Independência dos Estados Unidos no liberalismo europeu?

2 Explique que mudanças ocorridas no século XIX fizeram mudar a orientação do liberalismo.

3 Compare Stuart Mill e Tocqueville, considerando a distinção entre as duas concepções de liberalismo e da relação entre liberdade e igualdade.

4 Sob que aspectos Hegel introduziu uma nova maneira de compreender a política?

5 Quais foram as principais contradições do século XIX?

Aplicando os conceitos

6 As duas frases a seguir são de Stuart Mill. Analise o significado delas, indicando por que são contraditórias.

"Cada um é o único guardião autêntico da própria saúde, tanto física, quanto mental e espiritual."

"O despotismo é uma forma legítima de governo quando se está na presença de bárbaros, desde que o fim seja o progresso deles e os meios sejam adequados para sua efetiva obtenção." (Em: Norberto Bobbio. *Liberalismo e democracia*. 3. ed. São Paulo: Brasiliense, 1990. p. 67.)

7 Leia a citação de Tocqueville e justifique qual relação ele estabelece entre liberdade e igualdade.

"Imaginemos sob quais novos aspectos o despotismo poderia ser produzido no mundo: vejo uma multidão inumerável de homens semelhantes e iguais, que nada mais fazem que girar sobre si mesmos, em busca de pequenos e vulgares prazeres com que saciar a alma... Acima deles ergue-se um poder imenso e tutelar, que se encarrega sozinho de lhes garantir a satisfação dos bens e de velar por sua sorte. É absoluto, minucioso, sistemático, previdente e brando." (Alexis de Tocqueville. *A democracia na América*. Em: Norberto Bobbio. *Liberalismo e democracia*. 3. ed. São Paulo: Brasiliense, 1990. p. 51-52.)

8 Considerando o pensamento de Hegel, responda às questões.

a) Qual é a concepção de Estado em Hegel?

b) Que aspecto de seu método lhe permite chegar à sua concepção?

c) Por que ele critica as teorias contratualistas que o antecederam?

9 Em que sentido é dialética a relação entre senhor e escravo? Dê exemplos de outras situações em que existe a relação dominador e dominado.

Dissertação

10 Considerando a ampliação do debate sobre o sufrágio universal no século XIX, leia o trecho de Norberto Bobbio e faça uma dissertação para responder à questão: "O povo sabe votar?".

"John Stuart Mill escreveu que enquanto a autocracia precisa de cidadãos passivos, a democracia sobrevive apenas se pode contar com um número cada vez maior de cidadãos ativos. Pessoalmente, estou convencido da contribuição decisiva que podem dar as ciências sociais à formação desses cidadãos e dessa maneira, definitivamente, ao bom funcionamento de um regime democrático.

Comecei afirmando que se pode definir a democracia como o poder em público. Mas há público e público. Retomando a afirmativa desdenhosa de Hegel, segundo a qual o povo não sabe o que quer, poderíamos dizer que o público do qual precisa a democracia é o público composto por aqueles que sabem o que querem." (Norberto Bobbio. *Teoria geral da política*: a filosofia política e as lições dos clássicos. Rio de Janeiro: Campus, 2000. p. 398-399.)

Capítulo

26 As teorias socialistas

O México hoje e amanhã. Mural de Diego Rivera, 1929-1935.

Diego Rivera (1886-1957), artista mexicano, distinguiu-se na arte muralista, tendo pintado inúmeros afrescos nos quais sobressai seu engajamento político na causa socialista. No mural *O México hoje e amanhã* (1929-1935), encomendado para o palácio do governo mexicano, Rivera descreve o que pensa sobre a política do seu tempo: no centro, em enquadramento, a vida de ricos burgueses, clero, políticos, militares; ao redor, os trabalhadores, o povo sofrido e os movimentos de oposição (observe a faixa onde se lê *huelga*, "greve"); e, no alto, centralizada, a figura de Marx apontando para um futuro promissor.

1 A origem do proletariado

No início do século XIX, as revoluções burguesas do século anterior encontravam-se ameaçadas pelas forças conservadoras do feudalismo em decomposição, representadas pela nobreza e pelo clero, ansiosas para restaurar o absolutismo e excluir a burguesia do poder político. O embate dessas forças desencadeou, em 1830 e 1848, grandes movimentos liberais e nacionais. Iniciados na França, logo estenderam-se por outros países europeus.

A partir de 1848, o **proletariado** procurava expressar sua própria ideologia, oposta ao pensamento liberal e inspirada de início no socialismo utópico, deixando mais clara a cisão entre burgueses e proletários.

METROPOLITAN MUSEUM OF ART, NOVA YORK

O vagão de terceira classe (1862), de Honoré Daumier. No século XIX, Daumier fez uma dura crítica social às condições de vida a que estavam relegados os trabalhadores.

E ETIMOLOGIA

Proletariado. Do latim *proletarius*, "do povo", "das classes desfavorecidas". Por sua vez, *proletarius* vem de *proles*, "prole", "descendência", "filhos". Ou seja, os pobres são "ricos" de filhos.

Nesse período, conturbado por agitações políticas, agravou-se a situação social em decorrência das transformações na economia, decorrentes da passagem à grande indústria e ao capitalismo de monopólio. Essas alterações vinham ocorrendo desde o século XVIII, quando a Revolução Industrial implantara o maquinismo, acelerando o processo de confinamento do operário nas fábricas. Configurava-se, então, em todos os seus contornos, a nova classe do proletariado.

REPRODUÇÃO

Nesta charge, de 1848, o homem do povo, com o barrete frígio, símbolo do regime republicano na França, expulsa o burguês que o explora: "Vá dependurar-se em outro lugar!" (*Va te faire pendre ailleurs!*).

As cidades inchavam com a massa de operários mal acomodados em moradias precárias, trabalhando em fábricas insalubres e recebendo baixos salários. Miséria, jornada de trabalho excessiva e exploração de mão de obra infantil configuravam um estado de injustiça social que gerava protestos e anseios de mudança.

As convicções burguesas foram postas à prova pelas teorias socialistas e comunistas matizadas nas mais diversas interpretações e com diferentes propostas de mudança, desde as reformistas até as revolucionárias. As críticas ao liberalismo resultaram da constatação de que a livre concorrência não trouxera o equilíbrio prometido, ao contrário, instaurara uma "ordem" injusta e imoral. Além disso, se o liberalismo clássico enfatizara a liberdade individual, as novas teorias exigiam a igualdade, não apenas formal, mas real, contrapondo o *socialismo* ao individualismo burguês.

Contra a hierarquia das fábricas os operários criaram organizações que negavam o paternalismo e desenvolveram a luta para a formação da consciência de classe e a emancipação do proletariado. Sindicatos, conselhos operários, comissões de fábrica, comitês de greve, jornais operários agitavam o ambiente social e político, desencadeando movimentos de reivindicação. Em 1864, foi fundada em Londres a Associação Internacional dos Trabalhadores (AIT), que estimulou a realização de congressos em diversos países.

PARA SABER MAIS

A Primeira Internacional atuou de 1864 a 1876, sob a liderança de Marx e Engels. Mais três Internacionais foram fundadas posteriormente. A última foi organizada por Trotsky em 1938, após a Revolução Russa de 1917 e a subida de Stálin ao poder na União Soviética.

2 O socialismo utópico

Os teóricos do socialismo elaboraram teorias distintas e propuseram soluções diversas, mas é possível observar alguns traços comuns entre eles. Por exemplo, nem sempre reconhecem o antagonismo entre burguesia e proletariado, admitindo ser possível reformar a sociedade mediante a boa vontade e a participação de todos. Vejamos alguns deles.

a) Owen

Para o britânico Robert Owen (1771-1858), o trabalho é criador de riqueza, que não é usufruída pelo operário, mas, ao contrário, lhe é extorquida. Tentou pôr em prática as concepções socialistas organizando colônias cooperativas onde a propriedade privada seria totalmente excluída. Apesar da grande repercussão de suas ideias, as tentativas de concretizá-las falharam completamente. Antes admirado e festejado até por governantes e príncipes, foi atacado e execrado ao formular suas teorias comunistas. De qualquer maneira, as soluções preconizadas não iam além de uma tendência fortemente **filantrópica** e paternalista: melhoria de alojamento e higiene, construção de escolas, aumento de salários, redução de horas de trabalho.

E ETIMOLOGIA

Filantropia. Do grego *philía*, "amizade", e *anthópos*, "homem": amor à humanidade, desprendimento, generosidade.

b) Saint-Simon

O francês Henri de Saint-Simon (1760-1825) estabeleceu o plano de uma sociedade industrial dirigida pelos produtores, entendendo por produtores não só a classe operária, mas todos os que criam, sejam banqueiros, empresários, sábios ou artistas. Seu objetivo era melhorar a sorte da classe mais numerosa e mais pobre.

A proposta de Saint-Simon partia da crítica aos políticos parasitas, aos burocratas, e sonhava tirar o poder da nobreza e do clero, para confiá-lo aos que realmente são responsáveis pelo trabalho, que ele chama de "industriais". Foi ele, entre os socialistas utópicos, o que percebeu o conflito de classes que resulta das questões econômicas.

c) Fourier

Também Charles Fourier (1772-1837) não destaca o antagonismo entre as classes. Faz uma crítica arguta e impiedosa ao sistema capitalista e à cobiça dos comerciantes, mas seu plano de associação voluntária, o falanstério — pequena unidade social abrangendo de 1,2 mil a 5 mil pessoas vivendo em comunidade —, não pode ser confundido com uma proposta comunista. Fourier respeita a herança, admite ser natural que haja pobres e ricos e tenta atrair os capitalistas mostrando-lhes possibilidade de lucros fabulosos caso investissem nos falanstérios. Aguardava, todos os dias à mesma hora, a vinda do mecenas que financiaria seu projeto de reforma social. Houve algumas tentativas de implantação de falanstério pelo mundo, inclusive por franceses residentes no Brasil, em Santa Catarina.

BIBLIOTECA NACIONAL DA FRANÇA, PARIS; ARCHIVES CHARMET - THE BRIDGEMAN ART LIBRARY/KEYSTONE

Crianças no familistério de Guise. Gravura de Jean-Baptiste Godin, 1871. A partir do falanstério sugerido por Fourier, outros projetos surgiram: o industrial Jean-Baptiste Godin criou em Aisne, na França, um *familistério* ("lugar de reunião de famílias"), para alojar seus operários com cuidados de salubridade, iluminação e conforto. Na gravura, sala de recreação das crianças, separadas por faixa etária.

d) Proudhon

Outros caminhos foram percorridos por Pierre Joseph Proudhon (1809-1865). Deputado atuante, criou um banco popular para oferecer empréstimos a baixos juros, defendeu a instrução pública e participou ativamente da Primeira Internacional. Nascido de família pobre, sempre desejou permanecer próximo às suas origens, por isso preconizava a autonomia da classe operária na organização de sua luta contra a exploração capitalista.

Proudhon teve plena consciência do antagonismo entre capitalistas e proletários, afirmando que a propriedade privada significava uma espoliação do trabalho. Enquanto as doutrinas de Saint-Simon e Fourier não são propriamente igualitárias, a de Proudhon defende a igualdade e a liberdade, o que já significa uma crítica ao individualismo da concepção burguesa de liberdade. A crítica ao individualismo repousa na convicção de que a liberdade de cada um não é restringida pela liberdade alheia, mas ela se constrói na relação com seus semelhantes.

Proudhon é veemente em afirmações extremamente polêmicas, como "a propriedade é um roubo" e "Deus é o mal". Ao criticar a propriedade privada, recusa qualquer caminho que porventura favoreça o poder do Estado. A desconfiança em relação ao Estado (e a qualquer outra autoridade, como a Igreja) tornou Proudhon um crítico da centralização do poder e da burocracia e inspirador da sociedade anárquica em que o poder político seria substituído por livres associações entre trabalhadores. Por essas ideias, criticou os marxistas, por considerá-los excessivamente autoritários.

Crítica marxista ao socialismo utópico

Foram Marx e Engels que classificaram as teorias que os antecederam como *socialismo utópico*, a elas contrapondo o que chamaram de *socialismo científico*.

O conceito de **utopia**, embora tenha uma conotação positiva, de algo que "ainda não é", mas "poderá vir a ser", assume o sentido pejorativo. Marx e Engels, apesar de reconhecerem a importância dessas teorias como precursoras e de terem dado início à conscientização do proletariado, não lhes poupam severas críticas, por não verem nelas condição alguma de reverter o quadro de injustiça e exploração vigentes.

> **E ETIMOLOGIA**
>
> **Utopia.** Do grego *u-topos*, "em nenhum lugar".

Segundo Marx e Engels, as teorias do socialismo utópico eram inócuas por serem:

- *paternalistas*, por considerarem os operários apenas como "a classe mais sofredora" e a si mesmos como os que lhes trariam a salvação; por isso "apelam constantemente a toda a sociedade sem distinções, e de preferência à classe dominante";
- *conservadoras*, por negarem ao proletariado a autonomia política, inclusive de uma possível atuação revolucionária; ao contrário, pretendem "atingir seu objetivo por via pacífica";
- *moralistas*, por estarem convencidos de que poderiam "com pequenas experiências naturalmente condenadas ao fracasso, abrir pela força do exemplo o caminho ao novo evangelho social";[1]

Há verdades nas críticas marxistas, mas é preciso reconhecer que a oposição levada a efeito "entre *ciência* e *utopia* está carregada daquela pretensão cientificista cara ao século XIX", segundo a qual só "o método marxista, o materialismo dialético e histórico poderia pretender ser verdadeiramente científico" e qualquer outro método seria utópico, "ou seja: ingênuo, pueril, irrealista, moralista, metafísico, até mesmo 'religioso'". Em outras palavras, tal posicionamento, ao reafirmar a ideia "de uma continuidade histórica entre um socialismo utópico precursor ultrapassado e um marxismo científico que revela ao movimento operário sua plena maturidade é reveladora dessa filosofia da história própria a todos os determinismos positivistas".[2]

3 O marxismo

No século XIX, a Alemanha ainda se encontrava dividida. A unificação política ocorreria apenas em 1871, após três guerras e muitas tentativas de unificação econômica. Portanto, foi numa Alemanha agitada e cheia de problemas que surgiu o marxismo, elaborado por Karl Marx (1818-1883) e Friedrich Engels (1820-1895). Além da colaboração ideológica, Engels era industrial e pôde, por diversas vezes, ajudar Marx financeiramente nos momentos mais críticos de sua vida pessoal.

Escreveram juntos *A ideologia alemã* e *A sagrada família*. Embora suas ideias fossem gestadas em conjunto, Marx redigiu sozinho: *A miséria da filosofia*, *Crítica da economia política* e *O capital*, entre outras obras. De Engels temos: *Anti-Düring*, *Dialética da natureza* e *A origem da família, da propriedade privada e do Estado*.

Para a elaboração da doutrina, partiram da leitura dos economistas ingleses Adam Smith e David Ricardo, da filosofia de Hegel (o conceito de dialética e uma nova concepção de história), dos filósofos do socialismo utópico e de Ludwig Feuerbach.

Marx e Engels aproveitaram as análises de Feuerbach, mas foram além, criticando nele o desprezo pela contribuição do método dialético, o que o fez repetir de certo modo o materialismo mecanicista do século XVIII. Ao compreender o ser humano como máquina, Feuerbach tornou-se incapaz de perceber o mundo como processo, como matéria em via de desenvolvimento histórico.

1 Os trechos entre aspas foram retirados de *O manifesto do Partido Comunista*, de Karl Marx e Friedrich Engels.

2 Os trechos entre aspas foram extraídos de CHÂTELET, François (org.). *História das ideias políticas*. Rio de Janeiro: Jorge Zahar, 1985. p. 140-141.

THE BRITISH MUSEUM, LONDRES

Nessa gravura de 1829, Georges Cruikshank critica o horror da expansão urbana em Londres, decorrente da Revolução Industrial. Marx e Engels formularam suas teorias a partir da realidade social por eles observada: de um lado, o avanço técnico, o aumento do poder humano sobre a natureza, o enriquecimento e o progresso; de outro, e contraditoriamente, a classe operária cada vez mais empobrecida.

Segundo Marx, nas *Teses sobre Feuerbach*, o erro está em analisar o ser humano abstratamente, desvinculado da sua realidade, que consiste no conjunto das relações sociais.

O materialismo dialético

Ao contrário do idealismo de Hegel, para Marx a matéria é o dado primário, a fonte da consciência, e esta é um dado secundário, derivado, pois é reflexo da matéria. É preciso distinguir, no entanto, o *materialismo marxista*, que é *dialético*, do materialismo anterior a ele, conhecido como *materialismo mecanicista* ou "vulgar":

- O materialismo mecanicista parte da constatação de um mundo composto de coisas e, em última análise, de partículas materiais que se combinam de forma inerte.
- Para o materialismo dialético, os fenômenos materiais são *processos*. Além disso, o espírito não é consequência passiva da ação da matéria, podendo reagir sobre aquilo que o determina.

A dialética marxista

Ao admitir o materialismo, o marxismo opõe-se à filosofia idealista de Hegel, mas aproveita sua concepção de *dialética*. No dizer de Engels a respeito de seu procedimento,

> a dialética de Hegel foi colocada com a cabeça para cima ou, dizendo melhor, ela, que se tinha apoiado exclusivamente sobre sua cabeça, foi de novo reposta sobre seus pés.[3]

A dialética é a estrutura contraditória do real, que no seu movimento constitutivo passa por três fases: a *tese*, a *antítese* e a *síntese*. Ou seja, explica-se o movimento da realidade pelo antagonismo entre o momento da tese e o da antítese, cuja contradição deve ser superada pela síntese.

Além da *contraditoriedade* dinâmica do real, outra categoria fundamental para entender a dialética é a de *totalidade*, pela qual o todo predomina sobre as partes que o constituem. Isso significa que as coisas estão em constante *relação recíproca*, e nenhum fenômeno da natureza ou do pensamento pode ser compreendido isoladamente fora dos fenômenos que o rodeiam. Os fatos não são átomos, mas pertencem a um todo dialético e como tal fazem parte de uma estrutura.

Entenderemos melhor esse processo com os exemplos da análise histórica feita por Marx.

O materialismo histórico

O *materialismo histórico* é a teoria que aplica os princípios do materialismo dialético ao campo da história. Como o próprio nome indica, é a explicação da história por fatores materiais, ou seja, econômicos e técnicos.

Marx inverte o processo do senso comum que explica a história pela ação dos indivíduos, ou, às vezes, até pela intervenção divina. Para o marxismo, no lugar das ideias estão os fatos materiais; no lugar dos heróis individuais, a luta de classes. Em outras palavras, embora possamos tentar compreender e definir o ser humano pela consciência, pela linguagem, pela religião, o que fundamentalmente o caracteriza é o modo pelo qual reproduz suas condições de existência.

Portanto, para Marx, a sociedade estrutura-se em níveis:

a) O primeiro nível, chamado de *infraestrutura*, constitui a *base econômica*; engloba as relações do ser humano com a natureza no esforço de produzir a própria existência e as relações dos indivíduos entre si, ou seja, as relações entre os proprietários e não proprietários, e entre

[3] ENGELS, F. "Ludwig Feuerbach e o fim da filosofia clássica alemã". Em: MARX-ENGELS. *Antologia filosófica*. Lisboa: Estampa, 1971. p. 136.

os não proprietários e os meios e objetos do trabalho. Segundo a concepção materialista, a infraestrutura é determinante.

b) O segundo nível é a *superestrutura*, de caráter *político-ideológico*, que se constitui por dois aspectos:
   - pela *estrutura jurídico-política* representada pelo Estado e pelo direito: segundo Marx, a relação de exploração de classe no nível econômico repercute na relação de dominação política, porque o Estado e as leis estão a serviço da classe dominante.
   - pela *estrutura ideológica*, as expressões da consciência social, tais como a religião, as leis, a educação, a literatura, a filosofia, a ciência e a arte; também nesse caso, a classe dominada submete-se à ideologia, porque sua cultura reflete as ideias e os valores da classe dominante.

Vamos exemplificar como a infraestrutura determina a superestrutura, comparando valores de dois diferentes períodos da história.

A moral medieval valoriza a coragem e a ociosidade da nobreza ocupada com a guerra, bem como a fidelidade, base do sistema de suserania e vassalagem; do ponto de vista do direito, em um mundo cuja riqueza é a posse de terras, o empréstimo a juros é considerado ilegal e imoral. Já na Idade Moderna, com a ascensão da burguesia, o trabalho foi valorizado e, consequentemente, critica-se a ociosidade; a legalização do sistema bancário, por sua vez, exigiu a revisão das restrições morais aos empréstimos. A Igreja protestante confirmou os novos valores por meio da doutrina da predestinação e, ao contrário do catolicismo, passou a ver o enriquecimento como sinal de escolha divina.

Os exemplos dados dizem respeito às transformações da moral e do direito (a superestrutura), determinadas pelas alterações da infraestrutura, com a passagem do sistema feudal para o capitalista. Portanto, para estudar a sociedade não se deve, segundo Marx, partir do que os indivíduos dizem, imaginam ou pensam, e sim do modo pelo qual produzem os bens materiais necessários à sua vida. Analisando o contato que tais indivíduos estabelecem com a natureza para transformá-la por meio do trabalho e as relações entre eles é que se descobre como produzem sua vida e suas ideias.

No entanto, essas determinações têm também um caráter dialético: ao tomar conhecimento das contradições, o ser humano pode agir ativamente sobre aquilo que o determina.

Ao analisar o *ser social*, Marx desenvolve uma nova antropologia, segundo a qual não existe "natureza humana" idêntica em todo tempo e lugar. Se o existir decorre do agir, o indivíduo se autoproduz à medida que transforma a natureza pelo trabalho. Como o trabalho se apoia numa ação coletiva, a condição humana depende de sua existência social. Por outro lado, o trabalho é um projeto, e como tal depende da consciência que antecipa a ação pelo pensamento. Com isso se estabelece a dialética pensar-agir e teoria-prática. Por isso a filosofia marxista é também conhecida como *filosofia da práxis*.

Relações de produção e luta de classes

Dissemos que a compreensão dialética da história supõe o conflito e a contradição. Vejamos como Marx explica esse processo, por meio dos conceitos de relações de produção, forças produtivas e modo de produção.

Relações de produção

As relações fundamentais de toda sociedade humana são as *relações de produção*, que revelam a maneira pela qual, a partir das condições naturais, os seres humanos usam as técnicas e se organizam por meio da divisão do trabalho social. As relações de produção correspondem a um certo estágio das *forças produtivas*.

Forças produtivas

As forças produtivas consistem no conjunto formado por clima, água, solo, matérias-primas, máquinas, mão de obra e instrumentos de trabalho. Por exemplo, quando os instrumentos de pedra são substituídos pelos de metal, ou quando a agricultura se desenvolve com novas técnicas de irrigação e de adubagem do solo ou pelo uso do arado e de veículos de roda, estamos diante de alterações das forças produtivas, que por sua vez provocarão mudanças nas formas pelas quais os indivíduos se relacionam.

Modo de produção

Chamamos *modo de produção* a maneira pela qual as *forças produtivas* se organizam em determinadas *relações de produção* num dado momento histórico. Por exemplo, no modo de produção capitalista, as forças produtivas, representadas sobretudo pelas máquinas do sistema fabril, determinam as relações de produção, caracterizadas pela existência do dono do capital e do operário assalariado.

BAYERISCHE STAATSBIBLIOTHEK, MUNIQUE

REPRODUÇÃO

À esquerda, miniatura de Simon Bening, 1520-1525. Acima, gravura de 1835 representando o interior de uma fábrica têxtil. As duas ilustrações representam momentos históricos distintos: o dos camponeses medievais e o dos operários das fábricas da era moderna. Certamente são diferentes seus instrumentos de trabalho e o modo de produção.

No entanto, as forças produtivas só podem se desenvolver até certo ponto, pois quando atingem um estágio avançado entram dialeticamente em contradição com as antigas relações de produção, por se tornarem inadequadas. Surge, então, a necessidade de uma nova divisão de trabalho. A contradição se expressa na *luta de classes*.

A luta de classes

- Nas *sociedades primitivas*, os seres humanos unem-se para enfrentar os desafios da natureza hostil e dos animais ferozes. Os meios de produção, as áreas de caça, assim como os produtos, são *propriedades comuns*, isto é, pertencem a toda a sociedade (comuna primitiva). A base econômica determina certa maneira de pensar peculiar, em que não há sentimento de posse, uma vez que não existe propriedade privada.
- O *modo de produção patriarcal* surgiu com a domesticação de animais e a agricultura graças ao uso de instrumentos de metal e à fabricação de vasilhas de barro, o que possibilita a estocagem. As consequências das modificações das forças produtivas alteraram as relações de produção e o modo de produção: aparece um tipo específico de propriedade da família, num sentido muito amplo; diferenciam-se funções de classe (autoridade do patriarca, do pai de família); muda o direito hereditário, ao se substituir a filiação materna pela paterna.
- O *modo de produção escravista* decorre do aumento da produção além do necessário para a subsistência, o que exige o recurso de novas forças de trabalho, geralmente de prisioneiros de guerra, transformados em escravos. Com isso, a *propriedade privada dos meios de produção* gera a *contradição* entre senhores e escravos, exemplo da primeira forma de exploração humana.
- O *modo de produção feudal* surge na Idade Média como resultado da contradição instaurada pelo regime escravista. Para restaurar a economia, que entrara em crise, foram necessárias novas relações de produção, nas quais a base econômica passou a ser a propriedade dos meios de produção pelo senhor feudal. O servo trabalha um tempo para si e outro para o senhor, o qual, além de se apropriar de parte da produção daquele, ainda lhe cobra impostos pelo uso comum do moinho, do lagar etc.
- O *modo de produção capitalista* é a nova síntese que surge das ruínas do sistema feudal, ou seja, da contradição entre a tese (senhor feudal) e a antítese (servo). Desses conflitos surge uma nova figura, o burguês: os servos que iam para a cidade e habitavam os burgos (os arrabaldes das cidades) dedicavam-se ao artesanato e ao comércio, conseguindo aos poucos a liberdade pessoal, enquanto as cidades ganhavam autonomia. A jovem burguesia desenvolve novas formas produtivas que em determinado momento exigem novas relações de produção. No modo de produção capitalista, a relação antitética se faz entre o burguês, que é o detentor do capital, e o proletário, que nada possui e vende sua força de trabalho.

Práxis. Marx chama de *práxis* a ação humana transformadora da realidade. Esse conceito não se identifica propriamente com a prática, mas significa a união dialética da teoria e da prática. Isto é, ao mesmo tempo que a consciência é determinada pelo modo como é produzida a existência, também a ação humana é projetada, refletida, consciente e capaz de modificar a teoria.

Lagar. Aparelho que serve para espremer frutos (uvas, azeitonas etc.).

O que vimos até agora é que, para Marx, o movimento dialético pelo qual a história se faz tem um motor: *a luta de classes*. Denomina-se luta de classes o confronto entre duas classes antagônicas quando lutam por seus interesses de classe.

Veremos agora, com mais atenção, como se processa a relação antagônica entre as duas classes.

A mais-valia

O sistema capitalista sustenta-se pela produção de mercadorias.

Mercadoria é tudo o que é produzido tendo em vista o *valor de troca* e não o *valor de uso*. Ou seja, a mercadoria é o que se vende, enquanto o valor de uso está, por exemplo, na roupa que fazemos para nosso próprio uso.

Como produto do trabalho, o valor da mercadoria é determinado pelo total de trabalho socialmente necessário para produzi-la. Calcula-se, então, o valor da força de trabalho que o operário vende ao capitalista por ser a única mercadoria que possui, ou seja, a capacidade de trabalhar. Esse valor deve ser o necessário para a subsistência e a reprodução de sua capacidade de trabalho, isto é, alimento, roupa, moradia, educação dos filhos etc. O salário deve, portanto, corresponder ao custo da própria manutenção e a de sua família.

No entanto, na obra *O capital*, Marx explica que a relação de contrato de trabalho é livre só na aparência; na verdade, o desenvolvimento do capitalismo supõe a exploração do operário. O capitalista o contrata para trabalhar durante um certo período de horas a fim de alcançar determinada produção, mas, por ficar disponível todo o tempo, na verdade produz mais do que foi calculado, ou seja, a força de trabalho pode criar um valor superior ao estipulado inicialmente. No entanto, a parte do *trabalho excedente* não é paga ao operário, e serve para aumentar cada vez mais o capital.

Denomina-se *mais-valia*, portanto, o valor que o operário cria além do valor de sua força de trabalho, e que é apropriado pelo capitalista.

Alienação e ideologia

Com a descrição da mais-valia, Marx configura o caráter de exploração do sistema capitalista. De imediato o operário não é capaz de reverter o quadro porque se encontra alienado. O que significa alienação?

Ao desenvolver o conceito de alienação, Marx rejeita as explicações comuns na história da filosofia, ora com contornos religiosos, ora metafísicos ou morais. A elas opõe a análise das condições reais do trabalho humano e descobre que a alienação tem origem na vida econômica: quando o operário vende no mercado a força de trabalho, o produto que resulta do seu esforço não mais lhe pertence e adquire existência independente dele.

PARA SABER MAIS

Os conceitos de alienação e ideologia são tratados também nos capítulos 6, "Trabalho, alienação e lazer", e 10, "Ideologias".

No contexto capitalista, ao vender sua força de trabalho mediante salário, o operário também transforma-se em mercadoria. Ocorre, então, o que Marx chama de fetichismo *da mercadoria* e **reificação** *do trabalhador*. Vejamos o que significam esses conceitos.

ETIMOLOGIA

Reificação. Do latim *res*, "coisa"; portanto, reificar é considerar "coisa" o que é vivo.

O *fetichismo* é o processo pelo qual a mercadoria, um ser inanimado, adquire "vida" porque os valores de troca tornam-se superiores aos valores de uso e passam a determinar as relações humanas, ao contrário do que deveria acontecer. Desse modo, a relação entre produtores não se faz entre eles próprios, mas entre os produtos de seu trabalho. Por exemplo, não se dá a relação entre alfaiate e carpinteiro, mas entre casaco e mesa, que são equiparados conforme uma medida comum de valor.

A "humanização" da mercadoria leva à desumanização da pessoa, à sua coisificação, isto é, o indivíduo é transformado em mercadoria.

A ideologia

O que faz com que a alienação não seja percebida é a ideologia. Em outras palavras, as ideias, condutas e valores que permeiam a concepção de mundo de determinada sociedade, e que representam os interesses da classe dominante, ao serem generalizadas às classes dominadas, ajudam a manter a dominação e o *status quo*.

A ideologia camufla a luta de classes quando representa a sociedade de forma ilusória mostrando-a como una e harmônica. Mais ainda, esconde que o Estado, longe de representar o bem comum, é expressão dos interesses da classe dominante. É o que veremos a seguir.

RICHARD T. NOWITZ/CORBIS/LATINSTOCK

Interior de *shopping center* em Toronto, Canadá, em 2007. No século XIX, Marx já advertia que, ao mesmo tempo em que se produz a mercadoria, produz-se o consumidor. Certamente não imaginava a construção de verdadeiros santuários de consumo, como são os atuais *shopping centers*.

A crítica ao Estado

Marx não escreveu uma obra específica sobre a análise do Estado, mas as críticas permeiam sua produção teórica. A concepção negativa do Estado se distingue da tradição jusnaturalista, que via no Estado a condição da sociabilidade. Também se opõe a Hegel, para quem o Estado era o momento final do Espírito objetivo, quando seriam superadas as contradições da sociedade civil. Para Marx, o Estado não supera as contradições da sociedade civil, mas é o reflexo delas, e está aí para perpetuá-las. Por isso só aparentemente visa ao bem comum, mantendo-se de fato a serviço da classe dominante. Portanto, o Estado é um mal a ser extirpado.

A ditadura do proletariado

Ao lutar contra o poder da burguesia, o proletariado precisa destruir o poder estatal, o que deve ocorrer pela revolução. No entanto, após a revolução ainda seria necessário um Estado provisório para suprimir a propriedade privada dos meios de produção. A esse novo Estado deu-se o nome de *ditadura do proletariado*, uma vez que, segundo Marx, o fortalecimento contínuo da classe operária seria indispensável enquanto a burguesia não fosse liquidada como classe no mundo inteiro.

O processo desdobra-se, portanto, em duas fases.

A primeira, de vigência da ditadura do proletariado, corresponde ao *socialismo*, em que o aparelho estatal, a burocracia, o aparelho repressivo e o jurídico ainda persistem. Nesse período continua a luta contra a antiga classe dominante, a fim de evitar a contrarrevolução. O princípio do socialismo é: "De cada um, segundo sua capacidade, a cada um, segundo seu trabalho".

A segunda fase, chamada *comunismo*, define-se pela supressão da luta de classes e, finalmente, pelo desaparecimento do Estado. O princípio que rege esse período é: "De cada um, segundo sua capacidade, a cada um, segundo suas necessidades".

Nessa "anarquia feliz", o desenvolvimento prodigioso das forças produtivas levaria à "era da abundância", à supressão da divisão do trabalho em tarefas subordinadas (materiais) e tarefas superiores (intelectuais), à ausência de contraste entre cidade e campo e entre indústria e agricultura.

4 O anarquismo: principais ideias

É comum as pessoas identificarem **anarquismo** com "caos", "bagunça". Na verdade, não se trata disso. O princípio que rege o anarquismo é a preferência por alternativas de organização voluntária em oposição ao Estado, considerado nocivo e desnecessário. Para os anarquistas, se a religião, o Estado e a propriedade contribuíram em determinado momento histórico para o desenvolvimento humano, passaram depois a restringir sua emancipação.

> **E ETIMOLOGIA**
>
> **Anarquismo.** Do grego *an*, "sem", e *arché*, "princípio", "origem", "poder", ou seja, "sem governantes".

A tese anarquista da negação do Estado não se baseia em uma proposta individualista, porque o conceito de organização não coercitiva funda-se na cooperação e na aceitação da comunidade. Trata-se de um aparente paradoxo, esse da realização da ordem na anarquia, porque, para esses teóricos, a ordem na anarquia é natural: são as instituições autoritárias que deformam e atrofiam as tendências cooperativas humanas.

A estrutura da sociedade estatal é artificial, por criar uma pirâmide em que a ordem é imposta de cima para baixo. Na sociedade anarquista a ordem natural expressa-se pela autodisciplina e cooperação voluntária e não pela decisão hierárquica. Por isso, os anarquistas repudiam inclusive a criação de partidos, por prejudicarem a espontaneidade de ação, tendendo a se burocratizar e a centralizar o

> **Alienação.** Do latim *alienare, alienus*, "que pertence a um outro". Alienar, portanto, é "tornar alheio", é "transferir para outrem o que é seu".
> **Fetichismo.** De fetiche ou feitiço, objeto a que se atribui poder sobrenatural; no contexto, processo em que objetos inertes, sem vida, tornam-se "animados", "humanizados".

poder. Também temem as estruturas teóricas, que tendem a se tornar um corpo dogmático. O anarquismo, enfim, é mais conhecido como movimento vivo e não tanto como doutrina.

A crítica ao Estado leva à inversão da pirâmide de poder representada por essa instituição, e a organização social que deriva dessa inversão rege-se pelo princípio da descentralização, procurando estabelecer a forma mais direta de relação, ou seja, a do contato "cara a cara". A responsabilidade surge a partir dos núcleos vitais das relações sociais, tais como em locais de trabalho e bairros, nos quais são tomadas decisões. Quando isso não é possível, por envolver outros segmentos, federações devem ser criadas. O importante, porém, é manter a participação, a colaboração, a consulta direta entre as pessoas envolvidas.

Além do Estado, os anarquistas repudiam a estrutura hierárquica da Igreja e defendem o ateísmo como condição de autonomia moral do ser humano, liberto dos dogmas e da noção de pecado.

Representantes e movimentos

Os anarquistas foram contemporâneos de Marx e com ele partilharam as críticas ao sistema capitalista, à propriedade privada dos meios de produção e à exploração da classe proletária pela burguesia. No entanto, distanciaram-se de Marx por conta da teoria da ditadura do proletariado e o acusaram de otimista, por não perceber que a rígida oligarquia de funcionários públicos e tecnocratas tenderia a se perpetuar no poder.

MUSÉE DU PETIT PALAIS, PARIS. – ERICH LESSING/ALBUM/ ALBUM ART/LATINSTOCK

Pierre-Joseph Proudhon e seus filhos em 1863, pintura de Gustave Coubert, 1865. Socialista utópico e crítico da propriedade capitalista e do autoritarismo dos comunistas, Proudhon teve contato com o anarquista Bakunin, que o considerava "o mestre de todos nós".

O mais brilhante anarquista foi Mikhail Bakunin (1814-1876), filho de ricos aristocratas russos. Tornou-se revolucionário graças à influência do francês Pierre Joseph Proudhon, que já vimos entre os chamados socialistas utópicos.

Bakunin participou de rebeliões e esteve preso por um tempo na Sibéria. Sua obra é vigorosa e apaixonada, mas mal organizada, pois dificilmente Bakunin terminava o que começava. Era sobretudo um ativista.

O anarquismo ressurgiu timidamente depois da Segunda Guerra Mundial e recrudesceu na década de 1960 com o ativismo de jovens de vários países da Europa e da América, o que culminou no movimento estudantil de 1968, em Paris.

O anarquismo no Brasil

Com a abolição da escravatura no final do século XIX, a necessidade de mão de obra livre favoreceu a imigração de europeus, sobretudo italianos, que vieram, inicialmente, para as fazendas de café. No início da República Velha, um grupo de italianos instalou-se no interior do Paraná para fundar a Colônia Cecília nos moldes de uma comunidade anarquista. Experiência efêmera e cheia de dificuldades, não conseguiu florescer.

No Brasil, o anarcossindicalismo organizou-se no começo do século XX, com a urbanização decorrente da industrialização, visando à atuação mais eficaz na luta contra a opressão patronal. Era um movimento atuante não só na preparação das greves, mas na difusão do ideal anarquista por meio de escolas e jornais.

Merece destaque a atuação de José Oiticica (1882-1957), que, além de teórico e divulgador das ideias anarquistas, foi ativista e por isso exilado. Professor de universidade e também do Colégio Pedro II, no Rio de Janeiro, tentou aplicar em aula os princípios anarquistas. Intelectual erudito, é autor de obra variadíssima: além de textos políticos, escreveu poesias, contos, peças de teatro e desenvolveu trabalhos linguístico-filológicos de primeira linha.

5 O socialismo no século XX

A revolução socialista ocorreu em 1917, na Rússia, país de monarquia absolutista (czarismo) e de economia semifeudal, cuja industrialização começara apenas no final do século XIX.

Os teóricos que repensaram Marx e Engels no início do século XX o fizeram a partir da Revolução Russa de 1917. Lênin (1870-1924), cujo verdadeiro nome era Vladimir Ilitch Ulianov, escreveu, entre outras obras, *Que fazer?* e *O Estado e a revolução*. O trabalho teórico por ele desenvolvido não se separa do ativista e revolucionário que foi. Todos os seus escritos têm uma finalidade prática, política.

Sob o comando de Lênin, em 1922 a Rússia tornou-se a URSS (União das Repúblicas Socialistas Soviéticas), com a supressão da propriedade privada dos meios de produção, a planificação econômica, a reforma agrária e a nacionalização dos bancos e das fábricas. O *marxismo-leninismo* tornou-se a doutrina oficial.

Lênin morreu cedo, em 1924, e seu sucessor, Joseph Stálin (1879-1953), dirigiu a URSS durante quase 30 anos com mão de ferro. Nesse período, o Estado foi de tal modo fortalecido que se transformou em Estado totalitário. Menos preocupado com a teoria e mais com a formulação de máximas de ação, com Stálin o marxismo tornou-se dogmático, sem tolerância a nenhuma forma de crítica e frequentes expurgos e perseguições, que geraram um regime de terror.

MUSEU ESTATAL RUSSO

O controle no período de Stálin era tão rígido que se estendia às artes. Esta tela de Kukrynisk, *Batalhamos bravamente* (1941), pertence ao chamado realismo socialista, que vinculava os artistas à ideologia oficial do partido e condenava os "desviantes".

A União Soviética transformou-se nos anos de 1940 em grande potência mundial, desenvolvida e industrializada. Após a Segunda Guerra Mundial, o crescimento do poder soviético polarizava as forças mundiais no confronto Leste-Oeste, representado pela Guerra Fria. O antagonismo e a rivalidade entre os dois blocos geraram profundo maniqueísmo: no Oriente caçavam-se os dissidentes contrarrevolucionários "imperialistas" e no Ocidente o anticomunismo fazia escola, perseguindo os defensores das "ideologias alienígenas". Exemplo disso foi o *macarthismo*, movimento desencadeado nos Estados Unidos pelo senador McCarthy nos anos de 1950, que foi um verdadeiro processo de "caça às bruxas".

PARA SABER MAIS

Na década de 1960, devido ao temor de que o comunismo fizesse adeptos, diversos países da América do Sul, tais como Brasil, Chile, Argentina e Uruguai, foram submetidos a governos ditatoriais, com perseguições que terminavam com prisão, exílio ou o "desaparecimento" dos acusados. Um indicativo da tensão existente foi a formação da guerrilha urbana pelos grupos revolucionários na luta contra a ditadura.

A socialdemocracia alemã

Na Alemanha, predominou a ideologia do Partido Socialdemocrata Alemão, inspirador da *socialdemocracia*. Os principais teóricos dessa tendência são Eduard Bernstein (1850-1932) e Karl Kautsky (1854-1938).

Apesar de divergirem em diversos pontos, os socialdemocratas concordam em recusar a via revolucionária para a implantação do socialismo. Buscam mecanismos legais democrático-parlamentares que levem, numa lenta evolução orgânica, à superação do capitalismo. Recusam, portanto, a violência e não querem separar socialismo e democracia.

Várias medidas foram tomadas para a conquista de direitos sociais, como legislação de proteção ao trabalhador, direito de associação, criação de inúmeras cooperativas de consumo e ampla divulgação das ideias socialistas por jornais, revistas, teatro e outros meios. O resultado desses esforços significou conquistas reais para os operários. Até 1914, o fortalecimento do movimento sindical na Alemanha tornou possível a colaboração permanente entre Estado, empresas e classe trabalhadora.

A socialdemocracia não se confunde, porém, com outras formas de liberalismo social, como veremos no próximo capítulo, na medida em que visa em última instância à superação do capitalismo e à implantação do socialismo. Mesmo assim, sofreu inúmeras críticas:

- do ponto de vista econômico, porque a elevada carga fiscal desestimula os investimentos e leva a economia a impasses;
- sob o aspecto social, porque nem sempre o Estado consegue atender aos inúmeros encargos assumidos ou conter o aumento pernicioso do aparelho burocrático;
- no âmbito ideológico, sua esperança no socialismo é temida pelos liberais, enquanto os socialistas acusam os socialdemocratas de viver bem demais com o capitalismo, sem conseguir superá-lo.

Apesar disso, houve tentativas de implantação de uma socialdemocracia mais radical, liderada por Rosa Luxemburgo (1870-1919) e Karl Liebknecht (1871-1919), que retomaram a perspectiva revolucionária como forma de destruição do capitalismo. Em 1919, Rosa e Liebknecht foram assassinados por oficiais da direita.

A Itália de Gramsci

Antonio Gramsci critica o marxismo tradicional expresso na interpretação rígida da relação entre infraestrutura e superestrutura e desenvolve sua teoria tornando mais flexível a relação entre os âmbitos econômico e ideológico-político quando analisa o papel dos intelectuais. Para ele, o Estado capitalista não se impõe apenas pela coerção e violência explícita, mas também por consenso, por persuasão, por meio das instituições da sociedade civil, como Igreja, escola, partidos políticos, imprensa, por meio das quais a ideologia da classe dominante é difundida e preservada.

Gramsci explica esse processo pelo conceito de **hegemonia**. Uma classe social é hegemônica quando é capaz de elaborar sua própria visão de mundo, ou seja, um sistema convincente de ideias pelas quais conquista a adesão das demais.

ETIMOLOGIA

Hegemonia. Do grego *hegemon*, "chefe", e *hegesthai*, "comandar".

A tarefa de elaboração das ideias hegemônicas cabe aos intelectuais. Não por acaso, a escola é classista e, além de preparar seus intelectuais, coopta os melhores elementos das classes populares, que assim aderem aos valores vigentes. A classe dominada, sem alcançar sua própria consciência de classe, permanece desorganizada e passiva, e mesmo as eventuais rebeliões não modificam essa situação de dependência.

O proletariado precisa, então, de *intelectuais orgânicos*, assim chamados porque surgem "organicamente" a partir de suas próprias fileiras e contrapõem-se aos *intelectuais tradicionais*, a fim de constituírem coerentemente a concepção de mundo dos dominados. São esses intelectuais que dão ao proletariado "a consciência de sua missão histórica". Nesse processo, Gramsci valoriza a atuação do partido como organizador das massas. Só assim será possível a unificação da teoria com a prática, ou seja, da ação revolucionária com a transformação intelectual.

QUEM É?

Antonio Gramsci, c. 1910.

ARCHIVES LAROUSSE, PARIS/THE BRIDGEMAN ART LIBRARY/KEYSTONE

Antonio Gramsci (1891-1937) nasceu na ilha de Sardenha e teve uma infância pobre. Estudou literatura em Turim e foi um dos mais importantes teóricos italianos, além de ativista político e jornalista atuante. Preso em 1926 pela ditadura fascista de Mussolini, permaneceu no cárcere até pouco antes de sua morte. Durante esse período, escreveu muito e criticou o dogmatismo do marxismo oficial, que, ao petrificar a teoria, impedia a prática revolucionária. Influenciou os estudos sobre cultura popular, na tentativa de superar a dicotomia com a cultura erudita. Sua contribuição à pedagogia repercute ainda hoje na defesa da escola unitária e da superação da divisão entre o pensar e o fazer. Suas principais obras são *Concepção dialética da história*, *Os intelectuais e a organização da cultura*, *Literatura e vida nacional* e *Cadernos do cárcere*.

Se os sindicatos são importantes para essa conscientização, Gramsci valorizou o papel da escola no projeto de democratização da cultura e do saber e desenvolveu vários estudos sobre o tema. A educação proposta por Gramsci está centrada no valor do trabalho e na tarefa de superar as dicotomias existentes entre o fazer e o pensar, entre cultura erudita e cultura popular. Para tanto, a escola classista burguesa precisaria ser substituída pela *escola unitária*, assim chamada porque oferece a mesma educação para todas as crianças, a fim de desenvolver nelas a capacidade de trabalhar manual e intelectualmente. Nesse caso, entrar em contato com a técnica de seu tempo não significa deixar de lado a cultura geral, humanista, formativa.

A Escola de Frankfurt: teoria crítica

A Escola de Frankfurt surgiu na Alemanha em 1925, representada por Max Horkheimer, Theodor Adorno, Herbert Marcuse, Walter Benjamin, Erich Fromm e Jürgen Habermas, este último pertencente à chamada "segunda geração" da Escola. Os frankfurtianos são responsáveis pela formulação da *teoria crítica da sociedade*, cujos principais temas de natureza sociológico-filosófica são: autoridade, autoritarismo, totalitarismo, família, cultura de massa, liberdade e o papel da ciência e da técnica.

Embora o ponto de partida desses autores seja marxista, a *teoria crítica da sociedade* opõe-se ao que chamam de *teoria tradicional*, na qual incluem a herança marxista e as diversas interpretações desse pensamento. Uma das críticas refere-se ao dogmatismo dos leninistas e stalinistas quanto à concepção naturalista da história, segundo a qual a evolução dos fatos históricos marcharia inexoravelmente em direção à sociedade sem classes, por se tratar de uma concepção determinista e evolucionista típica do positivismo predominante no final do século XIX.

Segundo essa concepção determinista, o capitalismo produziria de maneira irreversível a alienação e a pauperização crescente da classe operária; da agudização da crise resultariam a revolução e a vitória inevitável do socialismo. Essa concepção provém da noção de *progresso* e da *inevitabilidade da violência*, ou seja, a violência como elemento necessário e constitutivo do progresso: a revolução seria a "locomotiva da história", fator de evolução progressiva, segundo a qual passaríamos de um estágio "inferior" para outro necessariamente "melhor".

Os frankfurtianos criticam a noção de progresso e condenam a violência, mas compreendem que nessa lógica já estava embutida a noção de razão construída desde a Idade Moderna por Descartes. A exaltação da razão que culminou no positivismo oculta o lado sombrio da razão responsável pela opressão e desumanização.

Analisando as sociedades tecnocráticas, altamente tecnicizadas e racionalizadas, os frankfurtianos denunciam a perda da autonomia do sujeito, docilizado tanto pela sociedade industrial totalmente administrada como pelas extremas regressões à barbárie representada pelos Estados totalitários.

No processo de recuperação da razão, os frankfurtianos reformulam o conceito de indivíduo e reivindicam a autonomia e o direito à felicidade. Nesse sentido dizem "não" ao sacrifício individual das gerações presentes e criticam o revolucionário que exalta o sofrimento do povo ao mesmo tempo que o submete à mais cruel opressão, como é o caso de Robespierre e de todos os revolucionários que, contraditoriamente, se dizem "democráticos".

JOSEF KOUDELKA/APERTURE/HANDOUT/REUTERS/LATINSTOCK

Durante a invasão da Tchecoslováquia pelas tropas do Pacto de Varsóvia, em 1968, um cidadão de Praga sobe no tanque soviético empunhando a bandeira do seu país. Apesar de afinados com o marxismo, os frankfurtianos manifestavam-se contra esse tipo de violência e de agressão à liberdade.

Outras tendências

Foram inúmeras as tentativas de adaptar o materialismo histórico e dialético a correntes filosóficas as mais diversas. A título de exemplo, destacamos as aproximações feitas por Merleau-Ponty entre a fenomenologia e o marxismo, e por Sartre entre o existencialismo e o engajamento político marxista e depois o maoista. Wilhelm Reich, Herbert Marcuse e Erich Fromm aproximaram marxismo e psicanálise.

PARA SABER MAIS

As ideias marxistas, expurgadas de seu ateísmo, serviram de base teórica para correntes cristãs, como a Teologia da Libertação, a fim de auxiliá-las na ação evangélica centrada na opção pelos pobres dos países em desenvolvimento, inclusive no Brasil. Foi representativa a participação do educador Paulo Freire, que desenvolveu um sistema de alfabetização de adultos em que o próprio trabalhador tomava consciência da exploração sofrida. Por ter atuado na época da ditadura militar, foi exilado.

Ao contrário dos que afirmam que o marxismo esgotou-se, encontramos intelectuais de porte retomando os conceitos do marxismo clássico para adequá-los à nova realidade do mundo globalizado e submetido ao neoliberalismo. Entre esses, destacam-se: Perry Anderson, Pierre Bordieu, Noam Chomsky, Giorgio Agamben, István Mészáros, Slavoj Zizek e Antonio Negri, entre outros.

6 Fim da utopia socialista?

Quando Gorbatchev subiu ao poder em 1985, iniciou uma série de mudanças de reestruturação da economia e reformas nas instituições políticas, visando à renovação dos quadros da velha e autoritária elite burocrática dirigente. Libertou os presos políticos e garantiu a imprensa livre e a liberdade individual.

O rápido desencadear dos fatos históricos que marcaram o final do século XX provocou espanto, independentemente da ideologia das pessoas. Para os socialistas, porém, o sonho da sociedade igualitária não acabou, mesmo porque o chamado "socialismo real" nunca foi de fato o socialismo esperado, e muitos o acusaram de degeneração da proposta inicial.

Quanto ao capitalismo, não consegue esconder suas contradições. A injusta repartição das riquezas que a sociedade produz é revelada por altos índices de miséria no mundo inteiro. Veremos no próximo capítulo que, se o capitalismo conseguiu produzir conforto e riqueza, não soube distribuí-los com equidade. A igualdade continua a ser um sonho.

Leitura complementar

Prefácio à *Contribuição à crítica da economia política*

"Nas minhas pesquisas cheguei à conclusão de que as relações jurídicas — assim como as formas de Estado — não podem ser compreendidas por si mesmas, nem pela dita evolução geral do espírito humano, inserindo-se pelo contrário nas condições materiais de existência de que Hegel, à semelhança dos ingleses e franceses do século XVIII, compreende o conjunto pela designação de "sociedade civil"; por seu lado, a anatomia da sociedade civil deve ser procurada na economia política. [...] A conclusão geral a que cheguei e que, uma vez adquirida, serviu de fio condutor dos meus estudos, pode formular-se resumidamente assim: na produção social da sua existência, os homens estabelecem relações determinadas, necessárias, independentes da sua vontade, relações de produção que correspondem a um determinado grau de desenvolvimento das forças produtivas materiais. O conjunto destas relações de produção constitui a estrutura econômica da sociedade, a base concreta sobre a qual se eleva uma superestrutura jurídica e política e à qual correspondem determinadas formas de consciência social. O modo de produção da vida material condiciona o desenvolvimento da vida social, política e intelectual em geral. Não é a consciência dos homens que determina o seu ser; é o seu ser social que, inversamente, determina a sua consciência. Em certo estágio de desenvolvimento, as forças produtivas materiais da sociedade entram em contradição com as relações de produção existentes ou, o que é a sua expressão jurídica, com as relações de propriedade no seio das quais se tinham movido até então. De formas de desenvolvimento das forças produtivas, estas relações transformam-se no seu entrave. Surge então uma época de revolução social. A transformação da base econômica altera, mais ou menos rapidamente, toda a imensa superestrutura. Ao considerar tais alterações é necessário sempre distinguir entre a alteração material — que se pode comprovar de maneira cientificamente rigorosa — das condições econômicas de produção, e as formas jurídicas, políticas, religiosas, artísticas ou filosóficas, em resumo, as formas ideológicas pelas quais os homens tomam consciência deste conflito, levando-o às suas últimas consequências. Assim como não se julga um indivíduo pela ideia que ele faz de si próprio, não se poderá julgar uma tal época de transformação pela mesma consciência de si; é preciso, pelo contrário, explicar esta consciência pelas contradições da vida material, pelo conflito que existe entre as forças produtivas sociais e as relações de produção. Uma organização social nunca desaparece antes que se desenvolvam todas as forças produtivas que ela é capaz de conter; nunca relações de produção novas e superiores se lhe substituem antes que as condições materiais de existência destas relações se produzam no próprio seio da velha sociedade. É por isso que a humanidade só levanta os problemas que é capaz de resolver e assim, numa observação atenta, descobrir-se-á que o próprio problema só surgiu quando as condições materiais para o resolver já existiam ou estavam, pelo menos, em vias de aparecer. Em um caráter amplo, os modos de produção asiático, antigo, feudal e burguês moderno podem ser qualificados como épocas progressivas da formação econômica da sociedade. As relações de produção burguesas são a última forma contraditória do processo de produção social, contraditória não no sentido de uma contradição individual, mas de uma contradição que nasce das condições de existência social dos indivíduos. No entanto, as forças produtivas que se desenvolvem no seio da sociedade burguesa criam ao mesmo tempo as condições materiais para resolver esta contradição. Com esta organização social termina, assim, a Pré-história da sociedade humana."

MARX, Karl. *Contribuição à crítica da economia política*. São Paulo: Martins Fontes, 1977. p. 23.

Questões

Após ler o texto de Marx, responda às questões utilizando também os conceitos aprendidos na leitura do capítulo.

1. "Não é a consciência dos homens que determina o seu ser: é o seu ser social que, inversamente, determina a sua consciência." Explique em que sentido essa frase é indicativa do materialismo marxista.
2. Transcreva do texto o que Marx designa por infraestrutura e por superestrutura.
3. O que Marx quer dizer quando afirma que os modos de produção asiático, antigo, feudal e capitalista podem ser qualificados como épocas progressivas?
4. Explique por que as determinações a que Marx se refere no início do texto não levam a um materialismo mecanicista.

Atividades

Revendo o capítulo

1 Quais são os exemplos de modos de produção indicados no capítulo? Faça um esquema usando a tríade: tese, antítese, síntese.

2 Qual foi a importância do socialismo utópico e quais foram as críticas feitas pelos marxistas a essas teorias?

3 Quais são as principais ideias do anarquismo?

4 Que críticas foram feitas à implantação do socialismo real nas diversas nações no século XX?

Aplicando os conceitos

5 Leia a citação de Marx e explique o conceito de práxis.

"Os filósofos se limitaram a *interpretar* o mundo de diferentes maneiras; o que importa é *transformá-lo*." (Karl Marx. Teses sobre Feuerbach. Em: *A ideologia alemã*. 4. ed. São Paulo: Hucitec, 1984. p. 14.)

6 Com base no trecho a seguir, responda às questões.

"Eu aceito com entusiasmo o lema que afirma 'O melhor governo é aquele que menos governa'; e gostaria de vê-lo posto em prática de forma sistemática. Uma vez posto em prática, ele acabaria resultando em algo que também acredito: 'O melhor governo é aquele que não governa'; e quando os homens estiverem preparados, será exatamente este o tipo de governo que irão ter." (Henry Thoreau. Resistência ao governo civil. Em: Georges Woodcock (org.). *Os grandes escritos anarquistas*. Porto Alegre: L&PM, 1981. p. 182.)

a) Explique por que a frase é adequada à concepção anarquista.

b) A partir da citação, justifique a crítica que os anarquistas fizeram à ditadura do proletariado.

7 Leia o seguinte texto de Gramsci e atenda às questões.

"Se a filosofia da *práxis* afirma teoricamente que toda 'verdade' tida como eterna e absoluta teve origens práticas e representou um valor 'provisório' (historicidade de toda concepção do mundo e da vida), é muito difícil fazer compreender 'praticamente' que uma tal interpretação seja válida também para a própria filosofia da *práxis*, sem com isso abalar as convicções que são necessárias para a ação. [...] Por isso, ocorre também que a própria filosofia da *práxis* tenda a se tornar uma ideologia no sentido pejorativo, isto é, um sistema dogmático de verdades absolutas e eternas." (Antonio Gramsci. *Concepção dialética da história*. 6. ed. Rio de Janeiro: Civilização Brasileira, 1986. p. 116-117.)

a) Explique qual é a mudança que Gramsci faz no conceito marxista de ideologia.

b) O que Gramsci entende por hegemonia?

c) Em que sentido podemos usar o final das afirmações de Gramsci para fazer uma crítica ao socialismo implantado por Stálin na União Soviética?

8 Embora marxistas por formação, os frankfurtianos fazem diversas críticas a Marx. Explique quais.

Dissertação

9 Reveja a etimologia da palavra "utopia" e em seguida faça uma dissertação argumentando como esse conceito pode ser interpretado tanto de modo pejorativo como pode significar algo positivo e necessário para o ser humano.

Caiu no vestibular

10 (Insaf) Marx, no prefácio à *Crítica da economia política*, afirma que "[...] na produção social da própria vida, os homens contraem relações determinadas, necessárias e independentes de sua vontade, relações de produção estas que correspondem a uma etapa determinada de desenvolvimento de suas forças produtivas materiais". Nesse sentido, desenvolve também seu conceito de consciência, que define como sendo determinada:

a) pela filosofia. Assim, é o pensamento filosófico que forma a consciência do homem;

b) pela produção espiritual dos homens. Assim, é a consciência que determina a produção social da vida e não a produção social da vida que determina a consciência;

c) pela religião. Assim, é toda a ética religiosa que determina a consciência humana;

d) pelo ser social dos homens. Assim, é a produção social da vida que determina a consciência e não a consciência que determina a produção social da vida;

e) pelo aparelho ideológico do Estado. Assim, é a política, à qual se subordina a economia, a responsável pela formação da consciência de um povo.

Capítulo
27
O liberalismo contemporâneo

BIRA E HENFIL (*IN MEMORIAM*)

Cartaz do Fórum Social Mundial de 2009, que ocorreu em Belém (PA). Desenho de Bira e Henfil (*in memoriam*).

O primeiro encontro do Fórum Social Mundial ocorreu em Porto Alegre, no ano de 2001, e configurou-se como um movimento de defesa da globalização democrática contra o ideário neoliberal e elitista do Fórum Econômico Mundial de Davos, Suíça. Nos anos seguintes, além de repetidos encontros no Brasil, o FSM também foi realizado na Índia, na África, na Venezuela e no Paquistão. O público participante aumentou consideravelmente e a pauta de discussões também, abrangendo propostas como uma globalização alternativa que recuse o prevalecimento do mercado em detrimento do desenvolvimento humano. Os temas debatidos nesses encontros têm sido a defesa da diversidade e do pluralismo, a garantia dos direitos humanos, a ecologia, a integração entre os povos e tantos outros. O mote desses encontros é: "Um outro mundo é possível!".

1 Um retrospecto

São complexos os caminhos da política contemporânea. No esboço delineado nesta unidade, foi possível constatar as crises e as adaptações do liberalismo no correr do tempo, bem como as críticas a ele feitas pelas teorias de inspiração socialista. Vimos também o socialismo surgir como doutrina e sua implantação em diversas nações, até a chamada *crise do socialismo real*.

A presente análise tem por fim recusar explicações simplistas que contrapõem o "fracasso" do socialismo às "excelências" do liberalismo, porque as contradições vividas no nosso tempo exigem soluções novas e criativas, capazes de oferecer melhores condições de vida a um número cada vez maior de pessoas.

Vejamos como a teoria liberal assumiu posições diferentes, conforme sua orientação tenha se inclinado mais para a defesa das liberdades ou para a igualdade de oportunidades.

2 Liberalismo social

Uma das conquistas do liberalismo clássico é o ideal do Estado não intervencionista, que deixa o mercado livre para sua autorregulação. Trata-se do Estado *minimalista*, de baixa intervenção, ou seja, da prevalência do livre mercado.

No entanto, no século XX, surgiram tendências que podemos chamar de *liberalismo de esquerda*, *socialismo liberal* ou *liberal-socialismo*, o que pode parecer uma extravagância pela ambiguidade de sentido ao unir conceitos contraditórios, inconciliáveis: o livre mercado e o controle estatal da economia. Aliás, é assim que continuam pensando muitos teóricos tanto do liberalismo como do socialismo.

As extremas desigualdades sociais, no entanto, levaram alguns a admitir que a ênfase na economia livre deveria ser atenuada, a fim de possibilitar a igualdade de oportunidades e auxiliar o crescimento da individualidade.

Acontecimentos históricos apressaram a reformulação dos princípios do liberalismo. Após a quebra da Bolsa de Nova York em 1929, a década de 1930 foi marcada pela depressão econômica: falências, desemprego e inflação geraram graves tensões sociais. A crise do modelo capitalista desencadeou a experiência totalitária na Alemanha e na Itália. Outros países, como Inglaterra e Estados Unidos, buscaram soluções diferentes que pudessem evitar tanto o perigo do nazismo como a tentação do comunismo. As novas medidas tomadas encaminharam o liberalismo para a tendência que podemos chamar de *liberalismo social*, em que é revisto o papel do Estado na economia.

PARA SABER MAIS

O século XX viveu a contradição dos ideais de liberdade em confronto com duas guerras mundiais, o horror dos campos de concentração nazistas e stalinistas, a explosão das bombas atômicas no Japão e os atos terroristas das mais diversas orientações políticas e religiosas. A crescente globalização acelerou os movimentos migratórios dos países pobres para os mais ricos, acirrando os sentimentos de xenofobia.

O Estado de bem-estar social

Desde o início do século XX, a Inglaterra já vinha implantando medidas assistenciais, como seguro nacional de saúde e sistema fiscal progressivo. Mas foi nas décadas de 1920 e 1930 que o Estado interveio na produção e distribuição de bens, com forte tendência em direção ao *Welfare State* (*Estado de bem-estar social*). Tanto é assim que, nos anos de 1940, considerava-se que qualquer cidadão teria direito a emprego, seguro contra invalidez, doença, proteção na velhice, licença-maternidade, aposentadoria, o que fez aumentar significativamente a rede de serviços sociais garantidos pelo Estado.

Nessa direção orientou-se John Maynard Keynes, que ofereceu a base teórica do *Welfare state*.

QUEM É?

ALBUM/AKG-IMAGES/LATINSTOCK

John Maynard Keynes, 1946.

John Maynard Keynes (1883-1946), economista e filósofo inglês, seguindo a tendência democrática de Stuart Mill, aliou a eficiência econômica à liberdade individual, com atenção à justiça social. Mas isso significava um revisionismo econômico, a partir da crítica ao *laissez-faire* da economia clássica. Como crítico das teorias clássicas do livre mercado — da chamada "mão invisível" do mercado —, propôs medidas de intervenção do Estado a fim de garantir a regulação da economia, com investimentos para empresas e pleno emprego. O keynesianismo influenciou a implantação do *Welfare state*, que marcou a economia mundial após a crise de 1929 e a recuperação dos países devastados pela Segunda Grande Guerra. A partir da década de 1970, sua teoria foi rejeitada pelo neoliberalismo nascente. Atualmente, no final da primeira década do século XXI, a intervenção estatal na economia está de volta, diante da crise do sistema financeiro mundial, tendência que alguns denominam de neokeynesianismo.

Laissez-faire. Do francês "deixem fazer". Consulte o capítulo 24, "A autonomia da política".

Nos Estados Unidos, ideias semelhantes orientaram o presidente Roosevelt na elaboração do plano econômico conhecido como *New Deal* [Novo Acordo], que introduziu o dirigismo estatal durante a depressão da década de 1930. O governo concedeu crédito para as empresas, interveio na agricultura e adotou inúmeros procedimentos assistenciais de atendimento aos trabalhadores, bem como financiou a construção de grandes obras públicas para amenizar a alta taxa de desemprego. Embora essas medidas sofressem acusação de serem semelhantes às propostas socialistas, visavam de fato a fortalecer o capitalismo e, desse modo, também evitar o avanço comunista.

As teorias keynesianas exerceram influência da década de 1930 até a de 1970, quando passaram a ser criticadas pela tendência neoliberal.

JAMES P. BLAIR/CORBIS/LATINSTOCK - THE GEORGE AND HELEN SEGAL FOUNDATION, SEGAL, GEORGE, "THE DEPRESSION BREADLINE", 1999, LICENCIADO POR AUTVIS, BRASIL, 2009

Depression Bradline (*Depressão no limite da subsistência*). George Segal, 1999. Nas esculturas de bronze de George Segal, cinco homens em fila representam o sofrimento daqueles que foram atingidos pela devastação econômica da Grande Depressão de 1929.

3 Liberalismo de esquerda

Na Itália fascista — e contra ela — floresceram teorias que visavam desencadear movimentos de cunho popular (e não burguês) e resgatar os ideais socialistas, embora adaptando-os ao liberalismo, daí o nome *liberalismo de esquerda*. Em vez de se oporem simplesmente ao marxismo, extraíam dele os elementos positivos, repudiando, sobretudo, a concepção revolucionária de Marx. Trata-se de uma espécie de "terceira via", que recusa a tese de que liberalismo e socialismo seriam inconciliáveis, admitindo que essa passagem poderia ser gradual e pacífica.

Norberto Bobbio

O liberalismo de esquerda alimentou, na Itália, a fundação do efêmero *Partido dell'Azione* (Partido da Ação), em 1942, no qual o jurista e filósofo Norberto Bobbio (1909-2004) iniciou sua atividade e reflexão política. Como professor de Filosofia do Direito, a análise da estrutura jurídica o levou a discutir filosofia política, passando do estudo da legalidade para o da *legitimidade*, exigência de uma reflexão sobre a teoria do Estado.

Político ativo, Bobbio participou de polêmicas em jornais e revistas com católicos neotomistas, neoidealistas e também com marxistas dogmáticos. Criticava a injustiça presente no mundo capitalista e o estado de não liberdade dos países em que foi implantado o socialismo real.

Ciente das implicações tecnoburocráticas das modernas sociedades industrializadas, sejam elas capitalistas ou socialistas, analisou os obstáculos à democracia, a que chamou de *paradoxos da democracia moderna*. Por exemplo:[1]

- a necessidade crescente de os governos recorrerem a especialistas (tecnocracia);
- a ampliação e a complexificação da máquina estatal (burocracia);
- a existência de grandes organizações (sejam empresariais ou estatais) que impedem as condições objetivas de exercício democrático;
- a predominância da sociedade de massa, que torna o indivíduo apático, muito distante do caráter ativo exigido pela verdadeira cidadania.

Bobbio ocupou-se com a análise dos limites e das obrigações do Estado, e fez o estudo histórico do desenvolvimento das relações entre sociedade civil e Estado. Ao lado de outros teóricos, como Rawls, desenvolveu o *neocontratualismo,* em que, diferentemente das antigas teorias, o pacto não se apresenta limitado apenas à explicação da origem do Estado; segundo ele, as forças sociais devem continuar agindo sem cessar, num processo renovado e constante.

O governo democrático é, portanto, uma *policracia*, isto é, o poder irradia-se por toda a sociedade civil, entendida como o conjunto das organizações não estatais na esfera das relações entre indivíduos e grupos. Nesse sentido, o Estado é o ponto de encontro da diversidade e do embate das forças mediante as quais se concretiza o pacto social. Além disso, Bobbio defende a democratização da vida social

[1] Baseado em: BOBBIO, Norberto. *Qual socialismo?*: discussão de uma alternativa. 2. ed. Rio de Janeiro: Paz e Terra, 1983. p. 58-63.

como um todo, estendendo os mecanismos de discussão e livre decisão para setores como trabalho, educação, lazer, vida doméstica.

4 Neoliberalismo

As teorias de intervenção estatal começaram a dar sinais de desgaste em razão das frequentes dificuldades dos Estados em arcar com as responsabilidades sociais assumidas. Aumento do déficit público, crise fiscal, inflação e instabilidade social tornaram-se justificativas suficientemente fortes para limitar a ação assistencial do Estado.

Desde a década de 1940, alguns teóricos, como o austríaco Friedrich von Hayek (1899-1992), defendiam o retorno às medidas do livre mercado. Antikeynesiano por excelência, Hayek acusava o Estado previdenciário de paternalista, referindo-se à "miragem da justiça social".

Os neoliberais retomaram, então, o ideal do Estado minimalista, cuja ação restringe-se a policiamento, justiça e defesa nacional. O que, segundo eles, não implica o enfraquecimento do Estado, mas, ao contrário, seu fortalecimento, já que se pretende reduzir seus encargos.

A partir da década de 1980, os Estados Unidos e a Inglaterra representaram a nova onda neoliberal. No Brasil a tendência no mesmo período confirmou-se com a privatização de instituições estatais e a abolição da reserva de mercado. Porém, entre nós, contraditoriamente o processo esbarrava em outras medidas de nítida intervenção estatal, como os sucessivos planos heterodoxos de controle na economia para conter a inflação brasileira.

Neoliberalismo: solução ou problema?

Os liberais regozijaram-se com a derrocada do socialismo após a queda do muro de Berlim e contrapuseram ao fracasso da economia planejada do "socialismo real" o pretenso sucesso da economia de mercado. Bem-vindos ao progresso, à eficácia, à produtividade? O que é, afinal, o "capitalismo real"?

O capitalismo não reflete apenas as luzes que costumam ofuscar contradições intransponíveis. O lado sombrio é parte integrante da condição de sua expansão, sempre a partir de laços de dependência ao longo de seu percurso:

- a colonização da América do século XVI ao XVIII;
- o imperialismo na África e Ásia no século XIX;
- a implantação das multinacionais nos países não desenvolvidos no século XX;
- os acordos do Fundo Monetário Internacional (FMI) com os países mais pobres, transformando-os em eternos devedores, descapitalizados para o pagamento dos juros da dívida.

Esses laços de dependência econômica resultaram em recorrente dependência política. De fato, quando nos referimos aos países mais ricos do mundo, não encontramos sequer uma dezena entre as 170 nações existentes.

Os países emergentes, como o Brasil, sofrem perversa concentração de renda, apesar da ligeira melhoria dos índices de desenvolvimento social a partir da primeira década do século XXI.

Em decorrência, nas regiões de pobreza, não há como evitar as migrações, a marginalização de jovens e velhos, os surtos inflacionários reprimidos por recessão longa e dolorosa. Como se vê, o capitalismo é um bom produtor de riqueza, mas um mau distribuidor dela.

Se ao criticar o "socialismo real" as nações capitalistas contrapuseram com orgulho a liberdade individual existente no Ocidente, é bom lembrar que se trata de uma liberdade acessível apenas aos beneficiados do sistema. Ou seja, numa sociedade em que há injusta repartição de bens, os contratos de trabalho não são tão livres quanto se supõe, e muitos são condenados ao desemprego, analfabetismo ou baixos salários.

Como contraponto da evolução tecnológica, a destruição do meio ambiente e o desequilíbrio ecológico ameaçam a qualidade de vida no planeta, revelando a lógica da economia capitalista em que o interesse privado geralmente não coincide com o bem coletivo.

JOAQUÍN SALVADOR LAVADO (QUINO)

Tira da Mafalda do quadrinista argentino Quino, conhecido pelo seu humor ácido. As tirinhas da Mafalda foram escritas entre 1964 e 1973. Você compartilha o pessimismo dele? Qualquer que seja a resposta, faça uma propaganda do mundo.

BENOIT TESSIER/REUTERS/LATINSTOCK

Cerca de 300 mil manifestantes protestam nas ruas de Paris contra as medidas do governo para combater, na França, os efeitos da crise financeira internacional, 2009. Movimentos populares responsabilizam os banqueiros e a ideologia liberal pela crise mundial.

A crise financeira mundial

A partir de 2007, teve início uma crise financeira mundial, desencadeada pelo aquecimento do mercado imobiliário das agências financiadoras norte-americanas, que ofereciam crédito sem exigir garantias para o cumprimento das dívidas, o que levou essas ações financeiras artificiais — porque sem lastro — a criar um "castelo de cartas", fácil de desmoronar. Aliada às dívidas decorrentes da guerra do Iraque, a crise extrapolou os limites dos Estados Unidos, afetando a economia mundial.

Governos de diversos países, com a quebra de instituições imobiliárias e agências de seguro, precisaram intervir para nacionalizar bancos e injetar fortunas na economia. Para alguns, trata-se do fim da era neoliberal, o fracasso do modelo do "Estado mínimo", por ter exigido uma regulação mais ativa do governo. Outros ponderam ser impossível voltar ao keynesianismo e preconizam transformações mais radicais do modelo econômico.

5 Para não finalizar

Se são verdadeiras as críticas feitas ao socialismo real e ao capitalismo real, é preciso reinventar a política. Como disse Bobbio, o capitalismo é o estado da injustiça, pois de desigualdade, e o socialismo real configurou-se como o da não liberdade. Daí ser preciso descobrir como conciliar a igualdade de oportunidades com a liberdade, ou seja, como *unir socialismo e democracia*. Afinal, entre os extremos do *laissez-faire* e do estatismo, devem existir fórmulas as mais variadas e inteligentes de controle da economia.

Nesse sentido, o reconhecimento do fracasso da economia de planejamento centralizado no Estado — com o desmantelamento da União Soviética — e a crise atual do neoliberalismo podem significar a exigência de novas estruturas políticas, sociais e econômicas que permitam a gestão dos patrimônios público e privado, de maneira a impedir privilégios ou exploração e proporcionar iguais oportunidades de trabalho e de acesso aos bens produzidos pela sociedade.

Para o funcionamento adequado, seriam necessários mecanismos políticos que assegurassem o prevalecimento de valores coletivos sobre os individuais. Os abusos, tanto do Estado como dos grupos privados, seriam controlados pelo estado de direito e por organizações da sociedade civil que pudessem garantir a coparticipação na formação das vontades e decisões.

Lastro. Depósito que serve como garantia ao papel-moeda.

Atividades

Revendo o capítulo

1 Explique quais são as principais tendências do liberalismo contemporâneo, destacando os aspectos que o inclinam ora para a liberdade, ora para a igualdade.

2 Sob que aspecto o keynesianismo contraria um dos princípios do liberalismo?

3 Explique em que sentido o neoliberalismo contemporâneo é antikeynesiano.

4 Por que houve uma volta a Keynes após a crise financeira internacional de 2007/2008?

Aplicando os conceitos

5 Leia a citação e atenda às questões.

"Os anos [19]20 e [19]30 assinalam um grande passo para a constituição do *Welfare State*. A Primeira Guerra Mundial, como mais tarde a Segunda, permite experimentar a maciça intervenção do Estado, tanto na produção (indústria bélica) como na distribuição (gêneros alimentícios e sanitários). A grande crise de 1929, com as tensões sociais criadas pela inflação e pelo desemprego, provoca em todo o mundo ocidental um forte aumento das despesas públicas para a sustentação do emprego e das condições de vida dos trabalhadores." (Glória Regonini. Em: Norberto Bobbio. *Dicionário de política*. 2. ed. Brasília: Universidade de Brasília, 1986. p. 419.)

a) O que é *Welfare State* e qual seu principal teórico?

b) Interprete a citação do ponto de vista das mutações do capitalismo.

6 Leia a citação e explique qual é a posição de Bobbio em relação ao liberalismo.

"[...] retornou à ordem do dia o tema de um novo 'contrato social', através do qual dever-se-ia precisamente dar vida a uma nova força de Estado, diverso tanto do Estado capitalista ou Estado de injustiça quanto do Estado socialista ou Estado de não liberdade." (Norberto Bobbio. *Estado, governo, sociedade*: para uma teoria geral da política. 2. ed. Rio de Janeiro: Paz e Terra, 1987. p. 126.)

7 Entre outras características, o liberalismo apresentou-se desde o início como uma teoria que defende os princípios da laicidade, do não intervencionismo e da legalidade. Explique cada um deles e comente como, até os dias de hoje, nem sempre esses propósitos têm sido cumpridos.

8 Leia o texto abaixo, do escritor português José Saramago, e redija um texto discutindo como o poder econômico pode impor entraves à democracia e, portanto, à liberdade.

"As grandes organizações financeiras internacionais: os FMIs, a Organização Mundial do Comércio, os Bancos Mundiais, a OCDE, tudo isso, nenhum desses organismos é democrático. Portanto, como é que podemos continuar a falar de democracia se aqueles que efetivamente governam o mundo não são eleitos democraticamente pelo povo? Quem é que escolhe os representantes dos países nessas organizações? Os partidos dos povos? Não. Onde está então a democracia?" (José Saramago. Discurso proferido durante o Fórum Social Mundial, em jan. 2005. Disponível em: http://wwwyoutube.com/watch?v=m1nePkQAM4w. Acesso em: jul. 2009.)

Dissertação

9 Leia o trecho selecionado e em seguida faça uma dissertação posicionando-se a respeito das expectativas da política do século XIX. Não deixe de considerar se as ocorrências do século XX são motivo para pessimismo ou não.

"Ao final do século XVIII, Kant deu uma resposta afirmativa à pergunta se 'o gênero humano está em constante progresso em direção ao melhor'. [...] Ao longo de todo o século XIX, os fautores do progresso consideraram que progresso científico, progresso social e progresso moral avançavam lado a lado ou, mais precisamente, que o progresso científico estava destinado a arrastar atrás de si tanto o progresso social quanto o progresso moral. Mas quando, neste século [XX], diante da explosão imprevista da Primeira Guerra Mundial e com a hecatombe sem precedentes que a ela se seguiu a mesma ideia de progresso foi questionada e dela derivaram a deprecação, a derrisão, e a dessacralização daquilo que agora é chamado depreciativamente 'o mito do progresso', caímos, como sempre ocorre na reação a ideias recebidas, no excesso oposto." (Norberto Bobbio. *Teoria geral da política:* a filosofia política e as lições dos clássicos. Rio de Janeiro: Campus, 2000. p. 666.)

UNIDADE 6

Filosofia das ciências

"As filosofias antigas morreram lenta e relutantemente durante a Renascença. À medida que Copérnico, Tycho e Kepler gradualmente provaram que as teorias de Aristóteles e Ptolomeu sobre o universo estavam erradas, as pessoas perceberam que a Terra não era o centro do Universo e que ela se move ao redor do Sol. Mas as forças da razão defrontaram-se com as forças da política e do poder — desafiar os ensinamentos rigorosamente aristotélicos da Igreja católica romana custou a Giordano Bruno a vida, e a Galileu, a liberdade."

BRODY, David Eliot e BRODY, Arnold R. *As sete maiores descobertas científicas da história.* São Paulo: Companhia das Letras, 1999. p. 27.

Tales de Mileto (filosofia e matemática)

HULTON ARCHIVE/GETTY IMAGES

Século VI a.C. Início da Filosofia

Ptolomeu (sistema geocêntrico)

COLEÇÃO PARTICULAR

Século I Apogeu do Império Romano

Roger Bacon (óptica)

BIBLIOTECA NACIONAL DA FRANÇA, PARIS – AKG IMAGES/LATINSTOCK

Século XIII

Copérnico (sistema heliocêntrico)

BRITISH LIBRARY, LONDRES

Século XVI

Antiguidade greco-romana | **Idade Média** | **Idade Moderna Renascimento**

Século III a.C. Escola de Alexandria

GALLERIA NAZIONALE DELLE MARCHE, URBINO

Euclides (geometria)

MUSEU PUSHKIN, MOSCOU, RÚSSIA – THE BRIDGEMAN ART LIBRARY/KEYSTONE

Arquimedes (mecânica)

Século XV

BETTMANN/CORBIS/LATINSTOCK

Gutenberg (imprensa)

Esta linha do tempo não está em escala temporal.

A condenação de Galileu pela Inquisição católica ocorreu em 1633. Em 1705, Newton tornou-se cavaleiro do Reino Unido, recebendo da rainha Ana o título de Sir. Festejado como o mais célebre cientista de sua época, foi enterrado com honrarias na Abadia de Westminster em 1727. Esses fatos mostram a rapidez com que a ciência moderna conquistou o reconhecimento. Daí em diante, só fez crescer sua importância, sobretudo pelos resultados fantásticos da ciência aplicada na tecnologia.

Estaria, no entanto, a ciência livre das injunções do poder, sejam elas religiosas, econômicas ou políticas? Essas questões permeiam o debate entre a ciência e a filosofia, que iremos estabelecer nesta Unidade.

Uma cronologia das descobertas científicas

Newton (gravitação universal)

HULTON ARCHIVE/GETTY IMAGES

Século XVII

Lavoisier (química)

ACADEMIE DES SCIENCES, PARIS, FRANÇA; GIRAUDON - THE BRIDGEMAN ART LIBRARY/KEYSTONE

Século XVIII
Iluminismo

Mendel (genética)

VEER NANCY YUENKEL/PHOTONICA/GETTY IMAGES

Século XIX

Darwin (evolucionismo)

BOB THOMAS/POPPERFOTO/GETTY IMAGES

Einstein (teoria da relatividade)

AMERICAN STOCK/GETTY IMAGES

Século XX

Freud (psicanálise)

BETTMAN/CORBIS/LATINSTOCK

Idade Moderna

Idade Contemporânea

Século XX

MUSEO DELLE SCIENZE, FLORENÇA - AKG-IMAGES/LATINSTOCK

Galileu (física e astronomia)

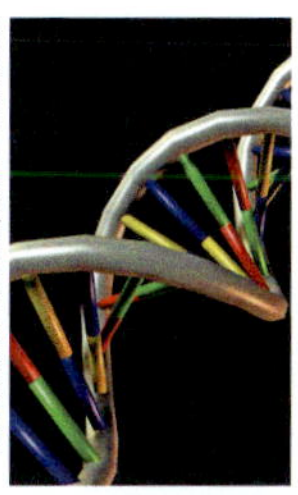

BILDAGENTUR RM/OTHER IMAGES

Crick/Watson (DNA – 1953)

PHOTODISC/GETTY IMAGES

Origem da internet – década de 1970. Na foto, homem usando laptop, 2007.

GETTY IMAGES

Instituto Roslin (ovelha Dolly – 1997)

Capítulo 28

Ciência, tecnologia e valores

TATE GALLERY, LONDRES

As irmãs Cholmondeley. Obra de autoria desconhecida, c. 1600-1610.

Essa pintura do século XVII, de artista desconhecido, pode ser representativa das questões sobre a manipulação das células e das variações genéticas por retratar duas irmãs gêmeas que apresentam as mesmas feições e características. Há no canto inferior esquerdo dessa pintura a seguinte e curiosa inscrição: "Duas irmãs da família Cholmondeley que nasceram no mesmo dia, se casaram no mesmo dia e tiveram filho no mesmo dia". As possibilidades das novas ciências, como a engenharia genética, de interferir na criação da vida humana nos impõem a necessidade de revisar todos os valores, principalmente os éticos.

1 Que caminho devo tomar?

Lewis Carroll era professor de matemática na Universidade de Oxford quando escreveu o seguinte em *Alice no país da maravilhas*:

"— Gato Cheshire... quer fazer o favor de me dizer qual é o caminho que eu devo tomar?

— Isso depende muito do lugar para onde você quer ir — disse o Gato.

— Não me interessa muito para onde... — disse Alice.

— Não tem importância então o caminho que você tomar — disse o Gato.

— ... contanto que eu chegue a *algum lugar* — acrescentou Alice como uma explicação.

— Ah, disso pode ter certeza — disse o Gato — desde que caminhe bastante."

> A resposta do Gato tem sido frequentemente citada para exprimir a opinião de que os cientistas não sabem para onde o conhecimento está levando a humanidade e, além disso, não se importam muito. Diz-se que a ciência não pode oferecer objetivos sociais porque os seus valores são intelectuais e não éticos. [...] Mas é provável que a ciência possa contribuir para formular valores e, assim, estabelecer objetivos, tornando o homem mais consciente das consequências de seus atos. A necessidade de conhecimento das consequências, no ato de tomar decisões, está implícita na observação do Gato de que Alice chegaria certamente a algum lugar se caminhasse bastante. Desde que esse algum lugar poderia revelar-se bem indesejável, é melhor fazer escolhas conscientes do lugar para onde se quer ir.[1]

Com base no texto de René Dubos, professor de biomedicina ambiental, iniciamos este capítulo com a seguinte reflexão: a ciência não é um saber neutro, desinteressado, puramente intelectual, à margem do questionamento social e político acerca dos fins de suas pesquisas.

2 Senso comum e ciência

O senso comum é o conhecimento que nos ajuda a nos situarmos no cotidiano, para compreendê-lo e agir sobre ele. Mais propriamente, poderíamos dizer que se trata de um conjunto de *crenças*, já que esse conhecimento quase sempre o recebemos pela tradição, de modo espontâneo e não crítico. Mas não só. Trata-se também do esforço que fazemos para resolver os problemas que surgem no dia a dia, buscando soluções muitas vezes bastante criativas.

É bem verdade que, em diversas situações, a ciência precisou se posicionar contra o que era considerado "evidência" por essas crenças, por exemplo, quando se achava natural que a Terra estivesse imóvel e o Sol girasse em torno dela. No entanto, não há como desprezar esse conhecimento tão universal nem desconsiderar o grande volume de saberes já construídos ao longo da história humana e cuja aplicação se mostrou fecunda.

Alguns exemplos

Vamos distinguir o senso comum da ciência,[2] examinando a especificidade de cada um por meio de exemplos.

- Descobrir pelo senso comum que a roda facilita o transporte de cargas não significa saber explicar as forças de fricção; conhecer o uso medicinal de certas ervas não quer dizer identificar suas propriedades ou compreender como se dá sua ação no organismo.
- O camponês sabe plantar e colher conforme aprendeu com seus pais, usando técnicas herdadas de seu grupo social, as quais são transformadas lentamente em decorrência dos acontecimentos casuais com os quais esse grupo se depara. Mas, se em determinado momento a adubagem deixa de proporcionar os efeitos desejados, ele não sabe identificar os motivos. Suas crenças, baseadas em hábitos rotineiros, valem enquanto há êxito, mas é com o conhecimento científico que se obtêm elementos para corrigir condutas e adaptá-las a novas situações.
- Pelo senso comum, sabemos que a água se congela quando a temperatura abaixa o "suficiente". A imprecisão característica desse tipo de conhecimento é evitada pela ciência, que se baseia em uma medição precisa. Além disso, ela pode verificar a variedade de condições em que ocorre a solidificação dos líquidos, seja o caso da água, do leite, da cerveja, da vodka (que não congela nos *freezers* domésticos), e tem condições de explicar ainda por que um poço congela e o oceano não.

Características distintas

A partir desses exemplos, podemos examinar algumas características pelas quais se contrapõem esses dois tipos de conhecimento.

Particular / geral

Do senso comum resulta um conhecimento *particular*, restrito a uma pequena amostra da realidade, a partir da qual são feitas generalizações muitas vezes apressadas e imprecisas. Os dados observados costumam ser selecionados de maneira não muito rigorosa. Em outras palavras, conclui-se para todos os objetos o que vale para um ou para um grupo de objetos observados.

Já as conclusões da ciência são *gerais* no sentido de que não valem apenas para os casos observados, e sim para todos os que a eles se assemelham. Afirmações como "o peso de qualquer objeto depende do campo

[1] DUBOS, René. *O despertar da razão*. São Paulo: Melhoramentos/Edusp, 1972. p. 165.
[2] Baseado em NAGEL, Ernest. *La estructura de la ciencia*. Buenos Aires: Paidos, 1978. p. 15-26.

de gravitação" ou "a cor de um objeto depende da luz que ele reflete" ou ainda "a água é uma substância composta de hidrogênio e oxigênio" são válidas para todos os corpos, todos os objetos coloridos ou qualquer porção de água, e não apenas para aqueles que foram objeto da experiência.

A diferença entre elas deve-se ao fato de que as afirmações do senso comum são *assistemáticas*, enquanto as explicações da ciência são *sistemáticas* e *controláveis pela experiência*, o que permite chegar a conclusões gerais. Se o saber comum observa um fato a partir do conjunto dos dados sensíveis que formam nossa percepção imediata, pessoal e efêmera do mundo, o fato científico é um *fato abstrato*, isolado do conjunto em que se encontra normalmente inserido e elevado a um grau de generalidade.

NATIONAL GALLERY OF SCOTLAND, EDIMBURGO, ESCÓCIA - THE BRIDGEMAN ART LIBRARY/KEYSTONE

Mulher velha cozinhando ovos. Diego Velásquez, 1618. Não é preciso efetuar uma investigação científica para cozinhar um ovo, basta a experiência proporcionada pelo senso comum.

Fragmentário / unificador

Em comparação com a ciência, o conhecimento espontâneo é *fragmentário*, pois não estabelece conexões em situações em que essas poderiam ser verificadas. Por exemplo: pelo senso comum não é possível perceber qualquer relação entre o orvalho da noite e o "suor" que aparece na garrafa retirada da geladeira; nem entre a combustão e a respiração (que é uma forma de combustão discreta relacionada à queima dos alimentos no processo digestivo para obter energia). Se dermos crédito à velha história, é interessante lembrar as circunstâncias em que Isaac Newton teria intuído a lei da gravitação universal, ao associar a queda de uma maçã à "queda" da Lua. Aliás, o caráter unificador dessa teoria nos permite associar fenômenos aparentemente tão díspares como o movimento da Lua, as marés, as trajetórias dos projéteis e a subida dos líquidos nos tubos delgados.

Subjetivo / objetivo

O senso comum é frequentemente *subjetivo*, porque depende do ponto de vista individual e pessoal, não fundado no objeto, e condicionado por sentimentos ou afirmações arbitrárias do sujeito. Se temos antipatia por alguém, é preciso certo esforço para reconhecer, por exemplo, seu valor profissional. Ao observar o comportamento de povos com costumes diferentes dos nossos, tendemos a julgá-los baseados em nossos valores e considerá-los estranhos, ignorantes, engraçados ou até desprezíveis.

O mundo construído pela ciência aspira à *objetividade*. É objetivo o conhecimento imparcial, que independe das preferências individuais e que resulta da descentralização do sujeito que conhece, pelo confronto com outros pontos de vista. No caso das ciências, as conclusões podem ser verificadas por qualquer outro membro competente da comunidade científica.

Ambiguidade / rigor

Para ser precisa e objetiva, a ciência dispõe de uma *linguagem rigorosa* cujos conceitos são definidos para evitar ambiguidades. A linguagem torna-se cada vez mais precisa, na medida em que utiliza a matemática para transformar qualidades em quantidades. A matematização da ciência adquiriu grande importância no trabalho de Galileu. Ao estabelecer a lei da queda dos corpos, por exemplo, Galileu mediu o espaço percorrido e o tempo que um corpo leva para descer o plano inclinado, e ao final das observações registrou a lei numa formulação matemática.

É bem verdade que o mesmo não ocorre com as *ciências humanas*, cujo componente qualitativo não pode ser reduzido à quantidade. Algumas delas, como é o caso da psicanálise, não fazem uso da matemática ou da experimentação, embora outras teorias psicológicas, como as comportamentalistas, recorram não só às experiências em laboratório como à matemática e à estatística.

PARA SABER MAIS

Voltaremos às ciências humanas no capítulo 32, "O método das ciências humanas".

Julgamento de Galileu. Autor deconhecido, 1633. O quadro mostra Galileu Galilei sendo julgado pelo Tribunal do Santo Ofício em Roma, no início do século XVII. Galileu foi obrigado pela Igreja Católica a renegar a teoria heliocêntrica. Reza a lenda, porém, que ele teria murmurado, referindo-se à Terra: *"E pur, si muove!"* ("E, no entanto, ela se move!").

Os instrumentos de medida (balança, termômetro, dinamômetro, telescópio etc.) também permitem ao cientista ultrapassar a percepção imediata, imprecisa e subjetiva da realidade e fazer a verificação objetiva dos fenômenos.

A ciência constitui-se de corpos de conhecimento organizado, nos quais as classificações assumem uma tarefa indispensável. Mesmo que o senso comum seja capaz de organizar conhecimentos e de fazer classificações, a ciência distingue-se dele porque suas conclusões se baseiam em investigações sistemáticas, empiricamente fundamentadas pelo controle dos fatos. As *explicações científicas* são formuladas em enunciados gerais, alcançados pelo exame das diferenças e semelhanças das propriedades dos fenômenos, de modo que um número pequeno de princípios explicativos possa unificar um grande número de fatos.

3 O método científico

O conhecimento científico é uma conquista recente da humanidade, datando de cerca de quatrocentos anos. No pensamento grego, ciência e filosofia achavam-se ainda vinculadas e só vieram a se separar a partir da Idade Moderna, no século XVII, com a revolução científica instaurada por Galileu.

A ciência moderna nasce ao determinar seu objeto específico de investigação e ao criar um método confiável pelo qual estabelece o controle desse conhecimento. São os métodos rigorosos que possibilitam alcançar um conhecimento sistemático, preciso e objetivo que permita a descoberta de relações universais entre os fenômenos, a previsão de acontecimentos e também a ação sobre a natureza de maneira mais segura.

A partir da modernidade, as ciências se multiplicaram, buscando cada uma delas seu próprio caminho, ou seja, seu método. Cada ciência torna-se, então, uma *ciência particular*, pois delimita um campo de pesquisa e procedimentos específicos. Cada uma privilegia setores distintos da realidade: a física trata do movimento dos corpos; a química, da sua transformação; a biologia, do ser vivo etc. Recentemente, a partir do século XX, constituíram-se as ciências *híbridas*, como a bioquímica, a biofísica, a mecatrônica, a fim de melhor resolver problemas que exigem, ao mesmo tempo, o concurso de mais de uma ciência.

4 A comunidade científica

As conclusões a que chegam os cientistas são avaliadas pelos seus pares, que pertencem a uma comunidade intelectual encarregada do constante exame crítico desses resultados. Uma *comunidade científica* pode ser entendida como o conjunto dos indivíduos que se reconhecem e são reconhecidos como possuidores de conhecimentos específicos na área da investigação científica.

Até pouco tempo atrás as grandes realizações científicas eram fruto de gênios individuais, enquanto hoje em dia, cada vez mais, o trabalho da ciência é feito em equipe. Não queremos abordar aqui as ambiguidades do conceito de comunidade científica — que pode ocultar divergências de interesses e conflitos de poder —, mas sim mostrar sua importância para a discussão e o estabelecimento do método científico e a produção da ciência.

É nesse sentido que o filósofo francês Gérard Fourez comenta:

> Afinal, um laboratório terá uma boa *performance* tanto por seu pessoal ser bem organizado e ter acesso a aparelhos precisos como por raciocinar corretamente. A fim de produzir resultados científicos, é preciso também possuir recursos, acesso às revistas, às bibliotecas, a congressos etc. É preciso também que, nas unidades de pesquisa, a comunicação, o diálogo e a crítica circulem. O método de produção da ciência passa, portanto, pelos processos sociais que permitem a constituição de equipes estáveis e eficazes; subsídios, contratos, alianças sociopolíticas, gestão de equipes etc. Mais uma vez, a ciência aparece como um processo humano, feito por humanos, para humanos e com humanos.[3]

Mais ainda, não se imagine que essas conclusões só serão aceitas se forem consideradas indubitáveis. É preciso retirar do conceito de ciência a falsa ideia de ser ela a única explicação da realidade, um conhecimento "certo" e "infalível". Há muito de *construção* nos modelos científicos e, às vezes, são aceitas até teorias contraditórias, como, por exemplo, a teoria corpuscular e a ondulatória, ambas utilizadas para explicar aspectos diferentes do fenômeno luminoso. Além disso, a ciência está em constante evolução, e suas teorias, ainda que comprovadas, são de certo modo provisórias.

ZOMI/GETTY IMAGES

Cientistas examinando plantas em estufa. Japão, 2008. Desde Arquimedes a ciência foi um trabalho para inventores e gênios solitários. A ciência contemporânea é realizada por várias equipes de trabalho em grandes laboratórios, financiados por empresas multinacionais, universidades e governos.

5 Ciência e valores

É comum as pessoas afirmarem que, enquanto o senso comum é pragmático, por estar interessado na *aplicação prática*, que visa a benefícios imediatos, a ciência tem por objetivo *conhecer* a estrutura causal do mundo.

De fato, embora sejam inegáveis as aplicações dos conhecimentos científicos na tecnologia, não é essa a intenção primeira da investigação científica, que antes de tudo visa a compreender. Sob esse aspecto, a ciência só visaria a *valores cognitivos*, isto é, ao cientista só interessaria conhecer por conhecer, sem se preocupar com a aplicação do conhecimento. No entanto, veremos que o trabalho científico também envolve, além de valores cognitivos, os valores éticos e políticos.

Valores cognitivos

Examinaremos inicialmente as três características necessárias para garantir os valores cognitivos da ciência: a *imparcialidade*, a *autonomia* e a *neutralidade*.

Imparcialidade

De acordo com o professor australiano Hugh Lacey, a

> *imparcialidade* é a concepção de que as teorias são corretamente aceitas apenas em virtude de manifestarem os valores cognitivos em alto grau, segundo os mais rigorosos padrões de avaliação e com respeito a uma série apropriada de dados empíricos.[4]

Neutralidade

O conhecimento científico é neutro por não atender a nenhum valor particular, podendo suas práticas serem realizadas no interior de qualquer esquema de valor: elas não serviriam a nenhum interesse específico. Ou seja, no processo de investigação propriamente dito, os valores morais e sociais não deveriam influenciar diretamente os cientistas, quando o objetivo é cognitivo.

Autonomia

A *autonomia* refere-se às condições independentes das investigações, porque, segundo se espera,

[3] FOUREZ, Gérard. *A construção das ciências*: introdução à filosofia e à ética das ciências. São Paulo: Unesp, 1995. p. 94-95.

[4] LACEY, Hugh. *Valores e atividade científica*. São Paulo: Discurso Editorial, 1998. p. 133.

as instituições científicas deveriam estar isentas de pressões externas e poder definir suas agendas voltadas para a produção de teorias imparciais e neutras.

Valores éticos e políticos

Pelo que foi dito sobre o valor cognitivo, pode parecer que a ciência paira acima do tempo e do espaço, por isso precisamos introduzir algumas distinções. É verdade que a neutralidade científica é requisito inegociável no processo da investigação, mas sob outros aspectos, a atividade do cientista não é neutra, quando deve levar em conta valores éticos e políticos.

Não se trata de incoerência, mas do reconhecimento de que o poder da ciência e da tecnologia é ambíguo, porque pode estar a serviço do florescimento da humanidade ou apenas de uma parte dela. Daí a necessidade de o trabalho do cientista e do técnico ser acompanhado por reflexões de caráter moral e político, para que sejam postos em questão os *fins* que orientam os *meios* que estão sendo utilizados.

Vejamos o que diz o professor Lacey a esse respeito:

COLEÇÃO SIMON SPIERER, GENEBRA

A condição humana. René Magritte, 1933. Ao olharmos essa obra, temos a impressão inicial de que sobre o cavalete há uma tela representando fielmente a paisagem externa. Podemos comparar esse engano com a mesma ilusão daqueles que veem a ciência como espelho da realidade.

No momento atual, as práticas de controle da natureza estão nas mãos do neoliberalismo e, assim, servem a determinados valores e não a outros. Servem ao individualismo em vez de à solidariedade; à propriedade particular e ao lucro em vez de aos bens sociais; ao mercado em vez de ao bem-estar de todas as pessoas; à utilidade em vez de ao fortalecimento da pluralidade de valores; à liberdade individual e à eficácia econômica em vez de à libertação humana; aos interesses dos ricos em vez de aos direitos dos pobres; à democracia formal em vez de à democracia participativa; aos direitos civis e políticos sem qualquer relação dialética com os direitos sociais, econômicos e culturais. A primeira é uma lista de valores neoliberais; a segunda, de valores do movimento popular.[5]

6 Benefícios das ciências, para quem?

Percebemos, então, que os valores morais e sociais influenciam de tal modo as escolhas das pesquisas, ao privilegiar umas em detrimento de outras, que se torna impossível considerar a ciência neutra. É ilusão imaginar que o cientista esteja imune a influências de seu contexto social. Com isso, não estamos criticando o fato de valores sociais orientarem a escolha das pesquisas, mas advertindo para a importância de examinar esses valores, porque alguns podem ser prejudiciais.

Por exemplo, foi desastrosa a interferência dos valores religiosos da Inquisição, que submeteu Galileu ao silêncio, bem como dos valores políticos ideológicos do Estado soviético que, na década de 1930, acusava a biologia mendeliana de possuir "características idealistas" e condenava os cientistas que a seguiam.

É de grande importância, portanto, o esforço para identificar os tipos de valores que estão guiando a prioridade dada a certas pesquisas. Diante do que apontou Lacey, podemos nos perguntar, então, até que ponto a ciência efetivamente se presta a servir a valores alternativos, que visem a garantir a estabilidade social e ecológica. Sabemos das dificuldades que enfrentaria um projeto científico desvinculado dos interesses do mercado, porque a pesquisa científica exige uma infraestrutura cara e equipamentos e instrumentos de tecnologia avançada.

[5] LACEY, Hugh. *Valores e atividade científica*. São Paulo: Discurso Editorial, 1998. p. 32.

Cerimônia em frente ao Memorial da Paz, em Hiroshima, no Japão, em 2007, lembra as vítimas da bomba atômica lançada na cidade em agosto de 1945.

Esta foi a única construção que ficou de pé em Hiroshima após a explosão da bomba atômica, em 1945. Foi mantida no mesmo estado e hoje se chama Memorial da Paz, pelo fim das armas nucleares e para que não se esqueça de atos bárbaros praticados por nações "civilizadas". Em frente, o verde da praça e as pombas representam a esperança do renascimento após a destruição e nos fazem pensar na importância da reflexão ética sobre os fins para os quais usamos a tecnologia, um fruto ambíguo da ciência contemporânea.

PARA REFLETIR

Destaque, baseando-se nos exemplos deste tópico, quais são as interferências políticas e econômicas que orientam — ou desviam — a atividade científica.

O grande risco da excessiva interferência econômica nas ciências pode ser ilustrado pelas conquistas obtidas na engenharia genética, que levam grandes corporações a buscarem justificativas legais para patentear, por exemplo, as descobertas realizadas com a manipulação do código genético de sementes (alimentos transgênicos).

São também objetos de debates acalorados as possibilidades de clonagem de seres humanos, a partir do sucesso obtido com a aplicação da técnica em animais. No entanto, o temor de que cientistas se encaminhem para a clonagem humana tem desviado — e confundido — as discussões em torno das pesquisas com células-tronco, sobretudo aquelas que não são extraídas do embrião propriamente dito, mas de tecidos adultos (como a medula óssea ou o cordão umbilical). As vantagens das novas pesquisas estariam na prevenção e cura de doenças as mais diversas.

Todas essas questões têm sido abordadas pela *bioética*, atualíssimo campo que abriga as mais variadas tendências ideológicas. Também abrem espaço para alentadas discussões jurídicas, a fim de regularizar procedimentos legais.

7 A responsabilidade social do cientista

Pelo que vimos, não há como aceitar que a exigência da neutralidade da ciência se resuma à procura do "saber pelo saber". A ciência encontra-se inextricavelmente envolvida na moral e na política, e o cientista tem uma responsabilidade social da qual não pode abdicar.

Essas observações nos levam a refletir sobre a formação do cientista, que não deve se restringir apenas ao aprendizado de conteúdos, metodologias e práticas de pesquisa. Mais do que isso, o futuro cientista precisa ter condições de examinar os pressupostos de seu conhecimento e de sua atividade, de se perceber como pertencendo a uma comunidade e de identificar os valores subjacentes a sua prática.

Qual é o papel da filosofia com relação à ciência e suas aplicações? Seu compromisso repousa na investigação dos *fins* e das *prioridades* a que a ciência se propõe, na análise das condições em que se realizam as pesquisas e nas consequências das técnicas utilizadas.

Leitura complementar

Eficácia e limites do domínio científico

CORDELIA MOLLOY/ SPL/LATINSTOCK

Monumento afetado pela chuva ácida, na Inglaterra, 2008. O vento leva a poluição da queima de carvão e petróleo por milhares de quilômetros. Ao reagir com o vapor de água, a poluição provoca a chuva ácida, que prejudica a saúde humana, a flora, a fauna e corrói os monumentos de mármore.

"A ciência moderna ligou-se [...] à ideologia burguesa e a sua vontade de dominar o mundo e controlar o meio ambiente. Nisto ela foi perfeitamente eficaz. Foi um instrumento intelectual que permitiu à burguesia, em primeiro lugar, suplantar a aristocracia e, em segundo, dominar econômica, política, colonial e militarmente o planeta.

Durante séculos sentiu-se a eficácia desse método e os seus sucessos serviram de base às ideologias do progresso. De fato, os benefícios resultantes foram enormes: foi graças à produção da sociedade burguesa, à sua ciência e à tecnologia que a vida humana conheceu múltiplas melhorias. Foram a ciência e a técnica que impediram que as pessoas ficassem completamente dependentes da energia, dos aspectos aleatórios do clima, de uma fome sempre ameaçadora e assim por diante. A civilização burguesa produziu, para praticamente todas que se juntaram a ela, bens múltiplos, não somente para os mais ricos, mas, pelo menos em sua última fase, para todos nos países ocidentais. Graças a ela, a maioria da população se beneficia de um bem-estar econômico que os mais ricos não poderiam sonhar há alguns séculos.

Não obstante, as recentes evoluções da sociedade, os perigos da poluição, a corrida armamentista — em especial as armas atômicas —, os problemas da energia, entre outros, levaram um número cada vez maior de pessoas a se questionar a respeito dessa atitude de domínio. Quando os seres humanos se constituem como senhores solitários do mundo, em exploradores da natureza e, muitas vezes, como calculadores em relação à própria vida, é, a longo termo, possível ainda viver?

É essa atitude de domínio desejável no que se refere a todas as coisas? Em certos campos, em todo caso, ela parece ter chegado a um fracasso. [...] Hoje, em especial com o movimento ecológico, muitos se perguntam se a ciência e a tecnologia acarretam sempre necessariamente a felicidade aos seres humanos.

Em nossa sociedade, assistiu-se a uma espécie de revolta diante da atitude técnico-científica. A civilização da ciência, civilização da precisão, da escrita é recolocada em questão, como o demonstra o desejo de muitos de reencontrar um contato mais autêntico com a natureza. O limite da gestão do mundo pelo técnico-científico se torna patente quando se considera a incapacidade do progresso em resolver os problemas sociais do mundo — e em particular a sua incapacidade de suprimir as dominações humanas, principalmente aquelas criadas pela indústria e pela exploração do Terceiro Mundo (dois produtos da sociedade burguesa). Parece que a ciência não é de modo algum eficaz para resolver as grandes questões éticas e sociopolíticas da humanidade (Reeves, 1986). Mais ainda, alguns lhe atribuem um papel no estabelecimento das desigualdades mundiais (Moraze, 1979).

É por isso que, hoje, muitos, ao mesmo tempo que reconhecem a eficácia e a *performance* da ciência e da técnica, recusam-se a reduzir a elas a sua visão do mundo."

FOUREZ, Gérard. *A construção das ciências*: introdução à filosofia e à ética das ciências. São Paulo: Unesp, 1995. p. 163-165.

Questões

1 Quais são os dois resultados do progresso, segundo a análise de Fourez?

2 No século XVII, o filósofo Francis Bacon antevia que a ciência nos faria "mestres e senhores" da natureza: delineava-se aí o "ideal baconiano". Como Fourez se posiciona a respeito?

3 Faça uma reflexão pessoal sobre a última frase do texto, em que o autor afirma que muitas pessoas hoje se recusam a reduzir a sua visão de mundo à eficácia e à *performance* da ciência e da técnica.

Atividades

Revendo o capítulo

1 Faça um quadro comparando as características do senso comum e do conhecimento científico.

2 Explique o que entendemos por objetividade da ciência. Em seguida, dê exemplos de objetividade científica a partir de seus próprios estudos das diversas ciências.

3 Qual é a importância do método científico e da comunidade científica?

4 Qual é a distinção entre valores cognitivos e valores éticos e políticos na ciência?

Aplicando os conceitos

5 A partir da citação de George Kneller, identifique as vantagens e as limitações da ciência em relação a outros tipos de conhecimento: "A ciência [...] procura remover tudo o que for único no cientista, individualmente considerado: recordações, emoções e sentimentos estéticos despertados pelas disposições de átomos, as cores e os hábitos de pássaros, ou a imensidão da Via Láctea [...]. Poentes e cascatas são descritos em termos de frequências de raios luminosos, coeficientes de refração e forças gravitacionais ou hidrodinâmicas. Evidentemente, essa descrição, por mais elucidativa que seja, não é uma explicação completa daquilo que realmente experienciamos". (George Kneller. *A ciência como atividade humana*. Rio de Janeiro: Zahar, 1980. p. 149.)

6 A Celera Genomics Corporation, empresa norte-americana que participou do sequenciamento do genoma humano em 2000, entrou com mais de seis mil pedidos de patentes provisórias de genes, dos quais ainda não se conhecem as funções, com a alegação da necessidade do retorno financeiro para um investimento de bilhões de dólares. A partir da discussão de valores éticos e políticos, analise a pretensão dos proprietários da empresa de patentear genes.

7 Identifique, na citação a seguir, as características da pesquisa científica contemporânea: "A descoberta de Crick e Watson foi o ponto culminante de oitenta anos de pesquisas realizadas por numerosos cientistas. Durante seu trabalho conjunto de dezoito meses, Crick e Watson avançaram por trinta ou quarenta etapas discerníveis, umas bem-sucedidas, outras malogradas, no caminho para a solução decisiva, cada etapa derivando ou dependendo de um fato ou teoria científica existente, e cada qual atribuível a um predecessor ou contemporâneo — pessoas como Bragg, Chargaff, Pauling, Donahue, Wilkins e Franklin." (Brody e Brody. *As sete maiores descobertas científicas da história*. São Paulo: Companhia das Letras, 1999. p. 373.)

Dissertação

8 Escolha um dos seguintes temas para desenvolver uma dissertação.

Tema 1 — Quando um cientista se pergunta sobre o que é a ciência, certamente sua resposta não há de ser científica, mas filosófica.

Tema 2 — Relacione ciência e filosofia, com base na citação do filósofo alemão Karl Jaspers a respeito das limitações da ciência: "Nenhuma ciência empírica nos ensinará o que devemos fazer; só nos ensina o que podemos obter por este ou aquele meio, se nos propomos este ou aquele fim." (Karl Jaspers. *Introdução ao pensamento filosófico*. São Paulo: Cultrix, 1971. p. 77.)

Caiu no vestibular

9 (UEL) "Só há ciência onde a discussão é possível, e só pode haver discussão entre mim e outra pessoa na medida em que eu estou em condições de esclarecer, com suficiente exatidão, o significado das expressões que uso e meu interlocutor possa, também, explicar-me o significado das palavras por ele empregadas." (Wolfang Stegmüller. *A filosofia contemporânea*. Trad. Nelson Gomes. São Paulo: EPU/Edusp, 1977. p. 283.)

De acordo com o texto, assinale a alternativa que apresenta uma das características fundamentais do discurso científico.

a) Na ciência devem ser usadas expressões subjetivas.

b) As expressões usadas na ciência devem ser intersubjetivamente inteligíveis.

c) A compreensão intersubjetiva das expressões é irrelevante para as discussões científicas.

d) A objetividade das expressões é uma característica sem importância para a ciência.

e) Na ciência as explicações linguísticas são desnecessárias.

Capítulo 29

Ciência antiga e medieval

Detalhe de iluminura medieval de 1385 mostra Boécio dando lição a seus discípulos. No início da Idade Média, o erudito Boécio, conhecedor de grego e latim, era leitor dos clássicos gregos, principalmente da filosofia. Divulgou a obra de Platão e traduziu a *Lógica* de Aristóteles. Como senador romano, foi preso e condenado à morte sob a acusação de traição. Enquanto estava na prisão escreveu *A consolação da filosofia*.

1 Filosofia e ciência

A filosofia surgiu na Grécia por volta dos séculos VII e VI a.C., mais propriamente nas colônias gregas da Jônia e da Magna Grécia. Essa filosofia, conhecida como pré-socrática, representou um esforço de racionalização para desvincular-se do pensamento mítico. Caracteriza-se ainda pelas questões cosmológicas, por especular a respeito da origem e da natureza do mundo físico, procurando o princípio de todas as coisas (a *arché*).

Naquele período *filosofia* e *ciência* ainda estavam vinculadas: era o "filósofo natural" que se debruçava sobre questões científicas porque faltava à ciência grega um método próprio que a distinguisse da filosofia.

2 Geometria e medicina

No Egito, os funcionários do faraó sabiam redividir as terras após o refluxo das cheias do Nilo, o que supõe conhecimento de geometria. Além dos agrimensores egípcios, também hindus e chineses de épocas mais recuadas já distinguiam diversas propriedades geométricas, mas sempre visando à aplicação prática.

Foram os gregos pré-socráticos que transformaram o conhecimento empírico por meio de demonstrações racionais, desenvolvendo assim a geometria de forma abstrata. Tales de Mileto (sécs. VII e VI a.C.), matemático e astrônomo, é considerado o mais antigo filósofo. No entanto, como não deixou nada escrito, o que conhecemos dele são relatos de outros autores, havendo muita discrepância e lendas em torno de suas teorias e atuação.

Outro filósofo pioneiro da geometria foi Pitágoras de Samos (séc. VI a.C.), para quem o número é a *arché* de todas as coisas, o princípio de onde deriva a harmonia da natureza. Demonstrou vários teoremas e estudou as relações proporcionais entre os diferentes comprimentos de uma corda, bem como as alterações de tensão ou espessura que mudam os sons emitidos pela lira.

COLEÇÃO DA ARTISTA - BRUNNER GALLERY OF COVINGTON, LA & BRUNNER GALLERY AT THE SHAW IN BATON ROUGEE, LA (WWW.BRUNNERGALLERY.COM)

A artista norte-americana Marion Drennem presta uma homenagem a Pitágoras. Na tela há a inscrição "O número regula o Universo". Pitágoras demonstrou o teorema que leva seu nome e generalizou a seguinte relação válida para todo triângulo retângulo: "O quadrado da hipotenusa é igual à soma dos quadrados dos catetos".

MUSEU ARQUEOLÓGICO NACIONAL, NÁPOLES

Apolo, o centauro Quíron e Asclépio, mosaico de Pompeia, séculos II a.C. a I d.C. Asclépio (ou Esculápio, para os romanos) é o deus da medicina. Segundo algumas versões, era filho de Apolo e teria sido educado pelo centauro Quíron, que lhe ensinou a medicina.

Com a medicina ocorreu semelhante processo de racionalização da prática, ao desvincular-se tanto quanto possível das superstições e da magia, a partir da atuação de Hipócrates de Cós (séc. V a.C.), conhecido como o "pai da medicina". Com seus colegas e discípulos, elaborou o *Corpus Hipocraticum* (Coleção Hipocrática), título latino da obra com registros detalhados de casos e a identificação de várias doenças e formas de tratamento, além de uma orientação para uma vida saudável.

Hipócrates observou os efeitos do clima e do meio ambiente na saúde e desenvolveu a doutrina dos humores (ou líquidos corporais), que foi aceita até o século XVII. Ainda hoje ele é lembrado no tradicional "juramento hipocrático", o comprometimento ético dos profissionais da saúde no exercício de sua atividade.

3 Platão

A concepção científica de Platão (427-347 a.C.) baseia-se na sua teoria das ideias, que fundamenta a hierarquia entre razão e sentidos: a razão tem dificuldade em atingir o verdadeiro conhecimento por causa da deformação que os sentidos inevitavelmente provocam. Por isso, cabe à razão depurar esses enganos, para que o espírito possa atingir a verdadeira contemplação das ideias. Ou seja, elevar o conhecimento da simples opinião (*doxa*), que é o conhecimento do vir-a-ser, até a ciência (*episteme*), o conhecimento do ser verdadeiro.

PARA SABER MAIS

Mais explicações sobre a teoria das ideias de Platão poderão ser encontradas no capítulo 13, "A busca da verdade".

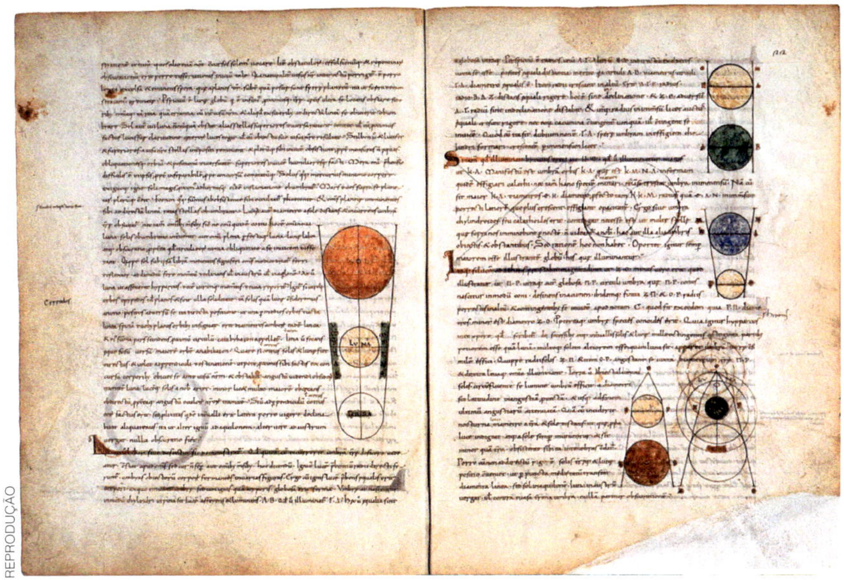

REPRODUÇÃO

Manuscrito de Timeu, de Platão, escrito por volta de 360, traduzido para o latim. Participam desse diálogo Sócrates, Crítias, Timeu e Hermocrates, mas é Timeu, pitagórico nascido na Itália, que discorre sobre o "mito verossímil" do cosmo: desde a gênese do Universo até a descrição da natureza humana do ponto de vista físico e moral.

Para que esse processo do conhecimento seja possível, é necessário o estudo da matemática. Aliás, no pórtico da Academia de Platão existia um dístico com os seguintes dizeres: "Não entre aqui quem não souber geometria". Isso porque a matemática descreve as realidades não sensíveis e é capaz de se dissociar dos sentidos e da prática; e, na geometria, a figura sobre a qual raciocinamos não depende da figura sensível que representa. Por exemplo, uma bola real é sempre imperfeita, enquanto a ideia de círculo é abstrata e perfeita.

Entende-se a preocupação de Platão porque ele sempre tentou conciliar a teoria de Heráclito (tudo está em constante movimento) e a de Parmênides (o ser é imóvel), atribuindo o movimento ao mundo sensível e a perfeição à esfera matemática, imutável, com a qual se pode atingir o conhecimento da essência das coisas.

O Timeu

As teorias cosmológicas, físicas e fisiológicas de Platão encontram-se sobretudo no diálogo *Timeu*, que provavelmente não se destinava ao público leigo, mas a iniciados, daí a aridez do livro e as inúmeras interpretações a que deu margem no correr do tempo, inclusive a elucubrações astrológicas.

Para os gregos antigos a matéria é eterna, não criada, e Platão atribui a um **Demiurgo**, princípio divino que organiza a matéria preexistente, a função de pôr ordem no caos inicial. Em algumas passagens, esse princípio é associado à ideia do bem e, como tal, é o fim último para onde tendem todas as coisas, na busca da perfeição. Para transformar o caos em **cosmo**, o Demiurgo contempla os modelos do mundo das ideias para criar a Alma do Mundo. Isso significa que, para Platão, o mundo sensível é cópia do mundo inteligível.

E ETIMOLOGIA

Demiurgo. Do grego *demiourgos*, "artista", "artesão". Para Platão, trata-se do "artesão do mundo".
Cosmo. Do grego *kósmos*, "ordem", "harmonia", "beleza". Observe que se trata da mesma origem da palavra "cosmético".

Platão descreve o Universo como um ser vivo, esférico, uno e indivisível. No centro encontra-se a Terra, imóvel, em torno da qual giram o Sol, a Lua e os planetas, em movimentos circulares e uniformes. Depois de o Universo ter sido organizado, surgem o dia, a noite, o tempo e as quatro espécies de seres (os deuses, os seres alados, os aquáticos e os que se movem sobre a Terra), que, por sua vez, retomando a teoria de Empédocles, são constituídos respectivamente pelos quatro elementos: fogo, ar, água e terra.

Ao tratar do microcosmo, o "pequeno mundo" do ser humano, Platão enfatiza sua ligação com o macrocosmo (o "grande mundo" do Universo) e descreve a união estreita entre a natureza humana e a natureza universal, do Todo.

Nessa síntese científica levada a efeito no *Timeu*, Platão incorpora observações pessoais a conhecimentos recolhidos de seus contemporâneos e também da tradição pré-socrática, sobretudo de Empédocles e dos pitagóricos. As descrições, nem sempre claras, entremeadas por mitos e alegorias e também por referências à geometria, são retomadas em outras obras como *As leis* e *A República*.

O professor Marco Zingano realça o fascínio do esforço intelectual de Platão no período em que a reflexão sobre a ciência se iniciava. Mas completa:

Porém, tal fascínio é temperado por um igualmente inegável distanciamento da experiência e do senso comum. Seu legado é, assim, duplo. De um lado, a aventura da ciência teve nele um momento extraordinário, que a marcou, aliás, por vários séculos. A razão tem nele seu primeiro e infatigável elogio. Por outro lado, Platão foi longe demais, exigindo de si e de seus discípulos um certo desprezo do mundo da experiência que terminou por impedir um maior desenvolvimento.[1]

4 Aristóteles

Aristóteles (384-322 a.C.), discípulo de Platão, foi suficientemente crítico para ir além do mestre. Recusou o mundo separado das ideias platônicas, voltando-se para a realidade concreta. Tampouco deu continuidade à valorização da matemática como instrumento indispensável para alcançar a ciência, conforme pensavam os que o antecederam. Para ele, a matemática só nos diz sobre a quantidade, mas não explica a natureza das coisas. Para tanto, recorre à observação, habilidade que desenvolveu nos seus estudos de física, astronomia e biologia e a um instrumento que ele próprio aperfeiçoou para garantir o rigor de sua argumentação: a lógica.

PARA SABER MAIS

Sobre lógica, consulte o capítulo 11, "Lógica aristotélica".

A física: a teoria do lugar natural

Antes de tudo, uma explicação. O termo grego *physis*, que traduzimos por "física", significa propriamente "filosofia da natureza", por isso não se confunde com o que hoje entendemos por essa ciência, mas tudo o que atualmente denominamos biologia, química, geologia etc. Ou seja, a física grega abrange todos os seres da natureza em movimento.

Por trás das afirmações da ciência aristotélica, há uma série de noções **metafísicas** quanto à natureza dos corpos e do movimento — aspectos de que já tratamos na unidade "O conhecimento". Aqui, destacaremos alguns pressupostos teóricos nos quais ela se baseia.

PARA SABER MAIS

Já vimos em outros capítulos que a metafísica é a parte da filosofia que se ocupa do "ser enquanto ser", isto é, do ser independentemente de suas determinações particulares, do ser absoluto e dos primeiros princípios. Sobre isso, consultar também o **Vocabulário**, no final do livro.

Segundo Aristóteles, o movimento é a transição do corpo que busca o estado de repouso, no seu lugar natural. Para tanto, utiliza a já conhecida teoria dos quatro elementos para explicar como os corpos se encontram em constante movimento retilíneo em direção ao centro da Terra ou em sentido contrário a ele. Ou seja:

- os corpos pesados (graves), como a terra e a água, tendem para baixo, pois esse é o seu lugar natural;
- os corpos leves, como o ar e o fogo, tendem para cima.

A partir dessa teoria, Aristóteles explica a *queda dos corpos*: um corpo cai porque sua essência é tender para baixo e seu movimento só é interrompido se algo impedir seu deslocamento.

Para os gregos, portanto, não há necessidade de explicar o repouso, pois a própria natureza do corpo o justifica. O que para eles precisa ser explicado é o *movimento violento* (ou forçado), quando a ordem natural é alterada pela aplicação de uma força exterior. Enquanto o movimento natural é o da pedra que cai, do fogo que sobe, o movimento violento é o da pedra lançada para cima, da flecha arremessada pelo arco. Esse movimento necessita, durante toda sua duração, de um motor unido ao móvel, já que, suprimido o motor, o movimento cessará.

O movimento violento é fácil de explicar no caso do cavalo que puxa uma carroça, mas o arremesso de um projétil requer de Aristóteles alguns artifícios: ao lançar a pedra, a mão comunica o seu próprio poder ao ar próximo a ela, provocando um turbilhão que mantém a pedra em movimento. Esse poder comunica-se por contiguidade e, como a intensidade diminui a cada transmissão, o movimento acaba cessando; assim, pelo movimento natural, o corpo retorna ao lugar natural.

A ciência grega é, portanto, qualitativa — não faz uso da matemática, como ocorrerá na modernidade —, porque sua argumentação baseia-se na análise das propriedades intrínsecas dos corpos, nas suas essências.

PARA REFLETIR

Diante do fenômeno da queda dos corpos, Aristóteles pergunta "*por que* um corpo cai?" e não "*como* cai?". Se fizesse essa última pergunta, procederia à descrição do fenômeno, processo que só foi iniciado por Galileu, no século XVII. Explique por que essa diferença é fundamental para distinguir a ciência antiga da contemporânea.

[1] ZINGANO, Marco. *Platão e Aristóteles*: o fascínio da filosofia. São Paulo: Odysseus, 2002. p. 58.

No detalhe de *A escola de Atenas* (1510-1511), afresco pintado pelo renascentista Rafael Sanzio no Vaticano, vemos Platão apontando para o alto — o mundo das ideias — e Aristóteles indicando a realidade concreta.

A biologia

Embora a ciência de Aristóteles tenha sido mais valorizada pelas suas contribuições no campo da física e da astronomia, é preciso fazer justiça aos seus cuidadosos estudos de zoologia. Criado em uma família de médicos, herdou o gosto pelo assunto e em suas viagens observou atentamente uma infinidade de animais.

Um dos grandes estudiosos da filosofia grega, o escocês William D. Ross, diz que Aristóteles estava muito adiantado para a época devido ao seu poder de observação, e lembra o testemunho elogioso de Charles Darwin sobre o talento daquele filósofo.

As descrições minuciosas dos animais decorreram não só da observação, mas também de práticas de dissecação para estudar suas estruturas anatômicas. É notável o trabalho pelo qual classificou cerca de 540 espécies de animais, estabeleceu relações entre eles, embora reconhecesse as dificuldades representadas por essa tarefa. A partir de dois grandes grupos, dos animais sanguíneos e não sanguíneos — que correspondem ao que chamamos vertebrados e invertebrados —, Aristóteles identificou os diversos gêneros e, nestes, as diversas espécies.

Devemos a Aristóteles, entre uma infinidade de outros estudos, a descrição da evolução embrionária do pinto, os costumes das abelhas, o acasalamento dos insetos. Realizou inúmeras observações sobre a vida marinha e descobriu que a baleia é um mamífero. Se nem sempre foi bem-sucedido nas considerações sobre fisiologia humana, deve-se ao fato de que na sua época não se faziam dissecações em cadáveres.

Do mesmo modo que todo corpo pesado tende para baixo, que é seu lugar natural, para Aristóteles também os seres vivos tendem a atingir a forma que lhes é própria e o fim a que se destinam. Assim, a semente tem em potência a árvore que virá a ser, as raízes adentram no solo com o fim de nutrir a planta, os patos têm pés com membranas porque têm como fim nadar.

PARA SABER MAIS

Aristóteles distinguia quatro causas. Por exemplo, numa estátua: a causa *material* é aquilo *de que* a coisa é feita (o mármore); a causa *eficiente* é aquela que dá impulso ao *movimento* (o escultor que a modela); a causa *formal* é aquilo que a coisa *tende a ser* (a forma que a estátua adquire); a causa *final* é aquilo *para o qual* a coisa é feita (a finalidade de fazer a estátua: a beleza, a glória, a devoção religiosa etc.). Para saber mais, consulte o capítulo 13, "A busca da verdade".

Como se vê, para Aristóteles o fim explica o meio: como o fim de um corpo é o seu lugar natural, ele tende para o alto se for um corpo leve; a finalidade de nutrir a planta leva as raízes a entrarem na terra; como o pato tem por finalidade nadar, tem pés com membranas. Essa teoria marca fortemente a ciência grega como sendo **teleológica**, concepção que foi superada com o advento da ciência moderna, sobretudo com Charles Darwin.

ETIMOLOGIA

Teleologia. Do grego *telos*, "fim". No contexto, explicação por fins. Não confundir com teologia, "estudo de Deus".

O que vimos até aqui revela o interesse todo especial de Aristóteles para identificar o que faz com que a ciência seja uma ciência: descobrir a causalidade das coisas, por meio do conhecimento demonstrativo e auxiliado pela lógica.

A astronomia: o cosmo hierarquizado

A observação do movimento dos astros é muito antiga. Povos como os babilônios já manifestavam esse interesse dois ou três mil anos antes de Cristo. Com frequência esses conhecimentos eram usados na astrologia para prever o destino, fundamentados na relação entre os astros e o comportamento humano. São os gregos que, pela primeira vez, explicam racionalmente o movimento dos astros e procuram entender a natureza do cosmo.

Apesar da ênfase grega na razão, persistiu ainda certa mística nessas explicações, porque a cosmologia grega se sustenta na concepção estática do mundo, que associa a perfeição ao repouso. Enquanto na física prevalece a noção de movimento como imperfeição, o mesmo não ocorre com os corpos celestes, que são perfeitos.

Além disso, os gregos privilegiavam o *círculo* como forma perfeita, diferente do movimento retilíneo dos corpos terrestres. O movimento circular não tem início nem fim, porque volta sobre si mesmo e continua sempre, é movimento sem mudança. Acrescente-se a isso a concepção do Universo finito, limitado pela esfera do Céu, fora do qual não há lugar, nem vácuo, nem tempo.

Contudo, de onde vem o movimento inicial? Só pode ser de Deus, o Primeiro Motor Imóvel e Ato Puro e que determina o movimento da última esfera, a esfera das estrelas fixas, transmitido por atrito às esferas contíguas, até a Lua, na última esfera interna. No centro acha-se a Terra, também esférica, mas imóvel.

O modelo geocêntrico e a hierarquização do cosmo

Na astronomia da Antiguidade e da Idade Média, prevaleceu o modelo geocêntrico, da Terra imóvel no centro do Universo. Essa tradição começou com Eudoxo (séc. IV a.C.), um dos discípulos de Platão. Foi confirmada por Aristóteles e mais tarde por Cláudio Ptolomeu (séc. II).

Além do geocentrismo, outra característica importante na cosmologia aristotélica é a hierarquização do cosmo: o Céu tem uma natureza superior à da Terra. Sob essa perspectiva, o Universo está dividido em:

- *mundo supralunar* — constituído pelos Céus, que incluem, na ordem, a Lua, Mercúrio, Vênus, Sol, Marte, Júpiter, Saturno e, finalmente, a esfera das estrelas fixas: esses corpos são formados por uma substância desconhecida por nós, o *éter* cristalino, inalterável, imperecível, transparente e imponderável (que não se confunde com a substância química hoje conhecida); o éter é também chamado de *quinta-essência*, em contraposição aos quatro elementos; os corpos celestes são incorruptíveis, perfeitos, não sujeitos a transformações; o movimento das esferas é circular, o movimento perfeito;

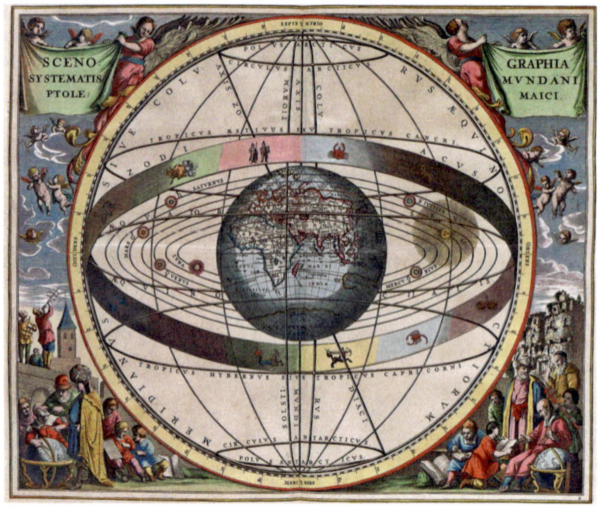

Mapa celeste, de Andreas Cellarius, publicado por Joannes Janssonius. Amsterdã, 1660-1661.
O modelo geocêntrico de Ptolomeu: esférico, finito, contornado pela esfera das estrelas fixas.

- *mundo sublunar* — corresponde à região da Terra que, embora imóvel, é o local dos corpos em constante mudança, portanto perecíveis, corruptíveis, sujeitos a movimentos imperfeitos, como o retilíneo para baixo e para cima; os elementos constitutivos são os quatro elementos (terra, água, ar e fogo).

Considerações sobre Aristóteles

Ao dividir o mundo em supralunar e sublunar, os antigos hierarquizaram Céu e Terra, o que tornava a astronomia e a física duas ciências distintas. Apenas na Idade Moderna Galileu, Descartes e Newton "igualam Céu e Terra" e explicam as duas ciências pelas mesmas leis.

Conforme vimos na cosmologia aristotélica, os gregos associavam a perfeição ao equilíbrio e ao repouso; a descrição do cosmo é a de um mundo estático. Mesmo quando as mudanças são reconhecidas, a ciência aspira ao ideal de imobilidade ao procurar, por trás das aparências das coisas, as essências imutáveis: é em função da substância, da essência, que, em determinadas condições, cada corpo se comporta de uma maneira e não de outra.

Por isso a física aristotélica é *qualitativa,* porque construída sobre os *princípios* que definem as coisas, a partir dos quais são deduzidas as consequências. Trata-se da valorização do *método dedutivo*, cujo modelo de rigor encontra-se na matemática. Apesar disso, os gregos não matematizaram a física, com exceção de Arquimedes, como veremos.

Embora tenha feito observações pertinentes, Aristóteles não recorreu à experimentação, fato que pode ser entendido pela resistência dos gregos em utilizarem as técnicas manuais em áreas de investigação para ele restritas ao saber contemplativo.

Ao enveredar pela procura das causas, a ciência antiga desemboca inevitavelmente na discussão metafísica da essência dos corpos. Por isso, essa ciência é propriamente filosófica, baseada em princípios e centrada na argumentação.

Outro aspecto importante da metafísica aristotélica é que, ao explicar o princípio de todo movimento, Aristóteles faz a física desembocar numa teologia: de causa em causa, chegou-se a Deus, ao Primeiro Motor Imóvel.

5 Alexandria e a escola helenística

Em 338 a.C., quando a Grécia foi conquistada pelos macedônios, teve início o período conhecido como helenismo. Ao expandir as fronteiras do império, Alexandre Magno levou a cultura grega para pontos distantes, ao mesmo tempo que abriu caminho para as influências orientais no Ocidente.

Após a morte de Alexandre e a divisão do império, foi fundado em Alexandria, na foz do Nilo, um avançado centro de estudos formado por escolas de diversas ciências, um museu e a famosa biblioteca, que por muitos séculos atraiu intelectuais proeminentes de vários locais do mundo antigo.

THE GRANGER COLLECTION, NOVA YORK/OTHER IMAGES

Gravura representando a biblioteca de Alexandria. Autoria desconhecida, século XIX. A biblioteca de Alexandria, centro cultural do helenismo, sofreu diversos danos, desde um incêndio no século I a.C. a saques ao longo dos tempos, até ser totalmente destruída no século VII.

Euclides: geometria

Na escola de Alexandria, logo de início destacou-se a contribuição de Euclides, que, de 320 a 260 a.C., fundou e dirigiu a escola de matemática. Com a obra *Elementos,* sistematizou o conhecimento teórico, dando-lhe os fundamentos ao estabelecer os princípios da geometria, os conceitos primitivos e os postulados. Os *conceitos primitivos* são o ponto, a reta e o plano, que não se definem, enquanto os *postulados* são enunciados que devem ser aceitos sem demonstração, por exemplo: "uma linha reta pode ser traçada de um para outro ponto qualquer". Tais princípios constituem o ponto de partida sobre o qual se constrói o edifício teórico de qualquer demonstração.

PARA SABER MAIS

No século XIX alguns matemáticos construíram as chamadas geometrias não euclidianas, por partirem de princípios que contradizem os postulados da geometria plana. Leia mais no capítulo 31, "O método das ciências da natureza".

A mecânica de Arquimedes

A mecânica foi outra ciência que se desenvolveu no centro cultural de Alexandria. Suas bases foram estabelecidas por Arquimedes (287-212 a.C.), nascido na Sicília, mas que teria passado um tempo em Alexandria.

A fama de Arquimedes nos remete a acontecimentos interessantes, embora muito deles envoltos em lenda. Para defender Siracusa, quando assediada pelos romanos, Arquimedes teria construído engenhos mecânicos (catapultas) para lançar pedras e também incendiado navios por meio de um sistema de lentes de grande alcance.

Ao descobrir o princípio da hidrostática (lei do empuxo), Arquimedes passou da dimensão puramente técnica ou prática para a especulação teórica e científica, que lhe permitiu descobrir princípios fundamentais da mecânica. Redigiu um tratado de estática, formulou a lei de equilíbrio das alavancas e fez estudos sobre o centro de gravidade dos corpos.

PARA SABER MAIS

No capítulo 9, "O que podemos conhecer?", relatamos a curiosa maneira pela qual Arquimedes descobriu o princípio da hidrostática.

Saber contemplativo. Para os gregos, contemplação ou pura teoria é o conhecimento reflexivo, abstrato, que visa a conhecer por conhecer, portanto desligado de interesses práticos.

STÄDELSCHES KUNSTINSTITUT, FRANKFURT, ALEMANHA

Mosaico romano em cópia do século XVI. Quando os romanos invadiram Siracusa, cidade natal de Arquimedes, o sábio foi morto por um soldado.

Galileu viu em Arquimedes o único cientista verdadeiro da Grécia, ao revelar aspectos fundamentais da experimentação moderna: medidas sistemáticas, determinação da influência de cada fator que atua no fenômeno e enunciado do resultado sob a forma de lei geral.

Ptolomeu e o geocentrismo

Uma das últimas grandes personalidades de Alexandria, já no século II da era cristã, foi a do matemático, geômetra e astrônomo Cláudio Ptolomeu. Sua obra *Almagesto* representa o mais importante referencial da astronomia geocêntrica da Antiguidade, que exerceria influência durante toda a Idade Média até ser contestada por Copérnico e Galileu.

PARA SABER MAIS

Os modelos astronômicos dos gregos eram geocêntricos, exceto o de Aristarco de Samos (310-230 a.C.), que propusera um revolucionário modelo heliocêntrico, nunca aceito e até considerado subversivo.

Após o século II d.C., o centro de Alexandria sofreu inevitável estagnação, sobretudo devido a sucessivos saques à biblioteca e ao museu, bem como aos incêndios que apenas anteciparam sua destruição total no século V.

No entanto, não devemos superestimar a utilização de instrumentos na fase de investigação e a aplicação prática das ciências, levadas a efeito por Arquimedes e outros sábios atuantes em Alexandria. Elas constituem exceção na produção científica grega, que era mais voltada para a especulação racional e desvinculada da técnica, tendência que haveria de prevalecer durante a Idade Média.

6 A ciência na Idade Média

Com a queda do Império Romano do Ocidente (séc. V), a religião cristã impôs-se como elemento agregador dos inúmeros reinos bárbaros formados após sucessivas invasões. Seus chefes pouco a pouco converteram-se ao cristianismo, e a Igreja tornou-se soberana absoluta da vida espiritual do mundo ocidental.

A cultura greco-romana quase desapareceu nos períodos mais turbulentos da implantação do modo feudal de produção. Os monges, os únicos letrados em um mundo onde a maioria não sabia ler, guardaram nos mosteiros essa herança cultural.

O período medieval estende-se do século V ao XV, portanto mil anos, ou até mais que isso, se considerarmos os trabalhos dos Padres da Igreja ainda no final da Antiguidade. No entanto, nem toda a Idade Média é de obscuridade intelectual, uma época de "trevas", como se costumou chamar. Em vários momentos, houve manifestações culturais importantes e expressões diversas de produção intelectual, às vezes tão heterogênea que se torna difícil reduzir o período ao que se poderia chamar de modo unívoco como *pensamento medieval*. Vejamos algumas dessas expressões, começando pelos árabes.

A contribuição árabe

Os árabes exerceram longa e fecunda influência no continente europeu, cuja herança cultural até hoje pode ser constatada, sobretudo na bela região de Andaluzia, sul da Espanha.

A expansão árabe teve início no século VII, com o movimento religioso islâmico iniciado por Maomé, que se expandiu por diversas regiões do Oriente Médio e depois por todo o norte da África, alcançando Portugal e Espanha no início do século VIII. Do século XI ao XV, os reis cristãos do norte da península hispânica pressionaram pouco a pouco os invasores até expulsá-los de seu último reduto, o reino de Granada, em 1492.

PARA SABER MAIS

O primeiro renascimento cultural promovido pelos árabes deu-se no século VIII, em Bagdá, intensificado no século seguinte com a criação da "Casa da sabedoria", centro de estudos que agregou um corpo de sábios e tradutores de obras científicas. Criaram observatórios astronômicos e intensificaram estudos de óptica, geografia, geologia, meteorologia, bem como traduziram obras de Platão, Aristóteles e Plotino.

Os árabes na Espanha: Averróis

Já na península hispânica, foi notável a atuação de Averróis (séc. XII), nascido em Córdoba, embora tenha vivido em Sevilha e no Marrocos. Médico, astrônomo e filósofo, respeitado comentarista de Aristóteles, promoveu a retomada do pensamento aristotélico no Ocidente cristão.

A cultura árabe exerceu indiscutível influência no desenvolvimento da ciência, inclusive no Ocidente, no período do século VIII ao XII. Depois disso, a tensão que sempre existira entre pensamento racional e fé religiosa acabou pendendo para essa última, o que prejudicaria a pesquisa científica independente, provocando a retração da valiosa contribuição árabe.

AKG-IMAGES/LATINSTOCK

Gravura de autoria desconhecida mostrando o ábaco, 1516. Uma prancheta provida de bolas ou argolas usada para operações de cálculo, o ábaco é um instrumento que surgiu entre as mais antigas civilizações e que existe até hoje, com pequenas variações.

PAWEL WYSOCKI/HEMIS/CORBIS/LATINSTOCK

A mesquita de Córdoba deslumbra pela arquitetura e beleza de ornamentos. É tão grande que, no século XIII, após a reconquista cristã, uma pequena parte de suas colunas foi demolida para a construção de uma catedral gótica em seu interior.

A ciência no Ocidente cristão

Voltemos ao mundo cristão europeu. Dizíamos que o longo período medieval comportou uma infinidade de manifestações culturais. No entanto, notamos uma constante como pano de fundo desse pensamento: a conciliação entre razão e fé. A máxima predominante é "crer para compreender e compreender para crer". A especulação filosófica, embora distinta da fé, é instrumento dela, é "serva da teologia".

A herança grega

Diferentemente da herança helenística de Alexandria e das pesquisas árabes, a ciência medieval vinculou-se à tradição grega clássica, que valorizava o conhecimento teórico em detrimento das atividades práticas. Nesse panorama, a ciência continuou voltada para a discussão racional e desligada da técnica e da pesquisa empírica.

Os instrumentos disponíveis eram rudimentares: não havia dispositivos rigorosos para medir o tempo, os quais se restringiam a ampulhetas, clepsidras (relógios-d'água) e relógios de sol; nada havia sido inventado para medir a temperatura ou para ampliar a visibilidade. Por isso, a ciência medieval recusou a experimentação e permaneceu qualitativa, como na Antiguidade, mesmo porque os recursos disponíveis da matemática ainda eram incipientes para que se procedesse à matematização.

De fato, questões aparentemente simples, como a notação dos números, feita com os algarismos romanos, dificultava os cálculos. Por exemplo, a divisão de MDCXXXII por IV é impossível de ser resolvida sem o auxílio do ábaco. Já os algarismos arábicos, apesar de conhecidos desde o século X, só tiveram seu uso generalizado no Renascimento.

Qual o lugar da ciência no mundo medieval?

Pelo que pudemos observar até aqui, houve relutância ou impossibilidade em incorporar a experimentação e a matematização das ciências da natureza. A retomada do pensamento aristotélico reforçou a concepção qualitativa da física e a astronomia geocêntrica, esta última conforme o modelo de Ptolomeu (séc. II), cuja famosa obra, *Almagesto*, permaneceu como a última palavra em astronomia até o século XVI.

Exceções à tradição

Apesar das questões religiosas que afastavam os filósofos das discussões referentes à natureza, algumas posições divergentes indicam pontos de ruptura que prepararam de certo modo a crise do modelo científico da tradição greco-medieval. Esse processo pode ser entendido baseando-se no estudo do renascimento das cidades e da expansão do comércio: a economia capitalista emergente iria necessitar de um outro saber, mais prático e menos contemplativo.

Nesse processo destaca-se o papel desempenhado pelos árabes, como já vimos, mas também o trabalho dos alquimistas e a atuação de frades franciscanos na Inglaterra.

Os alquimistas

A atividade prática da alquimia surgiu de especulações de artesãos metalúrgicos e constituiu o prelúdio da ciência química. Existiram alquimistas em Alexandria, entre os árabes e no Ocidente cristão, apesar da intolerância religiosa para com suas práticas. Muito em voga no século XIII, a alquimia foi responsável pela descoberta de novas substâncias químicas, do processo para a extração de mercúrio e das fórmulas para preparar vidro e esmalte, bem como para o desenvolvimento de noções sobre ácidos e seus derivados.

O saber oficial sempre desdenhou essa atividade, por demais vinculada às práticas manuais. Além disso, as técnicas descobertas eram guardadas em segredo, e os documentos, de difícil leitura, estavam envoltos em uma aura mística. Muitas vezes as explicações teóricas antropomórficas conferiam às substâncias inorgânicas características de seres vivos, como se fossem compostos de corpo e alma.

Por aceitarem que as características e as propriedades de uma substância são determinadas por seu espírito, os alquimistas acreditavam na *transmutação*, a transferência do espírito de um metal nobre para a matéria de metais comuns. Surgiu daí a busca da "pedra filosofal", que permitiria transformar qualquer substância em ouro. Outro projeto da alquimia medieval foi a procura do "elixir da longa vida".

Para a Igreja, essas práticas tinham um caráter herético e foram proibidas por bula papal em 1317. A Inquisição perseguia os infratores com rigor e muitas vezes condenava-os à fogueira sob acusação de bruxaria.

Não se pode, porém, negar a importância da alquimia no desenvolvimento das técnicas de laboratório, embora o hermetismo da prática, reservada a iniciados, tenha obscurecido a apropriação objetiva das reais descobertas da química nascente.

A Escola de Oxford

Costuma-se atribuir a Alberto Magno (séc. XIII) a primazia do contato com as traduções árabes de Aristóteles, mas, segundo alguns autores, a reintrodução dessas obras e de muitas outras no Ocidente deveu-se antes a Robert Grosseteste e aos franciscanos seus seguidores, da chamada Escola de Oxford, que representou a renovação da filosofia e das ciências medievais.

Grosseteste (c. 1175-1253) viveu na Inglaterra e estimulou a mentalidade científica experimental na primeira metade do século XIII. Foi professor em diversas universidades, e em Oxford, na Inglaterra, deu aulas a frades franciscanos, tendo Roger Bacon como principal discípulo. Ensinou matemática e ciência natural e escreveu textos sobre astronomia, som e óptica, campo em que desenvolveu original teoria sobre a luz. Estimulou a pesquisa, fez uma classificação das ciências e esboçou os passos do procedimento científico, como a observação, o levantamento de hipóteses e sua verificação.

DERBY MUSEUM AND ART GALLERY, REINO UNIDO – THE BRIDGEMAN ART LIBRARY/KEYSTONE

O alquimista em busca da pedra filosofal. Joseph Wright of Derby, 1771. Segundo intérpretes, a busca da "pedra filosofal" tinha um significado metafórico de transformação e aperfeiçoamento humano, assim como o "elixir da longa vida" significava o cuidado com a saúde.

Embora sem comprovação, parece que tanto Grosseteste como Roger Bacon utilizaram lentes de aumento e de diminuição para ajudar a vista fraca e talvez até para telescópio, se bem que ainda bastante rudimentares, como sugerem alguns textos. Seguidor entusiasmado do mestre, além de aplicar o método matemático à ciência da natureza, Bacon fez diversas tentativas para torná-la experimental, sobretudo no campo da óptica.

QUEM É?

Roger Bacon, gravura de 1650.

BIBLIOTECA NACIONAL DA FRANÇA, PARIS – AKG IMAGES/LATINSTOCK

Roger Bacon (c. 1214-1293), filósofo inglês, estudou em Oxford sob a orientação de Robert Grosseteste e depois ensinou em Paris por dez anos. Conhecido como *Doctor Mirabilis* (Doutor Admirável), escreveu *Opus Majus* (Obra Maior), de caráter enciclopédico, em que expõe suas ideias, aprofundadas em outros dois livros. Retornando a Oxford em 1275, ingressou na ordem franciscana. Apesar de argumentar que "ver com seus próprios olhos" não é incompatível com a fé, não conseguiu demover os medievais da desconfiança gerada por qualquer tipo de experimentação. Como se interessava por astrologia e alquimia, sofreu várias perseguições, acusado de introduzir "novidades perigosas", nada enquadradas ao mundo escolástico, motivo pelo qual foi levado à prisão.

7 A decadência da escolástica

No final da Idade Média, a escolástica padecia com o autoritarismo de seus seguidores, o que provocou nefastas consequências no pensamento filosófico e científico. Posturas dogmáticas, contrárias à reflexão, obstruíam as pesquisas e a livre investigação. O *princípio da autoridade*, ou seja, a aceitação cega das afirmações contidas nos textos bíblicos e nos livros dos grandes pensadores, sobretudo Aristóteles, impedia qualquer inovação.

PARA REFLETIR

No Renascimento, acusavam-se os escolásticos de privilegiar o *magister dixit*, que em latim significa "o mestre disse". Discuta com seu colega como ainda hoje o princípio da autoridade é um risco que ameaça a autonomia do pensar.

O rigor do controle da Igreja era exercido nos julgamentos do *Santo Ofício* (Inquisição), órgão que examinava se as doutrinas eram heréticas ou não. Conforme o caso, os livros eram colocados no *Index* (Índice), lista das obras proibidas ou, quando aprovados, recebiam a chancela *Nihil obstat* ("nada obsta", "nada contra"). Se a acusação fosse muito grave, instaurava-se o julgamento do autor.

Foi trágico o desfecho do processo contra Giordano Bruno (séc. XVI), acusado de panteísmo e queimado vivo por defender com exaltação poética a doutrina da infinitude do Universo e por concebê-lo não como um sistema rígido de seres, articulados em uma ordem dada desde a eternidade, mas como um conjunto que se transforma continuamente. A lembrança ainda recente desse acontecimento talvez tenha levado Galileu, no século seguinte, a abjurar suas convicções, por temer o mesmo destino de Bruno.

8 Um balanço final

Neste capítulo examinamos as concepções de ciência dos filósofos da Grécia Antiga, que se distanciaram das explicações míticas, buscando uma explicação racional para o princípio de todas as coisas, no esforço para compreender o mundo com base nas causas e para tecer teorias coerentes.

Vimos também como essas teorias repercutiram na Idade Média, evidentemente adaptadas às verdades da fé cristã, mas com realce para a heterogeneidade dessas ideias. Assim, desde os sábios de Alexandria na Antiguidade, passando pelos árabes e pelos franciscanos da Escola de Oxford, percebemos diferentes esforços para a instauração de uma ciência mais experimental e desvinculada da filosofia, em confronto com os mais ortodoxos escolásticos.

PARA REFLETIR

Se observarmos a ordem hierarquizada medieval — expressa na organização da Igreja, constituída por papa, cardeais, bispos etc., e que se refletia na divisão da sociedade em reis, suseranos, vassalos e servos —, encontramos semelhanças desse modelo na astronomia, que reproduz o desejo de permanência de uma ordem estabelecida: a hierarquia existe na superioridade dos Céus sobre a Terra, em cujo centro encontra-se o Inferno. Isso nos faz pensar: em que medida a ciência é uma construção histórica?

Podemos compreender a resistência dos intelectuais que se opunham às mudanças, mas essa estrutura rígida seria rompida com o crescimento do poder econômico e político da burguesia e, concomitantemente, com o desenvolvimento do capitalismo comercial.

Leitura complementar

Um método para chegar a uma verdade provável

No romance *O nome da rosa*, ambientado na Idade Média, mais precisamente em 1327, Umberto Eco conta a história de um franciscano inglês, Guilherme de Baskerville, e seu discípulo, o noviço Adso, que chegam a um mosteiro dominicano na Itália a fim de investigar o motivo do assassinato de vários frades. Guilherme é um filósofo e foi essa uma de suas inúmeras conversas:[2]

"'Diante de alguns fatos inexplicáveis deves tentar imaginar muitas leis gerais, em que não vês ainda a conexão com os fatos de que estás te ocupando: e de repente, na conexão imprevista de um resultado, um caso e uma lei, esboça-se um raciocínio que te parece mais convincente do que os outros. Experimentas aplicá-lo em todos os casos similares, usá-lo para daí obter previsões, e descobres que adivinhaste. Mas até o fim não ficarás nunca sabendo quais predicados introduzir no teu raciocínio e quais deixar de fora. E assim faço eu agora. Alinho muitos elementos desconexos e imagino as hipóteses. Mas preciso imaginar muitas delas, e numerosas delas são tão absurdas que me envergonharia de contá-las. Vê, no caso do cavalo Brunello, quando vi as pegadas, eu imaginei muitas hipóteses complementares e contraditórias: podia ser um cavalo em fuga, podia ser que montado naquele belo cavalo o Abade tivesse descido pelo declive, podia ser que um cavalo Brunello tivesse deixado os sinais sobre a neve e um outro cavalo Favello, no dia anterior, as crinas na moita, e que os ramos tivessem sido partidos por homens. Eu não sabia qual era a hipótese correta até que vi o despenseiro e os servos que procuravam ansiosamente. Então compreendi que a hipótese de Brunello era a única boa, e tentei provar se era verdadeira, apostrofando os monges como fiz. Venci, mas também poderia ter perdido. Os outros consideraram-me sábio porque venci, mas não conheciam os muitos casos em que fui tolo porque perdi, e não sabiam que poucos segundos antes de vencer, eu não estava certo de não ter perdido. Agora, nos casos da abadia, tenho muitas belas hipóteses, mas não há nenhum fato evidente que me permita dizer qual seja a melhor. E então, para não parecer tolo mais tarde, renuncio a ser astuto agora. Deixa-me pensar mais, até amanhã, pelo menos.'

Entendi naquele momento qual era o modo de raciocinar do meu mestre, e pareceu-me demasiado diferente daquele do filósofo que raciocina sobre os princípios primeiros, tanto que o seu intelecto assume quase os modos do intelecto divino. Compreendi que, quando não tinha uma resposta, Guilherme se propunha muitas delas e muito diferentes entre si. Fiquei perplexo.

'Mas então', ousei comentar, 'estais ainda longe da solução...'

'Estou pertíssimo', disse Guilherme, 'mas não sei de qual.'

'Então não tendes uma única resposta para vossas perguntas?'

'Adso, se a tivesse ensinaria teologia em Paris.'

'Em Paris eles têm sempre a resposta verdadeira?'

'Nunca', disse Guilherme, 'mas são muito seguros de seus erros.'

'E vós', disse eu com impertinência infantil, 'nunca cometeis erros?'

'Frequentemente', respondeu. 'Mas ao invés de conceber um único erro imagino muitos, assim não me torno escravo de nenhum.'"

ECO, Umberto. *O nome da rosa*. Rio de Janeiro: Nova Fronteira, 1983. p. 350-351.

Questões

1 Na obra ficcional do escritor italiano Umberto Eco, Guilherme é um frade franciscano. Tendo em vista o que lemos no capítulo, qual seria a orientação dele no que diz respeito à ciência?

2 Quando Guilherme responde que, se tivesse certezas, lecionaria teologia em Paris, está fazendo uma crítica ao modo pelo qual se encarava a ciência. Explique por quê.

3 Em que sentido o pensar do frade está mais próximo do que hoje se entende por ciência?

Despenseiro. Encarregado da despensa, onde são guardados os mantimentos.
Apostrofar. No contexto, "interpelar", "interrogar".

[2] Outro trecho do romance foi citado no capítulo 13, "A busca da verdade".

Atividades

Revendo o capítulo

1 Quais são as decorrências da teoria das ideias de Platão para a sua cosmologia?

2 O que significa dizer que a biologia em Aristóteles tem uma chave teleológica? Em sua resposta, não deixe de se referir à teoria das quatro causas.

3 A partir da hierarquia do mundo sublunar e supralunar defendida por Aristóteles, explique por que a física e a astronomia constituem ciências absolutamente diversas.

4 Explique por que Arquimedes representa uma exceção na mentalidade científica antiga.

Aplicando os conceitos

5 A partir da citação de Colin A. Ronan, transcrita a seguir, responda às questões.

"Tal como em relação ao Egito, uma visão da medicina nos auxiliará a avaliar o conhecimento biológico dos mesopotâmios. Ela também empregava a magia e a adivinhação, pois os meios mágicos, assim como os científicos, eram usados no tratamento de moléstias ou na cura de doenças, enquanto, ao aplicar seus remédios, um médico procuraria o auxílio da adivinhação para prever o possível sucesso de suas poções.

Como em todas as civilizações primitivas, os mesopotâmios empregaram largamente as drogas produzidas a partir de ervas. [...] não há dúvida de que eles reconheceram a hidropisia, a febre, a hérnia, a sarna e a lepra, bem como vários problemas de pele e outras afecções que atingiam o cabelo, a garganta, os pulmões e o estômago, e tinham remédios para o tratamento desses distúrbios." (Colin Ronan. *História ilustrada da ciência*. v. I: Das origens à Grécia. Rio de Janeiro: Jorge Zahar, 2002. p. 35.)

a) Sob que aspectos a medicina dos egípcios e mesopotâmios, bem como a de todos os povos da Antiguidade remota, distingue-se da medicina grega?

b) Explique em que sentido também a matemática, a física e a astronomia mereceram dos gregos um tratamento diferente dos procedimentos de outros povos antigos.

6 Platão recorre ao Demiurgo e Aristóteles ao Primeiro Motor Imóvel na descrição da harmonia do universo. Explique quais são as consequências desses pressupostos para a concepção de ciência na Grécia Antiga.

7 A partir da pergunta "Por que os animais têm olhos?", observe as duas explicações a seguir e identifique a que obedece à perspectiva teleológica. Justifique sua resposta.

a) Os animais que têm olhos os têm porque a sensação é um dos fins para os quais existem esses animais, um dos caracteres essenciais do animal.

b) Como os animais têm olhos, eles veem.

8 Leia a citação e a seguir responda às questões.

"Ernst Renan, filósofo francês do século XIX, foi quem primeiro detectou a influência de Averróis em Santo Tomás, afirmando: 'Santo Tomás é, ao mesmo tempo, o maior adversário e – pode-se afirmar sem paradoxo – o primeiro discípulo do grande comentador. Santo Alberto Magno deve tudo a Avicena; Santo Tomás, como filósofo, deve quase tudo a Averróis'." (José Silveira da Costa. *Averróis*: o aristotelismo radical. São Paulo: Moderna, 1994. p. 57.)

a) Por que Tomás de Aquino é considerado o maior adversário e, ao mesmo tempo, discípulo de Averróis?

b) Qual foi a importância dos árabes para a ciência ocidental?

Seminário

9 Faça uma pesquisa sobre a Escola de Oxford, seus principais representantes e sua importância para os estudos científicos medievais.

Capítulo 30

A revolução científica do século XVII

MUSEU DO PRADO, MADRI

O sentido da visão. Jan Bruegel, o Velho, e Peter Paul Rubens, 1617.

Jan Brueghel, artista flamengo, viveu no século XVII, período de enriquecimento da burguesia e de mudança de mentalidade. Nessa tela, *O sentido da visão*, o pintor descreve a riqueza do mundo que nos cerca — objetos e paisagens —, que estimula nosso olhar e chama nossa atenção.

O que ocorreu nesse espaço de tempo para mudar o foco do olhar? Na Antiguidade, Aristóteles pretendia mostrar que há vários graus de conhecimento, que começam pelos sentidos, mas a verdadeira ciência é o conhecimento especulativo, não prático, que busca as causas últimas de todas as coisas. No entanto, pela aliança entre ciência e técnica, a revolução científica da Idade Moderna mudou radicalmente o método de investigação da natureza. E logo tornou-se possível e desejável a aplicação prática das descobertas científicas. A ciência deixava de ser uma área da filosofia para seguir seu próprio caminho.

1 Uma nova mentalidade

Em seu livro *Pensamentos*, Pascal diz o seguinte:

> O silêncio desses espaços infinitos me apavora.[1]

Essa frase explicita a angústia para quem, no século XVII, vivenciou a substituição da teoria geocêntrica — aceita durante mais de vinte séculos — pela teoria **heliocêntrica**. A nova teoria não apenas retirou a Terra do centro do Universo, mas também desintegrou uma construção estética que ordenava os espaços e hierarquizava o "mundo superior dos Céus" e o "mundo inferior e corruptível da Terra". Galileu geometrizou o Universo, igualando todos os espaços. Ao descobrir a Via Láctea, contrapôs, a um mundo fechado e finito, a ideia da infinitude do Céu.

E ETIMOLOGIA

Heliocêntrico. Do grego *helios*, "Sol".

A questão, no entanto, não é apenas científica. Se fosse, Galileu não teria sido obrigado a retratar-se publicamente e abjurar sua teoria nem recolhido a prisão domiciliar. Há algo mais que se quebra, além da ordem cósmica, cujas causas antecedem a esse período.

Examinando o contexto histórico em que ocorreram transformações tão radicais, percebemos que elas não se desligavam de outros acontecimentos igualmente marcantes, que se configuravam desde o século anterior: surgimento da burguesia; desenvolvimento da economia capitalista; Revolução Comercial; renascimento das artes, das letras e da filosofia. Desse modo, nasce um novo indivíduo, confiante na razão e no poder de transformar o mundo.

Uma explicação possível para justificar a mudança ocorrida é que a nova classe comerciante, constituída pelos burgueses, impôs-se pela valorização do trabalho em oposição ao ócio da aristocracia. Além disso, inventos como a bússola, o papel, a imprensa e a máquina a vapor, o aperfeiçoamento dos navios e as descobertas tornavam-se necessários para o comércio e a indústria em expansão.

O renascimento das ciências no século XVII não constituiu uma simples evolução do pensamento científico, mas uma verdadeira ruptura que implicou outra concepção de saber, por conta da novidade do método instituído.

[1] PASCAL, *Blaise*. Pensamentos, aforismo 206.

BETTMANN/CORBIS/LATINSTOCK

Gravura de autoria desconhecida mostrando Gutenberg em sua oficina. Sem data. A descoberta dos tipos móveis possibilitou a Gutenberg criar a imprensa, que desempenhou um papel fundamental na modernidade, por divulgar mais rapidamente o conhecimento.

2 Características do pensamento moderno

A partir do Renascimento, a religião, suporte do saber na Idade Média, sofreu diversos abalos com o questionamento da autoridade papal, o surgimento do protestantismo e a consequente destruição da unidade religiosa na Europa Ocidental. Decorrem daí as características desse novo momento histórico.

- **antropocentrismo:** enquanto o pensamento medieval é predominantemente **teocêntrico**, o indivíduo moderno coloca a si próprio no centro dos interesses e decisões. Às certezas da fé, contrapõe-se a capacidade de livre exame. Até na religião os adeptos da Reforma defendem o acesso direto ao texto bíblico, dando a cada um o direito de interpretá-lo.

E ETIMOLOGIA

Antropocentrismo. Do grego *anthropos*, "homem"; portanto, o homem no centro.
Teocentrismo. Do grego *theo*, "deus", isto é, deus no centro.

- **racionalismo:** ao critério da fé e da revelação, opõe-se o poder exclusivo da razão de discernir, distinguir e comparar; a atitude polêmica perante a tradição recusa o dogmatismo.

- **saber ativo:** em oposição ao saber contemplativo, o conhecimento não parte apenas de noções e princípios, mas da própria realidade observada e submetida a experimentações; como decorrência, o saber adquirido devido à aliança entre a ciência e a técnica deve voltar à realidade para transformá-la.
- **método:** a busca do método adequado marca o ponto de partida de vários pensadores do século XVII, como Descartes, Espinosa e Francis Bacon. O próprio Galileu, no mesmo século, teorizou sobre o método científico, o que representou uma verdadeira revolução: o rompimento da ciência com a filosofia aristotélico-escolástica, em busca de seu próprio caminho.

3 Galileu e as duas novas ciências

Em 1638, à revelia da Inquisição, foi publicada na Holanda a obra *Discursos e demonstrações matemáticas sobre duas novas ciências*, quando seu autor, Galileu, já cego, ainda se encontrava em prisão domiciliar. A partir desse último e importante trabalho, em que relaciona a hipótese copernicana às leis da mecânica, ligando a ciência da astronomia à física, pode-se dizer que nascia a física moderna e uma nova concepção de astronomia.

QUEM É?

NATIONAL MARITIME MUSEUM, LONDRES

Galileu Galilei, de Justus Sustermans, c. 1639.

Galileu Galilei (1564-1642), italiano que lecionou nas universidades de Pisa e de Pádua, foi responsável pela superação do aristotelismo e pelo advento da moderna concepção de ciência. Empreendeu uma mudança radical nos campos da óptica geométrica (lentes, reflexão e refração da luz), termologia (invenção do termômetro), hidrostática, óptica física (teoria sobre a natureza da luz) e principalmente no campo da mecânica, da qual lançou os fundamentos. Escreveu *O ensaiador*, *Diálogo sobre os dois máximos sistemas do mundo*, *Discursos e demonstrações matemáticas sobre duas novas ciências*. Sua vida foi marcada pela perseguição política e religiosa, por defender a substituição do modelo ptolomaico (geocêntrico) pelo modelo copernicano (heliocêntrico). Condenado pela Inquisição, após ser obrigado a abjurar publicamente suas ideias, foi confinado em prisão domiciliar a partir de 1633.

PARA SABER MAIS

Em novembro de 1992, o Vaticano anunciou a reabilitação oficial de Galileu. Dentre os seis cientistas indicados pelo papa João Paulo II para formar a comissão de estudos da Pontifícia Academia de Ciências, encontrava-se o brasileiro Carlos Chagas Filho.

A nova física

A produção teórica e experimental de Galileu só foi possível porque ele dispunha em sua oficina de recursos como plano inclinado, termômetro, luneta e relógio de água. Embora ainda fossem engenhocas um tanto primitivas, foram suficientes para mostrar o valor da *observação*, o que lhe permitiu abandonar a ciência especulativa e caminhar em direção à construção de uma ciência ativa.

Em oposição ao discurso formal, Galileu solicita o testemunho dos sentidos e o *auxílio da técnica*. Valoriza a *experiência* e, ao contrário da física antiga, que buscava explicar o "porquê" do fenômeno pelas *qualidades* inerentes aos corpos, Galileu se interessa pelo "como", o que supõe a *descrição quantitativa* do fenômeno.

Por meio dessa descrição, distingue as qualidades secundárias (cor, odor, sabor) das qualidades primárias (forma, figura, número e movimento). As secundárias são subjetivas, enquanto as primárias são objetivas e passíveis de tratamento matemático, o que permite a Galileu assimilar o espaço físico ao espaço geométrico de Euclides.

Assim ele explica:

> A filosofia encontra-se escrita neste grande livro que continuamente se abre perante nossos olhos (isto é, o Universo), que não se pode compreender antes de entender a língua e conhecer os caracteres com os quais está escrito. Ele está escrito em língua matemática, os caracteres são triângulos, circunferências e outras figuras geométricas, sem cujos meios é impossível entender humanamente as palavras: sem eles nós vagamos perdidos dentro de um obscuro labirinto.[2]

MUSEO DELLE SCIENZE, FLORENÇA – AKG-IMAGES/LATINSTOCK

Telescópio de Galileu Galilei, século XVII.

2 GALILEU. *O ensaiador*. São Paulo: Abril Cultural, 1973. p. 119. (Coleção Os Pensadores).

Galileu realizando a experiência do plano inclinado, de Giuseppe Bezzuoli. Afresco da Tribuna de Galileu, Museu Zoológico, Florença. Com o plano inclinado, Galileu introduz a medida e a experimentação na física nascente.

Quanto ao movimento, Galileu recusa a teoria aristotélica que distingue o movimento qualitativo do movimento quantitativo para considerar toda mudança quantitativa. Com isso, estabelece um corte entre as duas leituras do mundo, pois, onde Aristóteles via qualidades (corpos pesados ou leves), Galileu descobre relações e funções.

Quando estuda Arquimedes e vê que as leis do equilíbrio dos corpos flutuantes são verdadeiras, destrói a teoria da "gravidade" e "leveza" dos corpos. "Subir" e "descer" não atestam mais a ordem imutável do mundo, a essência escondida das coisas. Por exemplo: onde está a "gravidade" quando mergulhamos a madeira na água, uma vez que ela se torna "leve", a ponto de só poder mover-se para baixo se for forçada?

Ao explicar "como" os corpos caem (e não "por que" caem), Galileu descobre a relação entre o *tempo* que um corpo leva para percorrer o plano inclinado e o *espaço* percorrido. *Repetidas experiências* confirmam as relações constantes e necessárias, donde decorre a lei da queda dos corpos, traduzida numa *forma geométrica*.

Não estamos, porém, diante de uma ciência que parte apenas de dados empíricos. O procedimento de Galileu não é sempre indutivo, pois nem todas as vezes parte dos fatos para as leis. Em muitas ocasiões realiza "experiências mentais", pelas quais imagina situações impossíveis de verificar empiricamente e tira conclusões desses raciocínios. O que dá validade científica aos processos intelectuais é que os resultados devem ser submetidos à comprovação.

Uma grande descoberta alcançada com esse método foi o princípio da inércia, segundo o qual qualquer objeto não submetido à ação de uma força permanece indefinidamente em repouso ou em movimento uniforme. Ora, isso não acontece *de fato*, pois não é levado em conta o atrito, mas pode ser pensado como se ocorresse.

Galileu é um dos expoentes dos novos tempos: a ciência nascente não resulta de simples evolução, mas surge de uma ruptura, da adoção de uma nova linguagem, fruto, portanto, de uma *revolução científica*. Embora Galileu se referisse à "filosofia" (esse saber universal), já começava aí o processo de separação entre ciência e reflexão filosófica. *Método*, em grego, significa "caminho". E esse caminho Galileu encontra na união da *experimentação* com a *matemática*.

A astronomia e a geometrização do espaço

A teoria geocêntrica encontra-se nas obras de Aristóteles, posteriormente completadas por Ptolomeu (séc. II). Essa concepção, que perdurou durante toda a Antiguidade e a Idade Média, descreve um Universo finito, esférico, hierarquizado.

O geocentrismo era de certo modo confirmado pelo senso comum: percebemos que a Terra é imóvel e que o Sol gira à sua volta. No próprio texto bíblico lê-se uma passagem em que Deus fez *parar o Sol* para que o povo eleito continuasse a luta enquanto ainda houvesse luz, o que sugere o Sol em movimento e a Terra fixa.

AKG-IMAGES/LATINSTOCK

Gravura de Joseph Mulder, 1700. Em 1632, Galileu publicou o *Diálogo sobre os dois máximos sistemas do mundo*: o ptolomaico e o copernicano. No frontispício da edição original aparecem Aristóteles, Ptolomeu e Copérnico.

No século XVI, o monge Nicolau Copérnico (1473-1543) publicou *Das revoluções dos corpos celestes*, obra em que expõe o heliocentrismo. A obra foi praticamente ignorada até o início do século XVII, quando as teorias nela propostas ressurgiram com Galileu e Kepler.

A luneta proporcionou a Galileu descobertas valiosas: para além das estrelas fixas, haveria ainda infindáveis mundos; a superfície da Lua é rugosa e irregular; o Sol tem manchas; e em torno de Júpiter existem quatro luas! Como isso seria possível? Vimos que para os aristotélicos o Universo é finito, a Lua e o Sol são compostos de uma substância incorruptível e perfeita e Júpiter, engastado em uma esfera de cristal, não poderia ter luas que a perfurassem.

Os fenômenos da física e da astronomia, antes explicados de acordo com as diferenças de natureza dos corpos perfeitos e imperfeitos, tornam-se homogêneos, já que não há mais como reconhecer a incorruptibilidade do mundo supralunar: desfaz-se, portanto, a diferença entre Terra e Céus. Além disso, à consciência medieval de um "mundo fechado" é contraposta a concepção moderna do "Universo infinito".

Essas concepções representaram um grande abalo, pois sempre houve uma mística do *lugar*. Para os antigos havia lugares privilegiados: Hades (Inferno); Olimpo (lugar dos deuses); o espaço sagrado do templo; o espaço público da ágora (praça pública); o gineceu (lugar da mulher).

O filósofo contemporâneo Alexandre Koyré, ao explicar as grandes mudanças que ocorreram no século XVII, diz que elas pareciam ser redutíveis a duas ações fundamentais e estreitamente relacionadas entre si, que ele caracterizou como a *destruição do cosmo* e a *geometrização do espaço*.

Isso significa que o espaço heterogêneo dos lugares naturais tornou-se homogêneo e, despojado das qualidades, passou a ser quantitativo e, portanto, mensurável. Podemos dizer que houve uma "democratização" dos espaços, pois todos tornam-se equivalentes, nenhum é superior ao outro. Negada a diferença entre a qualidade dos espaços celestes e terrestres, é possível admitir que as leis da física aplicam-se igualmente a todos os corpos do Universo.

MUSEU DO LOUVRE, PARIS

O astrônomo. Jan Vermeer, c. 1668. Em pleno século XVII, o pintor flamengo Vermeer revela a importância da ciência em algumas de suas obras. Na tela, o estudioso de astronomia observa o globo celeste.

4 A síntese newtoniana

Os resultados obtidos por Galileu e Descartes na física e na astronomia, bem como os dados acumulados por Tycho Brahe e as leis das órbitas celestes de Kepler, possibilitaram a Newton a elaboração da *teoria da gravitação universal*. As leis formuladas anteriormente referiam-se apenas a aspectos particulares dos fenômenos considerados. O sistema newtoniano cobre a totalidade de um certo setor da realidade e, portanto, realiza a maior síntese científica sobre a natureza do mundo físico.

Isaac Newton (1642-1727) nasceu no ano em que morria Galileu. Em 1687, publicou a obra *Princípios matemáticos de filosofia natural* (conhecida como *Principia*), na qual começa tratando do ramo da física denominado mecânica até chegar à demonstração de todo o sistema solar.

De acordo com a lenda, ao observar a queda de uma maçã, Newton teria intuído a ideia da força de atração de todos os corpos do Universo, que o levou à elaboração da teoria da gravitação, segundo a qual "a força de atração é proporcional às massas e inversamente proporcional ao quadrado das distâncias". Dessa maneira, relaciona a lei da queda dos corpos de Galileu e as leis planetárias de Kepler sobre o movimento dos astros.

A esse propósito, o escritor francês contemporâneo Paul Valéry comenta:

> O gênio de Newton consistiu em dizer que a Lua cai, enquanto todos bem veem que ela não cai![3]

Ou seja, se a Lua saísse de sua órbita e se aproximasse um pouco mais da Terra, certamente cairia sobre ela, tal qual uma maçã atraída pela gravidade da Terra.

Suas teorias estimularam o desenvolvimento da ciência e permaneceram como parâmetros indiscutíveis durante duzentos anos, até que, na primeira metade do século XX, a teoria da relatividade e a física quântica suplantaram o paradigma newtoniano.

Estátua de Louis-François Roubillac em homenagem a Isaac Newton no Trinity College da Universidade de Cambridge, onde concluiu seus estudos.

TRINITY COLLEGE, CAMBRIDGE, REINO UNIDO – THE BRIDGEMAN ART LIBRARY/KEYSTONE

[3] Citado por: HUISMAN, Denis e VERGEZ, André. *Compêndio moderno de filosofia*. v. II: O conhecimento. São Paulo: Freitas Bastos. p. 182.

5 Novas ciências, novo mundo

É interessante observar o contraste entre a condenação de Galileu, em 1633, e o fato de Newton ter sido sagrado cavaleiro pelo governo inglês, em 1705, honraria que nunca tinha sido concedida a um estudioso das ciências. Que revolução teria ocorrido em tão pouco tempo para que um cientista fosse exaltado de tal maneira?

Em primeiro lugar, a visão religiosa do mundo viu-se ameaçada pela nova ciência, na qual não havia lugar para a causalidade divina. Ao separar razão e fé, Galileu buscava a verdade científica independentemente das verdades reveladas, o que não significava pregar o ateísmo, mas reconhecer que a fé não era um elemento a se considerar na ciência.

Outro impacto decorreu da *descentralização do cosmo*. Essa subversão da ordem provocou inevitável ansiedade pela transformação da Terra em simples planeta na imensidade do espaço infinito. Também o lugar do ser humano no mundo estava sendo questionado.

Além disso, a ciência moderna compara a natureza e o próprio ser humano a uma máquina, um conjunto de mecanismos cujas leis precisam ser descobertas. Ficam excluídas da ciência todas as considerações a respeito do valor, da perfeição, do sentido e do fim. Isto é, as causas formais e finais (ou teleológicas), tão caras à filosofia antiga, não mais serviam para explicar: apenas as *causas eficientes* interessam à nova ciência.

No entanto, as inúmeras conquistas efetuadas no século XVII, tanto no campo teórico de formulação das leis como no desenvolvimento da tecnologia, justificaram os interesses dos governos e dos homens de negócio e consolidaram o empenho nas pesquisas científicas. Do mesmo modo que foram criados os observatórios de Greenwich e de Paris no século XVII, com a intenção prática de ajudar a navegação e o comércio ultramarino, proliferaram as *academias de ciências* na Itália, Inglaterra, França e Alemanha, voltadas para o estudo mais desinteressado da ciência.

Paradigma. Modelo, padrão; conjunto de teorias, técnicas, valores de uma determinada época e que, de tempos em tempos, entram em crise. No contexto, segundo o filósofo Thomas Kuhn, é a visão de mundo assumida pela comunidade científica em um determinado momento, como veremos no próximo capítulo.

Leitura complementar

A revolução científica

"Admite-se de maneira geral que o século XVII sofreu, e realizou, uma radicalíssima revolução espiritual de que a ciência moderna é ao mesmo tempo a raiz e o fruto. Essa revolução pode ser descrita, e foi, de várias maneiras diferentes. Assim, por exemplo, alguns historiadores viram seu aspecto mais característico na secularização da consciência, seu afastamento de metas transcendentes para objetivos imanentes, ou seja, a substituição da preocupação pelo outro mundo e pela outra vida pela preocupação com esta vida e este mundo. Para outros autores, sua característica mais assinalada foi a descoberta, pela consciência humana, de sua subjetividade essencial e, por conseguinte, a substituição do objetivismo dos medievos e dos antigos pelo subjetivismo dos modernos; outros ainda creem que o aspecto mais destacado daquela revolução terá sido a mudança de relação entre teoria e práxis,[4] o velho ideal da *vita contemplativa* cedendo lugar ao da *vita activa*. Enquanto o homem medieval e o antigo visavam à pura contemplação da natureza e do ser, o moderno deseja a dominação e a subjugação.

Tais caracterizações não são de nenhum modo falsas, e certamente destacam alguns aspectos bastante importantes da revolução espiritual — ou crise — do século XVII, aspectos que nos são exemplificados e revelados, por exemplo, por Montaigne, Bacon, Descartes ou pela disseminação geral do ceticismo e do livre-pensamento.

Em minha opinião, no entanto, esses aspectos são concomitantes e expressões de um processo mais profundo e mais fundamental, em resultado do qual o homem, como às vezes se diz, perdeu seu lugar no mundo ou, dito talvez mais corretamente, perdeu o próprio mundo em que vivia e sobre o qual pensava, e teve de transformar e substituir não só seus conceitos e atributos fundamentais, mas até mesmo o quadro de referência de seu pensamento.

Pode-se dizer, aproximadamente, que essa revolução científica e filosófica — é de fato impossível separar o aspecto filosófico do puramente científico desse processo, pois um e outro se mostram interdependentes e estreitamente unidos — causou a destruição do Cosmos, ou seja, o desaparecimento dos conceitos válidos, filosófica e cientificamente, da concepção do mundo como um todo finito, fechado e ordenado hierarquicamente (um todo no qual a hierarquia de valor determinava a hierarquia e a estrutura do ser, erguendo-se da terra escura, pesada e imperfeita para a perfeição cada vez mais exaltada das estrelas e das esferas celestes), e a sua substituição por um Universo indefinido e até mesmo infinito que é mantido coeso pela identidade de seus componentes e leis fundamentais, e no qual todos esses componentes são colocados no mesmo nível de ser. Isto, por seu turno, implica o abandono, pelo pensamento científico, de todas as considerações baseadas em conceitos de valor, como perfeição, harmonia, significado e objetivo, e, finalmente, a completa desvalorização do ser, o divórcio do mundo do valor e do mundo dos fatos. [...]

No entanto, apesar desse tremendo número de elementos, descobertas, teorias e polêmicas que em suas interconexões formam os complexos e comoventes antecedentes e as sequelas da grande revolução, a linha principal do grande debate, os principais passos da estrada que leva do mundo fechado para o Universo infinito destacam-se de modo claro nas obras de alguns grandes pensadores que, compreendendo profundamente sua importância basilar, deram plena atenção ao problema fundamental da estrutura do mundo."

KOYRÉ, Alexandre. *Do mundo fechado ao Universo infinito*. Rio de Janeiro: Forense Universitária; São Paulo: Edusp, 1979. p. 13-15.

Questões

1 Explique o que significa dizer que a ciência moderna é ao mesmo tempo a raiz e o fruto da revolução espiritual ocorrida no século XVII.

2 Relacione a frase de Pascal do início do capítulo com o mal-estar sentido pelo ser humano no século XVII.

3 No final do texto, Koyré refere-se ao "divórcio do mundo do valor e do mundo dos fatos". Explique como isso representa o nascimento da ciência moderna.

Basilar. Básico, fundamental.

[4] No texto de Koyré, os termos *teoria* e *práxis* foram grafados em grego.

Atividades

Revendo o capítulo

1 Faça um esquema comparativo da física de Aristóteles com a física de Galileu.

2 Faça um esquema comparativo entre a astronomia de Ptolomeu e a de Galileu.

3 Relacione o surgimento da ciência moderna com o fortalecimento da burguesia.

4 O que significa dizer que Galileu abandonou o mito do cosmo hierarquizado? O que significa "democratização" do espaço físico? E geometrização do espaço?

Aplicando os conceitos

5 Considerando as três características atribuídas ao pensamento moderno (racionalismo, antropocentrismo e saber ativo), explique como, na Idade Moderna, elas valem para a ciência e também para outros setores, como a religião, as artes e a política.

6 Em uma carta enviada à madame Cristina de Lorena, Galileu escreve: "Não me sinto na obrigação de acreditar que o mesmo Deus que nos dotou de sentidos, razão e intelecto tencionava descartar o uso destes e por algum outro meio nos dar o conhecimento que com eles podemos obter [...] A intenção do Espírito Santo é ensinar-nos como se vai para o céu, e não como o céu funciona". (Brody e Brody. *As sete maiores descobertas científicas da história*. São Paulo: Companhia das Letras, 1999. p. 64.)

Explique a citação sob dois aspectos:

a) o significado dos sentidos e da razão para a nova ciência;

b) a relação entre ciência e fé.

As atividades 7, 8 e 9 estão baseadas na peça *A vida de Galileu*, de Bertold Brecht (São Paulo: Abril Cultural, 1977). Atenda às questões.

7 Em 1968, a peça *A vida de Galileu* foi apresentada no Teatro Oficina de São Paulo, sob a direção de José Celso Martinez e com Claudio Corrêa e Castro no papel principal. Vivia-se o período da ditadura militar e provocativamente o diretor optou por vestir os religiosos de verde-oliva. Analise a comparação que ele desejou fazer entre esses dois momentos da história humana.

8 "Terra e Céu, para eles, não existem mais. A Terra, porque é uma estrela no Céu, e o Céu, porque é composto de terras. Não há mais diferença entre o alto e o baixo, entre o eterno e o perecível. Que nós perecemos, sabemos bem. Mas o que eles dizem é que também o Céu perece." (fala do Monge, p. 109.)

a) Qual é o significado de "alto e baixo, eterno e perecível"?

b) Em que medida a nova astronomia "democratiza" o espaço?

9 Galileu tenta convencer um filósofo a ver pelo telescópio os satélites de Júpiter, cuja constatação contraria o sistema ptolomaico. O filósofo responde: "Senhor Galileu, antes de aplicarmos o seu famoso telescópio, gostaríamos de ter o prazer de uma disputa. Assunto: é possível que tais planetas existam?" (p. 78-79).

a) A que escola deveria pertencer esse filósofo, considerando o teor da questão por ele formulada?

b) Em que medida o questionamento do filósofo se contrapõe à proposta de Galileu?

Caiu no vestibular

10 (UFMG, 2008) Leia este fragmento de poema.

"E a nova filosofia coloca tudo em dúvida,
O Elemento fogo é deixado de lado,
O Sol está perdido, e também a Terra,
E nenhuma sabedoria humana é capaz de guiar essa busca.
E livremente os homens confessam que este mundo se esgotou,
Quando procuram nos Planetas e no Firmamento tanta novidade
Veem que tudo está de novo pulverizado em Átomos,
Tudo em pedaços, toda coerência se perdeu."
(John Donne. *An Anatomy of the world*, 1611.)

Nesse fragmento, John Donne, poeta inglês do século XVII, expressa sua inquietação diante da dissolução do cosmos aristotélico por Copérnico. Com base na leitura do poema e considerando outros conhecimentos sobre a revolução científica do século XVII, explique a afirmação: "E a nova filosofia coloca tudo em dúvida...".

Capítulo 31

O método das ciências da natureza

Filósofo dando uma aula sobre o planetário. Joseph Wright of Derby, c. 1768.

Isaac Newton publicou em 1687 sua obra-prima, *Os princípios matemáticos da filosofia natural*, completando o trabalho iniciado por Galileu no início daquele mesmo século. O impacto de sua teoria da gravitação universal revolucionou o que até então se sabia a respeito do movimento dos astros em torno do Sol. A tela de Joseph Wright é do século XVIII, período em que a nova ciência despertava o interesse do público: um filósofo faz uma demonstração sobre o sistema solar com um modelo mecânico para mostrar o movimento da Terra e da Lua em torno do Sol, simulado por uma lâmpada de gás.

1 O desafio do método

As ciências avançam a partir de problemas que desafiam a compreensão dos cientistas. Mesmo quando são solucionados, surgem outros que exigem novas pesquisas. Assim diz o filósofo George Kneller:

> O problema resolvido é um elo na cadeia de problemas e suas soluções, através dos quais a ciência avança. De um modo geral, uma nova teoria é uma fonte muito fecunda de problemas, através das predições que gera.[1]

O movimento da ciência revela, portanto, o caráter histórico e provisório das conclusões, que sempre enfrentam novos questionamentos. O que nos interessa em um primeiro momento é indagar sobre os procedimentos dos cientistas diante dos problemas, ou seja, qual é o **método** (ou quais são os métodos) da ciência?

E ETIMOLOGIA

Método. Do grego *meta*, "ao longo de", e *hodós*, "via, caminho".

Para alcançar um objetivo determinado, seja uma ação, seja a explicação de um fenômeno, precisamos agir com método, desenvolvendo um conjunto de procedimentos racionais, ordenados, que nos "encaminhem" em direção à verdade procurada ou à ação desejada.

Na vida cotidiana, o senso comum supõe um método pelo qual procuramos solucionar os problemas com que nos defrontamos ou para realizar uma ação, por exemplo, planejar uma viagem. Quando se trata de ciência, mesmo que muitas vezes também sejam usados procedimentos do senso comum, por ensaio e erro, as exigências de rigor são muito maiores.

O método já mereceu atenção desde a Antiguidade, mas, a esse respeito, diz o filósofo francês Gilles-Gaston Granger:

> [...] existem duas áreas em que se haviam desenvolvido, muito antes [do séc. XVII], conhecimentos que ainda hoje designamos como ciências: o das matemáticas e o da astronomia. Mas a exploração dos fenômenos da natureza que não os movimentos regulares dos astros, embora muito ativa, efetuava-se na Antiguidade e na Idade Média de maneira, por assim dizer, anárquica e dispersa. Faltava um quadro unificador dos meios e dos métodos, mas sobretudo, e mais profundamente, da própria ideia do 'objeto a ser descrito', do tipo de explicação esperado dos fenômenos observados.[2]

A partir do século XVII, o interesse pelas questões metodológicas intensificou-se entre os pensadores, como René Descartes, Francis Bacon, John Locke, David Hume e Baruch Espinosa. Nesse mesmo período, Galileu Galilei provocou uma revolução na ciência ao desenvolver o método da física, calcado na matematização, observação e experimentação.

A definição rigorosa do método científico aumentou a confiança na possibilidade de se conhecer, pela ciência, os segredos da natureza. Essa confiança baseava-se na profunda crença na ordem e racionalidade do conhecimento do mundo.

2 A investigação científica

Inicialmente restrito à física e à astronomia, o método científico universalizou-se, servindo de modelo e inspiração às outras ciências particulares que se destacavam aos poucos do corpo da "filosofia natural".

A classificação das ciências

À medida que as ciências tornavam-se autônomas, surgiu a necessidade de sua classificação. Vários filósofos propuseram-se a tarefa, de que resultou uma enorme e compreensível variação, porque as ciências se encontram em contínua transformação e se situam por vezes em limites não muito bem definidos. Portanto, embora ajudem a sistematizar e organizar, as classificações são sempre provisórias e insuficientes.

Atualmente, costuma-se considerar:

- *ciências formais*: matemática e lógica;
- *ciências da natureza* (ou *ciências naturais*): física, química, biologia, geologia, geografia física etc.

[1] KNELLER, G. F. *A ciência como atividade humana*. Rio de Janeiro: Zahar; São Paulo: Edusp, 1980. p. 30.
[2] GRANGER, Gilles-Gaston. *A ciência e as ciências*. São Paulo: Editora Unesp, 1994. p. 44-45.

- *ciências humanas* (ou culturais): psicologia, sociologia, ciências sociais, economia, história, geografia humana, linguística, etnologia etc.

No entanto, cada vez mais as pesquisas contemporâneas exigem a contribuição dos mais diversos campos do saber, o que fez nascer as ciências híbridas, que rompem suas clássicas fronteiras. Especialidades novas reúnem simultaneamente pesquisadores e técnicos de áreas diversas, como engenharia, informática, medicina e biologia.

Assim diz Isaac Epstein:

> A bioengenharia no seu sentido bioquímico estuda métodos para conseguir biossínteses de produtos animais e vegetais. No seu sentido médico, a bioengenharia provê meio artificial para corrigir funções morfológicas ou fisiológicas defeituosas. Os bioengenheiros são cientistas e técnicos interdisciplinares que usam a engenharia, a física e a química para desenvolver instrumentos ou engenhos que imitam as ações de seres vivos, próteses, órgãos artificiais etc.[3]

Neste capítulo veremos as ciências da natureza e o método experimental, que as caracterizou desde o início da modernidade.

3 O método experimental

Classicamente o método experimental das ciências da natureza passa pelas seguintes etapas: observação, hipótese, experimentação, generalização (lei) e teoria. É difícil, porém, abordar o tema do método científico, pois ao dizer o que é esse método, precisamos ao mesmo tempo mostrar que nem sempre é exatamente assim. Ou seja, por questões didáticas, explicamos as etapas do método científico, mas os exemplos que tiramos do trabalho efetivo do cientista nos levam a reconhecer variações no procedimento descrito.

Comecemos pelo procedimento levado a efeito por Claude Bernard (1813-1878), médico e fisiólogo francês conhecido não só por suas experiências em biologia, mas também pelas reflexões sobre o método experimental. As etapas do método científico podem ser observadas numa experiência feita por Bernard com coelhos (ver seção "Para saber mais").

PARA SABER MAIS

a) Bernard percebeu que coelhos trazidos do mercado tinham a urina clara e ácida, característica dos animais carnívoros (*observação*).
b) Como ele sabia que os coelhos têm a urina turva e alcalina, por serem herbívoros, supôs que aqueles coelhos não se alimentavam havia muito tempo e transformaram-se, pela abstinência, em verdadeiros carnívoros, vivendo do seu próprio sangue (*hipótese*).
c) Fez variar o regime alimentar dos coelhos, dando a alguns alimentação herbívora e, a outros, carnívora; repetiu a experiência com um cavalo (*controle experimental*).
d) No final, enunciou que "em jejum todos os animais se alimentam de carne" (*generalização*).

Vamos explicar, a seguir, cada etapa da experiência de Bernard.

Observação

A todo momento estamos observando, mas a observação comum é com frequência fortuita, feita ao acaso, dirigida por propósitos aleatórios. A observação científica, ao contrário, é rigorosa, precisa, metódica, orientada para a explicação dos fatos e, mais do que isso, já orientada por uma teoria. No exemplo dos coelhos, Claude Bernard já sabia que os animais herbívoros têm urina turva e alcalina, e o fato de ela estar clara e ácida chamou sua atenção.

Há situações em que apenas nossos sentidos são suficientes para a observação; outras vezes exigem instrumentos como microscópio, telescópio, sismógrafo, balança, termômetro, que lhe emprestem maior precisão e menos subjetividade. Por exemplo, é mais objetivo medir a temperatura pelo termômetro do que pelo tato.

GRAPHISCHE SAMMLUNG ALBERTINA, VIENA

A lebre. Albrecht Dürer, 1502. Dürer, artista do Renascimento alemão, era fascinado pela natureza e se aprofundou nos estudos de botânica. Acreditava que a arte deveria se basear em cuidadosa observação científica.

[3] EPSTEIN, Isaac. *Divulgação científica*: 96 verbetes. Campinas: Pontes, 2002. p. 43.

Em 1643, ao limpar os poços de água de Florença, percebeu-se que a água não subia mais de 18 braças (10,33 metros). O físico e matemático Evangelista Torricelli, discípulo de Galileu, elucidou o problema pela hipótese da pressão atmosférica. Na ilustração, Torricelli testa sua hipótese: encheu um tubo com mercúrio – que é cerca de 14 vezes mais pesado que a água –, mergulhou-o em um recipiente de mercúrio e viu que o líquido do tubo desceu até a altura de 76 centímetros e não mais. A parte livre do tubo era o vácuo. Além dessa descoberta, Torricelli estabeleceu a lei do escoamento dos líquidos e inventou o barômetro – que mede a pressão atmosférica e as variações do clima. Assim podemos saber por que os jogadores que saem de uma cidade praiana precisam adaptar-se aos 3.600 metros de La Paz, na Bolívia: em uma montanha, o ar fica mais rarefeito.

THE GRANGER COLLECTION, NOVA YORK/OTHER IMAGES

Evangelista Torricelli com barômetro, autoria desconhecida, século XIX.

Perguntamos: será que a observação decorre sempre da observação dos fatos? Mas quais fatos? Quando observamos, já privilegiamos alguns aspectos entre as inúmeras informações caoticamente recebidas. Por exemplo, duas pessoas que observam a mesma paisagem não a registram como uma câmara fotográfica, porque o olhar humano é dirigido por uma *intenção* e, portanto, *tende* para certos pontos e não para outros.

Com maior razão, o olhar do cientista acha-se orientado por pressupostos que escapam ao leigo. Se olhamos uma lâmina ao microscópio, quando muito distinguimos cores e formas. Mas a teoria "nos ensina a ver". Portanto, os fatos nunca constituem o dado primeiro, mas resultam de nossa *observação interpretativa*. Em outras palavras, *a observação científica está impregnada de teoria*.

Ainda mais: nem sempre os dados estão diante de nós, bastando que os identifiquemos. No próximo tópico veremos como Torricelli levantou uma hipótese com base em um fato que "não saltava à vista".

Hipótese

A **hipótese** é a explicação provisória dos fenômenos observados, a interpretação antecipada que deverá ser ou não confirmada. Diante da interrogação sugerida pelo problema, a hipótese propõe uma solução. Portanto, o *papel da hipótese* é reorganizar os fatos de acordo com uma ordem e tentar explicá-los provisoriamente.

ETIMOLOGIA

Hipótese. Do grego *hypó*, "debaixo de", "sob", e *thésis*, "proposição". Hipótese é o que "está sob a tese", o que está suposto.

Qual é a *fonte* da hipótese? A formulação da hipótese não depende de procedimentos mecânicos, mas de engenhosidade. Nessa etapa do método científico, o cientista pode ser comparado ao artista que, inspirado, descobre uma nova forma de expressão. Muitas vezes a descoberta resulta de *insight*. Nesse sentido, a construção de hipóteses é um processo **heurístico**, de invenção e descoberta.

ETIMOLOGIA

Heurístico. Relativo ao verbo grego *heurísko* "descobrir". É a mesma raiz da expressão Eureka!, (descobri!).

Não convém, entretanto, mistificar a formulação da hipótese, apresentando-a como algo misterioso, pois, mesmo em casos em que há nitidamente a intuição adivinhadora, esta é antecipada por conhecimentos, diante dos quais a descoberta representa apenas o momento culminante. É o próprio Newton

Insight. Termo inglês que significa "iluminação súbita".

quem diz a respeito dos movimentos dos corpos celestes que o levaram a conceber as leis básicas da mecânica: "Mantive o tema constantemente diante de mim e esperei até que as primeiras centelhas se abrissem pouco a pouco até a luz total".[4]

Tipos de raciocínio

Além da imaginação criadora, vários *tipos de raciocínio* orientam o cientista na proposição de uma hipótese, tais como a indução, a dedução e a analogia.

- **Indução:** trata-se da generalização de casos diferentes e particulares; por exemplo, na experiência da queda dos corpos, Galileu supõe que todos os corpos caem ao mesmo tempo, independentemente do peso.
- **Raciocínio hipotético-dedutivo:** quando é formulada uma hipótese e comprovam-se empiricamente as consequências que são tiradas dela; por exemplo, a hipótese da teoria da relatividade de Einstein supôs o desvio da luz por um campo gravitacional, o que foi verificado em 1919, por ocasião de um eclipse.
- **Analogia:** quando são estabelecidas relações de semelhança entre fenômenos; por exemplo, o modelo atômico de Bohr é feito por analogia ao modelo do sistema solar; conclusões em experiências feitas com animais são transpostas para os humanos etc.

PARA SABER MAIS

Mais detalhes sobre indução, dedução e analogia podem ser encontrados no capítulo 11, "Lógica aristotélica".

Critérios de valor da hipótese

Passemos agora ao exame dos critérios[5] usados para julgar *o valor ou a aceitabilidade das hipóteses*. Vejamos alguns deles:

- **Relevância:** podemos inventar as mais mirabolantes hipóteses para explicar um problema, mas serão explicações *fracas* aquelas que não nos levarem a descobrir a causa do fenômeno; e *relevantes* as que nos conduzirem à verdade, à descoberta do nexo causal.
- **Possibilidade de ser submetida a testes:** a hipótese deve ser passível de teste empírico, o que quase sempre é complicado de realizar. Como observar radiações, elétrons, partículas e ondas, por exemplo? O astrônomo Leverrier, observando o percurso de Urano, percebeu uma anomalia que apenas seria explicada se existisse um outro planeta ainda desconhecido. Com base nas leis de Newton, calculou não só a massa como a distância em relação à Terra do suposto planeta, o que permitiu a outro astrônomo, chamado Gall, confirmar a hipótese ao identificar Netuno. Como se vê, no caso da astronomia, basta realizar nova observação orientada pela hipótese. Em outras ciências, porém, a verificação é mais complexa e deve ser feita por meio de experimentação.
- **Compatibilidade com hipóteses já confirmadas:** uma característica da ciência é a abrangência de diversas hipóteses compatíveis entre si, compondo um todo coerente, que exclui enunciados contraditórios. O exemplo de Leverrier confirma essa coerência buscada pela ciência. No entanto, não se pode superestimar este terceiro critério, porque às vezes a incompatibilidade com teorias anteriores pode indicar um novo caminho válido a ser percorrido. Foi o caso da teoria da relatividade, ao conflitar com a teoria newtoniana. Nesse caso, não houve necessidade de abandonar a antiga teoria, mas definir os campos específicos de aplicação de cada uma delas.

MUSEE D'ORSAY, PARIS – GÉRARD BLOT/HERVÉ LEWANDOWSKI/RMN/OTHER IMAGES

Louis Pasteur. Albert Gustaf Aristide Edelfelt, 1885. O cientista francês Louis Pasteur teve grande importância no estudo das origens da vida e fez descobertas de aplicação prática que contribuíram para a prevenção de doenças, como as vacinas, e estudos sobre a propagação dos micro-organismos.

[4] Citado por BRODY, David Eliot e BRODY, Arnold R. *As sete maiores descobertas científicas da história*. São Paulo: Companhia das Letras, 1999. p. 74.

[5] Texto adaptado de COPI, Irving. *Introdução à lógica*. São Paulo: Mestre Jou, 1978. p. 386-391.

Experimentação

Enquanto a observação é o estudo dos fenômenos como se apresentam naturalmente, a experimentação é o estudo dos fenômenos em condições determinadas pelo experimentador. Trata-se de *observação provocada para fim de controle da hipótese*.

Além da experimentação de Claude Bernard com os coelhos, outro exemplo clássico de controle experimental foi realizado por Pasteur com ovelhas (ver boxe).

PARA SABER MAIS

Os criadores de ovelhas na França estavam sofrendo perdas no rebanho devido ao bacilo do carbúnculo, uma doença infecciosa e letal. Pasteur preparou uma vacina com bactérias enfraquecidas de carbúnculo e levantou a hipótese da imunização. Separou 60 ovelhas da seguinte maneira:

- em 10 não aplicou tratamento algum;
- vacinou 25 inoculando após alguns dias uma cultura contaminada pelo bacilo do carbúnculo;
- não vacinou as 25 restantes, em que também inoculou a cultura contaminada;

Depois de algum tempo, verificou que as 25 ovelhas não vacinadas morreram, as 25 vacinadas sobreviveram e, comparadas às dez que não tinham sido submetidas a tratamento, constatou que não sofreram alteração de saúde.

A experimentação proporciona condições privilegiadas de observação, porque permite:

- repetir os fenômenos;
- variar as condições de experiência;
- tornar mais lentos os fenômenos muito rápidos: o plano inclinado de Galileu tornou possível observar a queda dos corpos;
- simplificar os fenômenos: para estudar a variação de volume, mantém-se constante a pressão dos gases.

Vale retomar a advertência já feita, de que toda observação está impregnada de teoria. Na experimentação isso é igualmente verdadeiro, sobretudo em ciências mais avançadas, como a física, quando o pesquisador não pode observar diretamente os fatos. Segundo o físico e filósofo francês Pierre Duhem (1861-1916), nesse nível de investigação o instrumento matemático exerce um papel essencial, e a representação simbólica exige o uso de um vocabulário constituído de expressões abstratas introduzidas pelas teorias físicas, como pressão, temperatura, densidade, eixo óptico de uma lente, coeficiente de dilatação etc.

Além disso, ainda segundo Duhem, "uma experiência reconhece implicitamente a exatidão de todo um conjunto de teorias".

Isso significa que o pesquisador, prossegue Duhem,

> jamais pode submeter ao controle da experiência uma hipótese isolada, mas somente todo um conjunto de hipóteses. Quando a experiência está em desacordo com suas previsões, ela lhe informa que pelo menos uma das hipóteses que constituem esse conjunto está errada e deve ser modificada, mas ela não lhe indica aquela que deve ser mudada.[6]

Nem sempre a experimentação é simples ou viável. É impossível observar diretamente a evolução darwiniana, que se processa durante muitas gerações; mesmo assim é uma hipótese válida, na medida em que unifica e torna inteligível um grande número de dados. Voltaremos a ela mais adiante.

No entanto, quando a experimentação refuta a hipótese — o que acontece inúmeras vezes —, o cientista deve recomeçar a busca de outra hipótese, e outra, e mais outra...

Generalização

Aristóteles já dizia que não existe ciência senão do universal. A análise dos fenômenos nos leva à formulação de *leis*, enunciados que descrevem regularidades ou normas.

Na fase de experimentação, analisamos as variações dos fenômenos: observadas as relações constantes, podemos generalizar. Por exemplo, se a *temperatura* de um gás aumentar, mantida a mesma *pressão*, então o seu *volume* aumentará. Descobre-se aí a *relação constante entre os fenômenos*: sempre que aumentarmos a temperatura do gás, o seu volume aumentará, e não poderá deixar de aumentar.

Tipos de generalização

As generalizações podem ser de dois tipos: as leis empíricas e as leis teóricas.

As *leis empíricas* (ou leis particulares) são inferidas de alguns casos particulares. Por exemplo, "o calor dilata os corpos", "os mamíferos produzem sua própria vitamina E", "o fígado tem função glicogênica" ou, ainda, a lei da queda dos corpos, a lei dos gases etc.

---

6 DUHEM, Pierre. "Algumas reflexões acerca da física experimental". Em: *Ciência e filosofia*. São Paulo: Faculdade de Filosofia, Letras e Ciências Humanas da Universidade de São Paulo, 1989. n. 4. p. 87-118.

Nem sempre, porém, é possível alcançar a universalidade rigorosa. Nesses casos, existem leis estatísticas baseadas em probabilidades, procedimentos especialmente valiosos em casos como sistemas com um grau acentuado de acaso. Por exemplo: em biologia, as questões sobre mutação; em estudos sociais, uma pesquisa sobre o poder de compra de determinado segmento ou sobre a escolha de candidatos em eleições.

As *leis teóricas* ou *teorias* propriamente ditas são leis mais gerais e abrangentes que reúnem as diversas leis particulares sob uma perspectiva mais ampla. Por exemplo: a teoria da gravitação universal de Newton engloba as leis planetárias de Kepler e a lei da queda dos corpos de Galileu.

Antoine-Laurent Lavoisier e sua mulher, Marie-Anne--Pierrette Paulze. Jacques Louis David, 1788. A química constituiu-se uma ciência no sentido moderno no século XVIII, com o nobre francês Antoine Lavoisier (1743-1794), que morreu precocemente entre os guilhotinados da Revolução Francesa.

Fecundidade da teoria

Dentre as características fecundas da teoria, destaca-se seu *caráter unificador*, que já se nota no exemplo dado anteriormente, em que Newton reúne leis referentes a domínios distintos numa só explicação sobre a gravitação universal.

Além disso, a teoria tem um poder heurístico. Por exemplo, a teoria da gravitação universal permite calcular a massa do Sol e dos planetas, explicar as marés etc. Portanto, a teoria não só unifica o saber adquirido, articulando leis isoladas, como também é fecunda, ao possibilitar novas investigações.

4 A ciência como construção

Até aqui, distinguimos hipótese, lei e teoria, mas na verdade todos esses conceitos constituem hipóteses em graus diferentes que dependem dos níveis de comprovação a que foram submetidas. Ainda que haja grande diferença entre uma primeira hipótese não comprovada pelos fatos e outra suficientemente testada e corroborada pelos fatos — como a teoria da gravitação universal de Newton —, mesmo esta última poderá ser contestada sob algum aspecto, como de fato ocorreu com o surgimento da teoria de Einstein.

No entanto, teria a teoria da relatividade de Einstein superado a teoria newtoniana da gravitação universal? Ora, Einstein não só partiu de pressupostos diferentes daqueles utilizados por Newton, como chegou a conclusões diferentes. Isso não significa que a teoria newtoniana devesse ser totalmente abandonada, mas sim que seria preciso reconhecer os limites dela, já que sua aplicação se restringe a determinado setor da realidade. Ou seja, quando se trata do microcosmo (interior do átomo) ou do macrocosmo (Universo), a teoria newtoniana mostra-se insuficiente, por isso a necessidade de recorrer à teoria da relatividade.

Consideremos, ainda, o exemplo da teoria da luz. Newton admite a emissão corpuscular da luz, enquanto Fresnel, no século XIX, desenvolve a teoria ondulatória. Qual teoria é a verdadeira? A teoria corpuscular explica fenômenos como a refração e a reflexão da luz, enquanto a teoria ondulatória explica fenômenos de interferência de ondas.

Afinal, o que podemos esperar de uma lei? Leiamos novamente Duhem:

> Os termos simbólicos que ligam uma lei da física [...] são abstrações produzidas por um trabalho de análise lento, complicado, consciente, o trabalho secular que elaborou as teorias físicas. [...] Segundo a adoção de uma ou outra teoria, a lei muda de sentido, de sorte que ela pode ser aceita por um físico que admite tal teoria e rejeitada por um outro físico que admite outra teoria. [...] uma lei da física é uma relação simbólica cuja aplicação à realidade concreta exige que se conheça e que se aceite todo um conjunto de teorias.[7]

O sucessivo alternar de teorias que se completam, se contradizem ou são abandonadas indica que a ciência não é um conhecimento "certo", "infalível", nem as teorias são o "reflexo" do real. Por isso, nas discussões entre filósofos da ciência, a teoria

[7] DUHEM, Pierre. "Algumas reflexões acerca da física experimental", *Ciência e Filosofia*. São Paulo: Faculdade de Filosofia, Letras e Ciências Humanas da Universidade de São Paulo, 1989. n. 4. p. 109-110.

científica aparece como *construção da mente*, hipótese de trabalho, função pragmática que torna possível a previsão e a ação, descrição de relações entre elementos, nunca a garantia de certeza definitiva.

5 O desenvolvimento das ciências da natureza

Após a física e a astronomia estabelecerem seus métodos, foi a vez de se constituírem outras ciências, como a química. Depois foi a vez das ciências biológicas e da medicina, que se desenvolveram no século XIX.

A evolução das espécies

O feito mais notável da biologia no século XIX, no entanto, foi a *teoria da evolução orgânica*. Inicialmente Jean-Baptiste Lamarck levantou uma hipótese sistemática, mas Charles Darwin o superou com um trabalho baseado em exemplares de plantas e animais coletados em suas pesquisas.

A partir do resultado dessas investigações, trazido a público em 1859, na famosa obra *A origem das espécies*, Darwin conclui que a *variação* e a *seleção natural* são os fatores principais na origem de novas espécies. A teoria evolucionista abrange todos os animais, inclusive os seres humanos. Essa última referência, porém, só foi amplamente esclarecida em sua obra seguinte, na qual mostra que descendemos originalmente de algum ancestral simiesco há muito extinto, provavelmente o mesmo antepassado de antropoides ainda existentes. Como ele próprio esperava, sofreu críticas apaixonadas e foi por muitos considerada uma obra herética.

DOWN HOUSE, KENT, REINO UNIDO – THE BRIDGEMAN ART LIBRARY/KEYSTONE

O navio *Beagle* aportando na Terra do Fogo, sul da América do Sul, em tela do século XIX, de Conrad Martens, pintor que acompanhou Darwin em sua expedição.

PARA SABER MAIS

Na tradição greco-medieval prevaleceu a concepção estática do mundo, segundo a qual cada ser busca realizar sua essência (eterna e universal), o que se opõe à visão transformista da natureza. Do mesmo modo, a interpretação bíblica tradicional rejeitava qualquer teoria que contrariasse a tese da criação divina.

As hipóteses evolucionistas tomaram corpo após Darwin ter coletado dados em grande escala, depois de engajar-se em uma viagem, a bordo do navio *Beagle*, de levantamento cartográfico na América do Sul, organizada pelo governo da Inglaterra. Durante cinco anos (1831-1836), observou que determinada espécie sofria mudanças nas diferentes regiões que visitava, mas encontrava dificuldade em explicar como a seleção se configurava, até que se inspirou em uma leitura da obra de Malthus, como diz neste trecho:

> Em outubro de 1938, isto é, 15 meses após ter iniciado minha pesquisa sistemática, aconteceu estar lendo, por entretenimento, a obra de Malthus sobre a população. Estando bem preparado para apreciar a luta pela sobrevivência que se trava em todo lugar, surgiu-me a ideia de que sob tais circunstâncias, variações favoráveis seriam preservadas e as não favoráveis, destruídas. O resultado deste mecanismo seria a formação de novas espécies. Daí em diante tinha finalmente uma teoria em que trabalhar.[8]

PARA REFLETIR

Observe, na citação biográfica de Darwin, como se configurou a criação da hipótese da seleção natural. Compare com o que foi visto neste capítulo no tópico sobre hipótese.

PARA SABER MAIS

Thomas Malthus (1766-1834), economista inglês, em *Ensaio sobre o princípio da população*, afirmava que o fato de a população crescer mais que a produção de alimento é a causa da fome, da doença e da guerra.

Função glicogênica. Produção de glicogênio a partir de moléculas de glicose.
Simiesco. Relativo a símio, macaco.

[8] DARWIN, Charles. *Autobiografia*. Citado por: EPSTEIN, Isaac. *Divulgação científica*: 96 verbetes. São Paulo: Pontes, 2002. p. 139.

O criacionismo

Ainda hoje grupos de inspiração religiosa opõem o criacionismo à teoria darwiniana, sobretudo entre os que não querem descartar a fé na criação divina. Trata-se de um movimento que nasceu nos Estados Unidos, tendo recrudescido a partir de 1999, quando o estado do Kansas determinou por lei que não era obrigatório o ensino da evolução biológica em suas escolas.[9]

Existem diversas linhas de adesão ao criacionismo. Os mais radicais são antievolucionistas, pois creem na versão bíblica, rejeitando que os seres humanos tenham derivado de um ancestral simiesco. No entanto, há os criacionistas moderados, que reconhecem as evidências científicas da evolução de plantas e animais, mas atribuem a Deus uma ação contínua nessa evolução.

A polêmica: evolucionismo ou criacionismo?

As críticas que os cientistas fazem ao criacionismo é que desde a Idade Moderna a ciência se tornou laica, isto é, a fé não deve ser tomada como critério de avaliação de uma teoria. Apenas o que pode ser verificado de maneira objetiva e a partir de ampla discussão na comunidade científica deve ser levado em consideração — ainda que as teorias possam ser modificadas ao longo do tempo.

Isso não significa desrespeitar ou negar crenças pessoais, mas apenas não aceitá-las como critério de fundamento para teorias científicas, porque a fé não se coaduna com a exigência de evidência e de rigor do método científico.

THE GRANGER COLLECTION, NEW YORK/OTHER IMAGES

Charge satirizando a teoria da evolução de Charles Darwin. Nela um gorila pede proteção de Henry Bergh, fundador da Sociedade Americana para a Prevenção da Crueldade com Animais. Thomas Nast, 1871. O impacto da teoria evolucionista inspirou a criação de inúmeras caricaturas, geralmente para ironizar o cientista.

Quanto ao ensino nas escolas, se considerarmos o pluralismo que caracteriza os alunos, vindos de famílias de diferentes religiões ou mesmo ateias, pergunta-se o que seria mais conveniente ensinar. Em entrevista, a secretária da Educação Básica do Ministério da Educação afirmou que o criacionismo pode ser discutido nas aulas de religião, como visão teológica, mas não nas aulas de ciências, nas quais deve prevalecer o enfoque laico.[10]

Além disso, as verdades da fé são irrefutáveis, porque derivam de revelação divina e trazem consigo valores éticos que deverão ser seguidos, o que contraria a possibilidade de revisão de toda verdade científica e vincula-lhes automaticamente normas de conduta moral.

Os criacionistas rebatem alegando que, devido à complexidade do Universo, não é possível explicá-lo apenas pela evolução e pelo acaso, sendo necessário admitir uma primeira Inteligência criadora. Mais ainda, aceitar o evolucionismo seria colocar em questão a criação divina. Com relação ao ensino nas escolas, eles consideram mais justo apresentar ambas as orientações, mostrando os pontos fortes e fracos de cada uma.

PARA REFLETIR

Diante da polêmica sobre o que ensinar nas escolas — a teoria da evolução ou o criacionismo — como você se posiciona? Justifique sua resposta.

A genética

Apenas seis anos após a publicação de *A origem das espécies*, um monge austríaco chamado Gregor Mendel apresentou os resultados de uma experiência com ervilhas. Procedendo ao cruzamento de sucessivas sementes a partir da combinação de sete caracteres, como cor, forma, altura etc., chegou a resultados estatísticos importantes para elucidar fatores da hereditariedade. Note-se que, pela primeira vez, um biólogo usava a matemática em um campo que aparentemente a dispensava.

Curiosamente, seu trabalho permaneceu quase desconhecido, até que em 1900 De Vries baseou-se nele para explicar a evolução como resultante de saltos repentinos, por mutações. Pouco depois, em 1909, Morgan incorporou o termo "gene" para referir-se aos "fatores hereditários" mendelianos.

Tomavam impulso os estudos de genética. Mas a grande descoberta da molécula do DNA, em 1953,

[9] Citado em: Revista *Nature*, 10 ago. 1999. p. 697.

[10] Citado em: *Folhaonline*. Disponível em: www.folha.uol.com.br. Acesso em: 12 dez. 2008.

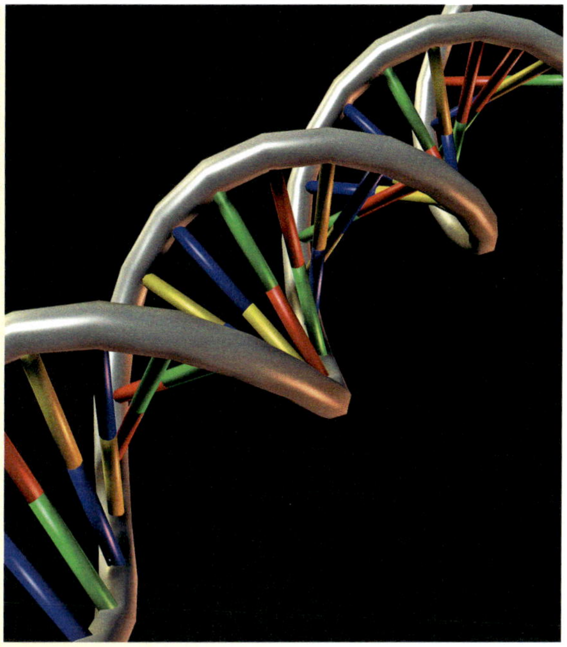

Se observarmos a figura da dupla hélice, veremos que ela é constituída por duas tiras, que representam as cadeias formadas pela sequência de um açúcar ligado a um fosfato. Essa unidade liga-se a outra idêntica inúmeras vezes, paralelamente ao eixo da dupla hélice (açúcar-fosfato-açúcar-fosfato etc.). As hastes horizontais, no interior da hélice, são as bases (adenina, timina, guanina e citosina) que compõem o nosso DNA e costumam ser representadas por A, T, G e C. Essa estrutura permitiu explicar duas propriedades importantes do gene: a codificação de proteínas, dada pela sequência de bases, e a duplicação do gene. Dessa forma, Crick e Watson revelaram o mecanismo de cópia para o material genético, o que levou a uma série de explicações de como a vida funciona.

pelo inglês Francis Crick e pelo norte-americano James Watson, exigiu muito trabalho dos cientistas na primeira metade do século XX. Para se chegar a essa descoberta e entender a estrutura molecular dos genes e como eles controlam as células, foi preciso reunir cientistas de diversas disciplinas, como a bioquímica, a biofísica e a microbiologia.

Outros pesquisadores já sabiam que as moléculas de DNA eram longas cadeias de átomos com largura constante em todo o comprimento. Crick e Watson conseguiram explicar como os átomos se organizavam e se duplicavam, concebendo o que passou a ser conhecido como o modelo da *dupla hélice*. Segundo esse modelo, a molécula de DNA consiste em duas hélices enroladas uma na outra, como uma escada em espiral, com "degraus" compostos por pares de grupos de átomos químicos.

A fantástica descoberta da molécula do DNA esclareceu o fenômeno da hereditariedade ao explicar como os ácidos nucleicos dirigem a produção de proteínas, cuja sequência é única em cada pessoa. Com isso vislumbrou-se a possibilidade de interpretar o plano genético de qualquer organismo vivo, o que começou a se concretizar na década de 1970 com a destinação de vultoso financiamento do governo norte-americano ao Projeto Genoma.

Esse projeto reúne vários programas de pesquisas, que se orientam no sentido de fazer o mapeamento genético dos organismos e depois o sequenciamento das bases de cada um dos fragmentos de DNA já ordenados. As vantagens de se decifrar a constituição genética estão na prevenção de doenças e no seu tratamento. Tanto é que já existem patentes sobre genes para doenças desde o Mal de Alzheimer até a calvície.

A grande polêmica que se seguiu, no entanto, deve-se a inúmeros aspectos éticos e legais, aos quais se juntam temores e mitos arraigados das mais diversas naturezas, sobretudo no que diz respeito ao uso de transgênicos, à clonagem humana e à utilização de células-tronco.

6 A crise da ciência

O desenvolvimento da ciência tinha sido tão significativo até o século XIX que não era possível negar a excelência do método científico para conhecer a realidade. Filosofias como o positivismo de Comte e o evolucionismo de Spencer traduziam o otimismo generalizado que exaltava a capacidade de transformação humana em direção a um mundo melhor.

No entanto, algumas novidades golpearam rudemente as concepções clássicas, originando o que se chamou de *crise da ciência moderna*. São elas as geometrias não euclidianas e a física não newtoniana.

No século XIX alguns matemáticos construíram outros modelos de geometria que partiam de axiomas que contradiziam os clássicos de Euclides: surgiram então as *geometrias não euclidianas*.

DNA. Ácido desoxirribonucleico. A sigla deriva do inglês *Deoxyribonucleic acid*.

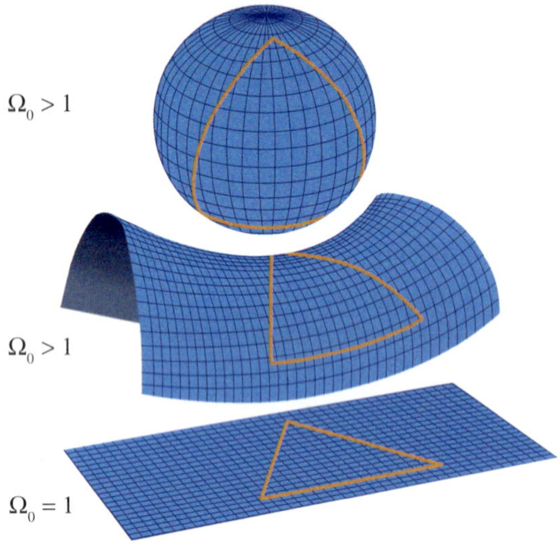

Vê-se, a partir de cima, o triângulo na geometria esférica de Riemann, na geometria de curva negativa de Lobatchevski e na geometria plana de Euclides.

O russo Nikolai Lobatchevski, em vez de considerar o espaço como um plano euclidiano, pressupôs o espaço de curvatura negativa, e concluiu que por um ponto fora de uma reta seria possível traçar infinitas paralelas a essa reta. No final da década de 1850, o matemático alemão Bernhard Riemann construiu sua geometria em espaço de curvatura positiva, na qual não existem paralelas.

Os novos modelos não anulavam a geometria euclidiana, mas desmoronaram o critério de evidência em que os postulados euclidianos pareciam repousar. Como consequência, seria preciso repensar a "verdade" na matemática, que dependia do sistema de axiomas postos de início e a partir do qual poderiam ser construídas geometrias igualmente coerentes e rigorosas.

A física não newtoniana

Outra crise na ciência decorreu da física não newtoniana, cujos pressupostos eram o mecanicismo e o determinismo.

Mas a teoria da relatividade de Einstein veio subverter a concepção newtoniana do Universo, sobretudo devido a descobertas como a curvatura da luz das estrelas. Mais ainda, segundo essa teoria, o ritmo da passagem do tempo não é certo nem absoluto: tempo e espaço não são mais entidades separadas, mas são substituídos pelo conceito de uma quarta dimensão, o *espaço-tempo*.

No início do século XX, outra instigante constatação confrontou o princípio do determinismo: após o desenvolvimento da teoria quântica e do estudo do fóton, Werner Heisenberg formulou o *princípio da incerteza*, que seria o reconhecimento de uma certa indeterminação nesse campo da ciência, ou seja, a impossibilidade de precisão.

7 Novas orientações epistemológicas

As "crises" da ciência no final do século XIX e começo do século XX exigiram que a **epistemologia** contemporânea fizesse uma revisão da concepção de ciência e da sua metodologia.

> **E ETIMOLOGIA**
>
> **Epistemologia.** Do grego *episteme*, "ciência", e *logos*, "teoria".

Henri Poincaré (1854-1912) afirmou que "as teorias não são nem verdadeiras, nem falsas, mas úteis", querendo significar que a crença na infalibilidade da ciência é uma ilusão. O que ocorreu naquele período foi a necessidade de reavaliar o conceito de ciência, os critérios de certeza, a relação entre ciência e realidade, a validade dos modelos científicos.

Essas questões são o objeto da *epistemologia científica*. Essa denominação começou a ser usada em meados do século XIX, correspondendo à *teoria do conhecimento*. Com maior precisão, e tendo em vista a intensificação das discussões contemporâneas em torno da ciência, o termo "epistemologia" passou a ser mais usado para designar o estudo do conhecimento científico do ponto de vista crítico, isto é, do seu valor. Em outras palavras, para examinar o valor objetivo dos princípios, das hipóteses e das conclusões das diferentes ciências.

O Círculo de Viena

O Círculo de Viena foi fundado no final da década de 1920 por um grupo de cientistas, lógicos e filósofos da ciência, liderados por Rudolf Carnap e do qual participaram Otto Neurath, Moritz Schlick, entre outros. Sofreram influência de Einstein, Russell e Wittgenstein, considerados os principais representantes da concepção científica do mundo.

Os filósofos do Círculo de Viena pertencem ao movimento filosófico do *positivismo lógico* ou *empirismo lógico*, segundo o qual o saber científico deve ser expurgado de conceitos vazios e dos falsos problemas metafísicos, submetendo-se ao critério da *verificabilidade*. Desse modo, a verdade ou a falsidade dos enunciados sintéticos só pode ser comprovada empiricamente, porque não há um saber apriorístico sobre a realidade. As leis científicas são sempre *a posteriori*, porque dependem da experiência.

Nesse processo é importante o sistema de convenções pelo qual a *lógica simbólica* permite a clarificação da linguagem científica.

Popper e a "falseabilidade"

O filósofo austríaco Karl R. Popper (1902-1994) sofreu inicialmente a influência do Círculo de Viena, mas depois teceu diversas críticas a ele. Para Popper, ao cientista não interessa a justificação de sua teoria, que tradicionalmente é feita por experimentação, hipótese e confirmação, já que a indução apresenta sempre inúmeras dificuldades. Propõe, então, o princípio da falseabilidade ou da refutabilidade.

Segundo esse critério, o cientista imagina uma hipótese e a submete ao levantamento de possíveis maneiras de falseá-la, de refutá-la pela experiência. Ou seja, se não podemos provar que uma teoria universal é verdadeira, podemos provar que é falsa. Quando a teoria resiste à refutação pela experiência, ela é corroborada, confirmada.

Portanto, os cientistas avançam quando determinam os limites das conjeturas que utilizam, tentando mostrar que são "falsas", para então substituí-las. Gérard Fourez dá um exemplo:

> se digo que a aceleração de um objeto que cai é constante, trata-se de uma proposição que poderia se revelar falsa por ocasião de uma experiência para a qual se utilizassem critérios precisos; é portanto 'falseável'. [...] a proposição 'ajo assim porque é do meu interesse agir assim' pode ser compreendida como uma proposição não falseável, na medida em que posso inventar para mim múltiplos interesses que farão com que esses interesses sejam sempre a causa da minha ação. Por exemplo, se não existem interesses financeiros, poderei dizer que há um interesse político, ou afetivo etc., de modo que se agirá sempre por interesse.[11]

Por isso Popper critica a psicanálise e o marxismo, cujos universos teóricos restringem-se às explicações de seus idealizadores e não dão condições de refutabilidade empírica.

Kuhn e o conceito de paradigma

Na obra *Estrutura das revoluções científicas*, o filósofo norte-americano Thomas Kuhn (1922-1996) desenvolve uma nova noção de paradigma, segundo a qual a ciência progride pela tradição intelectual representada pela visão de mundo assumida pela comunidade científica, que fornece problemas e soluções exemplares para a pesquisa futura.

Não se trata de um conceito simples, mesmo porque o próprio Kuhn o define de diferentes modos em sua obra, mas o principal é que o trabalho científico se desenvolve baseado no modelo consensual adotado pelos cientistas.

PARA SABER MAIS

O conceito de paradigma variou na história do pensamento. Para Platão, era o modelo do mundo das ideias; para Aristóteles, era o exemplo em lógica.

Kuhn distingue os seguintes três momentos: o período pré-paradigmático, a ciência normal e a crise.

No período pré-paradigmático ou imaturo, os problemas originados no cotidiano pedem explicações que não apresentam ainda o consenso a respeito dos compromissos básicos. Quando é alcançado o consenso, temos a *ciência normal*, em que o trabalho científico se desenvolve com base no *paradigma* adotado, que dirige a resolução dos problemas e a acumulação de descobertas. Chega, porém, o momento de *crise*, em que o paradigma é questionado porque já não resolve uma série de anomalias acumuladas, processo que pode levar à *revolução científica*.

Por exemplo: até Copérnico era aceito o paradigma ptolomaico; até a teoria da relatividade, a *ciência normal* se sustentava pelo paradigma newtoniano.

Feyerabend: contra o método

Enquanto Popper afirma que a ciência é racional, na medida em que atende o ideal de refutabilidade, Kuhn argumenta que uma teoria, como paradigma, deve na maior parte do tempo ser desenvolvida em vez de criticada. Feyerabend, por sua vez, radicaliza e questiona a própria racionalidade científica.

O filósofo norte-americano Paul K. Feyerabend (1924-1994) abandonou cedo o empirismo, classificando-se como "anarquista epistemológico". Critica as posições positivistas por considerar que as metodologias normativas não são instrumentos adequados de investigação e defende o pluralismo metodológico. Segundo o filósofo, por uma questão democrática, já que há pluralidade de ideias e formas de vida, não seria na ciência que haveria imposição de métodos. A famosa afirmação de que "o único princípio que não inibe o progresso é: *tudo vale*" aparece num livro cujo título sugestivo indica sua posição: *Contra o método*.

[11] FOUREZ, Gérard. *A construção das ciências*: introdução à filosofia e à ética das ciências. São Paulo: Edunesp, 1995. p. 72-73.

Para Feyerabend, não existe norma de pesquisa que não tenha sido violada, por isso o cientista pode fazer aquilo que lhe agrada mais. E deve tornar persuasiva a teoria utilizando-se de recursos retóricos por meio de propaganda, a fim de melhor convencer a comunidade científica. Como exemplo, cita Galileu, que procedeu desse modo para convencer acerca da hipótese do movimento relativo.

Gilles-Gaston Granger destaca o duplo significado dessa teoria provocadora:

> O aspecto positivo deste anarquismo consiste, sem dúvida, numa crítica violenta ao conservadorismo e ao dogmatismo, sublinhando a mobilidade do conhecimento científico e sua abertura às novidades. Seu aspecto negativo vem da insistência em considerar a diversidade, ou até a incoerência, como um valor em si, e a indiferença em procurar critérios de decisão e de escolha entre as teorias, exagero este que, a meu ver, desqualifica a doutrina.[12]

PHILADELPHIA MUSEUM OF ART, PENSILVÂNIA, ESTADOS UNIDOS

O cubismo, movimento artístico iniciado em 1907 por George Braque e Pablo Picasso, introduziu na arte conceitos emprestados das geometrias não euclidianas do século XIX e da teoria da relatividade de Einstein: o espaço da pintura passa a ser fragmentado e articulado com o tempo. No quadro de Marcel Duchamp, *Nu descendo a escada* (1911), o espaço está completamente fragmentado, e o homem descendo a escada realiza movimento contínuo.

8 A ambiguidade do progresso científico

No esboço que fizemos sobre o desenvolvimento da ciência, iniciado na Idade Moderna, ficou patente o incrível impulso adquirido por ela durante o século XX. Além de inúmeras descobertas, houve também um avanço sem precedentes nas conquistas tecnológicas. Os professores — e irmãos — David e Arnold Brody disseram a esse respeito:

> Entramos no século XX a cavalo. Sairemos dele a bordo de naves espaciais. Ingressamos neste século morrendo de febre tifoide e varíola, e nos despediremos dele tendo vencido essas doenças. Na virada do século XIX, transplantes de órgãos eram inconcebíveis, enquanto na virada deste século muitos terão sobrevivido por que o coração ou outro órgão vital de uma outra pessoa os sustenta. Em 1900, a expectativa de vida humana era de 47 anos. Hoje é de 75. Adentramos este século comunicando-nos a curta distância com o recém-inventado rádio. Hoje enviamos sinais e imagens coloridas através de bilhões de quilômetros no espaço.[13]

Contudo, é importante acrescentar: se por um lado a ciência tem proporcionado maior conhecimento do mundo e ampliado os poderes humanos, não há como negar o risco dos seus efeitos maléficos, como a guerra ou a poluição. Não é excessivo enfatizar que esses problemas não se devem propriamente à ciência ou à tecnologia, mas ao uso que delas fazem as pessoas, seja individualmente ou por meio de empresas privadas ou do poder público.

Resta lembrar a importância da liberdade de manifestação do pensamento. O espírito da Inquisição, que condenou Galileu, tem ressurgido na forma de Estados totalitários e ditatoriais, mas também nas mentes que temem as novidades trazidas pelas conquistas científicas, pois elas colocam em xeque sua maneira tradicional de ver o mundo.

12 GRANGER, Gilles-Gaston. *A ciência e as ciências*. São Paulo: Edunesp, 1994. p. 43.
13 BRODY, David Eliot e BRODY, Arnold R. *As sete maiores descobertas científicas da história*. São Paulo: Companhia das Letras, 1999. p. 396.

Atividades

Revendo o capítulo

1 O que distingue a observação da experimentação? E a hipótese da teoria?

2 Relacione o trabalho do cientista quando cria uma hipótese ao trabalho do artista.

3 Explique o que se entende por "crise da ciência" no século XIX.

4 Que características comuns podemos identificar no processo de desenvolvimento das diversas ciências particulares, a partir do século XVII?

Aplicando os conceitos

5 Distinga as diversas etapas do método experimental a partir do exemplo a seguir.

Claude Bernard descobriu que o sangue de todos os animais contém açúcar, mesmo que não o tenham ingerido (o que contrariava uma ideia comum na época, de que o açúcar existente nos animais provém exclusivamente dos alimentos). Supôs que deveria haver um órgão capaz de armazená-lo sob uma forma particular e restituí-lo quando necessário (essa suposição foi sugerida por analogia com o mundo vegetal: uma planta transforma a glicose em amido, que é armazenado). Foi dosando a taxa de glicose ao longo de todo o percurso do sangue, partindo do intestino, que Claude Bernard descobriu o órgão regulador, cuja existência supusera: o fígado. Mas durante a dosagem de açúcar em fígados de animais, certa vez, demorando-se para fazer a segunda dosagem, verificou maior quantidade de açúcar e concluiu que "o tecido do fígado vai se enriquecendo com açúcar continuamente, durante certo tempo após a morte". Reiniciou as experiências com fígado lavado e pôde demonstrar que o fígado reserva a glicose sob a forma de glicogênio (adaptado de D. Huisman e A. Vergez. *Compêndio moderno de filosofia.* v. II: O conhecimento. 3. ed. São Paulo: Freitas Bastos, 1978. p. 191-192).

6 "O que o físico enuncia como o resultado de uma experiência não é o relato dos fatos constatados; é a interpretação desses fatos, é sua transposição para o mundo abstrato, simbólico, criado pelas teorias que ele considera como estabelecidas." (Pierre Duhem. "Algumas reflexões acerca da física experimental". *Ciência e filosofia.* São Paulo: Faculdade de Filosofia, Letras e Ciências Humanas da Universidade de São Paulo, 1989. n. 4. p. 105).

Baseando-se na citação, explique por que na ciência não há "fato bruto".

7 "[...] testes sistemáticos controlam cuidadosa e seriamente essas nossas conjecturas ou 'antecipações' maravilhosamente imaginativas e audazes. Uma vez propostas, não sustentamos dogmaticamente nenhuma de nossas 'antecipações'. Nosso método de pesquisa não consiste em defendê-las para provar que estávamos certos. Pelo contrário, tentamos contestá-las. Empregando todas as armas de nosso arsenal lógico, matemático e técnico, tentamos provar que nossas antecipações eram falsas."
Identifique o filósofo autor da citação e justifique sua resposta.

Dissertação

8 Desenvolva um texto argumentativo para persuadir um amigo de que a teoria científica não é um "reflexo" do real.

Caiu no vestibular

9 (UEL, 2007) Karl Popper, em *A lógica da investigação científica*, se opõe aos métodos indutivos das ciências empíricas. Em relação a esse tema, diz Popper: "Ora, de um ponto de vista lógico, está longe de ser óbvio que estejamos justificados ao inferir enunciados universais a partir dos singulares, por mais elevado que seja o número destes últimos". (K. R. Popper. *A lógica da investigação científica.* Trad. Pablo Rubén Mariconda. São Paulo: Abril Cultural, 1980. p. 3). Com base no texto e nos conhecimentos sobre Popper, assinale a alternativa correta.

a) Para Popper, qualquer conclusão obtida por inferência indutiva é verdadeira.

b) De acordo com Popper, o princípio da indução não tem base lógica porque a verdade das premissas não garante a verdade da conclusão.

c) Uma inferência indutiva é aquela que, a partir de enunciados universais, infere enunciados singulares.

d) A observação de mil cisnes brancos justifica, segundo Popper, a conclusão de que todos os cisnes são brancos.

e) Para Popper, a solução para o problema do princípio da indução seria passar a considerá-lo não como verdadeiro, mas apenas como provável.

Capítulo

32

O método das ciências humanas

COLEÇÃO PARTICULAR – THE BRIDGEMAN ART LIBRARY/KEYSTONE

A aranha. Alexander Calder, 1940.

O artista norte-americano Calder inventou a escultura em movimento, chamada móbile. O conjunto de materiais e cores se agita de acordo com a intensidade do vento, mudando constantemente suas formas. Pela imprevisibilidade, a escultura de Calder tem como objetivo proporcionar surpresa e prazer. Por isso deve ser apreciada no seu todo, e não em partes.

Também em relação à natureza é necessário esforço para conhecê-la e para captá-la em seu movimento. É o que nos fez ver Hegel, Marx e cientistas como Darwin.

Nas ciências humanas, a disposição de avaliar o todo e a atenção para com a imprevisibilidade dos comportamentos são fundamentais para que o método adotado tenha em vista não apenas explicar, mas compreender.

1 Explicar e compreender

Embora a discussão a respeito da natureza humana tenha sido constante nas reflexões dos filósofos, apenas no século XIX as ciências humanas começaram a se desligar da filosofia, buscando seu próprio método. Surgiu, então, um problema: como abordar essas questões com objetividade? Testando hipóteses pela experimentação? Generalizando experiências até descobrir leis gerais? Não é necessário muito esforço para perceber quais seriam as dificuldades diante da especificidade desse novo objeto das ciências: o ser humano. Estudar esse "objeto", na sua complexa individualidade, liberdade e consciência moral, não é o mesmo que investigar o que é uma "coisa"!

Diante disso, o filósofo alemão Wilhelm Dilthey (1833-1911) aprofundou o debate sobre o que chamava de "ciências do espírito", afirmando que *explicamos* a natureza, mas *compreendemos* a vida psíquica.

A *explicação* é causal, isto é, explica-se um fato indicando sua causa, ou seja, estabelecendo a lei ou as leis causais. Foi assim que Galileu chegou à lei da queda dos corpos e Newton à teoria da gravitação universal.

A *compreensão* depende de interpretação, encontra-se vinculada com a *intencionalidade* dos atos humanos, sempre voltados para motivações diversas, valores e finalidades, já que o ser humano é consciente de si.

Na mesma direção afirma o filósofo finlandês von Wright:

> Compreendem-se os objetivos e propósitos de um agente, o significado de um signo ou de um símbolo, o sentido de uma instituição social ou de um ritual religioso. Esta dimensão intencional ou, como também seguramente se poderia dizer, esta dimensão semântica da compreensão chegou a exercer um papel relevante na discussão metodológica mais recente.[1]

No entanto, nem todos pensam como Dilthey, e essas duas tendências marcaram as orientações assumidas pelos cientistas das ciências humanas, como veremos adiante. Antes, porém, levantaremos alguns aspectos relevantes da especificidade do conhecimento sobre o ser humano.

2 Dificuldades metodológicas das ciências humanas

Enquanto as ciências da natureza têm como objeto algo que se encontra fora do sujeito que conhece, as ciências humanas têm como objeto o próprio sujeito cognoscente. Podemos, portanto, imaginar as dificuldades da economia, da sociologia, da psicologia, da geografia humana, da história para estudar com isenção aquilo que diz respeito ao próprio sujeito tão diretamente.

Vejamos quais são as dificuldades enfrentadas pelas ciências humanas ao buscarem estabelecer seu método.

PETER SHERRARD/TAXI/GETTY IMAGES

O ser humano não é uma coisa que seja explicada na sua generalidade. Mesmo um clone constituiria outro indivíduo, singular, com uma história personalíssima.

a) Complexidade

A *complexidade* dos fenômenos humanos, sejam psíquicos, sociais ou econômicos, resiste às tentativas de simplificação. Em física, por exemplo, ao estudar as condições de pressão, volume e temperatura, é possível simplificar o fenômeno tornando constante um desses fatores. O comportamento humano, entretanto, resulta de múltiplas influências, como hereditariedade, meio, impulsos, desejos, memória, bem como da ação da consciência e da vontade, o que o torna extremamente complexo. Já pensou o que significa avaliar a motivação do voto dos cidadãos numa eleição? Ou explicar o fenômeno do linchamento ou da vaia? Ou examinar as causas que determinam a escolha da profissão?

Semântico. Relativo à significação.

[1] WRIGHT, Georg Henrik von. *Explicación y comprensión*. Madri: Alianza, 1980. p. 24.

b) Experimentação

A *experimentação* é possível para determinadas ciências humanas, mas é sempre difícil identificar e controlar os diversos aspectos que influenciam os atos humanos. Além disso, a natureza artificial dos experimentos controlados pode falsear os resultados. A motivação dos sujeitos também é variável, e as instruções do experimentador podem ser interpretadas de maneiras diferentes. Do mesmo modo, a repetição do fenômeno altera os efeitos, já que o indivíduo, como ser afetivo e consciente, nunca vive uma segunda situação de maneira idêntica à anterior.

Certos experimentos oferecem restrições de caráter moral, por não ser lícito submeter o ser humano a situações que ponham em risco sua integridade física, psíquica ou moral. Por exemplo: as reações de pânico num grupo de pessoas presas numa sala em chamas só podem ser objeto de apreciação eventual no caso de ocorrer o acidente. Jamais a situação poderia ser provocada para o estudo.

PARA REFLETIR

O psicólogo John Calhoun fez uma experiência colocando ratos em uma gaiola e deixando-os procriar até que se criasse uma superpopulação. Observou, então, que eles se tornavam agressivos, atacavam-se sexualmente, matavam-se e até se canibalizavam. Seria possível transpor por analogia essa experiência para os seres humanos? Que características propriamente humanas poderiam ser contrapostas a uma vida puramente animal?

Também é preciso saber de que constatações está se partindo: se da observação do comportamento exterior do indivíduo ou de seu relato sobre o que sentiu, a chamada técnica de **introspecção**. Esse procedimento é descartado por aqueles que julgam que esses dados não são confiáveis, pois podem ser falseados por mentiras ou involuntariamente.

ETIMOLOGIA

Introspecção. Do latim *intro*, "para dentro", e *spectare*, "olhar": olhar para dentro.

c) Matematização

Se a passagem da física aristotélica para a física clássica de Galileu deu-se pela transformação das qualidades em quantidades, poder-se-ia concluir que a ciência será tão rigorosa quanto mais ela for matematizável. Ora, esse ideal é problemático com relação às ciências humanas, cujos fenômenos são essencialmente qualitativos. Por isso, quando é possível aplicar a matemática, são utilizadas técnicas estatísticas, com resultados sempre aproximativos e sujeitos a interpretação.

TATE GALLERY, LONDRES

Composição com vermelho, amarelo e azul. Piet Mondrian, 1939-1942. Nesse quadro do pintor holandês Mondrian, vemos a matematização do espaço. O pintor buscou as formas mutáveis e puras da natureza e transformou-as em formas geométricas permanentes.

d) Subjetividade

As ciências da natureza aspiram à objetividade, que consiste na descentração do sujeito no processo de conhecer, na capacidade de lançar hipóteses testáveis por todos, mediante instrumentos de controle, e na descentração das emoções e da própria subjetividade do cientista. Mas, se o sujeito que conhece é o objeto que se quer conhecer, parece ser difícil contornar a subjetividade, porque o ser humano não é estranho para outro ser humano. Imagine como interpretar fatos históricos enquanto estão sendo vivenciados ou analisar uma família quando se faz parte dela.

e) Liberdade

Se as leis das ciências da natureza supõem o determinismo — ou seja, na natureza tudo o que existe tem uma causa —, como fica a questão da *liberdade humana*? As regularidades na natureza tornam possível estabelecer leis e por meio delas prever a incidência de um fenômeno. Como isso seria possível, se admitirmos a liberdade humana? Mesmo se concordamos que o ser humano sofre condicionamentos, estes seriam da mesma natureza e intensidade dos que ocorrem com os seres inertes?

PARA SABER MAIS

Sobre a liberdade, consultar capítulo 19, "Podemos ser livres?".

Essas dificuldades não foram levantadas para provar a inviabilidade de as disciplinas humanas se constituírem em ciências, pois elas aí estão, encontrando seu espaço. Apenas pontuamos as diferenças entre as ciências da natureza e as ciências humanas e como o modo de enfrentar essas dificuldades tem determinado o tipo de metodologia que cada uma delas adota. Ou seja, o método utilizado depende, de certa maneira, dos pressupostos filosóficos que embasam a visão de mundo do cientista.

3 O nascimento das ciências humanas

Diferentemente das ciências da natureza, as ciências humanas demoraram mais tempo para se tornarem autônomas, o que começou a ocorrer no final do século XIX.

A questão que se colocou para os primeiros estudiosos foi o fundamento epistemológico: o que é este objeto que se pretende conhecer? E em seguida: que método usar para alcançar esse objetivo?

Retomando a questão proposta por Dilthey, ao distinguir explicação e compreensão, destacam-se duas tendências, a positivista e a **hermenêutica**, que também poderíamos chamar de naturalista e humanista.

ETIMOLOGIA

Hermenêutica. Do grego *hermeneutike*, "arte de interpretar".

A **tendência positivista** remonta a Augusto Comte e a Stuart Mill (séc. XIX) e influenciou o surgimento das primeiras ciências humanas, cujos procedimentos pretendiam ser semelhantes aos das ciências da natureza. Além disso, a física matemática, considerada por Comte o exemplo da ciência positiva, impõe-se como um *ideal metodológico*. Por fim, a tradição positivista tem como princípio a *explicação causal*. Sob esse aspecto, são recusadas as explicações teleológicas (finalistas), descartadas como não científicas.

A **tendência hermenêutica** procede à interpretação do que pensamos conhecer, a fim de decifrar o sentido oculto no sentido aparente, o que significa compreender as peculiaridades únicas de seus objetos. Não se trata, porém, de uma tendência homogênea, por abrigar pensadores de diferentes linhas, mas que procura estabelecer uma metodologia distinta daquela das ciências da natureza, tendo em vista a especificidade do ser humano.

PARA SABER MAIS

Já vimos sobre o positivismo no capítulo 15, "A crítica à metafísica", e sobre a hermenêutica, no capítulo 10, "Ideologias".

Vejamos como se opõem essas duas tendências que marcaram a busca do método, começando pela orientação positivista, mas examinando as ideias que a ela se contrapõem.

A psicologia

O início da psicologia como ciência foi marcado pela tendência positivista, que surgiu na Alemanha, no século XIX, com o trabalho de diversos médicos que se empenharam em questões relativas à percepção. Tratava-se propriamente de uma *psicofísica*, em que o método visava a quantificar e generalizar a relação entre as mudanças do estímulo e os efeitos sensoriais correspondentes.

Dentre esses pesquisadores, destaca-se Wilhelm Wundt (1852-1920), que fundou em Leipzig, em 1879, o primeiro laboratório de psicologia, para realizar processos de controle experimental. No livro *Elementos de psicologia fisiológica* expõe o conceito de método, pelo qual a psicologia imita claramente a fisiologia. Por isso Wundt não se aventura a estudar os processos mais complexos do pensamento, por considerá-los inacessíveis ao controle experimental. Volta-se para a observação da percepção sensorial, principalmente a visão, estabelecendo as relações entre os fenômenos psíquicos e seu substrato orgânico, sobretudo cerebral.

Quanto ao esforço dos primeiros estudiosos da psicologia de se restringirem aos fenômenos psíquicos — como a percepção visual —, por poderem ser quantificados, os filósofos da corrente humanista, sobretudo da fenomenologia, respondem que não há *fatos* com a objetividade pretendida, pois não percebemos o mundo como um dado bruto, desprovido de significados. Ao contrário, o que percebo é um mundo *para mim*, daí a importância do sentido, da rede de significações que envolvem os objetos percebidos: a consciência "vive" imediatamente como doadora de sentido.

PARA SABER MAIS

Para a fenomenologia, *toda consciência é intencional*, o que significa que não há pura consciência, separada do mundo, pois toda consciência visa ao mundo. Do mesmo modo, não há objeto em si, independente da consciência que o percebe. Portanto, o objeto é um *fenômeno* (etimologicamente, "algo que aparece") para uma consciência. Sobre isso, consultar o capítulo 16, "A crise da razão".

A seguir, usaremos a psicologia para exemplificar essas duas tendências metodológicas. Veremos a escola comportamentalista norte-americana, fundamentada na tendência positivista e, em contraposição, a psicologia da forma (ou Gestalt) e a psicanálise, que se orientam numa perspectiva humanista.

4 A psicologia comportamentalista

A psicologia comportamentalista ou **behaviorismo** nasceu nos Estados Unidos e até hoje é uma das tendências importantes da investigação científica. Para melhor compreender essa corrente, comecemos com o trabalho de Pavlov.

ETIMOLOGIA

Behaviorismo. Do inglês *behaviour*, "conduta". Portanto, estudo do comportamento.

Pavlov: o reflexo condicionado

O médico russo Ivan Pavlov (1849-1936) encontrava-se inicialmente interessado no funcionamento dos fenômenos da digestão e salivação, mas as experiências com cães levaram-no à explicação da aprendizagem pelo reflexo condicionado. Observe o esquema:

Segundo o esquema, observamos que os estímulos não condicionados — no caso, o alimento e o som — produzem respectivamente um *reflexo simples* imediato, não aprendido. Ou seja, diante do alimento, o cão saliva automaticamente; ao ouvir a campainha, fica com as orelhas em pé.

Se associarmos os dois eventos, isto é, sempre que apresentar o alimento fazer soar a campainha, depois de um tempo, apenas o som provocará salivação, sem a presença do alimento. Isso significa que o som, antes um estímulo *neutro* para a salivação, passou a ser um estímulo eficaz: criou-se um *reflexo condicionado*, houve aprendizagem.

O estímulo alimento é chamado *reforço positivo*, pois é ele que torna a reação mais frequente, garantindo a manutenção da resposta. Se o reforço não for mais apresentado, a tendência é a *extinção* da resposta, isto é, desfaz-se o reflexo condicionado, e o cão não mais salivará ao som da campainha.

As conclusões de Pavlov impulsionaram estudos mais complexos levados a efeito pela psicologia comportamentalista.

Skinner: o condicionamento operante

Todos nós sabemos que desde a infância estamos submetidos a diversos condicionamentos: aprendemos desde o controle da micção, passando pelo controle de reações emocionais como medo e raiva, até hábitos como dirigir um carro. Daí ser importante conhecer que estímulos são determinantes para a aquisição de comportamentos desejados ou para a extinção dos indesejados.

A utilização de animais nessas experiências era um recurso frequente porque, por viverem menos, os efeitos de certos testes nas diversas fases da vida deles podiam ser mais bem observados, assim como a verificação de eventuais sequelas nas gerações seguintes. Além disso, havia possibilidade de lesar órgãos a fim de conhecer suas funções. É claro que, depois, as conclusões seriam extrapoladas para a psicologia humana.

Com isso o behaviorismo pretende atingir o ideal positivista pelo qual a psicologia, para se tornar ciência, precisaria seguir o exemplo das ciências naturais, tornando-se materialista, mecanicista,

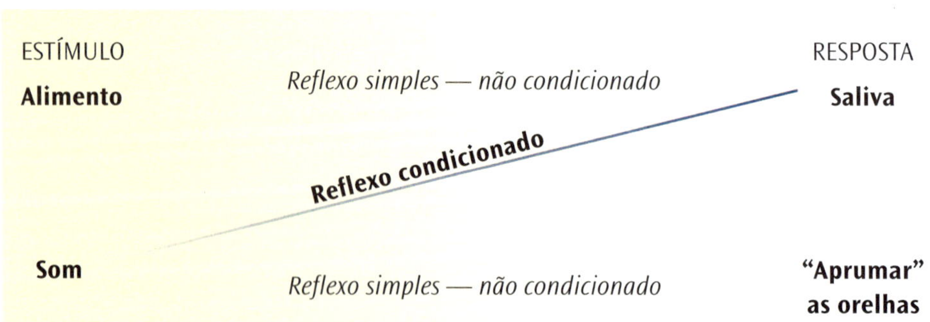

NINA LEEN/TIME LIFE PICTURES/GETTY IMAGES

O psicólogo Burrhur Skinner fazendo experiência com rato na "caixa de Skinner", 1964.

Na "caixa de Skinner" é colocado um animal faminto: depois de, casualmente, esbarrar diversas vezes em uma alavanca, percebe que o alimento aparece sempre que a aciona; assim, realiza a associação entre alavanca e alimento. Apertar a alavanca é a resposta, dada *antes* do estímulo, que é o alimento. Skinner criou inúmeras variantes dessas caixas, inclusive aquelas em que o animal age visando a evitar uma punição, como saltar para outro local depois de "avisado" por um sinal luminoso ou sonoro, antes que um choque elétrico seja acionado.

determinista e objetiva. São abandonadas todas as discussões a respeito da consciência, conceito filosófico considerado impróprio para uso científico. A introspecção é rejeitada, e o único objeto digno de estudo é o *comportamento*, em toda sua exterioridade. Os comportamentalistas costumam se referir à consciência como sendo uma "caixa-preta", inacessível ao conhecimento científico.

O primeiro representante da psicologia comportamentalista foi o norte-americano John B. Watson (1878-1938), que lhe deu o nome de *behaviorismo*. Após Watson, o behaviorismo alcançou novo impulso com Burrhur Frederic Skinner (1904-1990), que, a partir de experiências com ratos e pombos, estabeleceu as leis de um tipo de condicionamento mais complexo do que o clássico ou pavloviano. Trata-se do *condicionamento instrumental*, também chamado *operante* ou *skinneriano*.

O reflexo condicionado pavloviano — também chamado respondente — é determinado pela associação entre um estímulo externo ao qual se segue uma resposta, aprendida por meio de contiguidade, expresso por E–R (estímulo-resposta). No exemplo dado, o som, associado à comida, provoca a salivação. Trata-se de um comportamento reflexo ou involuntário.

O condicionamento operante é determinado por suas consequências — e não por um estímulo que o precede. Por exemplo, um bebê esbarra casualmente em um brinquedo que emite sons; após perceber outras vezes o mesmo efeito, passa a tocá-lo intencionalmente, para ouvir o som. Nesse caso, a criança aprendeu um novo comportamento, por meio de um *reforço*: sempre que tocava no brinquedo, tinha o prazer de ouvir o som.

Campos de aplicação

As descobertas de Skinner foram amplamente utilizadas nos Estados Unidos em diversos campos da atividade humana. Por exemplo, a *instrução programada*: o aluno recebe um texto com uma série de espaços em branco para serem preenchidos em nível crescente de dificuldade. Partindo do princípio de que o reforço deve ser dado a cada passo do processo e imediatamente após o ato, a cada momento o aluno pode conferir o erro ou acerto de sua resposta. O processo foi aperfeiçoado na "máquina de ensinar", que substitui o professor em várias etapas da aprendizagem.

PARA SABER MAIS

A chamada *educação tecnicista*, implantada no Brasil durante a ditadura militar, tinha orientação positivista e baseava-se nos ideais de organização, objetividade, eficiência e produtividade. O planejamento deveria definir objetivos instrucionais e operacionais rigorosamente esmiuçados, estabelecendo o ordenamento sequencial das metas a serem atingidas.

O processo de condicionamento também é utilizado nas empresas, com o intuito de estimular o aumento da produção. A cada meta atingida, atribuem-se pontos, que são acumulados e transformados em benefícios para os considerados melhores.

As técnicas skinnerianas usadas na educação familiar visam a criar bons hábitos e corrigir comportamentos, como reeducar uma criança manhosa, descondicionando a resposta *manha* para substituí-la por outro comportamento socialmente desejado.

No tratamento psicológico de certos comportamentos, a terapia comportamental ou reflexologia visa a descondicionar os maus hábitos, levando, por exemplo, um alcoólatra a deixar de ingerir bebida alcoólica.

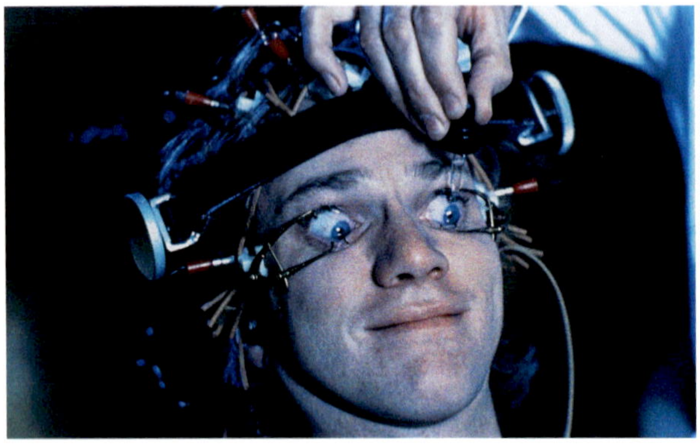

WARNER BROS. PICTURES/ALBUM/ ALBUM CINEMA/LATINSTOCK

No filme *Laranja mecânica*, de 1971, o diretor Stanley Kubrick critica o behaviorismo, ao mostrar o processo de descondicionamento de um indivíduo violento: ele é induzido quimicamente a ter náuseas enquanto assiste a cenas de violência. Os terapeutas comportamentais discordam desse método, explicando que ele, além de ser baseado no pouco eficiente condicionamento pavloviano, não costuma ser usado por questões éticas.

Uma obra de ficção

Além de obras científicas, como *Ciência e comportamento humano*, Skinner escreveu o romance *Walden II*, uma utopia em que todos os atos humanos seriam cientificamente planejados e controlados. Nesse mundo ideal, as pessoas são felizes, porque orientadas por técnicos e cientistas que cuidam para que todos queiram fazer precisamente o que é melhor para si mesmos e para a comunidade. Nos diálogos travados entre os visitantes e o personagem que representa um dos idealizadores do sistema (chamado Frazier, o *alter ego* de Skinner), as indagações sobre determinismo e liberdade são criticadas como pseudo-questões de origem linguística. Assim diz Frazier:

Planejei Walden II — não como um arquiteto planeja uma construção, mas como um cientista planeja um experimento de longa duração, incerto das condições que irá encontrar, mas sabendo como lidar com elas, quando as encontrar. Num certo sentido, Walden II é predeterminada, mas não como é determinado o comportamento de uma colmeia. A inteligência, não importa quanto seja modelada e ampliada por nosso sistema educacional, ainda funcionará como inteligência. Será usada para descobrir soluções para problemas, aos quais uma colmeia rapidamente sucumbiria. O que o plano faz é manter a inteligência no caminho certo, antes para o bem da sociedade do que para o indivíduo inteligente.

Mais adiante, afirma:

Eu nego que liberdade sequer exista. Devo negá-lo, ou meu programa seria absurdo. Não se pode ter uma ciência sobre um assunto que salte caprichosamente. Talvez não possamos nunca *provar* que o homem não é livre; é uma suposição. Mas o sucesso crescente de uma ciência do comportamento torna isto cada vez mais plausível.[2]

---

5 A psicologia da forma

Os teóricos da psicologia da forma, ou *Gestalt*, sofreram explicitamente a influência da fenomenologia e, nesse sentido, opõem-se às psicologias de tendência positivista. Seus principais representantes foram os alemães Wolfgang Köhler (1887-1967) e Kurt Koffka (1886-1941).

A percepção

A psicologia derivada da tendência empirista reduzia a percepção a uma análise rigorosa, até encontrar o "átomo" psíquico fundamental. O mundo percebido seria inicialmente uma grande confusão de *sensações*, cujos fragmentos se organizariam trabalhosamente pelo processo de *associação*, da qual resultam por fim as *percepções* e depois as *ideias*.

Os gestaltistas, em oposição, afirmam que não há excitação sensorial isolada, mas complexos em que o parcial é função do conjunto. Isso significa que o objeto não é percebido em suas partes, para depois ser organizado mentalmente, mas se apresenta primeiro na totalidade (na sua forma, na sua configuração), e só depois o indivíduo atentará para os detalhes.

O conjunto é mais que a soma das partes, e cada elemento depende da estrutura a que pertence. Quando ouvimos uma melodia, não percebemos inicialmente as notas de que ela se compõe: por isso podemos reconhecê-la mesmo se a ouvimos com todas as notas diferentes, se transposta para outro tom. No entanto, se uma só nota é alterada, altera-se

[2] SKINNER, Burrhus. *Walden II*: uma sociedade do futuro. São Paulo: EPU, 1975. p. 252 e 255.

o todo. Na transposição para outro tom, a estrutura da melodia permanece a mesma, mas se mudamos uma nota há alteração estrutural.

No dia a dia encontramos inúmeros exemplos da tendência à configuração: sempre identificamos formas nas nuvens (rosto, cachorro, dragão...); as constelações representam a cruz, o escorpião; reconhecemos um rosto familiar, mas longe dele muitas vezes não nos lembramos bem dos detalhes. Já pensaram como é difícil descrever alguém para um retrato falado? Isso porque percebemos o rosto no seu conjunto, e não nos detalhes.

A tendência para organizar aquilo que é percebido significa a impossibilidade de existir o fato bruto, pois o objeto é elaborado e nunca aparece na percepção como existe em si. O sujeito estrutura organicamente o que está apenas justaposto ou leva à perfeição formas apenas esboçadas.

O comportamento

Tudo o que dissemos sobre a *percepção* vale para o *comportamento* dos animais e das pessoas: há que partir da admissão de um *campo total* em que o organismo e o meio entram como dois polos correlativos que constituem o verdadeiro ambiente da ação. Assim, um mesmo espaço se estrutura de forma diferente se o percorro como faminto, fugitivo ou artista.

Köhler fez diversas experiências com chimpanzés. Numa jaula, o problema de alcançar uma banana inacessível é resolvido pelo chimpanzé quando ele sobe em um caixote para pegar a fruta ou quando usa um bambu para derrubá-la. Segundo Köhler, para solucionar o problema, o chimpanzé deve perceber *como um todo* o campo onde se situa, ou seja, ele só tem o *insight* quando estabelece a relação fruta-caixote ou fruta-bambu. Dá-se então o "fechamento", ou seja, a predominância de uma determinada forma sobre outras.

SCIENCE PHOTO LIBRARY/LATINSTOCK

A *Gestalt* estuda, na percepção, as figuras ambíguas. No primeiro desenho vemos ora uma taça, ora dois perfis; no segundo, um triângulo branco sem contorno ou outra figura; dependendo da função que damos às linhas, alteramos a relação entre figura e fundo.

A *Gestalt* terapia

A *Gestalt* terapia foi desenvolvida pelo psicanalista alemão Friederich Perls (1893-1970), mais conhecido como Fritz Perls. Adaptou sua formação de origem à psicologia da *Gestalt* e nesse sentido entendia a ação humana como uma totalidade, em que ações mentais e físicas estão entrelaçadas, assim como o organismo e o ambiente que o circunda. O ser humano é, portanto, um ser de relação.

Por exemplo, ao observarmos uma sala cheia de gente, percebemos o local como uma unidade, nas quais alguns aspectos sobressaem enquanto outros ficam em segundo plano (conceito de figura e fundo). Essa perspectiva pode ser alterada se outros aspectos passarem a ser pregnantes, situação em que a forma do ambiente se altera. O que importa é que a cena muda, mas é sempre organizada de modo significativo, dependendo do interesse que desperta em nós.

Preocupado em privilegiar o que acontece "aqui e agora", Fritz Perls não faz, como Freud, um retorno à história passada, mas prefere focar na experiência de viver no presente. Ciente de que o neurótico não se sente como uma pessoa total, a terapia visa a recuperar seu sentido de totalidade, já que o equilíbrio psíquico foi quebrado pela neurose, impedindo que o indivíduo se relacione com o meio e se autorregule. O tratamento gestáltico consiste em restabelecer a capacidade do neurótico de discriminar, encaminhando-o para a integração: ao facilitar que *gestalts* inacabadas emerjam à consciência, elas poderão ser completadas.

No Brasil, um dos importantes representantes da *Gestalt* terapia foi o psiquiatra e escritor Roberto Freire (1927-2008).

6 Freud e o inconsciente

Já examinamos o pensamento de Sigmund Freud, fundador da psicanálise, no capítulo 7, "Em busca da felicidade". Retomaremos aqui alguns de seus principais conceitos para examinar os fundamentos epistemológicos dessa ciência.

O conceito *psicanálise* possui três sentidos: é um método interpretativo (hermenêutica), um tratamento psicológico (psicoterapia) e uma teoria, ou seja, um conhecimento que o método produz.

Alter ego. Do latim *alter*, "outro", e *ego*, "eu": um segundo eu; ou seja, o personagem Frazier canaliza o pensamento de Skinner.

Gestalt. Em alemão, "forma", "configuração".

Pregnância. No contexto, a figura que se destaca.

QUEM É?

BETTMAN/CORBIS/LATINSTOCK

Sigmund Freud, 1931.

Sigmund Freud (1856-1939) nasceu em Freilberg, na Morávia, região que pertencia ao Império Austro-Húngaro. Fez medicina em Viena e trabalhou um tempo com o neurologista francês Jean-Martin Charcot, que tratava mulheres histéricas por meio de hipnose. Escreveu com Joseph Breuer *Estudo sobre histeria*. Abandonou a hipnose pela técnica da associação livre e desenvolveu a teoria psicanalítica. Em 1899, publicou *A interpretação dos sonhos*. Escreveu ainda: *Psicopatologia da vida cotidiana*, *O chiste e sua relação com o inconsciente*, *Cinco lições de psicanálise*, *O futuro de uma ilusão*, *Mal-estar na civilização*.

A principal novidade dessa teoria encontra-se na hipótese do *inconsciente* e na compreensão da *natureza sexual da conduta*. A hipótese do inconsciente tornou-se fecunda ao permitir compreender uma série de acontecimentos da vida psíquica. Para a psicanálise, todos os nossos atos têm uma realidade exterior representada na nossa conduta, bem como significados ocultos que podem ser interpretados. Usando de uma metáfora, poderíamos dizer que a vida consciente é apenas a ponta de um *iceberg*, cuja montanha submersa simboliza o inconsciente.

A energia que preside os atos humanos é de natureza pulsional, e Freud põe em relevo a energia de natureza sexual chamada *libido*. Mas a sexualidade não deve ser identificada à genitalidade (ou aos atos que se referem explicitamente à atividade sexual propriamente dita); seu significado é muito mais amplo, abrangendo toda e qualquer forma de gratificação ou busca do prazer.

7 As três instâncias do aparelho psíquico

Ao descrever o aparelho psíquico, Freud delimita três instâncias diferenciadas: o id, o ego e o superego.

- O **id** (do latim, "isto") constitui o polo pulsional da personalidade, o reservatório primitivo da energia psíquica; seus conteúdos são inconscientes, alguns inatos e outros recalcados.
- O **ego** (do latim, "eu") é a instância que age como intermediária entre o id e o mundo externo; em contraste com o id, que contém as paixões, o ego enfrenta conflitos para adequá-las pela razão às circunstâncias. Por isso o ego é também a sede do superego.
- O **superego** (ou supereu) é o que resulta da internalização das proibições impostas pela educação, de acordo com os padrões da sociedade em que vivemos.

A histeria foi uma doença típica do final do século XIX, caracterizada por sintomas físicos, sem causa aparente. Pela hipnose, Charcot amenizava os sintomas histéricos. Freud, que acompanhou suas aulas, usou a hipnose por um tempo, até resolver que seria melhor manter o paciente em estado normal, para que ele lhe contasse o que "nem ele mesmo sabia", devido à repressão de um desejo violento, considerado inconciliável com a moral. Desenvolveu, então, a teoria de que "os histéricos sofrem de reminiscências" decorrentes do ocultamento de recordações conflituosas e traumáticas. Por meio da livre associação, era trazida à tona a memória sepultada.

Independentemente de concordar ou não com a psicanálise, comente a importância do autoconhecimento para uma melhor experiência de vida.

THE GRANGER COLLECTION, NEW YORK/OTHER IMAGES

Charcot ensinando em Salpetriere, Paris. Pintura de P. A. A. Brouillet, 1887.

A relação entre essas três instâncias é dinâmica. O id orienta-se pelo *princípio do prazer* e, nesse sentido, o curso dos processos mentais é regulado para buscar o prazer e evitar a dor. Porém, em contato com as normas sociais forma-se o superego, que interioriza as forças inibidoras do mundo exterior. O conflito entre as duas forças antagônicas — a busca do prazer e a exigência dos deveres — é resolvido pelo ego a partir do *princípio de realidade*. Ao levar em conta as condições impostas pelo mundo exterior, aprende a lidar com o desejo, decidindo sobre a conveniência de realizá-lo, proibir sua satisfação ou apenas adiá-la.

Quando o conflito é muito grande e o ego não suporta a consciência do desejo, este é rejeitado, o que determina o processo chamado *repressão*. No entanto, o que foi reprimido não permanece no inconsciente, pois, sendo energia, precisa ser expandido. Reaparece, então, sob a forma de *sintoma*, ou representante do reprimido, como substituição para a gratificação instintiva não atingida. Os sintomas devem ser decifrados na sua linguagem simbólica, já que o simbolismo é o modo de representação indireta e figurada de uma ideia, conflito ou desejo inconsciente.

Enquanto os sintomas permanecem obscurecidos pelo desconhecimento das causas, tem-se como consequência as neuroses ou até desordens mais graves.

A associação livre

Há várias maneiras de sondagem do inconsciente, mas, para Freud, os *sonhos* são a "via régia", o caminho real e privilegiado. O que recordamos de um sonho é o seu conteúdo manifesto, mas sob esse enredo, que às vezes nos parece incoerente e absurdo, há um conteúdo latente, a ser descoberto pela decifração do seu simbolismo. Para tanto, Freud propõe a técnica da *associação livre*, pela qual o próprio indivíduo, seguindo o fluxo espontâneo das ideias, dá as pistas para descobrir o sentido oculto.

PARA REFLETIR

Algumas pessoas procuram significados fixos para os sonhos, como se houvesse símbolos universais; outras têm a expectativa de que cabe ao terapeuta interpretar o sonho, quando, na verdade, tudo se inicia das associações feitas pelo próprio sonhador.

Além dos sonhos, há outros fenômenos psíquicos privilegiados por Freud, como os atos falhos e os chistes.

IMAGNO/HULTON ARCHIVE/GETTY IMAGES

Freud (sentado, à esquerda), em 1909, na Clark University (EUA), onde, a convite de Stanley Hall (no centro), pronunciou a conferência que marcou o primeiro reconhecimento oficial da psicanálise e se transformaria no livro *Cinco lições de psicanálise*. Sentado, à direita, seu discípulo Jung, com quem rompeu posteriormente, e outros seguidores: Abraham Brill, Ernest Jones e Sandor Ferenczi.

Os atos falhos são pequenos deslizes, como esquecimentos, troca de nomes ou lapsos de linguagem aparentemente involuntários, mas que podem ser interpretados porque "traem" algum segredo. Por exemplo: em uma fila para dar pêsames a alguém, confundir-se com um embaraçoso "parabéns". O chiste consiste em gracejos feitos sem aparente intenção de ofender ou seduzir, mas que revelam forças agressivas ou eróticas reprimidas.

Psicanálise e cultura

Em *Mal-estar na civilização*, escrito em 1930, Freud reflete sobre o efeito da repressão dos instintos agressivos e sexuais e seus resultados na civilização. Pelo conceito de sublimação, Freud já explicara como muito da energia instintiva é desviada de maneira produtiva para o trabalho e as artes, tornando possível a civilização — não sem que se impedisse a eclosão de um perigoso estado de frustração, infelicidade e neurose que acomete o ser humano. Conclui com pessimismo que é alto o preço pago pelo indivíduo para se tornar civilizado. Assim diz:

> A civilização consegue dominar o perigoso desejo de agressão do indivíduo, enfraquecendo-o, desarmando-o e estabelecendo no seu interior um agente para cuidar dele, como uma guarnição numa cidade conquistada.[3]

[3] FREUD, Sigmund. *O mal-estar na civilização*. Rio de Janeiro: Imago, 1997. p. 83.

SOLOMON R. GUGGENHEIM FOUNDATION, NOVA YORK; PEGGY GUGGENHEIM COLLECTION/AKG-IMAGES/LATINSTOCK

Os homens da cidade. Fernand Léger, 1919. O pintor francês Léger foi um dos mais proeminentes artistas da primeira metade do século XX. Destaca em suas obras a integração homem-máquina e frequentemente utiliza elementos como círculos, elipses, curvas, diagonais e retângulos, que aparecem ao lado de figuras humanas. Teria sido o avanço da civilização tecnológica proporcional à capacidade humana de ser feliz?

8 Retomando a controvérsia

Para os fenomenólogos que criticam o uso da terapia reflexológica na reeducação de uma criança manhosa, a manha *não é*, ela *significa*, ou seja, é pela emoção que a criança se exprime na totalidade do seu ser. Ela diz coisas com o choro, e esse choro precisa ser interpretado. Do mesmo modo, a resposta dada a certos estímulos externos supõe que os próprios estímulos nunca sejam idênticos para todas as pessoas, mas que exercem influência de maneira singular. À relação mecânica estímulo-resposta, estabelecida pelo comportamentalismo, a fenomenologia contrapõe o sinal e o símbolo. Enquanto o sinal faz parte do mundo físico do ser, o símbolo é parte do mundo humano do sentido.

Os teóricos e terapeutas do comportamentalismo contra-argumentam, afirmando que geralmente não é usado o condicionamento respondente E–R, mas o operante, cuja base experimental permite a verificabilidade e a falseabilidade — conforme exigência das teorias empiristas. Nesse sentido, dizem preferir soluções pragmáticas e de resultados a curto prazo e criticam as teorias hermenêuticas por se enredarem em conceitos metafísicos e teorias abstratas.

No caminho percorrido pelas ciências humanas na busca de seu método, vimos que o empenho inicial era de conformá-lo aos procedimentos das ciências da natureza. Posteriormente, outros estudiosos deles divergiram, para garantir a especificidade do objeto investigado e a exigência de métodos diferenciados.

Como resultado, constatamos uma imensa diversidade entre os caminhos adotados pelos cientistas sociais e do comportamento, o que os distingue da comunidade dos cientistas da natureza. Entre estes últimos, embora coexistam teorias diferentes, elas são aceitas na medida em que se aplicam a aspectos diferentes dos mesmos fenômenos (como é o caso das teorias corpuscular ou ondulatória da luz). O mesmo não acontece no âmbito das ciências humanas, em que as divergências são mais fundamentais, como vimos com relação às tendências positivistas e as hermenêuticas.

Supomos que a distinção feita entre "explicar" e "compreender" nos fornece pistas para discutir a tentativa de definir os métodos das ciências humanas, diante da especificidade desta última. Como diz Gilles-Gaston Granger:

> É limitado o campo em que a visão científica de conhecimento pode legitimamente se exercer? Devemos traçar fronteiras à ciência? A resposta é não, no sentido de que nenhuma razão derivada da natureza da ciência obrigue a se delimitar seu campo de investigação. No entanto, nem toda espécie de fenômeno lhe é igualmente acessível. O obstáculo único, mas radical, me parece ser a realidade individual dos acontecimentos e dos seres. O conhecimento científico exerce-se plenamente quando pode neutralizar essa individuação, sem alterar gravemente seu objeto, como acontece em geral nas ciências da natureza. No caso dos fatos humanos, ela [a ciência] se empenha por envolver cada vez mais estreitamente o individual em redes de conceitos, sem esperar um dia poder atingi-lo.[4]

[4] GRANGER, Gilles-Gaston. *A ciência e as ciências*. São Paulo: Editora Unesp, 1994. p. 113.

Atividades

Revendo o capítulo

1 Faça um quadro comparativo entre "explicação" e "compreensão".

2 Faça um esquema sobre as dificuldades metodológicas das ciências humanas.

3 Qual é a diferença entre o reflexo condicionado respondente e o operante?

4 Destaque as principais linhas da psicanálise.

Aplicando os conceitos

5 A partir da frase de Dilthey, identifique sua posição no embate entre as duas orientações metodológicas das ciências humanas e justifique sua resposta: "Explicamos a natureza, mas compreendemos o homem".

6 No texto a seguir, identifique a orientação de Comte e explique qual é a consequência dessa afirmação para a escolha do método na psicologia: "o espírito humano pode observar diretamente todos os fenômenos, exceto os seus próprios. Pois quem faria a observação? [...] Ainda que cada um tivesse a ocasião de fazer sobre si tais observações, estas, evidentemente, nunca poderiam ter grande importância científica. Constitui o melhor meio de conhecer as paixões sempre observá-las de fora. Portanto todo estado de paixão muito pronunciado, a saber, precisamente aquele que será mais essencial examinar, necessariamente é incompatível com o estado de observação". (Augusto Comte. *Curso de filosofia positiva*. São Paulo: Abril Cultural, 1973. p. 19-20. Coleção Os Pensadores.)

7 A seguir, transcrevemos dois trechos com pressupostos antagônicos de psicologia. Identifique cada tendência e critique-as com base nos fundamentos metodológicos da orientação oposta. Ou seja, à identificada como positivista, faça uma crítica baseada na fenomenologia e vice-versa.

a) "Treinar um soldado é em parte condicionar respostas emocionais. Se retratos do inimigo, sua bandeira etc. forem associados a histórias ou fotografias de atrocidades, uma reação agressiva semelhante provavelmente ocorrerá quando o inimigo for encontrado. As razões favoráveis são obtidas em geral da mesma maneira. Respostas a alimentos apetecíveis são facilmente transferidas para outros objetos. [...] O vendedor bem-sucedido é aquele que paga bebidas ao seu cliente ou convida-o para jantar. O vendedor não está apenas interessado nas reações gástricas, mas sim na predisposição favorável do cliente a seu respeito e com relação ao seu produto." (Burrhus Skinner. *Ciência e comportamento humano*. São Paulo: Martins Fontes, 1985.)

b) "Quaisquer que tenham sido as declarações de princípio de Freud, as investigações psicanalíticas resultam de fato não em explicar o homem pela infraestrutura sexual, mas em reencontrar na sexualidade as relações e as atitudes que anteriormente passavam por relações e atitudes de consciência, e a significação da psicanálise não é tanto a de tornar biológica a psicologia quanto a de descobrir um movimento dialético em funções que se acreditavam 'puramente corporais', e reintegrar a sexualidade no ser humano." (Maurice Merleau-Ponty. *Fenomenologia da percepção*. São Paulo: Martins Fontes, 1999. p. 218.)

Dissertação

8 Elabore uma dissertação a partir do tema: "As feridas narcísicas". Freud chamou de "feridas narcísicas" os acontecimentos que desde a modernidade golpearam a autoestima da humanidade: com Copérnico (heliocentrismo) o homem deixou de estar no centro do Universo; com Darwin (evolucionismo), deixou de ser o centro do reino animal; com o próprio Freud (inconsciente), deixou de ser o centro de si mesmo. A esses três, pode-se acrescentar Marx (luta de classes), com o qual o ser humano deixou de ser o centro da história.

Seminário

9 Em grupo, façam um levantamento das diversas ciências humanas e investiguem sobre as características de seus métodos.

UNIDADE 7

Estética

"Com a estética, o sujeito entra em uma relação sensível com o mundo que se diferencia conscientemente da natureza objetiva concebida a partir da revolução copernicana. A subjetividade torna-se então, por meio do sentimento representado, o fundamento de uma presença estética de uma natureza"

KÜHN, Rolf. Em: HUISMAN, Denis (dir.). *Dicionário dos filósofos*. 2 v. São Paulo: Martins Fontes, 2001. p. 123.

Leia o texto e observe as imagens. O que esses dois edifícios têm em comum? Como podemos aplicar o conceito de belo para os dois se são tão diferentes? Um é simétrico, geométrico, harmônico, construído, entre 447 e 432 a.C., para abrigar um templo dedicado à deusa Athena. O outro é assimétrico, com formas orgânicas, imprevisível, construído, no final do século XX, para abrigar um museu de arte contemporânea.

COREL/STOCK PHOTOS

Acima, Parthenon, em Atenas (Grécia); ao lado, Museu Guggenheim, em Bilbao (Espanha).

IAN LLOYD/MASTERFILE/OTHER IMAGES

O fato de considerarmos as duas construções como obras de arte arquitetônica nos leva a formular algumas perguntas:

1. O que é uma obra de arte?
2. O conceito de belo é universal ou é relativo a um tempo e um período?
3. O gosto varia de sujeito para sujeito ou é algo universal?
4. Por que a estética tem ligação com a arte?

Discuta com seu grupo e anote as conclusões. Esses são os temas que vão nos guiar nesta Unidade.

Capítulo
33

Estética: introdução conceitual

ACERVO DA ARTISTA

Rochelle Costi, *Toalhas – Frutas podres*. Plotter sobre vinil, 1996-1997.

A obra de Rochelle Costi nos chama a atenção pelo colorido intenso, pela simetria e pelo tamanho. Mesmo sem olhar o título, vêm-nos à lembrança toalhas de mesa usadas em casa. Ao observar com mais atenção, entretanto, percebemos que foram fotografadas frutas em decomposição para "imitar" as padronagens de estamparias comuns nessas toalhas.
E a mesma imagem que nos atraiu, nos repele. Afinal, alimentos podres causam sempre um impacto negativo, sobretudo se relacionados ao ritual de refeições.

> **QUEM É?**
>
> **Rochelle Costi** nasceu em 1961 em Caxias do Sul (RS) e formou-se em Comunicação Social pela Pontifícia Universidade Católica do Rio Grande do Sul. Sua primeira exposição aconteceu em 1983, na I Bienal Internacional de Arte Fotográfica, na Escola Panamericana de Artes de São Paulo. Em 1993, expôs em Zurique, na Suíça; em 1998, participou da XXIV Bienal Internacional de São Paulo e, no ano seguinte, da Bienal do Mercosul, em Porto Alegre (RS). Internacionalmente, além da Suíça, expôs no Japão, na França, nos Estados Unidos, na Holanda, em Cuba e na Inglaterra. Tem obras nos principais museus de arte contemporânea do Brasil e do mundo.

O que teria movido a artista a tratar dessa temática? Vamos seguir o seu caminho para chegar a uma interpretação da obra.

Apesar da formação universitária em Publicidade, Rochelle Costi é uma artista autodidata, com grande liberdade para usar suportes e técnicas alternativas: a artista compõe o que vai ser fotografado, podemos dizer que cria um cenário; usa o recurso do rebatimento, ou seja, a reprodução da foto em espelho para criar a simetria, tanto esquerda/direita, como também alto e baixo; emprega o recurso da plotagem para obter cópias muito ampliadas em suportes brilhantes.

O trabalho *Toalhas* faz parte de uma série: são cinco obras inspiradas nas toalhas de mesa populares, de linóleo ou plástico, estampadas com imagens de frutas e vegetais brilhantes. Em vez de se apropriar de imagens já prontas, como faz em outras séries, nesse caso Rochelle utiliza flores mortas, verduras mofadas, pés de galinha e cinzeiros sujos para montar as composições. A aparência decorativa de todas essas estampas é negada pelo material empregado na composição. É uma contradição que leva o espectador a refletir: o que é bonito?

O meio utilizado por Rochelle Costi é a fotografia, que ela encara como um "gesto de colecionar": escolhe a imagem a ser retida e a fixa por meio da foto, passando a possuir o que é representado pela imagem. O fotógrafo, para ela, é um colecionador.

A multiplicidade de imagens em torno de um tema — a série — é uma decorrência da ideia de coleção, um método e um meio de trabalho para essa artista.

A série *Toalhas* propõe algumas questões: a volta ao cotidiano, à vida comum, aos rituais domésticos e familiares. A mesa é escolhida como local privilegiado, lugar da refeição e também do encontro, por significar sustento físico, espiritual e afetivo.

A artista também dialoga com a história da arte, na medida em que trabalha com o gênero **natureza-morta**, levando-o, entretanto, a suas últimas consequências ao usar, em suas composições, elementos naturais em processo de decomposição.

Com esses dados sobre Rochelle Costi, podemos nos perguntar: o que acontece com nosso cotidiano, com os rituais domésticos e familiares, os encontros afetivos no mundo contemporâneo? Estão também em processo de decomposição? O sentimento de aversão diante da imagem também é causado por esse entendimento da obra?

Em que sentido se pode dizer que a obra *Toalhas — Frutas podres* é bela?

> **PARA SABER MAIS**
>
> **Natureza-morta**
>
> Prática da arte greco-romana, a pintura de flores, frutas, utensílios de mesa e pequenos animais foi redescoberta na Europa no século XVII, quando a *História natural*, de Plínio, o Velho (século I d.C.), foi traduzida do latim para várias línguas modernas. Esse gênero de pintura passou a ser recorrente, usado pelos impressionistas, pela vanguarda moderna (principalmente os cubistas) e, na contemporaneidade, foi apropriada pela *pop-art* e por variantes atuais das *instalações*.

1 Conceito e história do termo estética

Embora a arte faça parte do mundo humano desde a pré-história e tenha ocupado lugar de grande importância em todas as civilizações, a palavra **estética** só foi introduzida no vocabulário filosófico em 1750 pelo filósofo alemão Alexander Baumgarten. Referia-se à cognição por meio dos sentidos, ou seja, o *conhecimento sensível*. Mais tarde, passou a usar o termo com referência à percepção da beleza, especialmente na arte.

> **ETIMOLOGIA**
>
> **Estética.** Do grego *aisthesis*, significa "faculdade de sentir", "compreensão pelos sentidos", "percepção totalizante".

Rebatimento. Cópia simétrica da imagem invertendo-se sua posição.

Plotagem. Termo derivado do nome da impressora *Plotter*, que faz impressões sobre papel fotográfico, canvas e vinil em grandes formatos. Passou a denominar o processo de obtenção da imagem.

***Pop-art*.** Movimento artístico que surgiu na Inglaterra, nos anos 1950, mas que irradiou para o mundo a partir de Nova York. Incorporou à arte as linguagens dos meios de comunicação de massa, como a propaganda, a história em quadrinhos, os rótulos de embalagens, a imprensa, a televisão, entre outros.

QUEM É?

Alexander Gottlieb Baumgarten, filósofo alemão, nasceu em 1714. Deu o primeiro curso de estética em 1742, que constituiu a base do livro *Asthetica* e ficaria inacabado até sua morte, em 1762. Graças a ele, a filosofia foi enriquecida com essa nova área do conhecimento.

Para Baumgarten, a estética tem exigências próprias em termos de verdade, pois alia a sensação e o sentimento à racionalidade. A estética, para ele, completa a lógica e deve dirigir a faculdade do conhecer pela sensibilidade. Define a beleza estética como "a perfeição — à medida que é observável como fenômeno do que é chamado, em sentido amplo, gosto — é a beleza".[1]

Mais tarde, no século XX, a constatação da existência de muitos valores estéticos além da beleza levou o objeto da estética a deixar de ser "a produção voluntária do belo".

Kant daria continuidade a esse uso, utilizando a palavra "estética" para designar os julgamentos de beleza, tanto na arte quanto na natureza.

Mais recentemente, o conceito foi ampliado para se referir, além de julgamentos e avaliações, também às qualidades de um objeto, às atitudes do sujeito para considerar o objeto e, principalmente, à experiência prazerosa que o indivíduo pode ter diante de uma obra de arte. Mais importante do que tudo, o *estético* passou a denominar outros valores artísticos, que não só a beleza no sentido tradicional.

Por isso, sob o nome *estética* enquadramos um ramo da filosofia que estuda racionalmente os valores propostos pelas obras de arte e o sentimento que suscita nos seres humanos.

Ao estudar a história das artes, entretanto, encontramos expressões como: estética renascentista, estética realista, estética socialista etc. Nesses casos, a palavra "estética", usada como substantivo, designa *um conjunto de características formais que a arte assume em determinado período*, que corresponde ao que chamamos *estilo*. Esse é um significado restrito do termo estética.

2 O belo e o feio: a questão do gosto

O que é a beleza? Será possível defini-la objetivamente? Ou será uma noção eminentemente subjetiva, isto é, que depende de cada um?

A beleza

De Platão ao classicismo, os filósofos tentaram fundamentar a objetividade da arte e da beleza. Para Platão, a beleza é a única ideia que resplandece no mundo. Se, por um lado, ele reconhece o caráter sensível do belo, por outro, continua a afirmar sua essência ideal, objetiva. Segundo o pensamento platônico, somos obrigados a admitir a existência do "belo em si" independentemente das obras individuais que, na medida do possível, devem se aproximar desse ideal universal.

PARA SABER MAIS

Para uma visão mais aprofundada da concepção artística do naturalismo, muito importante na Grécia Clássica e no Renascimento, ver o item "O naturalismo grego", no capítulo 37, "Concepções estéticas".

O classicismo vai ainda mais longe, pois deduz regras para o fazer artístico a partir do *belo ideal*, fundando a estética normativa. É o objeto que passa a ter qualidades que o tornam mais ou menos agradável, independente do sujeito que as percebe.

Nos séculos XVII e XVIII, do outro lado da polêmica, os filósofos empiristas Locke e Hume relativizam a beleza, uma vez que ela não é uma qualidade das coisas, mas só o sentimento na mente de quem as contempla. Por isso, o julgamento de beleza depende tão somente da presença ou ausência de prazer em nossas mentes. Todos os julgamentos de beleza, portanto, são verdadeiros, e todos os gostos são igualmente válidos. Aquilo que depende do gosto e da opinião pessoal não pode ser discutido racionalmente, donde o ditado: "Gosto não se discute". O belo, portanto, não está mais no objeto, mas nas condições de recepção do sujeito. Voltaremos ao tema no capítulo "Concepções estéticas", nesta Unidade.

No século seguinte, Kant, na tentativa de superar a dualidade objetividade-subjetividade, debruça-se sobre os *julgamentos estéticos*, ou de beleza, e não sobre a *experiência estética*. Afirma que o belo é "aquilo que agrada universalmente, ainda que não se possa justificá-lo intelectualmente". Para ele, o objeto belo é uma ocasião de prazer, cuja causa reside no sujeito. O princípio do juízo estético, portanto, é o sentimento do sujeito, e não o conceito do objeto. Entretanto, esse sentimento é

[1] HUISMAN, Denis. *Dicionário dos filósofos*. São Paulo: Martins Fontes, 2001. p. 123.

despertado pela presença do objeto. Embora seja um sentimento, portanto, subjetivo, individual, há a possibilidade de universalização desse juízo, pois as condições subjetivas da faculdade de julgar são as mesmas em cada ser humano.

Belo, portanto, é uma qualidade que atribuímos aos objetos para exprimir um certo estado da nossa subjetividade. Sendo assim, não há uma ideia de belo nem pode haver regras para produzi-lo. Há objetos belos, modelos exemplares e inimitáveis. (Ver o item 6, *Kant e a crítica do juízo estético*, no capítulo 37, "Concepções estéticas", nesta Unidade.)

Hegel, em seguida, introduz o conceito de história ao estudo do belo, e, a partir do século XIX, a beleza muda de face e de aspecto através dos tempos. Essa mudança (devir), que se reflete na arte, depende mais da cultura e da visão de mundo vigentes do que de uma exigência interna do belo. Voltaremos a esse tema no capítulo 37.

Hoje em dia, de uma perspectiva fenomenológica, consideramos o belo como uma qualidade de certos objetos singulares que nos são dados à percepção. Beleza é, também, a imanência total de um sentido ao sensível. O objeto é *belo* porque *realiza sua finalidade*, é *autêntico*, verdadeiramente *segundo seu modo de ser*, isto é, por ser um objeto singular, sensível, *carrega um significado que só pode ser percebido na experiência estética*. Não existe mais a ideia de um único valor estético baseado no qual julgamos todas as obras. Cada objeto singular estabelece seu próprio tipo de beleza.

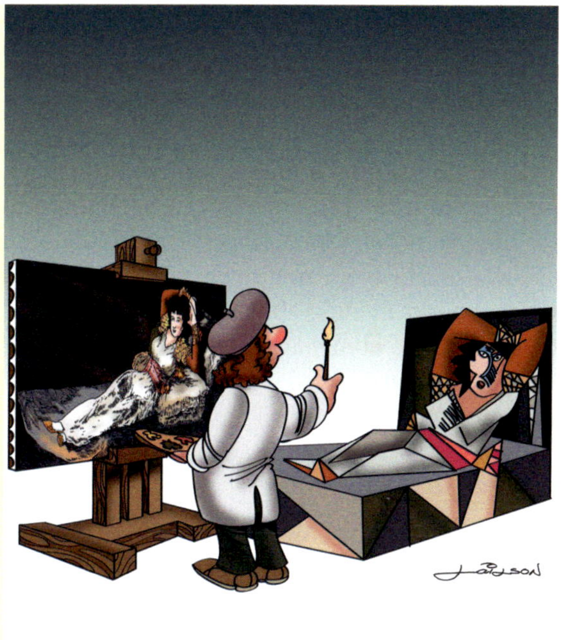

LAILSON

Maja cubista moderna, desenho humorístico de Lailson de Holanda Cavalcanti, 2009.

Você pode descrever o desenho de Cavalcanti? Você notou que o humor deriva do diálogo do desenho com a história da arte, do fato de o artista se recusar a retratar realisticamente sua modelo, embelezando-a, segundo os padrões do senso comum?

O feio

A questão do **feio** está implícita na problemática do belo. Por princípio, o feio não pode ser objeto da arte. No entanto, podemos distinguir, de imediato, dois modos de representação do feio:

- a representação do assunto "feio", como na obra de Rochelle Costi;
- e a forma de representação feia.

No primeiro caso, embora o assunto "feio" tenha sido banido do território artístico durante séculos (pelo menos desde a Antiguidade grega até a época medieval), no século XIX ele vem a ser reabilitado.

No momento em que a arte rompe com a ideia de ser *cópia do real* para ser considerada criação autônoma que tem a *função de revelar as possibilidades do real*, ela passa a ser avaliada de acordo com a autenticidade da sua proposta e sua capacidade de falar ao sentimento, como veremos no capítulo 35, "Arte como forma de pensamento".

No segundo caso, trata-se de percebermos que o problema do belo e do feio foi deslocado do assunto para o modo de representação. Só haverá obras *feias* na medida em que forem malfeitas, isto é, que não correspondam plenamente a sua proposta. Em outras palavras, se houver uma obra feia — neste último sentido —, não haverá obra de arte.

E ETIMOLOGIA

Feio. Do latim *foedus*, que deu origem a "fealdade"; aquilo que é hediondo, feio. Opostamente, a palavra latina *facia*, que originou "face", refere-se à "presença", "beleza". Etimologicamente, feio pode ser relacionado ao que não tem rosto, fantasmagórico; o que é ausente; sem forma.

Subjetivo. Que é individual, válido para cada sujeito; baseado em valores, preferências, limites e possibilidades individuais.

Objetivo. O que tem validade para todos os indivíduos, não somente para este ou aquele; diz-se do conhecimento que é fundado sobre a observação do objeto.

Gosto e subjetividade

O conceito de gosto não deve ser encarado como uma preferência arbitrária e imperiosa da nossa subjetividade.

Quando o gosto é entendido dessa forma, ele refere-se mais a si mesmo do que ao mundo dentro do qual ele se forma, e esse tipo de julgamento estético decide o que prefiro em virtude do que sou. Passo a ser a medida absoluta de tudo (aquilo de que eu gosto é bom e aquilo de que eu não gosto é ruim), e essa atitude só pode levar ao dogmatismo e ao preconceito.

A subjetividade em relação ao objeto estético precisa estar mais interessada em *conhecer*, entregando-se às particularidades de cada objeto, do que em *preferir*. Nesse sentido, *ter gosto é ter capacidade de julgamento sem preconceitos*. É a própria presença da obra de arte que forma o gosto: torna-nos disponíveis, supera as particularidades da subjetividade, converte o particular em universal. A obra de arte

> "convida a subjetividade a se constituir como olhar puro, livre abertura para o objeto, e o conteúdo particular a se pôr a serviço da compreensão em lugar de ofuscá-la fazendo prevalecer as suas inclinações. À medida que o sujeito exerce a aptidão de se abrir, desenvolve a aptidão de compreender, de penetrar no mundo aberto pela obra. Gosto é, finalmente, comunicação com a obra para além de todo saber e de toda técnica. O poder de fazer justiça ao objeto estético é a via da universalidade do julgamento do gosto". [2]

3 A atitude estética

Neste livro, discutiremos somente a atitude que propicia a experiência estética diante de uma obra de arte.

Apreciar as qualidades estéticas de uma obra de arte é bem diferente de notar suas propriedades físicas: tamanho, peso, material de que é feito. Seu valor econômico, de troca, também não entra em consideração na apreciação estética.

Costuma-se dizer que a experiência estética, ou a experiência do belo, é gratuita, é *desinteressada*, ou seja, não visa a um interesse prático imediato. Só nesse sentido podemos entender a gratuidade dessa experiência; jamais como inutilidade, uma vez que ela responde a uma necessidade humana e social.

Ressalte-se que a experiência estética:

- não visa ao conhecimento lógico, medido em termos de verdade;
- não tem como alvo a ação imediata;
- e não pode ser julgada em termos de utilidade para determinado fim.

Algumas vezes essa atitude desinteressada é chamada de *contemplativa*. Não nos enganemos, entretanto, com o significado dessa palavra. A contemplação não se opõe à ação: ao contrário, ela é também uma ação, pois é percepção ativa, que envolve a antecipação e a reconstrução. É o que se verifica na experiência musical; nas artes visuais (sobretudo em seus aspectos formais, como a relação da figura com o fundo, formas, cores e tonalidades, diferentes planos etc.); na literatura (na estrutura narrativa).

Por exemplo, nosso interesse pela obra de Rochelle Costi, que abriu este capítulo, não é guiado pelo fato de estarmos com fome e desejarmos comer as frutas; nem por uma eventual necessidade de comprar uma toalha de mesa. O interesse é pelo uso inusitado de frutas podres na composição da cena e que resulta em uma padronagem altamente decorativa; pela escolha do tema "toalhas de mesa", sim, separado de sua utilidade prática e ligado ao fato de ser incomum em arte e de acrescentar significados à obra. O interesse se volta, ainda, para a composição, para o material brilhante sobre o qual foi impressa a imagem e para o seu tamanho. Todos esses aspectos formais da obra de arte contribuem para que possamos fazer uma leitura de seus significados.

4 A recepção estética

A experiência estética é a **experiência da presença** tanto do objeto estético como do sujeito que o percebe. Nenhum argumento racional ou conjunto de regras poderá nos convencer de que um objeto é belo se não pudermos percebê-lo por nós mesmos, se não estivermos frente a frente com ele.

A obra de arte, como já dissemos, pede uma recepção justa, que se abra para ela e ao mesmo tempo não lhe imponha normas externas. Essa recepção tem por finalidade o desvelamento do objeto, por meio de um sentimento que o acolhe e que lhe é solidário.

A obra de arte espera que aquele que a aprecia "jogue o seu jogo", isto é, entre no seu mundo, de acordo com as regras ditadas pela própria obra para que seus múltiplos sentidos possam aparecer.

[2] DUFRENNE, Mikel. *Phénoménologie de l'expérience esthétique*. v. II. Paris: PUF, 1967. p. 100.

O espectador, ao acolhê-la, atualiza as possibilidades de significado da arte e testemunha o surgimento de algumas significações contidas na obra. Outros a verão, e outros significados surgirão. Todos igualmente verdadeiros.

5 A compreensão pelos sentidos

Agora fica mais fácil entender a definição de estética como "compreensão pelos sentidos" e "percepção totalizante". A arte desafia o nosso intelecto tanto quanto as nossas capacidades perceptivas e emocionais. Quando nos expomos a uma obra de arte — seja ela erudita ou popular — de peito aberto, sem preconceitos e sem impor limites à experiência, todo o nosso ser, tudo o que somos, pensamos e sentimos, se faz presente e contribui para o surgimento de um sentido no sensível. Ao mesmo tempo, cada experiência estética educa o nosso gosto, torna a nossa sensibilidade mais aguda, nos enriquece emocional e intelectualmente, por meio do prazer e da compreensão que nos proporciona.

Van Gogh, o valor das cores

Van Gogh usou pinceladas curtas, com tinta grossa e cores contrastantes. O artista se inspirou na paisagem que via da janela de seu quarto em um sanatório no sul da França, mas pintou a cena de memória, acrescentando lembranças de sua juventude e infância (como a torre da igreja).

O céu, que toma dois terços da tela, quase parece um mar revolto, como se as estrelas estivessem em movimento incessante. O movimento é dado pelas pinceladas que formam linhas curvas e pelas cores justapostas. Essa movimentação contrasta com a aparente calma do vilarejo.

O cipreste, característico dessa região da França batida pelos ventos, estabelece uma ligação entre céu e terra. Formalmente, é o contraponto vertical a uma paisagem basicamente horizontal.

Van Gogh compreendia o valor emocional das cores que dão um "estilo grandioso para as coisas". Usava as cores pelo seu valor expressivo, não se preocupando com o realismo, e menos ainda com a ideia de criar uma ilusão de realidade, da cena.

THE MUSEUM OF MODERN ART, NOVA YORK

A noite estrelada, de Vincent van Gogh (1853-1890).

O pintor holandês Van Gogh foi um dos principais artistas a ter suas obras expostas na Segunda Exposição Pós-Impressionista da Galeria Grafton, em 1912, em Londres, organizada por Roger Fry. Como você interpreta essa obra de arte? Que tipo de sentimento ela desperta em você?

Leitura complementar

A arte depois de seu fim

"O que mais me interessa nesses esforços de salvar a narrativa são as tentativas de contar um novo tipo de história em reconhecimento, pode-se dizer, de um novo tipo de realidade. O prefácio escrito por Roger Fry para o catálogo da Segunda Exposição Pós-Impressionista, nas Galerias Grafton de Londres, começa: 'Quando a Primeira Exposição Pós-Impressionista aconteceu nesta Galeria há dois anos, o público inglês teve, pela primeira vez, plena consciência da existência de um novo movimento em arte, movimento que foi mais desconcertante por não ser uma simples variação sobre temas já aceitos, mas implicava na reconsideração do propósito, objetivo e dos métodos das artes plásticas e pictórica.' Fry anotou que 'acusações de falta de jeito e incapacidade foram feitas livremente' pelo público 'que tinha vindo para admirar, acima de tudo, a habilidade do artista em produzir uma ilusão e que sentia rancor da arte na qual essa habilidade estava completamente subordinada à expressão direta do sentimento.' E, em 1912, era sua opinião que os artistas cujos trabalhos foram expostos estavam 'tentando expressar de forma plástica e pictórica certas experiências espirituais.' Por isso, os artistas 'não tentam imitar a forma, mas criar forma; não imitar a vida, mas encontrar um equivalente para a vida... Na verdade, seu objetivo não é a ilusão mas a realidade.' Para fazer isso, era importante, tipicamente, provar duas coisas: que o artista sabia desenhar, se ele assim o desejasse, de maneira que o trabalho em pauta não fosse considerado sob a luz do 'já que não sabe' e que o artista fosse *sincero*. Discussões desse tipo não tinham sido necessárias nos seiscentos anos anteriores da Arte Ocidental."

Arthur C. Danto. *After the end of art.* Contemporary art and the pale of history. The A. W. Mellon lectures in the fine arts. Princeton: Princeton University Press, 1997. p. 52-53. Trad. M. Helena P. Martins.

COLEÇÃO PARTICULAR, NOVA YORK

Monte Sante Victorie. Cézanne, 1888-1890. Cézanne, um dos artistas que tiveram suas obras expostas na Segunda Exposição Pós-Impressionista, juntamente com Van Gogh, cria formas em vez de imitá-las, dando oportunidade para que o público tenha uma experiência estética, uma experiência de vida.

Questões

1. De que tipo de arte o povo inglês gostava no início do século XX?
2. Que tipo de arte foi apresentado na exposição de 1912?
3. As acusações feitas pelo público de "falta de jeito e incapacidade" dos artistas revelam que o julgamento baseava-se em que tipo de gosto?
4. Que atitude seria necessária, por parte do público, para que seu gosto fosse educado?
5. Houve uma revolução estética com essa exposição? Por quê?

Atividades

Revendo o capítulo

1 Por que, tradicionalmente, a Estética está ligada à questão do belo?

2 Explique o que é *ter gosto*. Dê exemplos.

3 Explique o conceito objetivo e o conceito subjetivo de beleza.

4 Como Kant supera a dualidade subjetividade-objetividade?

5 Por que existe pluralidade de valores estéticos?

6 Como você explica a atitude contemplativa ou desinteressada em arte?

Aplicando os conceitos

7 Reveja o cartum de Lailson de Holanda Cavalcanti, apresentado no tópico "O belo e o feio: a questão do gosto", e atenda às propostas a seguir.

a) Descreva o tipo de representação que o pintor está executando.

b) Comente a questão da fidelidade ao modelo ou da criação da ilusão.

c) Há ironia na imagem proposta pelo artista? O que seria o novo?

d) A atitude do pintor revela um diálogo com a história da arte. Que tipo de relação é mantida entre os dois?

8 Leia os textos seguintes e explique-os com suas palavras, indicando a corrente a que pertencem.

1.
"A perfeição final de toda arte é reproduzir não as coisas que vemos, pois estas estão sujeitas a erros e imperfeições, mas uma natureza idealmente bela, de acordo com os princípios da verdadeira beleza, presentes na própria natureza." (Quatremère de Quincy)

2.
A beleza envolve "integridade e perfeição, uma vez que as coisas defeituosas são, por isso mesmo, feias; proporção adequada ou harmonia; e, por último, brilho ou claridade, donde as coisas bonitas têm cores brilhantes". (São Tomás de Aquino)

9 Procure diferentes usos da palavra estética em seu cotidiano e dê exemplos. Como, em cada caso, esses usos estão ligados à noção de beleza?

Dissertação

10 Elabore uma dissertação a partir do seguinte texto. "Hegel, em sua Estética, anota que 'acontece que, se não cada marido a própria esposa, pelo menos cada namorado considera bela, aliás exclusivamente bela, a própria namorada. [...] Ouve-se dizer com frequência que uma Beleza europeia desagradaria a um chinês ou mesmo a um hotentote, embora o chinês tenha um conceito de Beleza inteiramente diverso daquele do negro... E, na verdade, se considerarmos as obras de arte dos povos não europeus, as imagens de seus deuses, por exemplo, que brotaram de sua fantasia como dignas de veneração e sublimes, poderão nos parecer ídolos dos mais monstruosos, assim como sua música pode soar aos nossos ouvidos da forma mais detestável. Por sua vez, aqueles povos verão as nossas esculturas, pinturas e músicas como insignificantes ou feias'." (Humberto Eco. Em: *História da feiura* (org.). Rio de Janeiro: Record, 2007. p. 12.)

Caiu no vestibular

11 (Fuvest, 2008) Entrevistado por Clarice Lispector, à pergunta "Quais as características da arquitetura brasileira?", Oscar Niemeyer respondeu:
"A arquitetura brasileira assumiu desde os primeiros tempos uma posição definida e própria no movimento moderno, ingressando corajosamente nas formas livres e inovadoras que hoje a caracterizam. Ao contrário do 'ângulo reto', eram a curva e suas relações com o concreto armado e nossa tradição barroca que nos atraíam. Hoje, passados muitos anos, recordamos com agrado esse período importante de nossa arquitetura: [...] fomos os primeiros a recusar o funcionalismo absoluto e dizer francamente que a forma plástica em certos casos (quando o tema o permite) pode prevalecer, que a beleza é uma função e das mais importantes na arquitetura". (Clarice Lispector. *Entrevistas*.)
No texto, o entrevistado estabelece oposição entre dois elementos, com base em um determinado critério. No quadro abaixo, os elementos e o critério estão corretamente indicados em:

	Elementos	Critérios
a)	"movimento moderno" e "formas livres".	Histórico.
b)	"curva" e "beleza".	Geométrico.
c)	"ângulo reto" e "tradição barroca".	Estético.
d)	"funcionalismo absoluto" e "arquitetura".	Histórico.
e)	"concreto armado" e "forma plástica".	Estético.

Capítulo 34

Cultura e arte

JANA JOANNA E VITCHÉ

Graffiti de Jana Joana e Vitché. São Paulo (SP), 2005.

O suporte deste desenho é um muro da cidade.

Apresenta, de forma estilizada e muito decorativa, a figura de uma mulher nua, com o corpo pintado, segurando um arco entre as mãos e ajoelhada sobre um cavalo preto cujas patas se encontram fora do solo.

Embora o cavalo esteja em movimento, a figura feminina apresenta-se perfeitamente equilibrada sobre o dorso do animal. A presença da lua e o uso de cores frias (branco, preto e azul) sugerem que a cena é noturna.

A feminilidade e certa sensualidade são afirmadas pelas muitas curvas do corpo da mulher, pelo modo de se ajoelhar e apoiar os pés, pelos cabelos longos e pela ornamentação do corpo e dos cabelos.
O aspecto decorativo está presente também nos arabescos espalhados pelo fundo branco, na estilização da crina e da cauda do cavalo, bem como na posição de sua cabeça, voltada para trás, formando uma grande curva.

O grafismo presente no tecido que recobre o cavalo e no cabelo da mulher evoca as culturas indígenas. A presença do arco, a postura da mulher, o fato de o cavalo estar em movimento veloz remetem às guerreiras, às míticas amazonas.

Mulher guerreira das ruas, guerreira da noite com sua suavidade, feminilidade e força, mulher parte de uma minoria, tal quais os povos indígenas, são interpretações possíveis para este trabalho conjunto de Jana Joana e Vitché.

Observe com atenção a imagem. Ela tem conotações políticas? Explique.

PARA SABER MAIS

Apesar de ter aparecido na pré-história — os desenhos nas paredes das cavernas —, o ***graffiti***, como conhecemos hoje, integra a cultura de rua, principalmente o *hip-hop*. Teve início no final dos anos 1960, na Filadélfia (EUA), como forma de expressão de ativistas políticos, principalmente de minorias sem voz na mídia convencional. No início da década de 1970, o centro de inovação do *graffiti* passou a ser Nova York, de onde se espalhou pelo mundo. No Brasil, o grande desenvolvimento do *graffiti* ocorreu em São Paulo, embora apareça em todos os centros urbanos, grandes e pequenos. É, portanto, manifestação de cultura urbana e pública.

ETIMOLOGIA

***Graffiti*.** Do grego *graphein*, que significa escrever, é o plural da palavra italiana *graffito*, que significa "incisão em pedra ou parede", revelando as cores ou o material subjacente. Na cultura greco-romana, o uso da palavra evoluiu para incluir qualquer inscrição em superfícies do espaço público, constituindo vandalismo.

1 Cultura *hip-hop*

O *graffiti* é expressão da cultura urbana das ruas, da cultura das minorias sem voz. É um ato de contravenção da lei, o que configura crime. Por essa razão, para essas minorias, grafitar torna-se um símbolo de coragem, uma vez que seus praticantes correm o risco de ser punidos.

O *graffiti* é um dos elementos da cultura *hip-hop*. Os outros são: o *rap* ou MC, a dança *break* e *disc-jockey*, ou seja, o ato de isolar partes dançantes da música *funk* — normalmente baseadas na percussão — e repeti-las continuamente. Os grafiteiros, muitas vezes, participam dos outros aspectos dessa cultura e praticam sua atividade em áreas nas quais tanto a música quanto a dança de rua se desenvolvem, tornando, assim, a ligação entre *graffiti* e *hip-hop* mais intensa.

Alguns grafiteiros tornaram-se artistas contemporâneos, como é o caso de Jean Michel Basquiat; outros, em maior número, têm sua obra reconhecida como arte de rua, arte pública, exposta em muitas galerias de arte, como é o caso de John Fekner e Banksy e, no Brasil, dos Gêmeos e Nunca, entre outros.

Quais são as diferenças entre cultura e arte? O que está contido em cada um desses universos? São esferas que interagem ou são estanques?

2 Os sentidos de cultura

O termo **cultura** tem uma série de significados diferentes, embora próximos, o que causa muita confusão conceitual e dificuldades, inclusive na esfera governamental. Se existem um Ministério e inúmeras secretarias de Cultura, tanto estaduais quanto municipais, é necessário saber de que objeto esses órgãos se ocupam.

ETIMOLOGIA

Cultura. Do verbo latino *colere*, que significa "cultivo", "cuidado com as plantas, os animais e tudo o que se relaciona com a terra, como a agricultura". Designava também o cuidado com os deuses, de onde vem a palavra "culto"; também era aplicada ao cuidado com as crianças (puericultura), com sua educação, referindo-se ao cultivo do espírito. É neste último sentido que o termo é usado até hoje.

O sentido antropológico

Do ponto de vista da antropologia, o termo "cultura" refere-se a tudo o que o ser humano faz, pensa, imagina, inventa, porque ele é um ser cultural. Não sendo capaz de viver somente guiado por seus instintos, ele é levado a construir "ferramentas" que possam ajudá-lo a instalar-se no mundo, a sobreviver, a desenvolver sua humanidade. A essas "ferramentas" dá-se o nome de cultura.

A cultura, no sentido etimológico, é o cultivo do ser em seu processo de humanização: é atribuição de significados ao mundo e a nós mesmos, significados esses que são passados adiante e modificados de acordo com as necessidades de cada grupo.

A cultura sempre responde a desejos e necessidades dos grupos, das comunidades e da sociedade em geral. Por isso a cultura é plural, dinâmica e diversificada.

ROGÉRIO REIS/OLHAR IMAGEM

Festa do Bumba meu boi. São Luís (MA), 2008. Festa típica do nordeste, narra a história de um escravo que mata o boi mais bonito de seu senhor para satisfazer o desejo da amada, que está grávida. No Maranhão, é encenada durante as festividades juninas chamadas de São João da Maranhensidade.

A cultura, além de mediar nossa relação com o mundo, também age como um cimento, elemento de união entre um certo grupo de pessoas que adotam os mesmos usos, costumes e valores e torna a vida segura e contínua para a sociedade humana. A cultura dá o sentido de pertencimento, isto é, de fazer parte de um determinado grupo que, além da língua, divide também o vocabulário, o sotaque, os modos de vida, os valores etc.

Além de oportunidade de autorreconhecimento, a cultura também proporciona a possibilidade de autoprodução e de prazer. Explicando: se o indivíduo não nasce humano, mas se torna humano ao longo da vida, ele se produz durante esse processo de humanização. Aprende a falar, a se comunicar, a se comportar em sociedade, segundo determinados padrões de sua cultura; aprende, também, a agir, desejar e criar. Constrói a si mesmo *dentro* do grupo social e *com* o grupo social, isto é, com a ajuda do coletivo.

A partir dessa visão ampla de cultura, tudo no mundo humano é cultura, não existindo um único aspecto que não seja cultural. Mas qual seria, então, o significado de cultura para um órgão público que se intitula Ministério ou Secretaria da Cultura? Com qual recorte da cultura ele trabalha? E os chamados Estudos Culturais, se ocupam do quê?

Restringindo o sentido: o patrimônio

No que tange ao Ministério da Cultura e às secretarias, tanto estaduais quanto municipais, cuidar do patrimônio histórico e artístico é parte de suas atribuições.

E ETIMOLOGIA

Patrimônio. Da palavra latina *pater*, "pai", designa o conjunto de bens transmitidos de pai para filho.

A Constituição brasileira de 1988 define patrimônio como sendo os

> bens de natureza material e imaterial, tomados individualmente ou em conjunto, portadores de referência à identidade, à ação, à memória dos diferentes grupos formadores da sociedade brasileira, nos quais se incluem:
>
> I – as formas de expressão;
>
> II – os modos de criar, fazer e viver;
>
> III – as criações científicas, artísticas e tecnológicas;
>
> IV – as obras, objetos, documentos, edificações e demais espaços destinados às manifestações artístico-culturais;
>
> V – os conjuntos urbanos e sítios de valor histórico, paisagístico, artístico, arqueológico, paleontológico, ecológico e científico.[1]

Vemos que esse conceito de patrimônio está muito próximo da definição antropológica, uma vez que inclui a produção científica e tecnológica, as formas de expressão e os modos de criar, fazer e viver. Continuamos com o problema de determinar o que deve ser considerado como cultura. Além disso, nesse conceito há uma forte relação entre ele e identidade, história (memória) e ação de grupos do passado.

Não podemos esquecer que a noção de patrimônio é uma construção cultural. Dentre todas as memórias, as ações e identidades que formam um grupo, uma comunidade ou um país, algumas são escolhidas para representar a totalidade da população e estabelecidas como patrimônio oficial. Outras não têm esse reconhecimento e podem cair no esquecimento.

Para ser considerado patrimônio nacional, os bens devem ser *tombados* pelo Instituto do Patrimônio Histórico e Artístico Nacional (Iphan). O tombamento é um processo que inclui minucioso estudo da importância histórica e artística de um bem e sua posterior inclusão nos livros do tombo como bem histórico, artístico, arqueológico ou etnológico. Esses bens, conhecidos como patrimônio histórico e artístico brasileiro, representam a nação e o povo brasileiro e são protegidos por leis federais, estaduais e municipais.

Os bens tombados não podem ser mutilados, destruídos, reformados sem a autorização expressa do Iphan. Os bens móveis não podem sair do território brasileiro a não ser para intercâmbios de curta duração e com o consentimento do Instituto. Podem, entretanto, ser vendidos dentro do próprio país.

Entre 1937, quando foi criado o Instituto, e 1967, os bens tombados representavam o passado português brasileiro (o Brasil Colônia), o Brasil católico (a metade dos bens tombados era constituída de edifícios religiosos), branco e abastado. Não eram representadas nem as inúmeras culturas indígenas, nem a africana trazida pelos escravos, nem as culturas dos imigrantes.

[1] BRASIL. Constituição (1988). *Constituição da República Federativa do Brasil*. Brasília: Senado, 1988, artigo 216. Disponível em: http://portal.iphan.gov.br/portal/montarPaginaSecao.do?id+10852&retorno+paginaIphan. Acesso em: 23 jul. 2008.

Igreja São Gonçalo. Renée Lefèvre, 1981, desenho aquarelado. A Igreja de São Gonçalo, em Penedo, Alagoas, é um exemplo de patrimônio arquitetônico colonial brasileiro.

Somente a partir de 1975, os intelectuais perceberam que o chamado Patrimônio Nacional não representava a pluralidade de culturas existentes no país. Foi, então, criado o Centro Nacional de Referência Cultural (CNRC) para incluir na noção de patrimônio a cultura viva, enraizada no fazer popular. Mapeou-se o artesanato dos vários cantos do país, "com o objetivo de conhecer, documentar e compreender essas manifestações, a fim de preservar sua memória e fornecer elementos para seu desenvolvimento. Fez-se, também, um levantamento da história da ciência e da tecnologia no Brasil, preservando, além do produto industrial, a história do processo de fabricação."[2]

Grande parte desse patrimônio é *imaterial*, ou seja, são "práticas, representações, expressões, conhecimentos e técnicas — junto com os instrumentos, objetos, artefatos e lugares culturais que lhes são associados — que as comunidades, os grupos e, em alguns casos, os indivíduos reconhecem como parte integrante de seu patrimônio cultural".[3]

Tanto o terreiro de candomblé, quanto os griôs (contadores de histórias de origem africana) e a capoeira foram tombados nos últimos anos, dentro desse espírito.

Muitas outras manifestações, entretanto, não foram tombadas e não são reconhecidas como sendo parte do patrimônio cultural do país, o que não impede que tenham continuidade e sejam reconhecidas pelo grupo como parte de seu patrimônio cultural não oficial. Como exemplo, temos todas as festas de junho, chamadas genericamente como festas de São João, no nordeste do país.

O sentido estrito: a arte

Voltando ao problema do que é chamado *cultura*, apelemos para o senso comum: é só abrir o jornal e ler o caderno de cultura para entendermos o uso que se faz dessa palavra. O termo cultura, em sentido restrito, diz respeito à produção ligada às diferentes práticas artísticas, ou seja, às manifestações que façam uso das linguagens artísticas, sejam populares ou eruditas.

Essa produção tem uma característica muito interessante: existe independentemente de relações utilitárias ou práticas. Um templo grego ou uma igreja gótica têm valor que vai além da função prática de abrigar as práticas religiosas. Eles aparecem, figuram entre as coisas do mundo e se apoderam de nossa atenção, de nosso sentimento, comovendo-nos, revelando significados internos que são atualizados a cada geração.

Por isso, muitos autores reservam o termo *cultura* para designar as artes cujas características serão examinadas mais profundamente no decorrer desta Unidade.

3 As diferenças entre arte e cultura

Teixeira Coelho, intelectual brasileiro contemporâneo, estabelece várias diferenças entre cultura e arte, em texto no qual discute parâmetros para a criação de uma política cultural e uma política para as artes.

QUEM É?

Teixeira Coelho nasceu em Ribeirão Preto, em 1944, formou-se em Direito e frequentou os primeiros anos da Escola de Comunicação e Artes, da Universidade de São Paulo, logo que ela foi criada. Tem mestrado em Artes e doutorado em Literatura pela USP, onde é professor titular da área de Políticas Culturais. Espírito inquieto, transita em todos os campos das artes. Grande polemista, aborda a cultura e as artes de pontos de vista às vezes insólitos, mas sempre instigantes, com argumentação sólida. Foi coordenador do Observatório de Políticas Culturais da ECA-USP, diretor do Museu de Arte Contemporânea da USP e atualmente é curador-coordenador do Museu de Arte de São Paulo (Masp). É ainda autor de inúmeros livros de ficção e ensaios.

[2] Para mais informações sobre o que é patrimônio, ver MARTINS, M. Helena Pires. *Preservando o patrimônio e construindo a identidade*. São Paulo: Moderna, 2001.

[3] Definição da Unesco disponível em http://portal.iphan.gov.br/portal/montarPaginaSecao.do?id=10852&retorno=paginaIphan. Acesso em 23 jul. 2008.

Em primeiro lugar, a cultura é criação coletiva e é dirigida para a comunidade, reforçando seu modo de ser. A arte, ao contrário, é criação individual e dirigida para o indivíduo. Mesmo as artes coletivas, como o cinema, o teatro, a dança, são autorais, isto é, revelam a visão de um criador ou diretor.

A cultura é uma necessidade, pois para viver em sociedade é necessário aprender a cultura local: a língua, os modos de vida, os valores etc. Já a arte não é necessária na vida humana. Pode-se viver sem arte. Ninguém é obrigado a produzir ou desfrutar a arte: ela é um privilégio para quem faz e para quem a aprecia, uma vez que é fruto de um desejo forte e intenso. Por isso existem os direitos culturais assegurados pela Constituição, mas não existem direitos artísticos. Explicando: tudo aquilo que é uma necessidade para o ser humano deve ser um direito; o que não é necessário não pode se tornar nem direito nem dever.

A cultura é útil para instrumentalizar os indivíduos a viver em sociedade, a enfrentar novos desafios. A arte, por sua vez, é gratuita, ou seja, transcende todo e qualquer fim que se proponha para ela. Ela amplia a esfera da presença do ser, enriquece o indivíduo, ajuda no seu desenvolvimento propriamente humano.

A cultura é comunicação, pois, para ser útil, deve ser comunicada. Seu significado circula pela sociedade. A arte expressa um universo. Sua abordagem é interpretativa: não qualquer interpretação, mas a interpretação competente que leve em consideração tudo o que está em jogo na obra.

A finalidade social da cultura é reconfortar, tranquilizar, permitir que o indivíduo encontre seu lugar. A cultura traz estabilidade para a comunidade e o indivíduo. Integra o social a si mesmo e cada um ao coletivo. Segundo Teixeira Coelho, "a cultura cuida do outro", dá identidade. Já a arte é uma obra de risco, envolve o jogo que desestabiliza, desintegra tanto quem a faz quanto quem a recebe. Ela não cuida do outro. A arte incomoda.

A cultura quer descobrir uma verdade oculta. Uma vez descoberta, ela se perpetua: está presa à tradição, à repetição. Por exemplo, a identidade nacional, a identidade desta ou daquela região ou grupo não pode ser alterada sob pena de se perder. A arte, por sua vez, é uma invenção de algo que não existia antes, não está presa à tradição e não pode se repetir.

Por isso, a cultura é sempre narrativa, conta histórias, resolve problemas, seja o estabelecimento de hábitos, costumes ou dos mitos de origem. A arte não narra, apresenta um fragmento que coloca problemas em vez de resolvê-los.

O discurso da obra de cultura é construído pela agregação do que é conhecido, do que já existe e é preservado, sendo importante, por isso, o aprendizado sobre como é feito, e sempre foi feito. Por exemplo, o artesanato, de tempos em tempos, agrega um novo material (em geral mais barato ou mais fácil de ser manipulado) ou uma nova tecnologia, mas a aparência do objeto continua sendo semelhante.

O discurso da arte, diferentemente, rompe com o que existe ou desconstrói o que existia antes, envolvendo, portanto, a desconstrução criativa e o desaprendizado. O artista precisa desaprender como se fez arte até então, para descobrir o seu modo de fazê-la, por meio da experimentação. Mesmo o uso de imagens do passado na arte contemporânea não é uma simples imitação, mas transcriação feita com os olhos do presente.

COLEÇÃO GALERIA BRITO CIMINO/FOTO: NELSON KON

O dia em que o Corinthians foi campeão, obra feita com borracha, plástico, gesso e madeira. Nelson Leirner, 2001.

Graffiti *Cabeça*, de Nunca. Nunca justapõe a cultura urbana à cultura nativa ao usar padrões geométricos e cores dos indígenas sul-americanos e a linha usada na pichação. Neste caso específico, as linhas são escavadas na superfície do muro.

Sendo assim, percebemos que o foco do discurso da cultura é centralizado, convergente: tudo o que uma obra de cultura diz aponta em uma única direção, seja ela a nacionalidade, a identidade, a história de um grupo etc. A arte, ao contrário, é multifocal, divergente. Seu discurso se abre em leque e aponta para muitas possibilidades.

Enquanto a cultura estabelece normas, hábitos e regras, a arte desregula e cria valores autônomos, pois cada obra é una, irrepetível. Lembremo-nos de que cultura é necessidade; arte é liberdade.

Do ponto de vista da temporalidade, a cultura é duradoura e implica continuidade. Já a arte é efêmera e opera a interrupção do fluxo contínuo da vida.

E, por último, a cultura pode ser explicada, esclarecida para aqueles que vêm de outra cultura que, com treino (que cria o hábito), poderão ver a obra de cultura do modo "certo", já que seu discurso é convergente. A obra de arte, entretanto, não pode ser explicada. O modo de nos aproximarmos dela é hermenêutico porque ela propõe uma multiplicidade de sentidos (é divergente). Cada um se aproxima da arte a partir de sua experiência, dos valores de seu mundo, de seu código, recriando, para si, os sentidos da obra.

4 Arte e cultura

A arte é, sem dúvida, uma pequena parte da cultura, entendida aqui em seu sentido antropológico, mas uma parte privilegiada, fruto do desejo e acolhida pelo sentimento, livre das obrigações, dos deveres a serem cumpridos. Ninguém é obrigado a fazer arte ou a gostar de arte.

A cultura aponta para o mundo como ele é, com hábitos, costumes, valores que nos aproximam dos outros indivíduos do grupo. A arte aponta para possibilidades do mundo, tira-nos dos hábitos, rompe os costumes, propõe outros valores.

A arte nos faz estender e ampliar aquilo que somos porque passamos a ver o mundo e a nós mesmos sob luzes diferentes.

A arte afina nossa sensibilidade: ensina-nos a ter aguda percepção dos estímulos que vêm dos nossos sentidos e a relacioná-los com conteúdos próprios — nossas lembranças, vivências pessoais e informações que já temos — e com o mundo em que vivemos.

A arte, enfim, é uma ocasião de prazer porque nos oferece a compreensão profunda do mundo e de nós mesmos.

Hermenêutica. Reflexão filosófica interpretativa ou compreensiva sobre os símbolos e os mitos em geral. Segundo Dilthey é a "compreensão vital" que envolve a experiência íntima de um sujeito (JAPIASSU, H. e MARCONDES, D. *Dicionário básico de filosofia*. Rio de Janeiro: Jorge Zahar, 1991. p. 118). É uma interpretação baseada em prévio conhecimento dos dados da realidade que se quer compreender, mas que dá sentido aos dados por meio de um processo circular, típico da compreensão (MORA, J. Ferrater. *Dicionário de filosofia*. Lisboa: Dom Quixote, 1982. p. 177).

Leitura complementar

Quem não sabe dançar improvisa

O hip-hop *oferece aos jovens da periferia a chance de existência social.*

"Um *rapper*, tão anônimo quanto sábio, afirmou que o *hip-hop* era 'CNN da periferia' (apesar da insistência da mídia, em especial a brasileira, em associar o movimento à violência e ao crime), ou seja, uma forma de a periferia expressar suas necessidades de classes excluídas. O *hip-hop* teria nascido em 1968, baseado em dois movimentos: a maneira como se transmitia a cultura dos guetos americanos e, daí o nome, no jeito da dança popular da época, que reunia saltar (*hop*) e movimentar os quadris (*hip*). Ao chegar ao Brasil, nos anos 1980, a ligação entre cultura, dança e lazer se estreitou a ponto de deixar no ar a pergunta: é um movimento cultural ou político? '*Hip-hop* é teres direito de discordares do que quiseres / de certa forma é estar na política / não aceitar tudo calado nem desenvolver consciência crítica / o som que analisa, critica, contesta / não te esqueças que *hip-hop* também é festa / ritmo e poesia é o que nos caracteriza / e quem não sabe dançar improvisa!', define com precisão a letra de *hip-hop*, do Boss AC.

'É por meio do canto, da dança e do grafite que os participantes do *hip-hop* demonstram suas posições políticas e ideológicas. Para eles, o fazer político não está reservado somente para os que se especializam nessa área. Com suas rimas no *rap*, seus passos no *break* e imagens transmitidas em seus desenhos reproduzidos nos grafites, estão assumindo uma posição política e fazendo aliança com outras formas de expressão que são, a um só tempo, políticas, sociais e culturais', explica João Batista de Jesus Felix, autor da tese de doutorado *Hip-hop: cultura e política no contexto paulistano*, orientada por Lilia Schwarcz e defendida na Faculdade de Filosofia, Letras e Ciências Humanas da USP. Para o pesquisador, o *hip-hop* é um degrau a mais alcançado pela população negra e pobre brasileira que fez do seu lazer uma forma de protesto contra a violência e as condições a que são submetidos pela sociedade. 'Ao saírem dos bailes e irem para as ruas, os espaços públicos, eles estavam rompendo o tênue 'pacto social brasileiro'. A presença deles na praça era uma afronta ao nosso 'racismo cordial' e à ideia de que se toleram (ou não) as demonstrações deste tipo no espaço privado', observa o pesquisador, cuja preocupação central era justamente descobrir o que esse movimento social entende por política e o que estava por trás de declarações polêmicas como do *rapper* Mano Brown, do Racionais MC's, que resumiu seu trabalho de forma inusitada: 'Eu não faço arte. Artista faz arte, eu faço arma. Sou terrorista.'"

HAAG, Carlos. *Pesquisa Fapesp*, n. 142, dez. 2007. p. 81 e 83.

Questões

1 Por que o *hip-hop* pode ser encarado como sendo a "CNN da periferia"?

2 Quais as origens do *hip-hop*?

3 Por que se pode dizer que é um movimento cultural?

4 Por que se pode afirmar que é um movimento político?

5 Explique a frase de Mano Brown: "Eu não faço arte. Artista faz arte, eu faço arma. Sou terrorista." Você concorda com ela? Por quê?

Atividades

Revendo o capítulo

1 Explique a definição antropológica de cultura dada no texto.

2 Como você explica a possibilidade de existirem várias culturas que coexistem em um mesmo tempo e espaço?

3 De que modo o patrimônio nacional de nosso país mostra quem somos para os estrangeiros?

4 Na sua família existe um patrimônio que é passado de geração a geração? (Lembre-se de histórias, causos sobre antepassados, piadas a respeito de algum membro da família, saberes, incluindo receitas de cozinha, bordado, tricô, valores, objetos, fotografias, entre outras coisas.)

5 Cite algumas características da arte que a distinguem da cultura.

Aplicando os conceitos

6 Leia o trecho de Orhan Pamuk transcrito abaixo e explique o que ele quer dizer com a primeira frase, à luz das características da arte.

"'Se eu acordasse um dia e visse que tinha me transformado em uma imensa barata, o que aconteceria comigo?' Por trás de todo grande romance está um autor cujo maior prazer consiste em entrar em outra forma e dar-lhe vida – um autor cujo impulso mais forte e criativo é pôr à prova os limites de sua identidade." (*A maleta de meu pai*. São Paulo: Companhia das Letras, 2007. p. 46 47.)

7 O artesanato é cultura ou é arte? Por quê?

8 Os programas televisivos são cultura ou arte? Por quê?

9 Comente a seguinte afirmação: A cultura, ao mesmo tempo que nos permite fazer parte do mundo humano, pertencer a um grupo e reconhecer quem somos, também impõe limites ao que podemos ser.

10 "Arte como crime, crime como arte". Comente essa máxima de Hakim Bey. Em que sentido se pode dizer que a arte é crime? Em quais circunstâncias o crime seria arte?

Dissertação

11 Escolha uma manifestação folclórica que você conheça bem e analise-a a partir das características da cultura discutidas no capítulo.

Caiu no vestibular

12 (Enem, 2004) "O movimento *hip-hop* é tão urbano quanto as grandes construções de concreto e as estações de metrô, e cada dia se torna mais presente nas grandes metrópoles mundiais. Nasceu na periferia dos bairros pobres de Nova York. É formado por três elementos: a música (o *rap*), as artes plásticas (o grafite) e a dança (o *break*). No *hip-hop* os jovens usam as expressões artísticas como uma forma de resistência política.

Enraizado nas camadas populares urbanas, o *hip-hop* afirmou-se no Brasil e no mundo com um discurso político a favor dos excluídos, sobretudo dos negros. Apesar de ser um movimento originário das periferias norte-americanas, não encontrou barreiras no Brasil, onde se instalou com certa naturalidade – o que, no entanto, não significa que o *hip-hop* brasileiro não tenha sofrido influências locais. O movimento no Brasil é híbrido: *rap* com um pouco de samba, *break* parecido com capoeira e grafite de cores muito vivas." (adaptado de *Ciência e Cultura*, 2004.)

De acordo com o texto, o *hip-hop* é uma manifestação artística tipicamente urbana, que tem como principais características:

a) a ênfase nas artes visuais e a defesa do caráter nacionalista.

b) a alienação política e a preocupação com o conflito de gerações.

c) a afirmação dos socialmente excluídos e a combinação de linguagens.

d) a integração de diferentes classes sociais e a exaltação do progresso.

e) a valorização da natureza e o compromisso com os ideais norte-americanos.

Capítulo

35

Arte como forma de pensamento

MUNIZ, VIK. 'EMERSON', DA SÉRIE 'ULTERIOR', 1998. LICENCIADO POR AUTVIS, BRASIL, 2009.

Emerson, de Vik Muniz. Fotografia da série *Ulterior*, de 1998.

Esta é a fotografia de Emerson, sete anos na época, menino de rua de São Paulo. Provavelmente sua primeira foto, posada para o fotógrafo que queria registrar mais do que a simples aparência do menino. Queria captar certas qualidades atribuídas à infância: alegria, despreocupação, atrevimento. O fotógrafo pediu-lhe que pensasse em coisas boas, algo de que gostasse, para conseguir expressões diferentes nas muitas fotos tiradas. A expressão continuava a mesma. Vik Muniz criou uma estratégia: mostrou muitos livros de arte a Emerson e seus amigos e pediu-lhes que escolhessem uma figura ou um personagem que quisessem imitar para a foto. Emerson escolheu um soldado usando armadura, de um quadro de Velázquez. Foi fotografado assumindo a pose e a expressão do soldado.

A foto foi posteriormente trabalhada, ou melhor, recriada no estúdio do artista. Este projeto é uma continuidade do "Crianças com açúcar", série na qual as imagens fotográficas foram recriadas sobre papel preto polvilhado com açúcar de diversos tipos, para dar as nuanças de branco e preto e a forma da pessoa fotografada. Depois de fotografadas, as imagens assim obtidas foram ampliadas.

Ao fotografar os meninos de rua, Vik Muniz escolheu o lixo como material para a recriação das imagens. Não um lixo qualquer, mas o lixo recolhido na Quarta-Feira de Cinzas, nas ruas da cidade. Lixo de uma festa popular, de rua, orgiástica: tocos de cigarro, pedaços de serpentina, confetes coloridos, embalagens de sucos e sorvetes, pedaços de jornal e poeira, muita poeira, misturada com terra e fuligem. É a presença do cotidiano na obra de arte.

Esse lixo compõe o fundo da imagem e aparece, também, sobre a própria imagem. Podemos dizer que o artista redesenha a imagem com lixo metodicamente escolhido e espalhado sobre a superfície de papel preto. Apesar do colorido das embalagens, do confete e dos pedaços de serpentina, o resultado final da obra é um tanto sombrio.

1 Retrato de uma infância

Recontamos toda essa história sobre o processo de criação da foto porque ela é importante para o resultado obtido e para podermos fazer sua leitura.

Essa obra de Vik Muniz é muito mais do que o retrato do menino Emerson. É o retrato de uma infância perdida, desesperançada, que nem sequer sabe expressar sentimentos diferentes, se não tiver um modelo para imitar. São meninos e meninas que não se expressam e talvez não conheçam emoções positivas. Jovens e crianças que se tornam invisíveis no meio da depredação, sujeira e descaso em que vivem no centro das grandes cidades. O lixo é uma metáfora óbvia: essas crianças e jovens são o refugo da sociedade. E, aparentemente, podemos jogá-las fora.

O artista nos apresenta sua visão de mundo, uma estrutura social desumana que não queremos e não gostamos de ver. Ele nos dá a conhecer um aspecto da nossa humanidade, de forma imediata, concreta e individual.

QUEM É?

Vik Muniz nasceu em São Paulo em 1961 e mora em Nova York desde 1983. Trabalha desde 1988 em séries nas quais usa materiais inusitados como açúcar, chocolate, lixo, poeira, cabelo. Seu processo de criação consiste em compor as imagens com materiais instáveis e perecíveis sobre uma superfície e fotografá-las. As fotografias, em edições limitadas, são o produto final de seu trabalho. Sua pesquisa gira em torno dos materiais e também sobre a conservação e a circulação de obras efêmeras. Suas obras fazem parte de acervos importantes como o do Moma, do MAM. Participou da Bienal de Veneza de 2007.

2 Arte é conhecimento intuitivo do mundo

Assim como o mito e a ciência são modos de organização da experiência humana — o primeiro baseado predominantemente na emoção, o segundo, na razão —, também a arte vai aparecer no mundo humano como forma de organização, como modo de transformar a experiência vivida em objeto de conhecimento, dessa vez por meio do sentimento.[1]

O entendimento do mundo não se dá somente por meio de conceitos logicamente organizados que, pelo fato de serem abstrações genéricas, estão longe do dado sensorial, do momento vivido. Ele também pode se dar pela intuição, pelo conhecimento imediato da forma concreta e individual, que não fala à razão, mas ao sentimento e à imaginação.

Intuição. Como conhecimento imediato, a intuição pode ser empírica, se relacionada a um objeto do mundo, e racional, se se refere à relação imediata entre duas ideias. Toda intuição é uma descoberta, seja de um objeto, de uma nova ideia ou de um sentimento.

[1] Ver o capítulo 2, que trata do mito, os capítulos 9, 13, 14 e 15, sobre o conhecimento, e o capítulo 11, sobre o conhecimento científico.

A arte é um caso privilegiado de entendimento intuitivo do mundo, tanto para o artista que cria obras concretas e singulares quanto para o apreciador que se entrega a elas para penetrar-lhes o sentido.

O verdadeiro artista intui a forma organizadora dos objetos ou eventos sobre os quais focaliza sua atenção. Ele vê, ou ouve, o que está por trás da aparência exterior do mundo. Por exemplo, a *Marcha nupcial,* de Mendelsohn, normalmente executada em casamentos durante a entrada da noiva, tem a estrutura do sentimento da alegria. O andamento é rápido e as notas se concentram nas partes mais agudas das escalas, com os clarins anunciando que é chegada a hora da celebração. Já a *Marcha fúnebre,* de Chopin, apresenta a forma da tristeza: o andamento é lento, a tonalidade é grave e o tema é repetitivo. Todo artista percebe, pela capacidade seletiva e interpretativa de seus sentidos, formas que não podem ser nomeadas, que não podem ser reduzidas a um discurso verbal explicativo, pois precisam ser sentidas, não explicadas. Baseando-se na intuição, o artista não cria cópias da natureza, mas símbolos dela e da vida humana.

Esses símbolos, portanto, não são entidades abstratas nem entes da razão. Ao contrário, são obras de arte, objetos sensíveis, concretos, individuais, que representam analogicamente, ou seja, por semelhança de forma, a experiência vital intuída pelo artista. Por exemplo, a tela de Mondrian intitulada *New York* não reproduz figurativamente, de forma irônica, a cidade, mas representa uma analogia da vivência do artista em relação a ela. Essa apreensão do concreto, do imediato, do vivido, é transportada para a obra de arte que, ela também, é um objeto concreto para o espectador.

Quando apreciamos uma obra de arte, nós o fazemos por meio dos nossos sentidos: visão, audição, tato, cinestesia e até olfato. A partir dessa percepção sensível, podemos intuir a vivência que o artista expressou em sua obra, uma visão nova, interpretação inédita da natureza e da vida. O artista atribui significados ao mundo por meio de sua obra. O espectador lê esses significados nela depositados. Essa

> interpretação só é possível em termos de intuição e não de conceitos, em termos de forma sensível e não de signos abstratos.[2]

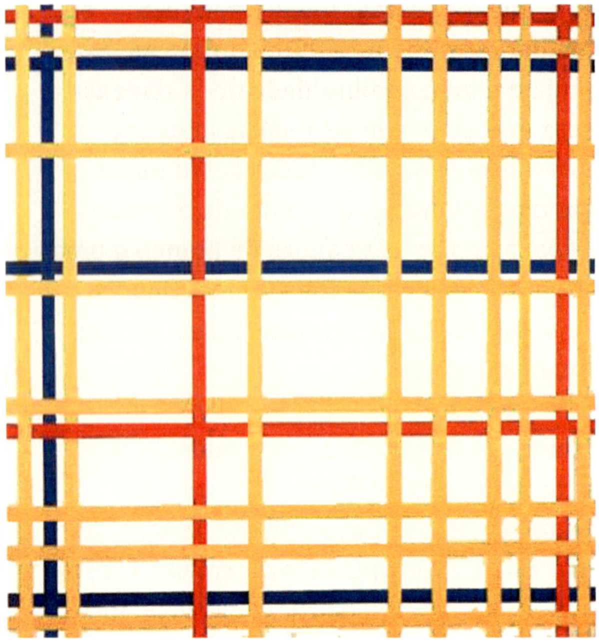

MUSÉE NATIONALE D'ART MODERNE, PARIS

New York. Piet Mondrian, 1942. Mondrian não faz uma paisagem de Nova York. Intui a forma organizadora da cidade e sua vitalidade e as traduz em uma alternância de formas geométricas e cores primárias.

Podemos, então, dizer que na obra de arte o importante não é o tema em si, mas o tratamento que lhe é dado, que o transforma em símbolo de valores de uma determinada época.

A luz, a cor, o volume, o peso, o espaço, enquanto dados sensíveis, não são experimentados da mesma maneira na vida do dia a dia e na arte. No cotidiano, usamos esses dados para construir, por meio do pensamento lógico, o nosso conceito de mundo físico. Em arte, esses mesmos dados são usados para alargar o horizonte de nossa experiência sensível. Nossa apreensão da realidade pode ser alterada pelo uso incomum de cores ou sons, pela organização inusitada de um espaço, pela textura ou forma dada a um material.

Voltando à fotografia de Emerson que abre o capítulo, podemos dizer que nossa apreensão da realidade foi alterada pelo uso do lixo como matéria-prima na construção da imagem da criança.

O artista, portanto, não copia o que é; antes cria o que poderia ser e, com isso, abre as portas da imaginação.

O papel da imaginação na arte

Imaginar, segundo Comte-Sponville, é representar imagens interiormente, inclusive e *sobretudo* quando o que se representa está ausente. Para

[2] CASSIRER, Ernst. *Symbol, myth and culture.* New Haven/Londres: Yale University, 1979. p. 175.

Sartre, isso é um perigo e uma vantagem: a imaginação nos liberta do real, mas também nos separa dele. Distingue-se do conhecimento, que libera mas não separa, e da loucura, que separa mas não liberta.

A imaginação vai servir de mediadora entre o vivido e o pensado, entre a presença bruta do objeto e a representação, entre a acolhida dada pelo corpo (os órgãos dos sentidos) e a ordenação do espírito (pensamento analógico).

A imaginação assume várias formas: ela pode ser a capacidade de formar imagens mentais a partir de objetos que conhecemos — como ao nos lembrarmos da fisionomia de um amigo, do som do violão, do gosto de manga, do cheiro de bolo assando ou do nosso corpo se movendo em um salão de dança. Esse tipo de imaginação é chamado de reprodutiva.

Mas há também a imaginação criativa, que não depende de termos tido a percepção prévia de algo, isto é, não tem por base o que existe concretamente. Temos a capacidade de construir imagens mentais de coisas que não existem. Esse tipo de imaginação é provocadora: incentiva-nos a ver o que não está lá. Podemos criar, na nossa imaginação, amigos invisíveis, monstros terríveis, amores impossíveis, lugares tenebrosos ou paradisíacos. É desse tipo de imaginação que se serve o artista.

A imaginação, ao tornar o mundo presente em imagens, nos faz pensar. Saltamos dessas imagens para outras semelhantes, fazendo uma síntese criativa. O mundo imaginário assim criado não é irreal. É, antes, pré-real, isto é, antecede o real porque aponta suas possibilidades em vez de fixá-lo numa forma cristalizada. Por isso, a imaginação alarga o campo do real percebido, preenchendo-o de outros sentidos. Não custa lembrar que a palavra "sentido" é o particípio passado do verbo "*sentir*". O problema do significado, portanto, passa pelo sentido, tanto do ponto de vista sensorial quanto do ponto de vista emocional.

Os antigos e os clássicos, que acreditavam na função naturalista da arte, desconfiavam da imaginação. Os românticos e os modernos a consideram a faculdade criadora por excelência.

Arte e criatividade

Criar, em sentido estrito, é produzir algo a partir do nada. Como desde o nascimento estamos inseridos em um mundo humano, cultural, a criação humana é sempre uma produção nova e singular dentro de um contexto dado. Ela é diferente da descoberta, porque essa pressupõe a existência prévia de algo a ser *des-coberto* ou revelado.

A criatividade, vista como capacidade humana de criar, exige um sujeito criador, isto é, a pessoa inventiva que produz e dá existência a algum produto que não existia anteriormente. Esse produto da atividade criativa de um sujeito não é, necessariamente, um objeto palpável, mas pode ser uma ideia, imagem, teoria ou outra coisa.

Existem alguns critérios para medir a criatividade. São eles: a **abrangência** de seus efeitos, isto é, o quanto revoluciona o nosso universo do saber ou as crenças estabelecidas; a **novidade** ou inovação; e a **adequação** à situação ou ao problema apresentado.

Por isso, a obra verdadeiramente criativa traz algum tipo de novidade que nos obriga a rever o que já conhecíamos e a dar-lhe nova organização.

Voltando à obra de Vik Muniz, será que alguma vez nos permitimos pensar que as crianças abandonadas nas ruas são tratadas como se fossem o refugo ou o lixo da sociedade? Torná-las invisíveis para que não incomodem nossa consciência é uma atitude comum: não queremos ver essas crianças. Mas, no caso do artista e sua obra, a inovação aparece na maneira como mostra ou esclarece o problema, oferecendo uma nova compreensão das possibilidades do mundo humano.

A inovação surge, geralmente, quando se remaneja o conhecimento existente, revelando insuspeitados parentescos ou semelhanças entre fatos já conhecidos que não pareciam ter nada em comum. Foi o que aconteceu quando o físico Isaac Newton formulou a lei de atração dos corpos — matéria atrai matéria na razão direta das massas e na razão inversa do quadrado das distâncias —, depois de observar a maçã que caía da árvore, segundo dizem. Na fruta que caía do pé, ele viu semelhanças com o movimento da Lua orbitando a Terra sem cair.

Quando nos referimos à criatividade artística, portanto, estamos nos referindo a obras ou artistas que apresentam um novo modo de olhar-sentir-compreender os problemas de uma época. Toda obra de arte criativa nos oferece uma nova visão da realidade humana e, nesse sentido, ela é relevante e abrangente.

Para criar, é necessário desenvolver um tipo de comportamento denominado "exploratório", isto é, dedicar-se a "explorar" as possibilidades, "o que poderia ser", em vez de se deter no que realmente é. Para isso, necessita-se da **imaginação**. Por essa razão, um dos sentidos de criar é imaginar. Imaginar é a capacidade de ver além do imediato, do que é dado, de criar possibilidades novas. É responder à pergunta: "Se não fosse assim, como poderia ser?". Se dermos asas à imaginação, se deixarmos de lado nosso senso crítico e o medo do ridículo, se abandonarmos as amarras lógicas da realidade, veremos que somos capazes de encontrar muitas respostas para essa pergunta. Esse é o chamado **pensamento divergente**, que leva a muitas respostas possíveis. É o contrário do **pensamento convergente**, que leva a uma única resposta, considerada certa. Por exemplo: para a pergunta "Quem inventou a lâmpada elétrica?, só há uma resposta certa: Thomas Alva Edson. Para a pergunta "Sem eletricidade, como você viveria?", há inúmeras respostas possíveis. A primeira envolve memória; a segunda, imaginação.

A inspiração

E qual seria o lugar da inspiração?

Na verdade, a inspiração é resultado de um processo de fusão de ideias efetuado em nosso subconsciente. Diante de um problema ou uma situação qualquer, obtemos as informações consideradas fundamentais sobre o assunto. Nosso subconsciente passa, então, a lidar com esses dados, fazendo uma espécie de jogo associativo entre os vários elementos. É como tentar montar um quebra-cabeça: experimentamos ora uma peça, ora outra, até acharmos a adequada. A imaginação é ativada para propor todas as possibilidades, por mais inverossímeis que sejam. Desse jogo subconsciente surgirão em nossa consciência sínteses e novas configurações dos dados sobre as quais trabalhará nosso intelecto, pesando, julgando e adequando-as ao problema ou à situação. Ao surgimento dessas sínteses em nossa consciência damos o nome de *inspiração*.

Tanto o artista quanto o cientista trabalham intelectualmente a inspiração. O artista tem de formular um projeto, ou seja, escolher os conceitos, sentimentos ou ideias que deseja representar ou o tipo de obra que deseja criar para, então, decidir entre materiais, técnicas e estilos mais adequados a sua produção. Também o cientista tem de elaborar e testar suas hipóteses para chegar a uma teoria ou produto novos.

Arte e sentimento

Na experiência estética, a imaginação manifesta, ainda, o acordo entre a natureza e o sujeito, numa espécie de comunhão cuja via de acesso é o sentimento.

O sentimento acolhe o objeto, reunindo as potencialidades do eu numa imagem singular. É toda nossa personalidade que está em jogo, e o sentimento despertado não é o sentimento de uma obra, mas de um mundo que se descortina em toda sua profundidade, no momento em que extraímos o objeto de seu contexto natural e o ligamos a um horizonte interior. Esse sentimento, portanto, "não é emoção, é conhecimento".[3]

Estabeleçamos as diferenças entre sentimento e emoção. O termo emoção, etimologicamente, refere-se à agitação física ou psicológica e é reservado para os níveis profundos de agitação. Ela rompe a estabilidade afetiva. Por isso, emoção designa um **estado psicológico** que envolve **profunda agitação afetiva**.

O **sentimento**, por outro lado, **é uma reação cognitiva**, de **reconhecimento** de certas estruturas do mundo, cujos critérios não são explicitados. É percepção das tensões dirigidas, comunicadas e expressas pelos aspectos estáticos e dinâmicos das coisas e fenômenos, como forma, tamanho, tonalidade, altura. Essas tensões são tão perceptíveis quanto o espaço ou a quantidade.

Podemos, então, dizer que o sentimento esclarece o que motiva a emoção, na medida em que são essas tensões percebidas que causam a agitação psicológica.

A emoção é uma resposta, é uma maneira de lidarmos com o sentimento. A alegria expressa pelo riso, por exemplo, é o modo pelo qual lidamos com o sentimento do cômico; o medo é uma resposta ao sentimento de ameaça. O conhecimento trazido pelo sentimento é irrefletido e supõe uma certa disponibilidade para acolher o afetivo; é abertura para a *empatia*. Em outras palavras, é sentir como se estivéssemos no lugar do outro. É preciso lembrar que sempre podemos nos negar a essa disponibilidade, pois ela pressupõe um certo engajamento no mundo: a finalidade não é pensá-lo, nem agir sobre ele; é, tão somente, senti-lo em sua profundidade.

O sentimento, na sua função de conhecimento, alcança, para além da aparência do objeto, a expressão. A expressão é o poder de emitir signos e de exteriorizar uma interioridade, isto é, de manifestar o que o objeto é para si. Mas essa expressão, em arte, ocorre sempre através de um meio específico.

O artista não escolhe seu meio (vídeo, pintura, dança, fotografia etc.) como um meio material externo e indiferente. Para ele, as palavras, as cores, as linhas, as formas, os desenhos, os sons (timbre) dos diversos instrumentos não são somente meios materiais de produção. São condições do pensar

Emoção. Do latim *motio*, "perturbação" (causada pela febre).

[3] DUFRENNE, Mikel. *Phénoménologie de l'expérience esthétique*. v. II. Paris: PUF, 1967. p. 471.

artístico, momentos do processo de criação e parte integrante e constituinte da sua expressão. O projeto do artista condiciona o meio e o material, que, por sua vez, condicionam as técnicas e o estilo. Tudo isso reunido forma a linguagem da obra, sua marca inconfundível, seu significado sensível. Em virtude dessa ligação indissolúvel entre significante e significado na obra de arte, podemos dizer com Dufrenne:

> o objeto estético é, em primeiro lugar, a apoteose do sensível, e todo seu sentido é dado no sensível.[4]

Por isso, a obra de arte não pode ser traduzida para outra linguagem. Quando contamos um filme a alguém, ele perde a maior parte de seu significado, pois sua forma sensível de imagem desapareceu. A obra de arte pode, quando muito, inspirar uma outra, e então teremos um filme baseado em um livro, uma música a partir de um quadro etc. São obras diferentes, no entanto.

3 Funções da arte

As obras de arte, desde a Antiguidade até hoje, nem sempre tiveram a mesma função. Ora serviram para contar uma história, ora para rememorar um acontecimento importante ou para despertar o sentimento religioso ou cívico. Foi só no século XX que a obra de arte passou a ser considerada um objeto desvinculado desses interesses não artísticos, um objeto propiciador de uma experiência estética por seus valores intrínsecos.

Dependendo, portanto, do propósito e do tipo de interesse com que alguém se aproxima de uma obra de arte, podemos distinguir três funções principais para a arte: pragmática ou utilitária, naturalista e formalista.

QUEM É?

Mikel Dufrenne (1910-1995), filósofo francês, dedicou-se ao estudo da Estética. Em 1953, publicou o trabalho mais completo sobre Estética do ponto de vista fenomenológico. O primeiro volume da *Fenomenologia da experiência estética* é dedicado ao objeto estético, mais especificamente à obra de arte. O segundo volume é voltado para a percepção estética, discutindo a imaginação, a inspiração, o sentimento e a atitude estética. Ainda é fonte de pesquisa e inspiração para estudos na área de Estética.

Função pragmática ou utilitária

Dentro dessa visão, a arte serve ou é útil para se alcançar um fim não artístico, isto é, ela não é valorizada por si mesma, mas só como meio de alcançar uma outra finalidade.

Os fins não artísticos variam muito no curso da história. Na Idade Média, por exemplo, na medida em que a maior parte da população dos feudos era analfabeta, a arte serviu para ensinar os principais preceitos do catolicismo e para relatar as histórias bíblicas. Essa é uma finalidade pedagógica da arte. Na época da Contrarreforma, a arte barroca foi bastante utilizada para emocionar os fiéis, mostrando-lhes a grandeza e a riqueza do reino do céu, numa tentativa de segurá-los dentro da Igreja católica, ameaçada pela Reforma protestante. Na medida em que os argumentos racionais não conseguiam se manter diante das críticas dos protestantes, a via que restava para a Igreja católica era a emocional. Esse é um exemplo da arte sendo usada para finalidades religiosas. No início do século XX, por ocasião da implantação das repúblicas soviéticas, o Realismo socialista teve por finalidade retratar a melhoria das condições de vida do trabalhador e as principais personagens da revolução socialista como um meio para despertar o sentimento cívico e manter a lealdade da população. A própria arte engajada, que floresceu entre nós no final de 1950 e início da década de 1960, pretendia conscientizar a população sobre sua situação socioeconômica.

LUDWIG FORUM FÜR INTERNATIONALE KUNST-AKG-IMAGES/LATINSTOCK

O raiar do sol. E. Bulatov, 1989. Trata-se de uma propaganda do regime comunista: o novo dia viria por meio da política e da ideologia implantadas na antiga URSS.

[4] DUFRENNE, Mikel. *Phénoménologie de l'expérience esthétique*. v. II. Paris: PUF, 1967. p. 425.

Portanto, as finalidades a serviço das quais a arte pode estar podem ser pedagógicas, religiosas, políticas ou sociais.

Quais seriam os critérios para se avaliar uma obra de arte? O **critério moral** do valor da finalidade a que serve (se a finalidade for boa, a obra é boa); e o **critério de eficácia** da obra em relação à finalidade (se o fim for atingido, a obra é boa). Como vemos, esses critérios são exteriores à obra, que não é encarada do ponto de vista estético.

Função naturalista

A função naturalista refere-se ao interesse pelo conteúdo da obra, ou seja, pelo que a obra retrata, em detrimento de sua forma ou aparência.

A obra é encarada como um espelho, que reflete a realidade e nos remete diretamente a ela. Em outras palavras, a obra tem função referencial de nos enviar para fora do mundo artístico, para o mundo dos objetos retratados. Por isso, uma escultura de D. Pedro I, por exemplo, serviria, nessa perspectiva, para nos remeter ao homem e ao político, ao que ele representou num determinado momento histórico brasileiro. Deixaríamos em segundo plano a leitura da escultura propriamente dita, isto é, valores como qualidade técnica, expressividade, criatividade, pois nosso interesse estaria voltado somente para o assunto tratado.

Essa atitude perante a arte surge bastante cedo. Como veremos no último capítulo desta unidade ela aparece na Grécia, no século V a.C., nas esculturas e pinturas que "imitam" ou "copiam" a realidade. Essa tendência caracterizou a arte ocidental até meados do século XIX, quando surgiu a fotografia. A partir de então, a função da arte, especialmente da pintura, teve de ser repensada e houve uma ruptura com o Naturalismo.

Os critérios de avaliação de uma obra de arte do ponto de vista da função naturalista são:

- a **correção** da representação que permite a identificação do assunto;
- a **inteireza**: o assunto deve ser representado por inteiro;
- e o **vigor**, que confere poder de persuasão se a situação representada for imaginária. Exemplo desse critério é a figura do Coringa, no filme *Batman, o cavaleiro das trevas*, de Christopher Nolan. O ator Heath Ledger o representou com tamanho vigor que recebeu vários prêmios por sua atuação, e ficamos até convencidos da possibilidade da existência do Coringa.

WARNER BROS PICTURES/LEGENDARY PICT./DC COMICS/SYNCOPY/VAUGHAN, STEPHEN/ALBUM ART/LATINSTOCK

Cena do filme *Batman, o cavaleiro das trevas*, 2008, no qual o personagem Coringa é interpretado por Heath Ledger.

Função formalista

Finalmente, o interesse formalista, como o próprio nome indica, preocupa-se com a forma de apresentação da obra. A forma contribui decisivamente para o significado da obra de arte e, portanto, é o único dos interesses que se ocupa da arte enquanto tal e por motivos que não são estranhos ao âmbito artístico.

Desse ponto de vista buscamos, em cada obra, os princípios que regem sua organização interna: os elementos que entraram em sua composição e as relações entre eles. Não importa o tipo de obra analisado: pictórico, escultórico, arquitetônico, musical, teatral, cinematográfico, todos comportam uma estruturação interna de signos selecionados com base em um código específico. Há, nessa função, uma valorização da experiência estética como um momento em que, pela percepção e pela intuição, temos uma consciência intensificada do mundo.

O critério pelo qual uma obra de arte será avaliada, na perspectiva formalista, é sua capacidade de sustentar a contemplação estética de um público cuja sensibilidade seja educada e madura, isto é, que conheça vários códigos e esteja disponível para encontrar na própria obra suas regras de organização.

Para ilustrar essa função, analisemos a caricatura do ministro Gilberto Gil, mostrada na página ao lado.

Em primeiro lugar, precisamos estabelecer o quadro de referências a partir do qual vamos proceder à análise. Esses elementos são dados pela própria obra: é uma caricatura, portanto existe economia de detalhes. O caricaturado tem de ser reconhecível

Gilberto Gil em caricatura de Eduardo Baptistão. A caricatura deve ter uma função naturalista, apesar das deformações críticas, ou o retratado não seria reconhecido. Neste caso, o ex-ministro da Cultura, Gilberto Gil, é representado como artista, cantor e compositor, o que não deixou de ser enquanto ocupou seu posto no ministério. É um ministro-artista ou um artista-ministro? O que fala mais alto?

imediatamente, o que implica um certo realismo. Ao mesmo tempo, há um exagero nos traços mais característicos do físico ou da "alma" do caricaturado, o que implica usar recursos do expressionismo. Em virtude desse expressionismo, aparece uma dose de mordacidade que induz ao riso.

Ao observar a obra, o que primeiro salta aos olhos é a extensão do branco — branco como fundo e branco fazendo parte da figura por meio de subterfúgios sutis. A figura em si não chega a ocupar muito mais do que um terço do quadro da caricatura. Entretanto, os subterfúgios nos fazem ter a ilusão de que ela preenche mais do que a metade do espaço. Quais são esses subterfúgios? Observe o modo como o colarinho e o nó da gravata, somados à linha inferior da parte preta (que representa o cabelo) e aos punhos, de onde saem as mãos, insinuam a presença de uma camisa branca.

A figura encontra-se dividida em duas partes complementares. A parte superior representa a cabeça do ministro, projetada para a frente, a boca aberta, os olhos cerrados, o nariz franzido, como se estivesse fazendo um grande esforço. Notamos, também, a presença de um par de óculos de leitura, apoiado no nariz, curiosamente sem hastes. Fica a dúvida: é o ministro falando? É o cantor numa apresentação?

Na metade inferior direita, em diagonal, vemos duas mãos e uma caneta-tinteiro aberta, anormalmente grande em relação ao resto da figura, com a pena para cima. As mãos a empunham como se fosse uma guitarra, o que remete às duas funções desempenhadas pelo caricaturado: ministro e compositor-cantor de sucesso, extremamente respeitado em ambas as esferas. A caneta remete aos dois papéis: tanto como ministro quanto como compositor ela seria usada; a posição das mãos e a empunhadura remetem a outra faceta: o artista que toca guitarra e canta.

A crítica pode ser negativa: o aspecto artista fala mais alto, desqualificando-o como ministro. Ou muito positiva: ele trouxe para o ministério da Cultura a criatividade e a maestria próprias de sua função de artista. Decodificar a imagem vai depender muito de nossas posições políticas e de quanto sabemos sobre a atividade do ministério da Cultura durante a gestão de Gilberto Gil.

Podemos, por essas razões, perceber que a obra apresenta uma unidade orgânica (entre forma visual e conteúdo) perceptível ao público treinado, que se diverte ao se deparar com ela.

É apenas para fins didáticos que podemos separar as funções da arte. Na verdade, elas podem se apresentar juntas. Às vezes, para que uma obra tenha finalidade pedagógica, precisa ter função naturalista. Outras vezes, o estético se sobrepõe às outras funções. Por essas razões, é o modo como nos aproximamos de qualquer obra de arte que vai determinar sua função naquele momento. Em si, todas as obras que são verdadeiramente de arte são capazes de sustentar a contemplação estética de um observador sensível e treinado.

4 O conhecimento pela arte

A arte é um modo privilegiado de conhecimento intuitivo que se realiza por meio de uma obra concreta e individual e que fala mais ao sentimento do que à razão. A arte abre as portas para que possamos compreender múltiplas possibilidades do mundo vivido. Ela altera o modo como vemos a realidade ao mostrar outros mundos possíveis.

Isso é concretizado por meio da imaginação criativa, que permite, de um lado, que o artista crie obras sobre o que não existe e, de outro, que o público as receba preenchendo-as de sentido.

Esse sentido será encontrado por meio do acolhimento da obra pela afetividade, ou seja, deixando que a obra afete nossos sentimentos.

Por isso, o conhecimento que a experiência estética de uma obra nos oferece não se resume ao conhecimento de um objeto, uma pessoa, uma paisagem, um artista, mas de todo um mundo de valores, de propostas, de desejos, e ao conhecimento de nós mesmos: nossas reações a esse mundo descortinado também revelam quem somos.

Leitura complementar

Industrialização das tintas e seu reflexo nas artes

Rebus. Rauschenberg, 1955.

MoMA discute a mudança ocorrida desde que os artistas passaram a escolher cores em mostruário.

"Quando os pintores ainda precisavam misturar pigmentos e aglutinantes, a visão de cor na arte era quase sempre a de algo simbólico, a de um veículo para expressar emoções. Dizer 'a palheta de um artista' era outra forma de dizer 'a sensibilidade de um artista'. Desde que as tintas passaram a ser produzidas em massa e vendidas em tubos ou latas, com mostruários para o consumidor escolhê-las, a arte ocidental se transformou e surgiu o que Ann Temkin, curadora de pintura e escultura do Museum of Moderna Art (MoMA), chama de 'sensibilidade da tabela de cores'.[5]

[...]

'A ideia de usar a tabela comercial de cores como tema de uma exposição — não apenas pela iconografia, uma vez que muitas obras de arte se parecem com ela [tabela de cores] — foi a de tomá-la como sinal ou símbolo para toda uma filosofia a respeito de cor', explica Ann, que organizou [a exposição] *Color Chart*. 'A partir de meados do século XX, as convicções sobre aspectos espirituais e propriedades científicas da cor deram lugar à aceitação e adoção dela como um produto comercial.'

[5] O texto refere-se à exposição *Color Chart* [Tabela de Cores], organizada pelo Museu de Arte Moderna (MoMA), de Nova York, inspirada no mostruário de tintas surgido no final do século XIX. Visava mostrar as transformações expressivas da arte em função do uso de cores industrializadas. Cobriu o período entre 1918 e 2006.

Color Chart tem 90 trabalhos de 44 artistas e é dividida cronologicamente. Mas esse caminho começa ainda em 1918, com *Tu m'*, a última pintura de Marcel Duchamp (pode-se juntar qualquer verbo na frase incompleta do título em francês, que significa *Você me*); [...] A tela horizontal é atravessada por uma sequência de amostras de cores que parece extraída diretamente de um catálogo de tintas. 'Esta é a primeira vez na história da arte que aparece representação da cor como um produto', diz a curadora. 'Com *Tu m'*, Duchamp preparou o terreno para a interpretação da própria cor como *readymade*, noção que só se tornaria uma preocupação artística generalizada três décadas mais tarde.'

As consequências da cor fabricada tornam-se aparentes na arte depois da Segunda Guerra Mundial. Trabalhos dos anos [19]50 e 60 demonstram como vários artistas, tanto nos Estados Unidos como na Europa, absorveram a 'sensibilidade da tabela de cores'. No centro de *Rebus*, pintado em 1955, por Robert Rauschenberg, uma linha de 117 amostras de tinta em papelão ecoa as amostras de Duchamp, que o americano viu dois anos antes. Rauschenberg conta que usou nesse quadro restos de latas de tinta compradas para fazer os seus *Combines* [Combinados]. O material era barato porque as latas não tinham rótulo, não se sabia a cor da tinta que continham. 'A única organização, escolha ou disciplina era que eu não comprava mais tinta até ter acabado a que tinha', lembra o pintor.

Atraído por uma arte que poderia ser feita por qualquer pessoa, Andy Warhol produziu seus cinco quadros de acrílica sobre tela *Do it yourself*[6], em 1962, usando *kits* de pintura por números muito populares nos anos 50. Aqueles foram seus últimos quadros pintados à mão. No mesmo ano ele passou para o *silk screen*, técnica com que reproduziu retratos de celebridades, e também criou a série *Marilyn Flavors*[7], versões pequenas dos seus retratos *pop* de Marilyn Monroe. Nas Marilyns limão, hortelã e de outros sabores, a cor do fundo é a então recém-inventada tinta acrílica *Liquitex*, aplicada diretamente do tubo sobre a tela.

[...]

Alguns trabalhos incluídos em *Color Chart* são vistos apenas no *website* do museu (www.moma.org) e outros foram criados ou recriados especificamente para a exposição no prédio do MoMA."

Tonica Chagas. *O Estado de S. Paulo*, 24 mar. 2008. *Caderno 2*. p. D7.

Readymade. Termo criado pelo artista francês Marcel Duchamp por volta de 1914 para designar os objetos comuns do cotidiano, escolhidos intencionalmente e sem ser por sua aparência visual, para serem apresentados no circuito artístico como obras de arte. O valor da arte foi deslocado da obra produzida para o ato de fazê-la. Pode ser traduzido por "encontrados prontos".

Questões

1 O que é a "palheta do artista"? Por que essa palheta traduz sua sensibilidade?

2 Qual a mudança introduzida pela Tabela de Cores das tintas produzidas industrialmente?

3 Por que se pode dizer que as obras *Tu m'*, de Duchamp, e *Rebus*, de Rauschenberg, têm função metalinguística? Se necessário, consulte o capítulo 5, "Linguagem e pensamento", para responder.

4 Qual o processo de trabalho de Rauschenberg para criar *Rebus*? Esse processo limita a criatividade do artista?

5 Por que na exposição a que se refere o texto a tinta é vista como um *readymade*?

[6] "Faça você mesmo".
[7] "Sabores de Marilyn".

Atividades

Revendo o capítulo

1 Em que sentido se pode dizer que a arte é conhecimento? Como esse conhecimento se distingue do conhecimento científico e do filosófico?

2 O que o artista intui para criar uma obra de arte?

3 Qual o papel da imaginação na arte?

4 Como podemos saber que uma obra é criativa?

5 O que é a inspiração?

6 Qual a diferença entre emoção e sentimento?

7 Explique por que as funções pragmática e naturalista não têm por objetivo propiciar a experiência estética.

Aplicando os conceitos

8 Exponha argumentos para justificar uma aproximação naturalista das seguintes obras:

a) *Emerson, de* Vik Muniz;

b) a caricatura do ministro Gilberto Gil, de Eduardo Baptistão;

c) um filme documental.

9 Comente o seguinte trecho de Suzanne Langer, à luz dos conceitos aprendidos no texto deste capítulo: "A arte objetiva a *senciência* e o desejo, a consciência de si próprio e a consciência do mundo, as emoções e os humores, que geralmente são tidos por irracionais, visto as palavras não nos poderem dar clara ideia deles". ("A importância cultural da arte". *Ensaios filosóficos.* São Paulo: Cultrix, 1971. p. 87.)

Dissertação

10 Desenvolva uma dissertação baseando-se nos temas do seguinte texto: "É neste sentido de aparecimento à nossa percepção que uma obra de arte constitui uma forma. Pode ser uma forma permanente como a de um edifício ou de um vaso ou de um quadro, ou uma forma transiente, dinâmica, como a de uma melodia ou de uma dança, ou ainda uma forma sugerida à imaginação, como a passagem de eventos puramente imaginários, aparentes, que constitui uma obra literária. Mas é sempre um todo perceptível, com identidade própria; como um ser natural, tem um caráter de unidade orgânica, autossuficiência, realidade individual..." (Suzanne Langer).

Caiu no vestibular

11 (Fuvest, 2004)

"O olhar também precisa aprender a enxergar

Há uma historinha adorável, contada por Eduardo Galeano, escritor uruguaio, que diz que um pai, morador lá do interior do país, levou seu filho até a beira do mar. O menino nunca tinha visto aquela massa de água infinita. Os dois pararam sobre um morro. O menino, segurando a mão do pai, disse a ele: 'Pai, me ajuda a olhar'. Pode parecer uma espécie de fantasia, mas deve ser a exata verdade, representando a sensação de faltarem não só palavras mas também capacidade para entender o que é que estava se passando ali.

Agora imagine o que se passa quando qualquer um de nós para diante de uma grande obra de arte visual: como olhar para aquilo e construir seu sentido na nossa percepção? Só com auxílio mesmo. Não quer dizer que a gente não se emocione apenas por ser exposto a um clássico absoluto, um Picasso ou um Niemeyer ou um Caravaggio. Quer dizer apenas que a gente pode ver melhor se entender a lógica da criação." (Luís Augusto Fisher. *Folha de S.Paulo.*)

Relacionando a história contada pelo escritor uruguaio com "o que se passa quando qualquer um de nós para diante de uma grande obra de arte", o autor do texto defende a ideia de que

a) o belo natural e o belo artístico provocam distintas reações de nossa percepção.

b) a educação do olhar leva a uma percepção compreensiva das coisas belas.

c) o belo artístico é tanto mais intenso quanto mais espelhe o belo natural.

d) a lógica da criação artística é a mesma que rege o funcionamento da natureza.

e) a educação do olhar devolve ao adulto a espontaneidade da percepção das crianças.

Capítulo

36 A significação na arte

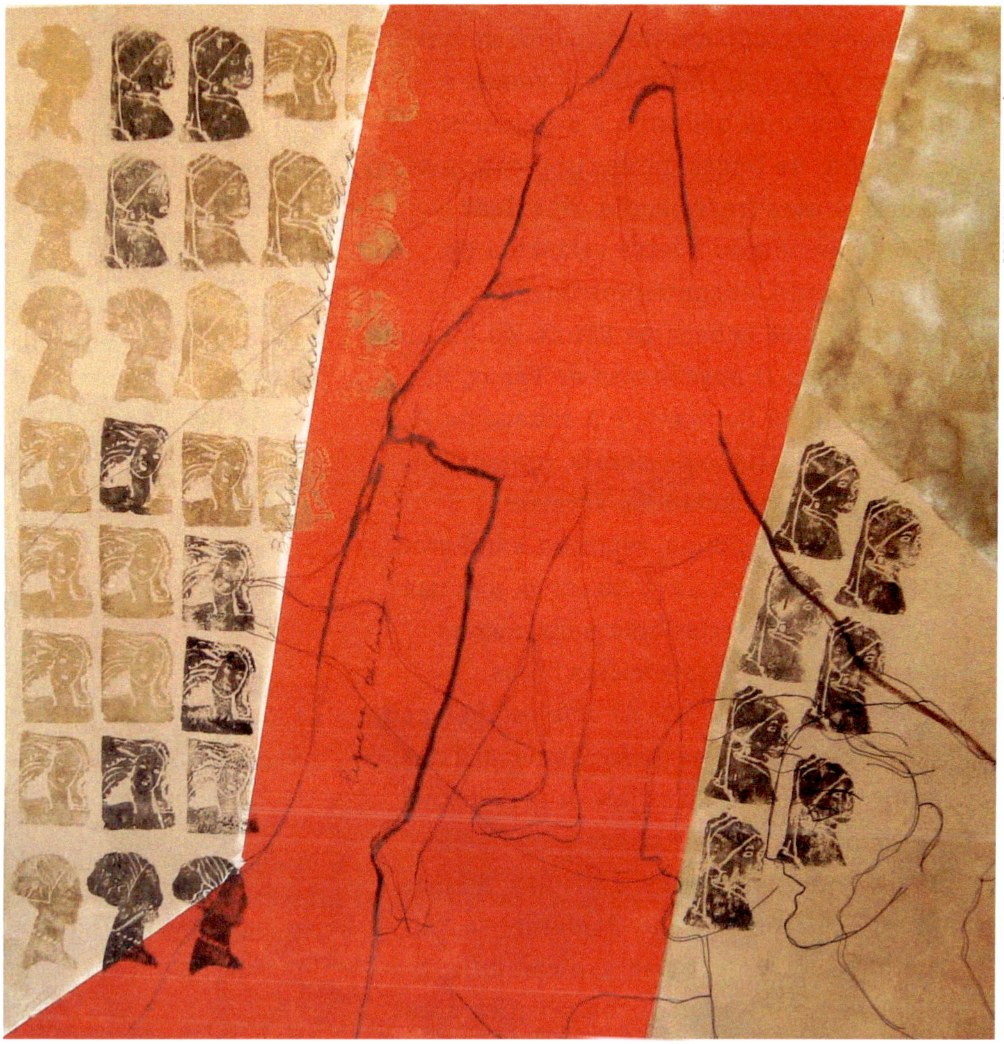

Norte. Olívia Niemeyer, 2008.

O ser humano está continuamente atribuindo significados ao mundo. A essa atividade damos o nome genérico de *leitura*. Portanto, não lemos apenas os textos escritos, mas lemos igualmente outros tipos de textos, não verbais, aos quais também atribuímos significados. Já vimos que a arte se constitui em um texto muito especial, pois a atribuição de significados está presa a sua forma sensível de apresentação e é inseparável dela.

Para fazer a leitura da obra de Olivia Niemeyer, em primeiro lugar, vamos situar sua proposta. Ela é uma obra pós-modernista, pois a artista se apropria de outras obras para compor a sua a partir de uma ótica contemporânea. Usa, também, várias técnicas: a monotipia, o desenho, a pintura. Além disso, utiliza procedimentos como a *frottage*, a sobreposição, a rasura.

Em *Norte*, que faz parte de uma série de pinturas, a artista trabalha basicamente com quatro cores. Predominantemente bege, o plano é dividido por uma larga faixa vermelha central que forma uma diagonal que desce do lado direito superior ao canto esquerdo inferior. Nessa faixa, vemos o desenho de uma bailarina e o fragmento de uma outra, de Degas, pintor impressionista francês, e uma frase escrita. Nas duas laterais, invadindo a faixa vermelha do lado esquerdo, encontramos imagens carimbadas da cabeça de Vênus, da pintura renascentista *O nascimento de Vênus*, do artista italiano Botticelli, e a cabeça de *A moça com o brinco de pérola*, pintada em 1665 pelo pintor holandês Vermeer.

A artista selecionou, recortou e integrou as imagens em um novo discurso, que usa a repetição para criar uma padronagem única. As referências a várias obras importantes da história da arte estabelecem um diálogo com o passado: obras, artistas, estilos, técnicas e materiais. A revisitação dessas obras nos dá a chave para decifrar um de seus significados: a história da arte – a tradição pictórica do Ocidente – é que estabelece o *norte*, ou seja, o caminho, a orientação, para a produção artística atual.

QUEM É?

Olívia Niemeyer nasceu em 1943, no Rio de Janeiro. Formada em Língua e Civilização Francesa, atualmente faz doutorado em Linguística Aplicada, na Unicamp. Seu interesse pelas Artes Visuais foi despertado por uma visita ao ateliê de Vera Ferro, com quem trabalhou durante quatro anos. Posteriormente, foi orientada por diversos artistas: Nair Kremer, Carlos Fajardo, Sílvia Matos, Albano Afonso. Em 2002, juntou-se ao grupo Antropoantro, de Campinas (SP). Desde 1997 tem participado de exposições individuais e coletivas em São Paulo, Campinas, Ribeirão Preto e Piracicaba, no estado de São Paulo.

1 A especificidade da informação estética

Teixeira Coelho Netto, ao discutir a informação estética, comparando-a à semântica, levanta aspectos muito interessantes.[1]

A informação estética, ao contrário da informação semântica, não é necessariamente lógica. Ela pode ou não ter uma lógica semelhante à do senso comum ou à da ciência. Ela também não precisa ter ampla circulação, isto é, não há necessidade de que um público numeroso tenha acesso a ela. A informação estética continua a existir mesmo dentro de um sistema de comunicação restrito, até interpessoal, ou mesmo quando não há nenhum receptor apto a acolhê-la. Sabemos que isso aconteceu inúmeras vezes. Por exemplo, a informação estética contida numa tela de Van Gogh permaneceu lá, embora em sua época poucos pudessem entendê-la. Outra característica da informação estética que a diferencia da informação semântica é o fato de não ser traduzível em outras linguagens. Quando dizemos "O tempo hoje está ruim", podemos traduzir a informação semântica contida nessa frase para qualquer outra língua, sem perda da informação original. No entanto, quando vemos uma cena de tempo ruim num filme, observamos a qualidade da cor, a força do vento, da chuva ou da neve, a vegetação, os ruídos ou o silêncio, a névoa, a qualidade da luz e inúmeros outros detalhes que nos são mostrados pelas câmeras e que nos causam um determinado sentimento. Essa informação estética não pode ser traduzida nem para a linguagem verbal nem para qualquer outra sem ser mutilada, isto é, sem perder parte de sua significação.

A informação estética apresenta, ainda, um outro aspecto distintivo, que é o fato de não ser esgotável numa única leitura. Por exemplo: a informação sobre o tempo ruim só me conta algo de novo na primeira vez em que for dada. Ela se esgota. A informação estética contida em uma obra de arte, no entanto, pode ser lida de várias maneiras por pessoas diferentes ou por uma mesma pessoa. Na primeira vez que lemos um livro ou ouvimos uma música, recebemos certa quantidade de informações; numa segunda leitura ou audição, podemos receber outras informações; anos mais tarde, ainda outras. Essa característica de inesgotabilidade permite que as obras de arte não envelheçam nem se tornem ultrapassadas. A obra de arte

[1] COELHO NETTO, José Teixeira. *Introdução à teoria da informação estética*. Petrópolis: Vozes, 1973. p. 9-16.

é aberta, no sentido de que ela própria instaura um universo bastante amplo de significações que vão sendo captadas, dependendo da disponibilidade dos receptores.[2]

2 A forma

Roman Jakobson, conhecido linguista, definiu algumas características da função poética da linguagem e ampliou muito a noção do poético. Com ele, a função poética ganha uma dimensão estética, podendo ser aplicada às outras formas artísticas além da poesia.[3]

A função poética: a transgressão do código

A função poética da linguagem, segundo Jakobson, caracteriza-se por estar centrada sobre a própria mensagem, isto é, por chamar a atenção sobre a forma de estruturação e de composição da mensagem. A função poética pode estar presente tanto numa propaganda, num *outdoor*, quanto numa poesia, numa música ou em qualquer outro tipo de obra de arte.

Mas como é que se chama a atenção para a própria mensagem? Como vimos, no interesse naturalista pela arte, a atenção do espectador não se detém na obra, na mensagem, mas é remetida para o contexto fora da obra. Na classificação de Jakobson, a função presente seria a *referencial*, centrada exatamente no contexto externo à obra. A estruturação da obra, a sua organização interna, não chama nossa atenção. Para que isso aconteça, é necessário sair do habitual, daquilo a que estamos acostumados e que, por isso mesmo, nem percebemos mais. Isso implica transgredir o código consagrado.

Quando o código é usado de maneira incomum, a forma de apresentação da mensagem chama nossa atenção pela sua força poética. Isso fica bastante claro em poesia. As palavras de que nos utilizamos para escrever um poema ou para nos comunicarmos no dia a dia são fundamentalmente as mesmas. Na fala diária, no entanto, não prestamos atenção à forma das palavras, porque o que nos interessa para que a comunicação se efetive é o seu conteúdo semântico. A poesia, ao contrário, chama nossa atenção para essa forma. Vamos examinar um trecho do poema de Carlos Drummond de Andrade, *Esboço de figura*:

Antonio Candido ou
Antonio lúcido, límpido
Que conhece e pratica a força imponderável da
intuição?
Que funda o juízo crítico no gosto
— o gosto que em vão se tenta anular, e permanece,
Mesmo negado e ignorado, sal da percepção?[4]

WALTER KOSTNER

Tira Pepê e Jotabê, de Walter Kostner. Esta história em quadrinhos quebra o código consagrado: o desenho não está contido pelo "quadro". Ao contrário, a manipulação de seus limites pelo personagem é o que cria o humor.

[2] ECO, Umberto. *Obra aberta*. São Paulo: Perspectiva, 2000.
[3] JAKOBSON, Roman. *Éssais de linguistique générale*. Paris: Minuit, 1963. p. 209-248.
[4] ANDRADE, Carlos Drummond de. *Amar se aprende amando*. 6. ed. Rio de Janeiro: Record, 1986. p. 47.

O poeta chama a atenção para a construção da mensagem quando brinca com o nome do professor de literatura e crítico literário Antonio Candido de Mello e Sousa, usando cândido como se fosse adjetivo e não nome próprio: iguala cândido com lúcido e límpido. O poeta usa, ainda, outra estratégia para chamar a atenção para a forma de estruturação da mensagem, dessa vez subvertendo o código: em vez de afirmar categoricamente as qualidades do professor, ele faz perguntas, como que se dirigindo ao leitor e pedindo sua concordância.

O que precisa ficar claro, no entanto, é que essas inovações e subversões do código não são gratuitas, não são feitas só para serem engraçadas. Elas contribuem para o significado da obra, nesse caso, o poema.

A partir dessa discussão sobre a função poética, que leva necessariamente à transgressão dos códigos habituais e consagrados, podemos justificar por que, no capítulo 5, "Linguagem e pensamento", incluímos as linguagens artísticas entre as que são estruturadas de forma mais flexível. Se romper o código é uma característica própria da arte, nenhum código artístico pode ser inflexível (por exemplo, os códigos matemáticos) nem exercer força coercitiva sobre a produção dos artistas. Ou estes não seriam artistas.

O papel das vanguardas artísticas

A ênfase dada à forma da obra de arte e às transgressões do código nos leva a examinar o papel das vanguardas artísticas. *Avant-garde*, em francês, é um termo militar que designa o grupo de soldados que avança à frente da guarda ou batalhão. Transferindo o termo para a área artística e cultural, também designa os desbravadores, os que fazem o "reconhecimento do terreno", os que ampliam o espaço da linguagem artística por meio de experimentações. É a vanguarda que rompe os estilos, que propõe novos usos do código. Atrás dela vêm os batalhões, ou seja, os outros artistas, considerados seguidores e que formam as escolas. Neste momento, o que era novo, o que constituía uma transgressão do código, passa a ser, outra vez, o habitual, o código consagrado.

Por essas razões, a linguagem da vanguarda cultural e artística é sempre difícil de entender. É por isso que temos certa dificuldade em compreender as obras expostas nas bienais, os filmes de arte, o teatro experimental, a música dodecafônica e assim por diante. Todas essas obras instituem um novo repertório de signos e novas regras de combinação e de uso. Leva algum tempo, e muita convivência com o mundo artístico, para que possamos dominar os novos códigos e linguagens e compreendê-los.

GILBERT ROLAND FERNANDEZ BERÓIS

A charge atribui significado à vida pública, especialmente aos fatos políticos. Esta charge de Gilbert Roland Fernandez Beróis faz um trocadilho entre a catástrofe causada pelo dilúvio relatado na *Bíblia* e as ações do político Delúbio Soares, implicado no escândalo do "valerioduto", que causou uma catástrofe política para o Partido dos Trabalhadores em 2005.

A existência das vanguardas, no entanto, é imprescindível à manutenção da fermentação cultural. No campo das artes, não podemos falar em progresso. O conceito de progresso envolve ideias de melhoria e superação, absolutamente estranhas ao mundo artístico. A arte do século XX ou XXI não é melhor nem pior que a arte grega ou renascentista. É apenas diferente, porque responde a questões colocadas pelo ser humano e pela cultura atuais. Os artistas de vanguarda são exatamente aqueles que levantam essas questões antes que a maior parte da sociedade as tenha percebido e respondem-nas trabalhando a linguagem e a forma sensível de suas obras.

3 O conteúdo

Interpretar uma obra de arte é buscar compreendê-la e apreciá-la. Isso exige que melhoremos nosso nível atual de compreensão e apreciação.

A interpretação da obra de arte, ou seja, a atribuição de significados pelo espectador, como vimos no capítulo anterior, se dá em vários níveis. O primeiro nível é o do sentimento, que já foi discutido. Sentir em uníssono com a obra, deixar que ela nos leve e enleve, seguir seu ritmo interno são os modos próprios de decodificação que se dão na experiência estética. O sentimento apresenta-se como uma unidade não dissociável da experiência, isto é, ele só pode acontecer na presença da obra.

O segundo nível de interpretação se dá por meio do pensar e envolve a análise cuidadosa da obra. Como se pode fazer essa análise?

Em primeiro lugar, precisamos fazer um levantamento da forma, em termos descritivos. Para isso, é necessário conhecer alguns aspectos fundamentais das linguagens artísticas. Por exemplo, a linguagem teatral difere da linguagem cinematográfica. Se formos analisar, portanto, um espetáculo teatral, precisamos antes saber o que caracteriza a linguagem específica do teatro.

Em seguida, descrevemos a obra do ponto de vista denotativo, isto é, a partir do que realmente vemos ou ouvimos. Por exemplo, antes de percebermos que se trata do afresco *Última ceia*, de Leonardo da Vinci, nós vemos, representados na parede, treze homens atrás de uma mesa, de frente para nós, agrupados três a três, exceto a figura central, com determinado tipo de indumentária, fazendo tais gestos etc. Essa descrição dos signos que aparecem na obra e de como se combinam é muito importante, pois vai nos fornecer dados para estabelecermos relações que não são tão evidentes, mas que se encontram implícitas na obra. Por isso é imprescindível que façamos uma descrição detalhada, cuidadosa, a mais completa possível.

Finalmente, como na leitura de um livro, vamos levantar os significados conotativos de cada signo e dos signos combinados entre si. Ao se colocar uma figura sobre um determinado fundo, combinar determinadas cores, sons ou formas, associar uma música a uma imagem, os significados de cada signo vão sendo alterados pelos significados dos outros signos, formando um espesso tecido de significações que se entrecruzam.

No levantamento dessas conotações, precisamos sempre levar em conta a época e o lugar em que a obra foi criada. Por exemplo, no Renascimento, o unicórnio simbolizava a virgindade. Se desconhecemos essa informação, a interpretação de uma obra desse período em que apareça tal símbolo será deficiente. Por outro lado, além do significado conotativo cristalizado, podemos encontrar outros significados a partir da perspectiva de nossa época. Por isso, para podermos penetrar a significação mais profunda de qualquer obra de arte, são necessários conhecimentos de história geral, de história da arte e dos estilos, da história dos valores e da filosofia da época em que a obra foi criada, a fim de podermos situá-la em seu contexto. Precisamos, também, estar engajados no nosso tempo para podermos perceber o que a obra nos diz hoje.

É por isso que dissemos[5] que a arte nos traz o conhecimento de um mundo e não somente o conhecimento de uma obra. A arte instaura um universo de significações que jamais é esgotado e que ultrapassa em muito a intenção do autor. Esquematicamente, podemos representar esse processo da seguinte forma:

Universo de significações possíveis de uma obra

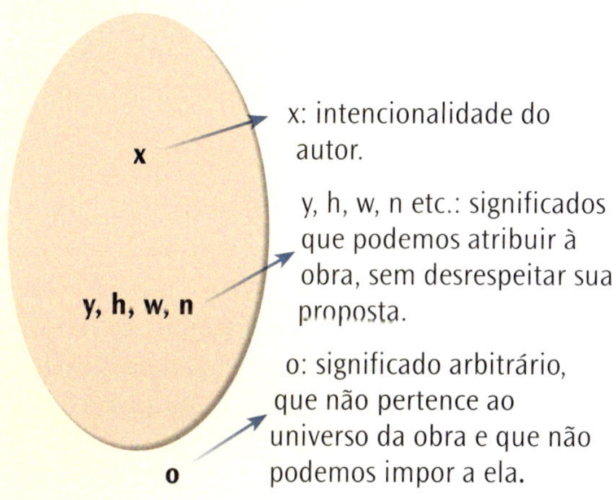

5 Ver os capítulos 33, "Estética: introdução conceitual", e 35, "Arte como forma de pensamento".

Vejamos dois exemplos de como fazer leituras analíticas possíveis: a partir de um poema de Augusto de Campos[6] e de uma obra de arte visual de Nazareth Pacheco.

uma vez
uma fala
uma foz
uma vez uma bala
uma fala uma voz
uma foz uma vala
uma bala uma vez
uma voz
uma vala
uma vez

Trata-se de um poema concreto, portanto sua forma visual tem tanta importância quanto a forma sonora. O que vemos? Palavras dispostas na folha formando dois ângulos agudos; o primeiro voltado para a direita e o segundo, para a esquerda. O eixo direita-esquerda é dado pela centralidade das palavras "uma vez" que se repetem, dando início e fechamento às figuras dos ângulos.

Esse texto, escrito em 1967, faz parte da segunda fase do movimento concretista, na qual o desejo era compor um poema que, usando a fragmentação de palavras, ideias ou frases, esgotasse as possibilidades combinatórias das palavras ou temas usados, do modo mais sintético possível.

No poema, além da repetição do pronome "uma", o poeta usa dois outros grupos de palavras que mantêm semelhanças sonoras entre si: vez, voz, foz; e fala, bala, vala. Se considerarmos cada ângulo separadamente, a sequência das palavras é exatamente a mesma. Entretanto, a sobreposição que acontece entre a quarta e a sétima linhas nos leva a ler linearmente as duas metades, complementando o sentido: uma vez uma bala, uma fala uma voz, uma foz uma vala, uma bala uma vez.

Do ponto de vista conotativo, a expressão "uma vez" nos remete à narrativa de histórias, unindo, neste caso, uma fala, uma voz, uma bala, uma vala, uma foz. Ou seja, a vida de alguém — a fala e a voz — e a bala que corta essa vida, levando-a para a vala, o fim. A visualidade do poema sugere dois movimentos antagônicos, embora complementares: o da vida e o da morte.

Vejamos agora uma leitura possível de *Vestido de baile*, da artista plástica Nazareth Pacheco.

MUSEU DE ARTE MODERNA DE SÃO PAULO, SÃO PAULO

Vestido de baile. Nazareth Pacheco, 1997.

[6] CAMPOS, Augusto de. Em: SIMON, Iumna M. e DANTAS, Vinicius de A. (org.). *Poesia concreta*. São Paulo: Abril Educação, 1982. p. 28. (Coleção Literatura Comentada).

O que vemos?

Esse é um objeto construído com fios de náilon, miçangas e cristais transparentes e lâminas de barbear de metal, pendurado em um cilindro de acrílico também transparente. O objeto assim descrito é um vestido, uma peça de vestuário, ligado, portanto, à vida cotidiana.

Roupas, em geral, são utilizadas pelos seres humanos há muitos séculos, com a função de proteger o corpo das condições climáticas e da rudeza da natureza. Ao longo do tempo, além de ser proteção, as roupas passaram a exercer outras funções: a de conferir distinção social e econômica, conforme o material de que são feitas, a marca ou o estilista que assina sua produção; a de tornar mais atraente quem a veste; a de esconder o corpo, entre outras. Neste caso, o uso dos cristais e a transparência da roupa nos levam a pensar em desfiles de moda, ousadia, elegância, sofisticação, *glamour* e eventos festivos, conotações confirmadas pelo próprio nome do objeto: *Vestido de baile*. O brilho dos cristais, das miçangas e das lâminas atrai o nosso olhar.

A presença das lâminas, entretanto, ao mesmo tempo que nos atrai, também nos repele. Esse vestido não oferece proteção ao corpo, nem visual, por ser transparente, nem efetiva, já que a qualquer movimento o corpo pode ser cortado pelas lâminas. Em vez de ser elemento de proteção, o vestido se transforma em ameaça e perigo. A atração que ele exerce, portanto, é uma atração fatal.

Um elemento que está implícito nessa obra é o corpo humano, ou melhor, o corpo feminino, para o qual um vestido é feito. A pergunta que se impõe é: a quais outros perigos o corpo feminino está exposto no mundo contemporâneo? Ele pode ser cortado e recortado por operações plásticas para chegar a se conformar com padrões estéticos da moda? Ele deve se submeter a dietas e sessões de exercícios massacrantes para se adequar a um único modelo? Ele precisa ser perfurado por *piercings* ou coberto de tatuagens para ser atraente?

Podemos, ainda, pensar em outros significados conotativos e algumas questões podem ser colocadas a partir do que já foi analisado. Por exemplo: será que o perigo é sempre muito atraente, mesmo quando a probabilidade de nos ferirmos é bastante alta? Será que a proteção e a segurança têm de ser sempre contrabalançadas por uma dose de perigo, uma vez que quem é muito protegido pode se tornar impotente para agir adequadamente quando necessário? No último limite, a obra expõe a ambiguidade da própria vida que transita entre a segurança (proteção) e o perigo.

Desse modo, a obra, que inicialmente parecia uma brincadeira, se enche de sentido, torna-se bela. E nos emociona, enche-nos de alegria, de satisfação. É o sentimento de completude.

QUEM É?

Nazareth Pacheco e Silva nasceu em São Paulo, em 1961, formou-se em Artes Plásticas e deu continuidade à sua formação em Paris. Sua primeira exposição individual foi em 1988, ocasião em que apresentou esculturas de longas fitas de borracha ou latão associadas a elementos pontiagudos. Em 1993, no Gabinete de Arte Raquel Arnaud, expôs vitrines-arquivos de material autobiográfico. Na exposição coletiva *Espelhos e sombras* usou instrumentos médicos destinados ao exame do corpo feminino como símbolos desse mesmo corpo. Embelezamento e tortura se mesclam e se tornam tema de sua dissertação de mestrado. Em 1997, participou do Panorama da Arte Brasileira, no MAM de São Paulo, com colares e vestidos. Em 1998, sua apresentação na XXIV Bienal Internacional de São Paulo deu continuidade à produção de colares. Mais recentemente, entrou em nova fase de produção de objetos ligados à ideia de fecundação e das mutações que podem ser provocadas nos supostos embriões.

4 A educação em arte

Se a interpretação de uma obra de arte depende de termos conhecimento não só das várias linguagens como também da história da arte, dos estilos e dos movimentos, a educação em arte terá um papel fundamental em nossa capacidade de compreender a arte.

A educação em arte só pode propor um caminho: o da convivência com as obras de arte. Aquelas que estão assim rotuladas em museus e galerias, as que estão em praças públicas, bancos, repartições do governo, nas casas de amigos e conhecidos. Também aquelas, anônimas, que encontramos às vezes numa vitrina, numa feira, nas mãos de um artesão. As que estão em alguns cinemas, teatros, na televisão e no rádio. As que estão nas ruas: certos edifícios, casas, jardins, túmulos. Passamos por muitas delas, todos os dias, sem vê-las. Por isso, é preciso uma determinada intenção de procurá-las, de percebê-las.

Quanto mais ampla for essa convivência com os tipos de arte, os estilos, as épocas e os artistas, melhor. É só por meio desse contato aberto e eclético que podemos afinar nossa sensibilidade para as nuanças e sutilezas de cada obra, sem querer impor-

-lhe nosso gosto e nossos padrões subjetivos, que são marcados historicamente pela época e pelo lugar em que vivemos, bem como pela classe social a que pertencemos.

> Lembraremos, ainda, que é na frequentação da obra que a intersubjetividade pode se dar. É através dela que podemos "encontrar" com o autor, sua época e também com nossos semelhantes. É pelas veredas não racionais da arte que a frequentação permite descobrir e percorrer, que nos "sintonizamos" com o outro, numa relação particular que a vida cotidiana desconhece. Terreno da intersubjetividade, a arte nos une, servindo de lugar de encontro, de comunhão intuitiva; ela não nos coloca de acordo: ela nos irmana.[7]

Em seguida, precisamos aprender a sentir. Em nossa sociedade, dada a importância atribuída à racionalidade e à palavra, não é raro tentarmos enquadrar a arte nesse tipo de perspectiva. Assumimos, então, tamanha distância da obra que não é possível recebê-la através do sentimento. Por outro lado, o sentimento, como já dissemos, não é a emoção descabelada. No sentimento, a emoção é despida de seu conteúdo material e elevada a outro estado: retirado o peso da paixão, permanecem o movimento e as oscilações do sentir em comunhão com os objetos.

Finalmente, já fora da experiência estética, podemos chegar ao nível da recepção crítica, da análise intelectual da obra, do julgamento de seu valor, que é o trabalho do crítico e do historiador da arte. Para essa tarefa, só a convivência com a obra não basta. É necessário o conhecimento histórico dos estilos, da linguagem de cada arte, além de um profundo conhecimento da cultura que gerou cada obra.

Por tudo isso, fica claro o cuidado que o educador, seja ele de museu ou de escola, e os pais devem ter ao escolher, para seus alunos e filhos, as exposições ou mesmo as vivências artísticas em artes visuais, música, teatro, dança. É importante não infantilizar a cultura, menosprezando a capacidade de crianças e adolescentes, ou do público carente cultural, de compreender por meio do sentimento, de estabelecer diálogos imaginativos, de buscar informação.

5 A importância de saber ler uma imagem

No mundo contemporâneo, vivemos cercados por imagens visuais de todos os lados. Das indicações de trânsito às propagandas, dos ícones do computador à imagem televisiva e cinematográfica e aos grafites, pichações, decalques e ilustrações nos muros, enfim, a imagem parece prevalecer em nossa vida. Já se disse que a palavra perderá seu lugar privilegiado na comunicação humana.

Podemos discutir a validade dessa afirmação, mas não podemos negar a importância que a imagem tem hoje. Por isso, aprender a ler a imagem, isto é, os modos como atribuímos significados a elas, é um passo que nos leva à compreensão mais profunda de nossa sociedade e de nossa vida.

Dentre as imagens, destacamos as de arte por serem mais difíceis de decodificar, uma vez que a informação estética exige conhecimento específico de linguagens artísticas e de história da arte; conhecimento do contexto de produção da obra; disponibilidade interna para entender a arte a partir de suas propostas. Além disso, ela é inesgotável em uma única leitura e não pode ser traduzida para outra linguagem sem perder parte de seu conteúdo.

Todas essas características fazem da atribuição de significados às obras de arte uma tarefa que necessita de aprendizado específico, que se dá na convivência com elas, educando nossa sensibilidade. Essa é a grande tarefa de pais e educadores.

[7] COLI, Jorge. *O que é arte*. São Paulo: Brasiliense, 1984. p. 126. (Coleção Primeiros Passos).

Interpretação

"A obra de arte é divergente, sua interpretação é impossível, ou sua interpretação é uma sofisticação: o programa de sua abordagem só pode ser investigativo, não explicativo.[8] Para a obra de arte, o processo de aproximação é a hermenêutica, que se justifica quando o que está em jogo é uma multiplicidade de sentidos (a confusão: vários sentidos fundidos num bloco não analisável, isto é, não divisível: o individual é o não discreto,[9] aquilo que não se pode determinar) e, pode-se dizê-lo, de interpretações. A figura emblemática, aqui, é Hermes: seu campo de sentido, seu território semântico, é divergente, sua identidade não é cumulativa, nem oposicional: é flutuante: é de identificação e posicional: dependendo da situação é uma coisa, dependendo da situação é outra: Hermes, mensageiro dos deuses, filho de Zeus, conduzia as almas dos mortos pelo reino inferior, o submundo, e tinha poderes mágicos sobre os sonhos e o sono; e, não **mas** porém **e** (quer dizer, apesar disso ou por causa disso) era o deus do comércio, senhor da boa sorte e da riqueza; uma figura perigosa, porém (*a arte é perigosa*, a arte é um perigo), um simulador e um ladrão — o deus dos ladrões, na verdade: no mesmo dia de seu nascimento, roubou o rebanho de seu irmão Apolo e ocultou as pegadas dos animais fazendo-os andar para trás; buscando reconciliar-se com o irmão, Hermes deu-lhe a lira, que ele mesmo inventara ao pegar um casco de tartaruga, abrir-lhe os buracos, e sobre eles esticar umas tantas cordas — nove delas, uma para cada uma das nove Musas, inspiradora de todos os artistas: [...]. Então Hermes é o deus da arte, da ideia da arte, da forma da arte, da possibilidade da arte — de tudo que exige perícia e destreza: conduzir as almas e roubar, vender e criar instrumentos de prazer; na primeira antiguidade grega era representado como um homem maduro, com barba; na arte clássica helênica, como um jovem desnudo e imberbe. Não posso interpretar Hermes de modo unitário, não posso esclarecer o sentido de suas ações: posso investigar como ele *agencia o sentido em determinada de suas ações*, em certas circunstâncias, em ocasiões específicas: não há um programa para Hermes, não há uma política cultural para Hermes porque Hermes não é cultural: Hermes é a exceção à cultura... Aqui cada um se abre para o mundo conforme sua *própria* compreensão do mundo, *sua experiência* do mundo, a partir de seu código de valores (na interpretação cultural, a experiência é dos outros, dos antecessores): isso não significa que todas as opiniões tenham o mesmo valor: a maioria se equivoca ou quer enganar: mas aqui há certamente mais alternativas que na cultura, na interpretação [...]."

TEIXEIRA COELHO. *A cultura e seu contrário*. São Paulo: Iluminuras/Itaú Cultural, 2008. p. 148-149.

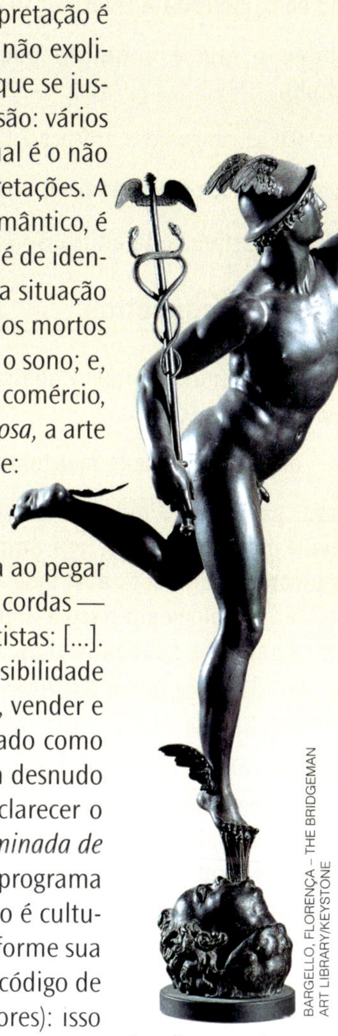

Escultura em bronze representando Hermes, conhecido como Mercúrio na mitologia romana. Giovanni de Bologna, c. 1576.

Questões

1 Procure o significado de "hermenêutica". No que ela é diferente da interpretação?

2 Por que, segundo o autor, não se pode interpretar a arte?

3 Quais são os vários sentidos de Hermes, expressos em seus diversos papéis?

4 Explique a frase: "Então Hermes é o deus da arte, da ideia da arte, da forma da arte, da possibilidade da arte - de tudo que exige perícia e destreza".

---

8 Ver, entre outros, o poeta espanhol (nascido em 1931) Antonio Gamoneda: "Ante um poema, mi estado favorido de conciencia es la confusión". Em: *El País*, 3 ago. 2004, p. 40.

9 Discreto: contínuo, não separável.

Atividades

Revendo o capítulo

1 Como se caracteriza a informação estética?

2 Explique o que é a função poética e dê um exemplo.

3 O que são as vanguardas artísticas? Qual seu papel?

4 Quais os passos para se analisar uma obra de arte?

5 Qual a importância da educação em arte?

Aplicando os conceitos

A partir da leitura do texto abaixo, responda às questões de 6 a 9.

"Arte" discute a amizade masculina

"Sérgio paga R$ 50 mil por um quadro completamente branco. Marcos, seu amigo há 15 anos, fica inconformado com a atitude e provoca uma briga, o que coloca em risco a amizade. Ivan, um terceiro amigo, e também o mais frágil, entra em cena para impedir que a amizade termine. Acaba levando a pior.

'A arte escolheu um caminho que acabou afastando as pessoas. Essa ideia de desmaterialização, de abstração, acaba colocando o artista como um ser superior, incompreendido, o que incomoda cada vez mais o público', diz Kátia. 'Dizer que entende determinada obra pode significar uma maneira de ser esnobe.'

Leda afirma que a arte contemporânea pode ser muito provocativa: 'Muitas vezes, os trabalhos causam polêmicas incríveis por causa de sua busca pelo novo. Depois, passam os anos e todo mundo entende.'

O crítico de arte Jacob Klintowitz acredita que são as interpretações da arte – e não a obra em si – que podem desencadear um conflito." (Ana Paula Ragazzi. *Folha de S.Paulo*, 5 set. 1999. *Acontece*. p. 3.)

6 Qual a razão do conflito que se estabelece entre os três amigos?

7 Analise a resposta da curadora Katia Canton a partir dos conceitos de gênio (veja o tópico "Romantismo", no capítulo 37) e de gosto (veja capítulo 35).

8 Analise a resposta da artista Leda Catunda (veja uma de suas obras no início do capítulo 37) a partir do conceito de novidade.

9 Analise a resposta do crítico de arte Jacob Klintowitz fundamentada no conceito de interpretação.

10 Comente este texto de Ferreira Gullar com base na discussão sobre conteúdo e significação da obra de arte.

"Não resta dúvida que o caminho percorrido pela arte nos últimos cem anos tendeu preponderantemente à eliminação do tema, a começar pelo tema literário: as cenas mitológicas, alegóricas ou históricas foram banidas da pintura pelo impressionismo. O artista se voltou para a realidade objetiva: as paisagens e as cenas da vida moderna. Esse defrontar-se com o presente é um defrontar-se com o *devenir*. Degas capta os gestos das bailarinas que dançam, Monet capta a luz cambiante da paisagem. É uma pintura onde não há heróis, não há história, não há mitos: o artista elabora as sensações que lhe chegam do mundo que ele vê."

Caiu no vestibular

11 (Fuvest, 2004) Observe esta gravura de Escher.

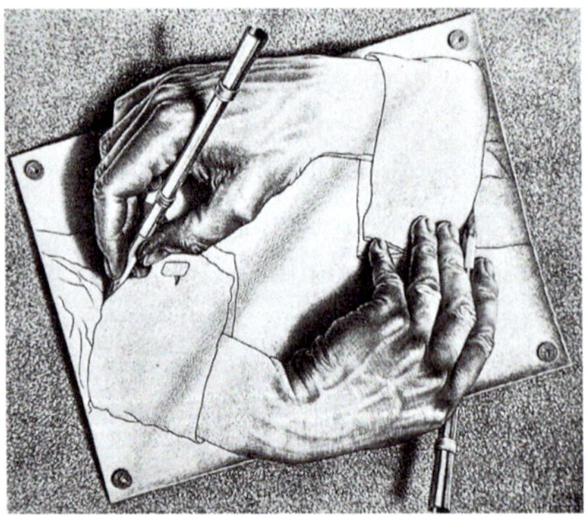

Mãos desenhando, M. C. Escher, 2009.

Na linguagem verbal, exemplos de aproveitamento de recursos equivalentes aos da gravura de Escher encontram-se com frequência,

a) nos jornais, quando o repórter registra uma ocorrência que lhe parece extremamente intrigante.

b) nos textos publicitários, quando se comparam dois produtos que têm a mesma utilidade.

c) na prosa científica, quando o autor descreve com isenção e distanciamento a experiência de que trata.

d) na literatura, quando o escritor se vale das palavras para expor procedimentos construtivos do discurso.

e) nos manuais de instrução, quando se organiza com clareza uma determinada sequência de operações.

Capítulo

37 Concepções estéticas

DOAÇÃO SUBDISTRITO COMERCIAL DE ARTE LTDA/MAC-USP

Onça pintada 1, acrílico sobre cobertor. Leda Catunda, 1985. Nesse trabalho, a artista coloca em cheque os nossos conceitos e pré-conceitos de estética, beleza e obra de arte. Questiona também os materiais que podem ser usados e os assuntos que devem ser tratados pelos artistas.

1 Isto é arte?

O conceito de belo, como já discutimos, é eminentemente histórico. Cada época e cada cultura têm seu padrão de beleza próprio.

Na contemporaneidade, exemplificada pela obra de Leda Catunda, é comum a incorporação do cotidiano, do efêmero e dos valores difundidos pelos meios de comunicação de massa ao universo da arte.

Neste trabalho, o cotidiano nos é dado pelo material sobre o qual a pintura foi feita: o cobertor com estampa de onça é a realidade concreta, compartilhada pelo observador/público.

E, se o material causa estranheza, mais espantados ficamos ao perceber que é o fundo pintado com tinta acrílica que dá forma à imagem da onça. A figura, salvo poucas manchas preenchidas com tinta colorida, permanece intocada, deixando entrever o tecido peludo do cobertor cuja padronagem (de pele de onça) sugeriu seu aproveitamento para essa obra de arte. O procedimento de vedação do fundo faz com que a figura salte aos olhos e "às mãos", uma vez que a maciez e fofura próprias do cobertor apelam ao nosso sentido táctil. Ao inverter o procedimento tradicional de pintar a figura, dando menor importância ao fundo, a artista estabelece um diálogo irônico com a história da arte.

O fundo, em vários tons de verde com algumas pinceladas amarelas, nos faz pensar em floresta, mata, o hábitat natural das onças-pintadas, que só são encontradas na América Latina.

A onça, entretanto, apesar da feição feroz com os dentes arreganhados e as longas garras, não está em posição que nos dê a ideia de vida. Ao contrário, as pernas esticadas em direção aos quatro ângulos do cobertor lembram os animais transformados em tapetes, exibidos como troféus por caçadores e outros consumidores desse tipo de *souvenir*. Assim transformados, esses animais não oferecem mais perigo. Deixam de ser selvagens, donos das selvas, temidos, para entrar nas casas e serem literalmente pisados.

A onça-pintada é uma imagem, comum no imaginário popular brasileiro, da qual a artista se apropriou para criar sua obra, colocando em questão as relações entre a realidade e a representação (presente na brincadeira entre a *onça-pintada* existente na natureza e a onça *pintada* por ela); entre o registro popular (do cobertor e da imagem da onça-pintada) e o erudito (da arte); entre o selvagem e amedrontador (a onça viva) e a pacificação da morte, do extermínio.

QUEM É?

Leda Catunda nasceu em São Paulo, em 1961. Formou-se em Artes Plásticas na Faap em 1984, sendo integrante da chamada Geração 80. Foi aluna de Regina Silveira, Julio Plaza, Nelson Leirner e Walter Zanini, a quem deve sua sólida formação, e nos anos 1990 concluiu o mestrado. Participou de inúmeras exposições individuais e coletivas, inclusive nas Bienais de São Paulo de 1983, 1985 e 1994. Expôs também em Cuba, França, Estados Unidos, Holanda, Dinamarca, Espanha, México, Colômbia e Portugal. Tem obras nos principais museus de arte do Brasil e do exterior.

Cruzando essa imagem de 1984 com as preocupações ambientalistas do mundo no século XXI, podemos fazer outra leitura dessa obra: a onça é um animal em extinção e sua representação como "tapete" pode levantar uma série de questões sobre a ação do ser humano na natureza; a necessidade de preservação das espécies para se manter a riqueza biológica do planeta e do país; o futuro da humanidade; a ideia de "dominar a natureza" como condição do progresso etc.

Assim como o restante da obra de Leda Catunda desse período, *Onça pintada I* coloca algumas questões sobre o que é arte: trata-se de uma brincadeira

HULTON-DEUTSCH COLLECTION/CORBIS/LATINSTOCK

O caçador letoniano Sasha Siemel ao lado das peles de onças que ele matou. Bolívia, cerca de 1930.

ou de um projeto poético sério? O artista precisa criar suas obras ou pode se apoderar de imagens e objetos já prontos, para desconstruí-los? A arte deve ter uma função crítica? Uma pintura deve sempre seguir a tradição e usar materiais convencionais, como a tela, o chassi sobre o qual ela é esticada, ou a madeira? Será que, em outras épocas, *Onça pintada I* seria considerada uma obra de arte?

Para ajudar você a responder essas perguntas, vamos examinar as várias correntes estéticas que vieram a determinar não só as relações entre arte e realidade, porém, mais importante ainda, o estatuto e a função da obra de arte.

2 A arte grega e o conceito de naturalismo

O naturalismo constitui uma noção fundamental que marcou profundamente grande parte da arte ocidental, da antiga Grécia até o final do século XIX, com uma única interrupção, durante a Idade Média.

Conceito de naturalismo

O naturalismo, segundo Harold Osborne, pode ser definido como a ambição de colocar diante do observador uma semelhança convincente das aparências reais das coisas. A admiração pela obra de arte, nessa perspectiva, advém da habilidade do artista em fazer a obra parecer ser o que não é, parecer ser a realidade e não a representação.

Na atitude naturalista, podemos distinguir algumas variações, dentre as quais as mais importantes são o realismo e o idealismo.

O **realismo** mostra o mundo como ele é, nem melhor nem pior. É característico, por exemplo, da arte renascentista do século XV.

Já o **idealismo** retrata o mundo nas suas condições mais favoráveis. Na verdade, mostra o mundo como desejaríamos que fosse, melhorando e aperfeiçoando o real. É o padrão da arte grega, que não retrata pessoas reais, mas pessoas idealizadas. Foram os gregos que elaboraram a teoria das proporções do corpo humano usadas para qualquer representação, em pintura ou escultura, qualquer que fosse a realidade do modelo. O rosto, por exemplo, era dividido em três partes de igual tamanho: um terço seria ocupado pela testa, um terço pelos olhos e nariz, e o terço restante, pela boca e pelo queixo.

O naturalismo foi uma atitude dominante na arte ocidental por muitos séculos, com exceção, como veremos, do período medieval. Com o movimento impressionista, no século XIX, houve outra ruptura com essa atitude, pois os artistas passaram a dar primazia às variações da luz e não aos objetos representados.

Essa mudança de atitude se deve, em parte, ao aparecimento do "bisavô" da máquina fotográfica — o daguerreótipo —, que fixa as imagens do mundo de forma mais rápida, econômica e precisa do que a tela pintada. Por essa razão, os artistas, principalmente os pintores, tiveram de repensar a função da arte e o espaço específico da pintura.

O naturalismo na arte grega

Na Grécia Antiga não havia a ideia de artista no sentido que hoje empregamos, uma vez que a arte estava integrada à vida. As obras de arte dessa época eram utensílios (vasos, ânforas, copos), edificações (templos) ou instrumentos educacionais. O artífice que os produzia era considerado um trabalhador manual, do mesmo nível do agricultor ou do ferramenteiro. Ele era um artesão, tinha domínio da **tecnê,** numa sociedade que considerava o trabalho manual indigno.

> **E ETIMOLOGIA**
>
> **Tecnê.** Em grego, abrange tanto a habilidade manual em fazer alguma coisa, principalmente em metal, como o saber fazer e as profissões ligadas ao trabalho manual. Designava também a arte, para a qual não havia um nome específico, uma vez que ela envolvia esse "saber fazer" manual. Hoje, a técnica se distingue da arte por sua eficácia impessoal. Um objeto técnico pode ser fabricado por qualquer indivíduo competente e adequadamente equipado. Uma obra de arte, não.

Platão (séc. V a.C.) recusa-se a dar valor autônomo ao que chamamos de arte. Para ele, existe uma ordem metafísica e ética no mundo, sendo tarefa da filosofia descobri-la por meio do pensamento racional. A arte só poderia ter valor se representasse corretamente essa ordem ou nos ajudasse a agir de acordo com ela. Contudo, Platão reconhece o poder da poesia sobre a alma humana e dá indícios de que aprecia os prazeres que ela proporciona.

Com relação à beleza, termo que ele usa com muitos sentidos diferentes, entre eles desejabilidade, valor de troca e agradabilidade à visão e à audição, ela não está relacionada às artes. Platão critica, inclusive, os sofistas e retóricos por não saberem fazer a distinção entre o que é belo porque dá prazer, do que é genuinamente bom e benéfico. Para ele, a beleza em si é uma forma, acessível somente ao intelecto.

Platão faz a crítica da beleza no mundo sensível, dizendo que é variável (algo pode ser belo em um momento e não em outro), e é relativa (algo é belo em relação a algum aspecto mas não a outros; é belo para um observador e não o é para outro). Do outro lado, a beleza como forma não é variável — "sempre é: não se torna, nem acaba, não brilha, nem desvanece" *(Symposium 211a).*

Nesse período (sécs. V e IV a.C.), a função da arte era criar imagens de coisas reais, que tivessem aparência de realidade. Para que esse objetivo fosse atingido, foram desenvolvidas técnicas que permitiam produzir cópias da aparência visível das coisas.

Há várias anedotas que ilustram bem isso, embora poucos exemplares da pintura grega tenham chegado até nós. Dizem que Apeles pintou um cavalo com tanto realismo que cavalos vivos relinchavam ao vê-lo. Outra história conta que Parrásio pintou uvas tão reais que passarinhos tentavam bicá-las.

Na verdade, talvez essas pinturas só possam ser consideradas realistas em relação à estilização da pintura que a precedeu ou à pintura egípcia, por exemplo. Por outro lado, temos de admirar a fidelidade anatômica das esculturas gregas, tais como a *Vitória de Samotrácia* e o *Discóbulo.*

Essa atitude perante a arte está fundada sobre o conceito de mímese.

VICTORIA & ALBERT MUSEUM, LONDRES/ANCIENT ART AND ARCHITECTURE COLLECTION LTD. - THE BRIDGEMAN ART LIBRARY/ KEYSTONE

Discóbolo, cópia romana em mármore do original feito pelo ateniense Miron, por volta de 450 a.C. Essa escultura é uma representação idealizada do esportista no momento de maior concentração, quando se prepara para arremessar o disco. A harmonia da composição é dada pela intersecção de dois segmentos da linha curva. Um se inicia na mão que segura o disco, passa pelos ombros, desce pelo outro braço e chega ao pé esquerdo que está atrás. O outro liga esse mesmo pé à cabeça, passando pela curvatura das costas. Apesar da concentração do corpo, o rosto permanece tranquilo. Isso faz parte do idealismo da arte naturalista grega.

Para Platão, a mímese seria a imitação não da ideia (essência universal) da coisa, mas tão somente de sua aparência, isto é, de um objeto concreto e particular. Além disso, só se pode imitar algo a partir de um ponto de vista, não de todos, fazendo com que a imitação não seja exata, mas parcial. Portanto, ela está longe da verdade.

No polo oposto, Aristóteles afirma que a mímese é natural para as pessoas desde a infância, por ser um modo de aprendizado. A mímese resulta em conhecimento porque copia corretamente o objeto e o simplifica.

No que diz respeito à tragédia, ela é a mímese de uma ação, de um acontecimento, e não das paixões. É um processo ativo de seleção de partes para apresentação. Não é passivo, cópia automática, como supunha Platão. Aristóteles traz de volta a necessidade da habilidade para se fazer poesia: o poeta é um compositor-criador de tramas, e não de versos. Embora a poesia não seja mímese do universal, Aristóteles sustenta que, mesmo que os objetos da mímese não sejam universais, eles podem resultar em um processo que apresente universais, porque a tragédia não trata de assuntos banais.

Entretanto, é no sentido de cópia ou reprodução exata e fiel da realidade que a palavra *mímese* passa a ser adotada pela teoria naturalista. E as obras de arte, nessa perspectiva, são avaliadas segundo o padrão de correção estabelecido por Platão:

Mímese. Do grego, *mímesis*, normalmente traduzida por "imitação", significava muito mais que isso para os gregos. Para Platão, as palavras "imitam a realidade". Nesse caso, a tradução mais correta para *mímese* talvez fosse "representar", e não "imitar". Para Aristóteles, a arte "imita" a natureza. Arte, para ele, no entanto, englobava todos os ofícios manuais, indo da agricultura ao que hoje chamamos de belas-artes. Por isso, a arte, enquanto *poiésis*, ou seja, "construção", "criação a partir do nada", "passagem do não ser ao ser", imita a natureza no ato de criar, e não a aparência das coisas.

> Agora suponhamos que, neste caso, o homem também não soubesse o que eram os vários corpos representados. Ser-lhe-ia possível ajuizar da justeza da obra do artista? Poderia ele, por exemplo, dizer se ela mostra os membros do corpo em seu número verdadeiro e natural e em suas situações reais, dispostos de tal forma em relação uns aos outros que reproduzam o agrupamento natural — para não falarmos na cor e na forma — ou se tudo isso está confuso na representação?[1]

3 A estética medieval e a estilização

Na Europa ocidental, durante a Idade Média, não houve grande interesse pelas artes, consideradas coisas terrenas ligadas à cultura pagã, capazes de prejudicar o fortalecimento da alma e do espírito.

Entretanto, em virtude do analfabetismo generalizado das populações dos feudos, a Igreja Católica utilizou-se da pintura e da escultura para fins didáticos, ou seja, para ensinar a religião e infundir o temor do julgamento final e das penas do inferno. As obras de arte assumiram a condição de símbolos que manifestavam a natureza divina e canalizavam a devoção do homem para a divindade suprema.

Por isso, a postura naturalista é abandonada em prol da estilização, isto é, da simplificação dos traços, da esquematização das figuras e do desapego aos detalhes individualizantes. A estilização respondia melhor à necessidade de universalização dos princípios da religião cristã.

A arte bizantina do mesmo período mostrava extraordinária homogeneidade a partir de sua codificação, no século VI, até a queda de Constantinopla, em 1453. Preocupada com a expressão religiosa e com a tradução da teologia em forma de arte, a Igreja Ortodoxa bizantina padronizou a expressão artística, abolindo a representação do volume em pinturas e mosaicos, preferindo as figuras chapadas, cujas vestes possuíam linhas sinuosas.

Mantidas suas características próprias, tanto no Ocidente quanto no Império Bizantino prevaleceu a ideia de que a beleza não era um valor independente dos outros, mas o refulgir da verdade no símbolo. A obra de arte, assim, nos permitiria alcançar a visão direta da perfeição da natureza divina. Desse ponto de vista, a beleza era uma qualidade mais bem apreendida pela razão do que pelos sentidos, e correspondia ao pensamento religioso dessa época, marcado pelo desejo de ascender do mundo sensual das sombras, das aparências, à contemplação direta da perfeição divina (ver capítulo 13, "Teoria do conhecimento: Antiguidade e Idade Média").

Agostinho

Agostinho (354-430) ultrapassou a noção da mímese platônica porque considerava a arte humana um símbolo do significado da arte de Deus. À pergunta: uma coisa é bonita porque nos agrada ou nos agrada porque é bonita?, ele responde: agrada porque é bonita.

Agostinho elaborou "uma rigorosa teoria do belo como regularidade geométrica".[2] Ao tratar da ordem e da música, considera o número como medida de comparação que leva à ordenação das partes iguais dentro de um todo integrado e harmônico.

O gosto pela proporção, o próprio conceito de beleza como ordenação dos objetos ao que *deve ser*, pressupõe um conceito anterior da *ordem ideal*, dado por iluminação divina. Não podemos esquecer das origens platônicas do pensamento aristotélico em que o ideal precede o real, este mera cópia daquele. Esse conceito ideal de beleza fundamenta a objetividade do julgamento da beleza real, concreta, e é fonte das normas para a produção do belo.

Tomás de Aquino

Coube a Santo Tomás de Aquino (séc. XIII) retomar o pensamento de Aristóteles, ao qual teve acesso por meio das traduções árabes, e recuperar o mundo sensível que havia sido considerado fonte de pecado durante quase toda a Idade Média. Adaptou o conceito de "forma" que justifica a existência das coisas individuais.

Afirmava que as formas dependiam de Deus e tinham a chave do Ser das coisas: são elas que conferem unidade, verdade, bondade, ou seja, que permitem que as coisas individuais possuam, por derivação, os atributos transcendentais de Deus.

Se o mundo é criação de Deus, terá as marcas de sua origem e será a encarnação simbólica do *logos* divino. Pode, assim, ser objeto de nossa atenção e interpretação.

Como para Agostinho, beleza e bondade não eram atributos diferentes: eram modos diferentes de olhar aspectos diversos das mesmas coisas. A beleza é o aspecto agradável da bondade, pois o belo é agradável à cognição, ao passo que o bom está relacionado ao desejo. Por isso só o ser humano tem prazer nas coisas sensíveis porque sensíveis.

1 PLATÃO. *As leis*: incluindo Epinomis. Bauru: Edipro, 1999, 668 d.
2 ECO, Umberto. *Arte e beleza na estética medieval*. Rio de Janeiro: Globo, 1989. p. 61.

Cristo em majestade, página da *Bíblia* Stavelot, 1093-1097. Note a estilização das feições de Cristo e a bidimensionalidade da figura. As roupas são dispostas de modo que criem um efeito decorativo. O mesmo efeito é dado pela barra grega que contorna todo o retângulo e pelos segmentos de círculo que emolduram a figura de Cristo.

Tomás de Aquino não conhecia a *Poética* de Aristóteles, que não havia sido traduzida pelos árabes. Entretanto, o tratamento dado à arte, no sentido de arte produtiva, aproxima-se da discussão de Aristóteles sobre *techné*. O espectador pode ter prazer ao se deparar com uma obra de arte, sem ter a consciência de que o que agrada é a forma sensível.

Tomás de Aquino estabeleceu três condições para a beleza: *integridade* ou *perfeição*; devida *proporção* ou *harmonia* entre as partes; *claridade* ou *luminosidade*, ou seja, o resplandecer da forma em todas as partes da matéria.

Resumindo, podemos dizer que a essência da beleza em geral consiste na resplandecência da forma sobre partes da matéria proporcionalmente ordenadas.

4 O naturalismo renascentista

O Renascimento artístico, ocorrido entre os séculos XIV e XV na Europa, passou a dignificar o trabalho do artista ao elevá-lo à condição de trabalho intelectual. Consequentemente, a obra de arte assumiu outro lugar na cultura de então.

Nesse contexto, as artes foram buscar um naturalismo crescente, mantendo estreita relação com a ciência empírica que despontava na época e fazendo uso de todas as suas descobertas e elaborações em busca do ilusionismo visual. A perspectiva científica, a teoria matemática das proporções, que possibilitam a criação da ilusão da terceira dimensão (profundidade) sobre uma superfície plana, as conquistas da astronomia, da botânica, da fisiologia e da anatomia são incorporadas às artes.

Além de ser criação da inteligência e imitação da natureza, a estética renascentista era regida pela ideia de que a beleza é propriedade objetiva das coisas, consistindo na ordem, na harmonia e na proporção, expressas matematicamente. Na visão do Renascimento, a arte tinha atingido a perfeição na Antiguidade e, por isso, merecia ser estudada.

O naturalismo renascentista se distingue do naturalismo grego porque faz uso das conquistas da ciência para atingir um realismo cada vez maior nas representações.

5 Racionalismo e academismo: a estética normativa

Descartes (séc. XVII) não elaborou uma teoria estética, mas seu método e conclusões em relação à teoria do conhecimento foram decisivos no desenvolvimento da estética neoclássica.

A busca da clareza conceitual, do rigor dedutivo e da certeza intuitiva dos princípios básicos invadiu o campo da teoria da arte. Combinaram-se elementos cartesianos e aristotélicos nos conceitos polissêmicos, isto é, com muitos sentidos, de razão e natureza. Artistas e críticos identificaram o *seguir a natureza* com o *seguir a razão*, uma vez que a natureza humana consiste em ser racional.

Por isso, o racionalismo estético, nos séculos XVII e XVIII, tentou estabelecer normas sólidas para o fazer artístico, mediante a dedução de um axioma fundamental e evidente por si mesmo. Esse axioma pode ser expresso nos seguintes termos: a arte é uma imitação da natureza que inclui o universal, o normativo, o essencial, o característico e o ideal. A natureza deve ser representada em abstrato, com as características da espécie. O princípio básico da arte, portanto, continua a ser a imitação, embora de cunho idealista.

Posteriormente, esses princípios foram reduzidos a um sistema, dando origem ao academismo, isto é, ao classicismo ensinado pelas academias de arte. Era a chamada *estética normativa*, que estabeleceu regras para o fazer artístico, limitando a criatividade e a individualidade da intuição artística.

O academismo acabou por estrangular a vida da atitude naturalista na arte, abrindo espaço para indagações e propostas novas.

MUSEU DO LOUVRE, PARIS - THE GRANGER COLLECTION, NOVA YORK

Pastores árcades. Nicolas Poussin, século XVII.

Toda a composição criada pelo artista se insere dentro de um ideal clássico em que a ordem, a clareza e a lógica são de suma importância. O grupo de pastores - dois de cada lado - encontra-se na frente de uma lápide, na mítica Arcádia, região grega símbolo da vida bucólica. A composição é racional, quase matemática, seguindo linhas diagonais precisas e planos bem organizados.

6 Os empiristas ingleses[3]

Para John Locke (1637-1704), a beleza não é uma qualidade das coisas em si, é um sentimento na mente de quem as contempla.

Uma vez que os julgamentos de beleza não se referem a nenhum objeto fora do sujeito, somente ao sentimento de prazer trazido à tona pela percepção do objeto, eles só se referem a si mesmos. Sua verdade ou falsidade depende apenas da presença ou ausência de prazer na mente de quem os percebe.

Parece, então, que não pode haver um padrão de gosto, pois, assumindo que somos capazes de detectar a presença e a ausência de prazer em nossas mentes, todos os julgamentos de beleza serão verdadeiros e, por isso, todos os gostos igualmente válidos.

David Hume (1711-1776) apresenta uma divisão do "mecanismo do gosto" em dois estágios:

- o primeiro estágio é **perceptivo**, isto é, aquele em que percebemos qualidades nos objetos;
- o segundo é um estágio **afetivo,** no qual sentimos o prazer da beleza ou o desprazer da "deformação", ativados pela percepção dessas qualidades.

Uma vez que passamos pelos dois estágios para chegar ao julgamento da beleza, as diferenças nesses julgamentos se dividem em duas categorias:

- as que surgem somente no estágio 2 e que são puramente afetivas;
- as que surgem no estágio 1, tendo, portanto, origem na percepção.

Quando as diferenças de gosto são puramente afetivas, não podemos considerar um gosto superior ou inferior ao outro, como sustentava Locke. Quando, entretanto, as diferenças decorrem da percepção, podemos ter um padrão para considerar um gosto superior ao outro.

Segundo ele, temos um padrão para preferir certas percepções e não outras. O fato de existirem obras de arte universais, que agradam a muitas pessoas por séculos e em várias partes do mundo, demonstra que a mente naturalmente tem prazer na percepção de certas propriedades, o que significa que a mente opera a partir de "princípios de gosto".

Hume aponta duas fontes da diferença de gosto: os diferentes humores dos indivíduos e as diferentes culturas, ou seja, as maneiras e opiniões particulares de uma época ou país. E, por causa dessas diferenças no gosto, afirma que o padrão só existe quando juízes verdadeiros dão um veredito conjunto.

Ao distinguir meras diferenças de gosto das diferenças baseadas na percepção, e ao defender que essas últimas têm um padrão na realidade da matéria, Hume oferece uma base valiosa para a compreensão das normas estéticas.

---

[3] Este tópico é baseado no texto "Empiricism", de James Shelley, publicado no livro *The Routledge Companion to Aesthetics*. 2. ed. Londres: Routledge, 2005.

7 Kant e a crítica do juízo estético

A *Crítica do juízo*, elaborada em 1790, é o tratado que funda a estética filosófica moderna, pois integra a teoria estética a um sistema filosófico completo cuja influência é tão clara hoje quanto nas décadas posteriores à sua publicação.

O desejo de sistematização levou Kant (1724-1804) ao exame crítico da faculdade humana de sentir prazer, descobrindo o terceiro ramo da filosofia que se juntaria à filosofia teórica (metafísica) e à filosofia prática (ética), cujas bases são os princípios *a priori*.

Kant se ocupa, em primeiro lugar, do julgamento estético, expressando de maneira lógica muitas das ideias e doutrinas dos estetas ingleses do século XVIII e modelando-as em um sistema coerente. Parte da seguinte questão: há condições *a priori* para se fazer julgamentos baseados no prazer, ou seja, o julgamento de que algo é belo?

A epistemologia e a metafísica kantianas propõem a divisão entre sensibilidade e entendimento. "Sensibilidade é a habilidade passiva de ser afetado pelas coisas por meio das sensações."[4] Isso não se dá no nível do pensamento nem mesmo da experiência em qualquer sentido significativo.

O entendimento, por outro lado, não é sensível. É a faculdade de produzir pensamentos. A experiência se dá pela síntese desses dois poderes da mente: a sensação material é apreendida e ordenada dentro de um conceito, resultando em um pensamento ou julgamento. Ao julgamento de que algo é belo, Kant dá o nome de "julgamento de gosto".

Ele começou por distinguir a base lógica do juízo estético da base lógica dos juízos sobre outras fontes de prazer e da base dos juízos de utilidade e de bondade. Estabeleceu, também, a distinção entre percepção estética e formas de pensamento conceitual "belo é o que agrada independentemente de um conceito", indo contra a estética cartesiana e racionalista.

A seguir, dividiu a beleza em duas espécies: a beleza livre, que não depende de nenhum conceito de perfeição ou uso; e a beleza dependente desses conceitos. Os juízos estéticos, para Kant, estão relacionados à primeira espécie de beleza.

O prazer desinteressado

Para que se possa fazer o julgamento de gosto, é preciso que o objeto desse julgamento gere em nós uma satisfação ou insatisfação totalmente desinteressada, isto é, não relacionada ao uso que o objeto possa ter para nós. Quando se diz que algo é belo, diz-se que ele produz satisfação.

A partir do conceito de prazer desinteressado, Kant diferencia os juízos estéticos dos juízos morais, dos juízos sobre a utilidade e dos juízos baseados no prazer dos sentidos. A experiência do belo se dá no sensível e independe de qualquer interesse de outro tipo. "O gosto é a faculdade de julgar um objeto ou um modo de representação por uma satisfação ou insatisfação inteiramente independentes do interesse. Ao objeto dessa satisfação chama-se belo." Para Kant, portanto, a beleza reside primordialmente na atitude desinteressada do sujeito, em relação a qualquer experiência.

Prazer universal

Os julgamentos de gosto não podem ser demonstrados, isto é, não pode haver uma regra que force alguém a reconhecer algo como sendo belo.

Julgar a beleza implica que se sinta prazer imediatamente na experiência do objeto. O prazer pode ser universalmente comunicável se for baseado não na mera sensação, mas em um estado de espírito que seja também universalmente comunicável. E já que os únicos estados de espírito universalmente comunicáveis são os cognitivos, de algum modo o prazer do belo deve ter sua base na cognição. O julgamento de belo não faz referência a um conceito, mas é baseado na cognição em geral, isto é, no livre jogo das faculdades cognitivas: imaginação e entendimento, em mútua harmonia. Ele toma uma forma conceitual, pois definimos beleza como se fosse uma propriedade das coisas: "isso é bonito".

O prazer do belo vem da percepção da *forma* do objeto, em contraste com as sensações ou conceitos que ele desperta. Por isso, a estética kantiana é chamada de formalista.

O que garante a universalidade dos juízos estéticos é o fato de que todos os seres humanos têm a mesma faculdade de julgar, assim como a razão também é idêntica para todos. Todos sentem prazer na experiência do belo porque ele se funda no elemento subjetivo necessário ao conhecimento em geral e que todas as pessoas têm — caso contrário, não haveria comunicação.

Julgamento. Para Kant, significa experiências que resultam em uma afirmação sobre algo ou, mais genericamente, a consciência de que acontece algo.

[4] CRAWFORD, Donald. "Kant". Em: GAUT, B.; LOPES, D. M. (ed.). *The Routledge Companion to Aesthetics*. 2. ed. Londres/Nova York: Routledge, 2005. p. 56.

A teoria e stética kantiana é sistemática e global, relacionando nossa experiência e julgamento da beleza e da arte a conceitos epistemológicos, metafísicos e éticos. Influenciou Hegel, Schiller, Schopenhauer, Nietzsche e muitos escritores e filósofos do século XX.

8 O idealismo de Schiller[5]

Escritor, poeta, ensaísta e dramaturgo, Schiller (1759-1805) escreveu *Sobre a educação estética do homem*, uma coleção de cartas, defendendo que a harmonia no indivíduo e na sociedade depende do cultivo da sensibilidade estética aos valores clássicos da grande arte que vai além das épocas históricas particulares.

Ele celebra o tema da liberdade individual e da liberdade ante os costumes. Seus escritos dramáticos ilustram a tese romântica da luta travada entre as forças opostas da natureza humana — liberdade e necessidade —, normalmente aparecendo sob a forma de rebelião contra a autoridade paterna.

PARA SABER MAIS

A *Ode à Alegria*, poema escrito por Schiller em 1785, foi musicado por Beethoven e constitui o quarto movimento da *Nona Sinfonia* de Ludwig van Beethoven, composta em 1823. O poema expressa uma visão idealista da humanidade que, para se tornar uma irmandade, cultiva a liberdade, a paz e a solidariedade. Em 1972, o poema musicado foi escolhido como hino do Conselho da Europa e, em 1985, adotado como hino oficial da União Europeia.

Para Schiller, o valor da arte está no papel que desempenha ao dar cor e significado à vida, mesmo que seu objetivo segundo seja condicionar os cidadãos para a participação em um estado político moralmente elevado.

Ao contrário de Kant, Schiller enfatiza a alegria da expressão do espírito na arte. Para ele, a lei, tanto natural quanto social, é a grande oponente do voo livre da alma que acontece na arte.

O impulso do jogo integra as forças passiva (leva à realidade formal e abstrata) e ativa (realização concreta).

Na união de sentimento ou emoção e razão, do sensível e do racional, no ideal estético, beleza física e sensorial e beleza racional e formal estão juntas.

A liberdade do indivíduo só se realiza quando os impulsos racional e material são adequadamente harmonizados de modo que possam ser expressos dentro de condições apropriadas, sem que um restrinja o outro. Esse é o impulso da filosofia estética de Schiller, que faz a mediação entre os impulsos material e formal para que os estados sensíveis e racionais do espírito se juntem na educação estética.

Apesar do valor intrínseco da arte, a educação estética para Schiller não é um fim em si mesmo, mas um processo pelo qual a humanidade precisa passar para retornar à sua essência verdadeira. Nesse ponto, terá atingido a necessária liberdade para se transformar no que achar apropriado dentro das circunstâncias existentes.

Schiller acreditava que, se as pessoas tivessem a consciência estética educada, os atos excessivos da Revolução Francesa e do Reino do Terror não teriam acontecido.

A educação estética conduz à moralidade. Se o espírito tiver familiaridade com os valores estéticos superiores, passa a ter a liberdade absoluta que é incompatível com atos de violência.

O filósofo crê que há um caminho de aperfeiçoamento moral por meio da estética, uma série de passos individuais que podem ter influência moral positiva no estado político.

O que nos perguntamos é se a educação estética, de qualquer tipo, pode levar à produção de uma sensibilidade moral e uma vontade de agir segundo ela. Isso é bastante provocativo, mas incerto.

9 A estética romântica

As ideias fundamentais da estética romântica, desenvolvida na Europa ao longo de um século (meados do séc. XVIII a meados do séc. XIX), podem ser resumidas pelas expressões *gênio, imaginação criadora, originalidade, expressão, comunicação, simbolismo, emoção* e *sentimento*.

Genialidade é normalmente definida como sendo o "conjunto de disposições naturais pelas quais um indivíduo sai do ordinário ou do comum, revelando-se alguém superdotado de um poder de criação que se manifesta no domínio das artes".[6]

"Para se julgar objetos belos, torna-se necessário o gosto; mas para as belas artes é necessário o gênio", afirma Kant.

O filósofo descreveu o gênio artístico de tal maneira que influenciou os românticos, dando

5 Este tópico é baseado no artigo "Idealism: Schopenhauer, Schiller and Schelling", de Dale Jacquete publicado em: GAUT, B.; LOPES, D. M. (ed.). *The Routledge Companion to Aesthetics*. 2. ed. Londres: Nova York: Routledge, 2005.

6 JAPIASSU, Hilton; MARCONDES, Danilo. *Dicionário básico de Filosofia*. 2. ed. Rio de Janeiro: Jorge Zahar, 1991. p. 109.

origem ao mito do gênio: alguém de uma pequena elite, dotado de uma extraordinária e inexplicável capacidade criativa. As ideias kantianas de que mesmo o gênio precisava fazer esforço e ser treinado e que a imaginação criativa precisa da disciplina do entendimento foram deixadas de lado. Para os românticos, a criatividade não envolvia esforço, prática ou disciplina, uma vez que sublinhavam somente seus aspectos irracionais.

Visto dessa forma, o gênio era essencialmente original e expressava sua natureza superior por meio de obras pelas quais as pessoas comuns entrariam em contato com ele e comungariam com sua personalidade.

A **imaginação**, por sua vez, passou a ser vista como faculdade captadora de verdade, acima da razão e, às vezes, superior a ela e ao entendimento, sendo um dom especial do artista.

Era, ao mesmo tempo, criadora e reveladora da natureza, dentro de uma visão romantizada do idealismo transcendental kantiano que circunscrevia a forma da experiência à capacidade configuradora da mente (ver capítulo 14, "A metafísica da modernidade").

É a imaginação que nos permite compreender os sentimentos dos outros e comunicar-lhes os nossos. Pelo seu poder de recombinar impressões sensíveis e dados da experiência, é fonte de invenção e originalidade. O conceito romântico de imaginação criadora não era, como vemos, um conceito psicológico, e jamais foi claramente definido.

Quanto ao **simbolismo**, no período romântico adquire especial relevância a ideia de que a obra de arte é um símbolo, é a encarnação material de um significado espiritual.

Enfim, o romantismo concebe a arte como expressão das emoções pessoais de um artista cuja personalidade genial se torna o centro de interesse.

10 A modernidade e o formalismo

A revolução estética iniciada no século XVIII, quando se propôs a atenção desinteressada como marca da percepção estética e o sentimento como forma de cognição, foi completada nos últimos cem anos, passando a apreciação estética a ser o único valor das obras de arte.

Nas palavras de André Malraux, crítico francês do século XX,

> a Idade Média tinha tanta noção do que entendemos pelo termo arte quanto a Grécia ou o Egito, que careciam de uma palavra para exprimi-lo. Para que essa ideia pudesse nascer, foi preciso que se separassem as obras de arte de sua função. [...] A metamorfose mais profunda principiou quando a arte já não tinha outra finalidade senão ela mesma.[7]

É essa independência da obra de arte tanto em relação à intenção do autor quanto a valores e propósitos não propriamente estéticos que vai caracterizar a produção do século XX.

A ruptura do naturalismo

A partir do momento em que o ser da arte não é representar naturalisticamente o mundo, nem promover valores, sejam eles sociais, morais, religiosos ou políticos, torna-se possível encontrar a especificidade da arte enquanto promotora da experiência estética.

Ao lado disso, encontramos o repúdio à estética sistemática e certo ceticismo quanto às possibilidades de definição da beleza.

A nova atitude estética advém do estado de espírito cauteloso, empírico e analítico que não quer generalizar, mas que se mantém atento às características individuais de cada forma de arte. Isso possibilitará a cada uma empreender experimentações, na busca da sua linguagem específica e característica, como vimos no capítulo 36, ao discutir o papel das vanguardas.

Com a dissolução da atitude naturalista, os artistas passam a menosprezar o assunto ou tema das suas obras para valorizar o fazer a obra de arte. Qualquer assunto serve, ou mesmo nenhum assunto, como é o caso da arte abstrata e da música atonal.

Desse modo, a obra de arte adquire um estatuto próprio de obra, isto é, ela não tem por função representar nenhum aspecto da realidade exterior, pois ela é a própria realidade. Realidade especial, diferente da realidade do nosso cotidiano: realidade da obra de arte.

Apesar de essa ruptura ter condicionado praticamente toda a produção artística do século XX, a postura naturalista continuou a predominar em outros campos, principalmente nos meios de comunicação de massa, como a tevê, o cinema, o rádio.

7 MALRAUX, André. "Les voix du silence". Em: OSBORNE, Harold. *Estética e teoria da arte*. São Paulo: Cultrix, 1970. p. 248.

O formalismo

O formalismo é uma posição acerca da natureza da arte que tem implicações importantes para os limites da apreciação artística.

Segundo Carrol Noel,[8] o formalismo é a resposta historicamente situada para desenvolvimentos significativos no mundo da arte: o triunfo da música orquestral pura e o aparecimento da pintura moderna que rompera com o naturalismo. Essas novas formas artísticas ocasionaram uma grande transformação no gosto, questionando se todas as formas musicais estimulavam as emoções banais e cotidianas como o medo, a raiva, a alegria etc. Os defensores da arte moderna propunham, ao contrário, que o objeto da atenção musical deveria ser a estrutura musical.

Clive Bell, famoso crítico inglês, por sua vez, negava que a pintura se limitasse à representação e às emoções associadas à representação de acontecimentos, lugares e pessoas, sustentando que o tema real de uma pintura devesse ser o que chamava de *forma significativa*: o jogo de arranjos surpreendentes, de linhas, cores, formas, volumes, vetores e espaço.

A defesa empreendida por Bell da atitude formalista foi extremamente importante para o desenvolvimento da estética filosófica no século XX. Ao definir arte como a *forma significativa*, preconizava que a verdadeira obra de arte de pintura dirige-se à imaginação, estimulando o público a apreender a obra como uma configuração organizada de linhas, cores, formas, espaços, etc. Rejeitou tanto a noção de que a pintura fosse uma imitação da natureza (naturalismo) como uma expressão das emoções de seu criador (expressionismo).

Pode-se estender sua visão da pintura para outras artes: a música seria a apresentação temporal da forma aural (auditiva); a dança e a arquitetura modernas têm na forma a sua principal característica; embora não se possa negar o conteúdo representacional na literatura, os formalistas russos defendiam que esse conteúdo servia a procedimentos literários como estruturas narrativas, estruturas de cada tipo de poema, alternância de pontos de vista etc. O formalismo proposto por Bell para as artes visuais, especialmente a pintura e a escultura, tornou-se uma teoria da arte bastante ampla e muito importante para a apreciação e a crítica de arte (ver o capítulo 35, "Arte como forma de pensamento", especialmente o tópico "Funções da arte").

Entretanto, podem-se fazer algumas críticas à sua abrangência. Embora seja muito adequado para a interpretação da arte moderna e de vanguarda, o formalismo não explica os *ready made*, os objetos comuns selecionados e apresentados como arte a fim de provocar *insights* conceituais, pois eles não têm forma significativa. Além disso, o conceito de forma significativa é bastante vago para poder ser aplicado a todo tipo de arte e passar a ser um critério do que é ou não é arte.

PARA SABER MAIS

O formalismo russo não foi um movimento uniforme. Compreendeu diversos teóricos cujas opiniões foram forjadas no debate metodológico sobre a distinção entre linguagem poética e prática, levando aos estudos literários. Defenderam a criação de um método científico para estudar a linguagem poética, contra as abordagens psicológicas e históricas. Distinguiram a linguagem poética da linguagem prática: a prática é usada na comunicação do dia a dia para transmitir informação; a poética, os padrões sonoros e as combinações linguísticas têm valor por si mesmos. Roman Jakobson, um dos fundadores do Círculo Linguístico de Moscou, afirma que a concepção linguística revela a proximidade entre forma e conteúdo, inseparáveis para a crítica literária.

11 O pós-modernismo

Vivemos uma época de *pós-tudo*. A velocidade da transmissão da informação na sociedade pós-industrial, dominada pelos meios de comunicação de massa, pelos microcomputadores, pela internet e pela comunicação por satélites, faz surgir uma estética adequada a essas condições de vida.

O pós-modernismo, movimento iniciado na arquitetura italiana dos anos 1950, coloca-se como reação à busca da universalidade e racionalidade, propondo a volta do passado por meio de materiais, formas e valores simbólicos ligados à cultura local.

Da arquitetura, passa para as artes plásticas (*pop-art* dos anos 1950 e 1960), a literatura (o novo romance francês) e o teatro, com os *happenings*, as *performances*, até chegar às intervenções.

Happenings. Espetáculos teatrais, sem um texto definido, que se constroem a partir da interação atores-público;

Performances. Referem-se a espetáculos, seja de teatro, música ou artes visuais, que se utilizam de varias linguagens artísticas;

Intervenções. Manifestações artísticas que interferem na vida da cidade.

[8] NOEL, Carrol. Formalism. Em: GAUT, B.; LOPES, D. M. (ed.). *The Routledge Companion to Aesthetics*. 2. ed. Londres/Nova York: Routledge, 2005. p. 109-119.

O termo, portanto, começou a ser usado por artistas, e chegou à filosofia quando os pós-estruturalistas e desconstrutivistas (Derrida, Baudrillard, Lyotard) passaram a ter grande influência nos Estados Unidos.

Os filósofos pós-modernistas criticam a ideia de que se pode chegar à verdade — como as coisas são em si — por meio das faculdades naturais. Para eles, o acesso às coisas é mediado pela linguagem que constrói o que erradamente supomos ser o mundo real. São também contra a ideia de que há uma natureza humana partilhada por todos e que nos dá a racionalidade. Afirmam, ao contrário, que a racionalidade é uma construção histórica e cultural, não uma capacidade natural.

Os principais postulados do pós-modernismo são:

- não é possível haver uma interpretação verdadeira de uma obra;
- uma obra de arte não é boa nem tem propriedades formais intrínsecas; o mérito artístico é função das contingências históricas e culturais;
- a arte e os produtos culturais humanos, em geral, moldam a cognição humana de tal maneira que se torna impossível ir além das narrativas, textos, discursos, "vocabulários" ou paradigmas dominantes a fim de estabelecer sua verdade e, desse modo, sua adequação.

Derrida

Com respeito à interpretação e avaliação da obra de arte, Jacques Derrida (1930-2004) critica a ideia modernista de que é possível chegar a interpretações verdadeiras da arte, pois as obras têm significados estáveis e inerentes a elas. Ele afirma que não há fatos extratextuais ou extralinguísticos que possam ser apreendidos diretamente nem que possam servir para conter o sentido derivado de um sistema de signos, sejam verbais ou não verbais (um texto, uma pintura, um filme etc.). Tudo o que se tem é um sistema de signos dentro do qual cada um adquire significado contextualmente, por meio da relação com outros. Esse é o jogo dos signos: uma mudança e reconfiguração constantes das relações dos signos e das palavras entre si, com a consequente mudança dos significados.

Derrida defende que é possível desconstruir os modos pelos quais signos e conceitos são tradicionalmente relacionados uns aos outros. Dessa forma, é sempre possível descobrir novos significados e, no processo, oferecer diferentes interpretações igualmente plausíveis.

Por isso, o objetivo da interpretação não é encontrar significados ocultos na obra, mas fazer um jogo de significados. Fixar-se em qualquer um deles seria arbitrário, pois é somente uma das variadas possibilidades que estão abertas.

> **QUEM É?**
>
> **Jacques Derrida** nasceu na Argélia em 1930 e morreu em Paris em 2004. Sofreu discriminação nas escolas argelinas por ser judeu, o que o marcou profundamente. Excelente esportista, chegou a pensar em ser jogador de futebol, quando teve acesso às obras de Rousseau, Nietzsche, Gide e Camus. Mudou-se para a França, onde fez curso superior, completando sua formação na Bélgica. Lecionou em universidades francesas e norte-americanas. Critica o lugar central que o discurso racional ocupa em nossa tradição intelectual e propõe o método da desconstrução, que consiste em desfazer um texto a partir do modo como foi organizado para revelar seus múltiplos significados. Os instrumentos da desconstrução são a repetição, a polissemia e a diferença. Esse método tem tido grande influência sobre a crítica literária contemporânea.

Características da estética pós-moderna

A estética pós-moderna caracteriza-se pela **desconstrução da forma**. No romance, no cinema, no teatro não há mais uma história a ser contada ou personagens fixas. As coisas vão acontecendo, aparentemente sem ligações causais. Caracteriza-se ainda pelo *pastiche* e *ecletismo* que permitem juntarem-se as coisas mais variadas e até mesmo antagônicas na mesma obra; pelo uso da *paródia*, discurso paralelo que comenta e, em geral, ridiculariza o discurso principal; pelo uso da *metalinguagem*, isto é, da citação de outras obras; pela incorporação do *cotidiano* e da *estética dos meios de comunicação de massa*; pela *efemeridade*, ou pequena duração, de muitas de suas obras. Não existe um estilo único, tudo vale dentro do pós-tudo.

12 O pensamento estético no Brasil

Na verdade, é difícil separar totalmente a atividade de crítica de arte daquela que propõe novas questões estéticas, porque o crítico também pensa a arte, não abstratamente, mas a partir de certas obras. Há críticos importantes no Brasil, que fundamentam seu trabalho em conhecimento profundo da história da arte. Aracy Amaral, Walter Zanini, Angélica de Moraes, Lisette Lagnado, na área de artes visuais; Helena Katz, na dança; Ismail

Xavier, Amir Labaki, Jean-Claude Bernardet, no cinema; Ênio Squeff e Miguel Wisnik, na música; Mariângela Alves de Lima, no teatro; entre tantos outros. Na verdade, antes de serem críticos de arte, eles são intelectuais, às vezes também artistas, que pensam a linguagem específica à qual se dedicam, para poder analisar as características da produção em arte.

De outro lado, temos a própria produção artística: artistas apresentam suas obras, instauram suas poéticas particulares, dando continuidade ao que já foi produzido, criando "famílias com similaridades" — para não se usar o termo escolas, que não têm mais sentido na contemporaneidade — ou rompendo com essa "tradição" e abrindo novos caminhos. Às vezes, esses mesmos artistas se posicionam e refletem sobre suas linhas de trabalho, escrevem manifestos, donde os termos "estética da fome", "estética tropicalista" etc. (O uso da palavra *estética*, porém, pode ser substituído pelo de *poética*, como vimos no capítulo 33, "Estética: introdução conceitual".)

Se levarmos em conta, entretanto, a ideia de que uma das características do filósofo é a de se posicionar criticamente diante da tradição, a fim de compreender as questões de seu tempo e elaborar um novo discurso, veremos que será somente na segunda metade do século XX que os intelectuais passarão a exercer esse papel no meio artístico brasileiro. Nesse momento, eles vão além da análise e crítica das obras ou movimentos para criar, a partir do panorama das artes de seu tempo, novas categorias de análise, indicando e discutindo a mudança de paradigmas, bem como a importância destes no contexto da cultura local e global. Entre eles, cumpre destacar a atuação de Anatol Rosenfeld, em literatura e teatro; Benedito Nunes e Mario Pedrosa, nas artes plásticas; Décio Pignatari, analisando a mídia; e Teixeira Coelho Netto. Este último tem-se distinguido por sua produção crítica em várias áreas: teatro, arquitetura, cinema, artes visuais, de acordo com o espírito pós-moderno em que as claras fronteiras entre as artes foram derrubadas, prevalecendo a crítica da cultura como um todo. Seus textos levantam polêmicas cruciais a partir da desconstrução de paradigmas estabelecidos.

Mesmo com a atuação desses pensadores, a reflexão estética no Brasil ainda não forma um corpo teórico consistente.

13 Como ficamos?

Retomemos a pergunta feita no início do capítulo, sobre a obra de Leda Catunda *Onça Pintada I*: em outras épocas, ela seria considerada uma obra de arte?

Para o naturalismo grego e renascentista, não seria uma obra de arte, pois não "imita" a realidade, não cria ilusão nem simulacro da realidade.

Na Idade Média, também não seria considerada obra de arte, pois não é um símbolo que manifeste a natureza divina e canalize a devoção do ser humano a Deus, apesar de ser uma figura estilizada.

Também não é uma obra que siga os padrões acadêmicos e racionalistas: não é naturalista nem representa o universal, o normativo, o essencial, o característico e o ideal. Não seria, pois, considerada uma obra de arte.

Mesmo para os empiristas, que relativizaram a questão do gosto, seria difícil, na época, encontrar cinco juízes que concordassem sobre a beleza dessa obra.

Para Hegel, já se ultrapassou o momento em que a arte foi capaz de trazer ordem ao caos, só nos restando a possibilidade de refletir sobre ela.

Enfim, até o final do século XIX, o naturalismo ainda permeia todas as tendências estéticas, exigindo, sobretudo, uma técnica apurada e cuidadosa. A obra de arte tinha de ser benfeita e bem-acabada, sobre um assunto digno.

É somente a partir da ruptura do naturalismo e com o advento do modernismo que esta experimentação iconoclástica de Leda Catunda pode ser admirada como obra de arte.

Tendo compreendido que o desenvolvimento das concepções estéticas é histórico, pois cada época e lugar propõem questões diferentes para a vida humana, como lidamos com as diversas manifestações da arte em nossos dias? O próprio papel e a função da arte na vida têm variado conforme a geração e o espaço. Contudo, o que é permanente é a presença da arte e do estético no mundo humano.

Leitura complementar

Novidade

"Desde há mais de um século, o capitalismo encontra-se dilacerado por uma crise cultural profunda, aberta, que podemos resumir numa palavra: o modernismo, ou seja, essa nova lógica artística baseada em rupturas e descontinuidades, assentado na negação da tradição, no culto da novidade e da mudança. O código do novo e da actualidade descobre a sua primeira formulação teórica em Baudelaire, para quem o belo é inseparável da modernidade, da moda, do contingente; mas é, sobretudo, entre 1880 e 1930 que o modernismo ganha toda a sua amplitude com o abalar do espaço da representação clássica, com a emergência de uma escrita desprendida das imposições da significação codificada, e depois com as explosões dos grupos e artistas de vanguarda. A partir de então, os artistas não param de destruir as formas e sintaxes instituídas, insurgem-se violentamente contra a ordem oficial e o academismo: o ódio à tradição e raiva de renovação total. Sem dúvida, todas as grandes obras artísticas do passado inovaram sempre de uma maneira ou de outra, introduzindo aqui e ali a derrogação dos cânones em vigor, mas é apenas neste fim de século que a mudança se torna revolução, ruptura clara na trama do tempo, descontinuidade entre um antes e um depois, afirmação de uma ordem resolutamente outra. O modernismo não se contenta com produzir variações estilísticas e temas inéditos, quer romper a continuidade que nos liga ao passado, instituir obras absolutamente novas. Mas o notável ainda é que a raiva modernista desqualifica, no mesmo impulso, as obras mais modernas: as obras de vanguarda, logo depois de produzidas, tornam-se retaguarda e afundam-se no *déjà-vu* [já visto]; o modernismo proíbe o estacionamento, impõe a invenção perpétua, a fuga para diante, e é essa 'contradição' que lhe é imanente: 'A modernidade é uma espécie de autodestruição criadora... a arte moderna não é somente filha da idade crítica, mas crítica de si própria'.[9]"

AKG IMAGES/LATINSTOCK-KLEE, PAUL, "SENECIO (OLD MAN)", 1922, LICENCIADO POR AUTVIS, BRASIL, 2009

Senecio (Old man), óleo de Paul Klee, 1922. Paul Klee é um dos artistas de vanguarda mais inovadores: inova materiais, técnicas, uso das cores, das formas. Nesse retrato, constrói o rosto com quadrados coloridos dentro de uma circunferência, transformando-o em uma máscara de arlequim.

LIPOVETSKY, Gilles. *A era do vazio*: ensaio sobre o individualismo contemporâneo. Lisboa: Relógio d'Água, s.d. p. 76-77.

Questões

1 Como se caracteriza o modernismo?

2 Explique a frase: "todas as grandes obras artísticas do passado inovaram sempre de uma maneira ou de outra, introduzindo aqui e ali a derrogação dos cânones em vigor".

3 Se sempre houve inovação em arte, por que a inovação pregada pelos modernistas é diferente? O que quer dizer o "culto da novidade e da mudança" nesse contexto?

---

[9] PAZ, Otavio. *Points de convergence.* Paris: Gallimard, 1976. p. 16.

Atividades

Revendo o capítulo

1 Como se pode caracterizar o naturalismo e como ele se apresenta na arte grega e renascentista?

2 Explique a ligação entre beleza, bondade e verdade na estética medieval.

3 Quais são os princípios fundamentais da estética renascentista?

4 Caracterize a estética racionalista.

5 Explique a posição empirista em relação à beleza.

6 Qual o foco da análise de Kant?

7 O que garante, para Kant, a universalidade dos juízos estéticos?

8 Qual a importância da educação estética para Schiller?

9 Como o romantismo explica a questão da genialidade?

10 O que se entende por ruptura do naturalismo?

11 Explique a posição formalista.

12 Explique, com suas palavras, os principais postulados do pós-modernismo e suas características.

Caiu no vestibular

13 (Fuvest, 2005-adaptada) Considere a foto e os textos a seguir:

JEFFERSON COPPOLA/FOLHA IMAGEM

*[***Catraca** *= borboleta: dispositivo geralmente formado por três ou quatro barras ou alças giratórias, que impede a passagem de mais de uma pessoa de cada vez, instalado na entrada e/ou saída de ônibus, estações, estádios etc. para ordenar e controlar o movimento de pessoas, contá-las etc.] (Adaptado de* Folha de S.Paulo, *4 de setembro de 2004.)*

Catraca invisível ocupa lugar de estátua

*"Sem que ninguém saiba como — e muito menos o porquê — uma catraca enferrujada foi colocada em cima de um pedestal no largo do Arouche (centro de São Paulo). É o '***monumento à catraca invisível***', informa uma placa preta com moldura e letras douradas, colocada abaixo do objeto, onde ainda se lê:* ***Programa para a descatracalização da vida, julho de 2004****". (Foto ao lado)*

Grupo assume autoria da "catraca invisível"

"Um grupo artístico chamado Contra Filé *assumiu a responsabilidade pela colocação de uma catraca enferrujada no largo do Arouche (região central). A intervenção elevou a catraca ao status de monumento à* ***'descatracalização da vida'*** *e fez parte de um programa apresentado no Sesc da Avenida Paulista, paralelamente ao Fórum das Cidades.*

No site do Sesc, o grupo afirma que a catraca representa um objeto de controle 'biopolítico' do capital e do governo sobre os cidadãos." (Adaptado de Folha de S.Paulo, *9 set. 2004.)*

Instrução. Como você pode verificar, observando o noticiário aqui reproduzido, a catraca que "apareceu" em uma praça de São Paulo era, na verdade, um "**Monumento à catraca invisível**", ali instalado pelo grupo artístico *Contra Filé*, como parte de seu "**Programa para a descatracalização da vida**". Tudo indica, portanto, que o grupo responsável por este programa acredita que há um excesso de controles, dos mais variados tipos, que se exercem sobre os corpos e as mentes das pessoas, submetendo-as a constantes limitações e constrangimentos. Tendo em vista as motivações do grupo, você julga que o programa por ele desenvolvido se justifica?

Considerando essa questão, além de outras que você ache pertinentes, redija uma **dissertação em prosa**, argumentando de modo a apresentar seu ponto de vista sobre o assunto.

Quadro cronológico

Este quadro tem a finalidade de situar a atividade filosófica no contexto histórico, relacionando-a aos mais significativos acontecimentos culturais, políticos e científicos. Para a identificação da origem do filósofo e as datas de nascimento e morte, consulte o Índice de nomes

Antiguidade		
Século	**Filosofia**	**Contexto histórico**
VI a.C.	FILOSOFIA GREGA ANTIGA **Período pré-socrático** ***Escola jônica:*** Tales, Anaximandro, Anaxímenes, Heráclito ***Escola itálica***: Pitágoras ***Escola eleática:*** Xenófanes, Parmênides, Zenão	Registro escrito da *Ilíada* e da *Odisseia* (Homero) Reformas de Sólon Reformas de Clístenes Período arcaico da arte grega
V a.C.	***Escola atomista:*** Leucipo, Demócrito, Anaxágoras, Empédocles **Período clássico** ***Sofística:*** Górgias, Protágoras, Híppias ***Escola socrática:*** Sócrates	Guerras médicas Péricles Heródoto (história), Hipócrates (medicina) Tragédias e comédias Guerra do Peloponeso Tirania dos Trinta Período clássico da arte grega
IV a.C.	***Escola socrática (cont.)*** Platão Aristóteles	Eudoxo (sistema geocêntrico) Crise política em Atenas Felipe da Macedônia e Alexandre Magno (helenismo) Período helenístico da arte grega Início da arte grega helenística
III a.C.	**Período pós-socrático – Helenismo** ***Estoicismo:*** Zeno de Cítio ***Epicurismo:*** Epicuro ***Ceticismo:*** Pirro	Euclides (geometria), Arquimedes (mecânica) Guerras Púnicas (Roma-Cartago)
I a.C.	FILOSOFIA ROMANA ANTIGA Lucrécio, Cícero	Fundação do Império Romano
I d.C.	Sêneca	Cristianismo
II	Marco Aurélio	Ptolomeu (sistema geocêntrico) Apogeu do Império Romano
III	FILOSOFIA CRISTÃ ***Neoplatonismo*** Plotino ***Filosofia patrística*** (Padres da Igreja): Clemente, Orígenes	Galeno (anatomia) Crise do Império Romano
IV	Santo Agostinho	Vulgata (tradução da *Bíblia* para o latim) Divisão do Império Romano (do Ocidente e do Oriente) Cristianismo (religião oficial)

Idade Média		
Século	**Filosofia**	**Contexto histórico**
V	Morte de Santo Agostinho	Queda do Império Romano do Ocidente
VI	Boécio	Justiniano (Império Bizantino; *Corpus Juris Civilis*) Mosteiros beneditinos
VII		Surgimento do islamismo
VIII	Alcuíno	Fundação do Império do Ocidente: Carlos Magno Alcuíno (inglês) organiza o ensino no reino franco
IX	Scotus Erígena ***Filosofia árabe:*** Alkindi	Tratado de Verdun Apogeu da cultura islâmica
XI	***Filosofia árabe:*** Avicena ***Filosofia escolástica*** Guilherme de Champeaux, Roscelino	Cisma do Oriente Arte românica Primeiras universidades
XII	Abelardo ***Filosofia árabe:*** Averróis ***Filosofia judaica***: Moisés Maimônides	Cruzadas Difusão das universidades Números decimais (árabes) chegam à Europa
XIII	***Auge da escolástica*** Tradução de Aristóteles para o latim Santo Alberto, Santo Tomás de Aquino ***Escola de Oxford:*** Duns Scotus, Grosseteste, Roger Bacon	Cruzadas Ordem dos Dominicanos e Ordem dos Franciscanos Arte gótica e mourisca Alquimia
XIV	***Escola de Oxford (cont.):*** Guilherme de Ockham ***Pré-renascimento*** Dante Alighieri, Marsílio de Pádua	Início da Guerra dos Cem Anos Formação dos Estados Gerais Cisma do Ocidente Bússola Pré-Renascimento Fim da Idade Média: tomada de Constantinopla pelos turcos (1453)

Renascimento		
Século	**Filosofia**	**Contexto histórico**
XV	**Humanismo** Nicolau de Cusa	Joana d'Arc Grandes Navegações: chegada dos europeus à América Renascimento artístico italiano Gutenberg (imprensa)
XVI	Erasmo Giordano Bruno Bodin, Maquiavel Thomas More Montaigne	**Brasil:** início da colonização portuguesa Formação das monarquias nacionais Reforma protestante Concílio de Trento Copérnico (heliocentrismo) Fim do Renascimento artístico/Barroco

Idade Moderna		
Século	**Filosofia**	**Contexto histórico**
XVII	Humanismo (cont.) Campanella Racionalismo: Descartes, Pascal, Malebranche, Espinosa, Leibniz Empirismo: Francis Bacon, Hobbes, Locke	Renascimento científico: Galileu, Kepler, Newton Mercantilismo e absolutismo Guerra dos Trinta Anos Cromwell Revolução Gloriosa Barroco **Brasil:** expansão dos bandeirantes, invasão holandesa, morte de Zumbi (Palmares)
XVIII	Berkeley (idealismo espiritualista) Hume (empirismo/ceticismo) Iluminismo: Montesquieu, Kant, Voltaire, Diderot, D'Holbach, La Mettrie, Rousseau	Liberalismo Revolução Industrial (máquina a vapor) Despotismo esclarecido Independência dos Estados Unidos Revolução Francesa Barroco brasileiro Rococó e Neoclassicismo Início do Romantismo **Brasil:** Conjuração Mineira e Conjuração Baiana

Idade Contemporânea		
Século	**Filosofia**	**Contexto histórico**
XIX	Idealismo: Fichte, Schelling, Hegel Independente: Schopenhauer Positivismo: Comte, Taine, Stuart Mill, Spencer Socialismo: Saint-Simon, Fourier, Owen, Proudhon, Feuerbach, Marx e Engels Utilitarismo: Bentham e Stuart-Mill Independentes: Kierkegaard e Nietzsche BRASIL Ecletismo: Frei Francisco de Mont'Alverne Positivismo: Teixeira Mendes, Miguel Lemos Escola de Recife: Tobias Barreto, Sílvio Romero Reação espiritualista: Farias Brito	Napoleão Rainha Vitória Expansão imperialista Revoluções liberais Comuna de Paris Unificação alemã Unificação italiana República brasileira Independência das colônias americanas Romantismo, realismo, parnasianismo, simbolismo, impressionismo **Brasil:** vinda da família real para o Brasil, Independência do Brasil, Guerra do Paraguai, Lei Áurea, proclamação da República

Correntes filosóficas do século XX

Por se tratar de uma elaboração filosófica ainda recente, esta classificação é aproximada, até porque alguns dos filósofos ainda estão vivos e têm o seu pensamento em processo. Há os que sofreram influência múltipla ou são independentes e por isso não se identificam com as correntes citadas.

Portanto, devido à sua precariedade, é preciso consultar a classificação a seguir sob o prisma puramente didático, como ponto de partida para maiores investigações.

Epistemologia

- **Cientistas-filósofos**: Ernst Mach (1838-1916), Pierre Duhem (1861-1916), Henri Poincaré (1854-1912), Albert Einstein (1879-1955).
- **Lógica simbólica:** George Boole (1815-1864), Gottlob Frege (1848-1925), Alfred Whitehead (1861-1947), Bertrand Russell (1872-1970), Kurt Gödel (1906-1978).
- **Filosofia analítica**: Gottlob Frege (1848-1925), Bertrand Russell (1872-1970), George Edward Moore (1873-1958), Ludwig Wittgenstein (1889-1951), Willard van Quine (1908-2000), John Austin (1911-1960), Donald Davidson (1917-2003).
- **Círculo de Viena (positivismo lógico)**: Rudolf Carnap (1891-1970), Moritz Schlick (1882-1936), Otto Neurath (1882-1945).
- **Pós-positivismo**: Karl Popper (1902-1994), Thomas Kuhn (1922-1996), Imre Lakatos (1922-1974), Paul Feyerabend (1924-1994).
- **Epistemologia francesa**: Gaston Bachelard (1884-1962), Maurice Merleau-Ponty (1908-1961), Georges Canguilhem (1904-1995), Michel Foucault (1926-1984).

Pragmatismo

Charles Sanders Peirce (1839-1914), William James (1842-1910), John Dewey (1859-1952).

- **Neopragmatismo**: Richard Rorty (1931-2007).

Neokantismo

- **Escola de Marburg**: Hermann Cohen (1842-1918), Ernst Cassirer (1874-1945), Paul Natorp (1854-1924).
- **Escola de Baden**: Wilhelm Windelband (1848-1915), Heinrich Rickert (1863-1936).
- **Neocriticismo**: Charles Renouvier (1815-1903), Octave Hamelin (1856-1907).

Espiritualismo cristão

Louis Lavelle (1883-1951), René Le Senne (1883-1954), Maurice Blondel (1861-1949).

Racionalismo

Alain, pseudônimo de Émile-Auguste Chartier (1868-1951), Léon Brunschvicg (1869-1944).

Historicismo

Wilhelm Dilthey (1833-1911).

Neo-hegelianismo (espiritualista)

Giovanni Gentile (1875-1944), Benedetto Croce (1866-1952).

Neoescolástica

Désiré Mercier (1851-1926), Jacques Maritain (1882-1973), Réginald Garrigou-Lagrange (1877-1964), Antonin Sertillanges (1863-1948).

Fenomenologia

Franz Brentano (1838-1917), Edmund Husserl (1859-1938), Max Scheler (1874-1928), Nicolai Hartmann (1882-1950), Martin Heidegger (1889-1976), Karl Jaspers (1883-1969), Maurice Merleau-Ponty (1908-1961), Alphonse de Waelhens (1911-1981), Martin Buber (1878-1965).

- **Existencialismo**: Gabriel Marcel (1889-1973), Jean-Paul Sartre (1905-1980), Simone de Beauvoir (1908-1986).
- **Hermenêutica**: Hans George Gadamer (1900-2002), Paul Ricoeur (1913-2005), Jacques Derrida (1930-2004).
- **Personalismo**: Emmanuel Mounier (1905-1950).

Estruturalismo

Claude Lévi-Strauss (1908), Roland Barthes (1915-1980), Louis Althusser (1918-1990).

- **Pós-estruturalismo (arqueogenealogia)**: Michel Foucault (1926-1984), Gilles Deleuze (1925-1995), Félix Guattari (1930-1992), Jacques Derrida (1930-2004).
- **Pós-modernismo**: Jean-François Lyotard (1924-1998), Jean Baudrillard (1929-2007), Gianni Vattimo (1936).

Marxismo

Lênin (1870-1924), Rosa Luxemburgo (1870-1919), Antonio Gramsci (1891-1937), Georg Lukács (1885-1971), Lucien Goldmann (1913-1970), Louis Althusser (1918-1990).

- **Escola de Frankfurt (teoria crítica)**: Max Horkheimer (1895-1973), Theodor Adorno (1903-1969), Walter Benjamin (1892-1940), Herbert Marcuse (1898-1979), Erich Fromm (1900-1980).

Ética do discurso

Jürgen Habermas (1929), Karl-Otto Apel (1922), Ernst Tugendhat (1930), Otfried Höffe (1943).

Filosofia do Direito

Hans Kelsen (1881-1973), Norberto Bobbio (1909-2004), John Ralws (1921-2002), Robert Nozick (1938-2002).

No Brasil: Miguel Reale (1910-2006), Tércio Sampaio Ferraz Jr. (1941).

Filosofia política

Hannah Arendt (1906-1975), Claude Lefort (1924).

Filósofos independentes (sem escola definida)

Henri Bergson (1859-1941), Teilhard de Chardin (1881-1955), Vladimir Jankelévitch (1903-1985), José Ortega y Gasset (1883-1955).

Vocabulário

A

Absoluto. É o que tem em si mesmo a razão de ser e que, portanto, para ser concebido ou para existir não precisa de qualquer outra coisa. *Absoluto* é também sinônimo de *a priori*, isto é, independente da experiência (verdades absolutas). Significa, ainda, o que não comporta limite, ou seja, que está "absolvido" de qualquer constrangimento (poder absoluto) ou não está sujeito a nenhuma restrição (necessidade absoluta).

Abstração. Ato de abstrair, ou seja, isolar mentalmente para considerar à parte um elemento da representação que não é dado separadamente na realidade.

Abstracionismo. Ao contrário do figurativismo, no abstracionismo não há retratação de figura alguma, somente formas, cores, composição, texturas, relevos, superfícies. Pode ser geométrica, quando utiliza formas geométricas, ou informal.

Agnosticismo. Doutrina segundo a qual o fundo das coisas é incognoscível, não podendo ser conhecido pelo espírito humano.

Alienação. No sentido comum, perda de posse de bens ou dos poderes mentais; privação da consciência crítica. Segundo Marx, a alienação ocorre quando o operário perde o produto que ele próprio produziu: como consequência, deixa de ser o centro de si mesmo.

Alteridade. Qualidade do que é outro; o outro é aquele que não sou eu.

Análise. Em sentido genérico, atividade de separar o que está unido como um todo, seja materialmente ou mentalmente. Oposto à síntese.

Analogia. Raciocínio por semelhança; tipo de indução em que, de um ou de alguns fatos singulares passamos, por comparação, a outra enunciação singular ou particular.

Anarquismo. Doutrina política que rejeita toda forma de coerção e preconiza a supressão da instituição do Estado; *comunismo libertário*.

Antropologia. Campo da filosofia que investiga a concepção de ser humano, ou seja, a partir do que o ser humano é, reflete sobre aquilo que se pensa que ele deva ser. Distingue-se da antropologia científica e da etnologia, que estudam o comportamento humano nas diferentes culturas atuais e as que já existiram.

A posteriori. Que é adquirido graças à experiência.

A priori. Que é anterior a toda experiência.

Arte conceitual. Surgiu nos anos 1960 propondo que os conceitos são a matéria da arte. Arte é uma ideia, um pensamento, mais importante que a execução da obra, que pode ser delegada a um técnico. O meio utilizado para documentar o processo de concepção da arte conceitual pode ser a fotografia, a cópia *xerox*, filmes ou vídeos.

Arte contemporânea. Dentro da periodização da história da arte, designa a produção artística dos últimos 50 anos (a partir dos anos 1960), compreendendo uma pluralidade de manifestações dentro das mais diversas correntes estéticas.

Arte moderna. Arte produzida a partir da segunda metade do século XIX e que deixa em segundo plano o assunto da obra para preocupar-se com as questões da forma e da linguagem artística.

Axiologia. Ou *filosofia dos valores*, é o campo da filosofia que reflete sobre a natureza e as características do valor.

C

Ceticismo ou **cepticismo.** Doutrina segundo a qual o espírito humano nada pode conhecer com certeza; nas tendências radicais, o conhecimento é impossível; nas moderadas, o cético suspende provisoriamente qualquer juízo ou admite apenas uma forma relativa de conhecimento. Oposição: *dogmatismo* (ver).

Comunismo. Organização política e econômica que torna comuns os bens de produção. Segundo Marx, o *comunismo* é a fase posterior ao *socialismo* (ver).

Conceito. *Ideia* abstrata e geral; representação intelectual, apreensão abstrata do objeto.

Concreto. São concretas as representações que manifestam seu objeto tal como ele é dado na intuição sensorial (sensação, imagem, percepção).

Conhecimento. Ver Teoria do conhecimento.

Conotação. Significado segundo, figurado, às vezes subjetivo, dependente de experiência pessoal de um signo. Ver *denotação*.

Contingente. Tudo o que é concebido como podendo ser ou não ser de um modo ou de outro.

Cosmogonia. Origem e formação do mundo; referente aos mitos da criação do mundo.

Cosmologia. Parte da filosofia que estuda o mundo, a natureza; parte da metafísica que se ocupa da essência da matéria.

D

Dedução. Operação lógica na qual se passa de uma ou mais proposições a uma outra que é a consequência.

Denotação. Significado primeiro e imediato de um signo (palavra, imagem etc.). Ver *conotação*.

Determinismo. Conjunto das condições necessárias de um fenômeno. Princípio da ciência experimental segundo o qual tudo o que existe tem uma causa. Na moral, é a teoria segundo a qual tudo é determinado, isto é, tem uma causa, incluindo as decisões da vontade, não havendo, portanto, liberdade humana.

Dialética. No sentido amplo, arte de discutir; tensão entre opostos. Em Hegel, significa a marcha do pensamento que procede por contradição. Para Engels, é a ciência das leis gerais do movimento, tanto do mundo externo como do pensamento humano.

Dogmatismo. No sentido comum, atitude de quem tende a impor doutrina ou valores sem provas suficientes e sem admitir discussões. Doutrina filosófica que parte do pressuposto da capacidade de atingir verdades certas e absolutas; nesse sentido, opõe-se a *ceticismo* (ver). Para Kant, posição dos filósofos que admitem a capacidade da razão de conhecer, sem antes fazer a crítica da faculdade de conhecer.

E

Empirismo. Doutrina filosófica moderna (século XVII) segundo a qual o conhecimento procede principalmente da experiência.

Epistemologia. Parte da filosofia que investiga o conhecimento. Nesse sentido identifica-se à *teoria do conhecimento* (ver). Quando investiga o conhecimento científico do ponto de vista crítico é também chamada *filosofia das ciências* ou *teoria do conhecimento científico*.

Escolástica. Filosofia ensinada nas escolas medievais entre os séculos IX e XVI e que adaptou Aristóteles à fé cristã. No sentido pejorativo, todo pensamento formal, verbal, estagnado nos quadros tradicionais.

Essência. O que faz com que uma coisa seja o que é, e não outra coisa; conjunto de determinações que definem um objeto de pensamento.

Ética. Também chamada *filosofia moral*. Reflexão a respeito das noções, dos princípios e dos fins que fundamentam a vida moral. Ver *Moral*.

Existencialismo. Corrente filosófica que põe o primado do existir sobre a essência e toma como objeto de análise a existência humana concreta e vivida.

Experimentação. Método científico que consiste em provocar observações em condições especiais, com vistas a controlar uma hipótese.

Expressionismo. Movimento artístico que surge como reação à objetividade do impressionismo no final do século XIX. Recria o mundo com base nos impulsos e paixões subjetivos. Faz uso de traços e cores fortes, distancia-se do realismo e tende a expressar-se pela liberdade, espontaneidade e rapidez da execução.

F

Facticidade. Caráter do que existe como puro fato. Para a fenomenologia, pela facticidade o ser humano encontra-se lançado entre as coisas em situações dadas e contingentes, isto é, poderiam ser de um modo ou de outro. Também se diz *imanência* (ver).

Fenomenologia. No sentido geral, estudo descritivo de um conjunto de fenômenos como se manifestam no tempo ou no espaço, em oposição às leis abstratas e fixas desses fenômenos. Em Hegel, a fenomenologia do Espírito é o estudo das etapas percorridas pelo Espírito, do conhecimento sensível ao saber verdadeiro. Em Husserl, trata-se de um novo método que procura apreender, por meio dos acontecimentos e dos fatos empíricos, as essências, ou seja, as significações ideais, percebidas diretamente pela *intuição* (ver).

Figurativismo. Retratação de lugares, objetos ou pessoas de modo que possam ser identificados, reconhecidos. Abrange desde a figuração realista (parecida com o real) até a estilizada (sem traços individualizadores).

Forma simbólica. Estrutura de signos.

G

Geral. Conceito que convém à totalidade de indivíduos de uma espécie; que é atribuível a todos os componentes de um grupo, espécie ou gênero. Oposição: *particular* (ver).

H

Hermenêutica. Do ponto de vista religioso, interpretação da *Bíblia*. Na filosofia, reflexão interpretativa e compreensiva.

I

Ícone. Signo que representa o objeto, mantendo com ele uma relação de semelhança (exemplo: a fotografia).

Idealismo. No sentido comum, atitude de subordinar atos e pensamentos a um ideal moral ou intelectual. Do ponto de vista da teoria do conhecimento, nome genérico de diversos sistemas segundo os quais o ser ou a realidade são determinados pela consciência.

Ideologia. No sentido amplo, é o conjunto de doutrinas e ideias ou o conjunto de conhecimentos destinados a orientar a ação. Do ponto de vista político, é o conjunto de ideias da classe dominante estendido à classe dominada e que visa à manutenção da dominação.

Iluminismo (ou Ilustração, ou Filosofia das Luzes, ou *Aufklärung*). Movimento racionalista do século XVIII baseado na crença no poder da razão de reorganizar o mundo humano.

Imanência. É imanente a um ser ou a um conjunto de seres aquilo que está compreendido nele e não resulta de uma ação exterior. Também é *imanente* o que está circunscrito ao âmbito da experiência possível, excluindo tudo o que não pode ser experimentável. O *panteísmo imanentista* nega a transcendência divina, identificando Deus e natureza. Do ponto de vista da fenomenologia, *imanência* é o mesmo que *facticidade* (ver). Oposição: *transcendência* (ver).

Impressionismo. Movimento artístico iniciado na pintura na segunda metade do século XIX, na França. É figurativista mas as figuras não têm contorno nítido; os contrastes entre luz e sombra são obtidos a partir da lei das cores complementares e não da técnica do claro-escuro. As tintas não são misturadas na paleta, mas são justapostas com pequenas pinceladas. É o olho do observador que combina as várias cores, obtendo o resultado final. A ênfase está na luz ou nos efeitos da luz sobre os objetos. Qualquer alteração no ângulo dos raios solares altera as cores e os tons.

O impressionismo estende-se para a música e sugere uma atmosfera contra os excessos da música romântica.

Índice. Tipo de signo que mantém uma relação de causa e efeito com a coisa representada.

Indução. Operação lógica em que, com base em premissas empíricas particulares, inferimos uma conclusão, particular ou geral, que é apoiada pelas premissas, mas ultrapassa seu conteúdo.

Instinto. Atividade automática, caracterizada por um conjunto de reações bem determinadas, hereditárias, específicas, idênticas na espécie. Não confundir com *intuição* (ver).

Intuição. Conhecimento imediato, feito sem intermediários, visão súbita, percepção sem conceitos.

L

Liberalismo. Teoria política e econômica surgida no século XVII. Defende os direitos da iniciativa privada, restringe as atribuições do Estado e opõe-se vigorosamente ao absolutismo.

Libertário. Partidário do *anarquismo* (ver).

Lógica. Investiga as condições da validade dos argumentos e dá as regras do pensamento correto. A *lógica clássica* ou *lógica formal* remonta a Aristóteles. No final do século XIX, começaram os estudos relativos à *lógica simbólica* ou *matemática*, que adota uma linguagem artificial, mais rigorosa. Há ainda outras lógicas, além dessas.

M

Marxismo. Doutrina econômica e filosófica iniciada por Marx e Engels (século XIX), que tem como fundamento o materialismo histórico e dialético.

Materialismo. No sentido moral, designa a orientação de vida em busca do gozo e dos bens materiais. No sentido psicológico, consiste na negação da existência da alma como princípio espiritual, e na redução dos fatos da consciência a epifenômenos da matéria. Do ponto de vista da teoria do conhecimento, o dado material é considerado anterior ao espiritual e o determina.

Metafísica. Ou *ontologia*, estuda o "ser enquanto ser", isto é, o ser independentemente de suas determinações particulares; estudo do ser absoluto e dos primeiros princípios. Era chamada por Aristóteles de *filosofia primeira*.

Moral. Conjunto de normas livre e conscientemente adotadas que visam a organizar as relações das pessoas na sociedade tendo em vista o bem e o mal; conjunto dos costumes e valores de uma sociedade, com caráter normativo.

N

Necessário. O que não pode ser de outro modo nem deixar de ser. Chama-se *condição necessária* aquela sem a qual o condicionado não se realiza. Oposição: *contingente* (ver).

Neoclassicismo. Estilo artístico surgido na França e na Inglaterra no final do século XVII sob a influência do arquiteto italiano Palladio. Seguia o modelo greco-romano, relacionando os fatos do passado aos acontecimentos da época. É um estilo lógico, solene e austero que se contrapõe à superficialidade e sensualidade do rococó. Foi adotado pelos novos governos republicanos (França e Estados Unidos) como estilo oficial por relacionarem a democracia com a antiga Grécia e a república romana.

O

Objetivo. O conhecimento *objetivo* é fundado na observação imparcial, independente das preferências individuais. Oposição: *subjetivo* (ver).

Ontologia. Parte mais geral da metafísica que trata do "ser enquanto ser"; às vezes, o conceito de ontologia é usado como sinônimo de *metafísica* (ver).

Op-art. Surgiu na década de 1950 e vem da expressão inglesa *optical art*. Explora a ilusão de ótica e a falibilidade do olho humano. As obras de *op-art* criam a impressão de movimento, vibração, deformação e revelam a efemeridade e a instabilidade do mundo.

P

Particular. Conceito que se refere só a alguns indivíduos da mesma espécie; supõe um todo do qual se considera apenas uma parte. Não confundir com *subjetivo* (ver).

Patrística. Filosofia de influência neoplatônica que surge a partir do século II com os Padres da Igreja, responsáveis pela formulação da base filosófica da doutrina cristã.

Política. O que diz respeito ao governo e aos negócios públicos. A *filosofia política* tem por objeto a reflexão sobre as relações de poder entre os cidadãos, a sociedade e o Estado.

Pop-art. Surgiu na Inglaterra, nos anos 1950, mas foi a partir de Nova York que irradiou para o mundo. É uma volta à figuração que enfoca o imaginário popular no cotidiano da classe média. Incorporou à arte as linguagens dos meios de comunicação de massa, como a propaganda, a história em quadrinhos, os rótulos de embalagens, a imprensa, a televisão, entre outros.

Positivismo. Filosofia de Augusto Comte (séc. XIX) segundo a qual o *positivo* (ver) é o último e mais perfeito estado abrangido pela humanidade.

Positivo. O que é real, palpável; dado da experiência; baseado nos fatos. Para Comte, "somente são reais os conhecimentos que repousam sobre fatos observados".

Pragmatismo. Sistema filosófico de William James e John Dewey que subordina a verdade à utilidade e reconhece a primazia da ação sobre o pensamento. Para Charles Sanders Peirce, a validade de uma ideia resulta de suas consequências práticas.

Práxis. Os gregos chamavam *práxis* à ação de levar a cabo alguma coisa; também designa a ação moral; significa, ainda, o conjunto de ações e, neste sentido, a *práxis* se contrapõe à *teoria* (ver). No marxismo, também conhecido como *filosofia da práxis*, o termo não se identifica propriamente com a prática, mas significa a união *dialética da teoria e da prática*.

Psicanálise. Método, teoria e forma de tratamento psicológico iniciado por Freud e cuja novidade principal está na descoberta do inconsciente e da natureza sexual da conduta.

R

Raciocínio. Operação discursiva do pensamento que consiste em encadear logicamente juízos e deles tirar uma conclusão. Em lógica, chama-se *argumentação*.

Racionalismo. Doutrina filosófica moderna (século XVII) que admite a razão como única fonte de conhecimento válido; superestima o poder da razão. Doutrina oposta ao *empirismo* (ver).

Razão. Em sentido geral, faculdade de conhecimento intelectual, entendimento (em oposição à sensibilidade). Faculdade do pensamento discursivo; faculdade de raciocinar, de alcançar o conhecimento do universal.

Reflexão. Ato do conhecimento que se volta sobre si mesmo, tomando por objeto seu próprio ato; ato de pensar o próprio pensamento.

S

Signo. Alguma coisa que está no lugar de outra, sob algum aspecto.

Silogismo. Tipo de raciocínio dedutivo que, de duas proposições categóricas, conclui uma terceira.

Símbolo. Tipo de signo que mantém relação arbitrária e convencional com a coisa representada. O uso do símbolo é o que caracteriza o mundo humano.

Socialismo. Nome genérico das doutrinas que pretendem substituir o capitalismo por um sistema econômico planificado que conduza a resultados mais equitativos e favoráveis ao pleno desenvolvimento do ser humano.

Sofisma. Falso raciocínio.

Sofista. Filósofo do século V a.C. No sentido pejorativo, pessoa que argumenta com *sofismas* (ver).

Subjetivo. Que depende do ponto de vista pessoal, individual, não fundado no objeto, mas condicionado somente por sentimentos ou afirmações arbitrárias do sujeito. Não confundir com *particular* (ver). Oposição: *objetivo* (ver).

T

Teologia. Estudo da existência, da natureza e dos atributos de Deus, assim como de sua relação com o mundo. Chama-se *teologia racional* ou *teodiceia* a parte da metafísica que se ocupa desse assunto usando exclusivamente a razão.

Teoria. Construção especulativa do espírito; construção intelectual para justificar ou explicar alguma coisa.

Teoria do conhecimento. Ou *gnoseologia*, é a parte da filosofia que estuda as relações entre sujeito e objeto no ato de conhecer. Ver *epistemologia*.

Totalitarismo. Sistema político no qual todos os campos das atividades humanas estão submetidos à autoridade do Estado.

Transcendência. Ato de ultrapassar, de ir além de; superação. Na teoria do conhecimento, diz-se do objeto como distinto da consciência (caso não seja admitida a transcendência do objeto, prevalece a concepção idealista do conhecimento). Na teologia, Deus é transcendente por sobrepujar o mundo e tudo quanto é finito. Na filosofia existencial e no existencialismo, a consciência se acha voltada para algo fora dela: o ser humano é capaz de ultrapassar a si mesmo. A transcendência é o outro polo dialético da *facticidade* (ver), pelo qual o ser humano supera as situações dadas e não escolhidas.

U

Utopia. Que não existe em lugar algum; descrição de uma sociedade ideal; um ideal de vida proposto. No sentido pejorativo, ideal irrealizável.

Orientação bibliográfica

Bibliografia básica

Dicionário de filosofia

ABBAGNANO, Nicola. *Dicionário de filosofia*. 4. ed. São Paulo: Martins Fontes, 2000.

AUDI, Robert (dir.). *Dicionário de filosofia*. São Paulo: Paulus, 2006.

BLACKBURN, Simon. *Dicionário Oxford de filosofia*. Rio de Janeiro: Jorge Zahar, 1997.

BOBBIO, Norberto e outros. *Dicionário de política*. v. II. Brasília: Editora da UnB, 2000.

CANTO-SPERBER, Monique (org.). *Dicionário de ética e filosofia moral*. v. II. São Leopoldo: Unisinos, 2003.

HUISMAN, Denis (diretor de publicação). *Dicionário dos filósofos*. v. II. São Paulo: Martins Fontes, 2001.

JAPIASSÚ, Hilton; MARCONDES, Danilo. *Dicionário básico de filosofia*: Rio de Janeiro: Jorge Zahar, 1990.

LALANDE, André. *Vocabulário técnico e crítico da filosofia*. 3. ed. São Paulo: Martins Fontes, 1999.

MORA, José Ferrater. *Dicionário de filosofia*. v. IV. São Paulo: Loyola: 2000.

————. *Dicionário de filosofia*. São Paulo: Martins Fontes, 2001.

História da filosofia

ABBAGNANO, Nicola. *História da filosofia*. v. XI. Lisboa: Presença, 1996-2000.

BRÉHIER, Émile. *História da filosofia*. São Paulo: Mestre Jou, 1977-1981.

CHAUI, Marilena. *Introdução à história da filosofia*: dos pré-socráticos a Aristóteles. 2. ed. v. I. São Paulo: Companhia das Letras, 2002.

MARCONDES, Danilo. *Iniciação à história da filosofia*; dos pré-socráticos a Wittgenstein. Rio de Janeiro: Jorge Zahar, 1997.

PECORARO, Rossano (org.). *Os filósofos*: clássicos da filosofia. Petrópolis: Vozes; Rio de Janeiro: PUC, 2008. v. I: De Sócrates a Rousseau; v. II: De Kant a Popper; v. III: De Ortega y Gasset a Vattimo.

REALE, Giovanni; ANTISERI, Dario. *História da filosofia*. São Paulo: Paulus. 7 vols: Filosofia pagã antiga (2003); Patrística e Escolástica (2003); Do Humanismo a Descartes (2004); De Spinoza a Kant (2004); Do Romantismo ao Empiriocriticismo (2005); De Nietzsche à Escola de Frankfurt (2006); De Freud à atualidade (2006).

Introdução à filosofia

ARANHA, Maria Lúcia de A.; MARTINS, Maria Helena P. *Temas de filosofia*. 3. ed. rev. São Paulo: Moderna, 2005.

BLACKBURN, Simon. *Pense, uma introdução à filosofia*. Lisboa: Gradiva, 2001.

CASSIRER, Ernst. *Antropologia filosófica*. México: Fondo, 2000.

Enciclopédia do estudante. v. XII: História da filosofia: da Antiguidade aos pensadores do século XXI. Bernadete Siqueira Abrão [et al.]. São Paulo: Moderna, 2008.

GARCÍA MORENTE, Manuel. *Fundamentos de filosofia*: lições preliminares. 8. ed. São Paulo: Mestre Jou, 1980.

JAIME, Jorge. *História da filosofia no Brasil*. Petrópolis: Vozes; São Paulo: Faculdades Salesianas. v. I e II: 1997; v. III: 2000; v. IV: 2002.

MARCONDES, Danilo. *Iniciação à história da filosofia*: dos pré-socráticos a Wittgenstein. Rio de Janeiro: Jorge Zahar, 1997.

SEVERINO, Antonio Joaquim. *A filosofia contemporânea no Brasil*: conhecimento, política e educação. Petrópolis: Vozes, 1997.

Bibliografia por assunto

Mitologia

ELIADE, Mircea. *O sagrado e o profano*. São Paulo: Martins Fontes, 2001.

FRAZER, James G. *O ramo de ouro*. Rio de Janeiro: LTC, 1982.

GRIMAL, Pierre. *A mitologia grega*. São Paulo: Brasiliense, 1987.

GUSDORF, Georges. *Mito e metafísica*. São Paulo: Convívio, 1979.

LÉVI-STRAUSS, Claude. *Mito e significado*. Lisboa: Edições 70, 2000.

VERNANT, Jean-Pierre. *Mito e pensamento entre os gregos*. Rio de Janeiro: Paz e Terra, 2002.

VIDAL-NAQUET, Pierre. *O mundo de Homero*. São Paulo: Companhia das Letras, 2002.

Lógica

COPI, Irving M. *Introdução à lógica*. 2. ed. São Paulo: Mestre Jou, 1978.

FLEW, Antony. *Pensar direito*. São Paulo: Cultrix/Edusp, 1979.

HAACK, Susan. *Filosofia das lógicas*. São Paulo: Editora Unesp, 2002.

KONDER, Leandro. *O que é dialética*. São Paulo: Brasiliense, 1997. (Coleção Primeiros Passos).

MORTARI, Cezar A. *Introdução à lógica*. São Paulo: Editora Unesp/Imprensa Oficial do Estado, 2001.

NOLT, John; ROHATYN, Dennis. *Lógica*. São Paulo: McGraw-Hill, 1991.

PINTO, Paulo Roberto Margutti. *Introdução à lógica simbólica*. Belo Horizonte: UFMG, 2001.

SALMON, Wesley. *Lógica*. Rio de Janeiro: LTC, 1993.

Ética

APEL, Karl-Otto. *Estudos de moral moderna*. Petrópolis: Vozes, 1994.

BIAGGIO, Angela M. Brasil. *Lawrence Kohlberg*: ética e educação moral. São Paulo: Moderna, 2002. (Coleção Logos).

CORTINA, Adela; MARTÍNEZ, Emilio. *Ética*. São Paulo: Loyola, 2005.

FREITAG, Barbara. *Itinerários de Antígona*. Campinas: Papirus, 1992.

HABERMAS, Jürgen. *Consciência moral e agir comunicativo*. Rio de Janeiro: Tempo Brasileiro, 1989.

PUIG, Josep Maria. *A construção da personalidade moral*. São Paulo: Ática, 1998.

SÁNCHEZ VÁZQUEZ, Adolfo. *Ética*. 20. ed. Rio de Janeiro: Civilização Brasileira, 2000.

SAVATER, Fernando. *Ética para meu filho*. 4. ed. São Paulo: Martins Fontes, 2001.

TUGENDHAT, Ernst. *Lições sobre ética*. Petrópolis: Vozes, 1997.

Política

ARANHA, Maria Lúcia de A. *Maquiavel, a lógica da força*. 2. ed. São Paulo: Moderna, 2006.

BOBBIO, Norberto. *A teoria das formas de governo*. 4. ed. Brasília: Editora da UnB, 1995.

————. *O futuro da democracia*: uma defesa das regras do jogo. Rio de Janeiro: Paz e Terra, 2000.

————. *Qual socialismo?*: debate sobre uma alternativa. 3. ed. Rio de Janeiro: Paz e Terra, 1987.

————. *Teoria geral da política*: a filosofia política e as lições dos clássicos. Rio de Janeiro: Campus, 2000.

CASSIRER, Ernst. *O mito do Estado*. Rio de Janeiro: Zahar, 1976.

CHÂTELET, François e outros. *História das ideias políticas*. 2. ed. Rio de Janeiro: Jorge Zahar, 1994.

CHÂTELET, François; PISIER-KOUCHNER, Évelyne. *As concepções políticas do século XX*: história do pensamento político. Rio de Janeiro: Zahar, 1983.

CHAUI, Marilena. *O que é ideologia*. São Paulo: Brasiliense, 1997. (Coleção Primeiros Passos).

CHEVALLIER, Jean-Jacques. *As grandes obras políticas de Maquiavel a nossos dias*. 7. ed. Rio de Janeiro: Agir, 1995.

————. *História do pensamento político*. v. II. Rio de Janeiro: Guanabara-Kogan, 1983.

LEBRUN, Gérard. *O que é poder*. 14. ed. São Paulo: Brasiliense, 1994. (Coleção Primeiros Passos).

LEFORT, Claude. *A invenção democrática*: os limites da dominação totalitária. São Paulo: Brasiliense, 1983.

MERQUIOR, José Guilherme. *O liberalismo*: antigo e moderno. Rio de Janeiro: Nova Fronteira, 1991.

SAVATER, Fernando. *Política para meu filho*. São Paulo: Martins Fontes, 1996.

WEFFORT, Francisco C. (org.). *Os clássicos da política*. v. II. São Paulo: Ática, 1998.

WOODCOCK, George (introd. e sel.). *Os grandes escritos anarquistas*. Porto Alegre: L&PM, 1998.

Ciências e filosofia da ciência

BRODY, David Eliot; BRODY, Arnold R. *As sete maiores descobertas científicas da história*. São Paulo: Companhia das Letras, 1999.

CHALMERS, Alan. *A fabricação da ciência*. São Paulo: Editora Unesp, 1994.

————. *O que é ciência, afinal?* São Paulo: Brasiliense, 1993.

FOUREZ, Gérard. *A construção das ciências*: introdução à filosofia e à ética das ciências. São Paulo: Editora Unesp, 1995.

FREUD, Sigmund. *Cinco lições de psicanálise*. São Paulo: Abril Cultural, 1974. (Coleção Os Pensadores).

JAPIASSÚ, Hilton. *Introdução à epistemologia da psicologia*. São Paulo: Letras & Letras, 1995.

KNELLER, George F. *A ciência como atividade humana*. São Paulo: Edusp; Rio de Janeiro: Zahar, 1980.

KOYRÉ, Alexandre. *Do mundo fechado ao universo infinito*. Rio de Janeiro: Forense Universitária, 2001.

LACEY, Hugh. *Valores e atividade científica*. São Paulo: Discurso Editorial, 1998.

MERLEAU-PONTY, Maurice. *A estrutura do comportamento*. Belo Horizonte: Interlivros, 1975.

MORIN, Edgar. *Ciência com consciência*. 6. ed. Rio de Janeiro: Bertrand Brasil, 2002.

OMNÈS, Roland. *Filosofia da ciência contemporânea*. São Paulo: Editora Unesp, 1996.

PIAGET, Jean. *Seis estudos de psicologia*. 24. ed. Rio de Janeiro: Forense, 2003.

RONAN, Colin A. *História ilustrada da ciência da Universidade de Cambridge*. Rio de Janeiro: Jorge Zahar, 2001. v. IV.: I: Das origens à Grécia; v. II: Oriente, Roma e Idade Média; v. III: Da Renascença à Revolução científica; v. IV: A ciência nos séculos XIX e XX.

Estética

BERYS, G.; LOPES, D. McIver. *The Routledge Companion to aesthetics*. 2. ed. London: Routledge, 2005.

CASSIRER, Ernst. *Linguagem e mito*. São Paulo: Perspectiva, 1972.

————. *Symbol, myth and culture*. New Haven, Londres: Yale University, 1979.

COELHO NETTO, José Teixeira. *A cultura e seu contrário*: cultura, arte e política pós-2001. São Paulo: Iluminuras/Itaú Cultural, 2008.

————. *Introdução à teoria da informação estética*. Petrópolis: Vozes, 1973.

COLI, Jorge. *O que é arte*. São Paulo: Brasiliense, 1984. (Coleção Primeiros Passos).

DANTO, Arthur C. *After the end of art*: contemporary art and the pale of history. Princeton: Princeton University Press, 1997.

DUFRENNE, Mikel. *Estética e filosofia*. São Paulo: Perspectiva, 1972.

————. *Phénoménologie de l'expérience esthétique*. v. II. Paris: PUF, 1967.

ECO, Umberto. *Arte e beleza na estética medieval*. Rio de Janeiro: Globo, 1989.

ECO, Umberto (org.). *História da feiura*. Rio de Janeiro: Record, 2007.

FERRY, Luc. *Homo aestheticus*: a invenção do gosto na era democrática. São Paulo: Ensaio, 1994.

HAUSER, Arnold. *Teoria social da literatura e da arte*. São Paulo: Martins Fontes, 2000.

HEIDEGGER, Martin. *Poetry, language, thought*. New York: Harper & Row, 1975.

HUISMAN, Denis. *A estética*. Lisboa: Edições 70, s.d.

KANT, Immanuel. *Crítica da faculdade do juízo*. 2. ed. Rio de Janeiro: Forense, 1995.

LANGER, Suzanne K. *Filosofia em nova chave*. São Paulo: Perspectiva, 1971.

————. *Sentimento e forma*. São Paulo: Perspectiva, 1980.

LIPOVETSKY, Gilles. *A era do vazio*: ensaio sobre o individualismo contemporâneo. Lisboa: Relógio d'Água, s.d.

MANCO, T.; NESLON, C. *Graffiti Brasil*. London: Thames and Hudson, 2005.

OSBORNE, Harold. *Estética e teoria da arte*. 3. ed. São Paulo: Cultrix, 1978.

PANOFSKY, Erwin. *O significado nas artes visuais*. São Paulo: Perspectiva, 2002.

READ, Herbert. *O sentido da arte*. São Paulo: Ibrasa, 1978.

Diversos

BARTHES, Roland. *Fragmentos de um discurso amoroso*. Rio de Janeiro: Francisco Alves, 2000.

CARRILHO, Manuel Maria (direção). *Dicionário do pensamento contemporâneo*. Lisboa: Dom Quixote, 1991.

DUMAZEDIER, J. *Lazer e cultura popular*. São Paulo: Perspectiva, 2000.

FOUCAULT, Michel. *Microfísica do poder*. Rio de Janeiro: Graal, 1996.

————. *Vigiar e punir*. Petrópolis: Vozes, 2000.

HORKHEIMER, Max; ADORNO, Theodor W. *Dialética do esclarecimento*. 2. ed. Rio de Janeiro: Jorge Zahar, 1985.

JAEGER, Werner. *Paideia*. São Paulo: Martins Fontes, 2001.

LOPES, Edward. *Fundamentos da linguística contemporânea*. 2. ed. São Paulo: Cultrix, s.d.

MARCONDES, Danilo. *Filosofia, linguagem e comunicação*. 3. ed. São Paulo: Cortez, 2000.

MERLEAU-PONTY, Maurice. *Elogio da filosofia*. Lisboa: Guimarães, 1998.

————. *Fenomenologia da percepção*. São Paulo: Martins Fontes, 1999.

PEIRCE, Charles Sanders. *Semiótica*. São Paulo: Perspectiva, 1977.

————. *Semiótica e filosofia*. São Paulo: Cultrix, 1972.

SAUSSURE, Ferdinand de. *Curso de linguística geral*. São Paulo: Cultrix, 1971.

SCHAFF, A. *Introdução à semântica*. Rio de Janeiro: Civilização Brasileira, 1968.

————. *Linguagem e conhecimento*. Coimbra: Almedina, 1974.

SONTAG, Susan. *Contra a interpretação*. Porto Alegre: L&PM, 1987.

TAYLOR, Calvin W. *Criatividade; progresso e potencial*. São Paulo: Ibrasa/Edusp, s.d.

VERNANT, Jean-Pierre. *As origens do pensamento grego*. São Paulo: Difel, 2002.

VERNANT, Jean-Pierre; VIDAL-NAQUET, Pierre. *Mito e tragédia na Grécia antiga*. São Paulo: Perspectiva, 1999.

WOLFLE, D. *A descoberta do talento*. Rio de Janeiro: Lidador, 1969.

Coleções

CLÁSSICOS & COMENTADORES. São Paulo: Discurso Editorial.

LOGOS. São Paulo: Moderna.

OS PENSADORES. São Paulo: Abril Cultural (algumas reedições pela Nova Cultural).

Revistas

CADERNOS DE HISTÓRIA E FILOSOFIA DA CIÊNCIA. Campinas: Centro de Lógica, Epistemologia e História da Ciência da Unicamp.

CLÁSSICOS & COMENTADORES. São Paulo: Departamento de Filosofia da USP.

CONJETURA. Caxias do Sul: Departamento de Filosofia da Universidade Caxias do Sul.

CULT. São Paulo: Editora Bregantini.

DISCURSO. São Paulo: Departamento de Filosofia da USP.

FILOSOFIA. Curitiba: Departamento de Filosofia da PUC-PR.

MANUSCRITO. Campinas: Centro de Lógica, Epistemologia e História da Ciência da Unicamp.

NOVOS ESTUDOS CEBRAP. São Paulo: Centro Brasileiro de Análise e Planejamento.

PESQUISA FAPESP. São Paulo: Fundação de Amparo à Pesquisa do Estado de São Paulo.

REFLEXÃO. Campinas: Instituto de Filosofia da Puccamp.

REVISTA BRASILEIRA DE FILOSOFIA. São Paulo: Instituto Brasileiro de Filosofia.

REVISTA FILOSÓFICA BRASILEIRA. Rio de Janeiro: Departamento de Filosofia da UFRJ.

REVISTA USP. São Paulo: Coordenadoria de Comunicação Social, USP.

TEMPO BRASILEIRO. Rio de Janeiro: Tempo Brasileiro.

Índice de nomes

D

E

F

G

H

J

K

L

M

Unidade 1
Descobrindo a filosofia

Capítulo 1. A experiência filosófica

Livros

Apresentação da filosofia
André Comte-Sponville. São Paulo: Martins Fontes.

As perguntas da vida
Fernando Savater. São Paulo: Martins Fontes.

Sócrates, o sorriso da razão
Francis Wolff. São Paulo: Brasiliense. (Coleção Encanto Radical).

Sócrates, o nascimento da razão negativa
Hector Benoit. São Paulo: Moderna.

Filme

Sócrates
(Itália, França, Espanha, 1971). Dir.: Roberto Rossellini.
O cineasta italiano Rosselini privilegiou o final da vida de Sócrates, suas conversas com os discípulos e a própria defesa no julgamento que o condenou à morte. Trechos de diversos diálogos ilustram o filme. Consta do DVD um depoimento do professor Roberto Bolzani, especialista em Sócrates.

Capítulo 2. A consciência mítica

Livros

O ramo de ouro
James George Frazer. Rio de Janeiro: Guanabara Koogan.

Ilíada* e *Odisseia
Homero. Rio de Janeiro: Ediouro.

Édipo-Rei
Sófocles. São Paulo: Perspectiva, 2001.

Filmes

Os trezentos de Esparta
(EUA, 1962). Dir.: Rudolph Maté.
Sobre os valores guerreiros. Em 2007, Zack Snyders (EUA) realizou o *remake Trezentos.*

A marvada carne
(Brasil, 1984). Dir.: André Koltzel.
Discussão de mitos contemporâneos.

Arquitetura da destruição
(Alemanha, 1994). Dir.: Peter Cohen.
O fenômeno do nazismo é interpretado nesse documentário por meio da estética imposta por Hitler, segundo o mito que o impulsionava: a beleza e a pureza racial. "Beleza" para ele significava retornar aos gregos e romanos e aos mitos germânicos e condenar toda arte contemporânea como degenerada.

Capítulo 3. O nascimento da filosofia

Livros

Introdução à história da filosofia
Marilena Chaui. São Paulo: Companhia das Letras. v. I: Dos pré-socráticos a Aristóteles.
Consultar os capítulos 1 (sobre o nascimento da filosofia) e 2 (sobre os pré-socráticos).

As origens do pensamento grego
Jean-Pierre Vernant. Rio de Janeiro: Difel.
Pequeno livro em que alguns capítulos podem ser lidos separadamente.

Unidade 2
Antropologia filosófica

Capítulo 4. Natureza e cultura

Livros

No país das sombras longas
Hans Ruesch. Rio de Janeiro: Record.
Trata-se de um romance ambientado no Polo Norte. O autor, um suíço que conviveu com os esquimós, escreve uma história entremeada pelo relato dos costumes daquele povo.

O apanhador no campo de centeio
Jerome D. Salinger. Rio de Janeiro: Editora do Autor.
Adolescente observa com olhar crítico a sua sociedade, a hipocrisia, os falsos valores, os objetivos de vida que não são os seus. O próprio autor, Salinger, vive retirado da convivência social.

O segundo sexo
Simone de Beauvoir. (v. I: Fatos e mitos; vol. II: A experiência vivida). São Paulo: Nova Fronteira.
Clássico precursor do movimento feminista, analisa a condição da mulher na sociedade patriarcalista. É interessante para identificar como a figura biologizante da mulher foi construída culturalmente.

A hora da estrela

Clarice Lispector. São Paulo: Rocco.

Macabea, uma imigrante nordestina, ingênua e semianalfabeta, sonha ter uma vida melhor em São Paulo. A história foi adaptada por Suzana Amaral para o cinema.

Filmes

O enigma de Kaspar Hauser

(Alemanha, 1974). Dir.: Werner Herzog.

Relata um fato verídico: numa praça, aparece um jovem que vivera afastado da convivência humana, provavelmente desde a infância, e não sabia sequer falar. A partir daí começa sua educação.

O milagre de Anne Sullivan

(EUA, 1962). Dir.: Arthur Penn.

Anne Sullivan é a mestra que conseguiu trazer Helen Keller, que nasceu com deficiência visual e auditiva, para o mundo do símbolo e, portanto, da cultura.

O menino selvagem

(França, 1969). Dir.: François Truffaut.

No século XVIII, uma criança selvagem é encontrada na França e um professor dá início à sua educação.

Exílios

(Japão/França, 2004). Dir.: Tony Gatlif.

Um jovem e sua namorada, ambos franceses descendentes de argelinos, resolvem fazer um retorno às origens. Viajam ao léu, passando por culturas diversas ao atravessarem a França, a Espanha e o norte da África. Essa viagem à terra natal representa também uma busca da própria identidade.

Capítulo 5. Linguagem e pensamento

Filmes

Poderosa Afrodite

(EUA, 1995). Dir.: Woody Allen.

A importância desse filme está na linguagem: combina comédia, musical e teatro grego trágico, com o coro fazendo críticas ao encaminhamento da história e ao comportamento do personagem principal. A trilha sonora, cuidada e basicamente de *jazz*, comenta passagens da história.

A mulher do tenente francês

(Inglaterra, 1981). Dir.: Karel Reisz.

A adaptação do romance homônimo de John Fowles foi muito feliz ao transpor os problemas de linguagem apresentados no livro: a relação entre criador e criatura, fazendo uso da metalinguagem. Ver comentário sobre o livro nas sugestões do capítulo 34.

A rosa púrpura do Cairo

(EUA, 1985). Dir.: Woody Allen.

Após a queda da Bolsa de Nova York, em 1929, Cecília, garçonete obcecada por cinema, depois de assistir inúmeras vezes ao filme *A rosa púrpura do Cairo*, vê o personagem principal sair da tela para conhecê-la. O filme discute a relação entre fantasia e realidade, o que se pode imaginar e o que se pode viver concretamente. Faz uso de recursos da estética pós-moderna, como a metalinguagem.

Capítulo 6. Trabalho, alienação e consumo

Livro

A metamorfose

Franz Kafka. Trad.: Modesto Carone. São Paulo: Brasiliense.

Nessa obra clássica, certa manhã um caixeiro-viajante descobre que se transformou em um monstruoso inseto. As obras de Kafka são abertas a múltiplas interpretações, devido ao inusitado do seu relato; por isso, é sempre possível encontrar nelas a crítica ao nosso modo de viver.

Filmes

Domésticas – O filme

(Brasil, 1997). Dir.: Fernando Meirelles e Nando Olival.

Baseado em peça homônima de Renata Melo. Cinco empregadas domésticas contam seu cotidiano, as dificuldades do trabalho e suas esperanças.

Pão e rosas

(Inglaterra, 2000). Dir.: Ken Loach.

Sobre a imigração ilegal de mexicanos para Los Angeles e as dificuldades dos estrangeiros espoliados pelas empresas que os empregam e que ameaçam denunciá-los às autoridades.

Tempos modernos

(EUA, 1936). Dir.: Charles Chaplin.

Clássico de Carlitos, ironiza o sistema fordista de trabalho em linha de montagem.

Uma verdade inconveniente

(EUA, 2006). Dir.: Davis Guggenhein.

Documentário com apresentação de Al Gore, ex-vice-presidente dos Estados Unidos, que pronunciou inúmeras palestras no mundo todo para alertar sobre as mudanças climáticas e os efeitos presentes do aquecimento global.

Capítulo 7. Em busca da felicidade

Livros

Admirável mundo novo

Aldous Huxley. São Paulo: Globo.

Nessa obra clássica, Huxley descreve um mundo imaginário em que a alta tecnologia controla a genética e os comportamentos humanos. Trata-se de uma "utopia negativa", em que as pessoas se julgam livres e felizes, mas são controladas pelo Estado.

1984

George Orwell. São Paulo: Nacional.

No futuro, as pessoas viverão amedrontadas sob um regime totalitário de vigilância em que o Grande Irmão (o Big Brother) dispõe de câmeras de controle até em suas próprias casas.

Felicidade, dos filósofos pré-socráticos aos contemporâneos

Franklin Leopoldo e Silva. São Paulo: Claridade. (Coleção Saber de Tudo).

O que é psicanálise?

Fábio Hermann. São Paulo: Brasiliense. (Coleção Primeiros Passos).

Freud

Renato Mezan. São Paulo: Brasiliense. (Coleção Encanto Radical).

Filmes

Pequena miss Sunshine

(EUA, 2006). Dir.: Jonathan Dayton e Valerie Faris.

Comédia que satiriza os costumes norte-americanos, sobretudo a busca do sucesso e da fama.

A fraternidade é vermelha

(França/Polônia/Suíça, 1994). Dir.: Krzysztof Kieslowski.

O filme trata da amizade entre uma modelo e um juiz.

Na natureza selvagem

(EUA, 2007). Dir.: Sean Penn.

Baseado em fatos, conta a história de um rapaz de família rica que abandona tudo para ter uma vida livre, sem precisar sequer de dinheiro. Depois de circular pelos Estados Unidos, viaja para o Alasca, onde vivencia uma situação trágica.

Capítulo 8. Aprender a morrer...

Livros

A desintegração da morte

Orígenes Lessa. São Paulo: Moderna.

Como seria nossa vida se a morte não mais existisse? Como ficariam valores como amor, fidelidade, religião, justiça e solidariedade? Nessa história, um cientista consegue eliminar a morte e condena todos os seres humanos à eternidade.

A morte de Ivan Illich

León Tolstoi. Porto Alegre: L&PM.

Este pequeno livro é um clássico da literatura russa e universal. Começa com o funeral de Ivan Illich, para depois mostrá-lo na sua longa agonia no período da doença, em que ele rememora sua vida.

Homem comum

Philip Roth. São Paulo: Companhia das Letras.

Nesse breve romance, o autor norte-americano conta a história de um indivíduo bem-sucedido no trabalho e voltado aos prazeres da vida. Ao envelhecer, encontra uma outra realidade na doença, na solidão e na percepção da proximidade da morte.

Morte e vida severina

João Cabral de Melo Neto. São Paulo: Alfaguara.

Nesse poema dramático, o poeta pernambucano retrata a vida sofrida dos nordestinos, diante das experiências de mortes e miséria, que contrastam com a esperança representada pelo nascimento de uma criança. Este poema foi musicado por Chico Buarque de Holanda e encenado pela primeira vez em 1965, no Teatro Tuca, em São Paulo.

Música

Não tenho medo da morte

Gilberto Gil. CD *Banda larga cordel*, 2008.

Filmes

O show deve continuar

(EUA, 1979). Dir.: Bob Fosse.

Musical. História de um diretor de cinema e coreógrafo que trabalha de modo alucinado e leva uma vida de extravagâncias. Deveria rever sua rotina após um infarto, mas continua a vida de sempre. Há diálogos intrigantes dele com a Morte.

Mar adentro

(Espanha, 2004). Dir.: Alejandro Amenábar.

Baseado na vida real, relata a luta judicial de Ramón Sampetro, tetraplégico havia 29 anos, a fim de conseguir autorização para praticar eutanásia.

Invasões bárbaras

(Canadá, 2003). Dir.: Denys Arcand.

Do mesmo diretor de *O declínio do império americano*, retoma a história de professores de esquerda já velhos, mostrando o contraste entre suas aspirações por um mundo melhor e a nova geração, cujos interesses se voltam para o sucesso no trabalho ou as drogas. Trata também de um doente terminal.

O quarto do filho

(Itália, 2001). Dir.: Nanni Moretti.

Delicado filme sobre a perda de um filho em acidente.

O aborto dos outros

(Brasil, 2007). Dir.: Carla Gallo.

Documentário que mostra como os abortos são realizados

em hospitais públicos, em caso de estupro, e nos clandestinos, quando é considerado crime.

A partida

(Japão, 2008). Dir.: Yojiro Takita.

Violoncelista desempregado retorna à cidade natal, onde passa a trabalhar em uma agência funerária preparando os mortos para "partirem".

Unidade 3 O conhecimento

Capítulo 9. O que podemos conhecer?

Livros

O que é ceticismo?

Plinio Junqueira Smith. Rio de Janeiro: Jorge Zahar.

Montaigne

Marcelo Coelho. São Paulo: Publifolha.

Nietzsche

Oswaldo Giacoia Júnior. São Paulo: Publifolha.

Filmes

Matrix

(EUA, 1999). Dir.: Andy e Larry Wachowski.

Pleno de efeitos visuais, trata-se de uma ficção científica em que as pessoas ficam conectadas a um computador e vivem em uma realidade virtual, o que leva ao questionamento sobre o que é o real.

Show de Truman

(EUA, 1998). Dir.: Peter Weir.

À semelhança dos programas do tipo *reality show*, em que os telespectadores acompanham o cotidiano dos "personagens". Nessa história, porém, Truman não sabe que é televisionado nem que tudo na sua vida é ilusório.

Verdades e mentiras

(EUA, 1973). Dir.: Orson Welles.

A pretexto de tratar de falsificadores famosos e de suas próprias experiências de "enganar", Welles mostra nesse documentário, de maneira zombeteira, a dificuldade em definir os limites da verdade e da mentira.

Freud, além da alma

(EUA, 1962). Dir.: John Houston.

Filme clássico que mostra Freud criando e aplicando o método da psicanálise.

Capítulo 10. Ideologias

Livros

O que é ideologia

Marilena Chaui. São Paulo: Brasiliense.

O que é indústria cultural

Teixeira Coelho. São Paulo: Brasiliense.

Ilusões perdidas

Honoré Balzac. São Paulo: Companhia das Letras (texto adaptado para o público juvenil).

Poema

Operário em construção

Vinicius de Moraes. Em: *Vinicius de Moraes*: poesia completa e prosa. Rio de Janeiro: Nova Aguilar.

Música

Construção

Chico Buarque de Holanda. *Construção*, Universal Music, 1971.

Filmes

Eles não usam black-tie

(Brasil, 1981). Dir.: Leon Hirzman.

Filme sobre a conscientização de classe trabalhadora.

Sindicato de ladrões

(EUA, 1954). Dir.: Elia Kazan.

O filme gira em torno do conflito entre trabalhadores em greve e o próprio sindicato criminoso.

O quarto poder

(EUA, 1998). Dir.: Costa-Gavras.

Narrado como uma história de suspense, discute o poder da mídia quando manipula a opinião pública.

Capítulo 11. Lógica aristotélica

Livro

Alice no país dos enigmas, incríveis problemas lógicos no País das Maravilhas

Raymond Smullyan. Rio de Janeiro: Jorge Zahar.

O autor, matemático e lógico norte-americano, recria o universo de Lewis Carroll e apresenta enigmas lógicos, charadas, adivinhações que desafiam e divertem o leitor. E muitas delas têm solução no final do livro.

Capítulo 12. Lógica simbólica

Não há sugestões para este capítulo.

Capítulo 13. A busca da verdade

Livros

Sócrates, o nascimento da razão negativa
Hector Benoit. São Paulo: Moderna. (Coleção Logos).

Sócrates, o sorriso da razão
Francis Wolff. São Paulo: Brasiliense. (Coleção Encanto Radical).

A República
Platão. Livro VII.
O livro VII de *A República* trata da alegoria da caverna.

Platão, por mitos e hipóteses
Lygia Araujo Watanabe. São Paulo: Moderna. (Coleção Logos).

Aristóteles, a plenitude como horizonte do ser
Maria do Carmo Bettencourt de Faria. São Paulo: Moderna. (Coleção Logos).

Tomás de Aquino, a razão a serviço da fé
José Silveira da Costa. São Paulo: Moderna. (Coleção Logos).

O que é filosofia medieval?
Carlos Arthur Ribeiro do Nascimento. São Paulo: Brasiliense.

Filmes

Sócrates
(Itália/França/Espanha, 1971). Dir.: Roberto Rosselini.
Ver comentário nas sugestões do capítulo 1.

Agostinho
(Itália, 1972). Dir.: Roberto Rosselini.
O cineasta reflete sobre a importância do filósofo no período conturbado do desabamento do Império Romano. O filme aborda questões de ética, estética e teologia.

O nome da rosa
(Alemanha/França, 1986). Dir.: Jean Jacques Annaud.
Baseado no romance homônimo de Umberto Eco, o filme se passa em um mosteiro medieval e faz referências a questões da nascente ciência do século XIV.

Capítulo 14. A metafísica da modernidade

Livro

Descartes, a metafísica da modernidade
Franklin Leopoldo e Silva. São Paulo: Moderna. (Coleção Logos).

Filme

Descartes (Cartesius)
(França, Itália, 1973). Dir.: Roberto Rosselini.
O pensamento de Descartes se encontra situado no seu tempo e as falas giram em torno de suas ideias como filósofo e matemático. No DVD, há uma introdução feita pelo professor Franklin Leopoldo e Silva.

Capítulo 15. A crítica à metafísica

Livro

Augusto Comte, fundador da física social
Lelita Oliveira Benoit. São Paulo: Moderna. (Coleção Logos).

Capítulo 16. A crise da razão

Livros

A Escola de Frankfurt: luzes e sombras do Iluminismo
Olgária Matos. São Paulo: Moderna. (Coleção Logos).

Nietzsche, a transvaloração dos valores
Scarlett Marton. São Paulo: Moderna. (Coleção Logos).

Nietzsche
Oswaldo Giacoia Júnior. São Paulo: Publifolha. (Coleção Folha Explica).

Moderno pós-moderno
Teixeira Coelho. Porto Alegre: L&PM.

O que é pós-moderno
Jair Ferreira dos Santos. São Paulo: Brasiliense.

O que é loucura
João Frayse Pereira. São Paulo: Brasiliense.

Wittgenstein, os labirintos da linguagem: ensaio introdutório
Arley Moreno. São Paulo: Moderna.

Filmes

Bicho de sete cabeças
(Brasil, 2000). Dir.: Laís Bodanzky.
Baseado no livro autobiográfico *Cantos malditos*, de Austregésilo Carrano Bueno. Uma relação difícil entre pai e filho leva a uma solução extrema, quando o pai encontra um cigarro de maconha e interna o rapaz em um manicômio.

Dias de Nietzsche em Turim
(Brasil, 2001). Dir.: Júlio Bressane.
Durante alguns meses em Turim, entre 1888 e 1889, Nietzsche escreve livros e trechos de suas obras são lidas.

Unidade 4
Ética

Capítulo 17. Entre o bem e o mal

Livros

Ética para meu filho
Fernando Savater. São Paulo: Martins Fontes.

Casa de bonecas
Henrik Ibsen. São Paulo: Nova Cultural.
No final do século XIX, o escritor aborda a questão da mulher submetida aos deveres de esposa e de mãe, insatisfeita com a hipocrisia das convenções sociais.

O que é bioética
Débora Diniz e Dirce Guilhem. São Paulo: Brasiliense. (Coleção Primeiros Passos).

Filmes

Crimes e pecados
(EUA, 1989). Dir.: Woody Allen.
Filme de ação e reflexão, trata de duas histórias paralelas que giram em torno de traição conjugal, desejo e culpa.

A criança
(Bélgica/França, 2005). Dir.: Jean-Pierre Dardenne e Luc Dardenne.
Jovem casal tem um filho e o pai o vende sem que a mulher saiba. O drama gira em torno do amadurecimento humano diante da responsabilidade de assumir o filho.

Capítulo 18. Ninguém nasce moral

Livros

Itinerários de Antígona: a questão da moralidade
Barbara Freitag. Campinas: Papirus.

Lawrence Kohlberg: ética e educação moral
Angela M. Brasil Biaggio. São Paulo: Moderna. (Coleção Logos).

Seis estudos de psicologia
Jean Piaget. Rio de Janeiro: Forense.

Filmes

Juno
(EUA, Canadá, Hungria, 2007). Dir.: Jason Reitman.
Uma adolescente engravida de seu colega de classe. Com o apoio de seus pais e de sua melhor amiga, ela conhece um casal disposto a adotar a criança.

O jarro
(Irã, 1992). Dir.: Ebrahim Foruzesh.
Recebeu os prêmios Leopardo de Ouro do Festival de Locarno, 1994, e do Júri da 18ª Mostra Internacional de Cinema de São Paulo.

Entre os muros da escola
(França, 2008). Dir.: Laurent Cantet.
Documentário sobre uma escola pública de Paris que recebe alunos filhos de imigrantes.

Capítulo 19. Podemos ser livres?

Livros

Admirável mundo novo
Aldous Huxley. São Paulo: Globo.
Ver comentário nas sugestões do capítulo 7.

Walden II: uma sociedade do futuro
Burrhus Frederic Skinner. São Paulo: EPU.
Livro ficcional de Skinner, principal representante da psicologia comportamental.

O que é liberdade
Caio Prado Jr. São Paulo: Brasiliense. (Coleção Primeiros Passos).

Édipo-Rei
Sófocles. São Paulo: Perspectiva.

O cortiço
Aluísio Azevedo. São Paulo: Ática.

Filmes

Um grito de liberdade
(Inglaterra/EUA, 1987). Dir.: Richard Attenborough.
Sobre a luta contra o *apartheid* na África do Sul.

Gandhi
(EUA, 1982). Dir.: Richard Attenborough.
Gandhi e o pacifismo são vistos sob a perspectiva da resistência não violenta dos indianos contra a opressão britânica.

Capítulo 20. Teorias éticas

Livros

Ética
Adela Cortina e Emilio Martínez. São Paulo: Loyola.

Textos básicos de ética: de Platão a Foucault

Danilo Marcondes. Rio de Janeiro: Jorge Zahar.

Descartes, a metafísica da modernidade

Franklin Leopoldo e Silva. São Paulo: Moderna. (Coleção Logos).

Nietzsche: a transvaloração dos valores,

Scarlett Marton. São Paulo: Moderna. (Coleção Logos).

A Escola de Frankfurt: luzes e sombras do Iluminismo

Olgária Mattos. São Paulo: Moderna. (Coleção Logos).

Nietzsche

Oswaldo Giacoia Júnior. São Paulo: Publifolha.

Filme

Nietzsche em Turim

(Brasil, 2001). Dir.: Julio Bressane.

Ver comentários nas sugestões do capítulo 15.

Unidade 5 Filosofia política

Capítulo 21. Política: para quê?

Livros

O senhor das moscas

William Golding. São Paulo: Folha de S.Paulo. (Coleção Biblioteca da Folha).

Crianças que se salvam de um naufrágio vivem em ilha onde recriam a organização política: trata-se de uma alegoria sobre o confronto de poderes e a fragilidade da democracia.

A revolução dos bichos

George Orwell. São Paulo: Folha de S.Paulo. (Coleção Biblioteca da Folha).

Livro de fácil leitura, apresenta-se como uma fábula em que animais se insurgem contra seus donos e instituem uma nova forma de governo. Trata-se de uma crítica aos regimes totalitários.

1984

George Orwell. São Paulo: Nacional.

Ver comentário nas sugestões do capítulo 7.

Política para meu filho

Fernando Savater. São Paulo: Martins Fontes.

De leitura acessível, o filósofo espanhol faz um apanhado sobre o conceito de política, como se conversasse com o próprio filho.

Democracia

Renato Janine Ribeiro. São Paulo: Publifolha. (Coleção Folha Explica).

República

Renato Janine Ribeiro. São Paulo: Publifolha. (Coleção Folha Explica).

Filmes

Fahrenheit 451

(França, 1966). Dir.: François Truffaut.

Filme de ficção científica, baseado no livro homônimo de Ray Bradbury. O número 451 é a temperatura de combustão do papel (equivalente a 233 graus Celsius). Trata-se da história de um poder autoritário que proíbe a leitura. Os infratores são condenados e seus livros queimados.

Memórias do cárcere

(Brasil, 1983). Dir.: Nelson Pereira dos Santos.

Baseado no livro homônimo de Graciliano Ramos, retoma o período em que o escritor esteve preso por motivos políticos, na época do governo de Getúlio Vargas.

A vida dos outros

(Alemanha, 2006). Dir.: Florian Henckel von Donnersmark.

Na Alemanha Oriental, um dramaturgo é vigiado pela polícia secreta do governo comunista.

Adeus, Lênin

(Alemanha, 2003). Dir.: Florian Henckel von Donnersmarck.

Pouco antes da queda do Muro de Berlim, militante do partido comunista sofre um ataque cardíaco e entra em coma. Quando recobra a consciência, seu filho faz de tudo para que ela não tenha um choque ao ver a ex-Alemanha Oriental ocidentalizada.

Arquitetura da destruição

(Alemanha, 1994). Dir.: Peter Cohen.

Ver comentário nas sugestões do capítulo 2.

Capítulo 22. Direitos humanos

Livros

A festa do bode

Mario Vargas Llosa. São Paulo: ARX, 2001.

Cidade de Deus

Paulo Lins. São Paulo: Companhia das Letras.

Direitos humanos e...

Antonio Carlos Ribeiro Fester (org.). São Paulo: Brasiliense.

Filmes

Tropa de elite

(Brasil, 2007). Dir.: José Padilha.

Filme inspirado nas ações do Bope (Batalhão de Operações Policiais Especiais, da Polícia Militar do Estado do Rio de Janeiro), questiona o uso da violência desmedida.

Carandiru

(Brasil, 2003). Dir.: Hector Babenco.

Baseado no livro homônimo de Drauzio Varella. Relata o cotidiano do médico Varella, que atendia os presidiários da Casa de Detenção Carandiru, em São Paulo (SP).

Justiça

(Brasil, 2004). Dir.: Maria Augusta Ramos.

Documentário que trata do sistema judiciário e carcerário do país.

Sites

Anistia Internacional

www.amnesty.org

Site oficial da organização que promove a defesa dos direitos humanos em todo o mundo (em espanhol, inglês e francês).

Associação Brasileira de Organizações Não Governamentais

www.abong.org.br

República Federativa do Brasil

www.brasil.gov.br

Portal do governo federal.

Human Rights Watch

www.hrw.org

Site da organização internacional de defesa dos direitos humanos.

Capítulo 23. A política normativa

Livros

Introdução à história da filosofia: dos pré-socráticos a Aristóteles

Marilena Chaui. São Paulo: Brasiliense. v. I.

Sócrates, o nascimento da razão negativa

Hector Benoit. São Paulo: Moderna. (Coleção Logos).

Sócrates, o sorriso da razão

Francis Wolff. São Paulo: Brasiliense. (Coleção Encanto Radical).

A República

Platão. Livro VII.

Platão, por mitos e hipóteses

Lygia Araujo Watanabe. São Paulo: Moderna. (Coleção Logos).

Aristóteles, a plenitude como horizonte do ser

Maria do Carmo Bettencourt de Faria. São Paulo: Moderna. (Coleção Logos).

Tomás de Aquino, a razão a serviço da fé

José Silveira da Costa. São Paulo: Moderna. (Coleção Logos).

Filmes

Sócrates

(Itália/França/Espanha, 1971). Dir.: Roberto Rosselini.

Ver comentário nas sugestões do capítulo 1.

Agostinho

(Itália, 1972). Dir.: Roberto Rosselini.

Ver comentário nas sugestões do capítulo 1.

Capítulo 24. A autonomia da política

Livros

Maquiavel, a lógica da força

Maria Lúcia de Arruda Aranha. São Paulo: Moderna. (Coleção Logos).

Rousseau, a política como exercício pedagógico

Maria Constança Peres Pissarra. São Paulo: Moderna.

O Iluminismo e os reis filósofos

Luiz Roberto Salinas Fortes. São Paulo: Brasiliense.

Rousseau: o bom selvagem

Luiz Roberto Salinas Fortes. São Paulo: FTD.

Hobbes

Maria Isabel Limongi. Rio de Janeiro: Jorge Zahar.

Filme

Danton, o processo da Revolução

(França, Polônia, Alemanha Ocidental, 1983). Dir.: Andrzej Wajda.

Durante o período do Terror, na França, as posições dos jacobinos são expostas até o confronto final entre Danton e Robespierre.

Capítulo 25. Liberalismo e democracia

Livro

Os clássicos da política

Francisco Weffort (org.). São Paulo: Ática.

Filme

As sombras de Goya

(EUA, Espanha, 2006). Dir.: Milos Forman.

O filme retrata as convulsões sociais do final do século XVIII. No cenário das perseguições religiosas pela Inquisição católica, a musa do pintor Goya é torturada e mantida presa.

Capítulo 26. As teorias socialistas

Livros

Manifesto comunista

Karl Marx e Friedrich Engels. São Paulo: Escala.

Escola de Frankfurt

Olgária Mattos. São Paulo: Moderna.

O que é ideologia

Marilena Chaui. São Paulo: Brasiliense. (Coleção Primeiros Passos).

O que é anarquismo

Caio Túlio Costa. São Paulo: Brasiliense. (Coleção Primeiros Passos).

Filmes

Boa noite, boa sorte

(EUA, 2005). Dir.: George Clooney.

Filme denso em argumentações, relata o embate entre o âncora da rede CBS e o senador McCarty, conhecido pelo radicalismo anticomunista.

Adeus, Lênin

(Alemanha, 2003). Dir.: Wolfganger Becker.

Ver comentário nas sugestões do capítulo 21.

A vida dos outros

(Alemanha, 2006). Dir.: Florian Henckel von Donnersmark.

Ver comentário nas sugestões do capítulo 21.

Lamarca

(Brasil, 1994). Dir.: Sérgio Rezende.

Baseado na vida do capitão do exército brasileiro que desertou para ingressar no movimento de guerrilha durante a ditadura militar.

Capítulo 27. O liberalismo contemporâneo

Livro

Keynes

Gilson Schwartz. São Paulo: Brasiliense. (Coleção Encanto Radical).

Filmes

Entre os muros da escola

(França, 2007). Dir.: Laurent Cantet.

Ver comentário nas sugestões do capítulo 18.

Exílios

(Japão, França, 2004). Dir.: Tony Gatlif.

Ver comentário nas sugestões do capítulo 4.

Unidade 6
Filosofia das ciências

Capítulo 28. Ciência, tecnologia e valores

Sites

Comciência

www.comciencia.br

Revista eletrônica de jornalismo científico, publicada pela Sociedade Brasileira para o Progresso da Ciência (SBPC).

Scielo

www.scielo.org

A Scientific Eletronic Library On-line é uma publicação eletrônica de periódicos científicos voltada para países em desenvolvimento. No Brasil, com a cooperação da Fundação de Amparo à Pesquisa do Estado de São Paulo (Fapesp), Conselho Nacional de Desenvolvimento Científico e Tecnológico (CNPq) e outras instituições.

Capítulo 29. Ciência antiga e medieval

Livros

Platão e Aristóteles, o fascínio da filosofia

Marco Zingano. São Paulo: Odysseus.

Tomás de Aquino: a razão a serviço da fé

José Silveira da Costa. São Paulo: Moderna. (Coleção Logos).

O nome da rosa

Umberto Eco. Rio de Janeiro: Nova Fronteira.

Ver comentário nas sugestões do capítulo 13.

Filmes

O destino

(Egito, França, 1997). Dir.: Youssef Chahine.

Filme sobre o árabe Averróis, nascido na Espanha e introdutor do aristotelismo na Europa medieval. Personalidade brilhante, conciliava religião e razão.

Giordano Bruno

(Itália, França, 1973). Dir.: Giuliano Montaldo.

Trata da saga de Giordano Bruno, condenado à fogueira por ter desafiado a Igreja com sua concepção do Universo infinito, contrária à doutrina cristã.

Capítulo 30. A revolução científica do século XVII

Livro

A vida de Galileu

Bertolt Brecht. Em: *Bertolt Brecht*: teatro completo. Rio de Janeiro: Paz e Terra.

Nessa peça, acompanhamos as vicissitudes de Galileu desde suas descobertas, que contrariavam a astronomia ptolomaica aceita pelos aristotélicos, até sua condenação pela Inquisição.

Filme

Giordano Bruno

(Itália, 1973). Dir.: Giuliano Montaldo.

Ver comentário nas sugestões do capítulo 29.

Capítulo 31. O método das ciências da natureza

Livro

As sete maiores descobertas científicas da história

David E. Brody e Arnold R. Brody. São Paulo: Companhia das Letras.

Filmes

O vento será sua herança

(EUA, 1960). Dir.: Stanley Kramer.

Relata o caso verídico de um professor de biologia do estado de Tenessee (EUA) que foi processado por ensinar o evolucionismo em sala de aula.

2001, uma odisseia no espaço

(Inglaterra, 1968). Dir.: Stanley Kubrick.

Clássico da ficção científica, mostra a evolução do ser humano até as viagens espaciais e a rebeldia de um computador que assume o controle da nave.

Sites

Comciencia

www.comciencia.br

Ver comentário nas sugestões do capítulo 28.

Jornal da Ciência

www.jornaldaciencia.org.br

Órgão da Sociedade Brasileira para o Progresso da Ciência.

Scielo

Ver comentário nas sugestões do capítulo 28.

www.scielo.br

Biblioteca eletrônica de periódicos científicos. A versão em português integra o projeto Fapesp/Bireme/CNPq.

Capítulo 32. O método das ciências humanas

Livros

Walden II: uma sociedade do futuro

Burrhus Skinner. São Paulo: EPU.

Ver comentário nas sugestões do capítulo 19.

Cinco lições de psicanálise

Sigmund Freud. São Paulo: Abril Cultural.

Filmes

Laranja mecânica

(Inglaterra, 1971). Dir.: Stanley Kubrick.

Relata as ações violentas de um jovem chefe de gangue e o trabalho de sua "recuperação" social com críticas à sociedade e à política.

Meu tio da América

(França, 1980). Dir.: Alain Resnais.

Filme divertido em que um biólogo estabelece relações entre o comportamento humano e o do animal para mostrar como o meio ambiente influencia a personalidade e as atitudes humanas.

Freud, além da alma

(EUA, 1962). Dir.: John Huston.

Ver comentário nas sugestões do capítulo 9.

Jornada da alma

(França, 2003). Dir.: Roberto Faenza.

Uma jovem que sofre de histeria é tratada por Gustav Jung, discípulo de Freud.

Unidade 7 – Estética

Capítulo 33. Estética: introdução conceitual

Livros

História da feiura

Umberto Eco (org.). Rio de Janeiro: Record.

História da beleza

Umberto Eco. Rio de Janeiro: Record.

O gosto

Montesquieu. Tradução e posfácio de Teixeira Coelho. São Paulo: Iluminuras.

Ensaio inacabado de Montesquieu sobre a constituição do gosto, incluído na Enciclopédia de 1757. Seu tema principal é o prazer e os modos de se ter prazer a partir do que se vê. Um ensaio crítico de Teixeira Coelho contextualiza e atualiza a discussão proposta pelo filósofo.

Filme

Hairspray, em busca da fama

(EUA, 2007). Musical dirigido por Adam Shankman.

No início da década de 1960, menina com sobrepeso deseja participar de programa de TV, para o que precisa ganhar um concurso de dança. Por meio dessa trama, são tratados os temas do preconceito com relação à diversidade étnica e racial e ao padrão de beleza imposto pela sociedade. Também se presta para a discussão sobre os musicais, muito difundidos na cultura americana e que chegam ao Brasil via encenação teatral.

Capítulo 34. Cultura e arte

Livros

A cultura e seu contrário: cultura, arte e política pós-2001

José Teixeira Coelho Netto. São Paulo: Iluminuras/Itaú Cultural.

A mulher do tenente francês

John Fowles. Rio de Janeiro: Objetiva.

Crítica ao romance vitoriano, narra a história em dois tempos: 1867 e 1967. Usa procedimentos pós-modernos como intertextos retirados de clássicos do século XIX e a metalinguagem ao discutir as opções, inseguranças e mesquinharias dos personagens. É um romance com muitas camadas, que discute os temas da liberdade e da evolução das espécies. Há adaptação do livro para o cinema (ver sugestões do capítulo 5).

A elegância do ouriço

Muriel Barbery. São Paulo: Companhia das Letras.

Romance filosófico envolvendo os moradores de um luxuoso prédio de apartamentos em Paris, a zeladora e uma menina de 12 anos que deseja se suicidar no dia de seu décimo terceiro aniversário. Renée é a zeladora ranzinza, de poucas palavras e que se finge de burra para proteger um espaço interior de devoção à arte e à literatura. Paloma se rebela com a existência de menina rica e se não encontrar um sentido para a vida, prefere a morte. Surge, então, Kakuro Ozu, novo morador do prédio, que terá o poder de resgatá-las.

Filmes

Dirigindo no escuro

(EUA, 2002). Dir.: Woody Allen.

Diretor fica cego no início das filmagens e roda as cenas sem ter ideia do que a câmera está filmando. Do ponto de vista da narração convencional de uma história, o resultado dessa filmagem é bastante absurdo. Entretanto, do ponto de vista do cinema de vanguarda, parece subverter a linguagem convencional, embora isso tenha sido consequência do acaso. Indicado para discutir as funções da arte, tanto do filme a que assistimos quanto daquele que está sendo filmado e que não vemos.

A rosa púrpura do Cairo

(EUA, 1985). Dir.: Woody Allen.

Ver comentário nas sugestões do capítulo 5.

Vinte dez

(Brasil, 2001). Dir.: Francisco Cesar Filho e Tata Amaral.

Documentário que discute os elementos da cultura *hip-hop* na vida de adolescentes de Santo André (SP): *break*, grafite, *DJ*, *MC* e o cotidiano de jovens de 14 a 18 anos que atuam para transformar o futuro imediato de suas comunidades.

Sites

Itaú Cultural

www.itaucultural.org.br

Museu de Arte Contemporânea

www.macvirtual.usp.br

Museu de Arte Moderna

www.mam.org.br

Museu Lasar Segall

www.museusegall.org.br

Arte na Escola

www.artenaescola.org.br

Capítulo 35. Arte como forma de pensamento

Livros

A obra-prima ignorada

Honoré de Balzac. Trad. e posfácio: Teixeira Coelho. São Paulo: Comunique.

Ver comentário nas sugestões do capítulo 34.

Busca o meu rosto

John Updike. São Paulo: Companhia das Letras.

Do encontro entre uma jornalista e sua entrevistada, pintora octogenária que fora casada com dois grandes pintores, resulta inúmeros *insights* sobre arte e uma discussão sobre arte contemporânea, principalmente sobre o expressionismo abstrato. Extremamente interessantes são as considerações sobre o ambiente artístico em Nova York, dos anos 1960 a 1980.

Filmes

Batman, o cavaleiro das trevas

(EUA, 2008). Dir.: Christopher Nolan.

Embora seja um filme de ação, não há leveza e ausência de questões básicas sobre a humanidade. A temática que, em outros filmes de super-heróis, é o embate entre o bem e o mal, neste filme é bastante complexa. Batman é dilacerado pela dúvida e sua atuação em defesa do bem leva à morte de inocentes. Atenção aos elementos de estética expressionista.

Sob o olhar do mar

(Japão, 2002). Dir.: Kei Kumai.

O último roteiro de Akira Kurosawa é ambientado em um prostíbulo do século XIX e conta o cotidiano e os sonhos das prostitutas. Oshin apaixona-se facilmente por seus clientes. Depois de uma grande desilusão amorosa, um rapaz pobre e de passado trágico acaba revelando-se corajoso e verdadeiro em seu amor por Oshin. Filme de visualidade belíssima.

Capítulo 36. A significação na arte

Livros

A maleta do meu pai

Orhan Pamuk. São Paulo: Companhia das Letras.

Livro composto por três discursos pronunciados em diferentes ocasiões quando o autor recebeu o Prêmio Nobel de Literatura, em 2007. Textos leves, curtos e altamente reflexivos, discutem a questão da criação literária e da fruição da literatura.

A menina que roubava livros

Markus Zusak. Rio de Janeiro: Intrínseca.

Menina de 9 anos analfabeta vai viver com a família Hübermann em uma pequena cidade perto de Munique, no final da década de 1930. A história é narrada pela Morte em linguagem figurativa e poética. Relata o cotidiano das pessoas pobres, com dificuldade de sobreviver na Alemanha nazista e a formação de laços de amizade e lealdade entre crianças e entre a menina Liesel e um judeu acolhido por sua família.

Filmes

Ladrões de sabonete

(Itália, 1989). Dir.: Maurizio Nichetti.

Prêmios: Globo de Ouro, Telluride Film Festival (EUA), Toronto Film Festival (Canadá), Moscow Film Festival (URSS), Umea Film Festival (Suécia), London Film Festival (Inglaterra), Locarno Film Festival (Suíça), Kinotage Film Festival (Alemanha).

Morango e chocolate

(Cuba/México/Espanha, 1993). Dir.: Tomás Gutierrez Alea e Juan Carlos Tabío.

Prêmios: Urso de Prata no Festival de Berlim (1994), Festival de Gramado de 1994, XV Festival de Havana.

Poderosa Afrodite

(EUA, 1996). Dir.: Woody Allen.

Ver comentário nas sugestões do capítulo 5.

Capítulo 37. Concepções estéticas

Livros

O gosto

Montesquieu. Tradução e posfácio: Teixeira Coelho. São Paulo: Iluminuras.

Ver comentário nas sugestões do capítulo 34.

A história da feiura

Umberto Eco (org.). Rio de Janeiro: Record.

História da beleza

Umberto Eco. Rio de Janeiro: Record.

A obra-prima ignorada

Honoré de Balzac. Trad. e posfácio: Teixeira Coelho. São Paulo: Comunique.

Ver comentário nas sugestões do capítulo 34.

Site

Itaú Cultural – Enciclopédia de Artes Visuais

www.itaucultural.org.br